Beethoven · Interpretationen seiner Werke

BEETHOVEN
Interpretationen seiner Werke

Herausgegeben von

Albrecht Riethmüller
Carl Dahlhaus (†)
Alexander L. Ringer

Band II

Laaber

Die Deutsche Bibliothek — CIP-Einheitsaufnahme

Beethoven: Interpretationen seiner Werke / Albrecht Riethmüller ... (Hg.). — Laaber: Laaber.
ISBN 3-89007-304-2
NE: Riethmüller, Albrecht [Hg.]

Teil 2 (1994)
ISBN 3-89007-306-9

Redaktion: Amrei Schmitt und Christa Brüstle

Umschlagbild: Nach Lucien Lévy-Dhurmer, »Portrait de Beethoven« aus: »Triptyque Beethoven« (Musée du Petit Palais, Paris)

Printed in Germany / Imprimé en Allemagne
ISBN 3-89007-259-3 (Gesamtwerk)
ISBN 3-89007-306-9 (Band 2)
Satz: Fotosatz Knuppertz, Hemau
Umschlag: Grafik-Design Klaus Neumann, Wiesbaden-Delkenheim
Notenherstellung: Curtius Notengraphik, Seubersdorf
Druck: Isarpost Druck- und Verlagsgesellschaft mbH, Altheim
Buchbinderische Verarbeitung: Conzella Verlagsbuchbinderei, Aschheim

Inhaltsverzeichnis

Band I

Band II

Verzeichnis der besprochenen Werke

Abkürzungsverzeichnis

AcM	Acta Musicologica
AfMf	Archiv für Musikforschung
AfMw	Archiv für Musikwissenschaft
AmZ	Allgemeine musikalische Zeitung
BAMZ	Berliner allgemeine musikalische Zeitung
BMZ	Berlinische Musikalische Zeitung
BzMw	Beiträge zur Musikwissenschaft
GA	Alte Beethoven-Gesamtausgabe
Hess	Hess, Willy: Verzeichnis der nicht in der Gesamtausgabe veröffentlichten Werke Ludwig van Beethovens, Wiesbaden 1957
JAMS	Journal of the American Musicological Society
JbP	Jahrbuch der Musikbibliothek Peters
MaMZ	Münchener allgemeine Musik-Zeitung
Mf	Die Musikforschung
MGG	Die Musik in Geschichte und Gegenwart
ML	Music and Letters
MMR	The Monthly Musical Record
MQ	The Musical Quarterly
MR	The Music Review
NGA	Neue Beethoven-Gesamtausgabe
NMA	Neue Mozart-Gesamtausgabe
NZfM	Neue Zeitschrift für Musik
ÖMZ	Österreichische Musikzeitschrift
SMZ	Schweizerische Musikzeitung
StMw	Studien zur Musikwissenschaft
SV	Schmidt-Verzeichnis = Schmidt, Hans: Verzeichnis der Skizzen Beethovens, in: Beethoven-Jahrbuch 6 (1965/1968), S. 7—128
WamZ	Wiener allgemeine musikalische Zeitung
ZfM	Zeitschrift für Musik
ZfMw	Zeitschrift für Musikwissenschaft
ZIMG	Zeitschrift der Internationalen Musikgesellschaft

Messe C-Dur
op. 86

ENTSTEHUNGSZEIT: Frühjahr und Sommer 1807.
ERSTAUFFÜHRUNG: am 13. September 1807 in Eisenstadt unter Beethovens Leitung.
SKIZZEN: Deutsche Staatsbibliothek Berlin, Grasnick 3 und Landsberg 12; Skizzenbuch Boldrini (verschollen); Beethoven-Haus Bonn, Br. 275; Bibliothèque Nationale Paris, Ms 60 Nr. 2.
AUTOGRAPH: Beethoven-Haus Bonn, überprüfte Abschrift in Eisenstadt, Esterhazy-Archiv.
ERSTDRUCK UND WIDMUNG: Leipzig 1812 (Breitkopf & Härtel); dem Fürsten Ferdinand Kinsky gewidmet.
GESAMTAUSGABE: Alte Gesamtausgabe: Nr. 204 = Serie 19 Nr. 2.

Vier Anmerkungen zur Vorgeschichte: 1. Beethoven ist in Bonn in einem Milieu herangewachsen, in dem Kirchenmusik ein wesentlicher Teil der Kultur, also etwas Selbstverständliches war. Wenn auch der Musikalienbestand der kurfürstlichen Kapelle in der Zeit der Napoleonischen Besetzung untergegangen ist, so vermitteln doch die noch erhaltenen Inventare eine Vorstellung vom Repertoire.[1] Auch über die Einstellung der führenden Kreise zur Kirchenmusik ist einiges bekannt, vor allem, daß der Kurfürst selbst der aufklärerischen Tendenz seines Bruders, des Kaisers Josef II., gewogen war. In der kirchenmusikalischen Praxis zeigte sich dies nun einerseits in einem starken Vordringen der Instrumentalmusik (wobei es meist unerheblich war, ob diese speziell für kirchliche Zwecke geschrieben war oder nicht), andererseits in der liturgischen Verwendung von (zwar geistlicher, aber doch) nichtliturgischer Musik. In diesem Bereich herrschte also Freizügigkeit. Da die Musik im Gottesdienst jedoch weniger höfischer Repräsentation dienlich als der Andacht der Gläubigen förderlich sein sollte, wurden im Gottesdienst vorrangig deutsche Lieder gesungen, mochten dies nun Übersetzungen traditioneller liturgischer Gesänge oder freie Dichtungen religiösen Charakters sein. Derartige Fragen einer der neuen aufgeklärteren Zeit angemessenen Kirchenmusikpflege, darunter auch die eines angemessenen musikalischen Kirchenstils, wurden damals, wie Ferdinand d'Anthoins (d'Antoines) *Beiträge zur Anleitung nützlicher Kenntnisse* (Bonn 1784/1785) über die Frage „Wie muß die Kirchen-Musik beschaffen seyn, wenn sie zur Andacht erheben soll?" erweist, in Bonn lebhaft diskutiert.[2]

2. Bei seinen Kontrapunktstudien in Wien hat Beethoven offensichtlich (Übungs-) Kompositionen über liturgische Texte ausgearbeitet. Eine davon, ein „Dona nobis pacem" (Hess A 57), hat sich erhalten.[3] Der glückliche Wiederentdecker des Manuskripts, Alfred Orel, hat deren Soggetto mit ähnlichen Bildungen von Haydn und Gaßmann verglichen und so einen Ausblick auf die (ältere) zeitgenössische Kirchenmusik eröffnet.[4]

1 Vgl. A. Sandberger, *Die Inventare der Bonner Hofmusik*; L. Schiedermair, *Der junge Beethoven*, insbes. S. 62f.; A. Schmitz, *Das romantische Beethovenbild*.
2 Vgl. J. Heer, *Zur Kirchenmusik und ihrer Praxis*; K. G. Fellerer, *Ferdinand d'Anthoins Ästhetik der Kirchenmusik*.
3 Veröffentlicht von Willy Hess in seinen *Supplementen zur Beethoven-Gesamtausgabe* Bd. XIV, 1971, S. 142ff. und XX.
4 Vgl. A. Orel, *Ein „Dona nobis pacem"*.

3. Für Joseph Haydn war die Komposition von Kirchenmusik wenn auch keine direkte Berufspflicht wie seinem Bruder Michael und für Wolfgang Amadeus Mozart, so doch etwas Selbstverständliches. Sie ist gleichwohl nicht ohne innere Anteilnahme entstanden, aber sie mußte sich stets in einen ganz bestimmten Rahmen einfügen, etwa in die in Eisenstadt bei der Namensfeier der Fürstin üblichen liturgischen Bräuche. Haydn brauchte sich hier freilich nicht mehr an einen bestimmten Typus gebunden zu fühlen: Freiheiten von der Art der Solopauke im Agnus Dei der sogenannten *Paukenmesse* (C-Dur, 1796), der Fanfaren im Benedictus der sogenannten *Nelson-Messe* (d-Moll, 1798), ja auch Extravaganzen wie das düstere Moll-Kyrie dieser *Nelson-Messe*, das alles konnte sich Haydn leisten, ohne (unangenehmes) Aufsehen zu erregen. Es war eben eine Hofgesellschaft, und gegen deren wichtigstes Gebot, den guten Ton, hat Haydn niemals verstoßen; seine Messen sind liturgische Musik für eine Gesellschaft, für die die Liturgie etwas Festliches, Feierliches und vor allem etwas gänzlich Unproblematisches ist. Vom Geist der Aufklärung war hier in diesen Kreisen im Ungarischen nichts zu verspüren.

4. Haydns letztes großes Werk, von dessen Entstehung der Komponist selbst brieflich am 14. Juni 1802 an den Fürsten Nikolaus II. schrieb, er arbeite „an einer neuen Meß sehr mühesam fleißig, noch mehr aber forchtsam, ob ich noch einigen Beifall werde erhalten können", wurde am Mittwoch, dem 8. September 1802, nativitate B.M.V., zum ersten Mal, in der Eisenstädter Bergkirche, gespielt. Der Fürst hatte zu diesem Festtag viele auswärtige Gäste geladen. Einer von ihnen, der Fürst Ludwig Starhemberg, berichtet in seinem Tagebuch, wie die Festgesellschaft im großen Zug nach Eisenstadt zur Kirche gefahren ist und daß bei dieser Gelegenheit eine „Messe superbe, nouvelle musique excellent du fameux Haydn" aufgeführt wurde[1]; Haydn hat seine letzte Messe, die wegen ihrer reichen Bläserbesetzung sogenannte *Harmoniemesse* (B-Dur), und am Nachmittag für die Festgesellschaft auch noch ein Konzert dirigiert. Zwei Jahre danach, 1804, erklang bereits die Es-Dur-Messe op. 80 von Haydns Amtsnachfolger Johann Nepomuk Hummel.

ZUR GESCHICHTE I. Die Messe in C-Dur op. 86 ist ein Auftragswerk. Der Fürst Nikolaus II. von Esterházy hat es zur Aufführung am 13. September 1807 bei der Feier des Namenstages seiner Gattin, der Fürstin Josepha Maria Hermengild (geb. Liechtenstein), bestellt. Aus demselben Anlaß wurde seit 1796 (bis 1802) alljährlich (mit Ausnahme des Jahres 1800) jeweils eine neue Meßkomposition von Joseph Haydn, dem Hochberühmten, aufgeführt. Die zu diesem Fest komponierte Messe, eine Missa solemnis, war zwar nicht Beethovens erste geistliche Komposition (vgl. op. 48 und op. 85), aber doch seine erste für gottesdienstlichen Gebrauch.

Die Arbeit an diesem Werk nahm fast den ganzen Sommer 1807 in Anspruch. In einem Brief vom 26. Juli 1807, in dem er die Fertigstellung der Arbeit bis zum 20. August verspricht, schreibt Beethoven, daß er „mit viel Furcht die Messe übergeben werde, da Sie durchlauchtigster Fürst gewohnt sind, die unnachahmlichen Meisterstücke des großen Haydn sich vortragen zu lassen".[2] Der Fürst hat am 9. August artig repliziert, aber die berühmte, den Komponisten kränkende Bemerkung

---

1 Vgl. A. Graf Thürheim, *Ludwig Fürst Starhemberg*, S. 113—116.
2 E. Kastner / J. Kapp, *Ludwig van Beethovens sämtliche Briefe*, S. 108.

nach der Aufführung in der Bergkirche von Eisenstadt — „aber lieber Beethoven, was haben Sie denn da wieder gemacht" — zeigt doch, wie berechtigt Beethovens Sorge war. In welchem Maße die Messe mißfallen hat, geht aus einem privaten Brief des Fürsten hervor: „La messe de Beethoven est insuportablement ridicule et detestable, je ne suis pas convaincu qu'elle puisse meme paroitre honnêtement: j'en suis colère et honteux."[1] Der Fürst war also tief enttäuscht (und verärgert), und das heißt nichts anderes, als daß er sie als von dem Herkömmlichen, von Haydns Messen, stark abweichend empfunden haben muß.

Der Mißerfolg blieb der Messe zunächst treu. Die erste öffentliche Aufführung einiger Sätze — Gloria, Sanctus und Benedictus — in einem Konzert im Theater an der Wien am 22. Dezember 1808, das primär der Uraufführung der 5. und 6. Symphonie sowie des Klavierkonzerts in G-Dur und der Chorfantasie mit Beethoven als Solisten galt, war, wie dem Bericht Johann Friedrich Reichardts zu entnehmen ist, mißlungen. Das Gloria hatte seinen Platz im ersten Teil des Programms (nach der *Pastorale* und der Szene „Ah! perfido" op. 65), Sanctus und Benedictus wurden im zweiten Teil nach der 5. Symphonie, jedoch vor einer freien Fantasie und der das Konzert beschließenden Chorfantasie aufgeführt. In solch einer Umgebung hätten die Sätze des Kirchenwerks auch dann nicht in angemessener Weise zur Geltung kommen können, wenn sie gut aufgeführt worden wären. Auf dem Programmzettel waren sie, wie damals in Wien vorgeschrieben, mit deutschen Titeln angezeigt, und zwar als „Hymne mit lateinischem Text im Kirchenstyl komponiert mit Chor und Solos" bzw. „Heilig, mit lateinischem Text [...]".

Die Partitur erschien erst fünf Jahre später, nachdem Beethoven lange mit dem Verleger um den Druck gekämpft hatte. Er wollte Breitkopf & Härtel in Leipzig die beiden Symphonien (und die Cellosonate op. 69) nur überlassen, wenn sie auch die Messen nähmen. Am 16. Juli 1808 schrieb Beethoven: „Die Messe müssen Sie nehmen, sonst kann ich Ihnen die anderen Werke nicht geben"; und im nächsten Brief erläuterte er: „Warum ich Sie vorzüglich verbinden wollte, diese Messe herauszugeben, ist, weil sie mir [...] vorzüglich am Herzen liegt trotz aller Kälte des Zeitalters gegen dergleichen."[2] Er wolle die Messe, zu der er noch ein Graduale und ein Offertorium zu komponieren gedachte, dem Verlag sogar schenken. Beethoven empfahl schließlich, der Messe auch einen deutschen Text zu unterlegen, damit sie auch als Oratorium im Konzert, vor allem auch in protestantischen Gegenden leichter aufgeführt werden könne. Beim Druck, den dann Breitkopf schließlich doch übernommen hat, wurde daher ein (leider unglücklicher) deutscher Text eines Theologen (D. Christian Schreiber) unter dem Titel „Drei Hymnen" beigefügt, der jedoch bei späteren Neuausgaben weggelassen wurde.[3]

---

1 J. Harich, *Beethoven in Eisenstadt,* S. 179. Harich weist übrigens auch nach, daß Beethoven nicht sogleich nach dieser Aufführung Eisenstadt verlassen hat. Er hat die Messe allerdings dem Fürsten nicht gewidmet, spricht aber später gegenüber seinem Verleger doch von einer erfolgreichen Aufführung.

2 E. Kastner / J. Kapp, *Ludwig van Beethovens sämtliche Briefe,* S. 115 und 116f.

3 Ein Beethovens Beifall findender deutscher Text (des Musikdirektors Benedict Scholz), den der Komponist am 17. Mai 1825 brieflich empfahl, blieb damals ungedruckt. Er wurde erst von Joseph Schmidt(-Görg) 1928 vollständig veröffentlicht und dem Schreiberschen gegenübergestellt. Vgl. J. Schmidt, *Unbekannte Manuskripte.*

Ein Jahr nach der Veröffentlichung der Partitur erschien im Juli 1813 in der *Allgemeinen musikalischen Zeitung* eine eingehende Rezension von E. Th. A. Hoffmann, deren wichtigste Teile in die Sammlung *Die Serapions-Brüder* (Bd. II, 1819) eingegangen sind. Hier, in dieser Erzählung, einem Gespräch, bildet diese Messe Beethovens zunächst den Ausgangspunkt, schließlich sogar das kaum verschleierte Zentrum der Erörterung der Möglichkeit zeitgemäßer neuer Kirchenmusik. Besonders beachtenswert erscheinen heute noch die Hinweise des Rezensenten zur Aufführung: „Werden die Tempi übrigens nicht übereilt [... und] bemühen sich Sänger und Instrumentisten, durch genaues Einhalten der *Piano* und *Forte*, und überhaupt aller Ausdrucksmittel, dem genialen Werk sein volles Recht widerfahren zu lassen: so wird es [...] auf eine eigentümliche Weise erheben und rühren."[1]

Im übrigen sind Zeugnisse über die Messe selten. Franz Schubert zählte sie, wie Anselm Hüttenbrenner berichtet, zu seinen Lieblingskompositionen.[2] Beethoven selbst war, wie er in dem Brief vom 8. Juni 1808 an Breitkopf schrieb, von der Güte des Werkes überzeugt: „Von meiner Messe wie überhaupt von mir selbst sage ich nicht gerne etwas, jedoch glaube ich, daß ich den Text behandelt habe, wie er noch wenig behandelt worden."[3]

Die Einschätzung der Messe op. 86 in der Literatur, die Bestimmung ihrer geschichtlichen Bedeutung, war stets sehr unterschiedlich. Während Alfred Schnerich, der Verteidiger der Kirchenmusik Haydns zur Zeit von deren offizieller Mißachtung, meinte, daß sich in Beethovens Messe „der Einfluß seines großen Lehrers Joseph Haydn ganz überwiegend zeige"[4], schrieb Hermann Kretzschmar in seinem *Führer durch den Concertsaal*: „Thatsache ist es, daß sich Beethoven mit dieser C-Dur-Messe auf einen ganz anderen Boden stellte, als der war, auf welchem die Messen seiner Zeit, auch die Haydn's und Mozart's, zu entstehen pflegten."[5] Er bringt diese Einschätzung mit dem Unverständnis des Fürsten in Zusammenhang.[6]

Manche Forscher meinen, es kündige sich in ihr bereits die *Missa solemnis* in D-Dur op. 123 an[7], andere dagegen, er hätte bei der Komposition „der zweiten Messe an die erste nicht mehr gedacht".[8] Daß das Werk eine Zäsur in der Geschichte der Meßkomposition markiert, bestätigt eine neuere Darstellung. „Der Schritt von Haydns großen Hochämtern zu Beethovens C-dur-Messe ist größer als der von dieser zu den Messen in As- und in Es-dur von Schubert, die in vielem ohne diese Beethovensche Messe nicht denkbar sind."[9] Es besteht also durchaus Veranlassung, die Messe nicht isoliert zu betrachten. Vielleicht kann dies helfen, ihre sofort fühlbare Eigenart auch zu erkennen.

---

1 E. Th. A. Hoffmann, *Schriften zur Musik* (1963), S. 168.
2 Vgl. O. E. Deutsch, *Schubert. Die Erinnerungen seiner Freunde,* S. 56.
3 E. Kastner / J. Kapp, *Ludwig van Beethovens sämtliche Briefe,* S. 115.
4 A. Schnerich, *Messe und Requiem seit Haydn und Mozart,* S. 60.
5 H. Kretzschmar, *Führer durch den Concertsaal,* Bd. II, 1 (^{2}1895), S. 166.
6 Kretzschmar weist in diesem Zusammenhang besonders auf Ferdinand Peter Graf Laurencin (*Zur Geschichte der Kirchenmusik bei den Italienern und den Deutschen,* Leipzig 1856) hin, der bereits „entschieden für die geistige und religiöse Überlegenheit von Beethovens Messe" eingetreten sei. Vgl. auch R. Friedrich, *Ferdinand Peter Graf Laurencin,* insbes. S. 51.
7 So W. Korte, *Ludwig van Beethoven,* S. 153.
8 W. Riezler, *Beethoven* (^{6}1944), S. 204.
9 E. Seidel, *Die instrumentalbegleitete Kirchenmusik,* S. 237.

VON DER MUSIK I. 1. Zunächst sei eine einzelne, freilich sehr bedeutsame Stelle herausgegriffen. Den Abschnitt „Et incarnatus est" des *Credo* beginnt Beethoven mit dem Soloquartett, das den ersten Textabschnitt in aufgelockerter Gestalt sehr schlicht akkordisch begleitet zart vorträgt. Die Worte „et homo factus est" erscheinen in folgender Form: „et homo, et homo factus est, et homo factus est", wobei der Hauptakzent jeweils auf dem Wort homo liegt, das stets melodisch gesteigert und somit unmittelbar als in bedeutsamer Weise herausgehoben gesungen wird. Diese Steigerung wird weiter durch die Bewegung belebende Akzente im Orchester verdeutlicht. Besonders auffällig ist jedoch das Wechselspiel zwischen dem den Text vortragenden Solotenor und dem Orchester (Klarinetten und Fagotte, Violinen), das durchaus, wegen des „sprechenden" Charakters der Instrumentalstimmen, dialogisch wirkt. So wird die ganze, die Menschwerdung des Gottessohns hervorhebende Partie höchst ausdrucksvoll belebt. Der Grad der Neuheit dieser Gestaltung, der durchaus als neue Qualität anzusprechen ist, wird erkennbar, wenn man sie mit der entsprechenden der nur um wenige Jahre älteren *Schöpfungsmesse* von Haydn (1801, Hob. XXII/11) vergleicht (GA XXIII/4, S. 98ff.). Hier bedeutet die ganz analoge Wiederholung der Worte keine Steigerung, und die instrumentalen Einwürfe sind bloß gliedernde Spielfiguren (für den Organisten) ohne Ausdrucksbedeutung. — In den folgenden Takten, beim Vortrag der Worte „crucifixus etiam pro nobis", wird die rhythmische Belebung mannigfach, vornehmlich durch abgerissene Tremolofiguren und scharfe Synkopen, vermehrt; den Höhepunkt bildet jedoch erst die Ausgestaltung der Vertonung der Worte „passus et sepultus est", ganz besonders des „passus", die sich, reich begleitet, knapp aber mächtig dialogisch zwischen Chor und Soli dynamisch steigert, als wolle sie die Qual dieses „für uns" erlittenen Todes veranschaulichen, bevor dann die ruhige Musik, die dem Gedenken an die Grablegung angemessen ist, diesen Teil beschließt. Inhaltlich wird also die Menschwerdung Jesu und sein schmerzvoller Tod akzentuiert und nicht etwa, wie ein halbes Jahrhundert später durch Anton Bruckner, das Mysterium der jungfräulichen Geburt.[1]

Dieser ganze Abschnitt, der zweite Teil des Credo, ist relativ in sich geschlossen. Ihm geht die Botschaft von der Herabkunft Gottes unmittelbar voran, ihm folgt die der Auferstehung. Die Herabkunft wird beim letztmaligen Vortrag von „descendit de coelis" durch die Sprünge (T. 123ff.) angedeutet, dann vielleicht sogar durch die Klarinettenfigur (T. 132), die jedoch auch als einfache Überleitungsfigur gehört werden kann, noch verdeutlicht. So ist diese Musik oft sehr bildhaft — der besprochene Abschnitt ließe sich sicher auch als eine Folge kurzer musikalischer Bilder beschreiben —, aber dies ist insgesamt doch eher sekundär gegenüber der Beredtheit und der Ausdrucksbelebung einer jeden Einzelheit durch eine bis dahin in der Kirchenmusik unbekannte dynamische und rhythmische Differenzierung. Solche Partien mag Hoffmann wohl im Auge gehabt haben, als er die (künftigen) Ausführenden ermahnte, Dynamik und Vortragszeichen gehörig zu beachten, um nicht den musikalischen und den religiösen Sinn zu verfehlen.

---

1 Thr. Georgiades hat in seinem Buch *Musik und Sprache,* S. 99, auf die Bedeutung dieses Messeteils für das Verständnis der großen Messe op. 123 hingewiesen. Die Messe op. 86 erwähnt er weder hier noch an anderem Ort.

Die Steigerung der Bedeutung einer jeden Einzelheit hat eine weittragende Konsequenz; sie führt zu einer ganz neuen Gewichtung eines jeden einzelnen Tons. Aber vielleicht ist es auch umgekehrt: Vielleicht hat der Wunsch, den Einzelton neu zu gewichten, zu dieser Differenzierung geführt. Gewicht soll der einzelne Ton erhalten, weil ja auch jedes Wort dieses Textes ganz außerordentlich bedeutungsschwer erscheint und eine Musik, die sich diesem Text beigesellt, im Anspruch nicht zurückstehen sollte. Dies gibt Beethoven gleich mit dem ersten erklingenden Ton der Messe zu verstehen: Kein Thema, kein Akkord (oder Klang) steht am Anfang, sondern das von den Bässen ohne jegliche Begleitung gesungene C (genau: c). Es ist dies eine Art Uranfang, das heißt ein Anfang vor dem Beginn.

2. Das schlichte *Kyrie* nennt Kretzschmar eine „dreiteilige Aria", womit er die sangliche Melodik und die Formdisposition meint. Beides bedarf jedoch der Erläuterung. Die Melodik ist einfach und ganz vokal erfunden. Aber die Begleitung stellt sich dieser Melodik nicht gegenüber (wie etwa zu Beginn der kleinen B-Dur-Messe KV 275 von Mozart), sondern hüllt sie ein: Die gesungenen Töne finden sich auch im Streichersatz; durch diese Art der Ausarbeitung des Satzes erhält jeder gesungene Ton zusätzliches Gewicht. Es ist also nicht ein Satztypus „Melodie und Begleitung", sondern einer, in dem jeder Ton der Melodie durch den beigegebenen Instrumentalsatz an Bedeutung gewinnt. Auch die Melodie selbst ist dynamischen Wesens. Nicht nur ihr skalenmäßiges Aufsteigen, auch ihre Gliederung, die sich schon in der Wortdisposition zeigt: „Kyrie eleison, eleison, eleison, Kyrie eleison", zeigt Anheben, Unterbrechen und Steigern und Abschließen, wobei dann im zweiten Steigerungsglied (T. 8) der höchste Ton in der Melodie und die differenzierteste Ausarbeitung der anderen Singstimmen erreicht wird. Hier setzt dann auch das eigentliche Orchester, die Bläsergruppe, ein und führt weiter zum Einsatz des Solos, das zunächst vom Anfang unabhängig, aber doch nicht gegensätzlich zu ihm ist. Das Kyrie (bis zum Einsatz des Christe) wird gebunden durch eine gleichmäßige, meist legato ausgeführte Achtelbewegung, die nur in einem einzigen Takt (T. 30) nicht ganz durchläuft. Wirkliche Kontraste sind also nicht vorhanden, was angesichts des vorgeschriebenen Zweivierteltaktes für einen Satz „Andante con moto assai vivace quasi Allegretto ma non troppo", der keine Nebenakzente kennt, auch nicht verwunderlich ist. Erst das Christe (E-Dur) kontrastiert, zwar nicht durch neue Themen, sondern durch abermals gesteigerten Ausdruck: a-cappella-Klang des Soloquartetts, volles Tutti. So beginnt es; piano und forte stoßen direkt aufeinander, Akzente werden eingeführt, Sforzati; der Text wird in seine Worte zerrissen, und diese werden dann einzeln behandelt.

Die Rückleitung zum dritten Teil, dem zweiten Kyrie, erfolgt stufenweise: zuerst thematisch noch im Tonartbereich des Christe (T. 71), wobei das gehaltene e'' der Soprane eine schöne Entsprechung zum Anfangston bildet, dann tonal (T. 84). Das Thematische dient also weniger als das Tonartliche der Formartikulation. (Beides wird, worauf zu achten ist, getrennt behandelt.) Die Themen selbst werden zunächst gesungen, und man wird mit der Annahme nicht fehlgehen, sie seien als charakteristisch vokal konzipierte vom vorzutragenden Text nicht unabhängig. Eigenartig sind die instrumentale Überhöhung sogleich am Ende der ersten Periode (ab T. 9) und die instrumentale Fortführung. Die Melodie der (jeweils ersten) Klarinetten und Fagotte ist nichts anderes als die auf ihren elementaren Kern zurückgeführte Kyriemelodie: Skalenaufstieg bis zur None und Abstieg bis zur Sexte; vor allem ist die Umdeutung des ersten Tons vom betonten zum unbetonten belangreich, weil sie die ganze Melodieformation umdeutet: Es entsteht (neben vielem anderen) ein Auftaktmotiv, das im weiteren Verlauf in mancherlei Gestalt eine nicht unbedeutende Rolle spielt. Takt 68 wird das Kyrie-Thema von den Fagotten wiederum eingeführt, so daß die Rückleitung sogar noch eine weitere (dritte, das heißt erste) Stufe kennt. Besonders eindrucksvoll ist dann schließlich in der Coda der unterschiedliche, rein instrumentale Vortrag dieses Themas: ab Takt 112 in Gestalt der instrumentalen Einkleidung des Anfangs, ab Takt 123 in einer sukzessive sich auflösenden normalen Gestalt. Im Chor wird das Hauptmotiv der Kyriemelodie auf seinen Rhythmus reduziert und nurmehr ruhig deklamiert. So entsteht eine die musikalische Erinnerung an das Vorhergehende aufrufende Schlußbildung, der selbst nichts (damals) Konventionelles mehr anhaftet.

Die Betrachtung des Kyrie läßt erkennen: die Verselbständigung des Thematischen und des Formalen (Architektonischen), die des Melodischen (Diastematischen) und des Rhythmischen sowie die Bindung des Instrumentalen an das Vokale. Das erste bewirkt eine Differenzierung der Gliederung (Form), das zweite eine der thematischen Beziehungen, das dritte eine der Bedeutung, des Ausdrucks: Es realisieren sich musikalische Zeiten: Vorahnung (evtl. Erwartung), Gegenwart und Erinnerung.

3. Das Vokale, das in dieser Messe bedeutungsmäßig vorherrscht, äußert sich freilich nicht stets melodisch, es kann sich, selbst wenn es sich zunächst instrumental realisiert, auch in Gestalt eines bestimmten Tonsatzes zeigen, wie zum Beispiel gleich zu Beginn des sehr eigenartigen *Sanctus*, das mit einem (von Bratschen und Celli gestützten) Bläsersätzchen beginnt, dessen vokale Wiederholung sich ausdrucksbedingt sogleich enharmonisch wendet. Das unerklärlich Wunderbare und Geheimnisvolle findet dann wohl auch in der folgenden, bereits von Hoffmann hervorgehobenen Instrumentalbegleitung zu den neuerlich gesungenen Sanctusrufen seinen Ausdruck. „Pleni sunt coeli et terra" und „Osanna" sind erstaunlich knapp, das unmittelbar anschließende *Benedictus*, das wiederum kontrastierend mit einem kurzen Soloquartettsatz beginnt, entfaltet sich, allmählich mehr und mehr drängenden Marschcharakter entwickelnd, zu raschem Wechselgesang von Quartett und Chor, wobei das Benedictusthema auch vom Orchester allein übernommen werden kann, während der Chor nurmehr deklamiert (z.B. T. 118). Selbstverständlich werden die Motive auch instrumental umgeprägt.

Die unterschiedliche (vokale und instrumentale) Ausprägung eines musikalischen Gedankens wird besonders deutlich im letzten Hauptteil des *Gloria*, im „Quoniam". Es beginnt (T. 214—223) mit einer charakteristisch gegliederten zehntaktigen instrumentalen Einleitung (2 + 2 + 1 + 1 + 4 Takte), der sogleich die ausgeführte umfangreichere vokale Version (T. 224—238) folgt, deren Gliederung sich wegen der Auftakte nur ungefähr benennen läßt (etwa: 3 + 2 + 1 + 1 + 4 + 4). — Das Thema der den Satz beschließenden kontrapunktischen Partie — einer freien Fuge — ist aus der vokalen Gestalt des „Quoniam"-Themas abgeleitet, das jedoch alsbald dem originalen Thema gegenübergestellt wird, ohne daß von einer Doppelfuge gesprochen werden könnte. In der reichen kontrapunktischen und motivischen Ausarbeitung erscheinen dann sowohl ganze Themen (T. 310ff., Bläser) als auch

Motive der einzelnen Themen durchaus umfunktioniert, und zwar vokale instrumental (T. 266ff., Bässe), besonders im „Amen" gegen Schluß (T. 341 und 357 Violine 1; und T. 371ff.).

Die Doppelgestalt eines Gedankens als vokal und instrumental findet eine besonders eindrückliche Formulierung im letzten Satz des Werkes, im *Agnus Dei*. Dessen Formdisposition ist, im Gegensatz zu der des Gloria, die dem Vorbild der *Pauken-* und *Nelson-Messe* Haydns folgt (dazu weiter unten), ganz originell; der Satz wird zu einem richtigen Finale, das einerseits den ganzen Zyklus bedeutungsvoll beschließt, andererseits die Kontraste vermittelt. „Miserere nobis" und „Dona nobis pacem" stehen sich nicht mehr unvermittelt gegenüber, und dies, obgleich die Worte — unliturgisch — unmittelbar aneinander anschließen. Der Hauptteil des Agnus ist relativ ausführlich. Er besteht aus drei Abschnitten; der erste ist kürzer — ihm fehlt der Text „miserere nobis" —, der zweite, der auf der fünften Stufe einsetzt, ist eine (auch rhythmisch) gesteigerte Wiederholung; die emphatische Steigerung durch das Repetieren der Worte „qui tollis" wird auch durch die Teilung des Chores (Oberstimmen gegen Baß) verstärkt. Eine analoge, sogar noch weitergehende Steigerung findet im zweiten Teil auch mit Hilfe der Worte „miserere nobis" statt.

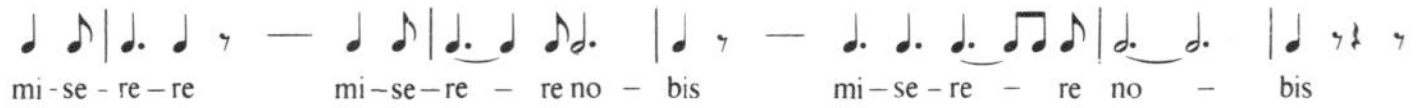

Das dritte „Agnus", textlich mit dem zweiten identisch, knüpft musikalisch eher an das erste an, bringt aber auch dieses gesteigert: Der Textabschnitt „qui tollis peccata mundi" wird durch eine zugefügte kontrapunktische Episode verstärkt, so daß das „Miserere" beinahe nurmehr wie ein Nachklang wirkt. Es ist kurz und leitet sogleich, ohne neuerlichen Vortrag der Anfangsworte, zum „Dona nobis pacem" über. Dieses „Dona", das vom Soloquartett (T. 40) mit dem „Friedensmotiv" (Hans Volkmann) eingeleitet wird, gönnt den Instrumenten freiere Entfaltung. Zum vokalen Friedensmotiv (T. 40—43) gehört das zunächst instrumental (von der Oboe T. 46) angedeutete zweite Motiv, das mit dem ersten im Tonsatz innig verbunden ist. Dieses zweite ist in gewisser Weise eine gesteigerte Gestalt des ersten. Nach dem zweimaligen Textvortrag verdüstert sich (ab T. 65) die Stimmung, und der Chor beginnt wieder mit den Anfangsworten; auch die Musik erinnert, ohne mit ihr identisch zu sein, an die des Satzbeginns. Nach dem Höhepunkt dieser Episode, einem erregten, scharf dissonierenden Tutti, das noch einmal die Schuld der Welt in Erinnerung bringt, und einem anschließenden zerknirschten Murmeln klingt das neuerliche „Dona nobis pacem" doppelt lieblich. Sehr eindrücklich ist dann die Charakterisierung der einzelnen Worte im Schlußabschnitt, das „pacem" durch die Quintfolgen in der Melodie (T. 108ff., gesteigert T. 132ff.), das der Worte „dona" durch die Wiederholung („dona, dona nobis pacem"), bis dann schließlich gegen Schluß, Takt 148ff., keine Melodie mehr gesungen, das Friedensmotiv (ab T. 138) nurmehr von Instrumenten (beredt genug) gespielt wird. Die Coda führt dann, wie auch gelegentlich bei Haydn (etwa in der *Nikolai-Messe*, Hob. XXII/6), musikalisch zum Anfang des Kyrie zurück. Und doch: was für ein Unterschied! Wo einst schlichte Satzidentität anzutreffen war, ist jetzt, durch das Friedensmotiv der Hörner (T. 178) und seine an das Kyriemotiv gemahnende Beantwortung der Flöten (T. 179), erneut wachgerufene, rührende Erinnerung.

ZUR MUSIK II. An einem Beispiel wenigstens ist hier die Beziehung der Messe Beethovens zu Haydn etwas ausführlicher darzulegen. „Das Gloria“, so schreibt Alfred Schnerich, „folgt in Bezug auf Anlage und Detail dem der Nelson-Messe“.[1] Es sei versucht, an einigen Details Übereinstimmungen und Differenzen zu beschreiben:

1. Das Gloria Beethovens beginnt mit vollem Tutti, während das der *Nelson-Messe* mit raschem Wechsel von Solosopran und Chor eröffnet wird. Bleibt der mächtige Anfang Beethovens unbeachtet und wendet man die Aufmerksamkeit den Takten 8ff. zu, so erscheint, trotz der Verschiedenheit des Taktes, eventuell mit dem Anfang der *Nelson-Messe* ein Vergleich sinnvoll. Wichtig ist jedoch die Verschiedenartigkeit der Deklamation. Diese ist, wie bekannt, Grundlage und Voraussetzung aller musikalischen Rhythmen, und hier zeigt sich bei Beethoven eine Haydn noch unbekannte Differenzierung; Haydn deklamiert so, daß eine gleichmäßige Folge von Schwerpunkten entsteht:

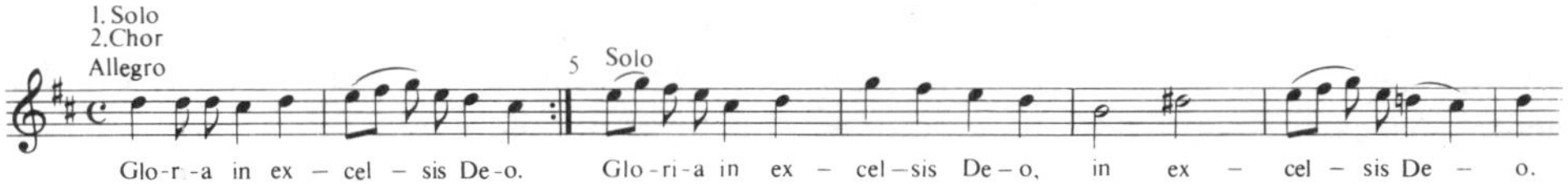

Beethoven löst dagegen durch freie Verfügung über eine größere Anzahl von Rhythmisierungen den gleichmäßigen Fluß in unterschiedliche Gewichtung auf:

Ganz analog wird am zwar instrumental, jedoch nicht thematisch vorbereiteteten Anfang des Credo die zweite Wortwiederholung „Credo“ zum Auftakt der dritten; dabei nimmt die Verdichtung durch Verkürzung der Notenwerte zu:

Die Betrachtung der Instrumentalstimmen — die Hauptsache bei Haydn, bei Beethoven eher Nebensache — zeigt beinahe die umgekehrten Verhältnisse. Bei Beethoven handelt es sich in den soeben besprochenen Gloriatakten einerseits um Unterstützung der Singstimmen, andererseits um reine Begleitfiguren, durchlaufende Achtel. Aber auch diese Begleitfiguren, deren Funktion eher eine rhythmische als

1 A. Schnerich, *Messe und Requien seit Haydn und Mozart,* S. 60. Ihm folgt C. M. Brand, *Die Messen von Joseph Haydn,* S. 330.

eine melodische ist, sind als musikalische Gedanken irrelevant. Es sind nicht einmal Nebenstimmen; sie dienen lediglich der Klangfülle.

Bei Beethoven ist also das für Haydn so charakteristische Verhältnis von Instrumental- und Vokalstimmen umgekehrt. Bei ihm dominieren nicht nur die Vokalstimmen, es sind ihnen auch die wichtigen musikalischen Gedanken anvertraut, diese sind aus der Sprachdeklamation bei Berücksichtigung des Stimmungs- und Sinngehaltes gewonnen. In der *Missa solemnis* (D-Dur) geht Beethoven dann noch einen Schritt weiter: Er überträgt die im Vokalsatz gewonnene Einfachheit und Kantabilität jetzt wieder zurück auf die Instrumentalmusik. Das, was in der C-Dur-Messe am Anfang des Sanctus festgestellt werden konnte, wird in der *Missa solemnis* zum Prinzip erhoben. Darum ist in ihr der Anteil der Instrumente wieder ganz erheblich vergrößert. In der Detailkomposition ist Beethoven in der *Missa solemnis* eher noch karger als in der C-Dur-Messe. Statt vier verschiedene Arten von Gloria-Deklamation kennt die *Missa solemnis* nur noch zwei, und diese zwei sind ganz formelhaft — Arnold Schmitz sagt: „akklamatorisch“[1] — und ergänzen sich simultan. Auch beim Credobeginn ist die Vielfalt der rhythmischen Erscheinungsformen der Anfangsworte auf zwei reduziert, zwei Formen, die aber sukzessiv miteinander verknüpft werden. (Diese Feststellung mag zur Bestimmung der Differenzen, die die beiden Messen Beethovens voneinander abheben, dienlich sein.)

2. Schnerich behauptet Identität der formalen Disposition der Gloriasätze.[2] Da das Gloria der *Nelson-Messe* eine sehr auffällige Anlage erkennen läßt, ist eine Überprüfung erfolgversprechend. Haydns erster Abschnitt ist zweiteilig: Im ersten folgen drei musikalische Gedanken, der erste, „Gloria“, der zweite, kontrastierend, „et in terra pax“; der dritte, „laudamus te...“, eine typische Wiederholungsakklamation, moduliert, so daß der zweite Abschnitt auf der fünften Stufe einsetzt. Er führt erst recht spät zurück — bei den Worten „Domine Fili unigenite“ —, so daß ein Mittelteil (ohne besondere Thematik) entsteht. (Es ließe sich dieser Teil auch als Sonatenexposition beschreiben.) Auf „Gratias“ werden die gleichen Gedanken wie auf „Gloria“, auf „Domine Deus agnus Dei“ die gleichen wie auf „et in terra pax“ gesungen, während die jeweils dritten Abschnitte der beiden Teile thematisch (und auch sonst) differieren. Das „Qui tollis“ ist ein umfangreiches Baßsolo mit gelegentlichen litaneiartigen Chordeklamationen im Hintergrund und mehreren „Suscipe“-Exklamationen des Solosoprans. Der letzte Teil („Quoniam tu solus sanctus“) beginnt (wie das Gloria) mit den gleichen Gedanken und derselben Instrumentation. „In Gloria Dei patris amen“ wird durch ein Fugato gebildet, die beiden letzten „Amen“-Abschnitte knüpfen thematisch an den zweiten Teil des Gloria, also an das „Et in terra pax“ und später „Domine Deus agnus Dei“ an. Deutlich erkennbar ist die Bemühung Haydns, das ganze Gloria thematisch zu vereinheitlichen. Sonatenform und Da-capo-Form haben Bestandteile geliehen, um diesen sehr straffen Satz zu ermöglichen. Einzelheiten werden nicht hervorgehoben.

In der C-Dur-Messe ist die Satzanlage anders. Ähnlich ist lediglich die Aufeinanderfolge der Taktarten: Die Mittelteile stehen im Dreivierteltakt, die Rahmenteile

---

1 Vgl. A. Schmitz, *Zum Verständnis des Gloria in Beethovens Missa solemnis.*
2 Vgl. J. M. Knapp, *Beethoven's Mass in C Major, Op. 86.*

sind geradtaktig. Aber die Taktarten der Rahmenteile sind doch verschieden. Nach dem, was über die *Nelson-Messe* ausgeführt wurde, müssen die beiden Rahmenteile die gleiche Taktart aufweisen — es ist der Ganze Takt (C) —, während in der Beethovenschen C-Dur-Messe der erste Teil im Allabreve-Takt, der letzte im Ganzen Takt steht. Auch die Tonartendisposition ist in beiden Messen verschieden: In der *Nelson-Messe* bringt der Mittelteil die sechste, der der Beethoven-Messe die vierte Stufe zur Geltung, beide allerdings in dem nicht erwarteten, nicht der Stufe zukommenden Tongeschlecht. In der *Nelson-Messe* ist es B-Dur — das Gloria steht in D-Dur —, in der C-Dur-Messe steht es in f-Moll. Sonst bestehen keine bemerkenswerten Übereinstimmungen.

3. Wer die Textauffassung der beiden Messen miteinander vergleicht, wird ebenfalls tiefgreifender Unterschiede gewahr. An der Stelle „Laudamus te / benedicimus te / adoramus te / glorificamus te", die bei Beethoven nicht wiederholt wird, werden nur die beiden ersten Rufe, „Laudamus te" und „Benedicimus te", auf den gleichen Tonsatz gesungen, bei „Adoramus te" tritt plötzlich ein sehr bildhaftes, kontrastierendes Satzbild auf: Alle Stimmen, die bisher forte in bequemer hoher Lage jubiliert haben, singen piano in tiefer Lage (als ob sie plötzlich niederknieten). Das „Adoramus te" ist eine jener unvorbereiteten und konsequenzlosen Stellen, die musikalisch nicht, sondern nur textlich zu begründen sind. Karl Geiringer bemerkte im Vorwort zur alten Philharmonia-Ausgabe (Wien 1927), daß diese Stelle im Geiste des späten Beethoven gehalten sei. Das „Glorificamus" bildet die unmittelbare Fortsetzung des „Benedicimus".

Auch Haydn kennt in den meisten seiner späten Hochämter an dieser Stelle (freilich weniger plötzlich eintretende) Kontraste, aber gerade nicht in der *Nelson-Messe* (und auch nicht in der *Paukenmesse*). Das Auffällige ist also einerseits das gänzliche Fehlen eines Kontrastes, andererseits dessen unvermittelt kurzer Eintritt.[1]

Es ist immerhin bemerkenswert, daß Beethoven für solche zeitübliche naive Bildlichkeit viel übrig gehabt hat. Das Eingehen auf den Sinn einzelner Worte erlaubt die Einblendung kurzer Tonmalereien. Eine besonders drastische (und darum um so eindringlicher wirkende) Stelle ist die nach der ersten Gruppe im „Pleni sunt coeli". Nach dem Abschluß des Textsatzes wiederholt der Sopran auf f'' das Wort „coeli", danach der Baß auf d' „et terra", wobei durch eine zunächst absteigende und dann wieder aufsteigende Skalenfigur der tiefen Streicher (und des Fagotts) die Verbindung dieser beiden Sphären durch Andeutung von Christi Menschwerdung und Auferstehung (Himmelfahrt) hergestellt wird.

---

1 Selbstverständlich ist die *Nelson-Messe* nicht ohne alle Kontraste, nur ohne rasche, formal konsequenzlose Kontrastpartien, die ihre Existenz letztlich dem Eingehen auf den Sinn eines einzelnen Wortes verdanken. Wenn die Konstruktion des Textes es zuläßt oder die Tradition der Meßkomposition einen kontrastierenden Abschnitt als selbständigen Formteil nahelegt, so macht Haydn davon auch hier Gebrauch. Gleich der zweite Abschnitt des Gloria, das „Et in terra", ist traditionellerweise ein derart kontrastierendes Feld. Nicht nur wird, wie üblich, die Stimmlage gesenkt, sondern auch der Tonsatztypus gewechselt: Auf das durchaus akklamatorische „Gloria" folgt ein motettisches „Et in terra". Der Kontrast wird also durch die verschiedensten Kunstmittel herbeigeführt: durch Wechsel der Satztechnik und durch Verringerung des instrumentalen Anteils — um die Polyphonie zur Geltung kommen zu lassen, muß der konzertierende Orchestersatz auf bloße Begleitung reduziert werden —, ferner durch Veränderung der Tonhöhenlage: Der Kontrast „Ehre sei Gott in der *Höhe*", „Friede auf *Erden*" wird drastisch durch die Wahl des Tonhöhenbereichs dargestellt.

Aus alledem ist zu ersehen, wie sich die C-Dur-Messe zur *Nelson-Messe* verhält; sie wurde zwar nicht nach deren Vorbild komponiert, aber etliche Momente, die gerade diese Messe von den anderen Haydns unterscheidet, sind für Beethoven doch bedeutungsvoll geworden. Vor allem ist es die Strenge, die heute als Archaismus empfunden werden kann. Die Idee, die der Formkonstruktion (etwa ihres Gloria) zugrunde liegt, mag für Beethoven schon wichtig geworden sein, aber vielleicht weniger für die C-Dur-Messe als für die *Missa solemnis*.

4. Es ist vielleicht nicht ungünstig, noch einen zweiten Blick auf das Gloria der C-Dur-Messe zu werfen. Beethoven beginnt es mit einer siebzehntaktigen Gruppe, deren Text aus der zweimaligen Wiederholung des Anfangssatzes „Gloria in excelsis Deo" besteht, wobei das erste Wort als besonders wichtig jeweils dreimal gesungen wird. Diese Isolierung eines einzelnen Wortes, das eigentlich zur Priesterintonation gehört, steht im Widerspruch zu den üblichen Gloriaanfängen, die, wenn überhaupt, stets den Satz (oder einen Satzteil) wiederholen, um einen formal geschlossenen Tonsatz zu ermöglichen.

Beethoven bricht den Tonsatz auf. Sein Gloria beginnt nicht mit charakteristisch ausgeprägten melodischen Gestalten, sondern mit formelhaften wie Liegetönen, Trillern, Skalenläufen, Trompetenstößen, die alle zusammen nur zwei harmonische Schritte umschreiben (von der ersten zur fünften und von der vierten zur ersten Stufe; der Schritt von der fünften zur vierten ist „tot"). Die Formelhaftigkeit dieses Satzbeginns erstreckt sich also nicht nur auf die Melodik und die Rhythmik, sondern auch auf die Harmonik: Allabreve-Takt, Ganze Noten, Achtelskalen und Fanfarenrhythmen einfachster Art. Sie verbietet es, überhaupt von Thematik zu sprechen.

Von dieser Rhythmik ist der thematische Hauptcharakter geprägt. Er ist nicht eigentlich ein Thema, sondern ein Motiv, das in den musikalischen Satz, ohne ihn zu beherrschen, eingebaut ist. Daß dieses Motiv der Hauptgedanke ist, wird erst später erkennbar; zunächst im ersten Abschnitt ist er relativ wenig auffällig, weil er zwar prägnant ist und deutlich vorgetragen wird, aber nur wenige Takte bestimmt und dann sogleich durch andere musikalische Ereignisse vergessen gemacht wird. Der Schluß dieses ersten Abschnitts kehrt jedenfalls zum reinen Formelwesen der Anfangstakte zurück.

Das „Et in terra" ist, ganz wie in Haydns *Theresien-Messe*, mit der es sogar eine gewisse Ähnlichkeit hat, eine kontrastierende Episode. Bei Beethoven ist allerdings der instrumentale Anteil geringer, und zur Dokumentation des vokalen Vorrangs finden sich Imitationen. (In der *Nelson-Messe* ist das ganze „Et in terra" kontrapunktisch.) Auf diese kurze vierstimmige kanonische Partie folgt ein homophoner, unbegleiteter Schluß: „bonae voluntatis". Dem Ende der „Et in terra"-Episode folgt sofort, aber vom Orchester gespielt, das Gloriamotiv, dem jetzt a cappella, und dazu rein deklamatorisch, „Laudamus te" und „Benedicimus te" respondieren. Das „Adoramus te" bildet, wie bereits hervorgehoben, einen unvermittelten, weder durch Pausen noch durch Überleitungsfiguren eingerahmten, sondern pausenlos anschließenden zweitaktigen Kontrastteil, nach dem sogleich die musikalische Entwicklung weitergeht. Bei „Laudamus te" und „Benedicimus te" standen sich das jetzt instrumentale Gloriamotiv und die akkordischen Anrufe des Chors gegenüber, jetzt werden beide simultan kombiniert, und zwar so, daß ein Durchführungscharakter entsteht. Das Motiv wird zunächst zu einer aufsteigenden Sequenzkette umgeformt, dann gedehnt abermals zu einer Sequenzkette umgebildet, einer Kette, die durch Imitation den Charakter durchbrochener Arbeit annimmt. Zunächst ist der Chor nicht an der thematischen Arbeit beteiligt, aber bald, im durchbrochenen Abschnitt Takt 54ff., beginnt der Chor, die Führung zu übernehmen. Er wird von den Bläsern gestützt. Mit einem thematischen Nachspiel endigt der erste Hauptabschnitt des „Gloria". Zum „Gratias" leitet eine Violinfigur über, deren Ähnlichkeit mit der Überleitungsfigur zum „Et in terra" nicht zufällig sein kann. Dieses Überleitungsmotiv, dessen gleichförmige Achtelbewegung entweder skalenartig fortschreitet oder durch gebrochene Akkorde geprägt wird, hält den ganzen kommenden Teil, der bis zum Einsatz des „Qui tollis" reicht, zusammen. Dieser Teil, der Solo- und Chorstimmen mischt, hat ganz analog dem „Et in terra pax" melodiös deklamierende Phrasen zum musikalischen Hauptinhalt.

Bei dieser Sachlage kann der Gesamtaufbau des Gloriahauptteils, also alles vor dem „Qui tollis", das mit neuer Taktart, neuem Tempo und in neuer Tonart beginnt, folgendermaßen vorgestellt werden:

1— 17	Gloria (mit erstem Auftreten des Gloriahauptthemas)
17— 40	Et in terra pax (quasi „Zwischensatz")
40— 71	Laudamus te (Gloriathema „durchgeführt")
71—138	Gratias agimus tibi (erinnert an den „Zwischensatz").

Die drei ersten Abschnitte lassen sich auch noch mit denen der *Theresien-Messe* vergleichen, das solistische „Gratias" auch noch mit dem der *Nelson-Messe*. Aber in ihr ist auch dieser Abschnitt an das Hauptthema gebunden. Hier finden sich ein Hauptgedanke und Episoden, bei Beethoven ein Gegensatz von zwei Ausdrucksbereichen, deren sich entsprechende Teile aber nicht thematisch identisch zu sein brauchen. Vereinheitlichend, das heißt formbildend, wirkt die Aufeinanderfolge der Ausdrucksbereiche, das heißt: Die Funktion der Themen (und der Thematik allgemein) hat sich verändert. Es sei abschließend versucht zu beschreiben, worin diese Funktionsänderung besteht.

Es wurde gesagt, das Gloriathema würde im Abschnitt ab Takt 40 „durchgeführt", das heißt durch Verkürzung zu einem „Modell" umgebildet und dann sowohl sukzessiv als auch simultan mit anderen bedeutungsvollen Gestalten kombiniert (wobei daran zu erinnern ist, daß die betonten Ton- bzw. Akkordrepetitionen, wie an zahlreichen Stellen im Credo, kavatamäßig bedeutungsvoll sind). Wird hier das vokale Motiv in ein instrumentales verwandelt, so spricht es an anderer Stelle als vokales durch Instrumente.

ZUR GESCHICHTE II. Die C-Dur-Messe ist ein Werk, das seine liturgische Zweckbestimmung nicht nur respektiert, sondern als eine große künstlerische Aufgabe von verpflichtendem Wesen auch ernst nimmt. Das heißt, daß, gemäß der kirchlichen Gesetzgebung, das Wort im Zentrum zu stehen hat, die Musik das Wort, um dessen feierlichen Vortrag es geht, nicht verdecken oder gar verdunkeln darf. Die damalige Kritik an der zeitgenössischen Kirchenmusik galt, selbst wenn an einzelnen Werken besondere musikalische Qualitäten gerühmt wurden, genau diesem Punkt, eben der Zurückdrängung des Wortes durch die (instrumentale) Musik. Beethoven, der — wie oben gesagt — aus einem anderen Milieu als die Wiener Komponisten stammte, wollte dem Glaubenswahrheiten aussprechenden Wort seine ihm im Gottesdienst gebührende zentrale Bedeutung belassen, aber aus freien Stücken etwas künstlerisch Gleichrangiges hinzufügen. Das berührt zunächst einmal die Frage nach dem Verhältnis von vokalem und instrumentalem Anteil, also von Singstimmen und Orchester. Dieses Verhältnis hat sich erheblich verändert. Die Singstimmen sind das Primäre, weil der Text die Voraussetzungen der musikalischen Gedanken, oft genug deren direkte Quelle darstellt. Darum beginnen auch sämtliche Sätze ohne selbständiges Instrumentalvorspiel in Gestalt eines geschlossenen Themas nach Art eines Symphonie- oder Konzertsatzes (wie so oft bei Haydn), sondern allenfalls mit vorbereitenden Figuren (Credo); oder sie dienen lediglich der Vorwegnahme (Sanctus) oder der dynamischen Vorbereitung (Agnus Dei); meist setzt der Textvortrag jedoch unmittelbar ein (Kyrie, Gloria und Benedictus). Niemals erscheint er innerhalb eines instrumentalen Tonsatzes als eine Art ausgesetzter Generalbaß. Die Partien, die dem vielleicht äußerlich ähnlich erscheinen mögen, erweisen sich als von gegenteiliger Natur, nämlich als reduzierte, in welchen Text deklamiert wird, während das Orchester die vormals gesungene Musik — oder doch wenigstens aus vormals gesungenen Motiven geprägte Musik — spielt. Hier „spricht“ das Orchester.

Daß die tragenden musikalischen Gedanken, wie in der alten Kirchenmusik, die den Neuerern gern als vorbildlich empfohlen wurde, vokal erfunden sind, ist bereits im vergangenen Jahrhundert bemerkt worden, und so konnte ein bedeutender Gelehrter wie Hugo Riemann sogar einen Vergleich mit einem Meister des 15. Jahrhunderts, mit John Dunstable, wagen und darüber hinaus sogar versuchen, einen zyklischen Zusammenhang (durch den Nachweis einer Gemeinsamkeit in der Intervallkonstellation der Themen) zu erweisen (wobei es ihm hauptsächlich um den Ton der Sexte als jeweiligen Melodiehöhepunkt ging).[1]

Die Vorherrschaft des Vokalen wird auch durch die neue Art der Textbehandlung bestätigt. Wiederholungen einzelner Worte (und Satzglieder) gelten nicht mehr der Herstellung von Einheiten, die fähig sind, sich der regelmäßig fließenden Musik anzupassen, sondern der Hervorhebung, der inhaltlichen Betonung. Dadurch kann durchaus eine (dem Komponisten erwünschte) persönliche Note in die Textausdeutung kommen. Dies alles zeigt an, daß allen Einzelheiten eine größere Bedeutung zuerkannt wird, sowohl dem einzelnen Wort als auch — und dies ist eine Konsequenz der Vokalität — dem einzelnen Ton. Die neue Gewichtung des Einzeltons ist ebenfalls eine Frucht des Studiums des traditionellen Kontrapunkts und der älteren Musik.

Zu dieser neuen Gewichtung des Einzeltons, die mit der Art der Themenbildung und der Satztechnik in Zusammenhang steht, hat auch der instrumentale Tonsatz, der keineswegs als untergeordnet erscheint, beigetragen. Er hat freilich eine veränderte Funktion. Er ist nicht mehr die Quelle der Thematik und des musikalischen Prozesses, sondern nimmt beredt an ihm teil, indem er alles Vokale (oder vokal Bestimmte) umprägt und weiterführt. Das spezifisch Instrumentale zeigt sich dadurch weniger im Thematischen als im Dynamischen, im Rhythmischen und in der Artikulation.

---

1 Vgl. Thayer / Deiters / Riemann, *Ludwig van Beethovens Leben,* Bd. III ([2]1911), S. 45—51.

Im Formalen zeigt sich, insoweit damit das Architektonische gemeint ist, am ehesten die Traditon, aber dies ist textbedingt. — Die innere Dynamisierung des musikalischen Prozesses setzt jedoch die Bedeutung des rein Formalen herab und ermöglicht so die Realisierung dessen, was August Halm gelegentlich einmal die „Zeiten der Form“ genannt hat, hier als Zonen der Erwartung (Ahnung), Gegenwart und Erinnerung. Das ist, jedenfalls in der Kirchenmusik, nicht nur etwas ganz Neues, sondern eine neue Qualität. Man kann sicher sagen, daß sich hier eine neue Stufe musikalischen Bewußtseins in der Kirchenmusik manifestiert, eine, die es auch gestattet, das Werk unabhängig von der Liturgie (im Konzertsaal) aufzuführen. Das hatte Beethoven auch selbst schon im Auge, als er sich, durchaus unüblich für eine Meßkomposition, um eine deutsche Dichtung bemühte, die den lateinischen Text ersetzen kann, das Werk also in eine Folge von „Hymnen“ verwandelt und dadurch von der liturgischen Handlung unabhängig macht. So ist Beethovens Messe in C-Dur op. 86 in gleicher Weise beides: ein aus dem Geist neu belebter Tradition geschaffenes Kirchenwerk und ein modernes geistliches Konzertwerk.[1]

Rudolf Stephan

Trio C-Dur für 2 Oboen und Englisch Horn op. 87 (zusammen mit der Bearbeitung für Streichtrio)

ENTSTEHUNGSZEIT: 1794 oder 1795.
ERSTAUFFÜHRUNG: unbekannt.
SKIZZEN: unbekannt.
AUTOGRAPH: Deutsche Staatsbibliothek Berlin (Artaria-Sammlung).
ERSTDRUCK: Wien 1806 (Artaria & Co.).
GESAMTAUSGABE: Alte Gesamtausgabe: Nr. 63 = Serie 8 Nr. 5.

Das Trio für 2 Oboen und Englisch Horn mit der nachträglichen Opuszahl 87[2] entstand um die Mitte der 1790er Jahre. Es wurde wahrscheinlich durch ein Konzert der Wiener Tonkünstler-Sozietät am 23. Dezember 1793 angeregt, wo die Brüder Johann, Franz und Philipp Teiner eine für diese Besetzung komponierte „Serenade“ des Oboisten und Komponisten Johann Went vortrugen.[3]

1 Als Orchestermesse hatte es an Orten ungebrochener festlicher kirchenmusikalischer Tradition — wie etwa in der Hofkirche zu Dresden (vgl. H. Volkmann, *Beethovens Friedensmotiv,* S. 9) — bis in unser Jahrhundert einen dauernden, festen Platz inne.

2 Sie wurde erst 1819 von Hofmeister anläßlich der Niederschrift eines thematischen Verzeichnisses von Werken Beethovens dem Trio zugeordnet.

3 Vgl. G. Abraham, *Beethoven's Chamber Music,* S. 270f.

Ob Beethoven aufgrund des besonderen klanglichen Charakters oder aufgrund der spieltechnischen Leistungen der Interpreten veranlaßt wurde, ein Werk für zwei Oboen und Englisch Horn zu schreiben, oder ob es ihm vielleicht nur opportun erschien, sich auch als Komponist von Bläserkammermusik dem Wiener Publikum vorzustellen, ist wohl nicht mehr nachvollziehbar. Doch gleichgültig, ob das Trio von ihm als Experiment in der Gattung der Bläserkammermusik betrachtet wurde, als Gelegenheitskomposition oder als gelungener Ausdruck seiner kompositorischen Vorstellungen: Er hatte jedenfalls 1806 keine Scheu, einer Veröffentlichung dieses noch als „Jugendwerk" klassifizierbaren Trios zuzustimmen (wodurch sich im Hinblick auf eine Einordnung in sein Œuvre die Frage ergibt, ob er — wie Hans Mersmann vermutet — „bei der Herausgabe seiner Jugendwerke mit die Hand im Spiel gehabt habe"[1]).

Jenseits aber der Entscheidung darüber, ob Beethoven über zehn Jahre nach der ursprünglichen Komposition des Trios noch Veränderungen vorgenommen habe, stellt sich die Frage nach dem Wert der musikalischen Konzeption, nach der Stellung des Trios innerhalb der kompositorischen Entwicklung Beethovens auf einer ganz anderen Ebene. Denn im Unterschied zu Gattungen wie Klaviersonate, Symphonie oder Streicherkammermusik ist Bläsermusik mit einer historischen Bruchlinie versehen, die zugleich auch eine Grenzziehung in Beethovens Schaffen darstellt. „Die Auseinandersetzung mit der Gesellschaftsmusik seiner Zeit" — und Bläsermusik ist in der zweiten Hälfte des 18. Jahrhunderts identisch mit Gesellschaftsmusik — „spielt sich in Beethovens Schaffen in den neunziger Jahren des 18. Jahrhunderts ab".[2] Beethovens anschließende Abwendung von dieser Gattung geht parallel mit einer allgemeinen Abwertung, die zwar inhaltlich motiviert war, jedoch zugleich die „Außenseite" der Gattung und damit die Verwendung von Blasinstrumenten in kammermusikalischen Besetzungen treffen mußte.

Inwiefern das Trio aus eben diesen Gründen eine (zumindest für die Rezeption nach dieser Bruchlinie) problematische Position im frühen kammermusikalischen Schaffen Beethovens einnimmt, läßt sich an einer aus dem November des Jahres 1808 stammenden, anonymen Besprechung des Werks in der Leipziger *Allgemeinen musikalischen Zeitung* erkennen. Gegenübergestellt sind die mit der Bläsermusik, der Gesellschaftsmusik, eng verbundenen Merkmale wie Unterhaltung, Leichtigkeit und Esprit — noch für das späte 18. Jahrhundert keine durchweg negativ besetzten Kategorien — und die Ansprüche auf „kühne, erhabene Gedanken", auf „hohen Genuss", die die Ausrichtung der Bewertung an Merkmalen der autonomen Musik erkennen lassen: „Unter welchen Verhältnissen und zu welcher Zeit nun auch dieses Werkchen geschrieben seyn mag, so finden wir doch, dass es keinen geringen Werth hat; es ist ein mit leichter, aber geschickter, fertiger Hand hingeworfenes heiteres Gemälde, das zwar keine grossen Ansprüche befriedigt, aber auch keine macht; das keine kühnen, erhabenen Gedanken enthält, aber angenehme, und das, wie alles nun zusammengestellt ist, ein anziehendes Ganzes ausmacht. Man bemerkt nirgends ein Missverhältnis, nirgends etwas Gesuchtes oder Unnatürliches; daher verschafft es, bey aller angewandten Kunst, einen angenehmen, ungetrübten, wenn auch nicht

1 H. Mersmann, *Führer durch den Konzertsaal. Die Kammermusik,* Bd. II: *Beethoven,* S. 21.
2 R. Stephan, *Zur Kammermusik des jungen Beethoven,* S. 30.

hohen Genuss. Die Beschränktheit der Instrumente, und auch die Einfachheit des dreystimmigen Satzes verursachen, dass es Manchem weniger scheinen mag, als es ist."[1]

Tatsächlich ist das Trio in entscheidendem Maße geprägt durch diese nur äußerlich mit Blas- und Streichinstrumenten verbundene Ambivalenz zwischen dem Gestus der Gesellschaftsmusik und dem kammermusikalischen Anspruch. Obwohl Beethoven das Werk 1806 ausdrücklich (und nicht nur auf den Umfang gemünzt) als „Grand Trio" erscheinen ließ und es gleichzeitig als Streichtrio in der Fassung für zwei Violinen und Viola veröffentlicht wurde, bleibt man — so der Rezensent der *Allgemeinen musikalischen Zeitung* — „bey genauerer Ansicht [...] nicht zweifelhaft, dass Oboen und Fagott [sic] es sind, für welche der Verfasser ursprünglich geschrieben haben mag". Und obwohl ein Trio für zwei Oboen und Englisch Horn in der kompositorischen Gestaltung extrem limitiert ist — beispielsweise schon durch seine klangfarbliche Eigenart, durch seinen begrenzten Umfang (das Englisch Horn steht als „Altoboe" umfangsmäßig nur eine Quinte tiefer als die Oboe), der sich als Fehlen einer tragfähigen Baßstimme bemerkbar macht, durch instrumentenspezifische Schwierigkeiten der Tonbildung wie der Artikulation —, erweist sich op. 87 in weiten Teilen nicht so sehr bestimmt vom musikalischen Ideal der Bläsermusik als eher vom strengen, hohen Anspruch, der mit kammermusikalischen Gattungen wie dem Streichquartett verbunden ist.

So läßt insbesondere der Kopfsatz (und auch gerade die Betonung des ersten Satzes ist schon ein Merkmal der „anspruchsvollen" Kammermusik) deutlich die Orientierung an einer Stilhöhe erkennen, die der Bläsermusik in der zweiten Hälfte des 18. Jahrhunderts nicht eigen war. Trotz der aufgrund von Instrumentation und Dreistimmigkeit notwendigen „Füllung" durch Alberti-Bässe über weite Abschnitte in der zweiten Oboe und im Englisch Horn und trotz der stellenweisen Reduktion des musikalischen Geschehens auf eine Oberstimmen-Melodie und zweistimmige Begleitung ist an einigen Stellen des Satzes eine durchgearbeitete, konstruktiv-abwechslungsreiche und von motivischer Logik durchzogene Faktur gelungen. So ist an der zweitaktigen, vom Forte ins Piano decrescendierenden Satzeröffnung — einer Exposition des Tonika-Akkords — bemerkenswert, daß Beethoven die klangliche Wirkung der inhaltlichen Aussage unterordnet. Zugunsten der eindeutigen Formulierung eines keimhaften motivischen Geschehens — es handelt sich um einen Terzfall im Sextabstand in beiden Oboen über dem ausgehaltenen Grundton im Englisch Horn — verzichtet Beethoven auf die klangliche Entfaltung eines vollständigen Tonika-Akkords: Der zuerst im Forte vollständig exponierte Dreiklang in weiter Lage wird durch die motivische Bewegung in eine Grundton-Terz-Konstellation verändert, so daß der Grundton oktaviert ist und die Quinte des Dreiklangs fehlt. Was anfänglich noch als Zugeständnis an die beschränkte Stimmenzahl gelten mag

---

1 *AmZ* 11 (1808/1809), Sp. 109. Ähnlich äußert sich auch R. Stephan, *Zur Kammermusik des jungen Beethoven,* S. 32: „Der Tonsatz ist gewiß an dem des Streichtrios geschult, aber die Ausdrucksmöglichkeiten des Bläsertrios sind eben doch geringer als die des Streichtrios: die Dynamik eines jeden einzelnen Instruments ist geringer, der Umfang ist geringer, die Möglichkeit, die Zahl der gleichzeitig gespielten Töne durch Doppelgriffe zu vermehren, fehlt. Aber abgesehen davon, daß auch diese Gattung Bläsermusik keine Zukunft haben konnte, ist das C-Dur-Trio op. 87 eines der geschlossensten und bei aller Begrenztheit des Ausdrucksbereichs schönsten Werke aus Beethovens Frühzeit."

— die klangliche Struktur aus Grundton und Terz —, erweist sich allerdings im weiteren Verlauf des Satzes und abgeschwächt selbst für die folgenden Sätze als konstitutiv. Der Wechsel von vollständigem Dreiklang zur Grundton-Terz-Konstellation begegnet beispielsweise in der klanglichen Anlage des Hauptthemas (Nachsatz: T. 5f.) wie auch mehrmals im Verlauf aller Sätze als klanglich vereinheitlichendes Merkmal der Kadenzvorgänge. Daß zugleich die exponierte fallende oder steigende Terz ein wesentlicher Bestandteil innerhalb des thematischen Verlaufs wird — der Hauptgedanke beginnt unbegleitet und auftaktig mit der Terz des Tonika-Akkords, repetiert dann die Quinte und geht in Terzschritten abwärts zum Grundton —, verstärkt den Eindruck eines mehr auf motivische Konsequenz als auf klangliche Wirkung angelegten kompositorischen Bemühens. Dieser Verflechtung zwischen den eröffnenden Takten und dem ersten Thema korrespondiert dann auch erwartungsgemäß die enge motivisch-thematische Verbindung zwischen den Formabschnitten des Sonatensatzes, wie beispielsweise im Rückgriff auf den Hauptgedanken in der Überleitungspartie und der Schlußgruppenbildung. Und wenn auch das erste und zweite Thema in einer durchweg faßlichen, tänzerischen und wenig individuierten Motivsprache ausgedrückt sind, erreicht Beethoven durch die Ausnützung imitatorischer Techniken dennoch thematische Komplexität: So besteht der Hauptgedanke (T. 3—6) aus einem zuerst im Englisch Horn vorgestellten, dann von der ersten Oboe einen Takt später wiederholten zweitaktigen Motiv; daran schließt sich ein auftaktiges Nachsatz-Motiv, so daß ein viertaktiges Gebilde mit der Binnenstruktur 3 plus 1 Takte entsteht.

In gleicher Weise — und auch hier wieder dem formalen Anspruch verpflichtet — zieht Beethoven den imitatorischen Themenkopf im Überleitungsabschnitt heran und erzielt mit den ausgehaltenen Endtönen des Motivs die harmonisch spannungsreichste Stelle der Exposition.

Wenn auch der langsame zweite Satz, das Menuett und das Presto-Finale in ihrer Satzcharakteristik in weitaus stärkerem Maße typisiert sind, so weisen sie doch deutliche Kennzeichen einer individuellen Durchformung auf: im Adagio erkennbar an der Unterstützung der affektiven Abschnitte durch Sforzati oder Fortissimo-Einsätze mit sofortigem Decrescendo ins Piano oder Pianissimo, im Menuett deutlich sichtbar an dem modifizierten Rückgriff auf die Dreiklangsmotivik des Kopfsatzes und die imitatorische Gestaltung des Themas und im Finalsatz ablesbar an dem Wechsel von Chasse-Ritornell und kontrastierenden Episoden, in denen Beethoven wiederum an Strukturmerkmale des ersten Satzes anknüpft (Terzaufbau und imitatorische Einsätze) und vereinzelt die harmonische Spannung in mehreren Takten staut, bevor der Bewegungsimpuls des Ritornellthemas wieder spürbar wird.

Schon diese wenigen und hier exemplarisch angesprochenen Merkmale verdeutlichen, daß Beethoven sich mit dem Trio trotz der Bläserbesetzung an dem Anspruch der Streicherkammermusik orientiert und zudem in seiner Konzentration der motivisch-thematischen Arbeit auf die Anfangstakte des ersten Satzes ein Interesse an kompositorischen Verfahrensweisen aufscheint, die für sein Œuvre nach 1800 konstitutiv werden.

Markus Bandur

Klavierlied „Das Glück der Freundschaft“ op. 88

Gedicht: Autor unbekannt.
Entstehungszeit: 1803.
Erstaufführung: unbekannt.
Skizzen: Biblioteka Jagiellońska Krakau, Landsberg 6, Eroica-Skizzenbuch.
Autograph: verschollen.
Erstdruck: Wien 1803 (Löschenkohl).
Gesamtausgaben: Alte Gesamtausgabe: Nr. 222 = Serie 23 Nr. 8; Neue Gesamtausgabe: Abt. XII, Bd. 1.

Drei Ausgaben von Beethovens Lied op. 88 sind gegen Ende des Jahres 1803 kurz hintereinander erschienen: Als „Glück der Freundschaft“ wurde das Lied bei Löschenkohl in Wien und bei Simrock in Bonn verlegt, unter dem Titel „Lebensglück“ erschien es bei Hoffmeister & Kühnel in Leipzig. Die Verleger, so scheint es, erhofften sich von Beethovens Lied nach dem Gedicht eines unbekannten Verfassers einen Verkaufserfolg. Sie dürften dabei vor allem auf das modische Thema vertraut haben, dem Beethoven sich mit diesem Lied zuwendet. Liebe und Freundschaft, Leidenschaft und Ehe sind die neu verspürten und neu vergesellschafteten Gemütsbewegungen, die in Theaterstücken wie Lessings *Emilia Galotti* (1772), in Romanen wie Friedrich Heinrich Jacobis *Woldemar* (1779, überarbeitet 1796) und in Gedichten wie Schillers „Die Freundschaft“ (1782) bearbeitet werden. „Zu der damaligen Zeit hatte man sich ziemlich wunderliche Begriffe von Freundschaft und Liebe gemacht“, erinnert sich Goethe an das ausgehende 18. Jahrhundert[1], an eine Zeit, da „die Schwürigkeit“ des Freundschaftsbegriffes selbst einen der klaren Definition und der pünktlichen Freundschaft verpflichteten Philosophen wie Kant zu paradoxem Sprechen aufgelegt machte: „Aristoteles sagt: meine lieben Freunde, es gibt keinen Freund!“[2]

Paul Böckmann hat die Veränderung nachgezeichnet, in deren Folge das produktive und das rezeptive poetische Vermögen nicht mehr ausschließlich in den intellektuellen „Witz“ (in das ingenium) gesetzt wurde, sondern auch das „Herz“ sprechen und verstehen sollte und man dem Allzu-Witzigen geradezu einen Einschlag von Sarkasmus unterstellen mochte.[3] Um unser Lied in diese Bewegung einzuordnen, seien, als musikalische Specimina für Witz und Herz, Beethovens Ariette „Der Kuß“ op. 128 und sein „Liedchen von der Ruhe“ op. 52, Nr. 3 einander gegenübergestellt. „Ich war bei Chloen ganz allein und küssen wollt' ich sie“: Christian

---

1 J. W. v. Goethe, *Dichtung und Wahrheit*, 18. Buch, in: ders., *Werke*, Bd. X ([9]1989, Hamburger Ausgabe), S.125.

2 I. Kant, *Die Metaphysik der Sitten*, § 46, S. 153. — Einen Überblick über das Phänomen des Freundschaftskultes im 18. Jahrhundert gibt W. Rasch, *Freundschaftskult und Freundschaftsdichtung*.

3 Vgl. P. Böckmann, *Das Formprinzip des Witzes in der Frühzeit der deutschen Aufklärung*, S. 52—130. In diesem Sinne erscheint der Gegensatz von Herz und Witz etwa in Jacobis *Woldemar*: „Kaltes freundliches Lächeln war seine ganze Erwiederung, und er griff nach jeder Nebensache, um die Unterhaltung gleichgültiger zu machen; besonders wenn dem armen Mädchen Thränen hervor drangen, die sie mit Noth wieder einsog und darüber die Sprache verlor; — dann kam er unfehlbar mit einer Unterbrechung, und führte wohl gar einen Scherz herbey“ (Fr. H. Jacobi, *Woldemar* [1796], 1826, S. 351).

Felix Weisses Gesang eines Rokoko-Daphnis ist epigrammatisch auf die Pointe „und schrie sie nicht? Jawohl sie schrie, doch lange hinterher!" hin angelegt, und die Komposition zeichnet die Wechselrede der beiden Personen und die überraschende Schlußwendung von Tonfall zu Tonfall nach. Das „Liedchen von der Ruhe" dagegen beginnt mit einem fast ein wenig larmoyanten Ausblick auf die erhoffte Erfüllung: „Im Arm der Liebe ruht sich's wohl, wohl auch im Schoß der Erde" und findet erst mit dem Nachspiel zu jener Haltung ergebener Zufriedenheit, für deren Beschreibung dem 18. Jahrhundert das Adjektiv „lebenssatt" zur Verfügung stand.[1]

Diesem Gegensatzpaar gegenüber — und damit umso mehr gegenüber den wunderlichen Unterscheidungen in Jacobis *Woldemar*[2] — nimmt das Lied vom „Lebensglück" eine unkompliziert vermittelnde Haltung ein: Es beginnt als ein Lob der Freundschaft, es endet als ein Lob der Liebe, und es wählt zur Darstellung die übersichtliche und robuste chevy-chase-Strophe. Mit der einleitenden figura etymologica „lebt ein Leben" und dem parallel geführten Polyptoton „des Herz ein Herz", mit der Sentenzenhaftigkeit der folgenden Wiederholungsfigur (derentwegen man das Gedicht Christoph August Tiedge zuschrieb[3]), mit der Regelmäßigkeit seiner Jamben und seiner stumpfen Zeilenenden duldet das Gedicht von Anfang an keinen Zweifel daran, daß seine fünf Strophen nicht als Schilderung intrikater Seelenzustände, sondern als Stammbucheintrag gelesen werden wollen:

Der lebt ein Leben wonniglich,
des Herz ein Herz gewinnt!
Geteilte Lust verdoppelt sich,
geteilter Gram verrinnt!

Der Vergleich mit den beiden anderen Stücken vermag auch Beethovens Auffassung des Gedichtes auf das beste zu beleuchten. Die Ariette „Der Kuß" beginnt mit einem launigen Vorspiel, das dem Sänger die Zeit für die Verwandlung gibt, während der er in das Kostüm des Daphnis schlüpft; das „Liedchen von der Ruhe" setzt mit einem kahlen Unisono ein, um die erste gewichttragende Silbe *Lí*e-be mit sogleich gebrochener, gleichsam ins Violette spielender Akkordfarbe zu beleuchten. Demgegenüber beginnt das „Lebensglück" mit einem vollgriffigen Akkord im Forte, von dem das A-Dur des Liedes leicht und seine optimistische, alle Reserviertheit überspielende Haltung unmißverständlich abzunehmen sind. Schon dieser Anfang zeigt, daß Beethoven alles unternimmt, um der Botschaft des Liedes gleich in den ersten Zeilen jeden möglichen Nachdruck zu verleihen:

Dér lébt ein Lében wónniglích,
des Hérz ein Hérz gewínnt!

---

1 Vgl. I. Kant, *Anthropologie in pragmatischer Hinsicht,* § 51, S. 175.

2 Vgl. Fr. H. Jacobi, *Woldemar* (1826), S. 228—235. Trotz seiner Nähe zu Haydns Lied „Eine sehr gewöhnliche Geschichte" von 1781 ist „Der Kuß" erst 1822 komponiert.

3 Vgl. H. Lühning, *Kritischer Bericht* zu L. v. Beethoven, *Werke,* NGA, Abt. XII, Bd. 1, S. 26 und G. Büchmann, *Geflügelte Worte* ([38]1986), S. 114f.

In der Gestalt jener festen Verbindung, die durch relativische Verknüpfung zwischen der ersten und der zweiten Zeile besteht, stellt das Gedicht sein Thema buchstäblich vor. Durch die Betonung der ersten Silbe wird diese Verbindung deutlich gemacht und wird zugleich der Glückliche, auf den alle Aussagen des Gedichts sich beziehen, an den Anfang gestellt. Diese Aneinanderreihung zweier betonter Silben ist auf die erste Strophe beschränkt. Die ersten Zeilen aller folgenden Strophen fügen sich sinnvoll und ohne Gewalt in das metrische Schema

Beblǘmte Wége wándelt áb,

wodurch die Besonderheit des Anfangs nur umso mehr hervortritt.

Durch den einleitenden Forte-Akkord bannt Beethoven die Gefahr bloßen Skandierens (Der lébt ein Lében wónniglích). Der Akkord übernimmt stellvertretend den Akzent, den Beethoven der ersten Gedichtsilbe nicht zuteilen könnte, ohne gleich zu Anfang eine Störung in die strophische Anlage des Liedes hineinzutragen. Gleichzeitig gibt Beethoven durch dieses energische Beginnen die Gangart des Liedes vor. Den in der Regelmäßigkeit der chevy-chase-Strophe enthaltenen Schematismus bannt Beethoven durch eine gewisse Geschwindheit des Vortrags, durch ein entschlossenes Zusammenfassen der ohnehin leichtfaßlichen Botschaft und durch die heitere Virtuosität seines Klaviersatzes, die in der Folge der Achttakter für Abwechslung sorgt. In der fünften und letzten Strophe durchbricht er die vorgegebene regelmäßige Abwechslung vier- und dreihebiger Zeilen, indem er das „mit ihr“ der dritten Zeile unmittelbar anschließen läßt.

Entzǘckt von íhr, mit íhr geséllt,
Verschö́nert sích die Báhn mít íhr,
dúrch síe blüht íhm die Wélt,
und álles lácht ihn án!

An dieser Stelle setzt Beethoven mit den Textworten „mit ihr“ und „durch sie“ zweimal zwei betonte Silben hintereinander, wobei er die Suspension des jambischen Ganges durch eine aus der triolischen Begleitung herauswachsende Tremolofigur erzwingt. Die dadurch geschehende Verbreiterung des Vortrages setzt Beethoven in der Schlußzeile durch eine Textwiederholung fort. Wie in ein Fazit mündet das Gedicht in eine Wiederholung der ersten Strophe ein. In ihrer zweiten Hälfte wird erneut die triolische Begleitung eingesetzt. Melodisch vorausgreifend führt sie mit ihren Spitzentönen ein Ritardando an, in dessen Verlauf mit zusätzlichen Sforzati auf den schwachen Taktteilen jeder Silbe zunehmende Betonung zugemessen wird. Wie der geschwinde Ablauf des Liedes durch dieses Zurückkommen, so wird der energische Beginn durch eine Schlußfigur ausbalanciert, in der die von dem Anfangsakkord angestoßene, von den regelmäßigen Jamben des Gedichtes weitergetragene und auch am Ende nur verbreiterte Bewegung ausschwingen kann. Nach all den stumpfen Zeilenenden schließt das Lied mit einer klingenden Endung: Die abschließende Tonika erscheint in Form einer Dreiklangszerlegung, die mit Schlag eins des Schlußtaktes in den Grundton a mündet, auf den erst mit dem zweiten Achtel der volle A-Dur-Akkord folgt.

Michael Maier

Polonaise C-Dur für Klavier
op. 89

ENTSTEHUNGSZEIT: Dezember 1814/Januar1815.
ERSTAUFFÜHRUNG: unbekannt.
SKIZZEN: Biblioteka Jagiellońska Krakau.
AUTOGRAPH: unbekannt.
ERSTDRUCK UND WIDMUNG: Wien 1815 (P. Mechetti); der Kaiserin Elisabeth Alexiewna von Rußland gewidmet.
GESAMTAUSGABE: Alte Gesamtausgabe: Nr. 188 = Serie 18 Nr. 6.

Wie viele andere Komponisten nutzte auch Beethoven die Gunst der Stunde, als die gekrönten Häupter Europas samt ihrem Gefolge auf dem Wiener Kongreß (September 1814 — Juni 1815) zusammenkamen. Sei es bei öffentlichen Veranstaltungen, sei es bei halböffentlichen Zusammenkünften in aristokratischen Häusern, sei es bei privaten Assembleen, nahezu überall war auch Beethoven zugegen, um bei der ökonomisch so wichtigen Klientel seine Bekanntheit zu steigern, seine Anerkennung zu festigen und seine künstlerische Bedeutung zu untermauern.

Die russische Kaiserin Elisabeth Alexiewna, Gattin des Zaren Alexander I., gehörte dabei offenbar zu den ausdauerndsten Bewunderern Beethovenscher Kunst. Sie war bei seiner großen und erfolgreichen Akademie am 29. November 1814 zugegen und zollte ihm bei einer Zusammenkunft in den Gemächern Erzherzog Rudolphs besonderen Tribut, wie Anton Schindler zu berichten weiß: „Von dem Fürsten Rasumowsky ward er den anwesenden Monarchen vorgestellt, die ihm in den schmeichelhaftesten Ausdrücken ihre Achtung zu erkennen gegeben. Die Kaiserin von Rußland wünschte ihn besonders zu bekomplimentieren."[1] Beethoven beabsichtigte offenbar, der Kaiserin eine Komposition zu widmen, in Erwartung einer entsprechenden finanziellen Honorierung.[2] Sein Ansinnen war von Erfolg gekrönt, denn vermutlich im Januar 1815 konnte er die Polonaise op. 89 der Kaiserin in einer Privataudienz überreichen, woraufhin er 50 Dukaten erhielt und weitere 100 Dukaten in Anerkennung seiner Widmung der bereits 1803 publizierten Violinsonaten op. 30 an den Zaren. Beethoven wiederum demonstrierte seine Ergebenheit, indem er anläßlich der Feier des Geburtstages der Kaiserin am 25. Januar 1815 seine „Adelaide" auf dem Podium selbst begleitete. Es war sein letzter öffentlicher Auftritt als Pianist überhaupt.[3]

Beethoven hatte mit der Wahl des dedizierten Werkes in zweifacher Hinsicht eine kluge Entscheidung getroffen. Zum einen war die Polonaise zu dieser Zeit immer noch einer der beliebtesten Tänze der Aristokratie, der auch in den Wiener Ballsälen zur Tagesordnung gehörte. Sie erfuhr darüber hinaus im russischen Zarenhaus eine besondere Wertschätzung, war doch die Polonaise *Grom pobiedy rozdawajsia* des seit 1791 am Hofe angestellten polnischen Komponisten Józef Kozlowski zur offiziellen Staatshymne avanciert. Beethoven zielte also eindeutig auf eine musikali-

1 A. Schindler, *Biographie* (^{3}1860), S. 250.
2 Vgl. Brief vom Januar 1815 an Nikolaus von Zmeskall, in: E. Kastner / J. Kapp, *Ludwig van Beethovens sämtliche Briefe,* S. 298f.
3 Vgl. Thayer / Deiters / Riemann, *Ludwig van Beethovens Leben,* Bd. III ($^{3-5}$1923), S. 488ff.

sche Vorliebe. Es entbehrt allerdings nicht einer gewissen politischen Pikanterie, daß gerade er, von dem so gerne das Bild des politisch fortschrittlich Gesonnenen entworfen wird, mit seiner kleinen Polonaise ausgerechnet eine Repräsentantin jenes Staates ehrte, der auf dem Wiener Kongreß den größten Teil des Landes, das dem Tanz den Namen gab, „annektierte" und als Kongreßpolen seiner Souveränität beraubte.

Zum anderen erfreute sich die Polonaise in stilisierter Form als Instrumentalstück auch bei einem breiteren Publikum großer Beliebtheit, sei es für die Zwecke dilettierender Hausmusik, sei es als bewundertes Paradestück instrumentaler Virtuosen. Beethovens Beitrag zu diesem sehr populären Genre läßt sich am anschaulichsten einordnen, wenn man ihn mit zwei Klavierwerken vergleicht, die jene Spannweite zwischen Hausmusik und Virtuosenstück ausmessen. Franz Schuberts 1818 komponierte *Vier Polonaisen* op. 75 (D 599) für Klavier zu vier Händen — sie erschienen 1827 im Druck — sind ein vollkommen an der hausmusikalischen Praxis orientiertes Werk. Es zielt nicht auf formale, gestalterische Besonderheiten, sondern begnügt sich mit dem schlichten Kontrast von Polonaise und Trio; satztechnisch bleibt es nicht zuletzt mit Hinsicht auf die einfache Spielbarkeit durchsichtig und ohne jede Prätention. Im Prinzip sind es kleine Stücke, zu denen man fast noch tanzen könnte. Als absoluter Gegenpart zu dieser bewußten musikalischen Beschränkung kann Carl Maria von Webers *Grande Polonaise* op. 21 für Klavier gelten — sie wurde 1808 komponiert und 1810 veröffentlicht —, die ganz auf die virtuose Bravour ausgerichtet ist: Eröffnet wird sie von einer langsamen, sich dramatisch gebenden Einleitung, der eine Art Rondo folgt, wobei das Thema selbst, außer daß es in andere Tonarten geführt wird, relativ unverändert wiederkehrt und die kontrastierenden Couplets vor allem der virtuosen Selbstdarstellung dienen (Skalen- und Sprungwerk, Übergreifen der Hände etc.). Es ist ein Werk, das sich am ehesten als ornamentreiche Umspielung des Immergleichen charakterisieren läßt.

Beethovens Polonaise ist im Vergleich mit diesen beiden Werken zweideutig: Spieltechnisch steht sie in der Nähe Schuberts, im formalen Aufbau ähnelt sie eher dem Werk Webers, wenn Beethoven auch auf die Wiederkehr des Themas strikter achtet. Während die Werke Schuberts und Webers, obwohl gänzlich voneinander verschieden, doch aus einem Guß erscheinen, wird man bei Beethoven den Eindruck einer gewissen Unausgewogenheit oder Unausgeglichenheit nicht los.[1] Schon die Einleitung mit ihrer extremen Dynamik und ihren virtuosen Arpeggien mag so gar nicht zur ausgewogenen Setzung des Polonaisen-Themas passen, das virtuosen Ambitionen gänzlich abhold scheint. So ist man anfangs im unklaren darüber, welche Richtung mit dem Stück eigentlich eingeschlagen werden soll. Des weiteren zeigt sich der für Beethoven durchaus typische kompositorische Anspruch, auf motivische Arbeit, auf Ableitung der Couplets aus Material des Themas, auf Ausarbeitung von Übergängen etc. auch in einem kleineren Werk nicht zu verzichten. So wird beispielsweise in der Überleitung zwischen dem ersten Couplet und der Themenwiederkehr (T. 50—52) ein Halbtonschritt, der schon im Thema latent angelegt ist, abgespalten und in Sechzehnteln fortgesponnen. Doch solche kompositorische Detailar-

1 Vgl. L. Kamieński, *Neue Beiträge zur Entwicklung der Polonaise bis Beethoven,* S. 68 und J. Uhde, *Beethovens Klaviermusik,* Bd. I (^{2}1980), S. 122—127.

beit wendet sich zunehmend gegen ein zentrales Moment von Stücken dieser Art: ihren dem Tanzcharakter entspringenden Zwang zur musikalischen Kontinuität. Schon die nächste Überleitung (T. 77—79) ist motivisch wesentlich vermittelter (die gegen den Takt gesetzten Achtelpaare sind aus dem Quintfall am Ende des Themas abgeleitet) und bremst den Verlauf merklich (dies hat seinen Sinn mit Blick auf die Vorbereitung des nun folgenden Mollabschnittes).[1] Bei der letzten Wiederkehr des Themas (T. 99ff.) scheint sich Beethoven schon fast im Umfeld der Sonate zu befinden, indem er plötzlich anläßlich des Trillers (T. 104ff.) ins Modulieren gerät, so als gelte es schon jetzt, vor der vollständigen Wiederholung des Themas, in die Coda einzutreten. Diese selbst greift dann wie üblich allerlei Material aus der Komposition auf (einschließlich signifikanter Überleitungsmotive, die dadurch in ihrer Bedeutung entgegen ihrer Funktion nochmals betont werden), bringt auch Neues ins Spiel (etwa kontrapunktische Ansätze Takt 133f., die allerdings als ebenso unmotiviert wie fehl am Platze erscheinen könnten), drängt jedoch den sonst fast immer präsenten Polonaisenrhythmus vollends in den Hintergrund, wenn man von den letzten vier Takten absieht. Allein an ihrem Umfang, der fast ein Viertel der Komposition ausmacht — bei Weber, der die Coda eigentlich für virtuose Effekte nutzen könnte, stellt sie nur gut den zehnten Teil des Werkes dar —, zeigt sich, wie stark Beethovens kompositorischer Anspruch in ein Spannungsverhältnis geraten ist zu dem Charakter des Genres; an diesem Eindruck können auch die vier letzten, den Polonaisencharakter plakativ bekräftigenden Takte nichts mehr ändern. Die Unausgewogenheit des Werkes wird im übrigen auch deutlich, wenn man es mit zwei anderen, wesentlich früher enstandenen Sätzen aus Beethovens Feder vergleicht, mit dem Finalsatz („Rondo alla Polacca“) des Tripelkonzertes op. 56 und dem „Allegretto alla Polacca“ aus der *Serenade* op. 8. In ihrer Glätte, Abgerundetheit und einheitlichen Durcharbeitung unterscheiden sie sich vollkommen von op. 89. Es ist vielleicht ein Paradox der Gattungsgeschichte der Polonaise — soweit sie bisher überhaupt geschrieben ist[2] —, daß gerade die angedeutete Unausgewogenheit, die man als Mangel empfinden dürfte, als Keimzelle für die wesentlichen Entwicklungszüge der Polonaise im 19. Jahrhundert (Emanzipation vom Tanzidiom, Distanz zur Hausmusik wie zur reinen Virtuosität, Tendenz zur großformalen Anlage, Ausdrucksweite vom heroisch-dramatischen bis zum lyrisch-intimen Charakter) angesehen werden kann, die ihren Höhepunkt in den entsprechenden Werken Frédéric Chopins fanden.

Andreas Ballstaedt

---

1 Ganz ähnlich gestaltet Beethoven zwei Überleitungen im „Rondo alla Polacca“ seines *Tripelkonzertes* op. 56; vgl. dort Takt 110—115 und 303—306.

2 Vgl. Z. Lissa, *Klavierpolonaise und -mazurka im 19. Jahrhundert.*

Klaviersonate e-Moll op. 90

ENTSTEHUNGSZEIT: 1814.
ERSTAUFFÜHRUNG: unbekannt.
SKIZZEN: Deutsche Staatsbibliothek Berlin, Landsberg 12; Gesellschaft der Musikfreunde Wien, A 40, Dessauer Skizzenbuch, und zum zweiten Satz: A 36; vgl. G. Nottebohm, *Zweite Beethoveniana*, S. 298 und 366ff.
AUTOGRAPH: ehemals bei G. T. Odling, London; seit Februar 1992 im Beethoven-Haus Bonn, vgl. dazu *NZfM* 153 (1992), H. 2, S. 3.
ERSTDRUCK UND WIDMUNG: Wien 1815 (S. A. Steiner & Co.); dem Grafen Moritz v. Lichnowsky gewidmet.
GESAMTAUSGABE: Alte Gesamtausgabe: Nr. 150 = Serie 16 Nr. 27.

Die in dem — aufs Ganze gesehen für Beethoven wenig produktiven — Jahre 1814 entstandene Klaviersonate in e-Moll, die im Juni 1815 als op. 90 im Erstdruck bei Steiner in Wien mit Widmung an den Grafen Moritz von Lichnowsky erschienen ist, steht an der Schwelle von Beethovens später Schaffensphase, die in der Gattung der Klaviersonate mit der darauf folgenden, 1816 vollendeten Sonate in A-Dur op. 101 einsetzt. Es könnte somit naheliegen, die e-Moll-Sonate daraufhin zu untersuchen, welche ihrer Züge noch im mittleren Stil verankert sind und welch andere wiederum bereits deutlich auf den späten Stil vorausweisen. Doch da Stil — nach der Einsicht Arnold Schönbergs — bei den großen Komponisten seit der Wiener Klassik keine oberste musikalische Kategorie, sondern eine mittleren Ranges ist, welche der Idee des einzelnen Kunstwerks untergeordnet ist, kann zur Erkenntnis der Beethovenschen Musik, mehr als Stiluntersuchungen es vermögen, der Versuch beitragen, das einzelne Werk im ganzen als Antwort auf die besonderen kompositorischen Probleme zu verstehen, mit denen Beethoven zu jener Zeit sich beschäftigte. Und zu den zentralen damaligen Problemen, so scheint es, rechnet das der musikalischen Ambiguität auf verschiedenen Ebenen, auf syntaktischer, formfunktionaler sowie satzzyklischer Ebene.

Mit Fragen musikalischer Ambiguität befaßte sich Beethoven nicht erst im Jahre 1814. Carl Dahlhaus hat überzeugend dargelegt, daß der „neue Weg", den Beethoven seinen eigenen Worten nach um 1802 einzuschlagen trachtete, auf eine grundsätzlich neue Konzeption musikalischer Prozessualität Bezug nimmt.[1] Diese ist vornehmlich dadurch gekennzeichnet, daß die Thematik kein anfangs gesetztes Thema mehr umfaßt, sondern mehr einer thematischen Konfiguration entspricht, die es ermöglicht, von einer thematischen Vorform gleich zu deren Ausarbeitung überzugehen, ohne durch das Gewicht eines entwickelten Themas die durchgreifende Prozessualität des Ganzen zu gefährden. Die Möglichkeit einer ästhetisch positiven Bedeutung formaler Ambiguität, die Beethoven um 1802 entdeckte und entwickelte, erwies sich als einer der fruchtbarsten Ansätze seines Musikdenkens. An der Klaviersonate op. 90 läßt sich zeigen, daß Beethovens kompositorische Fragestellung auch

1 Vgl. C. Dahlhaus, *Beethovens „Neuer Weg"*, S. 46f.

beim Übergang zum Spätwerk in spezifischer Weise auf Probleme ästhetischer Ambiguität, der Vermittlung von unterschiedlichen syntaktischen, formalen und zyklischen Funktionen und Charakteren gerichtet war.

KONTRASTSUKZESSION UND SYNTAKTISCHE AMBIGUITÄT. Die Exposition des ersten Satzes (T. 1—81) läßt sich verstehen unter dem Aspekt der entwickelnden Variation (Arnold Schönberg), insofern mittels dieser Technik die funktionell und charaktermäßig verschiedenen Abschnitte der Sonatenexposition, wie sie von der traditionellen Formenlehre als Hauptsatz, Überleitung, Seitensatz und Schlußsatz im Grundriß erfaßt werden, zu einem einheitlichen und gleichwohl gegliederten, prozeßhaften Verlauf zusammengefügt werden. In grober Annäherung läßt sich der von Beethoven markierte geschichtliche Stand dieses Problems folgendermaßen umreißen: War die Sonate im 18. Jahrhundert zunächst, bei strikter Scheidung von thematischen und nicht-thematischen Partien, eine tendenziell monothematische Form, und zeitigte die weitere Entwicklung eine Aufsprengung der monothematischen Einheitlichkeit zugunsten eines mannigfaltigeren, mehrere verschiedene Themen oder Themengruppen umfassenden Verlaufes, so setzte Beethoven bereits in seinen früheren Werken — zum Beispiel dem ersten Satz der f-Moll-Klaviersonate op. 2, Nr. 1 — mit dem Versuch einer Synthese von Einheit und Mannigfaltigkeit ein, indem er thematisch verschiedene Gestalten nach jenem Kompositionsprinzip miteinander verband, das Arnold Schmitz „kontrastierende Ableitung" nannte.[1] Die Idee der kontrastierenden Ableitung bestimmte weite Bereiche von Beethovens kompositorischer Entwicklung, konnten doch verschiedenste musikalische Elemente (Gestik, Diastematik, Rhythmik usw.) auf vielfältige Weise als identischer oder verwandter Kern der unterschiedlichen thematischen Gestalten festgehalten werden. Eine Tendenz des Beethovenschen Sonatendenkens führte dahin, die Differenz zwischen „thematischen" und „nicht-thematischen" Partien (Einleitung, Überleitung und weiteren, zwischen den Themenkomplexen angesiedelten Entwicklungsabschnitten) zu verringern, ohne jedoch die funktionelle Differenziertheit des Sonatensatzes anzutasten oder aufzuheben. Die Exposition des ersten Satzes von op. 90 kann darum als Antwort auf die Frage begriffen werden, wie es möglich sei, einen (im Vergleich zu vorangehenden Werken der mittleren Periode) konzentrierten, beinah geschlossenen, gleichwohl aber gestaltenreichen Musikverlauf auf der Grundlage einer einzigen, anfangs präsentierten thematischen Konstellation — den ersten beiden Takten — zu formen.

In diesem Zusammenhang hat auch das Problem der Ambiguität auf der Ebene der musikalischen Syntax seinen beschreibbaren Stellenwert. Es sei erörtert anhand der Gestaltung des Hauptsatzes, dessen syntaktischer Umriß drei mal acht Takte umfaßt.

---

1 Vgl. A. Schmitz, *Beethovens „Zwei Prinzipe"*.

Der in sich geschlossene Hauptsatz, der bis Takt 24 reicht, prägt keine einheitliche thematische Gestalt nach den — von Erwin Ratz aufgezeigten — Kriterien einer Beethovenschen „Satz"-Konstruktion aus.[1] Und dennoch kann die Struktur dieses Hauptsatzes am angemessensten als Weiterführung des (für Beethoven charakteristischen) satzartigen Aufbaus mit Mitteln der entwickelnden Variation verstanden werden, insofern Konstruktionsprinzipien des „Satzes" — sequenzartige Wiederholung eines Viertakters mit anschließender Weiterentwicklung — zu einer auf Motivtransformation beruhenden Kontrastsukzession umgedeutet erscheinen. Die Elemente des ersten, zentralen Motivs — Auftakt, Tonwiederholung, fallende Dreitonfolge und punktierter Rhythmus — bilden den Ausgangspunkt für die musikalisch-logische Entwicklung virtuell des gesamten ersten Satzes. Die ersten acht Takte des Hauptsatzes entstehen aus dem regelmäßigen Wechsel zwischen dem ersten Motiv, das im Forte erklingt und dessen Auftakt, von dem Volltakt durch eine Achtelpause getrennt, energieerfüllt anhebt, und dem — identischen — Motiv in Takt 3f. (bzw. T. 7f.), das im Piano vorzutragen ist und dessen geringfügig veränderte diastematische Gestalt, genetisch laut einer von Gustav Nottebohm mitgeteilten Skizzenfassung die primäre[2], unter Veränderung des Auftaktes zu getragenen Vierteln einen wesentlichen Binnen-Kontrast ausprägt. Der Wechsel zwischen energischem Achtel- und getragenem Viertel-Auftakt, der den syntaktisch regulär aus vier Zweitaktern gebauten Anfangsabschnitt bestimmt, wirkt seiner Tendenz nach weiter im mittleren Abschnitt des Hauptsatzes (T. 9—16). Nachdem zu Beginn der e-Moll-Akkord in Takt 1 nicht als Tonika etabliert, sondern gleich als subdominantische VI. Stufe

1 Vgl. E. Ratz, *Einführung in die musikalische Formenlehre* (^{3}1973), S. 23f.
2 Vgl. G. Nottebohm, *Zweite Beethoveniana,* S. 298.

einer Kadenz zur Durparallele (T. 1—4) gedeutet wurde, und nachdem die Sequenz (T. 5—8) zur Molldominante geführt hatte, bewegt sich der mittlere Abschnitt, als wollte er den Anfang nachsatzartig ergänzen, zunächst im Bereich der Durparallele und wendet sich erst spät zum Halbschluß in der Tonikaregion (T. 16). Läßt der mittlere Abschnitt in seiner Syntax (2 + 2 + 4 Takte) und seiner sich verdichtenden Motivkonstruktion deutlich satzartige Anlage erkennen, so löst der dritte Abschnitt (T. 17—24) in zwei weitausgreifenden Viertaktphrasen die im Halbschluß von Takt 16 gesetzte Spannung und tonale Erwartung ein. Was sich in Takt 9—16 als kantabler Kontrast zum energiebetonten, von Pausen durchfurchten Beginn präsentiert, ist nichts anderes als eine motivische Abwandlung des Anfangs: Die spätere Kantabilität erscheint abgeleitet von der früheren Nicht-Kantabilität. Der kraftvoll abgesetzte Auftakt zu Takt 1, der im Viertel-Auftakt zu Takt 3 bereits in eine getragenere Fassung modifiziert wurde, setzt diese Veränderungstendenz noch weiter fort und realisiert sich beim Übergang zum mittleren Abschnitt (T. 9f.) in Form eines übergebundenen, nur mehr innerlich wirksamen Auftaktes. Der Binnen-Kontrast, der in den ersten acht Takten im Wechsel von Forte- und Piano-Motiven zum Ausdruck kommt, pflanzt sich auf syntaktisch höherer Ebene gesteigert fort, indem die in Vierteln legato fortschreitende, kantable Mittelpartie (T. 9—16) sich insgesamt gegen den zerklüfteten Beginn abhebt. Die Entwicklung des Hauptsatzes erscheint somit bestimmt von dem Prinzip einer Sukzession von Binnen-Kontrasten. (Der Terminus Binnen-Kontrast wurde gewählt, um anzudeuten, daß die Kontrastwirkung der einzelnen Glieder die einheitliche Funktionsbestimmung des Hauptsatzes nicht aufsprengt, vielmehr in neuartiger Entwicklung allererst konstituiert.)

Der Prozeß der Kontrastsukzession setzt eine Ambiguität der musikalischen Syntax voraus. Er läßt sich dadurch kennzeichnen, daß ein musikalischer Gegensatz sowohl durch motivisch-thematische Verknüpfung mit einem vorangehenden Ausgangsmodell — nach der Idee der kontrastierenden Ableitung — als auch durch den syntaktischen Prozeß fortschreitender Subsumption — wie er in der sukzessiven Zusammenfassung kleinerer zu übergeordneten, höheren syntaktischen Einheiten und Abschnitten erfolgt — seine Kontrastwirkung durch solche Einbettung in den musikalischen Kontext erfüllt und legitimiert. Beethovens Technik der Kontrastsukzession, das heißt der Setzung und gleichzeitigen Aufhebung sich auseinander entwickelnder Kontrastgestalten, relativiert bis zu einem gewissen Grade die Bestimmtheit der musikalischen Syntax. Indem der mittlere Hauptsatzabschnitt von Takt 9—16 einerseits aus dem Anfangsabschnitt abgeleiteter Kontrast, nachsatzartige Konsequenz eines ersten Achttakters, andererseits aber auch gleichzeitig Mittelstufe und vordersatzhafter Ausgangspunkt für den nachfolgenden Schlußabschnitt des Hauptsatzes ist, vereinigt seine — nach der Ratz'schen Terminologie — „satzartige“ Konstruktion gegensätzliche syntaktische Funktionen. Die Erkenntnis solch syntaktischer Ambivalenz, die im übrigen bereits Adolf Bernhard Marx vollzog[1],

1 A. B. Marx, *Anleitung zum Vortrag Beethovenscher Klavierwerke* (1912), S. 86f.: „Die E moll-Sonate Op. 90 baut ihren Hauptsatz bis zum Nachsatz auf einen fest abgeschlossenen Abschnitt, der sich viermal (1 bis 4) wiederholt. Der Nachsatz wiederholt ebenfalls seinen ersten Abschnitt 5 bei 6 und geht erst dann in Einem Zuge zum Schluß. So bildet sich eine Melodie von 2 2 2 und 2, — 2 und 2 und zuletzt 4, — im ganzen von 16 Takten. Allein die Melodie ist noch nicht geschlossen. Nur uneigentlich sind oben die letzten acht Takte Nachsatz genannt worden, um den bedeutsamen Abschnitt dieser

deckt ein zentrales Moment von Beethovens zur entwickelnden Variation gereiften Technik der satzartigen Konstruktion auf, für die ein syntaktisches Ziel oft gleichzeitiger Ausgangspunkt für die weitere Entwicklung ist. Das Umhören des mittleren Hauptabschnittes von einem kontrastierenden Nachsatz zu einem mit dem Sonatenbeginn in satzartiger Entwicklung zusammenhängenden Vordersatz stellt keine nachträgliche Korrektur eines anfänglichen Hörfehlers dar, sondern ist Ausdruck eines Verstehens einer Musik, welche auch syntaktisch mehrdeutige, ausdrucksmäßig jedoch in keiner Weise zwitterhafte Partien umfaßt.

Das Ausmaß freilich, in dem die Beethovensche Technik der Kontrastsukzession die Eindeutigkeit seiner musikalischen Syntax relativiert, sollte im ganzen nicht überschätzt werden. Dies zeigt mitunter der abschließende Teil des Hauptsatzes (T. 17—24): Er setzt die entwickelnde Variation fort, indem er den übergebundenen Auftakt des mittleren Abschnitts mit der Punktierung des Beginns verknüpft und die Bewegung dynamisch zu zwei viertaktigen Phrasen steigert. Auf syntaktisch eindeutige, nämlich nachsatzartig kadenzierende Weise findet der Hauptsatz hiermit seinen durch ein Ritardando bekräftigten Abschluß, der umgekehrt in seiner unmißverständlichen Deutlichkeit, die durch die anschließende Pause noch erhöht wird, als Hauptsatzende innerhalb einer Sonatenexposition durchaus auffallend erscheint.

SONATENTEKTONIK UND ENTWICKELNDE VARIATION. Die klare, eindeutige Gliederung der Exposition des ersten Satzes von op. 90 — Hauptsatz: Takt 1—24, Überleitung: Takt 25—44, Seitensatz: Takt 45—66 und Schlußsatz: Takt 67—81 — scheint eine Ambiguität formaler Funktionen auszuschließen, wie sie beispielsweise im ersten Satz der d-Moll-Klaviersonate op. 31, Nr. 2 oder in dem entsprechenden der Cellosonate in C-Dur op. 102, Nr. 1 besteht, wo die Überlagerung formaler Funktionen und Charaktere nach Art dessen, was Erwin Ratz „Phasenverschiebung" nannte[1], ein zentrales kompositorisches Problem darstellt. Insofern die neuartige Technik der entwickelnden Variation, die Beethoven beim Übergang zum Spätwerk anwandte und deren Besonderheit in einer nicht durchgehend deduktiv-logischen und dennoch einen fast universalen Zusammenhang stiftenden Entfaltung eines vorerst latenten Motivbestandes liegt, in den Sonatensätzen von op. 90 und op. 102, Nr. 1 auf ähnliche Weise sich manifestiert, mag die Vermutung naheliegen, Beethoven habe diese neu entwickelte Technik bei der Klaviersonate im Jahre 1814 im Rahmen eines traditionellen, gesicherten Formgerüstes erproben und erst im folgenden Jahr bei der Cellosonate in C-Dur mit einer Problematisierung von Überleitungs- und Seitensatzcharakteren verbinden wollen, welche an frühere kompositorische Fragestellungen, beispielsweise im ersten Satz von op. 31, Nr. 2 oder im ersten Satz von op. 59, Nr. 3 anknüpfte. Hierin liegt einer der Gründe, warum op. 102 oder auch die A-Dur-Klaviersonate op. 101 näher am Spätwerk stehen als die Sonate op. 90, deren Expositionsverlauf sich in konzentrierter, übersichtlicher Weise prä-

acht Takte zu bezeichnen. Blickt man schärfer hin, so sind diese sechszehn Takte zusammengenommen, erst der Vordersatz, der Nachsatz folgt Takt 17 und bringt — anknüpfend an Abschnitt 1, aber weitergehend — einen Satz von vier Takten und seine Wiederholung, die gleichfalls nicht unverändert bleibt."

1 E. Ratz, *Einführung in die musikalische Formenlehre* (^{3}1973), S. 155.

sentiert. Immerhin zeigt auch er — als Ausnahme — eine formfunktional mehrdeutige Partie: Der erste Teil des Seitensatzes (T. 45—54) muß zwar aus tonalen Gründen — h-Moll als Region der Molldominante — als Beginn des Seitensatzes bewertet werden, doch vermitteln ihm die pochende Achtelbegleitung und die gleichsam auf den Volltakt verschobenen Auftakte bei Takt 47f. einen energisch vorwärtstreibenden Gestus, der von der Formtradition her eher Überleitungs- und Entwicklungs- als Seitensatzpartien zukommt.

Die Komplexität des prozessualen Sinngefüges erreicht freilich im Verlauf der Exposition einen Grad, der es verständlich macht, daß der Komponist einem musikalischen Ausgleichsprinzip gemäß die überwältigende Dichte der motivisch-thematischen Beziehungen durch eine traditionelle Disposition der Harmonik abstützen wollte. Nur ganz knapp seien die wichtigsten Beziehungen hier skizziert: Der Seitensatz (T. 45—66) greift nicht nur auf den Beginn der Überleitung (T. 25f.) zurück, der das Auftakt-Prinzip des Sonatenanfangs prononciert weitergeführt hatte.[1] Diese Beziehung liegt, was die metrische Verschiebung des Auftaktes auf den Volltakt in Takt 47f. und die Bewegungsumkehrung von Takt 55f. im Vergleich zum Überleitungsbeginn in Takt 25f. betrifft, auf der Hand. Verdeckter erweist sich seine rhythmische Analogie zum Hauptsatz, insoweit sie als direkte (und nicht allein als via Überleitung vermittelte) Beziehung in Betracht fällt. Sie besteht darin, daß zwei Teile des Seitensatzes (T. 47—50 und 55f.) in einem ähnlich begründeten Kontrastverhältnis zueinander sich befinden wie die ersten beiden Abschnitte des Hauptsatzes (T. 1—8 und 9—16). Beim Hauptsatz drängte der auftaktige Rhythmus zunächst kraftvoll voran (T. 1f.) und wurde im mittleren Abschnitt dann durch Überbindung und Legato-Phrasen in einen Cantabile-Gegensatz versetzt. Und analog stürmt — stets unter der Voraussetzung, der Rhythmus von Takt 47f. lasse sich als verschobener Auftakt begreifen — der erste Abschnitt des Seitensatzes von straffer Energie erfüllt empor, während anschließend der zweite (T. 55f.), bei dem analog zum mittleren Hauptsatzabschnitt der verschobene Auftaktrhythmus von Takt 47 durch Überbinden zu einer getragenen, schwebenden Synkopierung gemildert erscheint, eine Art kantablen Kontrast verkörpert, dessen Sanglichkeit freilich durch die weiten Melodieschritte und die bewegte Begleitung eingeschränkt wird. Auch der Schlußsatz (T. 67—81) verweist in der aufsteigenden Baßbewegung von Takt 67 und 71 sowie in den herausgehobenen Vorhalten g—fis (u.a. T. 70) auf den Seitensatz — die Baßbewegung von Takt 58f. sowie den Melodieanfang in Takt 55 — und indirekt auch auf das Kernmotiv des Sonatenbeginns zurück, für das die Töne g—fis ebenfalls zentral sind.

Die einzelnen Teile der Exposition (Hauptsatz, Überleitung usw.) werden somit durch die nahezu universale Prozessualität der musikalischen Bewegung in ihrem traditionellen formfunktionalen Stellenwert weitgehend verändert, ohne daß ihre funktionale Bestimmtheit durch wechselseitigen Austausch eines Teils ihrer traditionellen Merkmale zu einer formalen Mehrdeutigkeit aufgelöst wird, wie sie — wie erwähnt — beispielweise beim ersten Satz der Cellosonate op. 102, Nr. 1 beobachtet werden kann. Die Veränderung betrifft auch das Verhältnis zwischen der logischen

1 J. Kaiser spricht von einer „Auftakt-Story", von einem „geistreiche[n] Modifikations-Roman dieses Beginns", in: *Beethovens 32 Klaviersonaten*, S. 467.

Dynamik eines prozessualen Bewegungszuges und der Tektonik der Formdisposition, welche durch die Differenzierung der verschiedenen Formfunktionen im Sonatensatz präzisiert, keinesfalls ausgelöscht erscheint.

Was die prozeßhaft vorantreibende Bewegung der entwickelnden Variation den einzelnen Expositionsabschnitten im ersten Satz von op. 90 an tektonischem Eigengewicht raubt, gibt sie dem Sonatensatz durch eine Restitution tektonischer Prinzipien auf höherer Ebene wieder zurück. Dies erklärt den — scheinbar paradoxen — Sachverhalt, daß Beethoven einerseits, in Konsequenz einer prozessualen Sonatenkonzeption, auf eine Wiederholung der Exposition verzichtet, andererseits jedoch, in Widerspruch zu einer durchgreifend prozessualen Sonatenkonzeption, die Reprise gegenüber der Exposition kaum — das heißt nur hinsichtlich des Minimums der tonalen Verhältnisse — verändert und außerdem in der (sehr knappen) Coda geradezu bogenförmig den Schlußsatz der Reprise nach der Idee einer zerfallenden Erinnerung zum Sonatenbeginn zurückführt. Die Technik der entwickelnden Variation, die in der Exposition einen musikalischen Zusammenhang durch die einzelnen Formabschnitte hindurch entfaltet, erhebt keinen universalen Geltungsanspruch und greift die für die Sonate konstitutiven Unterschiede zwischen den Hauptteilen Exposition, Durchführung und Reprise nicht — oder besser: noch nicht — an. Sie macht — und dies markiert die besondere Stellung von op. 90 zwischen Fortschritt und Zurücknahme — gleichsam Halt vor der Durchführung, die mit traditionellen, von der entwickelnden Variation unterschiedenen Kompositionstechniken die Gestalten des ersten und des zweiten Hauptsatzabschnittes der Exposition in zwei Phasen thematisch verarbeitet (T. 85f. und 110f.); allerdings erscheinen diese Phasen durch eine — für den Problemstand der Durchführung von 1814 bezeichnende — eigentümliche Stagnation auf der Dominante der Submediantregion C-Dur voneinander getrennt (T. 108f.).

Es mag paradox anmuten, daß Beethoven die Finalität der Sonatenprozessualität gerade auf dem Entwicklungsstand seines kompositorischen Denkens wieder einschränkt, auf dem ihm die Technik der entwickelnden Variation, die ihm zur Verfügung stand und die in der Exposition wirksam wurde, eine weitere, radikalisierte Steigerung der Sonatenfinalität durch die formalen Hauptteile hindurch gestattet hätte. Indem der Satz auf solche Weise in der Exposition einen neuen Stand prozeßhafter Entwicklung definiert, ihn im weiteren Verlauf aber nicht in zielgerichteter Finalität fortführt, sondern zugunsten einer — für den mittleren Beethoven traditionellen — Sonatentektonik zurücknimmt, erweist er sich indessen als wohl verschiedenes, doch innerlich verwandtes Gegenstück zum nachfolgenden zweiten Satz.

Ambiguität als Problem satzzyklischer Organisation. Die mehrsätzige, zyklische Organisation der Sonatenwerke war für Beethoven in keiner Weise starr auf das Schema des drei- bis viersätzigen Zyklus — Sonatenallegro, langsamer Satz, eventuell Scherzo, Finale — starr fixiert, innerhalb von dessen abgesteckten Möglichkeiten seine Erfindungskraft sich bewegen und bewähren konnte. Der „Idealtyp“ selbst wurde ihm, je länger desto dringlicher, zum Problem und somit auch zum Gegenstand des Komponierens. Beethovens Musikdenken, das die Kategorie der Ambiguität auf syntaktischer und formfunktionaler Ebene kompositorisch problematisierte, konnte die Relevanz jener Kategorie nicht auf die Gestaltung der einzelnen Sätze beschränken, sondern mußte sie fast zwangsläufig auch auf die satzzyklische Organisation ausdehnen. Die erstaunliche Mannigfaltigkeit der zyklischen Dispositionen im Spätwerk Beethovens, die mit der von ihm selbst als „freie Sonate" bezeichneten Cellosonate in C-Dur op. 102, Nr. 1 aus dem Jahre 1815 einsetzt[1], läßt sich weitgehend verstehen als verschiedenartige Antwort auf die Frage nach der Möglichkeit satzzyklischer Ambiguität. Nicht jedoch erst im Spätwerk, vielmehr spätestens seit den Fantasie-Sonaten für Klavier op. 27 aus der Zeit der Jahrhundertwende hat man sich davor zu hüten, Dispositionen, die von der drei- bis viersätzigen Norm abweichen, mit dem oberflächlichen Hinweis auf angeblich „fehlende" Sätze, also mit einem bloßen Defizitargument, erklären zu wollen.

Hugo Riemann umschrieb das Problem der Zweisätzigkeit von op. 90 mit folgenden Worten: „Wie bei op. 54 und op. 78 haben beide Sätze so ausgesprochen Mittelcharakter, daß ein eigentlicher Gegensatz nicht wohl möglich ist, daher weder für einen langsamen, getragenen noch für einen Scherzo-Mittelsatz Raum war."[2] So richtig Riemanns Terminus „Mittelcharakter" das Ambiguitätsproblem auf satzzyklischer Ebene grundsätzlich anvisiert, so greift seine Formulierung im einzelnen doch fehl. Denn weder in op. 78 (der Klaviersonate in Fis-Dur) noch in op. 90 weisen beide Sätze auf, was er Mittelcharakter nennt: Am eindeutigen Finale-Charakter des zweiten Satzes der Fis-Dur-Sonate kann so wenig Zweifel bestehen wie daran, daß es sich beim ersten Satz der e-Moll-Sonate um ein Kopfsatz-Allegro handelt.

Die Zweisätzigkeit von op. 90 ist gewiß keine genuine, sondern reflektiert die Dreisätzigkeit als aufgehobenen Traditionshintergrund mit. Dies geschieht im zweiten Satz. Der erhält sein — im Klavierwerk Beethovens einmaliges — Gepräge aus der Ambiguität von Rondofinale und langsamem Satz, zweier gegensätzlicher Formtypen also, deren Tendenzen ineinandergreifen: Der musikalische Charakter eines langsamen, fließend kantablen Satzes äußert sich in einer Rondoform, die wegen der — in den Couplet- oder Episodenabschnitten ebenfalls wirksamen — Technik der entwickelnden Variation als Sonatenrondo präzisiert werden kann.

Jürgen Uhde hat in einer eindringlichen Analyse des zweiten Satzes gezeigt, wie der Beginn des Hauptthemas an den Schluß des ersten Satzes anknüpft und wie im weiteren die drei Abschnitte des Seitensatz- oder Episodenkomplexes (die Partien T. 33—40, 41—59 und 60—69) teils verschiedene, teils gemeinsame Elemente des Refrains aufgreifen und zu neuen musikalischen Gestalten entwickeln.[3]

Obschon dieser musikalische Zusammenhang kein eigentlich motivischer ist, erscheint er in der Figur der absteigenden Viertonfolge — zunächst Takt 1f., dann in den Seitensatzpartien Takt 45f. und augmentiert Takt 60f. — konstruktiv und ästhetisch gegeben, ohne daß man auf apokryphe Ableitungsverfahren rekurrieren müßte. Die Stringenz von Uhdes Analyse läßt sich durch den Hinweis darauf noch erhöhen, daß bei der Rückleitung zur Reprise im ersten Satz — sie ist keine Rückleitung, eher ein ostinates rhythmisches Variationsspiel mit dem auftaktlosen Themenkopf (T. 132—143) — ebenfalls die thematisch zentrale, absteigende Viertonfolge (später: Dreitonfolge) sukzessiv augmentiert und wieder diminuiert wird, die Augmentation mithin zu den ausgewiesenen Konstruktionsprinzipien der Sonate rech-

1 Vgl. über die Cellosonaten op. 102, unten S. 121ff.
2 H. Riemann, *L. van Beethovens sämtliche Klavier-Solosonaten,* Bd. III, S. 227.
3 Vgl. J. Uhde, *Beethovens Klaviermusik,* Bd. III, S. 318f.

net. Der für den zweiten Satz so charakteristische sanfte, kontinuierliche Fluß der musikalischen Bewegung wird von der fast unablässigen Sechzehntelbegleitung gestiftet, nicht minder aber auch gefördert durch die teilweise vormotivische Verwandtschaft der thematischen Gestalten untereinander. Daß Beethoven der Hauptmelodie erst im Verlauf des Kompositionsprozesses zu ihrem unnachahmlich geschmeidigen Fließen verhalf, zeigt ein Vergleich der endgültigen Fassung mit einer von Nottebohm veröffentlichten Skizze.[1] Sie beginnt noch mit einem Achtel-Auftakt, der die Verbindung zum ersten Satz fast überdeutlich herausstreicht, und trennt die erste von der zweiten Phrase mit einer Achtel-Pause:

1. Satz: T. 242—245

2. Satz: a) Skizze 2 Systeme (nach Nottebohms Transkription)

b) Endfassung T. 1—9

1 G. Nottebohm, *Zweite Beethoveniana,* S. 366; vgl. auch P. Mies, *Die Bedeutung der Skizzen Beethovens,* S. 4.

Der Gehalt eines langsamen Satzes, der in diesem Rondo aufgehoben ist, wird angedeutet in der Überschrift: „Nicht zu geschwind und sehr singbar vorgetragen." Die erste Hälfte der Vortragsanweisung verweist darauf, daß das einem Rondo entsprechende rasche Zeitmaß wohl gemäßigt angeschlagen werden soll. Denn nur so kann die zweite Hälfte der Vorschrift, die auf jenes kantable Legato-Spiel dringt, für welches Beethoven berühmt war, ohne Abstriche erfüllt werden. Erst ein auf äußerste Kantabilität angelegter Vortrag vermittelt der Wiederholungsseligkeit des Satzes, ob deren ihn Arthur Rubinstein für heute als nicht mehr aufführbar erachtete, jene ruhige Eindringlichkeit, jene Konzentration des langen musikalischen Blickes, deren das Rondo bedarf, um aus solcher Ambiguität mit dem (nicht explizit komponierten) langsamen Satz seinen spezifischen Charakter entfalten zu können.

Es mag dies, wie Beethoven gegenüber dem Widmungsträger Graf Lichnowsky geäußert haben soll[1], damit zusammenhängen, daß die poetische Idee des Satzes wohl eine „Konversation mit der Geliebten" darstellt, ein Zeugnis, das Hartmut Krones für eine inhaltsästhetische Deutung der Sonate fruchtbar gemacht hat.[2]

Der Satz ist eine einzige Aufforderung an den Interpreten, Beethoven nicht in falscher Absicht vor Schubert zu schützen. Nur wenn die glücklich hinströmende Musik den komponierten Nuancenreichtum freilegt und der Interpret sich bemüht, dem ununterbrochenen Fluß auch einen Zug der Versenkung, der Meditation mitzuteilen, und alles daran setzt, diesen Einfluß des langsamen Satzcharakters nicht aus Angst vor der — für Beethoven gewiß ungewöhnlichen — Zeitdauer zu unterschlagen[3], nur dann wird der Satz seinen vollen musikalischen Gehalt offenbaren.

Hermann Danuser

Wellingtons Sieg oder Die Schlacht bei Vittoria op. 91

ENTSTEHUNGSZEIT: August bis November 1813.
ERSTAUFFÜHRUNG: am 8. und 12. Dezember 1813 in Wien (im Universitätssaal) sowie am 2. Januar und 27. Februar 1814 (im Redoutensaal).
SKIZZEN: Deutsche Staatsbibliothek Berlin, Landsberg 12; Staatsbibliothek Preußischer Kulturbesitz Berlin, Artaria 197 und Landsberg 10, Pastoralsymphonie-Skizzenbuch; Beethoven-Haus Bonn, Mh 87; Bibliothèque Nationale Paris, Ms 50.
AUTOGRAPH: Deutsche Staatsbibliothek Berlin (dort auch eine überprüfte Abschrift der [Teil-]Fassung für Panharmonikon).
ERSTDRUCK UND WIDMUNG: Wien 1816 (S. A. Steiner & Co.), im Februar; neben der Partiturausgabe und den Orchesterstimmen wurden mehr oder weniger gleichzeitig sechs Arrangements für verschiedene Besetzungen publiziert. Parallelausgabe des von Beethoven stammenden Klavierauszugs: London 1816 (R. Birchall), möglicherweise schon im Januar. Dem Prinzregenten von England Georg August Friedrich, dem späteren König Georg IV. gewidmet.
GESAMTAUSGABEN: Alte Gesamtausgabe: Nr. 10 = Serie 2 Nr. 1; Neue Gesamtausgabe: Abt. II, Bd. 1.

---

1 Vgl. A. Schindler, *Biographie* (1970), S. 597.
2 Vgl. H. Krones, *„... er habe ihm seine Liebesgeschichte in Musik setzen wollen"*.
3 Vgl. dazu J. Kaiser, *Beethovens 32 Klaviersonaten,* S. 470f.

Für eine kurze Weile faszinierte die „Schlachtsymphonie", ehe sie kunstkritischen Verdikten unterlag, von denen sie sich trotz des einen oder anderen wohlgesinnten Verteidigers nicht wieder hat erholen können. Beethovens Ausflug in die illustrative Musik über ein Sujet kriegerischen Charakters hat viele Freunde der Tonkunst eher verschreckt, und dieses um so mehr, als er ihn affirmativ unternommen hat. Nicht erst in Zeiten, in denen die Einstellung zum Militärischen sich so sehr gewandelt hat wie die Art der Kriegführung selbst — spätestens mit dem I. Weltkrieg, dessen Schlachten endgültig nicht mehr in auch nur einigermaßen bedeutenden Musikwerken verherrlicht worden sind[1] —, hat *Wellingtons Sieg* manches Naserümpfen hervorgerufen und oft peinlich berührt. Schon in den Berichten von der ersten Aufführung war von „Tongemälde" die Rede, und das konnte damals unter Umständen ein noch zweifelhafteres Kompliment sein als „Tongedicht", so sehr umgekehrt die „poetische Idee" in der Musik geschätzt worden ist. Der Jurist und Musiktheoretiker Gottfried Weber gehörte zu den ersten, die sich aus Anlaß des Erscheinens der Noten 1816 nicht ohne Schärfe öffentlich gegen das Stück ausgesprochen haben. Ihm zufolge hat Beethoven nicht einmal ein „Tongemälde" geliefert, weil er ja „wirklichen Kanonenschall" hören lasse.[2] Um einen Ausweg aus den Verlegenheiten, in die man sich durch dieses Stück des Beethovenschen Genius versetzt fühlte, zu finden, ist ihm der Status eines Parergons oder sogenannter Gebrauchsmusik verliehen worden; Versuche blieben nicht aus, den Komponisten dafür zu entschuldigen, daß er überhaupt zu seinem Werke kam. Darin ging — in einigen Details sich mit Gottfried Weber berührend — schon Alexander Wh. Thayer voraus, der in seiner ausführlichen Schilderung der Umstände der Entstehung eine subtile Doppelstrategie verfolgt: zum einen Beethovens musikalische Entscheidungen als von Johann Nepomuk Mälzel gesteuert darzustellen, zum anderen die an der ersten Aufführung beteiligten Musiker in ein Licht zu rücken, unter dem sie das Ganze als einen Jux unter Fachleuten (gigantic professional frolic) betrachtet hätten.[3] Verglichen mit den im Politischen oft so dreist wie im Ästhetischen im Umkreis von „Tonmalerei" und „Programmusik" oft so verquält wirkenden Argumenten, mit denen über *Wellingtons Sieg* seit nunmehr bald zwei Jahrhunderten gestritten wird, nimmt sich dieser Erklärungsversuch noch erfrischend aus.

Zumindest gegen Ende seines Lebens hat Beethoven *Wellingtons Sieg* als ein „Gelegenheitsstück" betrachtet.[4] Nichts läßt hingegen darauf schließen, daß er entweder eine besonders geringe oder eine übersteigerte Meinung von jener musikalischen Tat hatte, die er als Schlußstück seiner am 8. Dezember 1813 im „grossen Saale des neuen Universitäts-Gebäudes" veranstalteten Akademie zur ersten und gleich am 12. Dezember zur wiederholten Aufführung brachte. Das Konzert hatte mit der

1 Adolf Bernhard Marx, kurz vor dem deutsch-französischen Kriege von 1870/1871 verstorben, läßt in der Regel keinen Zweifel an der Aktualität Beethovens aufkommen, bedient sich bei *Wellingtons Sieg* jedoch des Arguments der Überalterung: „Es war eben so natürlich, dass damals Beethoven auch einmal zum Schlachtenmaler wurde, als es jetzt wunderlich wäre, wenn ein Musiker sich auf Schlachten einliesse" (*Ludwig van Beethoven,* 1902, Bd. II, S. 156).

2 St. Kunze, *Gesammelte Konzertberichte,* S. 285 (der Artikel wurde 1825 erneut veröffentlicht).

3 Vgl. E. Forbes, *Thayer's Life of Beethoven,* S. 564f.

4 Eine entsprechende Randglosse Beethovens im wiederveröffentlichten Text von G. Weber (vgl. oben, Anm. 2) ist faksimiliert bei Th. Röder, *Beethovens Sieg über die Schlachtenmusik,* S. 255.

dabei ebenfalls zum ersten Male erklungenen 7. Symphonie op. 92 begonnen, die Mitte wurde durch einige nicht von Beethoven stammende Stücke gebildet, nämlich — in den Worten des Berichts in der Leipziger *Allgemeinen musikalischen Zeitung*[1] — durch „Zwey Märsche für die Trompete von Dussek und Pleyel, mit Begleitung des ganzen Orchesters, vorgetragen von dem bekannten mechanischen Feldtrompeter des Hrn. Mälzel". Das Konzert wurde bejubelt: „Der Beifall, mit welchem diese Akademie aufgenommen wurde, ist unbeschreiblich", notierte die *Wiener allgemeine musikalische Zeitung* und statuierte, daß die beiden Aufführungen „zu den denkwürdigsten Tagen in der Kunstgeschichte Oesterreichs" gehörten.[2] Am Vorabend des Wiener Kongresses bescherte die Akademie Beethoven seinen vielleicht spektakulärsten Erfolg und wurde Wellingtons Sieg in Spanien Beethovens Triumph in Wien.

Sowohl die von Beethoven geleitete Akademie im allgemeinen als auch *Wellingtons Sieg* im besonderen sind eng mit Mälzel verbunden, der als ihr Anreger gelten darf und als ihr Unternehmer in Erscheinung trat. In der heutigen Sprache des Filmgeschäfts verhielten Beethoven und er sich dabei zueinander ungefähr wie Autor/Regisseur und Produzent. Für Beethoven wendete sich das anfänglich gute Einvernehmen mit Mälzel, der das seit 1815/1816 unter seinem Namen verbreitete Metronom erfunden haben soll — ein Gericht sprach die Erfindung allerdings einem anderen zu —, bald ins Unerfreuliche; denn die Freude über den großen Erfolg von *Wellingtons Sieg* und damit auch die Aussicht auf künftige Einnahmen war schon im Vorfeld, erst recht aber während der Akademie getrübt worden durch Auseinandersetzungen mit Mälzel, der sich, modern gesprochen, Anteile am Copyright sichern wollte. In einem Schreiben für Karl von Adlersburg vom Juli 1814 klagt der Komponist bitter darüber.[3] Den trickreichen Erfinder Mälzel darf man wohl einen Filou nennen, seit Edgar Allan Poe 1836 in akribischer Analyse *Maelzel's Chess Player* als Schwindel entlarvt hat: In dem mechanischen Schachspieler war ein wirklicher Mensch eingezwängt, die Maschine nur dem Anschein nach ein Automat. Mälzel traf Beethoven an seiner empfindlichsten Stelle: Er hatte ihm Hörgeräte versprochen, die sich für Beethoven als wenn nicht nutzlos, so doch unzureichend erwiesen, ihn aber dennoch in Mälzels Schuld versetzten, die dieser offenbar auszunutzen trachtete. Beethovens Sorge war es nun — und niemand wird es ihm verdenken können —, von Mälzel buchstäblich ein zweites Mal übers Ohr gehauen zu werden.

Die Akademie war, wie es scheint, hervorragend kalkuliert und plaziert. Nicht zuletzt trug dazu bei, daß die Organisatoren sich aktueller politischer Ereignisse bedienen konnten und das Konzert als Benefizveranstaltung stattfand: „zum Vortheile der, unter dem Oberbefehl des Hrn. Generals der Cavallerie, Grafen von Wrede,

---

1 Zit. nach St. Kunze, *Gesammelte Konzertberichte,* S. 270.

2 Ebenda, S. 269 und S. 267.

3 E. Kastner / J. Kapp, *Ludwig van Beethovens sämtliche Briefe,* S. 274ff. — Das Hauptübel lag darin: „Ich hatte Maelzel auf eigenen Antrieb ein Stück Schlachtsymphonie für seine Panharmonika ohne Geld geschrieben" (S. 274); gemeint ist damit die zweite Abteilung von op. 91, die sogenannte Siegessymphonie. Die bei den Akademien aufgeführte Orchesterfassung betrachtete Beethoven als ein anderes Werk, das ihm selbst gehörte, während Mälzel auf die „Anschlagzettel" setzen ließ, „daß es sein Eigentum sei" (S. 275). — Zur Rekonstruktion der Autoren-Anteile hat insbesondere Hans-Werner Küthen in seinen op. 91 betreffenden Arbeiten beigetragen; er hat das Werk auch im Rahmen der neuen Gesamtausgabe betreut.

in der Schlacht bey Hanau invalid gewordenen kaiserlich-österreichischen und königlich-bayerschen Krieger".[1] Die Schlacht, die geschildert wird, lag Anfang Dezember kaum ein halbes Jahr zurück: Wellington hatte im Juni die französischen Truppen in Nordspanien aufgerieben[2]; schon während der Vorbereitungen für die Akademie selbst fand Mitte Oktober der Sieg der Verbündeten, zu denen nun auch die Österreicher gehörten, in der Völkerschlacht bei Leipzig statt, die aber beim Rückzug der französischen Truppen in den letzten Oktobertagen noch einmal bei Hanau Verluste erlitten, so daß die Wunden frisch genug waren, um binnen fünf Wochen bei der musikalischen Veranstaltung geleckt zu werden. Mälzel und Beethoven hätten die Zeitumstände nicht besser nutzen können.

Wellingtons Sieg, so Thayer[3], war als Programmpunkt für Mälzel und Beethoven umso wichtiger, als durch das Sensationsstück das breite Publikum zufrieden gestellt werden sollte, das der 7. Symphonie als der eigentlichen musikalischen Attraktion möglicherweise nicht so enthusiastisch folgen würde, weil für die Aufnahme der Symphonie der Kreis von Kennern denn doch begrenzter blieb. Auf lange Sicht ging diese Rechnung, wenn sie mit ins Kalkül gezogen war, nicht auf; denn *Wellingtons Sieg* konnte sich nicht im Repertoire des Musiklebens behaupten, war nach Paul Bekker „lebensunfähig"[4], und unter den ausgedehnteren Stücken von Beethoven ist dies mehr als selten geblieben. Im Ernste hat schon im Dezember 1813 niemand — und am wenigsten Beethoven selbst — daran gezweifelt, daß nicht das Sensationsstück oder der den Wienern schon bekannte „mechanische Feldtrompeter", sondern die 7. Symphonie die Sensation war, die bleiben würde.

Die Akademie vom Dezember 1813 als ganze wird manchmal als Inbegriff von Beethovens patriotischer Gesinnung angeführt. Bei *Wellingtons Sieg* dient dies nicht selten dazu, um überhaupt einen Grund zu finden, warum er das Stück geschrieben hat. Bedeutet das Werk eine weitere Runde in Beethovens — eher persönlich oder eher politisch motiviertem — Ringen mit der Figur Napoleons? Im Umkreis dieser Frage eröffnet sich ein Feld für mannigfache Spekulationen. „Beethovens ‚Schlachtsinfonie' [...] demonstriert das ganze politische Engagement des demokratischen Künstlers."[5] Zu einer solchen vollmundigen Rhetorik hat Beethoven selbst Veranlassung gegeben durch eine im Anschluß an die Konzerte verfaßte Danksagung an die Mitwirkenden[6], unter denen seinen eigenen Angaben zufolge selbst die Prominenten wie Salieri und Spohr „an untergeordneten Plätzen" standen. Dort läßt der Komponist tatsächlich wissen, daß er etwas habe „zum Nutzen des Vaterlandes beitragen" können, daß alle Ausführenden vom „reinen Gefühl der Vaterlandsliebe" getragen gewesen seien und daß der „schon lange bei mir gehegte sehnliche Wunsch [...], unter den gegenwärtigen Zeitumständen auch eine größere Arbeit von mir auf den Altar des Vaterlandes niederlegen zu können", in Erfüllung gegangen sei. Es darf nicht übersehen werden, daß es sich um eine für die Öffentlichkeit

1 St. Kunze, *Gesammelte Konzertberichte*, S. 270 (nach der *AmZ* von Anfang 1814).
2 Vittoria (heute: Vitoria) liegt südlich von Bilbao.
3 Vgl. E. Forbes, *Thayer's Life of Beethoven*, S. 564.
4 P. Bekker, *Beethoven* ([2]1912), S. 82.
5 H. Goldschmidt, *Beethoven. Werkeinführungen*, S. 331.
6 E. Kastner / J. Kapp, *Ludwig van Beethovens sämtliche Briefe*, S. 257f.; die Danksagung blieb unveröffentlicht (vgl. E. Forbes, *Thayer's Life of Beethoven*, S. 567).

gedachte Verlautbarung im Offizialstil handelt, die gleichermaßen Takt wie Taktik erforderte: „Mir fiel nur darum die Leitung des Ganzen zu, weil die Musik von meiner Komposition war; wäre sie von einem anderen gewesen, so würde ich mich ebenso gern wie Herr Hummel an die große Trommel gestellt haben", und: „Den vorzüglichsten Dank indessen verdient Herr Maelzel". Legt man das Schreiben für Karl von Adlersburg daneben und schenkt man ihm Glauben, dann hatte Beethoven Mälzels „sehr schlechten patriotischen Charakter" schon vor der Danksagung durchschaut: „ein roher Mensch, gänzlich ohne Erziehung, ohne Bildung". Und die Danksagung dient nicht nur der vor der Öffentlichkeit hier auffällig nachdrücklich beteuerten Vaterlandsliebe, sondern, bei Lichte betrachtet, viel eher noch dem handgreiflichen Zweck, darauf hinzuweisen, daß der Organisator Mälzel zwar Verdienste um die Veranstaltung erworben habe, aber keine Rechte an der Komposition besitze.

Es nimmt nicht wunder, daß Teile der Beethoven-Literatur im Laufe der Zeit einer deutsch-nationalen Interpretationslinie des Stückes gefolgt sind. Unter sogenannten Rechts- wie Linksintellektuellen bildet die nationalistische Vereinnahmung von Beethoven gewiß eine ideologische Hauptkonstante in der Rezeption seiner Person wie seiner Musik. Aber Beethoven setzte immerhin einen englischen Sieg in Musik, und ein englischer Patriot konnte er nun einmal nicht gewesen sein. Thomas Röder hat darauf hingewiesen, daß schon die Wahl des spanischen Kriegsschauplatzes „vor allzu platter patriotischer Vereinnahmung schützen mochte" und daß nicht übersehen werden sollte, daß Beethoven sich auf die Instrumentalmusik beschränkt und eben darauf verzichtet hat, seine Gesinnung durch deutliche Worte der Vokalmusik zu offenbaren, wie es bei der damaligen vaterländischen Begeisterung nur allzu üblich war.[1] Die Widmung an den Prinzregenten Georg August Friedrich von England weist in eine Richtung, die über das Tagesgeschehen — das Aufatmen über das sich abzeichnende Ende der napoleonischen Kriege — hinausweist. Beethoven beruft sich für die Widmung auf Anregungen seiner Wiener Gönner, insbesondere des Fürsten Lichnowsky.[2] Sehr zu Beethovens Verdruß blieb sie vom Prinzregenten unbeachtet. Die Briefe zeigen nur zu gut, daß er wie der späte Haydn durchaus auf England und seinen blühenden Musikmarkt abzielte. Im Angebot des Werkes an den Verleger George Thomson heißt es zum Beispiel: „Questa composizione [...] trattandosi d'un soggetto che tanto interessa la di Lei patria non può mancare di far fortuna."[3] Der Seitengedanke an die noch nicht allzulange zurückliegende *Missa in tempore belli* (*Paukenmesse*) sowie die *Nelson-Messe* läßt sich so schwer unterdrücken wie der an Händels *Royal Fireworks Music*. Zudem bot *Wellingtons Sieg* Anlaß, das von Beethoven so geschätzte und schon früher, vor allem 1803 in Variationen (vgl. WoO 78) benutzte Volks- bzw. Nationallied „God save the King" neuerlich kompositorisch zu verwenden.

Beethoven hatte noch viel über das Geschick von *Wellingtons Sieg* zu sagen und zu schreiben, schon Mälzels wegen, vor allem aber auch deshalb, weil der zunächst

---

1 Th. Röder, *Beethovens Sieg über die Schlachtenmusik,* S. 244 und S. 257.
2 E. Kastner / J. Kapp, *Ludwig van Beethovens sämtliche Briefe,* S. 311ff. (im Juni 1815 an einen unbekannten Adressaten).
3 Ebenda, S. 287.

anhaltende Erfolg des Stückes sich nur schwer in materiellen Gewinn ummünzen ließ, auf den der durch die Inflation gefährdete freie Unternehmer mehr als im Jahrzehnt zuvor angewiesen war. Indirekt konnte er von dem Popularitätsgewinn natürlich profitieren: 1814 häuften sich seine Akademien wie weder zuvor noch danach. Gewiß spielen auch nach der Abdankung Napoleons gelegentliche politische Hinweise eine Rolle, wenn Beethoven auf sein Stück zu sprechen kommt — er verweist zum Beispiel auf Wellingtons rühmliches Verdienst „für die Befreiung von Europa“[1] —, aber sie verblassen erkennbar neben dem Geschäftlichen der Drucklegung. Sei dem, wie ihm wolle, immerhin ist *Wellingtons Sieg* das Beethovensche Werk, von dem erstmals gleichzeitig mit den Orchesterstimmen die Partitur im Druck erschienen ist.

Gut zwei Jahre nach der Uraufführung läßt der Komponist in einem Brief vom 11. März 1816 Heinrich Schmidt wissen: „Da der Titel der Schlachtsymphonie ganz falsch gedruckt ist, so teile ich Ihnen selben mit, wie er ist und sein muß, nämlich: ‚Eine große vollstimmige Instrumentalkomposition, geschrieben auf Wellingtons Sieg in der Schlacht bei Vittoria, erster Teil: Schlacht; zweiter Teil: Siegessymphonie‘“.[2] Das Wort „Symphonie“ ist hier zweimal verwendet: Im zweiten Falle bezieht es sich auf eine als „Sieg“ näher charakterisierte Abteilung des Werkes[3], im ersten Falle offenbar auf das Werk als ganzes, wobei man dieses Ganze entweder als „Schlacht“ charakterisiert sehen mag oder als Abfolge verstehen kann (Schlacht, gefolgt von Symphonie). Die Selbstverständlichkeit, mit der der weitere Bedeutungshorizont des Wortes „Symphonie“ für ein solches Stück der Instrumentalmusik zur Zeit der ersten Aufführung verwendet wurde, ist erst etwas später vermehrt in Frage gestellt oder als erklärungsbedürftig erachtet worden. Der Hinweis auf die „vollstimmige“ Besetzung ließe sich zunächst am einfachsten im Sinne der „Harmoniemusik“ auffassen. Beethoven verlangt sie doppelt besetzt: für die französische und die englische Seite; jedoch nur bei der Präsentation der französischen und englischen Truppen am Anfang ist sie in reiner Form verwendet (und selbst dabei jeweils gegen Ende von den Streichern unterstützt).

Der Aufwand an Mitwirkenden soll beträchtlich sein: „je größer der Saal, desto stärker die Besetzung“, heißt es in den der gedruckten Partitur beigegebenen Beethovenschen „Bemerkungen für die Aufführung“ vom Dezember 1815, und im *Tagebuch* (Nr. 18 M. Solomon) notiert er mit offensichtlicher Befriedigung, daß „bey meiner letzten Musik im großen Redoutensaal“ — also den Folgeaufführungen Anfang 1814 — insgesamt 69 Streicher mitgewirkt hätten, und dies geht über das damals übliche Besetzungsmaß tatsächlich bei weitem hinaus. Piccoloflöte, vier Hörner, vier Trompeten und drei Posaunen, neben den Pauken auch kleine Trommeln, Triangel, Becken und Gran Tamburo sorgen im Verbund mit den Streichern und Holzbläsern für eine orchestrale Ausstattung, die auf dem Wiener Konzertpodium etwas Außerordentliches ankündigen mußte, ganz abgesehen davon, daß für die Schilderung der Schlacht noch zwei Ratschen — eine für die französische, eine für

1 Ebenda, S. 311.

2 Ebenda, S. 342. — Im Erstdruck vom Februar 1816 (nach Kinsky / Halm): „Wellingtons — Sieg, / oder: / die Schlacht bey Vittoria / In Musik gesetzt / von / Ludwig van Beethoven“.

3 Gegenüber George Thomson spricht er von „sinfonia di trionfo“ (E. Kastner / J. Kapp, *Ludwig van Beethovens sämtliche Briefe,* S. 286).

die englische Seite — beschäftigt sind, „welche das kleine Gewehrfeuer vorstellen", wie Beethoven in seinen Aufführungshinweisen betont. Am auffälligsten sind schließlich jene „zwey große Trommeln (nicht große türkische Trommeln) wodurch die Kanonenschüsse bewirkt werden", und zwar verlangt er die größten erhältlichen Exemplare für Effekte, die man allenfalls im Theater hat erwarten dürfen. Die beiden Seiten der Kriegsparteien veranlaßten eine räumliche Idee des Stückes. Implizit bekundet sie sich in der Verdoppelung der Harmoniemusik im Orchester, explizit in der geforderten Aufstellung der Kanonaden auf zwei Seiten, vom Orchester entfernt und von den Zuschauern nicht einsehbar. Dies gilt auch für die kleinen Trommeln und die Trompeten, die eingangs die englische und die französische Seite repräsentieren sollen und, sofern genügend Platz zur Verfügung steht, von der „äußersten Entfernung" näher und näher rücken sollen.

Den unmittelbaren Anstoß zu seinem größten Stück Militärmusik verdankte Beethoven sicher Mälzel, von dessen Hand offenbar auch die anfänglichen Trompetensignale stammen. Das Illustrative, „Materialistische" oder „Naturalistische" in *Wellingtons Sieg* wurde, worauf Harry Goldschmidt hingewiesen hat, durch den Horizont der mechanischen Musik, in dem die Pläne mit Mälzel ursprünglich gestanden hatten, vorprogrammiert.[1] Wie so oft war Beethoven weniger ein Erfinder, als er vielmehr bestimmte Dinge besser als andere auszuführen verstand, und Schlachtenmusiken hatten an der Wende zum 19. Jahrhundert, zumal in Frankreich, Konjunktur. Der Wille zur Massierung der orchestralen Mittel, die man bald darauf vor allem mit dem Namen von Berlioz in Verbindung bringen mochte, dürfte im Horizont der Musik des revolutionären und nachrevolutionären Frankreichs zu erblicken sein, auf die Beethoven auch sonst so hörbar achtete. Dennoch wurde es für ihn zum Stolperstein, daß er in der Schlachtsymphonie drastisch sein wollte, statt die Mittel zugunsten dessen zu beschränken, was in der Kunst damals als schicklich galt, weil er auf dem nicht unvernünftigen Standpunkt zu stehen schien: Wenn schon ein Gewitter vorkommen soll, dann muß es auch richtig donnern, und bei der Wiedergabe einer Schlacht müssen die Kanonen krachen. Seine Sache konnte es kaum sein, das Sujet so zu behandeln, wie etwa Paul Wranitzky es 1797 in seiner „Grande symphonie caractéristique" mit dem Titel *Pour la paix avec la République française* op. 31 getan hatte; deren dritter Satz (Allegro) zieht vorüber, ohne die Zuhörer in ihrer Behaglichkeit zu stören, und wenigstens ein Blick ins Programm wird ihnen versichern, daß dort „La mêlée d'une bataille" musikalisch verhandelt wird.

Beethovens „Erste Abteilung: Schlacht" umfaßt Trommel- und Trompetensignal der englischen Seite, gefolgt von dem Marsch „Rule Britannia" (Harmoniemusik), danach dieselbe Prozedur auf der französischen Seite, dieses Mal jedoch unter Verwendung des Marsches „Marlborough". (Es hat manche zum Nachdenken angeregt, aber auch Verwirrung gestiftet, daß Beethoven sich dafür nicht eines Äquivalents, etwa der Marseillaise oder des „Ça ira", bedient hat, sondern eines Titels, mit dem die Franzosen den Engländern spotteten.) Nach kurzen weiteren Trompetensignalen („Aufforderung" der französischen und „Gegenruf" der englischen Seite) bricht das Schlachtgetümmel los, von Beethoven in der Partitur noch einmal durch

1 H. Goldschmidt, *Um die Sache der Musik,* S. 22.

die Bezeichnungen „Schlacht“ (T. 74—199) und „Sturmmarsch“ (T. 200—362) unterteilt.

Zwischen dem Beginn des Gemetzels in H-Dur (T. 74) und seinem Ende in fis-Moll/Fis-Dur (die Dur-Variante ab T. 353) spannt sich ein Bogen, der sowohl formal als auch durch seinen unkalkulierbaren, instabilen, weit modulierenden harmonischen Verlauf an die Form der Fantasie erinnert (vgl. op. 77 und op. 80). Die erste Abteilung endet nicht triumphal, wie vielleicht erwartet werden könnte; die Schlacht verhallt leise, sie verebbt (wie das Gewitter in der *Pastoralsymphonie*). Es geschieht stockend, die Wirkung ist beklemmend. Fetzen des Marlborough-Marsches bleiben zurück. Einige, weil sie es sich vielleicht zu lebhaft ausgemalt haben, fanden dies anstößig. Gottfried Weber sah die geschlagenen französischen Soldaten „mit blutigen Köpfen, Fieberfrost und Zähneklappern davon schleichen“[1]; seine Bilderflut vermochte er nur dadurch einzudämmen, daß er den Schluß des ersten Teils ein „tragikomisches Symbol“, einen „Witz“ nannte. Er, dessen Spannungsverhältnis zu Beethoven nicht einfach zu bestimmen ist, war mit Carl Maria von Weber befreundet, der sich im selben Jahr 1816 nach einer Aufführung von *Wellingtons Sieg* viel vorsichtiger äußerte, das Stück zuerst noch einmal zu hören wünschte, ehe er dem Publikum „bei einem so ganz außer den Grenzen des Tonreichs liegenen Gegenstande“ ein verläßliches Urteil kundtun wollte, „da die Phantasie eines jeden einzelnen sich eine eigene Vorstellungsart davon macht, die dann schwerlich getroffen wird und im Vergleiche mit dem großen Stoffe ins kleinliche fällt.“[2]

In ausgefeilter Dramaturgie schildert Beethoven nicht den Sieg in der Schlachtdarstellung selbst, sondern läßt diese mit dem beklagenswerten Schicksal der Geschlagenen enden. Die Peripetie erfolgt zwischen dem Ende der ersten und dem Beginn der „Zweiten Abteilung: Sieges-Symphonie“. Von deren erstem Takt an besteht nicht der geringste Zweifel daran, daß die siegreiche Pose eingenommen ist. Die für Fest und Feier zu Gebote stehenden musikalischen Mittel werden eingesetzt. Der Kontrast könnte kaum größer sein. Nach dem vorausgegangenen Durcheinander ist nun alles gefestigt, stabil, voran die Tonart D-Dur. Es ist, als ob mit einem Male die Sonne aufgegangen sei, ohne daß Beethoven sich die Umstände machte, die Haydn in der *Schöpfung* zum allmählichen Aufbau seiner D-Dur-Sonnenstrahlen benötigte. Nur der erste Vortrag des „God save the King“ (T. 423ff.) weicht ab und steht unvermittelt in B-Dur („Rule Britannia“ erklang in der ersten Abteilung in Es-Dur).

„Eine herrliche Simphonie, worin der Jubel des englischen Heeres sich in Händels [sic] berühmtem Volkslied: God save the King ausspricht, verkündet den vollständigen Sieg.“[3] Die eigenwillige Form, die Beethoven seiner „Siegessymphonie“ gab, gliedert sich so:

1 St. Kunze, *Gesammelte Konzertberichte,* S. 284.
2 C. M. v. Weber, *Sämtliche Schriften,* S. 81.
3 St. Kunze, *Gesammelte Konzertberichte,* S. 268 (*WamZ* von 1813).

T. 363—370	Intrada. Allegro ma non troppo, 4/4, D-dur
371—422	Allegro con brio, alla breve, D-Dur
423—439	Andante grazioso, 3/4, B-Dur [God save the King]
440—492	Tempo I [Allegro con brio], alla breve, D-Dur
493—515	Tempo di minuetto moderato, 3/4, D-Dur [God save the King]
516—698	Allegro[1], 3/8, D-Dur [Fugato über God save the King]

In auffälligem Unterschied zu dem Allegro con brio-Abschnitt, der zweimal unverändert vorgetragen wird, organisiert Beethoven den „God save the King"-Abschnitt jeweils verschieden: Zuerst erklingt das Lied in gemessenem Tempo leise, schlicht und sparsam instrumentiert (T. 423ff.), beim zweiten Mal (T. 493ff.) etwas beschleunigt, durch doppelte Punktierungen rhythmisch zugespitzt, mit Trillern reich ausgeziert und vor allem sehr einprägsam instrumentiert; taktweise wechseln sich einige Bläser im Piano und das volle Orchester im Fortissimo ab. Es ist legitim, dabei von einer Variation zu sprechen, der im 3/8-Allegro (T. 516ff.) eine weitere, zweite folgt, indem die ersten 12 Töne des „God save the King" (gleichmäßig auf vier 3/8-Takte verteilt) nun einer fugierten Behandlung unterworfen werden, bis dieser Abschnitt in eine keineswegs exuberante Schlußstretta mündet. Der besondere Reiz liegt natürlich auch in dem metrischen Wechsel: „God save the King" steht nun einmal im Dreiertakt und eignet sich daher nicht so ohne weiteres zum Marschieren, während der Allegro con brio-Abschnitt durchaus als ein geschwinder Marsch aufgefaßt werden kann. Vom Höhepunkt des Schluß-Fugatos an (T. 586ff.) ließe sich immerhin eine Synthese erblicken: Man mag sich durchaus einem, freilich recht flotten, Reitermarsch ausgesetzt fühlen, wenn man je zwei Takte zu 6/8-Takten zusammenfaßt, und dieses fällt umso leichter, als Beethoven (Einfluß von Mälzels mechanischem Panharmonikon?) während der über 100 letzten Takte nicht im mindesten mehr vom starrsten Viertaktgerüst abweicht.

Die frühere, nach Zahl und Länge der vorgetragenen Werke sehr viel ausgedehntere Akademie vom 22. Dezember 1808 hatte Beethoven mit der zum Zwecke der Zusammenfassung bzw. eines Resümees kurzfristig komponierten Chorfantasie op. 80 beschlossen.[2] Wie die Chorfantasie wurde *Wellingtons Sieg* rasch verfaßt und diente als Schlußstück jener speziellen Veranstaltung. Es fällt nicht schwer, den Duktus der „Siegessymphonie" mit Momenten der Ecksätze der 7. Symphonie in Verbindung zu setzen[3], während die beiden Märsche in der ersten Abteilung von *Wellingtons Sieg* immerhin daran denken lassen, daß in der Akademie von 1813 diesem Werk zwei Märsche (von Dussek und Pleyel) vorangegangen waren, für die der „mechanische Feldtrompeter" angestellt war. Als Beethoven seine Chorfantasie schrieb, konnte er kaum wissen, daß diese musikalische Zusammenfassung eines speziellen Konzerts einen Nukleus für das Finale der 9. Symphonie op. 125 enthalten sollte; nur für uns späte Exegeten, die wir im unschätzbaren Vorteil sind, das Gesamtwerk überschauen können, für das der Komponist selbst geduldig Stein auf Stein setzen mußte, gehört dies längst zum Schulbuchwissen. Die „Siegessympho-

---

1 In Beethovens „Bemerkungen für die Aufführung" heißt es dazu eigens: „Das letzte Tempo 3/8 nicht zu geschwind, beinahe allegretto."
2 Näher dazu St. M. Whiting, *„Hört ihr wohl"*.
3 Vgl. S. 43, Anm. 1.

nie" aus op. 91 könnte ebenfalls einen Nukleus für jenes Finale seiner Symphonien gebildet haben: durch die Beiziehung eines populären Liedes, wofür Beethoven in op. 91 „God save the King" aufgegriffen, in op. 125 hingegen eine eigene Melodie verfaßt hat; durch eine Einleitung dazu in beiden Fällen (wenngleich inhaltlich von sehr verschiedener Art); durch die in op. 91 noch sehr vorsichtig verwirklichte Idee, dem Lied Variationen angedeihen zu lassen (sie mag in *Wellingtons Sieg* durchaus im Gedanken an den langsamen Satz von Haydns *Kaiserquartett* mit den Figuralvariationen über „Gott! erhalte Franz den Kaiser" stehen); daraus folgend durch eine nicht leicht erkennbare, von dem Allegro con brio-Abschnitten überlagerte und dadurch verschleierte Variationenform, die nicht in gängige Schemata paßt, in op. 91 jedoch nur angedeutet und nicht wie in op. 125 breit ausgeführt ist.

Ist es schließlich bloßer Zufall, daß das „Gegenthema" (G. Weber), mit dem das vielfach monierte, weil die Vorlage angeblich profanierende Fugato über „God save the King" im raschen Dreiachteltakt anhebt (op. 91, T. 516ff.), aus vielfachen Wiederholungen jener drei Töne fis—g—a gebildet ist, auf denen später einmal in derselben Tonart „Freude, schöner Götterfunken" gesungen werden sollte? Schon die eigenartige Überleitung zu diesem Fugato (T. 505—515[1]) besteht aus denselben drei Tönen, dem „God save the King" selbst entnommen: Der Orchestervortrag des Liedes bleibt auf diesen ziellos wiederholten Noten gewissermaßen hängen (T. 504), statt daß das Lied zum Abschluß kommt. Das Filigran des In-Beziehung-Setzens von Notenfolgen an exponierten Stellen kann gewiß auch zu verstiegenen Beobachtungen verleiten; gleichwohl ist es unabweisbar, daß dieselben Töne fis—g—a auch am fis-Moll-Schluß der ersten Abteilung (T. 349f.) kurz, aber auffällig erscheinen; dort entstammen sie jedoch als Partikel dem Marlborough-Marsch, und es war Beethovens Entscheidung, ausgerechnet an dieser Stelle — ohne Not — nach D-Dur auszuweichen. Wohl noch 1813 notierte er in seinem *Tagebuch* (Nr. 16 M. Solomon) die häufig zitierte Stelle: „Ich muß den Engländern ein Wenig zeigen was in der God save the King für ein Segen ist." Haydn hatte diesen Segen 15 Jahre zuvor für sich in seinem zunächst als Geburtstagslied für den Kaiser verfaßten, rasch zum Volks- und dann zum Nationallied avancierten „Gott! erhalte Franz den Kaiser" in vieler Hinsicht zu nutzen verstanden; Beethoven begnügte sich in op. 91 noch einmal mit Variationen des Themas von fremder Hand, ehe er selbst seine Melodie „Freude, schöner Götterfunken" setzte, deren sich so oft wiederholender Motivkern — unbeschadet der Verwandtschaft mit „Hört ihr wohl" aus der Fantasie op. 80 und wie unscheinbar-unabsehbar auch immer — vielleicht doch in jener Überleitungspartie (T. 505ff.) von *Wellingtons Sieg* in nuce vorhanden ist. Und wer wohl zuhört, dem wird der Zusammenhang der folgenden 3/8-Variation mit dem Finale der 9. Symphonie in zahlreichen Einzelheiten des Orchestersatzes ohnehin nicht entgehen.

---

1 Diese Überleitung läßt im übrigen an die zum Allegro-Hauptsatz im 1. Satz der 7. Symphonie denken; und der punktierte Rhythmus, der im Laufe der abschließenden 3/8-Variation immer gewichtiger hervortritt (als Begleitstimme T. 536ff., im vollen Orchester T. 606ff.) und zugespitzt wird, gemahnt gewiß an den „daktylischen" Rhythmus des 1. Satzes der 7. Symphonie. Die Bezüge zwischen den beiden Werken sind damit keineswegs ausgeschöpft.

Eine neuere Einspielung von *Wellingtons Sieg* unter der musikalischen Leitung von Neville Marriner zeigt das Bemühen um eine wahrlich authentische Wiedergabe. Das Werk ist der Intention nach aus dem Konzertsaal an den Originalschauplatz der spanischen Schlacht zurückverlegt, dessen heutige Geräuschkulisse das akustische Ambiente für Beethovens Orchesterstück bilden soll. Man hört dort einen Hund bellen und sonstige „Naturlaute", ehe Beethovens musikalische Schlacht sich entfaltet. Auch „originale" Kanonen aus früheren Kriegen hat man abfeuern lassen und in das Orchesterstück montiert. Hier beginnen sich — bei allen Verdiensten der Digitaltechnik um die historische Aufführungspraxis — die Authentizitäten eigenartig zu mischen. Beethoven hat den Einsatz der Kanonen in der Partitur genau vorgeschrieben (und weil ihm an der Genauigkeit lag, hat er in den Aufführungsanweisungen ausdrücklich verlangt, daß die Trommeln für die Kanonenschüsse „von sehr guten Musikern gespielt werden" müssen). In der Marriner-Einspielung darf die Schlacht mit „echten" Kanonen zwar dort stattfinden, wo sie wirklich stattgefunden hat, aber im Dienste der Authentizität bringen nun sozusagen die authentischen Kanonen Beethoven um, wenigstens seine Kunstwelt als seinen Willen und seine Vorstellung; denn es hört sich so an, als seien die trefflich montierenden Toningenieure nolens volens nicht die „sehr guten Musiker", die Beethoven als nötig erachtet hatte. Andererseits ist der Wunsch, gerade diese Musik ins Freie zu verlegen — man mag sich an Debussys späteres Konzept erinnern —, bestimmt einsichtig und nicht notwendig nur ein Irrtum über die Sache, zumal es sich nicht um eine Aufführung, sondern nur um ein Abbild davon, um eine Klangkonserve handelt. Im gegebenen Falle ist es allerdings vermutlich ziemlich gleichgültig, ob die Mikrophone zum Einfangen des akustischen Ambientes bei Vitoria, bei Leipzig oder im Teutoburger Wald aufgestellt werden. Ebenso einsichtig ist es, daß Beethovens Stück mit Tschaikowskys Ouvertüre *1812* zusammengespannt ist, für die in jüngerer Zeit sogar bei Live-Aufführungen ebenfalls „echte" Kanonen donnern durften.

Gelegentlich einer 1820 erfolgten Aufführung hat E. Th. A. Hoffmann *Wellingtons Sieg* als ein „in seiner Art ganz originelles Musikstück" besprochen.[1] Wie er dies getan hat, kann einen umfänglichen Bericht über die Rezeptionsgeschichte des Werkes ersetzen und schlagender sein als so mancher gerade an *Wellingtons Sieg* unternommene theoretische Versuch über die Grenzen dessen, was Musik darzustellen vermag und was nicht. Zunächst spielt Hoffmann hintersinnig auf das so bekannte „Mehr Ausdruck der Empfindung als Malerei" an, das Beethoven im Blick auf seine *Pastoralsymphonie* in die Diskussion geworfen hatte, und kehrt es um: „Die Bedingung, daß die wahre musikalische Malerei nicht einzelne Laute der Natur nachpfuschen, sondern dahin streben müsse, in dem Gemüt des Zuhörers die Empfindung aufzuregen, die ihn in der Wirklichkeit erfassen würde, hat der große Meister Beethoven in der gedachten Komposition auf glänzende Weise erfüllt." Den Nachweis dafür liefert er einen Absatz später in einer Anekdote: „Schreiber dieses bemerkte mit wahrer Lust einen Militair von höherm Range, der ganz in sich verloren dastand, und als nun Schlag auf Schlag der Sturm der Dissonanzen den höchsten Punkt, die Krisis der Schlacht bezeichnete, unwillkürlich nach dem Säbel griff, als wolle er sich an die Spitze des Bataillons setzen zum entscheidenden Angriff. Ein

1 E. Th. A. Hoffmann, *Schriften zur Musik. Nachlese*, S. 354f.

mildes Lächeln überflog sein Gesicht, als er in dem Augenblick die Täuschung des innern Sinns gewahrte." Wer besser als Beethoven, zumal in diesem Stück, hat wissen können, daß zur Wahrheit der Kunst eben auch ein Stück Täuschung gehört. Und das war natürlich nicht allein das Metier von Kunsttheoretikern, die sich seit der Antike fragten, was es für den Status der Kunst bedeute, wenn Vögel außer wirklichen sogar gemalte Trauben pickten, sondern das spezielle Metier des Hofmechanikers Mälzel, der bei jener Akademie Beethovens Partner war und zeit seines Lebens — auf seine Weise — das Publikum mit seinen Maschinen, seinen Kunststücken, als wären sie Wirklichkeit, auch mit den Mitteln des Magiers beeindruckte. Die von Automaten und vor allem künstlichen Menschen ausgehende Faszination war natürlicherweise groß in einer Zeit, die noch keine Roboter oder Schach-Computer kannte. Mälzel und Beethoven, jeder auf seine Weise und in seinem Medium, wetteiferten im Dezember 1813 auf dem Gebiet des Staunenswerten und Wunderbaren. Worte wie „Jux" und „Scherz" greifen daher etwas zu kurz, weil sie Halt machen vor jener Dimension der Zauberei, die für die Sphäre, in der wenigstens Mälzel agierte, unverzichtbar ist, von ihren Verächtern freilich der Scharlatanerie geziehen werden kann. Wer schon damals den Kinderblick dafür nicht mehr aufbringen konnte, sondern in der Kunst nur das Erhabene, womöglich ohne Schauder bloß erbaulich und erhebend vermittelt bekommen wollte, dem mußte wohl auch *Wellingtons Sieg* verleidet sein. In den Augen von Hermann Scherchen ist diese „wundervolle Symphonie" als „eines der schönsten und ungezwungensten Werke der Musik" deshalb verkannt worden, weil Beethoven „seit mehr als hundert Jahren wegen seiner Feierlichkeit verehrt wird".[1] Ist es nicht denkbar, daß Beethoven mit *Wellingtons Sieg*, mit seinem großen Bumbum nicht nur der bessere Patriot, sondern auch der bessere Zauberkünstler hat sein wollen in einer Schlacht, die im Saale stattfand?

Albrecht Riethmüller

7. Symphonie A-Dur
op. 92

ENTSTEHUNGSZEIT: 1811 bis Frühjahr 1812.
ERSTAUFFÜHRUNG: am 8. und 12. Dezember 1813 in Wien (vgl. op. 91).
SKIZZEN: Beethoven-Haus Bonn, Mh 59, Skizzenbuch Petter, BH 105 und Mh 85; Skizzenblätter in Wien (Gesellschaft der Musikfreunde, A 36), New York (Rudolf F. Kallir) und Paris (Marie Romain Rolland).
AUTOGRAPH: Biblioteka Jagiellońska Krakau.
ERSTDRUCK UND WIDMUNG: Wien 1816 (S. A. Steiner & Co.), im November; neben der Partiturausgabe und den Orchesterstimmen wurden sechs Arrangements für verschiedene Besetzungen publiziert; dem Reichsgrafen Moritz v. Fries gewidmet.
GESAMTAUSGABE: Alte Gesamtausgabe: Nr. 7 = Serie 1 Nr. 7.

1 H. Scherchen, *Werke und Briefe*, Bd. I, S. 214 (in einem erstmals 1963 veröffentlichten Text).

Über die Idee der A-Dur-Symphonie ist wohl nichts so bekannt geworden wie Richard Wagners griffiger Ausspruch „Apotheose des Tanzes". Verschnörkelter hat er sie auch als „die seligste Tat der in Tönen gleichsam idealisch verkörperten Leibesbewegung" bezeichnet. Paul Bekker hat dies so erklärt, daß Wagner „die formbestimmende Bedeutung des rhythmischen Elements in diesem Werk" hat andeuten wollen.[1] Ein Musikwerk kann freilich seine eigene Idee nicht wörtlich zum Ausdruck bringen, und man weiß nicht einmal mit Sicherheit, wie und wo genau man diese Idee finden soll: im ersten Einfall des Komponisten, am Anfang seines Stückes, in den Vortragsbezeichnungen eines Satzes oder in Überschriften des Ganzen, in einem thematischen Gebilde, einem motivischen Kern, in verbalen Hinweisen oder Kommentaren des Autors usw. Daher konnte es nicht ausbleiben, daß auch Wagners verbale Interpretation nicht immer auf Gegenliebe stieß. Sie hat gewiß ebenso viel mit ihm selbst zu tun wie mit Beethoven. In Wagners musikgeschichtlichem Verstande nämlich mußte die Symphonie sich mit Beethovens Nr. 7 vom Podium verabschieden. „Apotheose des Tanzes" heißt nicht etwa, daß bis zum Himmel getanzt wird oder daß etwa die Götter selbst zu tanzen beginnen, sondern bei diesem „menschlichen Sphärentanz" handelt es sich, wie Wagner an anderer Stelle nahelegt, um die Vollendung der aus dem Tanz (in Form von Tanz- bzw. Suitensätzen) hervorgegangenen Symphonie[2]: Mit der A-Dur-Symphonie hat die Symphonie sich vergöttlicht, damit auch verflüchtigt, sozusagen weggetanzt, um jener 9. Symphonie — die 8. figuriert in dieser historischen Konstruktion eher am Rande — Platz zu machen, durch die das neue Land der nicht mehr symphonischen, sondern der dramatischen Musik betreten werden sollte, das zu bestellen Wagner als sein eigenes Vorrecht erachtete und dessen musikalische Früchte für ihn nicht mehr im Tanz, sondern in der Sprache wurzeln sollten. Allein schon das Wort „Apotheose" — mit oder ohne Tanz — verweist auf eine Ausnahmestellung. Theodor W. Adorno notierte einmal ganz im Wagnerschen Geiste, daß die A-Dur-Symphonie „die Symphonie par excellence" sei[3], und erstaunlich viele dachten wie er.

Die Komposition kam offenbar noch im Frühjahr 1812 zum Abschluß. Eine ursprüngliche Absicht, sie bei den Ursulinerinnen zur ersten Aufführung zu bringen, zerschlug sich, so daß die Symphonie erst in der Akademie vom 8. Dezember 1813 zusammen mit *Wellingtons Sieg* dem Publikum vorgestellt wurde (näher dazu bei op. 91). Der Erfolg des Werkes steht seitdem fest, auch wenn eines seiner Merkmale inzwischen verständlicherweise nicht mehr Brauch ist: „Das Andante (A moll) musste jedesmal wiederholt werden und entzückte Kenner und Nichtkenner."[4] Über der paarweisen Verfertigung von Werken — exemplarischer noch zu beobachten bei den so eng aufeinander bezogenen und quasi simultan verfaßten Symphonien 5 und 6 als bei den Symphonien 7 und 8[5] — darf nicht vergessen werden, daß Beethoven im Umkreis der Entstehung der Symphonien 7 und 8 offenbar eine Trias im Auge

1 P. Bekker, *Beethoven,* S. 253; vgl. R. Wagner, *Das Kunstwerk der Zukunft* (1849, in: *Gesammelte Schriften,* Bd. X, S. 101f.).

2 Vgl. R. Wagner, *Über Franz Liszts Symphonische Dichtungen* (1857, in: *Gesammelte Schriften,* Bd. VIII, insbes. S. 109 und 113).

3 Th. W. Adorno, *Beethoven,* S. 137.

4 *AmZ* von Anfang 1814, zit. nach St. Kunze, *Gesammelte Konzertberichte,* S. 270.

5 Vgl. M. Walz, *Kontrastierende Werkpaare.*

hatte, darunter eine Symphonie in d-Moll, deren Verwirklichung auf sich hat warten lassen. Beethoven hält sich eigentlich erstaunlich eng an das überkommene Schema der viersätzigen Symphonie, so sehr er spätestens in der *Eroica* die Dimensionierung gesteigert hat. Die Erweiterungstendenzen gehören allerdings nicht ihm allein, sondern sind an der Jahrhundertwende allgemein. Das Festhalten an dem äußeren Rahmen ist deshalb bemerkenswert, weil Beethoven beim Schreiben einer neuen Symphonie um so mehr darauf achten mußte, ihr im ganzen und für jeden einzelnen Satz eine neue Individualität zu verleihen; denn dies, nichts anderes, mußte die Aufgabenstellung eines Komponisten sein, der kein Serienhersteller von Symphonien gewesen ist.

Für keine seiner Symphonien ist Beethoven weiter in den Bereich der „Kreuz"-Tonarten ausgewichen, und in keiner hat er die langsame Einleitung breiter ausgeführt, selbst in der 4. Symphonie nicht. Folgerichtig ist die 8. Symphonie dann diejenige, die erstmals nicht einmal mehr den Anschein einer Einleitung vermittelt, den die 5. und 6. Symphonie immerhin noch gewahrt hatten. Demnach soll im folgenden neben einem Überblick und einer ersten Bestimmung des speziellen Charakters der A-Dur-Symphonie zunächst (exemplarisch am Beginn des letzten Satzes) ihre Satzstruktur ermittelt, auf jene Einleitung näher eingegangen und schließlich den zahlreichen programmatischen Erklärungen, die den Inhalt erläutern helfen sollten, Aufmerksamkeit zuteil werden.

Auf den ersten Blick erscheint die Disposition des Werkes bzw. die Abfolge der vier Sätze konventioneller als in der *Pastorale*: Der langsamen Einleitung (Poco sostenuto, 4/4) folgt ein Vivace-Hauptsatz (6/8); das von Anfang an als Andante, gelegentlich sogar als Adagio zitierte Allegretto (2/4, a-Moll) mit seiner eigenartigen Variationenform nimmt unverkennbar die Stelle des langsamen Satzes ein. Das Scherzo (Presto, F-Dur) und das Trio (Assai meno presto, D-Dur) sind wie in der 5. und 6. Symphonie verdoppelt; die Haydnsche Pointe liegt am Schluß: Beethoven simuliert einen dritten Trio-Beginn, der von fünf kadenzierenden Orchesterakkorden jäh unterbrochen wird, — die Andeutung der dritten Runde ist Trug. Endlich scheint das Finale (Allegro con brio, 2/4, A-Dur) es vor allem mit zwei Hypotheken seiner Vorläufer aufnehmen zu wollen. Von der majestätischen Haltung des 4. Satzes der c-Moll-Symphonie und der hymnischen des Schlußsatzes der *Pastorale* (bei einem für ein Symphoniefinale ungewöhnlich stark reduzierten Tempo) hebt sich ein Allegro con brio ab, das, um es möglichst neutral zu sagen, so glanzvoll wie rasant ist. Den endlos scheinenden Schlußfloskeln der c-Moll-Symphonie steht der fast verblüffend karge, flüchtige Schluß der *Pastorale* gegenüber, während in der A-Dur-Symphonie eine mächtige Steigerung vollzogen wird, die anders als in der c-Moll-Symphonie weder durch Temposteigerungen noch durch eine Art Nicht-Loslassen-Wollen erzielt wird, sondern, ohne ins Torkeln zu geraten, rauschhaft endet.

Die Satzbezeichnungen und Tempovorschriften sind bekanntlich deshalb von so großem Gewicht, weil sie wie die Tonsatztypen, die aufgegriffen werden können, für die damals noch als mehr oder weniger selbständig betrachteten Sätze als Charakterisierungen ernst zu nehmen, nicht als bloße Angaben der Geschwindigkeit mißzuverstehen sind (vgl. näher dazu bei op. 10). Die Übergänge zur „charakteristischen Musik", der Beethoven sich seinen eigenen Angaben zufolge in Werken wie der *Pastorale* oder der Sonate *Les adieux* op. 81a verschrieben hat, sind fließend. Sowohl die Bezeichnungen musikalischer Charaktere als auch die Musique caractéristique können für programmatische (programmusikalische) Erklärungen genau so wie für Interpretationen absoluter Musik, für das „Außermusikalische" genau so wie für das „Innermusikalische" in Anspruch genommen werden. (Selbst im Sprechen über „reine" Musik — vor allem, wenn es nicht ausschließlich unter Fachleuten stattfindet, sondern Laien einbezogen sind — werden die Charakterisierungen zum unausweichlichen Dreh- und Angelpunkt, und sie beginnen schon mit den Adjektiven, die den Partituren entnommen oder dazu ersonnen werden.)

Über die erste Aufführung der A-Dur-Symphonie wurde berichtet:

„Die Classizität der Simphonien des Hrn. v. *Beethoven*, des größten Instrumental-Componisten unserer Zeit, ist anerkannt. Diese neueste erwirbt dem genialen Verfasser nicht geringere Bewunderung, als die ältern, vielleicht ist es sogar ein wichtiger Vorzug, den sie vor diesen behauptet, daß sie, ohne ihnen in der Künstlichkeit des Satzes nachzustehen, in allen Theilen [d.h. Sätzen] so klar, in jedem Thema so gefällig und leicht faßlich ist, daß jeder Musikfreund, ohne eben Kenner zu seyn, von ihrer Schönheit mächtig angezogen wird, und zur Begeisterung entglüht. Die Analyse des Einzelnen dieser Symphonie, würde, bei aller Umständlichkeit, die sie erforderte, niemals hinreichend seyn, denjenigen unserer Leser, welche ihrer Aufführung nicht beigewohnt haben, ein Bild des Ganzen zu skizziren; um Werke der Kunst zu würdigen, wird ihre unmittelbare Anschauung bedungen. Herr v. *Beethoven* hat zwar den Charakter dieser Simphonie nicht, so wie bei einigen andern, selbst angegeben: wenn es uns indeß erlaubt ist, ihm dießfalls vorzugreifen, und unsere unmaßgebliche Meinung anzugeben, so bemerken wir, daß uns die verschiedenen Theile derselben in einem romantischen Rhythmus der Melodien zu sympathisiren scheinen."[1]

Erstens heftet dieses schöne, auf Vorsicht bedachte und dann doch ein wenig unvorsichtig formulierte Lob die Symphonien des eben 43jährigen Komponisten an den zeitlosen Himmel der Klassizität, die in der damals in Mitteleuropa herrschenden klassizistischen Periode noch — wenngleich dieses nicht ausdrücklich genannt ist und in der Musik auch weit schwächer ausgeprägt war als im Visuellen und Literarischen — im Lichte der Antike schimmerte. Zweitens wird Beethoven wie selbstverständlich als der größte Instrumentalkomponist seiner Zeit vorgestellt; zehn oder fünfzehn Jahre zuvor wäre dies nicht möglich gewesen, sofern Beethovens Œuvre noch nicht so weit gediehen und Haydns Zeit noch nicht vorüber war. Drittens wird trotz des uneingeschränkten kompositorischen Anspruchs auf die Klarheit, Gefälligkeit und Faßlichkeit gerade dieser Symphonie abgehoben. Es kann sein, daß nicht nur das Werk selbst, sondern auch die Begeisterung des großen und wohl heterogenen Publikums, das jener außergewöhnlichen Akademie beigewohnt hat, dem Rezensenten dieses Urteil in die Feder fließen ließ. Auch an anderer Stelle wurde sogleich gerühmt, daß es sich um die „melodiereichste, gefälligste und fasslichste" unter Beethovens bisherigen Symphonien handle.[2] Zumal vor dem Hintergrund der *Pastorale* erhellt der Superlativ „melodiereichst" sich zwar nur schwer, aber er mag zumindest verdeutlichen, warum der für Beethovens Verhältnisse melodisch ungewöhnlich reiche 2. Satz gleich den stärksten Anklang fand. Viertens rückt der Berichterstatter die beherzigenswerte musikkritische Bemerkung ein, daß eine Bespre-

---

1 *WamZ* von Ende 1813, zit. nach St. Kunze, *Gesammelte Konzertberichte,* S. 268.
2 *AmZ* von Anfang 1814, zit. nach St. Kunze, *Gesammelte Konzertberichte,* S. 270.

chung, und sei sie noch so gründlich, nicht den Gesamteindruck einer Aufführung wiedergeben könne. Fünftens ist es dem Rezensenten geläufig, daß Beethoven den „Charakter" oder die Idee (etwas später hätte man gesagt: den Inhalt oder das Programm) einiger seiner Symphonien angezeigt hat; dieses kann sich eigentlich nur auf die *Pastorale* und die *Eroica* beziehen, und da der Kritiker es bei der A-Dur-Symphonie vermißt, bemüht er sich selbst um Ausgleich. Ist damit ein Mißgeschick geschehen? Die Aussage, daß die verschiedenen Sätze („Teile") in einem „romantischen Rhythmus der Melodien zu sympathisieren scheinen", wirkt zwar zunächst wie ein Zusammenrühren von Schlagworten, zeigt aber deutlich das Bemühen, nicht narrativ oder illustrierend vorzugehen, sondern an Termini der Musik und an ästhetischen Begriffen Halt zu finden. Die Rhythmen sollen in einem bestimmten Verhältnis zueinander stehen, mithin einen (wie man heute sagen würde) Zusammenhang aufweisen. Da die Kompositionskritik damals den Sätzen bzw. Teilen (als „Teilganzen") noch relativ große Selbständigkeit einräumte und nicht zuletzt auch im motivischen Bereich mehr Wert auf das Trennende als das die Sätze Verbindende legte, war es jenseits der geforderten Einheit von Taktart und Tonart keineswegs einfach, das Maß für den Zusammenhang anzugeben. August Wilhelm Ambros erwähnt für das, was jener Rezensent im Sinn gehabt haben könnte, den „Spitznamen", den man der A-Dur-Symphonie einmal gegeben hat: „dactylique".[1]

Hat das Ausbleiben näherer Charakterisierungen durch zusätzliche Überschriften der A-Dur-Symphonie das Schicksal der *Eroica* oder gar der *Pastorale* erspart, in denen der Werktitel für das Ganze und im Falle der *Pastorale* auch noch die verbalen Präzisierungen der einzelnen Teile durchaus zu einer Belastung für die schreibende Zunft wurden und auch Widerwillen erregten? Das Gegenteil ist der Fall. Als die A-Dur-Symphonie erst 60, noch nicht wie heute 180 Jahre alt war, registrierte Arrey von Dommer, daß sie „den Auslegern Beethoven's mehr Kopfbrechen als irgend ein anderes seiner Werke verursacht, und sie zu den wunderlichsten und widersprechendsten Erklärungsversuchen veranlaßt" hat.[2] Die Charakterisierungen des Ganzen bewegen sich ungefähr in folgende Richtungen: Sie sei die „romantischste" unter Beethovens Symphonien (G. Grove), sie sei „heroisch" (D. Fr. Tovey), ein „Denkmal des Sieges", und zwar „der Symphonie über die Alleinherrschaft des Rhythmus" (W. Riezler), eine „riesenhafte Temperamentswallung" bzw. ein „Aufschwung" (P. Bekker), „dionysisch" und „wie betrunken" (G. Mahler nach N. Bauer-Lechner), voll „Ausgelassenheit" (boisterousness, G. Grove), als ein „Hohelied des Humors" von „grandioser Heiterkeit" (H. Kretzschmar); oft, aber nie näher erklärt, ist von „Dithyrambos" oder dithyrambischer Stimmung die Rede. Der kleinste gemeinsame Nenner für diese Auffassungen läßt sich heuristisch, aber umgangssprachlich wohl darin finden, daß unter Beethovens dynamischen Symphonien die A-Dur-Symphonie als die bis dahin vitalste, als ein besonderes Energiebündel in Erscheinung tritt, das gleichwohl einige entspannendere Sektionen aufweist — im langsameren 2. Satz insbesondere das zweimalige Maggiore sowie das ebenfalls doppelt vorhandene Trio. Die Spannbreite der Charakterisierungen kommt nicht zuletzt daher, daß die Beobachter mitunter einzelne Sätze zum Maßstab neh-

1 A. W. Ambros, *Culturhistorische Bilder,* S. 232.
2 *Allgemeine Deutsche Biographie,* Bd. II, 1875, S. 263.

men und von ihnen her den Gesamtcharakter auffassen. Das Überschäumende ist von dem häufig als „bacchisch“ beschriebenen Finale veranlaßt, durch das auch Robert Schumann sich geradewegs in den Tanzsaal geführt sah[1], während der kontrastierende 2. Satz natürlich die größte Diversität gestattet, sofern er zwischen „Trauung“, „Melancholie“, „Klage“ und „Requiem“ angesiedelt worden ist. Auf solche Charakterisierungen wird im Zusammenhang mit den programmatischen Erklärungen am Ende zurückzukommen sein.

Für die A-Dur-Symphonie so zentral wie für den in ihr verkörperten Stand des Beethovenschen Komponierens aufschlußreich dürfte der Beginn, das Thema des 4. Satzes (Allegro con brio) sein, — eines Schlußsatzes, der formal zwischen Rondo- und Sonatensatzform vermittelt.[2] Das Thema folgt einer äußerst kurzen, nur aus zwei fanfarenartigen Stößen des Orchesters bestehenden Einleitung (T. 1—4), und seine beiden Hälften werden nicht ausgeschrieben (in den ambitionierten Symphonie-Partituren jener Jahre war dies schon selten geworden), sondern ergeben sich durch Wiederholungszeichen.

1

1 In seiner Besprechung der *Symphonie fantastique*; vgl. R. Schumann, *Gesammelte Schriften* ([5]1914), Bd. I, S. 79.

2 Noch für R. Wagner handelt es sich (an der unten S. 51, Anm. 3 genannten Stelle) um einen „aus dem Rondeau gebildeten Schlußsatz“; die Tendenz, auch die Finalsätze möglichst als Sonatenformen zu erklären, ist sehr viel neueren Datums.

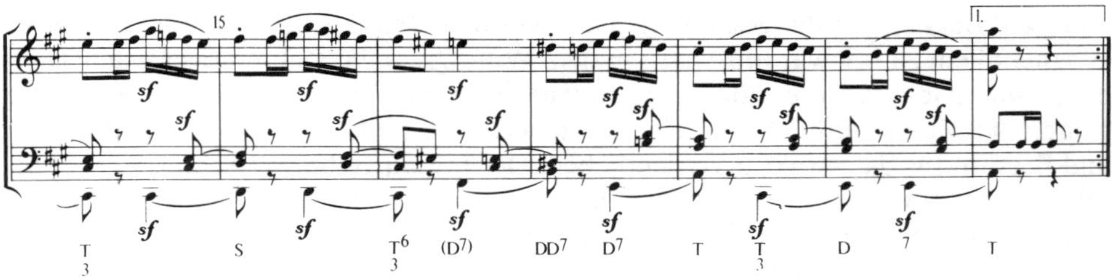

In dem Thema ist der durch die Takte 1—4 signalartig vorgegebene Rhythmus aufgegriffen, sogleich aber auch überlagert und modifiziert. Insbesondere die Sforzati, die an gleich zwei Stellen pro Takt zum Abschlag hinzutreten, schaffen drei Taktschwerpunkte auf engem Raum. Durch die Nachdrücklichkeit wird nicht nur das Energische pochend oder fast stampfend hervorgehoben, sondern es entstehen sogleich auch rhythmische Überlagerungen (gelegentlich, aber vielleicht nicht ganz glücklich, wird das Thema synkopiert genannt), die, wie sich noch erhellen wird, zu der spezifischen Satzstruktur gehören. Man hat nach Vorbildern für das Thema gesucht; wie immer in solchen Fällen und gerade bei Beethoven hat der Hinweis auf Beeinflussungen vorzüglich die Aufgabe, ins jeweilige interpretatorische Konzept zu passen. Hier fühlte man sich sowohl nach Ungarn als auch nach Irland verwiesen.[1] (Die Struktur „etwas erinnert an etwas" ist uferlos, und jeder von uns wird eigene Assoziationen beisteuern können.) Berlioz hingegen stellte einen Bezug des Themas zu einigen Tönen aus dem der Ouvertüre zu Glucks *Armide* her, um dabei das Gegensätzliche über die Ähnlichkeit zu stellen und zu betonen, daß er eher dem Auge als dem Ohr diene.[2] Aus praktischer Orchestererfahrung, nicht in kompositionsanalytischer Absicht hat Wagner in seiner späteren Schrift *Über das Dirigieren* auf die Ähnlichkeit dieses Finales mit dem aus Mozarts drittletzter Symphonie in Es-Dur (KV 543) hingewiesen (Notenbeispiel 2); beide Fälle dienen ihm zum Aufweis einer extremen Dominanz der Figuration über die Gesanglichkeit in besonders raschen Sätzen, sofern „die rein rhythmische Bewegung gewissermaßen ihre Orgien" feiert.[3]

2

Der Gedanke, Mozarts Thema mit der Kategorie des Gesanglichen in Verbindung zu bringen, wäre wohl tatsächlich abwegig, aber immerhin ist Beethovens Finale

1 Th. Helm, in: A. Pochhammer, *Beethoven's Symphonien,* S. 175 (für das „Ungarische" unter Berufung auf Wagner). Zur möglichen Übereinstimmung mit dem Nachspiel des von Beethoven selbst bearbeiteten irischen Liedes „Nora Creina" vgl. G. Grove, *Beethoven and his Nine Symphonies,* S. 261f.

2 Vgl. H. Berlioz, *Voyage musical,* Bd. I, S. 328.

3 R. Wagner, *Gesammelte Schriften,* Bd. IX, S. 179.

von Paul Bekker „Schlußgesang“ genannt worden. Jenseits dieser Frage, um die es Wagner allein zu tun war (durchaus in dem Wunsch, auch noch im raschesten Tempo so viel „Gesang“ wie möglich zu retten), kann der Vergleich — gerade weil die beiden Beispiele so ähnlich erscheinen — den extremen Gegensatz zwischen Mozarts und Beethovens Satzstruktur verdeutlichen. Der Initialrhythmus (Achtel, zwei Sechzehntel) hat am Beginn des Finales schon eine lange Geschichte in der A-Dur-Symphonie hinter sich; am festesten ist er vom Allegretto her im Gedächtnis, wo er in sehr viel langsamerem Tempo und in doppelten Notenwerten als Schreitrhythmus (Daktylus, gefolgt von Spondäus) den Satz wenn nicht bestimmte, so doch durchzog. Dem rhythmischen Muster ist im Blick auf Schubert viel Aufmerksamkeit zuteil geworden. Bei ihm gilt es als „Wanderer-Rhythmus“ und wird zu seinen „Privatrhythmen“ geschlagen, wobei die Assoziationenkette Goethe — Wanderer — romantischer Sänger — Schubert erkennbar ist; Nicholas Temperley hat sich der Abhängigkeit Schuberts gerade von der A-Dur-Symphonie gewidmet.[1] Aber genau so läßt die Folge Daktylus — Spondäus an den alten Typus der Intrada im Sinne eines Aufzugs denken. Gemeinsam ist das Moment der Tonwiederholungen auf gleicher Tonhöhe, das in der A-Dur-Symphonie insgesamt eine so markante Rolle spielt. Sobald das Tempo jedoch wie in den Schlußsätzen gesteigert ist, ändert sich die Sache: Weder zu Beethovens noch zu Mozarts Finale läßt sich schreiten, nicht einmal geschwind marschieren, kaum hüpfen, vielleicht springen. Außerdem sind Übernahmen von Termini der Verslehre in die Musik einerseits prekär, weil beispielsweise Daktylus kein einzelner musikalischer Rhythmus, sondern eine Bezeichnung ist, unter der musikalisch höchst verschiedene Rhythmen zusammengefaßt werden können, andererseits ist diese Diversität und Flexibilität gerade von Vorteil, wenn man durch Gruppierung Zusammenhänge konstruieren oder Verwandtschaftsbeziehungen eruieren möchte. So erscheint die Rede vom Daktylus hier zugleich vorteilhaft, weil sie der Vereinheitlichung behilflich ist, und zugleich schief, weil sie musikalisch in die Irre führen kann.

Handelt es sich im selben 2/4-Takt bei Mozart um ein achttaktiges, piano vorgetragenes Thema, das dann vom Orchester im Forte wiederholt wird (T. 9ff.), so ist Beethovens Thema doppelt so lang und steht ausschließlich im Fortissimo. Ausschlaggebend ist es, daß die Komplexität des Mozartschen Themas sich aus der vielfältigen Binnenstruktur der vier korrespondierenden Zweitaktgruppen ergibt. Beethoven erreicht die Vielfalt auf ganz andere Weise: Seine Melodie (im Sinne der führenden Stimme) beruht so sehr auf Wiederholungen, daß man im Vergleich mit Mozarts Abwechslungsreichtum eher an Monotonie gemahnt wird. Anders wäre die gewollte Eindringlichkeit auch nicht zu erzielen. Erst durch die Hinzuziehung der anderen am Thema beteiligten Stimmen und ihrer verschiedenen Elemente ensteht die Vielfalt. Mozarts Thema lebt von der Balance im Filigran der gegliederten Linie, nichts an ihm läßt sich manipulieren oder sinnvoll abstrahieren. Bei Beethoven hingegen lassen sich die Elemente im Rhythmischen, aber auch im Melodischen viel leichter zerlegen, ohne daß der musikalische Sinn verlorengeht. Die Beethovensche Satzstruktur, in der das Thema erst aus der Konfigfuration auffächerbarer Elemente,

1 Vgl. N. Temperley, *Schubert and Beethoven's Eight-Six Chord.*

aus der Gesamtorganisation des Satzgefüges hervorgeht, ist hier keineswegs zum ersten Male zu beobachten. Im Gegenteil, sie bildet wohl eines seiner Prinzipien, das er im Prozeß seiner kompositorischen Entwicklung immer neu ausbaute und das hier im Stadium des nahen Übergangs zum Spätwerk verfolgbar ist. Während der Hörer in Mozarts Ziselierung sozusagen keinen Ton verlieren darf, kann er in Beethovens Satzstruktur die heterogenen Elemente auf verschiedene Weise zusammenfassen. So läßt sich unter Absehung von der immergleichen Sechzehntel-Drehbewegung die Essenz des Verlaufs abstrahierend darstellen bzw. hören (Notenbeispiel 3); dabei wird auch sichtbar, wie sehr die Mitten der beiden korrespondierenden Achttakter aus dem Einerlei des Geschehens heraustreten und durch diese Irregularität der Sache noch mehr Würze verleihen (T. 8 der gleichsam emphatisch ausbrechende Sextensprung aufwärts, T. 16 analog dazu die Halbtonschritte abwärts).

3

Zumindest angesichts des Finales bleibt es ein wenig rätselhaft, wie die Zeitgenossen von der 7. Symphonie als der melodiereichsten haben sprechen können. Die beiden den Schlußsatz quasi mit einem Motto eröffnenden Bewegungsimpulse (T. 1—4; vgl. Notenbeispiel 1) gestatten es, zügig zum Thema zu kommen, ohne sich mit jenem fünfmaligen Anlauf aufzuhalten, den Beethoven dem Finale der 1. Symphonie vorangestellt hatte. Man kann sie mit den beiden Orchesterakkorden am Beginn der *Eroica* assoziieren oder als eine konzise und rasche Variante der ersten beiden Orchesterschläge zu Beginn der A-Dur-Symphonie selbst begreifen. Der Rhythmus am Anfang des Finales wiederum ähnelt dem eines weiteren Finales, dem des 4. Klavierkonzertes. Und wer wird sich nicht daran erinnern, daß gerade dieses rhythmische Partikel in der Durchführung des 1. Satzes der *Pastorale* nicht enden wollende Wiederholungen erfährt (es begegnet dort allerdings schon T. 2 zum ersten Mal), so sehr sein Charakter vom jeweiligen Tempo abhängig ist und vom Kontext tingiert wird. Im Finale der A-Dur-Symphonie ist mit dieser rhythmischen Figur ein weiteres Problem aufgeworfen. Der Satz beginnt mit ihr auf entschieden abtaktige Weise (daktylisch), endet mit ihr aber ebenso deutlich auftaktig (anapästisch), beide Male in gleicher Weise zweifach vorgetragen.[1] Vielleicht ist der Verlauf des ganzen Satzes von nichts mehr bestimmt als von dem Changieren zwischen den beiden einander so na-

1 Im Schreitrhythmus (Viertel — Achtel — Achtel) des 2. Satzes sticht der letzte, schon in den mit dem Anfangsakkord identischen Schlußakkord fallende Bewegungsimpuls hervor (T. 276): Achtel — Achtel — Viertel, der dem Anschein nach anapästisch, seiner Stellung im Takt nach jedoch daktylisch ist. Instruktiv für die Variabilität der Daktylus-Gruppe sind etwa auch die beiden Stellen aus der Coda des ersten und dem letzten Satz der *Pastorale*, die bei B. Deane (*The Symphonies and Overtures*, S. 302) abgedruckt sind.

hen wie entgegengesetzten rhythmischen Möglichkeiten samt allen zusätzlichen rhythmisch-metrischen Komplikationen, die sich unterwegs ergeben. Schon im Thema selbst (T. 5ff.) sind die beiden rhythmischen Varianten angelegt (nicht zuletzt wegen der Sforzati auf der 2. Zählzeit). Und erst recht im Zusammenspiel aller Elemente, die das Thema bilden, zeigen sich beide Tendenzen (vgl. auch die latente, allerdings jambische Auftaktigkeit der beiden Achttakter in dem abstrahierten Notenbeispiel 3, in der Mitte jeweils jäh abtaktig gestört). Im Gegensatz zu Beethoven hatte Mozart (Notenbeispiel 2) zwar auftaktig begonnen, aber von Takt 4 an ergibt sich auch bei ihm das Wechselspiel zwischen Auf- und Abtaktigkeit, und der einprägsame abtaktige (daktylische) Impuls kommt im Verlauf seines Satzes nach und nach schärfer zum Vorschein. Nicht nur der Vergleich der Themen, sondern auch einer der Schlüsse dieser beiden Sätze kann erhärten, wie es zur Vergrößerung der Dimensionen in den gut zwei Jahrzehnten zwischen den beiden Symphonien gekommen ist. Mozart hängt als Coda kaum ein paar Takte an, während Beethoven alles darauf anlegt, in einem eigenen Formteil jenen Schlußwirbel zu erzielen, der dem Gewicht der langen Einleitung zum ersten Satz gleichkommen muß. Man spricht neuerdings im Blick auf das spätere 19. Jahrhundert gerne von „Finalsymphonien", in denen sich das Schwergewicht vom ersten Satz auf den letzten, vom Anfang an den Schluß verlagert; denn selbst bei Haydn und Mozart bildet der erste Satz meist so eindeutig die Hauptsache, daß der Rest der Symphonie und insbesondere der Schlußsatz, sofern er womöglich nicht einmal das Maß aller musikalischen Dinge, die Sonatenform, aufweist, von späteren Auslegern als Nebensache, wenn nicht als Appendix aufgefaßt worden ist. Es spricht wenig dagegen, die A-Dur-Symphonie eine solche Finalsymphonie zu nennen, ohne daß dies hieße, das Gewicht ihres 1. Satzes schmälern zu wollen.

Die Dominanz des Rhythmischen auf Kosten diastematischer Gestalten (in Wagners Worten: der Figuration über den Gesang) tendiert eher zum Statischen und gestattet kaum die Vorstellung jener „organischen" Entwicklung, die im Laufe des 19. Jahrhunderts zum Nonplusultra der musikalischen Formerklärung geworden ist. Statik schließt Energie keinesfalls aus: Aller Tanz ist ein Ausbund an Beweglichkeit, und doch neigt eine Musik, die etwas mit dem Tanz zu tun haben soll, zur Statik: Der Wanderer kann zu einem Ziel aufbrechen, auch derjenige, der in Marsch gesetzt wird; der Tänzer hingegen ist auf seinen Tanzboden eingegrenzt. Zur Handlung, wirklich dramatisch wird der Rhythmus nur in extremen Momenten: in der Ekstase, beim Stillstand, am Ende aller Bewegung, im Tod. (Vom Tod scheint die A-Dur-Symphonie, was auch immer sonst in ihr dargestellt sein mag, am wenigsten zu handeln.) Diejenigen, die in den musikalischen Verläufen die Austragung von Gegensätzen[1], organische Entwicklungen usw. ins Zentrum stellen, müssen sich hier ausgefeilter Dialektik bedienen. Wohl weil sich nichts entwickelt, sind die Sätze der A-Dur-Symphonie für Adorno Gebilde „intensiver Totalität", die „nur einen Augenblick zu währen scheinen"[2]: Zuflucht beim mystischen Nu.

1 Der Hinweis auf die Absenz der „dualistischen Art der Themenprägung" in der A-Dur-Symphonie z.B. bei P. Bekker, *Beethoven,* S. 251.
2 Th. W. Adorno, *Beethoven,* S. 251.

Der Beginn der Symphonie (Poco sostenuto) läßt zwar ahnen, daß man am Anfang eines großen und bedeutenden Werkes steht, kaum aber, daß die Angelegenheit im Laufe von weniger als einer Dreiviertelstunde Wendungen nehmen wird, die exzessiv genannt werden dürfen. Zunächst ist jede dezidiertere rhythmische Gestalt zu vermissen. Der ungewöhnliche Umfang der Einleitung mitsamt ihrer nicht einfachen Gliedung hat dazu geführt, daß George Grove sie als eigenen Satz einer fünfsätzigen Symphonie abgeteilt hat.[1] Berlioz, der am gesamten Werk die vielen harmonischen Besonderheiten und Leckerbissen hervorhebt, rühmt den neuartigen Instrumentationseffekt in Takt 1, jenen Schlag des Orchesters, aus dem die Oboe sich löst: „On ne saurait débuter d'une façon plus originale."[2]

4

Als erste prägnantere rhythmische Bildung erscheint jener Daktylus (T. 4), der dann am weiteren Geschick der Symphonie so großen wie wechselhaften Anteil hat, ob man ihn nun einen Keim, eine Zelle, eine Figur oder im Sinne Rudolph Rétis ein Motiv (motif) nennt.[3] Zugleich geht dieser Rhythmus hier mit einem Sekundschritt abwärts einher (dieser selbst schon am Übergang von T. 1 zu 2), der in dem, was vor allem im ersten Satz folgt, bei wechselnder Rhythmisierung melodisch (diastematisch) eine so hörbare Rolle spielt. Man wird überhaupt in den ersten Takten eine Mehrzahl solcher rhythmischer, melodischer, rhythmisch-melodischer usw. Partikel feststellen können, die in mannigfacher Erweiterung, Kombination und Modifikation später hervortreten.

Vielleicht sogar noch deutlicher als der Beginn der Einleitung liefert ihr Ende, die Überleitung zum Hauptsatz (T. 53ff.) den für die Idee dieser Symphonie ent-

1 G. Grove, *Beethoven and his Nine Symphonies,* S. 228.
2 H. Berlioz, *Voyage musical,* Bd. I, S. 320.
3 Vgl. R. Réti, *Thematic Patterns.* Zwar schließt Réti (S. 20, Anm.) rhythmische Motive nicht aus, aber die „cells", die den „shortest extract" dieser Motive bilden (S. 17, Anm.), begreift er ausschließlich diastematisch, sofern sie die „contour" der Motive sind: Letzten Endes handelt es sich bei seinem reduktionistischen Verfahren um eine reine Analyse der Tonhöhen. — Mit einem speziellen Rhythmusbegriff („harmonischer Rhythmus" oder „Pulsschlag"), der nicht an der Folge von Tönen, sondern an der Frequenz von Harmoniewechseln abgelesen wird, arbeitet J. LaRue (*Harmonischer Rhythmus,* S. 194), um in der Einleitung zur A-Dur-Symphonie jene drei Höhepunkte (T. 15, T. 34, T. 53) zu ermitteln, auf die Beethoven uns durch ein Fortissimo hingewiesen hat.

scheidenden Wink. Der Tonsatz, so Theodor Helm, scheint an dieser Stelle „ganz verstummen zu wollen (alles lauscht mit verhaltenem Atem!)“.[1] Die Überleitung dient offensichtlich dazu, den den Hauptsatz bestimmenden punktierten Rhythmus zu gewinnen, — trotz der Punktierung erneut eine daktylische Form (Notenbeispiel 5). Zwar beginnt das Hauptthema Takt 67, aber der Rhythmus wird ab Takt 63 vorgetragen. Wie am Beginn so vieler Werke von Beethoven läßt sich Argument auf Argument häufen, ob das Thema sogleich beginnt oder ob ihm einige Takte einleitend vorgeschaltet sind.[2] Vorbereitet wird das rhythmische Muster in der merkwürdig die Zeit verlierenden Passage zwischen Einleitung und Hauptsatz, in der ein einzelner Ton — e — gleichsam zum Stillstand kommt. Die so demonstrative Stelle dient gleichzeitig dazu, auf diesem einen Ton den Übergang vom 4/4-Takt der Einleitung zum 6/8-Takt des Hauptsatzes sowie den Tempowechsel zum Vivace zu vollziehen.

5

Ein Gegenbeispiel birgt später der Schlußsatz der Sonate op. 110 (Überleitung zur Umkehrung der Fuge, T. 132ff.): Die Repetitionen des G-Dur-Akkords erfolgen in gleichmäßigen Schlägen (pedalisiert und crescendo bzw. diminuendo) als Aufhebung von Gestalt in bloßes Klingen. Auf das Bestreiten einer Überleitung mit Hilfe eines einzigen Tons wie in der A-Dur-Symphonie (und dies ist eine extreme Form einer Wiederholungsstruktur) verstand sich auch Haydn im Finale seiner Klaviersonate D-Dur (Hob. XVI:37), wenngleich in geringerem Umfang und entsprechend der Tonart eine Quinte tiefer auf a. Das Ende der Einleitung der A-Dur-Symphonie ähnelt ferner der weniger raffiniert auskomponierten Überleitung zum Schlußfugato von *Wellingtons Sieg*, die wiederum nicht rhythmischen Änderungen auf derselben Tonhöhe, sondern einer Dreitonfolge gilt. An solchen Stellen, an denen der Tonsatz aufs äußerste reduziert erscheint, ahnt man, daß die „reine“ Musik ins Illustrative umschlagen kann, wobei die Bedeutung im Musikalischen oder im Außermusikalischen gesucht werden mag.

Gerade wegen ihrer Blöße und Einfachheit wird an dieser Überleitung unüberhörbar, daß es am meisten auf die rhythmische Organisation ankommt. Speziell beim „mittleren Beethoven“ wird man darauf aufmerksam, daß nicht nur die aus-

1 Th. Helm, in: A. Pochhammer, *Beethoven's Symphonien,* S. 160.

2 Die Frage wird zusätzlich kompliziert, wenn wie am Beginn von op. 67, 68 und 110 eine Fermate beteiligt ist, wie in der A-Dur-Symphonie in diesen Takten 63—66 quasi nichts geschieht oder wie im 2. Satz dieser Symphonie eine Art Doppelthema vorliegt (T. 3ff., T. 27ff.), — analog den *Eroica-Variationen* op. 35 und dem Finale der *Eroica* op. 55.

gebreiteten Themen, sondern in zumindest demselben Maße auch die Elemente und Partikel, aus denen sie zusammengefügt werden, die Struktur eines Satzes, wenn nicht eines Werkes bestimmen, ohne darum auch schon sein Gesicht, seinen Charakter zu zeichnen. Ein instruktives Beispiel dafür gibt die Einleitung der A-Dur-Symphonie, sofern ihr Material weitgehend von einer „primitive simplicity" ist, als gehörte es zu irgendeinem „basic impersonal vocabulary".[1] Freilich wird jeder, der die Werke auch nur ein wenig kennt, nicht nur bei dem opulenten Orchestereffekt in Takt 1, sondern auch, wenn er durch Zufall in die Überleitung hineingerät und kaum einen Takt lang das karge e allein zu Gehör bekommt, sofort wissen, woher es stammt.

Mit den rhythmischen Partikeln, Zellen usw. ist jener Bezirk berührt, den Carl Dahlhaus das „Subthematische" genannt hat.[2] Durch dieses, nicht durch die Themengestalt als solche, entsteht jenes Beziehungs- und Transformationsnetz, das zur Stütze des Satzes erklärt wird, den es formen soll, und das allerdings auch um einen gewissen Preis erkauft ist; denn nur selten (wie an der Überleitung zum Vivace-Hauptsatz) tritt es offen hervor, meist muß weit hinter die Erscheinungsform der Musik zurückgegriffen werden. Der punktierte Grundrhythmus des Vivace (T. 63) hatte in der von Dreiklangsberechungen in halben Noten und von Sechzehntelskalen dominierten Einleitung zunächst keine Rolle gespielt. Allerdings war in der gesanglichen „Episode"[3] (T. 23ff. in C-Dur sowie an der Parallelstelle T. 42ff. in F-Dur) eine Variante begegnet, in der die Punktierung nicht in der Mitte, sondern am Ende steht (T. 24 und 43; vgl. dazu unten Notenbeispiel 6). Die rhythmische Modifikation von Viertel — Achtel — Achtel (T. 4) über Viertel — Achtel — (Sechzehntelpause —) Sechzehntel (T. 24, 43) zu punktiertem Achtel — Sechzehntel — Achtel (Hauptsatz T. 63ff., nun im 6/8-Takt) ist im Rahmen der daktylischen Formen unverkennbar. Tatsächlich lassen sich die hauptsächlichen rhythmischen Bildungen der ganzen Symphonie unbeschadet der Tempo- und Charakterunterschiede als Varianten oder Modifikationen, auf jeden Fall als Transformationen davon erklären: die rhythmische Hauptfigur des 1., 2. und, wie früher gezeigt, des 4. Satzes, dazuhin auch die des Trios (wenn man die Überbindung als Verschleierung und nicht als Verunstaltung begreift: als Daktylus fürs Auge und als Extremform des Trochäus fürs Ohr) sowie selbst die rhythmisch gleichmäßige Ausfüllung des 3/4-Takts im Scherzo, die natürlich ebenfalls in diese Kategorie gehört.

Insofern hat der Rezensent von 1813 das Richtige gesehen: Die Rhythmen „sympathisieren" miteinander. Wenn er zufügt, daß es „Rhythmen der Melodien" sind, so wird man daran keinen Anstoß nehmen; denn für seine Zeit mußten Rhythmen selbstverständlich an die Tonhöhenfolgen (Melodien) zurückgebunden sein; sie lassen sich ja nur methodisch bzw. analytisch isolieren, wenn nicht gerade ein Sonderfall wie in jener Überleitung Takt 53ff. vorliegt. Das „Romantische" der Rhythmen indessen wird sein Geheimnis bleiben, wenn man ihm nicht dadurch auf die Sprünge helfen will, daß der Bereich des „Subthematischen" ein wahrhaftiges Zauberland

1 R. Simpson, *Beethoven Symphonies,* S. 45.
2 Vgl. C. Dahlhaus, *Cantabile und thematischer Prozeß,* insbes. S. 84.
3 C. Dahlhaus, *Ludwig van Beethoven und seine Zeit,* S. 143, wählt dieses Wort, um nicht von „Thema" sprechen zu müssen.

ist. Bezeichnend für Beethoven ist es, daß das „einheitliche motivische Band“ zwar spürbar sein mag[1], aber kaum auf ein Element oder eine Stelle festgelegt werden kann. Die Ableitungen fußen auf Einheiten, nicht auf einer Einheit: Das Maggiore des 2. Satzes (T. 101ff. in Klarinette und Fagott) etwa folgt im melodischen (diastematischen) Umriß der Einleitung des 1. Satzes (T. 1f.; vgl. Notenbeispiel 4), und dies ist umso auffälliger, als er nicht durch eine andere Rhythmisierung verschleiert ist (die Linie erhebt sich über dem Schreitrhythmus in den tiefen Streichern). Auch im ersten Satz ist die in der Einleitung ausgebreitete Oboenlinie von T. 1f. (dem Taktwechsel entsprechend natürlich von halben Noten auf 3/8-Werte verkürzt) an vielen Stellen präsent.

Dem Spiel mit den rhythmischen, melodischen und harmonischen Modifikationen und Transformationen sind weder innerhalb eines Parameters (z.B. rhythmisch) noch zwischen den Parametern Grenzen gesetzt, wovon Notenbeispiel 6 einen kleinen Ausschnitt mitteilt.

6

An der Stelle, an der der punktierte Rhythmus zum ersten Mal aufscheint (T. 24), geschieht es diastematisch in einer Art Umkehrung der Akkordbrechung von Takt 1f., deren originale Gestalt eines der Hauptelemente der gesamten Einleitung ist. Der unspezifische Rhythmus, die gleichmäßigen vier halben Noten (T. 1f.), lassen sich auf vier Sechzehntel kontrahieren und auf eine Tonhöhe versetzen (T. 9); damit lassen sich Skalen bilden (T. 10) oder Repetitionsmuster auf einer einzigen Tonhöhe gewinnen (T. 29, T. 53); aber auch eine Drehfigur kann daraus werden (T. 25; vgl. T. 23). Die Fäden können kreuz und quer gesponnen werden, im Extremfall so lange, bis jeder Ton sich mit jedem anderen irgendwie zusammenspannen läßt, und das ist für manche ein lustvolles Vergnügen. Beethoven nutzt dies extensiv, aber eben so, daß nicht ein einzelner Kern, sondern mehrere vorhanden sind. Die Reduzierbarkeit auf ein einziges „Urmotiv“ oder Atom ist stets und so auch in der A-Dur-Symphonie problematisch. Eine Pluralität der Elemente ist schon durch die verschiedenen zerlegbaren Dimensionierungen des Melodischen bzw. Diastematischen, des Rhythmischen und des Harmonischen notwendig gegeben. Aber erst im Ensemble

1 Der Ausdruck stammt von Hugo Riemann (zit. nach G. Grove, *Beethoven and his Nine Symphonies*, S. 242, Anm.), der in Takt 23f. der Einleitung zum 1. Satz die für die ganze Symphonie entscheidende rhythmische Gestalt erblickt (vgl. Notenbeispiel 6).

der Elemente, ihren Modifikationen und Transformationen (wozu an erster Stelle schon die Tempoänderung gehört) kann die Idee dieser Symphonie zum Ausdruck kommen. „Symphonie dactylique“ wäre daher in der Tat eine allzu große Simplifizierung. Und schließlich sollte in dem fruchtbaren Eifer, alles aus jedem ableiten zu wollen, die von Donald Francis Tovey im Zusammenhang mit der A-Dur-Symphonie gegebene Mahnung nicht in Vergessenheit geraten, „that the individual character of a derived theme is a fact of perhaps greater importance than its derivation“.[1]

Die Grenzen zwischen der Charakterisierung, die man einem Satz oder einem Werk angedeihen läßt, und dem Verleihen eines mehr oder weniger ausgeführten Programms sind fließend. Aus der „Apotheose des Tanzes“ läßt sich so leicht ein Programm ableiten, wie bestimmte ausführliche Programme[2] bequem auf kurze Charakteristika reduziert werden können. Das im 19. Jahrhundert sich verstärkende und seit langem verfestigte Bemühen, die Instrumentalmusik rein und absolut zu erhalten, verdeckt leicht den Blick auf den historischen Umstand, daß es in der ersten Hälfte des 19. Jahrhunderts wenn nicht als selbstverständlich, so doch als gang und gäbe empfunden wurde, der Werke mit Hilfe von Programmen unterschiedlichster Art habhaft zu werden. Nach der *Eroica* und nach der vorangegangenen *Pastoralsymphonie* lag dieses im Falle der A-Dur-Symphonie auch ohne Zutun des Autors nahe, und da diejenigen, die sich an Programmen für Beethovens Symphonien beteiligten, dann auch die d-Moll-Symphonie kannten, konnten sie sich — wenigstens anhand von deren 4. Satz — erneut sogar auf den Autor selbst berufen, der doch den programmatischen Aspekt des Satzes dem geneigten Publikum durch den gesungenen Text, mithin im Werk selbst unmißverständlich, wenngleich ebenfalls vieldeutig klargemacht hatte. Selbst Schumann, dessen Vorbehalte gegen Programme so oft angeführt werden, hat ja nicht nur eigene einschlägige Werke verfaßt, sondern auch nicht gezögert, gerade die A-Dur-Symphonie entsprechend zu bedenken. Inmitten seiner Besprechung der A-Dur-Symphonie verwendet wiederum Adolf Bernhard Marx eine Fußnote — mit fast drei Druckseiten Länge wohl eine der umfangreichsten der Musikliteratur des 19. Jahrhunderts — darauf, die „Willkürlichkeiten poetisierender Auslegungen“ zu geißeln. Er möchte die A-Dur-Symphonie nicht den Niederungen solcher Art Poesie ausgesetzt sehen, sondern sie in der „höhern Poesie“ aufheben, — ein dialektischer Trick, um etwas, was nicht Poesie ist, erstens dazu zu machen und zweitens dieses fiktive Gebilde über die wirkliche Poesie zu stellen. Überraschenderweise hängt Marx kurz darauf im Haupttext seinem eigenen „Traum von maurischem Leben“ nach, demzufolge im Trio des Scherzos „die Feldklänge der über die fernen Hügel friedlich heimkehrenden Nordlandskrieger“ erschallen und im 4. Satz „das Südvolk in bacchischem Taumel das Spiel seines bunten Lebens weiter spielt“. Man kann aus solchen Vorgängen mit Jacques Handschin folgern, daß programmatische Vorstellungen hier ein „Ingrediens“ gebildet haben, ohne daß man gezwungen ist, „Beethovens Musik zur Programm-Musik“ zu ma-

1 D. Fr. Tovey, *Essays in Musical Analysis,* Bd. I, S. 58.
2 Beispielsweise die „Stimmungsbilder“-Deutungen von O. Neitzel, *Beethovens Symphonien* (^{3}1912), S. 63ff.

chen.[1] Aber es darf darüber auch nicht vergessen werden, daß zwar nicht unbedingt bei Marx, wohl aber bei anderen Erklärungen (wie etwa bei Schumann) zu gewärtigen ist, daß die Programme, zu denen sie Stichworte liefern, gelegentlich ironisch gemeint sind. Schon Ambros hat eine Serie solcher Bilder listig zusammengetragen; da die Idee eines Festes ihnen allen gemeinsam sei, so müsse „doch wohl Etwas daran sein".[2] Gemeint ist natürlich das Gegenteil von dem, was er sagt. Die A-Dur-Symphonie ist programmatisch in folgendes Licht gerückt worden (das Auswahlangebot ließe sich vor allem im Blick auf die einzelnen Sätze bequem erweitern):

— antikes Rebenfest mit 1. Terpsichore, 2. Trauerreigen, 3. Weinlesetag, 4. Bacchanal (O. Neitzel);
— griechisch, wie Hölderlins *Hyperion* und Goethes *Iphigenie* „aufsteigend aus dem Grund deutschen Wesens" (R. Oboussier, 1937);
— zweite *Pastorale* mit 1. Sonnenaufgang, Dorfmorgen, 2. Trauung (auch: was sich der Wald erzählt), 3. Tanz der Dorfjugend, 4. Freudigkeit im Leben (W. v. Lenz, unter Protest von A. Schindler und A. B. Marx, der dem 1. Satz als ländlich, hirtenartig jedoch zustimmt); symphonie pastorale (V. d'Indy, in scharfer Wendung gegen die Symphonie im Horizont des Tanzes, insbesondere schon der Grundrhythmus des 1. Satzes sei vielmehr dem Vogelsang ähnlich); der 1. Satz als Ronde de Paysans (H. Berlioz, von D. Fr. Tovey als „sad nonsense" bezeichnet[3]);
— Hochzeitsfeier (K. Fr. Ebers unter Zustimmung von R. Schumann), Bauernhochzeit (G. Nicolai), gräfliche Hochzeit (von A. W. Ambros referiert);
— zweite *Eroica*, aber auch Gegenbild der *Eroica* als ein Gemälde „de la joie de l'Allemagne délivrée du joug français" (Alberti nach M. Brenet);
— Gigantenschlacht (von R. Schumann belächelt);
— Kriegerisches im Zusammenhang mit *Wellingtons Sieg* (durch C. Czerny nahegelegt, von A. Schindler zurückgewiesen), maurisch-spanisches Kriegerfest (von A. Schering referiert, wohl im Blick auf A. B. Marx);
— Ritterfest (L. Nohl nach M. Brenet); maurisches Ritterfest (von A. W. Ambros referiert);
— Militärsymphonie (W. v. Lenz laut A. Schering);
— 1. Satz: Gerichtsverhandlung während eines Volksaufstandes (K. Iken, laut A. Schindler unter Protest von Beethoven);
— Prosperos Geisterfest (von A. W. Ambros referiert);
— Szenen aus *Wilhelm Meister*, nämlich 1. Mignons Tanz, 2. Requiem für Mignon, 3. Philine, Tanz unter der Linde, Trio im Umkreis von Fausts Osterspaziergang, 4. Festgelage (A. Schering).

Ob jemand beim Stichwort „Land" an den Bauern oder den Edelmann und beim Stichwort „Natur" an deren Segen oder Schrecken denkt, läßt sich nicht immer leicht eruieren. Tovey zufolge nehme heute (1935) niemand mehr am Hauptthema des 1. Satzes etwas Rustikales wahr. Gleichzeitig nennt er das Finale „triumph of Bacchic fury"[4], und damit spielt er doch wohl eher auf den ländlichen Rebengott an als auf die dekadenten Geheimriten der römischen Bacchanalia. Es ist fraglich, ob die divergierenden Programm-Assoziationen etwas zum Verständnis der Symphonie beigetragen haben, mehr noch, es ist oft genug unklar, was mit ihnen gemeint sein soll. Grove sah in den Programmen eine Plage (annoyance). Aber es ist

1 J. Handschin, *Musikgeschichte im Überblick* (²1964), S. 352.

2 A. W. Ambros, *Culturhistorische Bilder,* S. 232. Unter Rückgriff auf S. Freud ist die „festal quality" der A-Dur-Symphonie neuerdings von M. Solomon, *Beethoven,* S. 212f. wieder hervorgehoben worden. — Eine Zusammenstellung von Programmen zur A-Dur-Symphonie auch bei M. Brenet, *Histoire de la Symphonie,* S. 146ff.

3 D. Fr. Tovey, *Essays in Musical Analysis,* Bd. I, S. 57. Berlioz Anliegen war es freilich gerade umgekehrt, Beethoven damit gegen den von anderen erhobenen Vorwurf mangelnder Vornehmheit (manquer de noblesse) des 1. Satzes in Schutz zu nehmen (*Voyage musical,* Bd. I, S. 323).

4 D. Fr. Tovey, *Essays in Musical Analysis,* Bd. I, S. 60 (die Stelle über „rustic" S. 57).

ihnen nicht von vornherein abzusprechen, daß sie im Prinzip weniger abwegig sind als manches schlichter scheinende schmückende Epitheton und charakterisierende Adjektiv oder jene Zuflucht bei einem pompösen philosophischen Begriff, die Maynard Solomon im Angesicht der A-Dur-Symphonie nimmt: „a work that so powerfully symbolizes the act of transcendence."[1]

Neben den Programmen ist auch bei der A-Dur-Symphonie das anzutreffen, was Hans H. Eggebrecht „Benutzungen" der Beethovenschen Musik genannt hat.[2] Im Affekt gegen Wagner entdeckte Arnold Schmitz, daß die A-Dur-Symphonie „in Wahrheit [...], wenn überhaupt eine Apotheose, eher eine des Marsches" sei.[3] Wo das Vaterland den Rheinländer am Donauufer ruft, wird nicht getanzt, sondern allenfalls zum Kampf marschiert: „Gerade in dieser Symphonie scheint Beethoven die Franzosen mit ihren eigenen Waffen zu schlagen."[4] Die Verkehrung der A-Dur-Symphonie in ein Stück politische Musik war nun angezeigt. Schmitz nennt sie „kriegerisch", attestiert ihr „politische Bedeutung"[5] und schlägt zugleich eine Kapriole mit der Behauptung, daß „politische Neigungen" in Beethovens Musik nicht in Frage kommen, — einer Musik, die Beethoven für ein Publikum geschrieben habe, das aus „sittlicher Selbstüberwindung" bestand.[6] Das alles nährt sich nicht zuletzt daran, daß die A-Dur-Symphonie zusammen mit *Wellingtons Sieg* im selben Konzert zum ersten Mal aufgeführt worden ist. Harry Goldschmidt hat daraus eine „politische Konzeption dieser patriotischen Symphonie" abgeleitet, die „programmatisch" in „Aktivierung, Appell" liegen solle.[7] Freilich hatte Beethoven, als er von Wellingtons Sieg erfuhr, die Symphonie schon mehr als ein Jahr lang abgeschlossen, und es ist fraglich, ob er den Ursulinerinnen eine Lektion in politischer Erziehung hatte angedeihen lassen wollen. Gewiß werden die militärmusikalischen Elemente in Beethovens Tonsatz nicht so gewürdigt, wie sie es wohl verdient haben, gewiß auch wird der Bezug gerade zur französischen Musik nach der Revolution meist entweder gar nicht gesehen oder zu gering veranschlagt, aber die Fakten sind das eine, etwas anderes ist es, sie für durchsichtige Interpretationen zu benutzen, deren größte Kunst — wohlwollend ausgedrückt — im Willen zur Konjektur besteht.

Man hat Wagner die „Apotheose des Tanzes" übel genommen: Sie sei gefabelt. Dabei hat Wagner nicht weniger patriotisch, nicht weniger chauvinistisch gedacht, sofern er doch der Auffassung war, daß in Beethoven „der deutsche Geist den

1 M. Solomon, *Beethoven,* S. 212.
2 H. H. Eggebrecht, *Zur Geschichte der Beethoven-Rezeption* (1994), S. 94.
3 A. Schmitz, *Das romantische Beethovenbild,* S. 179.
4 Ebenda, S. 174.
5 A. Schmitz, *Beethoven,* S. 104 und 107.
6 A. Schmitz, *Das romantische Beethovenbild,* S. 173. Die Stelle — ein Mischmasch — lautet vollständig: „Auch das Publikum, an das sich die französische Musik wendet, ist ein anderes wie jenes, zu dem Beethovens heroische Musik spricht, die Ideen, denen beide dienen, sind nicht dieselben [...]. Dort sind es die revolutionären Massen des französischen Bürgertums, später die Bürger und Soldaten des Empire, die Ideen Egalité, Fraternité, Liberté, Gloire; hier die aufgeklärten Staatsbürger des josephinischen Staates, die gebildete Menschheit im Sinne des deutschen Idealismus, aber auch die deutsche Nation, die moralischen Ideen der Humanität, der ehelichen Liebe, Vaterlands- und Freiheitsliebe, der sittlichen Selbstüberwindung."
7 H. Goldschmidt, *Beethoven. Werkeinführungen,* S. 50, übrigens wörtlich A. Schmitz entlehnt, der (*Das romantische Beethovenbild,* S. 175) den „aktivistischen Zug" dieses „Appells an die deutsche Nation" betont.

Menschengeist von tiefer Schmach erlöst" hat.[1] Dieser Grundeinstellung, die dem internationalen Publikum gleichgültig sein darf, braucht es keineswegs zu widersprechen, wenn Wagner davon ausgeht, daß „nie eine Kunst der Welt etwas so Heiteres geschaffen" hat „als diese Symphonien in A-Dur und F-Dur"[2], wobei ihm dieses Heitere als ein Zeichen des Erhabenen gilt. Anders als die verkrampften Rechts- wie Links-Aktivisten der deutschen Ideologie, die bei der 7. Symphonie ihre Habt-Acht-Stellung einnehmen, gestattete Wagner sich immerhin noch ein Lächeln. Und gegenüber den neueren Mythen zelotischer Exegeten erscheinen die älteren Programme als harmlose Phantasien. Inzwischen ist die Rhythmik der Ecksätze auch in den Horizont des Galopps gestellt worden, womit der Apotheose des Tanzes und des Marsches nun wenn nicht die des Pferdes, so doch die des Ritts hinzugefügt worden ist.[3]

Beethovens programmatisch mit der 7. Symphonie verfolgte Absichten — wenn es sie gab — sind der Nachwelt nicht bekannt geworden. Dem Londoner Konzertagenten Johann Peter Salomon hat er am 1. Juni 1815 bei der Aufzählung von neueren Werken, die er in England verlegen lassen wollte, in einer Klammer lapidar anvertraut, worauf es ihm ankam[4]: auf die „große Symphonie in A (eine meiner vorzüglichsten)".

Albrecht Riethmüller

8. Symphonie F-Dur
op. 93

ENTSTEHUNGSZEIT: 1812.
ERSTAUFFÜHRUNG: privat: 1813 in Wien; öffentlich: am 27. Februar 1814 in Wien.
SKIZZEN: Bonn, Paris, Stockholm.
AUTOGRAPH: 1. und 2. Satz: Staatsbibliothek Preußischer Kulturbesitz Berlin; 3. Satz: Biblioteka Jagiellońska Krakau; 4. Satz: Deutsche Staatsbibliothek Berlin.
ERSTDRUCK: Partitur: Wien 1816 (S. A. Steiner & Co.); Stimmen: Wien 1816 oder 1817 (S. A. Steiner & Co.).
GESAMTAUSGABE: Alte Gesamtausgabe: Nr. 8 = Serie 1 Nr. 8.

Die 8. Symphonie Beethovens kommt ohne heroische Gesten aus. Deshalb wurde und wird ihr gerne ein spielerisch heiterer Charakter zugeschrieben. „Humor" und „humoristisch" sind die bleibenden und unverwüstlichen Stichworte aller Würdigung seit den ersten Rezensionen von 1818. Außer mit dem einen Wort „scherzando" in der Überschrift des zweiten Satzes hat Beethoven selbst dafür keinen Hinweis

1 In der Beethoven-Zentenarschrift von 1870 (R. Wagner, *Gesammelte Schriften,* Bd. VIII, S. 167).
2 Ebenda, S. 176. Mit der F-Dur Symphonie ist hier, ohne daß die Annahme zwingend ist, die 8. und nicht die 6. Symphonie gemeint.
3 Vgl. Fr.-B. Mâche, *Music, Myth, and Nature,* S. 43. Schon W. Riezler, *Beethoven* (^{6}1944), S. 171, ahnte dies in bezug auf das Finale (und erneut erkennbar gegen Wagner gerichtet): „es ist wie ein stolzer Ritt auf wildem, aber festgezügeltem Renner, dem Abgrund des Chaos entlang."
4 E. Kastner / J. Kapp, *Ludwig van Beethovens sämtliche Briefe,* S. 309.

gegeben. Verständnisschwierigkeiten des Publikums bei der Aufführung erklärte er nicht mit einem Mangel an Sinn für Witz, sondern mit kompositorischen Ansprüchen des Werkes, das „eben viel besser" sei als die beklatschte 7. Symphonie.[1]

Was das Werk auszeichnet, ist neben der konzentrierten Kürze ein heller und scharfer, gelegentlich fast aggressiver Ton. Keine andere Symphonie beginnt so auftaktlos heftig am Hochpunkt der Melodie. In der Orchesterbesetzung rechnet Beethoven mit dem Standardinstrumentarium, das er in moderner Weise und im Gegensatz zu Haydn und Mozart nach den Gruppen Holz, Blech und Streichern anordnet. Den Hörnern folgt im Autograph allerdings eine Leerzeile, die Trompeten und Pauken auffällig separiert.[2] Entsprechend bilden sie bei der Auffächerung in Chöre zur Fermate am Schluß des ersten Satzes (T. 332) eine Einheit für sich.

Üblicherweise korrespondieren Tonart und Besetzung. In den ersten fünf Symphonien beschränkt sich Beethoven im Interesse des vollen Orchesters auf die Trompetentonarten B, C, D und Es. Die 6. Symphonie macht eine Ausnahme, beginnt aber deshalb ohne Trompeten; wenn sie dann doch gebraucht werden, sind sie aus anderen Tonarten (Trombe ex C und Es) entliehen. So verfährt Beethoven auch in der 7. Symphonie. Die 8. Symphonie hingegen bringt Haupttonart und Trompetenstimmung wieder in Einklang, doch unter Benutzung ungewöhnlicher Instrumente. Die kurzen F-Trompeten gehörten bis dahin ausschließlich in die Militärmusik.[3] Eine Übertragung ins Symphonieorchester brachte mehrere Besonderheiten mit sich. Für die Pauke bedeutet F-Stimmung einen Funktionstausch im Paar: Gegen die Regel gibt die tiefe Note den Grundton. Das daraus entstehende Quintintervall nutzt Beethoven motivisch hauptsächlich im Menuett. Im Finale läßt er als Wechselton zum tiefstmöglichen Ton der großen Pauke den höchstmöglichen der kleinen einstimmen, so daß mit F—f die einzig erreichbare und auch im Scherzo der 9. Symphonie wiederholte Paukenoktave entsteht, die zwar harmonisch wenig Spielraum erlaubt, dafür eine metrisch differenzierende Akzentsetzung und im Motivzusammenhang des Satzes sogar eine thematische Beteiligung (T. 157).

Unabhängig von der Tonart wurde bei Blechbläsern allgemein als klingende Obergrenze g'' respektiert; von F-Trompeten ist sie bereits mit dem notierten d'' erreicht. Beethoven ist somit nicht nur auf wenige Töne ohne jede Skalenmöglichkeit eingeengt, er muß die Trompeten zudem ständig im höchsten Bereich führen, die Grenze auch gelegentlich überschreiten, so mit dem klingenden a'' für den grandiosen Effekt des Quartsextakkords der Dur-Tonika in der Coda des ersten Satzes Takt 350. Im Finale verlangt Beethoven sogar ein klingendes b'' (T. 330). Wenn dann noch die Flöte als höchste Stimme der Holzbläser immer wieder an ihre Obergrenze a''' herangeführt wird und die Geigen sich am gleichen Ton festsetzen, entsteht jener angespannte Klang, den ein Berichterstatter der *Allgemeinen musikalischen Zeitung* 1818 am Schluß des Finale als „doch wohl allzukreischend" empfand.[4] Ohne

---

1 Thayer / Deiters / Riemann, *Ludwig van Beethovens Leben,* Bd. III, S. 415.

2 Ein Faksimile der ersten Partiturseite gibt H. Schneider, *Ludwig van Beethoven. 8. Sinfonie,* S. 8.

3 Dort hatte sie Beethoven anläßlich seiner „Zapfenstreiche" 1809/1810 eingesetzt (WoO 18 und 19, in: L. v. Beethoven, *Werke, GA, Supplemente* Bd. 4, S. 43—58); dabei benutzte er bezeichnenderweise die „Militär"- oder „Cornett"-Notierung mit c'' als 4. Oberton, während er in der Symphonie bei der traditionellen Trompetennotierung mit c'' als 8. Oberton bleibt.

4 Wiedergegeben bei St. Kunze, *Gesammelte Konzertberichte,* S. 318, faksimiliert bei H. Schneider, *Ludwig van Beethoven. 8. Sinfonie,* S. 29.

Rücksicht auf solch mögliche Vorbehalte steigert Beethoven aber die Intensität noch mit zweimaligem fff, einer Vorschrift, die ansonsten nur aus dem Finale der 7. Symphonie bekannt ist.

Die Kürze als anderes Merkmal läßt sich in Taktzahlen und Minuten darstellen. Der konzentrierte Eindruck entsteht vor allem aber auch durch Mittel der musikalischen Grammatik. Sie sorgen im ersten Satz für stetigen Vorwärtsdrang. Das Allegro durchläuft wohl alle gängigen Stationen — in der Exposition Hauptthema, Seitensatz und Schlußgruppe (T. 1, 38, 70) —, doch seltsam ruhelos: Nicht einmal die Generalpause in Takt 33 gibt Gelegenheit zum Verweilen. Sie ist einem weiterwirkenden und Tempo machenden Rhythmus unterworfen, der alle Formteile wie zäsurlos aneinanderkettet.

Beethoven stellt ein achttaktiges Thema an den Beginn. Seine beiden Hälften sind in Lautstärke und Besetzung unterschieden. Aber nicht nur deshalb bildet der Holzbläserteil keinen gleichgewichtigen Nachsatz. Die beiden Zweitakt-Partikel des Tutti zielen ohne Umwege auf die Eins. Die Soli hingegen füllen den jeweils zweiten Takt kantabel aus, die Klarinette zunächst durch bloßes Anbinden der Drei, die Oboe aber mit einem regelrechten Vorhalt, der auch harmonisch unterstützt ist, so daß die Tonika erst im letzten Moment erscheint. Das verlangt nach einer Nachsatz-Wiederholung im Forte, die als Gegengewicht zum Vordersatz eine entschlossene Tonika in stumpfem Schluß auf der Eins des vierten Takts anstrebt. Deshalb möchte man von einem zwölftaktigen Thema nach dem Muster 4 + 4 + 4 sprechen.[1] Genau genommen — und das macht beispielsweise die Schallplatteneinspielung Furtwänglers von 1948 durch eine spürbare Verzögerung von Takt 12 mit Nachdruck deutlich[2] — beginnt im 12. Takt aber ein neuer 22taktiger Bauabschnitt von 8 + 8 + 6 Takten. Der zuvor anvisierte Schlußtakt entfällt ersatzlos. Solche Technik beschleunigter Fortsetzung kennt die deutsche Musiktheorie des 18. Jahrhunderts unter den Begriffen Takt-Unterdrückung und Takt-Erstickung.[3] Damit ist der scharfe Schnitt treffend beschrieben, jedoch nicht der gleichzeitig geänderte Gliederungsmechanismus. Von Takt 12 an ist nämlich das alte Vorder-/Nachsatzmodell, das nach dem Prinzip korrespondierender Endungsstellen im jeweils zweiten Takt funktioniert, vergessen. Auf Endungsstellen wird ganz verzichtet. Die zweiten Takte phrasieren nie ab, sondern steigern die Bewegung. Rhythmisch werden sie von den Achteln der Bässe belebt, melodisch tragen sie den Spitzenton. In den offenen Zweitaktgruppen sorgt anstelle von Ruhepunkten in den zweiten Takten das akzentuierende Impulsgeben in den ersten Takten für Orientierung. Die letzte Zweitaktgruppe des Tutti Takt 32—33 hat überhaupt nur noch den Impuls. Der Umschlag vom zäsurbetonten Anfang zum ungebremst dahinstürmenden offenen Bauprinzip könnte nicht plakativer verwirklicht werden als mit einer Übernahme von zwei alten Takten in die neue Ordnung. Die Takte 10—11 kehren nur wenig verändert in Takt 18—19 zurück. Doch jetzt kann die Bewegung im regelmäßigen Akzentschema ungehindert weiterlaufen.

---

1 Vgl. C. Dahlhaus, *Bemerkungen zu Beethovens 8. Symphonie,* S. 206.

2 Dazu R. Wiesend, *Traditionen der Wiedergabe,* S. 244 und 248.

3 So J. Riepel (*Anfangsgründe zur musicalischen Setzkunst*) und H. Chr. Koch (*Versuch einer Anleitung zur Composition,* Bd. II).

Das Ausmerzen von Endungsstellen bedeutet eine Weichenstellung für den ganzen Satz. Das Seitenthema, das keinem Halbschluß, sondern einer offenen Viertaktgruppe folgt, die ruckartig durch Verwandlung des früheren as zu gis den Tonraum wechselt, deutet in seinem vierten Takt (T. 41) zwar eine Möglichkeit zum Abphrasieren an, behindert nur vom frühzeitigen Folgeton a'', doch das Ritardando des zweiten Teils steht verfrüht in einem geraden Takt, so daß es keine punktuelle Endung hervorhebt, sondern eine komplette Zweitaktgruppe, die im alten Tempo jeden Schluß überspielt, ohne internen Klangwechsel an der neuen Dominante festhält und Takt 46 direkt in die Themenwiederholung mit der berichtigten Tonart C-Dur mündet. Bei der Wiederholung entfällt dieser Zweitakter sogar noch. Die Themengruppe wird von acht auf sechs Takte verkürzt. Ein neuer achttaktiger Block gibt dem angedeuteten verminderten Septakkord des ersten Ritardando-Takts Raum, doch ohne eine schließende Auflösung zuzulassen. Jeweils im vierten Takt meldet sich weiterdrängend der Viertelrhythmus vom Ende des ersten Tutti Takt 31—32 mit seinem Drängen nach einem neuen Impuls. Noch radikaler im Eliminieren von Schlußstellen ist der kantable Teil der Schlußgruppe (T. 73 und 83). Er verzichtet nicht nur auf eine Binnenzäsur, sondern überhaupt auf einen achten Takt, der ihm jeweils von einem Neueinsatz mit eröffnendem Baß abgenommen wird.

Ein verkürzendes Einsparen von Takten wird stoßartig heftig bei Beginn der Schlußgruppe deutlich. Würde der punktierte Rhythmus Takt 70, der aus dem Schlußblock des Hauptthemas stammt und nur abtaktig verschoben ist, seiner langen Note den ursprünglichen Wert lassen, entstünde eine Gruppe von vier Takten. Die Reduzierung der Halben zu Vierteln preßt die viermalige Motivwiederholung jedoch in drei Takte zusammen.

Allen Formgliedern im Satz ist diese beschleunigende Verkürzung gegen Ende hin gemeinsam. Daraus erklärt sich auch der vieldiskutierte Einsatz der Reprise. Neueren Deutungen nach tritt sie nicht in Takt 190 ein, weil sie dort nach einer Sechstaktgruppe nur einen „metrisch leichten" Ort vorfände, sondern erst in Takt 198 mit den Holzbläsern.[1] Dagegen sprechen Tonika als oberstes Formkriterium aller Theorie der Zeit und geschlossene Themengestalt nach den Fragmenten der Durchführung in Takt 190. Vor allem aber ist das Argument der Metrik hinfällig. In der offenen Bauweise, die auch die gesamte Durchführung beherrscht, bildet jeder ungerade Takt einen möglichen Schwerpunkt. Der Einsatzeffekt kann in den abgesteckten Achttaktgruppen noch gesteigert werden, wenn ein Bauteil vom regulären neunten Takt eine Position früher auf den siebten Takt vorverlegt wird. Diesen steigernden und beschleunigenden Eingriff nutzt Beethoven jedes Mal zur Markierung eines besonderen Gliederungseinschnitts.

1 M. Broyles, *Beethoven. Symphony No. 8*, S. 40—42; für Takt 198 als Reprisenpunkt hat auch I. Markevitch plädiert (*Die Sinfonien von Ludwig van Beethoven*, S. 420 und 433).

Hauptthema	T. 12	(28)	8 + 8 + 6
Seitensatz	T. 38	(46)	8 + 6
	T. 52	(60)	8 + 6
Schlußgruppe	T. 83	(90)	7 + 6
Durchführung	T. 160	(184)	8 + 8 + 8 + 6

Allen Sechstaktgruppen (ihr Anfangstakt steht beim Schema in Klammer) ist ein zusammendrängendes Intensivieren gemeinsam. Im Hauptthema wird hier der Rhythmus gesteigert, im Seitensatz beschleunigt sich zunächst der thematische Ablauf und verdichtet sich dann die Akzentfolge, in der Schlußgruppe durchzieht ein Crescendo den Abschnitt. Auf die sechs Takte folgt jeweils ein Stoß, der eine Brechung im Verlauf anzeigt. Entweder äußert er sich harmonisch mit neuen Klängen wie in Takt 34 und 52 oder dynamisch mit heftiger Lautstärke wie dem Fortissimo von Takt 66 und 96. Alle diese Merkmale faßt Beethoven zur Herausmeißelung der Reprise zusammen. Der Sechstakter am Ende der Durchführung kombiniert melodische und rhythmische Verdichtung; die zwei Bläserstöße zum Anstieg der Oberstimme, erst auf alle vier, dann alle zwei Takte beschränkt, stehen jetzt in jedem Takt. Gleichzeitig wird die Akzentfolge mit ständigem Sforzato verengt, die Bewegung im Umschlag zu Achteln beschleunigt und die Lautstärke mit più forte angehoben. Überboten wird diese Steigerung des Sechstakters schlagartig vom Auftritt des Themas, das unter fff-Donner seine Dur-Tonika durchsetzt. Die Reprise beginnt hier in Takt 190. Und hier allein bekommt das Hauptthema seinen vervollständigenden achten Takt — so unerwartet, daß eine sofortige Themenwiederholung folgt. Doch nun gilt wieder die voraneilende Ordnung der Exposition. Ihre 103 Takte wiederholen sich in den Takten 198—300 tonartlich abgewandelt, doch in unveränderter Fügung.

„Eben so wie die Rede läßt sich vermittelst ähnlicher Ruhepuncte des Geistes die Melodie eines Tonstückes in Perioden, und diese wieder in einzelne Sätze und melodische Theile auflösen", schreibt 1787 Heinrich Christoph Koch in seiner Kompositionslehre. Für die „Endigungen dieser Theile" gäbe es „gewisse Formeln", die der grammatischen Zeichensetzung entsprächen, so daß man bei musikalischer Gliederung von „melodischer Interpunction" sprechen könne — ein zentraler Begriff neuer Formenlehre.[1] Angewandt auf den ersten Satz der 8. Symphonie offenbart er eine Merkwürdigkeit. Beethoven komponiert ohne Punkt und Komma, ohne Ganz- und Halbschluß, was bereits Hector Berlioz vermerkt hat, wenn er sagt, daß das zweite Thema fortgesetzt der perfekten Kadenz auszuweichen scheine.[2] Jedem Gedanken wird, bevor er zu Ende kommt, von einem neuen in einer Art Parenthesenkonstruktion das Wort genommen. Thematisch gibt es unterschiedliche Teile, grammatikalisch aber bilden sie einen einzigen Satz. Das ist eine besondere Pointe Beethovens und vielleicht auch eine kleine Attacke auf sprachgläubige Theoretiker, die von den Möglichkeiten autonomer Instrumentalmusik nichts wissen wollen.

Das unaufhörliche Vorwärts in einem Brio, das die Tempoangabe wörtlich fordert, stellt allerdings die Coda Takt 301ff. vor spezielle Aufgaben. Das führt beim Schreiben der Partitur, wenn die Konzeption eigentlich schon abgeschlossen ist, zu

1 H. Chr. Koch, *Versuch einer Anleitung zur Composition,* Bd. II, S. 343—345.
2 Vgl. H. Berlioz, *Kritische Betrachtung der Beethovenschen Symphonien,* S. 39.

einer ungewöhnlichen Korrektur.[1] Eingangs verweist ein überraschendes Des-Dur in die Durchführung (T. 168) zurück. Das Tempo bekommt dabei einen letzten Vorwärtsimpuls, denn der Klang verwandelt sich überstürzt, zunächst nach zwei Takten, mit dem Bratschenbaß sogar schon nach einem, was die Klarinette zu verfrühtem Einsatz provoziert. Sie gibt dann aber den einen Takt zu, um das Thema richtig ins Zweitakt-Gefüge zu bringen. Mit diesem Thema wird erinnernd die Konfliktsituation des ganzen Satzes beschworen. Der vierte Takt strebt Takt 308 nach der gewohnten Zäsur, die alle übrigen Bläser gleich mit den Füllvierteln von Takt 197 bestätigen wollen. Doch diesmal wird nicht erst der Ganzschluß, sondern bereits der Halbschluß unterlaufen. In Unterstützung der Bratschen stellt sich ein einziger Ton der Bässe in markantem Pizzicato demonstrativ mit Tonika gegen die Halbschluß-Dominante. Wie zersprengt werden nun dritter und vierter Thementakt endungslos weitersequenziert, bis die Grundtonart F-Dur wieder ins Blickfeld kommt. Danach hatte Beethoven zunächst einen großen Tonika-Schlußblock in der bekannten Ordnung von 6 + 8 Takten vorgesehen: die Takte 323—331, wie sie in der Partitur stehen, eine Wiederholung von Takt 331 zur Ergänzung des Viertakters und nochmals vier Takte mit Akkordschlägen. Das Ende bildet notwendig eine Zweitaktgruppe mit Impulsakzent im ersten Takt. Diese Lösung schien Beethoven aber doch zu atemlos knapp. Auch eine geringfügige Erweiterung unter Einfügung von Pausentakten genügte ihm nicht. Er entschloß sich zu einer Einhalt gebietenden Fermate (T. 332). Ihr folgt nun ein zweiter Codateil, der motivisch von der Schlußgruppe ausgeht und tonartlich allein auf F-Dur konzentriert bleibt. Wieder ist es eine Sechstaktgruppe Takt 345—350, die den zusammenfassenden Steigerungsabschnitt vorbereitet, der jetzt den Schluß herbeiführt. Aus der Pausenvariante der zweiten Schlußfassung übernimmt Beethoven die Idee, Einzeltakte zu isolieren. Die drei Akkordschläge werden aber diesmal in direkte Beziehung zum Hauptmotiv gebracht. Sie entstehen aus dem Themenviertakter selbst. Ihre Position entspricht dem Eingangstutti und seinem Takt 19, der seinerseits auf Takt 11 rückbezogen war. Im vierten Takt offener Bauweise hatte die Dominantrepetition immer die Funktion gehabt, steigernd einen neuen Tonikaimpuls auszulösen. In der Coda kommt es nun zu einem kapitalen Gegeneffekt. Beethoven läßt den Antrieb aussetzen und die Impulsstelle in eine Generalpause fallen — ein drastisches Signal für das Ende allen Voraneilens. Wenn das Tutti Takt 360 mit Tonika wieder einsetzt, ist die Metrik zunächst ungeklärt. Erst ein Alternieren zwischen führenden Streichern und antwortenden Bläsern stellt wieder Zweiergruppierung mit dem einen Drei-Viertel-Motiv her, dessen Ende in nachlassender Intensität allmählich abbröckelt, bis ein letzter Zweitakter unter dem Signum des zurückgeholten Themenkopfes Takt 372f. die Viertelfolge wieder herstellt.

Der Schluß mit dem Anfang ist nur das eine Paradoxon. Das andere beruht auf der Verschiebung der drei Akkordschläge. Ursprünglich gehören sie (T. 11) in einen dritten Thementakt mit Fortsetzungstendenz, dann rücken sie in einen vierten Takt (T. 19 und wieder 354), der Anschluß nur im Überspringen eines Gliederungsschnit-

1 Die zwei Schlußfassungen ab Takt 332 vor der endgültigen und dann auch gedruckten Version sind im Rahmen der Gesamtausgabe (Supplemente Bd. 4) veröffentlicht.

tes gewinnen kann. In den letzten zwölf Takten erobern sich die drei Viertel unvermerkt die Position in einem ersten Takt. Das erlaubt ihnen nach versuchsweisem Addieren in chorischem Wechsel eine nicht mehr erwartete Zusammenfügung: eine schließende Fortsetzung in Gemeinschaft mit dem Thema innerhalb einer Gliederungseinheit, also eben das, was ihnen eingangs mit dem Bruch von Takt 11 auf 12 verwehrt worden war.

Der zweite Satz, das Allegretto scherzando[1], berühmt für seine pochenden Begleitsechzehntel, ist durch Anton Schindler 1860 in der dritten Auflage seiner Beethoven-Biographie mit der Erfindung des Metronoms in Verbindung gebracht worden. Authentische Belege gibt es dafür nicht. Die Eintragungen zum thematisch identischen Mälzel-Kanon in den Konversationsheften haben sich als Fälschungen Schindlers möglicherweise aus der Zeit um 1840 erwiesen, da er in seinem Einführungstext zur 8. Symphonie anläßlich seines Amtsantritts als Musikdirektor 1835 in Aachen Mälzel und sein Metronom noch mit keinem Wort erwähnt. Der Kanon, der in der Überlieferung überhaupt erst 1844 greifbar wird, ist unter diesen Umständen mehr als fraglich geworden.[2] Als sicher darf heute gelten, daß er n a c h der Symphonie geschrieben ist, wieviel später und von wem, das bleibt offen.[3]

Damit ist freilich nicht gesagt, daß die Assoziation Metronom falsch sein muß, zumal es bereits mit Haydns Symphonie Nr. 101, genannt „Die Uhr", ein bekanntes Beispiel für quasi mechanisch produzierten Rhythmus gab — ebenfalls im zweiten Satz unter der Taktvorzeichnung 2/4. Über Haydns Vorbild geht Beethoven allerdings noch hinaus. Das Moment des Mechanischen bestimmt neben der Begleitung auch die Melodie selbst, deren Teile wie in einem Räderwerk ineinandergreifen. Den kleinsten Bewegungsschritt in der Transmission bildet eine Figur ♬♪, die nicht weniger als 114 Mal auftritt.[4] Das mit ihr gebildete Eingangsmotiv besteht aus zwei Partikeln, die aber nicht scharf voneinander abgegrenzt sind:

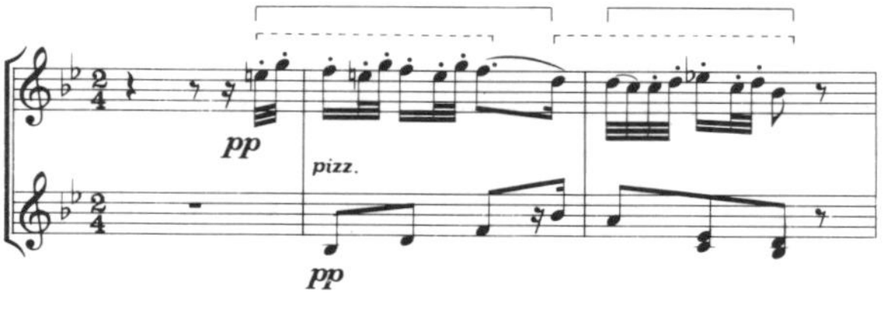

1 Der Verf. erinnert sich dankbar an ein Privatissimum bei Thrasybulos Georgiades (1974), aus dem er Überlegungen zum zweiten Satz der 8. Symphonie aufgegriffen hat.

2 Zu Schindlers Fälschungen in den Konversationsheften siehe D. Beck / Gr. Herre, *Einige Zweifel an der Überlieferung der Konversationshefte,* S. 261; danach auch S. Howell, *Der Mälzelkanon,* S. 167. Zur Abhängigkeit von Symphoniesatz und Kanon siehe K. John, *Das Allegretto-Thema in op. 93*

3 Als Komposition scheint der Kanon ohne die Symphonie nicht vorstellbar. Die Melodie ist unverkennbar textiert worden, und zwar eher schlecht, wenn man den Schlußbogen im zweiten Takt oder das ungeschickte „Mälzel" bedenkt. In der überlieferten Form handelt es sich keinesfalls um die Vertonung eines gegebenen Textes. In echter Vokalnotierung wären Achtel als Silbenträger zu erwarten, keine Sechzehntel und Zweiunddreißigstel.

4 Interpretationen des Allegretto scherzando versuchten fünf verschiedene Referate auf dem Beethoven-Kongreß in Berlin 1977: J. Cholopow, *Modulation und Formbildung;* P. Gülke, *Zum Allegretto der 8. Sinfonie;* Chr. Kaden, *Ludwig van Beethoven, Sinfonie Nr. 8;* D. de la Motte, *„scherzando" — für wen?*; Fr. Schneider, *Das Allegretto scherzando.*

Der ständige Auftakt, durch Noten außerhalb des Tonikadreiklangs und sogar der Grundskala eigens akzentuiert, möchte sich auch der Fortsetzung bemächtigen (gestrichelte Klammer in der Abbildung). Dem widerspricht aber der rückholende Melodiebogen, so daß sich latent Auftakt und jetzt durch Nebennote betonter Abtakt gegenüberstehen, was durch die Begleitung noch zugespitzt wird, wo die Konstellation mit Abtakt und Auftakt genau umgekehrt ist.

Wenn nach einer Unterbrechung durch die eingeschobene Sequenz auf der II. Stufe g-Moll das Thema in Takt 9 endlich einen dominantischen Nachsatz erhält, der schon in Takt 3 statt der Bässe direkt hätte anschließen können, dann wird das dritte Auftaktglied des ersten Motivteils in abruptem Fortissimo und unter Beteiligung der bisher nur begleitenden Bläser demonstrativ herausgehoben — mit dem Erfolg, daß der zweite Motivteil sich dieser Übermacht fügt. Geleitet von der beibehaltenen Doppeloktavierung der 2. Geigen und Bratschen übernimmt er den Auftakt. Sofort hakt das Zweiunddreißigstelmotiv nach und verlängert die Endungsstelle. So ist ein ständiges zahnradartiges Ineinandergreifen in Gang gesetzt, das der kleinen Auftaktformel zu ungehinderter Repetition verhilft. Der Widerpart des Abtakts ist zurückgedrängt. Mit einer Verschiebung des Motivs versteckt er sich im Laufwerk zwischen Diskant und Bässen in den Streicher-Mittelstimmen ab Takt 13.

Doch die Alleinherrschaft macht den Auftakt übermütig. In egoistischer Betonung, zu der schon in Takt 11—12 Bratschen und 2. Geigen verführen, will er in Takt 14 sogar noch über den Takt triumphieren. Das aber geht zu weit. Die Räder blockieren. Sogar die verläßlichen Bläsersechzehntel setzen aus. Die unterbrechende Pause in den Geigen wirkt so stark, weil sich in sie ein vollständiges Kleinmotiv einfügen ließe. Es fällt also ein komplettes Bewegungselement aus. Das Werk kommt erst durch eine Korrektur wieder in Gang. Kleinlaut einlenkend läßt die Auftaktfigur mit Hilfe des gewichtigen Quintbasses der Hörner den schweren Taktstellen ihre metrisch führende Rolle, was an der Schlußstelle Takt 15 die Sechzehntel erneut zum Ticken bringt. Das gibt dem Auftakt wieder Mut. Unbelehrbar versucht er ein zweites Mal seine falsche Akzentuierung. Das gleiche Ergebnis. Der Ablauf stockt. Unsicher werdend wiederholt das Streichermotiv im Diminuendo allein die Schlußstelle. Nochmals. Aber keine Bewegung. Die Bläser sind es, die mit den Zweiunddreißigsteln den Faden aufnehmen müssen, bevor die Streicher sich sukzessive wieder beteiligen können.

Kurios im Satz und seinem Wechselspiel von reibungslosem Ablauf und plötzlichem Stocken ist der unvermutete Vierundsechzigstel-Rumpler von Takt 23, der zum Hauptelement in der Coda wird. Daß er so marktschreierisch grotesk wirkt, hängt mit der verqueren Stellung zusammen. Der Satzablauf bestand bisher aus lauter mechanisch zusammengefügten, aber nicht recht zusammenpassenden Teilstücken. Charakteristisch ist das Fehlen von Endungskorrespondenzen. Zudem bleiben die für sich stehenden Einzelendungen nie unbehelligt. Schon das Anfangsmotiv Takt 2—3 erhält im Schlußton einen Gegenstoß mit dem einen, ganz unmotivischen und deshalb in Analysen regelmäßig verschwiegenen Einsatzachtel der Bässe. In Takt 10 sind es die nachschlagenden Zweiunddreißigstel, Takt 15 die Bläsersechzehntel, die dem Tonikaschluß keine Ruhe lassen. Je größer der Motiv-Kontext, desto radikaler die Schlußstörung: Wenn in Takt 20—23 zum ersten Mal eine zusammenhängende Viertaktgruppe entsteht, fällt ihr der ominöse Rumpler in die Kadenz. Das stiftet Verwirrung, zumal er bei einem neuerlichen Kadenzversuch wiederkehrt. Mühsam baut sich aus Einzeltönen das Sechzehntelkontinuum wieder zusammen, bis mittels eines Quartgangs Takt 29 die gleiche Dominante erreicht wird, die schon vorher im ganzen Forte-Teil durchgehalten war (Hörner und 2. Fagott T. 20—23). Über ihr entsteht ein neues Motiv, dessen gesangliche Linie endlich schließen darf und sogar die Vierundsechzigstel mit einem Zierschnörkel in die Kadenz übernimmt.

Wie die Zweiergruppen Takt 2—3 und 8—9 trotz Unterbrechung aufeinander bezogen sind, so könnten auch die Vierergruppen Takt 20—23 und 30—33, wären sie nicht durch Störelemente und Satzbrüche getrennt, direkt einander folgen. Der Faktur nach gleichen sie sich unverkennbar in der Doppeloktavierung der Melodie. Diese Bezüge sprechen gegen ein selbständiges Seitenthema, wie überhaupt Kriterien des Sonatensatzes im Allegretto scherzando unangebracht scheinen.[1] Das künstlich filigrane „Mach"-Werk spielt sich in der einfachsten aller zweiteiligen Formen ab, für die allein die harmonischen Stationen I → V/I—I maßgeblich sind.

Der zweite Teil wiederholt aber nicht nur variativ und tonikabezogen den ersten, er eliminiert nebenbei die alten Hemmnisse — die Partie mit den falschen Auftaktakzenten entfällt, die Bläsersechzehntel repetieren unaufhörlich 16 Takte lang — und setzt die Teile neu zusammen. Ab Takt 44 beginnt die Melodie sogar, an einem Faden zu spinnen. Durch Endungs-Erweiterung über einem graziös-melodischen Vorhalt Takt 47 und 48, verflochten mit dem Baßmotiv, dessen Bogen in der Fortschreitung vom Sekund- zum Sextakkord die Takte zusammenhält, entsteht eine große Linie. Sie führt ohne Zwischenstück in den Forte-Abschnitt mit dem punktierten Marschrhythmus, dem nur ein Bläsereinsatz noch den richtigen Tonartweg weisen muß.

Trotz dieses gewonnenen und einheitlichen Zusammenhangs nach der disparaten Stückelung des ersten Teils bleibt der unwirsche Schlußrumpler jedoch nicht aus. Das bedeutet in der Form die Entscheidung für eine eigenständige Coda, in der die Konfliktmomente in Beziehung gebracht werden. Statt des ein-tönigen Schlusses erhält das Hauptmotiv in Takt 75 eine Repetitionsgruppe, die sich verselbständigend wiederholt und dadurch an den Anfang des Schlußabschnitts Takt 79 stellt: somit dem schon verloren geglaubten Abtakt zu seinem späten Recht verhelfend.

Gegenüber dem Leichtgewicht des Allegrettos wirkt der dritte Satz geradezu schwerfällig. Die hartnäckige Viertelbetonung gleich zu Beginn macht eine Interpretation in flüssiger Ganztaktbewegung modernen Scherzotyps unmöglich. Beethoven kehrt, wenigstens dem Tempo nach, zum älteren Menuett zurück. Im ersten Teil hält er sogar am achttaktigen choreographischen Grundmuster fest. Allerdings sind zwei Takte Begleitung vorangestellt. Deren Eigenmotivik dringt allmählich in das Thema ein, das mit markantem Auftakt seinen Anfang kennzeichnet, während die Begleitung mit gleichem Anlaufschritt den Folgetakt heraushebt.[2] Was Trompeten und Pauken schon in Takt 2 signalisieren, führen sie beim Themen-Nachsatz triumphierend aus, wenn sie in Gemeinschaft mit allen Bläsern in Takt 8 die Streicher

---

1 Die Angabe „Sonatensatz ohne Durchführung" (J. Cholopow, *Modulation und Formbildung*, S. 103) scheint mir ein leerer Formalismus.

2 K. Nef erinnert hier an Trompetensignale als Zeichen für den Beginn von Tanzveranstaltungen (*Die neun Sinfonien Beethovens,* S. 240).

überbieten. Akzentgebungen im zweiten Takt laden unvermeidlich zu einer Betonung der geradtaktigen Schlußstellen ein. Wirklich meldet sich das Bläsermotiv im letzten Takt vor dem Doppelstrich. Konsequenz ist, daß die Baßquint F—c und ihre Umkehrung c—F, dargestellt jeweils von der Pauke, den Rahmen für etwas bildet, was über das Thema hinausreicht und außerhalb von dessen Achttakter steht.

Solch erste Inkongruenz führt im zweiten Teil zu ständigen Weiterungen, bis hin zu den „falschen" Einsätzen ab Takt 36. Ausgangspunkt der Entwicklung wird die Verschiebung der Viertelmarkierungen. Durch den Schlußtakt 10 war die zweitönige Bläserfigur abtaktig verrückt worden. Die auch harmonisch betonte Zählzeit Zwei behält im folgenden ihre Rolle als Widerpart. Alle drei Menuett-Viertel werden so, der Eröffnungsdynamik entsprechend, separat artikuliert: Drei und Eins durch den Themenauftakt, die Zwei durch den Bläserakkord. Innerhalb der Dreierzählung entsteht eine zunächst stabile, dann jedoch mehrdeutig verschiebbare Zwei-Viertel-Konstellation. Der Positionswechsel beginnt in den Melodieachteln ab Takt 19, in den Vierteln, die sich dafür komplizierend spalten, hingegen erst ab Takt 22; im Wechsel ihres Spitzentons zeichnet sich schon der d—f-Auftakt der Melodiewiederholung ab. Zum rhythmischen Doppelspiel kommt nun auch noch ein tonartliches. Dem Thema des Fagotts folgt in den Streichern Takt 29 als Nachsatz derjenige Viertakter, der im ersten Teil den Vordersatz gebildet hatte. Das stellt den Schluß in Frage. Also wird er in mehreren Fassungen weitersequenziert, worüber sich Bläser und Streicher völlig uneins werden. Bis Tonika, Taktposition und Taktordnung in Einklang gebracht sind, bedarf es einer Serie von zehn Einsätzen. Die Paukenquint gewinnt dabei den dritten möglichen Platz im Takt und schafft es diesmal, ein Achttaktgebilde zu umschließen, das freilich in sich widersprüchlich unregelmäßig organisiert ist.

Einen symmetrischen Gleichlauf in klar gegliederten Einheiten läßt erst das Trio zu.[1] Das macht seinen besonderen Charme nach dem intrikaten Gegenspiel des Hauptteils aus. Klarinette und Hörner konzertieren in einem idyllisch-naiven Sätzchen, das die Tonart gar nicht wechseln muß, um einen Kontrast zu bilden. Das leisten Rhythmus und Metrum allein. Ihr einziger Unruhemoment liegt in Takt 64, wenn die Hörner nach einer kurzen As-Dur-Episode den Kadenzpunkt der Klarinette im wiedergewonnenen F-Dur für eine neue Zweiergruppierung nutzen.

Der letzte Satz legt das Gewicht weniger auf die Themen als auf die komplexe Form, in der er sie gemeinschaftlich und widerstreitend zugleich auftreten läßt. Der Hauptgedanke ist geradezu ein Antithema. Seinen Sinn bekommt er nur aus der Gesamtdisposition des Werks. Während der erste Satz Endungsformeln rigoros ausschaltet, scheint der Hauptgedanke des Finale umgekehrt allein aus einer solchen zu bestehen. Wenn sich nach nichtssagendem Verweilen auf einem Ton melodische Bewegung regt, ist sie auch schon zu Ende. Die kleine Schlußfigur wird bestätigend

---

1 Die Überlieferung beim Rhythmus des dritten Hörnertaktes ist mehrdeutig. Das Partiturautograph hat die Punktierung beim zweiten Viertel (wohl die überzeugendere Lesart), der Erstdruck beim ersten Viertel; vgl. dazu R. Wiesend, *Pfitzners Beethoven-Partituren,* S. 294f. Der Violoncello-Stimme ist in beiden Quellen ein „Solo" vorangesetzt, was mehr zu bedeuten hat als bloßen Wechsel der Stimmfunktion: Gemeint ist solistische Ausführung. Denn die übrigen Violoncelli sollen bei den Kontrabässen mitspielen; das ist an einem C zu erschließen, das sonst immer umgangen wird (z.B. 1. Satz, T. 3—4), da der Umfang der Kontrabässe bei E endet.

gleich zweimal wiederholt, eine Oktav tiefer in der Bratsche und eine Oktav höher in den Flöten. Auch die nachfolgende Melodie in Vierteln ist endungsbezogen; die ersten beiden Partikel bestehen aus gebundenen Vorhaltswendungen. Nach einem regulären Schluß in Takt 10 kehrt das Eingangsmotiv passenderweise als Anhang wieder. Die kleinen Abschiedsverbeugungen wollen gar kein Ende nehmen, bis ein gewaltiger Fortissimo-Schlag Takt 17 dazwischenfährt. Sein drastisch falscher Ton — ob er Richard Wagner zum Nachtwächterhorn in den *Meistersingern* inspiriert hat? — könnte es verführerisch erscheinen lassen, den ganzen Satz als Spuk zu beschreiben.

Die Wiederholung des ersten Komplexes im Forte Takt 18 verbindet vereinheitlichend die beiden unterschiedlichen Themen, führt aber gleichzeitig neben den Achteltriolen neue Begleitmotive ein, die sich später verselbständigen werden: den Oktavbaß von Violoncelli und Kontrabässen (vgl. T. 155f.) und die Vierteltriolen der Bläser (vgl. T. 314 und 438); ihnen wären die Geigenachtel zu schnell. Auf den Kadenzschritt von Takt 28 folgt eine neue Entwicklung, bei der die letzten beiden Takte wiederholend versetzt werden. Eine Gruppe von sieben Vierteln samt Pause, erst in den Bässen, dann den Bläsern, übernimmt so die Führung. Dazu gesellt sich kommentierend das Eingangsmotiv. Dadurch kommen die beiden früheren Schlußformeln in unerwarteten Konflikt. Denn immer am Schlußpunkt der zwei Takte stellt das Eingangsmotiv seine nachschlagende Endungsfigur dem stumpfen, auf Takt 28 bezogenen und von Bläsersäulen gestützten Viertelschluß entgegen, was um so widerspenstiger wirkt, als die Triolen sich im Takt zuvor den Bläsern anpassen und nur an der echten Schlußstelle ihren eigenen Weg einschlagen. Die Viertelfolge verkürzt sich Takt 42 auf Vierereinheiten, so daß die Konfliktstelle einfach ausgespart bleibt. Und wenn die größere Einheit wieder hergestellt wird, tritt am kritischen Punkt des siebten Viertels eine schlagartige Verwandlung ein. Der signalartige Halbtonschritt von Takt 17 ist zu einer regelrechten Klangrückung mit Szenenwechsel ausgeweitet. Das schlägt eine Brücke zum ersten Satz. Wie dort setzt das Seitenthema an einem sehr fernen Punkt an und findet erst im zweiten Anlauf die reguläre V. Stufe (C-Dur T. 60).

Da in der Dominanttonart auch noch ein eigenes Schlußgruppenmotiv folgt (T. 68), ist der Form nach ein Sonatensatz zu erwarten. Dem widerspricht Beethoven aber Takt 88 mit plötzlicher Fortissimo-Rückleitung in die Tonika noch vor einer Themenwiederkehr. Auf das F-Dur wird jeder aufmerksame Hörer durch die Beteiligung der Pauke deutlich hingewiesen. Die Fortsetzung steht also unter einem warnenden Vorbehalt. Sie beginnt rondoartig mit dem Thema, in das allerdings ein Forte-Block mit jenen sieben bekannten Vierteln eingeschoben wird, der eine Rückkadenzierung verhindert. Diese Veränderung in der harmonischen Weichenstellung verweist konträr auf Durchführung. Ihr entspricht eine verdichtete Einsatzfolge in Imitationstechnik, ab Takt 120 begleitet von einem Halbnoten-Kontrapunkt, der im Verlauf bis Takt 143 in stufenweiser Abwärtssequenzierung eine vollständige Quintschrittkette bildet, deren Stationen jeweils nachschlagend von Bläsereinsätzen akzentuiert werden. Am Fernpunkt harmonischer Durchführungsentwicklung steht das Thema Takt 151 in strahlendem A-Dur. Doch dann geschieht etwas Merkwürdiges. Der Baß bleibt mit einem Mal allein und wird in seinem Oktavpendel den einen Halbton angehoben, der sowohl im Thema Takt 17 als auch beim Übergang zum Seitensatz Takt 48 schon seine Rolle gespielt hatte. Als wäre nichts gewesen, erscheint so das Thema wieder in der Grundtonart — und der Hörer ist ins Ritornell zurückversetzt, das ihm zu Anfang des Abschnitts Takt 97 signalisiert worden war.

Die unverkennbare Ambivalenz hängt mit einer doppelten Formorientierung zusammen. Beethoven versucht, Rondo und Sonatenprinzip zu vereinen. Dieses kompositionstechnische Problem, für das er noch in den späten Streichquartetten — speziell dem cis-Moll-Quartett op. 131 — individuelle Lösungen sucht, hatte ihn erstmals bei der 2. Symphonie beschäftigt, dort noch unter Bevorzugung der Sonate.[1] In der 8. Symphonie hingegen strebt Beethoven nach einem Ausgleich. Architektonisch hält er am Rondo fest, in der technischen Ausarbeitung aber folgt er Elementen des Sonatensatzes. Formbeschreibungen, die diese Aspekte verkehren, führen unausweichlich zu inkonsistenten Ergebnissen. Entweder muß die Coda so früh angesetzt werden, daß sie mehr als die doppelte Länge der Exposition einnimmt, oder aber man ist genötigt — womit in engerem Sinn die Sonate aufgegeben wird —, eine zweite Durchführung und sogar eine zweite Reprise anzunehmen.[2]

Rit. 1	Couplet	Ritornell 2		Couplet	Ritornell 3			Couplet	Rit. 4
Takt 1	48	97	161	224	273	355	392	408	438
F-Dur	As/C	F	F	Des/F	B	F	F	F	F-Dur
Exposition		Durchf.	Reprise		Coda				
1. Thema	2. Thema		1. Thema	2.Thema	(Durchf.	2. Reprise 2 ———)			

Vom Rondo her gesehen, das eine frühe Rezension von 1819 wie selbstverständlich zugrundelegt[3], stellt sich die Form viel klarer dar. Zwischen vier Ritornelle sind drei Couplets eingefügt, die erwartungsgemäß die Tonart wechseln, aber thematisch wie gliederungstechnisch unverändert bleiben. Bei den Ritornellen ist es gerade umgekehrt. Sie halten an der Tonart fest (auch wenn Ritornell 3 zunächst in B beginnt), sind aber in ihrer Thematik und Binnenfaktur wandelbar. Beethoven verteilt somit die beiden Stabilitätsmerkmale der Rondoform auf ihre getrennten Formteile. Dadurch werden die Ritornelle für thematische Prozesse frei. Hier kann Beethoven Durchführungstechniken der Sonate einsetzen. Dafür werden die Ritornelle aufgebrochen und erweitert. Daß dennoch Ritornellcharakter erhalten bleibt, erreicht Beethoven durch die Einrahmung mit Bauteilen, die getreu dem Eingangsritornell entstammen. Wesentlich für den Formeindruck ist dabei, daß das Zurückfinden in den engeren Ritornellbereich konsequent aus dem Entwicklungsprozeß folgt und keinen abstoßenden Gegeneffekt hervorruft, wie ihn Reprisen des Sonatensatzes erwarten ließen.

1 Vgl. dazu K. Westphal, *Vom Einfall zur Symphonie,* S. 64—75.
2 Den Stand der Literatur in der Beurteilung dieser beiden Möglichkeiten referiert H. Schneider (*Ludwig van Beethoven. 8. Sinfonie,* S. 62).
3 Vgl. St. Kunze, *Gesammelte Konzertberichte,* S. 316. In der jüngeren Literatur hat Fr. Eibner den Rondo-Aspekt besonders betont: „Rein musikalische Momente bewirken, daß ein fünfteiliges Rondo größeren Ausmaßes sich aus einem ebenfalls fünfteiligen Rondo kleineren Umfangs entwickelt, welches Elemente der Sonatenform durchdringen“ (*Zu Form und Satz des Finales der VIII. Sinfonie,* S. 148).

Wenn die Couplets in Teilmerkmalen für das Beharrende sorgen, können die Ritornelle ihrerseits partiell Coupletfunktion übernehmen und weiteres thematisches Material einführen. Das geschieht im Ritornell 3, wo in Takt 282 die Triolen des Hauptmotivs eine neue Gegenstimme bekommen. Zusammenfassende Oktave und gleichmäßiger Quintabstieg verleihen ihr zunächst Codacharakter. Intervallumstellungen bereiten jedoch die nächste Durchführungspartie mit der Vergrößerung eines einzelnen Ritornellbestandteils vor. Denn so neu die Figur in ihrer Wirkung scheint, strukturell ist sie im Thema angelegt. Am Ende von Ritornell 2 war Takt 165 in den Streichern eine zusätzliche Begleitstimme entstanden, die den ursprünglichen Triolengang von Takt 4ff. ersetzt. Er hatte mit dem Quintfall a'—d' begonnen. Die Umformung Takt 165—171 bringt nicht nur die ruhigen und gebundenen Halben, sondern neben dem diatonischen Abstieg auch noch eine chromatische Aufwärtsrückung, die im späteren Durchführungsteil bei der Themenumkehrung erscheinen kann (f—fis—g T. 309f.). Der Zusammenhang wird noch enger, wenn sich dieses Thema durch Tempobeschleunigung in Takt 336 den Vierteln des zweiten Hauptmotivs annähert, eben dem Motiv, das in Takt 165—171 in der beschriebenen neuen Weise begleitet worden war.[1]

Die Anlage mit durchführungsmäßig erweiterten Ritornellen wird von einem markanten Zeichen unterstützt: dem Störenfried des Fortissimo-Halbtons. Er meldet sich nur an den Ritornellschlüssen. Nach ihm kommt das tonartlich gefestigte Hauptthema in voller Besetzung. Einen Sonderweg geht dabei Ritornell 3. Das Hauptmotiv zeigt sich plötzlich bereit, auf die geänderte Tonartforderung einzugehen und versucht es probeweise Takt 373—376 mit Des-Dur und cis-Moll, bevor es sich für fis-Moll entscheidet, bis der Einsatz der Blechbläser Takt 391 doch das richtige F-Dur zurückholt.

Den Schluß bildet Beethoven mit einer überraschenden Umgestaltung. Die stereotype Achtelfigur vervierfacht sich Takt 434f. am Ende des letzten Couplets. In dieser Gestalt übernimmt sie Beethoven aber auch ins letzte Ritornell (T. 447f.). Folge der Vervierfachung ist, daß die Formel ihren Endungscharakter verliert und eine weiterstrebende Zweitaktgruppe formt. In dieser neuen Selbständigkeit läßt Beethoven sie Takt 472 frei einsetzen, um die beiden alten Endungsformeln, von denen die eine jetzt eröffnen will, überlagernd gegeneinander auszuspielen. Ein Crescendo-Block fügt Achtelmotiv und Triolenrepetition wieder zusammen. Motivanfang und -ende sind dabei in der Reihenfolge aber glatt vertauscht, was sich schon früher im Ritornell ankündigt, wenn der Registerwechsel, ursprünglich ein Merkmal des Endungsechos der Achtel, Takt 450 mit den Triolen verbunden wird.

Die 8. Symphonie von Beethoven spielt als ein brillant geistvolles Werk mit allen musikalischen Möglichkeiten bis hin zu Paradoxien, die aber keine losgelösten Effekte bedeuten, sondern in einen durchdachten Gestaltungsplan eingebunden bleiben. Es scheint deshalb verfehlt, Karikatur als eine der Grundintentionen Beethovens anzusehen. Die Symphonie ist nicht „Musik über Musik", die sich distanzie-

1 Die Kritik von C. Dahlhaus an Ableitungen des absteigenden Quintmotivs von Takt 282—286 wäre stichhaltiger, wenn sie die genannten Bezüge erwogen hätte. Dahlhaus wendet sich aber gegen einen anderen und in der Tat ungeeigneten Begründungszusammenhang bei Takt 114ff. (*Bemerkungen zu Beethovens 8. Symphonie*, S. 209).

rend über Trivialitäten anderer lustig macht.[1] Das wäre der Blickwinkel von Mozarts *Musikalischem Spaß* KV 522. Beethovens Werk ist völlig anders geartet. Es steht für seine Provokationen und Lösungen. Mißgriffe könnte es nicht dulden, selbst dann nicht, wenn ein freundliches Publikum sie als Zitate nach weniger anspruchsvollen Autoren zu verstehen bereit wäre.

Manfred Hermann Schmid

Klavierlied „An die Hoffnung“ op. 94

GEDICHT: Chr. A. Tiedge.
ENTSTEHUNGSZEIT: 1815/1816.
ERSTAUFFÜHRUNG: privat: am 9. April 1816 im Hause Giannatasio del Rios; öffentlich: am 25. April 1816 in einer Matinee von Franz Wild.
SKIZZEN: Bibliothèque Nationale Paris, Ms 50; Conservatoire de Musique Tours (Skizzenblätter).
AUTOGRAPH: Houghton Library (Harvard University), Cambridge (Mass.).
ERSTDRUCK UND WIDMUNG: Wien 1816 (S. A. Steiner & Co.); der Fürstin Caroline Kinsky gewidmet.
GESAMTAUSGABEN: Alte Gesamtausgabe: Nr. 223 = Serie 23 Nr. 9; Neue Gesamtausgabe: Abt. XII, Bd. 1.

Der Sänger Franz Wild (1791—1860), der bei der Uraufführung des *Glorreichen Augenblicks* im November 1814 die Tenor-Partie gesungen hatte, gab im Januar 1815 ein Konzert, für das er unter anderem „Adelaide“ wählte. Er stand damals noch am Beginn seiner Karriere. Jahrzehnte später, als alter Mann, berichtete er über das Konzert: „Durch meinen Vortrag zufriedengestellt, sprach er [„der Meister“] mir gegenüber die Absicht aus, das Lied zu instrumentieren. Dazu kam es zwar nicht, doch schrieb er für mich die Kantate ‚An die Hoffnung‘ [...], welche ich, von ihm selbst akkompagniert, in einer Matinee sang.“[2] Gut zwei Wochen vorher, am 9. April 1816, hatte Beethoven die wohl gerade fertiggestellte Komposition zu einem Besuch bei Giannatasio del Rio mitgebracht, wo sie von dessen Töchtern zum ersten Mal gespielt und gesungen wurde.[3] Ende April erschien die „Kantate“ bereits bei Steiner im Druck.

Den ersten Anstoß zur erneuten Vertonung der Verse aus Tiedges *Urania*[4] gab vermutlich die persönliche Bekanntschaft mit dem Dichter, die Beethoven im

1 So sieht es allerdings C. Dahlhaus (ebenda, S. 205 und 208), der im Schluß des zweiten Satzes eine Persiflage auf Rossini und im Menuett die Auskomponierung eines Einsatzes falsch zählender Musiker erkennen will (dazu schon Th. Veidl, *Der musikalische Humor bei Beethoven,* S. 95 und 103).

2 *Rezensionen über Theater und Musik,* Wien, Jg. 1860, Nr. 4; zit. nach Fr. Kerst, *Die Erinnerungen an Beethoven,* Bd. I, S. 184. Die Matinée fand am 25. April 1816 statt. Sie ist auch durch einen Bericht der *AmZ* (18, Nr. 26 vom 26. 6. 1816, Sp. 444) belegt.

3 Vgl. Fanny del Rios Tagebuch; Thayer / Deiters / Riemann, *Ludwig van Beethovens Leben,* Bd. IV ([4]1923), Anhang II, S. 528.

4 Auf die Ausführungen zu der zehn Jahre zuvor entstandenen ersten Vertonung (op. 32) wird im folgenden ohne weitere Verweise ständig Bezug genommen.

August 1811 in Teplitz gemacht hatte. Im Oktober des Jahres schrieb er aus Wien an Tiedge, den er seither mit dem vertraulichen Du anredete: „erkundigt habe ich mich hier um deine schöne Auflage der Urania, finde ich sie nicht, so kann ich dir nicht helfen, du must sie mir schicken.“[1] Offenbar entsprach Tiedge dem Wunsch. In Beethovens Nachlaß befand sich die *Urania*-Ausgabe von 1808, die die endgültige Version des Werkes enthält. Die drei Liedstrophen, die Beethoven bereits 1805 vertont hatte, waren zwar unverändert geblieben; die einleitende, durch das freie Metrum abgehobene (also nicht zum „Lied“ gehörende) Strophe war dagegen neu:

> Ob ein Gott sey? ob er einst erfülle,
> Was die Sehnsucht weinend sich verspricht?
> Ob, vor irgend einem Weltgericht,
> Sich dieß räthselhafte Seyn enthülle?
> Hoffen soll der Mensch! er frage nicht!

Dadurch, daß Beethoven sie in seine Komposition einbezog, hat er das Lied stärker an den philosophisch-religiösen Inhalt der *Urania* gebunden als in op. 32. Es ist jetzt nicht mehr an eine geliebte Person gerichtet, sondern hat, wenn überhaupt noch einen biographischen Bezug, so nur noch den auf seine allgemeine Lebenssituation.

Den zweiten, direkteren Anstoß zur Neufassung scheint wieder die Arbeit am *Fidelio* gegeben zu haben, — und zwar nicht nur der Zusammenhang der Texte, sondern auch der Vorgang der Revision, der grundlegenden Neufassung eines Vokalwerkes aus „dramaturgisch“ veränderter Sicht. Daß Beethoven eine fertige, eigentlich abgeschlossene Komposition noch einmal entscheidend änderte, geschah nur äußerst selten.[2] Wenn er sie, wie im Fall des Liedes, sogar selbst bereits hatte drucken lassen, kam es dazu sonst überhaupt nicht mehr.[3]

Es muß also gewichtige Gründe für Beethoven gegeben haben, das Tiedge-Gedicht zwar nicht vollständig anders, aber noch einmal neu zu vertonen — sowohl inhaltlich-persönliche[4] als auch musikalische. Die musikalischen Gründe erschließen sich aus den Unterschieden zwischen den beiden Kompositionen. Der gewichtigste, „dramaturgische“ besteht darin, daß Beethoven für Tiedges Gattungsangabe „*Lied* an die Hoffnung“ eine neue, individuelle Lösung fand. Das „Lied“ ist jetzt nur noch die (auch schon in op. 32 allein vertonte) erste Strophe; sie wird durch ihre Kantabilität und Abgeschlossenheit gegenüber der Einleitung und gegenüber den beiden Folgestrophen ausgezeichnet, und sie wird am Schluß wiederholt, so daß sie Thema, Rahmen und Ziel des Ganzen ist.

Betrachten wir die drei bei op. 32 herausgestellten, musikablen Ebenen des Gedichtes (emphatische Haltung, Bildhaftigkeit und Rhythmus) abermals als Aufgabe

---

1 D. Weise, *Ungedruckte oder nur teilweise veröffentlichte Briefe Beethovens,* S. 59. — Wahrscheinlich hielt die Freundschaft nicht lange. Nach einigen Briefen an Tiedge erwähnt Beethoven ihn 1813 zum letzten Mal. Auch unter den Personen, denen er 1816/1817 die Originalausgabe schicken ließ, war der Dichter nicht.

2 Die berühmtesten Beispiele dafür — die drei *Leonoren-Ouvertüren* — stehen ebenfalls im Zusammenhang mit dem *Fidelio.*

3 Kaum vergleichbar sind die *Eroica-Variationen* in op. 43, op. 35 und op. 55 und die *Große Fuge* op. 133.

4 Sonst hätte es näher gelegen, für eine neue Komposition auch einen neuen Text, eventuell auch eine der anderen Hymnen aus der *Urania*, zu wählen.

für die Komposition. Op. 94 zeigt, daß auch Beethoven ihre Umsetzung als Forderung des Textes an die Vertonung ansah — jedenfalls 1815, nachdem er sich von der Strophenlied-Bedingung gelöst hatte. Die Einbeziehung der einleitenden Strophe („Ob ein Gott sey“) hat dreierlei Funktionen: 1. sorgt sie für die inhaltliche Einbindung; 2. erklimmt die Komposition in ihr die emphatische Höhe, die die drei folgenden Strophen verlangen, und 3. öffnet sie die Gattung „Lied“ zu größeren Dimensionen. Beethoven hat diese Einleitung ganz eigenartig, als eine Art Rezitativ vertont. Die metrisch ungebunden rezitierende Singstimme tritt in einen Dialog zu einer kontrapunktisch-chromatischen Wendung des Klaviers, die anfangs nur versponnene musikalische Grundlage zu sein scheint, bald aber ebenfalls zu sprechen beginnt — zuerst die Fragen der Singstimme verstärkend, dann (T. 20) die Lösung („Hoffen soll der Mensch“) herbeiführend und die Entscheidung besiegelnd (Kadenz). Alles andere als eine opernhafte Rezitation, ist der Abschnitt eher ein textiertes Instrumentalrezitativ, ein ganz und gar in die Musik zurückgezogener Dialog zwischen einer Solostimme und einem Tutti, wie wir ihn in anderem Rahmen, aber in ähnlichem Schwanken zwischen vokaler und instrumentaler Gestaltung zum Beispiel aus der Einleitung zum letzten Satz der 9. Symphonie kennen. Der Text erscheint in seiner inhaltlichen Konkretheit fast als störend.

Auch auf die zweite Ebene, auf die musikalische Umsetzung der Bildhaftigkeit des Textes hat Beethoven sich außerordentlich konzentriert. Der ganze mittlere Bereich (zweite und dritte Strophe; T. 46—71) überträgt die sprachlichen Bilder in geradezu barocker Wörtlichkeit in die musikalische Darstellung: die verhallenden Stimmen (T. 46—51), die Annäherung (T. 54—55), den mitternächtlichen Schauder (T. 56), die versunkenen Urnen (T. 57), die neue Initiative (T. 58—62) und schließlich den Sonnenaufgang, der nach dem in Haydns *Schöpfung*[1] und dem in Beethovens Lied „Die Ehre Gottes aus der Natur“ (op. 48, Nr. 4) einer der ersten der Musikgeschichte ist. Daß Beethoven diese Bilder, die er durch die Vertonung aus dem sprachlichen Zusammenhang löst, in eine eigene musikalische Verbindung überführt, versteht sich von selbst. — Die beiden mittleren Abschnitte verhalten sich zur ersten, der Liedstrophe, wie die Szene zur Arie, so daß der Gesamtverlauf als Folge Rezitativ — Arie — Szene — Arie erscheint. Franz Wild nannte daher das Stück, nicht ganz zu Unrecht, eine „Kantate“.

Zum artifiziellsten Element der Komposition wurde der komplizierte Rhythmus. Da Beethoven die Strophen jetzt durchkomponierte, konnte er nicht nur auf den unterschiedlichen Versumfang und die Verschiebungen der Akzente eingehen, sondern auch selbst noch weiter differenzieren. Wieder wählte er lange Takte, diesmal sogar noch längere als in op. 32: einen 4/4-Takt in langsamem Tempo (Larghetto), der in der Klavierbegleitung durch die Triolen fast durchweg zum 12/8-Takt wird. Das Deklamationsmaß der Singstimme ist dagegen wieder das Achtel (8/8-Takt). Nicht nur durch die extrem langen Takte, sondern auch durch die Überlagerung von Triolen- und Achtel-Takt ergeben sich die vielfältigsten Differenzierungsmöglichkeiten, die Beethoven fast alle nutzte. Hinzu kommt, daß auch die Melodie zwar noch überwiegend, aber nicht mehr ausschließlich syllabisch und vor allem nicht

1 Uriel: „In vollem Glanze steiget jetzt die Sonne strahlend auf“.

mehr („liedhaft") auf Sekundschritte beschränkt ist, so daß auch sie ihren Teil zum Sprachgestus des Gesanges beitragen kann.

Die Verbindungen werden jedoch derart kompliziert, daß sie sich umkehren und erneut gegen den Text, gegen dessen Transposition in einen sprechenden Gesang wenden. Ausgerechnet in der Liedstrophe wird dies besonders deutlich. Ein Beispiel: Der dritte Vers hat vier Hebungen und regelmäßigen jambischen Rhythmus

◡ —◡— ◡ —◡ —
(„Der eine zarte Seele quält"). Beethoven deklamiert jedoch sinngemäß, aber unre-
— ◡◡ —◡ ◡
gelmäßig: „Der eine *zar*te [...]" und im vierten Vers noch stärker gerafft: „durch
— ◡◡◡ —◡
dich emporge- | *ho*ben". Der Takt als dem Versmetrum entsprechendes, musikalisches Ordnungsprinzip wird in eine untergeordnete Rolle gedrängt. Statt des Metrums vertont Beethoven vor allem die Gestik des Textes — fast so, als handelte es sich um Prosa. Die „zarte (Seele)" wird demutsvoll gesenkt, die „Seele" aber gleich darauf durch den Sextsprung kühn akzentuiert; die Qual der Seele wird durch die überdimensionale Dehnung (auf der Taktmitte) Hauptschwerpunkt des Verses. Die Dehnung verschlingt gewissermaßen die Textzäsur und die gesangliche Atempause, die vor dem neuen Vers und besonders vor der Exklamation „o Hoffnung" nötig wäre.[1]

Das Komponieren gegen ein gleichmäßig fließendes Metrum ist charakteristisch für Beethoven, und bekanntlich verdichtet sich das Gegeneinander von metrischer Ordnung und Komposition in Beethovens Spätwerk. Einige der Lieder spielen in diesem Prozeß wohl eine besondere, quasi experimentelle Rolle[2], weil in ihnen der Gegenpart nicht das selbst gesetzte musikalische, sondern das außermusikalische Metrum des Textes ist. Sie sind Zeugnis dafür, daß Beethovens Arbeit an diesem zentralen Bereich seines Komponierens ihn immer wieder zur Vertonung von Versen führte, in der Vokalmusik ihren Ausgang nahm, um dann in instrumentalen Werken ihre Lösung zu finden.

Helga Lühning

Streichquartett f-Moll
Quartetto serioso
op. 95

ENTSTEHUNGSZEIT: Die genaue Entstehungszeit dieses Werkes läßt sich heute kaum mehr ermitteln. Nach G. Nottebohm, *Zweite Beethoveniana*, S. 276ff. und Johnson / Tyson / Winter, *The Beethoven Sketchbooks*, S. 195ff. fällt (aufgrund der Skizzen in Landsberg 11) die Komposition im wesentlichen in die zweite Hälfte des Jahres 1810, mit einem Schwerpunkt im Sommer und Herbst — vgl. die autogra-

1 Zu den metrischen Problemen der Komposition detaillierter: H. Lühning, *Gattungen des Liedes,* S. 200ff.

2 „Wonne der Wehmut" (op. 83, Nr. 1; 1810), „An die Hoffnung" und „Sehnsucht" (WoO 146; 1815/1816), „Der Mann vom Wort" (op. 99; 1816), „Resignation" (WoO 149; 1817/1818). Siehe dazu auch M. Just, *Zum Verhältnis zwischen Textgestalt und musikalischer Form,* S. 181ff.

phe Datierung auf „Oktober" im später geschriebenen Autograph —, doch dürfte sich der Entstehungsprozeß noch bis in die erste Hälfte des folgenden Jahres 1811 hinein erstreckt haben, wie aus der Rekonstruktion eines späteren Skizzenbuches hervorgeht, das Beethoven von Ende 1810 bis Sommer 1811 benutzte (vgl. Johnson / Tyson / Winter, *The Beethoven Sketchbooks*, S. 195ff. und S. 201). In welchem Ausmaß die Komposition des Werkes im Oktober 1810 vorangeschritten oder (in einer ersten Fassung) abgeschlossen war, läßt sich wohl nicht mehr ermitteln. In seiner endgültigen Gestalt hat Beethoven das Werk erst mehrere Jahre später niedergeschrieben, im Frühjahr 1814, und außerdem hat er durch Revisionen in die Textgestalt noch während der Drucklegung eingegriffen (mündliche Mitteilung von Prof. Sieghard Brandenburg am 29. 8. 1991).

ERSTAUFFÜHRUNG: im Mai 1814 durch das Schuppanzigh-Quartett im Rahmen einer Prater-Matinee in Wien.

SKIZZEN: Biblioteka Jagiellońska Krakau, Landsberg 11 (nach G. Nottebohm, *Zweite Beethoveniana*, S. 276, höchstens verwendet zwischen Januar und September 1810), das Skizzenheft Landsberg 11 enthält — im Anschluß an Skizzen zur *Egmont*-Musik — auf den Seiten 30—47 Skizzen zu allen vier Sätzen von op. 95 (vgl. G. Nottebohm, *Zweite Beethoveniana*, S. 278ff., sowie Johnson / Tyson / Winter, *The Beethoven Sketchbooks*, S. 195ff.); Skizzenblätter in der Kungl. Musikaliska Akademiens Bibliothek Stockholm und in der Pierpont Morgan Library New York sowie in einer Privatsammlung nach einer am 20. Juni 1977 in Paris erfolgten Auktion (vgl. K. Dorfmüller, *Beiträge zur Beethoven-Bibliographie*, S. 334). Laut K. v. Fischer, *„Never to be performed in public"*, S. 89, finden sich Skizzen außerdem in der Deutschen Staatsbibliothek, Grasnick 20a, in der Österreichischen Nationalbibliothek Wien im Meisterarchiv (vgl. H. Schmidt, *Verzeichnis der Skizzen Beethovens*, S. 7ff.) und in der Bibliothek der Gesellschaft der Musikfreunde Wien.

AUTOGRAPH: Österreichische Nationalbibliothek Wien, Musiksammlung, Cod. 16531, vgl. die (nicht ganz zutreffende) Beschreibung bei G. Kinsky / H. Halm, *Das Werk Beethovens*, S. 267. Aufgrund der Tatsache, daß das gleiche Papier wie für die Umarbeitung des *Fidelio* verwendet wurde, kann trotz der autographen Datierung, die — entsprechend Beethovens Erinnerung — das ursprüngliche Kompositionsdatum festhält, die Niederschrift dieser primären Quelle auf das Frühjahr 1814 fixiert werden. Dies bedeutet, daß es sich um eine wesentlich spätere Niederschrift des Werkes handelt, die in einem gewissen Maße auf einer alle Sätze betreffenden Revision beruhte. Hierzu existieren auch Skizzen (verwahrt in der Bibliothek der Gesellschaft der Musikfreunde Wien). Das ältere, wohl ursprüngliche Autograph ist nicht erhalten. Das mit Ausnahme der Takte 57—62 des zweiten Satzes im Tonsatz weitgehend korrekturfreie Manuskript weist zahlreiche Korrekturen der Dynamik und Vortragsbezeichnungen auf.

ERSTDRUCK UND WIDMUNG: Wien 1816 (S. A. Steiner & Co.), vgl. A. Tyson, *Beethoven in Steiner's Shop*, S. 119f.; op. 95 ist Nikolaus Zmeskall v. Domanovecz gewidmet.

GESAMTAUSGABEN: Alte Gesamtausgabe: Nr. 47 = Serie 6 Nr. 11; Neue Gesamtausgabe: Abt. VI, Bd. 4.

Das Streichquartett in f-Moll op. 95 nimmt innerhalb des Beethovenschen Quartettschaffens eine besondere Stellung ein. Obzwar im wesentlichen nur ein Jahr nach dem Es-Dur-Quartett op. 74 entstanden, sah Beethoven von einer Veröffentlichung des Werkes längere Zeit ab, brachte es 1814 zur Uraufführung und ließ es erst 1816 — also rund sechs Jahre nach der Komposition — in einer überarbeiteten Fassung im Stimmendruck erscheinen. Diese im Vergleich mit Beethovens sonstigen Gepflogenheiten deutlich verzögerte Veröffentlichung des nicht als Auftragskomposition entstandenen Werkes korrespondiert mit der gleichsam privaten Widmung an Nikolaus von Zmeskall, einen seiner engsten Freunde, und mit einer Äußerung Beethovens in einem Brief an Sir George Smart in London vom Oktober 1816: „The Quartet is written for a small circle of connoisseurs and is never to be performed in public."[1] Beethoven hat das Werk im Autograph (freilich nicht im Druck) mit der Bezeichnung „Quartetto serioso" (ernstes Quartett) versehen. Über seine offenkundige ästhetische Bedeutung für den Charakter des Werkes hinaus deuten manche For-

1 E. Anderson, *The Letters of Beethoven*, Bd. II, S. 606. Vgl. K. v. Fischer, *„Never to be performed in public"*, S. 87f.

scher diesen Hinweis in Zusammenhang mit jener tiefgreifenden Lebenskrise, die im Jahr 1810 den Komponisten aufgrund der erneuten Verheiratung Josephine von Brunsviks[1] und der Abweisung seines Heiratsantrags durch Therese Malfatti[2] — verbunden mit gesundheitlichen Belastungen — erfaßt hatte. Diesem Werk ist daher ein besonderer Bekenntnischarakter eingeschrieben, den die Analyse in der musikalischen Konstruktion aufzudecken hat.

In op. 95 herrscht eine äußerste, selbst bei Beethoven seltene Konzentration des musikalischen Ausdrucks, es dominiert eine brüske Vermittlungslosigkeit in der Herbeiführung von Kontrastfeldern, so daß die Konventionen der Form streckenweise nur mehr eine Hintergrundsfolie darstellen für eine ungestüme Expression des kompositorischen Subjekts. Allerdings sichert Beethoven durch konstruktive Mittel, zumal durch die wechselseitige Begründung von „vor-thematischem Substrat" und „über-thematischem Zusammenhang"[3], den scheinbar isoliert aufeinander folgenden Satzzonen einen Zusammenhang, der sich dem Hörer unmittelbar als musikalischer Charakter energischer Entschlossenheit — gemäß Beethovens Anspruch eines „Quartetto serioso" — mitteilt. Die Analyse kann ein ganzes Feld struktureller Korrespondenzen aufzeigen, mit denen Beethoven die Kühnheiten seiner Erfindung in einen Zusammenhang einbettet. Das Werk wird so zu einem dicht gewobenen „Text" und Beethovens Komponieren mit der Romankunst eines Flaubert vergleichbar, der in *Madame Bovary* und in *L'éducation sentimentale* noch das kleinste Element durch Korrespondenzen kunstmäßig in den Gesamttext eingeflochten hat.[4] Eine in diese Richtung zielende Interpretation des Werkes kann allerdings im gegebenen Rahmen nicht mehr bieten als eine Reihe fragmentarischer Kommentare.

Die viersätzige Anordnung des Quartetts folgt mit 1. einem „Allegro con brio"-Kopfsatz (4/4-Takt) in der Tonika f-Moll, 2. einem „Allegretto ma non troppo" (2/4-Takt) in der entfernten Tonart D-Dur, 3. einem „Allegro assai vivace ma serioso" (3/4-Takt) wiederum in f-Moll und schließlich 4. einem Finale („Larghetto expressivo" 2/4 — „Allegretto agitato" 6/8 — „Allegro" Alla breve) mit der tonalen Progression von f-Moll zur Variante F-Dur dem hergebrachten Modell nicht ohne gewichtige Modifikationen.

Der erste Satz realisiert den musikalischen Gedanken aufgrund eines gesteigerten Kontrastprinzips so verdichtet, daß die tatsächliche Verlaufskurve kaum mehr als äußerlich mit dem Formmodell, einem Sonatensatz ohne Expositionswiederholung (Exposition: T. 1—59, Durchführung: T. 60—81, Reprise: T. 82—128, Coda: T. 129—151), übereinstimmt. Das Kontrastprinzip ist in die einzelnen Formteile eingedrungen, so daß die traditionellerweise gegeneinander abgehobenen Teilabschnitte der Form hier unter dem gemeinsamen Prinzip des Kontrastes einander angenähert sind. Der Hauptsatz setzt ein mit einem energieerfüllten, die Tonika f umkreisenden „Motto", exponiert danach eine rhythmische Struktur auf der Dominante mit punktierten Oktavsprüngen und wendet sich nach einer abermaligen General-

1 Vgl. hierzu M.-E. Tellenbach, *Beethoven und seine „Unsterbliche Geliebte"*, S. 217ff.
2 Vgl. hierzu K. v. Fischer, *„Never to be performed in public"*, S. 88.
3 C. Dahlhaus, *Zum Begriff des Thematischen bei Beethoven*, S. 63; vgl. auch S. 45ff., insbesondere S. 55ff.
4 Vgl. H. Staub, *Der Weber und sein Text*.

pause mit einem Einsatz des „Mottos“ auf der neapolitanischen Stufe Ges einer melodisch ruhigeren Kontrastpartie zu, die aufgrund einer sich verstärkenden Dominantspannung nicht zu Unrecht als „nachgestellte Introduktion“ bezeichnet wurde.[1] Diese Spannung entlädt sich in einer — gleichzeitig als gedrängte Überleitung fungierenden — Wiederkehr des Satzbeginns (T. 18ff.), die die Halbtonstruktur (vgl. bereits die Bratschenstimme in T. 15—17) zu einem chromatisch höherstrebenden Zug f—ges—g erweitert.

1. Satz, T. 18—21 (1. Achtel), 1. Violine

Der Seitensatz in der Submediante Des-Dur (T. 24ff.) schafft durch seinen euphonischen Klangcharakter einen Augenblick erfüllter Entspannung, doch dringt in seinem weiteren Verlauf das Kontrastprinzip auch in ihn ein, so daß sich der Gegensatz zwischen energisch-drängenden und lyrisch-kantablen Momenten nicht nur auf der Ebene der Formteile Hauptsatz—Seitensatz, sondern mehr noch innerhalb der Teile konstituiert.

Für den besonderen Kunstcharakter dieser Musik ist es wichtig, daß die erwähnte Halbtonstruktur eine digressive Tendenz realisiert, die von einem Tonartzentrum wegführt, ins Offene weist (T. 38f. usw.), aber doch auch wieder zum Zentrum zurückkehren kann. Sowohl im Haupt- als auch im Seitensatz erscheint die Halbtonstruktur auf Grundton und Quinte der jeweiligen Tonika: Im Hauptsatz, das heißt der Tonika-Region f-Moll, sind es die Züge c—des—d (T. 15—17) bzw. f—ges—g (T. 19—20); im Seitensatz, das heißt der Submediante-Region Des-Dur, handelt es sich um die Züge as—a—[b] (T. 37—42) bzw. (bei der Wiederholung) des—d—es (T. 48—53). In der Reprise zeigt sich der tonal vereinheitlichende, die Differenz zwischen chromatischem und diatonischem Halbton freilich aufhebende Sinn der harmonischen Disposition darin, daß die Halbtonstruktur des Hauptsatzes f—ges—g im transponierten Seitensatz rhythmisch verdichtete Korrespondenzen mit den Folgen c—cis—d bzw. f—fis—g erhält. Dadurch, daß die Digression — wie gezeigt — nicht isoliert auftritt, sondern aufgrund ihres mehrmaligen Auftretens Systemcha-

1 C. Dahlhaus, *Zum Begriff des Thematischen bei Beethoven*, S. 55.

rakter aufweist, wird sie zu einem besonderen Kunstmittel dieses Satzes. So können wir auch die merkwürdige Tatsache verstehen, daß die äußerst gedrängte Durchführung, statt zu modulieren, in der Tonika f-Moll verharrt, den chromatischen Zug f—ges—g nun strukturell augmentierend (T. 60—65): Die Ausweichungspartien innerhalb der Eckteile Exposition und Reprise ersetzen gewissermaßen die fehlenden Modulationsgänge der Durchführung.

Das Verhältnis von dichter Anspannung und Lösung, das im dritten Satz im fünfteiligen Wechselspiel zwischen „Scherzo“- und „Trio“-Teilen zur Darstellung gelangt, findet traditionsgemäß auf der satzzyklischen Ebene eine Manifestation im Verhältnis von erstem zu zweitem Satz. Während der erste Satz formal, wenngleich sehr ungewöhnlich, noch innerhalb des hergebrachten Rahmens bleibt, führt der zweite Satz, ein Allegretto ma non troppo, das sich einem Schubertschen Zeitmaß annähert, zu einer völligen Individualisierung der Form, die sich nicht mehr auf ein zugrundeliegendes Schema beziehen läßt. Ein einstimmiges „Motto“ (T. 1—4) wird vom Cello mezza voce exponiert, stufenweise von der Tonika abwärts schreitend und auf der Dominante endend. Sein späteres Wiederauftreten signalisiert zum einen den Beginn einer „Durchführung“ (in der Sequenzanlage von T. 65ff.) bzw. einer „Reprise“ (T. 112—114). Es folgt ein kantabler, im Satzgefüge zur Homophonie neigender Hauptsatzkomplex in der Tonika D-Dur (T. 5—34), wobei eine Chromatisierung des h zum b einen Einschlag von Moll-Dur (T. 7—8ff.) bewirkt. Gerade im Vergleich zu den äußerst kondensierten Kadenzen des ersten Satzes stiften die Prolongation und die dreifache Überhöhung der Kadenzen in diesem Komplex ein gänzlich anders geartetes Zeitempfinden. Ihm setzt Beethoven in der Folge einen im strengen Stil komponierten Komplex gegenüber, dessen imitatorisch-fugierte Stimmführung bei chromatisch bestimmter Melodik sein (im Spätwerk noch verstärktes) Bemühen um eine neue „poetische“ Legitimation dieser „altertümlichen“ Kompositionstechnik bezeugt. Charakteristischerweise moduliert dieser Komplex von D weg nach As, und zwar unter wachsender Chromatisierung (die Stelle Takt 57—62 ist im Autograph noch stark korrigiert worden). Nach der erwähnten Signalisierung eines „Durchführungsbeginns“ wird dieser fugierte zweite Komplex mit herkömmlichen Mitteln des imitatorischen Stils „verarbeitet“ bzw. weiter entwickelt, insbesondere durch Einführung eines Kontrasubjekts (T. 78f.) sowie durch Umkehrung (T. 88ff.) und Engführung (T. 96ff.). Sinn der Formentwicklung ist die Stiftung immer engerer Beziehungen zwischen dem Motto und den beiden Hauptkomplexen.[1] Daher bleibt bei der sogenannten „Reprise“, die keine ist, der im mittleren Teil im Vordergrund stehende fugierte Komplex weitgehend ausgeklammert. Herrschte im Anfangsteil noch eine Trennung der beiden Komplexe (T. 34), so erreicht Beethoven nunmehr dadurch, daß er das fugierte Thema um zwei Takte früher, nämlich bereits mit Taktverschränkung am Ende des ersten Komplexes einsetzen läßt, eine lückenlose Kontinuität. Und kaum merklich, dafür um so ingeniöser wird der fugierte zweite in den ersten Themenkomplex übergeführt (T. 147—156):

1 Vgl. ebenda.

2. Satz, T. 147—157 (Partitur)

Musikalisch-lyrischer Raum dieser Art, eine Errungenschaft des mittleren Beethoven, wird dann noch intensiver in dem Schlußteil des zweiten Satzes gestiftet, wo im Anschluß an dieses „Umkippen" des fugierten in den ersten Komplex die Kadenzbildungen immer ausgreifender werden und mit Kadenz-Fiorituren in der ersten Violine die innige Kantabilität dieses Satzes einen Höhepunkt erreicht. Je mehr die Auflösungen von Mal zu Mal suspendiert werden, desto mehr wird der lyrische Expressionsgehalt intensiviert und gesteigert.

Die harmonisch-tonalen Korrespondenzen haben ihr Gegenüber auf dem Feld der Rhythmik-Metrik. Hier ist es insbesondere die Figur der Synkope, welche im ganzen Werk eine große Bedeutung besitzt — bis hin zur Auflösung der angezeigten Taktmetrik durch eine gegenläufige, eigenständige Rhythmik. Im ersten Satz tritt die Synkope in Takt 6 erstmals prononciert in Erscheinung, spielt dann auch im Seitensatz (T. 33f., 40f.) eine Rolle, doch erst in der Coda wird sie zum Hauptmotor der musikalischen Entwicklung, indem drei Synkopenketten (T. 131—138, 140ff. sowie 144ff.) die Energie so verdichten, daß die letzte Synkopenkette ihre Wirkung buchstäblich bis zum Schluß des Satzes zeitigt. Im zweiten Satz, wo naturgemäß die Synkopenkategorie eine weniger dominante Rolle spielt, tritt sie bei der Gestaltung des Hauptthemenbeginns in Erscheinung (T. 5 bzw. 115f.). Besondere Dringlichkeit erlangt sie im dritten Satz: Bereits beim Beginn des Scherzos (T. 1ff.) fällt der Akzent des Motivs (vgl. Motiv 4b) wider das Metrum auf die zweite Zählzeit, und im weiteren Verlauf wird diese implizite Synkopierung durch Harmonisierung (T. 5f.) und Akzentuierung (T. 17f.) zu einer expliziten, wobei eine zusätzliche Synkopierung auch der dritten Zählzeit (T. 30f.) der Musik eine erhöhte Dramatik und Spannkraft verleiht.

Die zyklische Gestaltung des Werkes folgt im Grundriß der Tradition, doch erfährt sie im Blick auf eine Verknüpfung der einzelnen Sätze zu einem zusammenhängenden Ganzen insofern eine Individualisierung, als die Satzenden mit den Satzanfängen subtil verbunden erscheinen. Zwischen erstem und zweitem Satz vermittelt das fallende Halbtonintervall des—c bzw. d—cis, zwischen zweitem und drittem Satz (welche ohnehin „attacca subito“ aufeinander folgen) die fallende kleine Terz d—h, und zwischen drittem und viertem Satz der gebrochene Dreiklang c—as—f (beim vierten Satz T. 1—2 und T. 10).

Übergänge der Sätze:
a) 1.—2. Satz, T. 150—151 / T. 1—4

b) 2—3. Satz, T. 191—192 / T. 1

c) 3—4. Satz, T. 205—206 / T. 1 / T. 10—11

Diese Verknüpfungen sind weniger als strikt motivisch-thematische Maßnahmen zu verstehen, als daß sie in Teilbereichen der Struktur, die auf der Materialebene liegen, eher untergründige Bande knüpfen. Für den Kunstcharakter des Ganzen sind sie freilich bedeutsam, denn sie zeigen, wie überlegt Beethoven alle kompositorischen Maßnahmen, die Traditionsbestände lockern, mit innovativen Maßnahmen, welche neuen musikalischen Sinn stiften, „kompensiert“ hat.

Die Idee musikalischer Sinnstiftung mittels über das Gesamtwerk geknüpfter Korrespondenzen ist eingelöst auch auf der Ebene der harmonisch-tonalen Beziehungen. Es sind vor allem drei Verhältnisse, die im Hinblick auf die Grundtonika des Werkes f-Moll eine zentrale Rolle spielen (alle drei sind, wie gezeigt, bereits im ersten Satz eingeführt worden): 1. die Halbtonbeziehung, insbesondere die neapolitanische Relation f—ges, 2. die submediantischen Relationen f—Des bzw. D und 3. die Variantenbeziehung f—F. Die skizzierte Relevanz der Halbtonstruktur im ersten Satz (f—ges, T. 1, 6f.; c—des, T. 128f. usw.) findet in der wachsenden Chromatik des zweiten Satzes (vor allem im fugierten Teil, T. 35ff.) ihre Fortsetzung, wird danach im dritten Satz, dem musikalischen Oxymoron eines „ernsthaften Scherzos", im Verhältnis der Teile Scherzo f / Trio Ges wieder aufgegriffen und gelangt in der Schlußpartie des Finales mit der Wendung fis—g—gis—a (T. 133—134ff.) zu einer alles überbietenden, in einen Taumel hineinziehenden Steigerung zum Höhepunkt.

4. Satz, T. 133f., 1. Violine

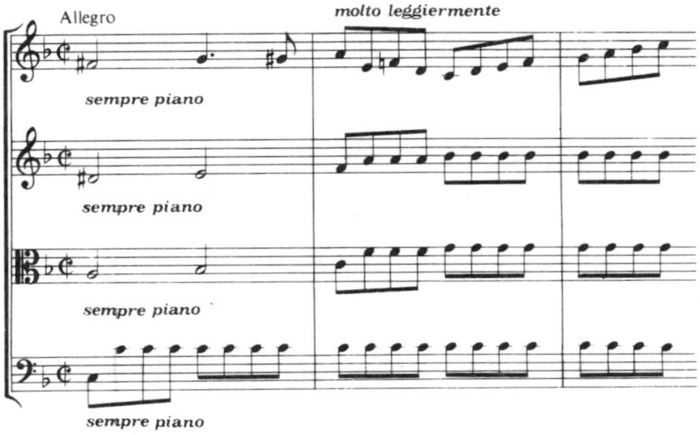

Hier ist es auch, wo die Variantenbeziehung aus dem ersten Satz (T. 60f., 93ff.) eine großformale Bedeutung erhält, indem der tendenzielle Minore-Gehalt des „Quartetto serioso" in der Maggiore-Coda (T. 132—133ff.) eine Auflichtung erfährt, die die Buffa-Devise „unter Tränen Lächeln" konstruktiv begründet.[1] Die submediantische Relation schließlich gelangt, auch sie ausstrahlend vom ersten Satz, sowohl in der Konstellation der Satzregionen — mit einem in D-Dur/Moll stehenden zweiten Satz — als auch in der tonalen Disposition des dritten Satzes — mit der Relation zwischen Scherzo f und Triosektionen in Ges und D — zum Ausdruck.

Hermann Danuser

1 Vgl. R. Wiesend, *Bemerkungen zum Streichquartett op. 95,* S. 1125ff.; überdies J. Kerman, *The Beethoven Quartets* ([4]1978), S. 182f.

Violinsonate G-Dur
op. 96

Entstehungszeit: Dezember 1812 (Vollendung).
Erstaufführung: am 29. Dezember 1812 im Palais Lobkowitz durch Erzherzog Rudolph und Pierre Rode.
Skizzen: Beethoven-Haus Bonn, Mh 59, Skizzenbuch Petter; Gesellschaft der Musikfreunde Wien, A 41; Bibliothèque Nationale Paris, Ms 60.
Autograph: Pierpont Morgan Library New York.
Erstdruck und Widmung: Wien 1816 (S. A. Steiner & Co.); dem Erzherzog Rudolph von Österreich gewidmet.
Gesamtausgaben: Alte Gesamtausgabe: Nr. 101 = Serie 12 Nr. 10; Neue Gesamtausgabe: Abt. V, Bd 2.

Beethovens letzte Violinsonate, entstanden im Jahr der 7. und 8. Symphonie, läßt sich mit keiner seiner früheren vergleichen. Zwar hat ihre Viersätzigkeit Präzedenzfälle in op. 24 und op. 30, Nr. 2, und auch der Zusammenhang ihrer Entstehungs- und Aufführungsgeschichte mit dem Wiener Aufenthalt des Violinvirtuosen Pierre Rode findet eine Parallele bei der neun Jahre zuvor vollendeten Sonate op. 47 in der Person George Bridgetowers. Beide mußten allerdings auf die ihnen zugedachte Widmung verzichten; im Falle von op. 96 fiel sie dem Erzherzog Rudolph zu, da Beethoven von Rodes Spiel enttäuscht war. Doch während die Bestimmung von op. 47 für einen Virtuosen zweifelsfrei erkennbar ist, fällt es zumal für den ersten Satz von op. 96 mit seinem beseelten Dialog zwischen den Instrumenten und seiner verinnerlichten Kantabilität schwer, sie als „konkreten Anlaß für die Komposition" zu akzeptieren.[1] So hat die Datierung der ganzen Sonate auf den Dezember 1812 auch Widerspruch gefunden.[2] Die Entwürfe im Petterschen Skizzenbuch, im Anschluß an das Finale der 8. Symphonie, sind mit Sicherheit unvollständig und erlauben zumal für den ersten Satz schwerlich eine genaue Datierung. Auch die brieflichen Zeugnisse dokumentieren eindeutig nur die Vollendung des Finalsatzes im Dezember 1812. Innere Gründe scheinen eher dafür zu sprechen, daß der erste Satz früher entstand, gewiß ohne jegliche Hast und unabhängig von der Erwartung und Präsenz Rodes in jenem Monat.

In der Frage der Datierung von op. 96 war schon Beethoven selbst unsicher. Die Fassung, in der Erzherzog Rudolph und Pierre Rode die Sonate zuerst am 29. Dezember 1812 (und dann noch einmal am 7. Januar 1813) aufführten, ist nicht überliefert. Das erhaltene Autograph, niedergeschrieben vermutlich erst im Frühjahr 1815[3] und seit 1977 als Faksimile zugänglich (hg. von M. Staehelin), weist tiefgreifende Änderungen auf, die gewisse Schlüsse auf die frühere Version zulassen. Es trägt die eigenhändige Datierung „im Februar 1812 oder 1813". Beethoven war sich demnach der Entstehungszeit der Sonate nicht mehr gewiß, als er sie für den Druck überarbeitete. Zusätzliche Unsicherheit offenbaren die Korrekturen, die seine ohnehin vage Zeitangabe enthält. Als letzte Ziffer der Jahreszahl „1812" hatte er ur-

1 S. Brandenburg, *Bemerkungen zu Beethovens op. 96,* S. 15.
2 Vgl. H. Goldschmidt, *Um die Unsterbliche Geliebte,* S. 345.
3 Vgl. S. Brandenburg, *Bemerkungen zu Beethovens op. 96,* S. 19.

sprünglich eine „3“ geschrieben, und auch bei der Angabe des Monats scheint er geschwankt zu haben. Die ersten Buchstaben von „Februar“ könnten möglicherweise „Jan“ gelautet haben, lassen sich aber nicht mehr eindeutig entziffern.

Den ersten Satz (Allegro moderato, 3/4) charakterisiert Czerny als ruhig, edel und melodiös; er müsse „mit Zartheit und Gefühl in einem gemäßigten Tempo (beinahe Tempo di Menuetto) vorgetragen werden, da er weder brillant, noch mit irgend einem Aufwand von Bravour gespielt werden darf“.[1] Er spricht dem Satz also genau dasjenige ab, was man von einer Musik erwarten sollte, die für einen anreisenden Virtuosen bestimmt wäre. Und er steht damit keineswegs allein. Die intime Zwiesprache, in der das zuerst von der unbegleiteten Violine intonierte liebliche Motiv (h—e—d—h) vom Klavier aufgenommen und dann wieder in der Violine fortgesponnen wird, hat nichts mehr gemein mit den Eröffnungen früherer Sonaten, mit Unisonovortrag von Themen oder Aufteilung in Thema und Begleitung. Das umstürzend Neue einer solchen Konzeption hat wohl Lenz im Sinn, wenn er hier die Ablösung des Instrumentalduos durch „Instrumental-Ideen zwischen zwei verschiedenen (heterogenen) Instrumenten“ zu erkennen glaubt.[2]

Zu den charakteristischen, wenn auch schwerer faßbaren Zügen des ersten Satzes zählt seine klangliche Gestaltung: Reicher Gebrauch von Terzverdopplungen im Klaviersatz, die Terz vielfach als Angelpunkt der Motivbildung — nicht die einzigen Verwandtschaften mit dem G-Dur-Klavierkonzert, das auch in den „sprechenden“ Akkordrepetitionen der Takte 20ff. anzuklingen scheint; auffälliger noch der Klangzauber auf- und absteigender Akkordfigurationen (T. 13f.), der weit in romantische, fast präimpressionistische Gefilde vorstößt, zugleich jedoch, in seiner Herleitung aus Takt 5, motivische und darüber hinaus konstruktive Bedeutung gewinnt: als Brücke vom Dialog zum emphatischen „Miteinander“ der Instrumente (T. 19f.). Für die Klanglichkeit wichtig wird ferner der reiche Pedalgebrauch in der Coda, in der die beiden Motive des Themas aus Takt 1 und Takt 5 sich vereinigen. Innerhalb der farbig-flächigen Harmonik erlangt die Einbeziehung terzverwandter B-Tonarten konstruktiven Rang über den ersten Satz hinaus; neben B-Dur, dessen trugschlüssige Einführung wieder an op. 58 erinnert (dort T. 105 des 1. Satzes), gilt dies vor allem für Es-Dur, die Tonart weiter Teile der Reprise (T. 149—170), aber auch des Adagios und des Scherzo-Trios sowie der Reminiszenz des Finalthemas nach der Adagio-Variation — eine Stelle, an der die Erinnerung an die Tonart Es-Dur nicht weniger wesentlich ist als die thematische Reminiszenz. Lenz hat die Bedeutung dieser tonalen Beziehung ebenso drastisch wie geistvoll ausgedrückt: „Harmonisch gäbe man diesem lebensfrischen op. 96 den Namen: die Liebe von G-Dur zu Es-Dur.“[3]

Zur dialoghaften Anlage und den an Orgelpunktbildungen reichen Farbtönungen treten eine verhaltene Dynamik, die nur selten zum Forte, nie zum Fortissimo gesteigert wird, und — wiederum analog zu op. 58 — ein maßvolles Allegro moderato, das in Eröffnungssätzen Beethovens sonst nur sehr selten begegnet. Eine zeitlich nahe Parallele bietet das Trio op. 97 (1811), zwei weitere das Frühwerk (WoO 36, Nr. 2 und WoO 38).

---

1 C. Czerny, *Über den richtigen Vortrag* (1963), S. 87.
2 W. v. Lenz, *Kritischer Katalog,* Bd. III, S. 268.
3 Ebenda, S. 274.

Kommentatoren und Interpreten hoben bald pastorale (Lenz), bald idyllische Ausdruckswerte[1] des Satzes hervor; Arnold Schering bekannte, daß ihn seit dem ersten Anhören die Vorstellung von Wasserspielen nie verlassen habe — ein im Hinblick auf Takt 13ff. nachvollziehbarer Eindruck, den er dann freilich mit der These, Goethes „Triumph der Empfindsamkeit“ liege der Sonate zugrunde, ad absurdum führt.[2] Ganz vom biographischen Kontext her versteht Harry Goldschmidt op. 96 als kompositorisches Pendant zu dem Brief an die „Unsterbliche Geliebte“.[3] Joseph Szigeti hebt als satztechnische Eigenart die Konsequenz hervor, mit der Beethoven im Finale — aber auch im ersten Satz — in dreistimmigen Passagen den Violinpart als Mittelstimme einbaut, woraus sich heikle Probleme für den klanglichen Ausgleich ergeben.[4] Beachtenswert scheint auch sein Hinweis, daß das Hauptthema des ersten Satzes „nicht rhythmisch geprägt“ sei (im Gegensatz zu den Anfangsthemen der übrigen Violinsonaten); als kennzeichnend empfindet er „die bis dahin unerhörte Intimität des instrumentalen Dialogs“, ein gewisses „understatement“ in der Aussage, eine ganz und gar undramatische Haltung, fern von aller Emphase, und etwas Schwebend-Statisches.[5]

Zu solcher Charakterisierung passen auch die formalen Dispositionen des ersten Satzes: eine gänzlich undramatische Durchführung, die kaum den halben Umfang der Exposition erreicht, weithin auf Orgelpunkten (F, E) verweilt und in der definitiven Version auf eine Verarbeitung der Hauptthemen verzichtet. Das Autograph bietet freilich einen deutlichen Anhaltspunkt für eine andere Konzeption der Durchführung, in der das Kopfmotiv thematisch verarbeitet wurde oder werden sollte (ab T. 100): Acht Takte dieser Verarbeitung sind auf Seite 5 entworfen, dann aber gestrichen. Dafür weist die Coda im Autograph eine Änderung konträrer Tendenz auf: Auf Takt 246 folgte ursprünglich nach nur vier Takten weiterer Akkordfigurationen bereits der Quartsextakkord (T. 260). Die 13 Takte mit der Verarbeitung des Kopfmotivs (T. 247—259) sind auf einem offenbar nachträglich eingefügten Doppelblatt, das keine weiteren Eintragungen enthält, ergänzt.

Beethoven hat also die Verarbeitung des Hauptmotivs in der definitiven Fassung von der Durchführung in die Coda verlagert. Die ursprüngliche Coda, ein lyrisch versonnener, farbiger Nachklang, nimmt damit zumindest partiell etwas von den Funktionen einer regulären Durchführung an, während umgekehrt die flächig-kontemplative Durchführung Züge einer Coda erhält: Verweilen im subdominantischen Bereich, Orgelpunktbildungen und Anknüpfung an die Motivik des Epilogs. Die mit der Vorstellung einer Beethovenschen Durchführung verknüpfte Aktivität bleibt anfangs gänzlich vorenthalten. Erst mit dem Aufgreifen der Triolenfigur aus Takt 79f., deren Verschlingungen in immer strahlenderen Farben die Erwartung der Reprise wecken (T. 116ff.), scheint sie plötzlich aufzuleben.

Vor dem Repriseneintritt kommt es zu einem eigentümlichen Innehalten (T. 140f.), dessen Sinn wohl primär auf rhythmischer Ebene zu suchen ist: Aus der

1 Vgl. E. Bücken, *Ludwig van Beethoven,* S. 110f.
2 Vgl. A. Schering, *Beethoven und die Dichtung,* S. 485ff.
3 Vgl. H. Goldschmidt, *Um die Unsterbliche Geliebte*; ders., *Kunstwerk und Biographie,* S. 441 und die Diskussion S. 459ff.
4 Vgl. J. Szigeti, *Beethovens Violinwerke,* S. 59f.
5 Ebenda, S. 62.

Triolenbewegung entsteht wieder der Triller des Themenauftaktes — eine Metamorphose, die mit dem Registerwechsel vom Glanz der hohen zur mittleren Lage des Klaviers Hand in Hand geht. Nur an dieser Stelle pausieren beide Instrumente gleichzeitig (T. 140). Die Poesie dieses Augenblicks mag unterschiedlichste Deutungen veranlassen: als Lauschen auf den „Naturlaut" des Trillers, als Wiederbesinnung auf das in jener „Antidurchführung" vergessene Thema oder auch als Moment der Ungewißheit, welches Instrument dem anderen den Vortritt bei der Reprise des Dialogs lassen solle. Wichtig für den gelösten Charakter des Satzes bleibt, daß der Übergang zur Reprise ohne das für Beethoven oft so typische Drängen vor sich geht, das hier geradezu ins Gegenteil umschlägt. Erwähnt sei schließlich, daß die Pause in Takt 140 genau in die Mitte des Satzes fällt, der insgesamt 281 Takte umfaßt. Dieses Ebenmaß reicht bis zur Entsprechung des Umfangs der einzelnen Formteile: Exposition und Durchführung weisen fast auf den Takt genau die gleiche Länge auf, ebenso Durchführung und Coda. Und im Gegensatz zum Innehalten in der Mitte des Satzes verläuft der Übergang von der Exposition zur Durchführung nahtlos bis zur Unmerklichkeit; auch zwischen Reprise und Coda vermittelt ein ähnliches Übergangsfeld von vier Takten, den Eintritt der Coda artikuliert der Einsatz des Themas in C-Dur dann jedoch deutlich.

Der Reichtum des ersten Satzes beruht nicht zuletzt auf seiner Vielfalt im rhythmisch-metrischen Bereich. Dabei spielen dreitaktige Phrasen eine wichtige Rolle (vor allem T. 17—25), die schon in dem sechs Takte umfassenden Hauptthema angelegt sind. (Man beachte Beethovens Bogensetzung, die Takt 4—6 zusammenfaßt.) Nach dem anfänglichen Dialog und dem Klangzauber des Akkordfiligrans sind es die dreitaktigen Gruppen ab Takt 17, die den Sonatensatz eigentlich erst „in Fahrt" bringen und zur Auslösung neuer Rhythmen führen: punktierte Viertel (T. 22), Achteltriolen (T. 33) und schließlich im Seitensatz (T. 41) „punktierte" Achtel (genauer: Achtel mit Sechzehntelpause).

Mit dem B-Dur-Trugschluß (T. 59) wird die Triolenbewegung zum Melodieträger, in deutlicher Anlehnung an das Kopfmotiv, das auch im Epilog noch einmal anklingt (T. 85, deutlicher T. 87). Da auf diesem Epilogmotiv der erste Teil der Durchführung aufbaut, ließe sich also doch von einer zumindest indirekten Präsenz des Hauptthemas in der Durchführung sprechen.

Die Reprise wendet sich von ihrem achten Takt an nach Es-Dur und verweilt dort nicht weniger als 22 Takte; da auch die Trugschlußwendung (T. 198, analog T. 59) nun nach Es-Dur ausweicht, nimmt diese Tonart etwa ein Drittel der gesamten Reprise ein, und Lenz' Wort („die Liebe von G-Dur zu Es-Dur") wird schon im ersten Satz bestätigt. Die Coda kann damit auf die sonst häufige Einführung einer „fremden" Tonart verzichten, hält aber dafür eine andere Überraschung bereit: eine Konzertkadenz „en miniature" (T. 260—267) mit einer jener „rauschenden Passagen", von denen Beethoven Ende Dezember 1812 — allerdings unter Bezug auf das Finale — an Erzherzog Rudolph schreibt, sie sagten Rode nicht zu, wodurch er (Beethoven) sich etwas geniert fühle.[1] Es ist die erste und abgesehen von den Schlußtakten einzige Stelle des Satzes, an der Beethoven Sechzehntel verwendet, und in ihrer raffiniert verschachtelten, auf Chopin vorausweisenden Chromatik die erste, die er-

1 Vgl. E. Kastner / J. Kapp, *Ludwig van Beethovens sämtliche Briefe,* Nr. 356, S. 233f.

kennen läßt, daß ein Virtuose etwas mit der Entstehung der Sonate zu tun hatte. Motivisch ist sie als Aneinanderreihung diminuierter Umkehrungen des zuvor aus dem Hauptthema abgespaltenen Dreitonmotivs zu verstehen.

Die letzten Takte der Coda (ab T. 276) setzen zu einer Reminiszenz des Themas im Pianissimo an, die jedoch unvollständig bleibt. Die Geste des Sich-Losreißens am Ende ist nicht völlig frei von Gewaltsamkeit. Sie hat etwas von einem schweren Abschied an sich; die energische Schlußkadenz, in der sich nochmals die sechstaktige Metrik bestätigt, kommt unerwartet wie ein plötzliches Adieu.

Der zweite Satz (Adagio espressivo, Es-Dur, 2/4) exponiert zunächst im Klavier — ohne Beteiligung der Violine — ein ruhig getragenes Hauptthema, dessen tiefe Innerlichkeit durch die nahezu spiegelbildlich korrespondierende Baßführung räumliche Perspektive gewinnt. Erst mit der mehrfachen Wiederholung des Schlußtaktes (T. 9—11) setzt die Violine ein. Sie nimmt dabei ein unscheinbares Terzfallmotiv (b—b—g) auf, das in der Mittelstimme (T. 8) noch als eher floskelhaftes Überleitungsmotiv anmuten konnte, sich nun aber zunehmend mit Bedeutung auflädt: als Ausgangspunkt der synkopischen Rhythmik, die in Takt 11—20 den Bewegungsablauf bestimmt und dann ab Takt 49 bis fast zum Ende der Coda fortwirkt. Man entdeckt das Motiv aber auch schon im ersten Takt, so daß die Vermutung, es könne sich um ein Fragment des Hauptthemas aus dem ersten Satz handeln, nicht unbedingt in die Irre gehen müßte. Unabhängig von dieser Möglichkeit verdeutlicht das schlichte Motiv exemplarisch, welch weitreichende Wirkung unscheinbare Elemente in der Musik Beethovens gewinnen können.

Ab Takt 12 übernimmt die Violine mit einem neuen Gedanken die Führung; das Klavier beschränkt sich auf bloße Begleitung, so daß der Eindruck eines „Solos" aufkommen und durch die modulatorische Anlage (erstaunlicherweise in subdominantischer Richtung) bestärkt werden kann. Dem Erreichen der Subdominante As-Dur (T. 21) folgt ein in der Violine ruhigerer, im Klavierpart belebterer Zwischensatz, der zur Dominante führt und, nach einer kurzen Solokadenz, die Reprise des Hauptgedankens — nunmehr in der Violine — anbahnt. Entsprechend diesem Rollentausch setzt anschließend das Klavier zu dem (teilweise variierten) „Solo"-Gedanken an, der jedoch alsbald (T. 54) in eine weiträumige, auf dem Orgelpunkt Es ruhende Coda übergeht. Imitationen eines Motivs aus dem modulierenden Zwischensatz (T. 26) und der Synkopenrhythmus führen noch einmal zu einem Crescendo, das jedoch, wie alle vorangehenden, durch ein Piano abgefangen wird. Der scheinbar komplizierte Aufbau der Form wird klar und übersichtlich, sobald man ihn nach rhythmischen Bewegungsformen gliedert. Mit der eigentümlich offenen Coda nimmt sie Züge eines Al-fresco an; die Affinität zum langsamen Satz eines Solokonzerts zeigt sich schließlich auch im orchestralen Tremolo des vorletzten Taktes. Dem Autograph läßt sich entnehmen, daß die letzten sechs Takte ursprünglich auf engerem Raum notiert werden sollten (auf eineinhalb statt drei Zeilen) und demgemäß in ihrer Figuration wohl weniger ausladend konzipiert waren.

Den Anschluß des „attacca" folgenden Scherzos (g-Moll, 3/4) vermittelt der mehrdeutige Fermatenakkord des letzten Taktes, der mit dem cis der Violine aus dem (quintlosen) Es-Dur-Klang des Klaviers den übermäßigen Sextakkord zu g-Moll entstehen läßt, mit dem dann das Scherzo einsetzt. Ähnliche Verknüpfungen durch Vorausahnung eines Anfangsakkords am Schluß des vorhergehenden Satzes verwendet Beethoven zu dieser Zeit mehrfach (op. 95, 2./3. Satz; op. 97, 3./4.

Satz). Unverkennbar ist dabei die Tendenz zur Aufhebung der Grenzen zwischen zwei Sätzen. Doch auch harmonische Aspekte scheinen für Beethoven bei diesem Verfahren wichtig, denn er bedient sich seiner wohl ausnahmslos bei der Rückkehr zur Haupttonart eines zyklischen Werkes, die er in neuem Licht darzustellen sucht. Dafür bietet die Mehrdeutigkeit des Verknüpfungsakkords in op. 96 eine vorzügliche Handhabe. Nach der weiträumigen Ausbreitung des Orgelpunkts auf Es, der — wie Orgelpunkte meist — das Tonikagefühl nicht nur zu bestärken, sondern auch in Frage zu stellen vermag, liegt eine Auffassung als Dominantseptimakkord zu As-Dur beim Hören umso näher, als sie in der Erinnerung an Takt 56, 58 und 60 eine Stütze finden kann. Jede derartige Erwartung wird aber mit Beginn des Scherzos hinweggefegt. Der Ton g, Grundton des ersten Satzes, Terz im Es-Dur des zweiten (und als solche zu Beginn und Schluß des Adagios präsent), wird im Auftakt des Scherzos zu einem labilen, auflösungsbefürftigen Ton und erhält damit eine gänzlich neue, gleichsam zentrifugale Physiognomie, auf die auch das Sforzato-Piano hinweist.

Das Scherzo zählt mit nur 32 Takten zu den kürzesten Beethovens. Es weist keine Repetitionszeichen auf. Die Wiederholungen der beiden achttaktigen Abschnitte sind in wechselnder Instrumentierung und Rhythmisierung ausgeschrieben. Der knappe, geisterhaft dahinhuschende Hauptteil bildet einen wirkungsvollen Kontrast zu den beiden ersten Sätzen. Denkbar wäre gleichwohl, daß Beethoven das Thema aus dem Anfangsmotiv des Kopfsatzes ableitete.

Das Trio (Es-Dur) bringt weitere Kontraste im weit ausgedehnten Ambitus seines Themas und in der einigermaßen unerwarteten Einführung strikten dreifachen Kontrapunkts (ab T. 60). Mit der Einbeziehung höchster Register und der kühnen Dissonanzbehandlung greift Beethoven hier voraus auf den Stil seiner späten Quartette. Für die Coda sollte, den Skizzen zufolge[1], ursprünglich die Variante des Triothemas aus Takt 49—51 Verwendung finden, doch entschied sich Beethoven dann dafür, den Satz mit einer Dur-Version des Scherzothemas abzuschließen.

Zum Finalsatz (Poco Allegretto, 2/4) existieren außer den Skizzen im Petterschen Skizzenbuch einige weitere handschriftliche Quellen. Die älteste unter ihnen, etwa von 1807/1808, findet sich auf einem Wiener Skizzenblatt (A 41) und enthält eine in Takt 1—5 übereinstimmende, dann abweichende Vorform des Finalthemas in A-Dur, die vielleicht im Kontext zur Cellosonate op. 69 zu sehen ist.[2] Fragmente begonnener Niederschriften des Satzes in G-Dur finden sich in Cambridge, Mass. und in Paris, beide mit gewissen Abweichungen.[3] Daß Beethoven mit dem Thema an ein Schusterlied aus einem beliebten Singspiel von L. C. Standfuß (bzw. J. A. Hiller) anknüpfte, erscheint glaubhaft — wörtlich stimmen indessen nur die beiden ersten Takte überein[4]; Lenz empfand das Thema als „magyarisch". Eine gewisse Verwandtschaft mit dem Finale der Violinsonate op. 30, Nr. 3 scheint dagegen — trotz der divergierenden Tempi — unübersehbar: Beide Sätze stehen im 2/4-Takt,

1 Vgl. G. Nottebohm, *Beethoveniana,* S. 27.
2 Vgl. dazu M. R. Obelkevich, *The Growth of a Musical Idea — Beethoven's Opus 96,* S. 91; S. Brandenburg, *Bemerkungen zu Beethovens op. 96,* S. 22f.
3 Vgl. O. Jonas, *Bemerkungen zu Beethoven's op. 96,* S. 87f.
4 Vgl. G. Nottebohm, *Beethoveniana,* S. 30; M. R. Obelkevich, *The Growth of a Musical Idea — Beethoven's Opus 96,* S. 92.

beide in G-Dur; in beiden treten H-Dur und Es-Dur als markante Ausweichungstonarten hervor; beide weisen als konstitutive Merkmale Satzelemente der Volksmusik auf: op. 30, Nr. 3 den Bordunbaß — „mit liegendem Baß auf die Art eines bären Tanzes“ vermerkt Beethoven im Kafkaschen Skizzenkonvolut (fol. 123^v) zu einem gleichfalls in G-Dur, 2/4 konzipierten Entwurf —, op. 96 die anfangs exponierten, später eher als subkutanes Satzgerüst wirksamen Hornquinten. Engere Berührungspunkte bestehen zu den „Schneider Kakadu“-Variationen op. 121a, deren Thema gleiche Tonart, Taktart und Tempovorzeichnung aufweist und zudem noch die Herkunft aus einem Singspiel und das Hornquintengerüst mit dem Finale von op. 96 teilt; die Überarbeitung dieser vermutlich 1803 entstandenen Variationen erfolgte 1816, also nur ein Jahr nach der Fertigstellung der Druckfassung von op. 96.

Beethoven hat das Finale nicht ausdrücklich als Variationensatz bezeichnet; auch darin zeigt sich die Nähe zum Spätwerk. Dennoch erkennt man vier völlig regelmäßige Variationen. Die fünfte Variation (Adagio) klingt aus mit einer Modulation, der die oben erwähnte thematische (T. 1—8 des Themas) und tonale Reminiszenz (Es-Dur, Tonart des Adagios) folgt. Von hier an kann man im Zweifel sein, ob der anschließende vielteilige Satzschluß als große Coda (des Satzes und der Sonate), als Reihung weiterer Variationen oder als mehrteilige Schlußvariation anzusehen ist. Im Autograph von op. 121a hat Beethoven für einen ähnlich angelegten großen Schlußteil die Bezeichnung „Anhang“ gewählt, die deutsche Version von „Coda“. Zu den Charakteristika des Schlußteils von op. 96 gehören die verborgenen Reminiszenzen der drei ersten Sätze. Der Andeutung des Themas in Es-Dur folgt die Rückkehr zur Haupttonart und eine „Allegro“-Variation, deren beschwingter Anhang schon den Satzschluß anzukündigen scheint. Stattdessen schließt sich ein g-Moll-Fugato strengster Observanz über ein stark chromatisch gefärbtes Destillat des Themas an; es vertritt gleichsam die Mollvariation. Dann kehrt das Thema wieder, abermals mit steigerndem Anhang und in eine Passage mündend, die der Miniaturkadenz des ersten Satzes verwandt, wenn auch weniger intrikat erscheint. Eine Erinnerung an das Scherzo läßt Beethoven im „poco adagio“ einfließen, als Auftakt zur Fortsetzung des in Takt 170 abgebrochenen Themenzitats folgen: Der Akkord g—h—eis entspricht, bezogen auf H-Dur, der Harmonie, die Adagio und Scherzo miteinander verknüpfte.

Unter Geigern gilt op. 96, trotz höchster Wertschätzung als Komposition, gemeinhin als „undankbar“[1], im Gegensatz etwa zu op. 24, der allbeliebten *Frühlingssonate*. Die Erfahrungen der Musiker mögen wohlbegründet sein. Vielleicht sollte man sich der durch Lenz übermittelten Tempi erinnern, die ihm Beethovens Freund Karl Holz mitteilte; vielleicht auch sollte der innere Beziehungsreichtum der Sonate stärker beachtet werden. Doch unabhängig von Aufführungstraditionen: Zählen nicht unter Beethovens Werken gerade „undankbare“ zu den größten?

Peter Cahn

1 C. Flesch, *Die Kunst des Violinspiels,* Bd. II, S. 171.

Klaviertrio B-Dur
„Erzherzog-Trio"
op. 97

ENTSTEHUNGSZEIT: ca. 1810—1815 (Autograph datiert 1811).
ERSTAUFFÜHRUNG: am 11. April 1814 in einer Wohltätigkeitsakademie durch Beethoven, Ignaz Schuppanzigh und Joseph Linke in Wien.
SKIZZEN: vor allem Biblioteka Jagiellońska Krakau.
AUTOGRAPH: Biblioteka Jagiellońska Krakau.
ERSTDRUCK UND WIDMUNG: Wien 1816 (S. A. Steiner & Co.); Erzherzog Rudolph von Österreich gewidmet.
GESAMTAUSGABE: Alte Gesamtausgabe: Nr. 84 = Serie 11 Nr. 6.

Das Klaviertrio op. 97 greift wie bereits die Klaviertrios op. 1, Nr. 1 und 2 und op. 70, Nr. 2 die Viersätzigkeit des klassischen Streichquartetts und der Symphonie auf, und es realisiert nochmals vor dem Spätwerk, das diese Konvention mehr und mehr in Frage stellt, die klassische Anlage des Zyklus: Auf einen großen Kopfsatz in Sonatenform folgt ein fünfteiliges Scherzo, das zu den umfangreichsten Beethovens gehört. Der langsame Satz besteht aus einem Thema mit vier Variationen und einer großen Coda. Attacca wird der Schlußsatz, ein Rondo, angeschlossen. Gleich den anderen Werken, die Beethoven dem Erzherzog Rudolph widmete, ist das Klaviertrio op. 97 in seiner Gattung ein Werk größter Dimension und hohen kompositorischen Anspruchs. Gegenüber den Klaviertrios op. 70 fällt das Hervortreten des Klaviers im Verhältnis zu den Streichinstrumenten auf. Den ersten Satz prägen konzertierend-brillante Passagen des Klaviers. Das Trio des Scherzos ist ganz auf die markanten Einsätze des Klaviers ausgerichtet. Im dritten Satz führt das Klavier die Abschnitte des Variationenthemas allein ein, bevor es vom ganzen Ensemble übernommen wird. Im vierten Satz schließlich erklingt das Kopfthema, das für das Klavier erfunden zu sein scheint, überhaupt erst in der Reprise in veränderter Gestalt in den Streichern. Diese hervorgehobene Funktion des Klaviers deutet gleichfalls auf den Widmungsträger, der — Schüler Beethovens im Klavierspiel und in der Komposition — ein befähigter Pianist war und dem Beethoven neben anderen Werken das 4. und das 5. Klavierkonzert widmete. Die Kadenzen für die ersten vier Klavierkonzerte und die Klavier-Version des Violinkonzerts scheint Beethoven für den Erzherzog niedergeschrieben zu haben.[1] Als Werk der Zwischenperiode zwischen dem „mittleren" und dem „späten" Beethoven kennzeichnet das Klaviertrio eine lyrische, jedem angestrengt arbeitenden Prozeß abgeneigte Kantabilität, die es etwa mit dem Violinkonzert verbindet.[2] Ihren Ort innerhalb des Zyklus hat diese Kantabilität im ersten und im langsamen Satz. Das Scherzo und das Schlußrondo greifen zu anderen Themencharakteren.

Der erste Satz des Klaviertrios, ein Allegro moderato, ist mit 287 Takten umfangreich, wenn auch nicht außergewöhnlich groß. Für den Eindruck großer Dimension

1 Zur Widmung und zu Erzherzog Rudolph als Pianist vgl. S. Kagan, *Archduke Rudolph,* S.15ff. und 28ff.
2 Vgl. P. Gülke, *Kantabilität und thematische Abhandlung.*

ist jedoch nicht nur das äußere Format ausschlaggebend, sondern zugleich der Aufbau und der Bewegungscharakter der einzelnen Formteile. Charakteristisch für den großen Atem der Form sind neben dem Hauptsatz (T. 1—33) die Phasen zwischen den Themen. Im Überleitungssatz wird die eigentliche Modulation aus B-Dur in den Bereich von G-Dur schnell abgetan: Der B-Dur-Akkord vom Ende der Kadenz, die den Hauptsatz abschließt, wird weitergeführt in den kadenzierenden Quartsextakkord auf a, der über den Dominantseptakkord in den D-Dur-Dreiklang aufgelöst wird. Nachdem so zunächst D-Dur erreicht ist, mündet die Überleitungsphase in ein großflächiges, ruhiges (piano dolce) Pendeln zwischen dem Dominantseptakkord auf d und dem nun als neue Tonika definierten G-Dur-Akkord.

Das Seitenthema, das in Takt 52 einsetzt, ist im Verhältnis zum Vorangegangenen und zu dem, was auf es folgt, ein eher knapp bemessenes Gebilde von vier Takten, das wiederholt, dann aber von einer neuen Bewegung abgelöst wird, die in eine große Kadenzphase führt. Die Bewegung des Seitenthemas ist auf Achtel und Viertel gestellt, die Takte 60ff. nehmen wieder die ausgreifendere Bewegung in Vierteln und halben Noten auf, die dem Hauptthema und der Überleitungsphase zugrundeliegt. Nicht zuletzt durch seinen Einsatz im Klavier allein wirkt das Seitenthema wie eine Episode in einem Konzert. Auch die Kadenzphase greift, etwa in der markanten Triolenbewegung im Staccato des Klaviers (T. 67, 76) zu Formeln, die der Sphäre des Konzerts zu entstammen scheinen. Nicht nur wird der Seitensatz durch diese breite Kadenzphase abgeschlossen, sondern auf sie folgt noch eine kadenzierende Schlußgruppe (T. 84), die erneut virtuose Figuren ausspielt. In noch stärkerem Maße ist das Ende der Durchführung von konzertartigen Momenten geprägt. Ab Takt 143 wird in mehr als 40 Takten der Einsatz der Reprise vorbereitet. Aus einem Motiv des Hauptthemas, dem aufsteigenden Quartgang, werden brillante Terz- und Sextskalen gewonnen, die im Klavier staccato vorzutragen sind. Sie münden schließlich in einen großen konzerthaften Triller auf der Quinte des dominantischen F-Dur-Akkords (T. 181).

Den Hauptsatz eröffnet eine achttaktige Melodie. Auch sie wird zunächst vom Klavier allein eingeführt. Eine Besonderheit dieses Themas, die den Charakter des Satzes prägt, liegt in seiner metrischen Struktur. Es beginnt mit zwei zweitaktigen Einheiten. Die eine beruht melodisch auf einer Brechung des B-Dur-Dreiklangs, die andere auf dem Quartgang f—b und dem Schritt zum g, der Terz der Subdominante Es-Dur. Der fünfte Takt stellt in der Tonfolge f—b—g einen verkürzten und auf die Ecktöne der melodischen Bewegung reduzierten Widerhall der Takte 3 und 4 dar. Er erhält durch das auf die zweite Zählzeit verschobene Sforzato piano einen besonderen rhythmischen Akzent. Zweimal erklingt so der Schritt zum subdominantischen Es-Dur-Klang, der erst einen ganzen, dann einen halben Takt lang ausgehalten wird. Der vierte und der fünfte Takt des Themas werden auf diese Weise über die rhythmische Zäsur hinweg, die der Halteakkord im vierten Takt darstellt, aneinander gebunden. Die acht Takte des Themas erscheinen als eine Einheit.

Die Takte 4 und 5 wirken mit dem zweimaligen Schritt zum subdominantischen Es-Dur-Akkord wie ein Innehalten, sie sind der lyrische Kern des gesanglichen Themas. Bei der Wiederholung des Themas (T. 14ff.) wird besonders dieser Kern mit seiner metrischen Abschattierung durch die Gegenmelodie des Cellos hervorgehoben. Reflektiert wird er auch in den kantablen Wendungen, mit denen Violine und Cello zwischen dem Halbschluß und der Themenwiederholung in den Satz eintreten.

Beide Einsätze exponieren ein Terzintervall, in der Figur der Streicher in Takt 13f. folgt auf die aufsteigende Terz eine abwärtsgerichtete Quarte, die Intervallfolge, die den Melodiekopf ausmacht und als Krebs dem Themenkern zugrundeliegt.

Dem Zurücktreten des Prozeßcharakters der Form zugunsten der virtuosen Kadenzphasen und der lyrischen Momente des Hauptthemas entspricht die modulatorische Anlage des Satzes insgesamt.[1] Sie unterscheidet sich grundlegend von der Konstruktion, die Beethoven mehrfach in Sätzen der mittleren Werkgruppe dem Modulationsgang in eine terzverwandte Tonart zugrundelegt. In den ersten Sätzen der Klaviersonaten op. 31, Nr. 1, op. 53 und im letzten Satz des Klaviertrios op. 70, Nr. 2 erscheint der Seitensatz in der Obermediante (op. 31, Nr. 1: G—H, op. 53: C—E, op. 70, Nr. 2: Es—G). In der Reprise erfolgt jeweils ein Gang in die Untermedianttonart (die Unterdominante der Obermediante), bevor die Einheit der Haupttonart hergestellt wird. So wird ein der Konstruktion mit quintverwandten Tonarten entsprechender Modulationsplan in der Reprise verwirklicht, die Obermedianttonart vertritt in diesen Sätzen die Dominanttonart. Zugleich wird die Spannung zwischen der terzverwandten und der Haupttonart in die Reprise hinein verlängert, der Prozeß noch über den von der Spannung zwischen Haupt- und Dominanttonart bestimmten Verlauf hinausgetrieben. In op. 97 hingegen erscheint der Seitensatz in der Exposition in der Untermediante G-Dur, und diese wird durch den Modulationsgang (B—A^6_4 —A^7—D—G) als Unterdominanttonart der Obermediante D-Dur erreicht. Das Spannungsverhältnis ist somit ein anderes als in den Klaviersonaten und dem letzten Satz des Es-Dur-Klaviertrios. In der Reprise wird der Seitensatz in op. 97 sofort in die Haupttonart gesetzt. Der Schluß der Überleitungsphase geht jetzt direkt aus dem lyrischen Themenkern hervor.

In seiner charakteristischen Fortschreitung, dem abwärtsgerichteten Leitton, ist der Modulationsgang an mehreren Stellen des Satzes präsent. Innerhalb der Kadenz, die den Hauptsatz abschließt, führt die Fortschreitung fes—es (T. 25—27) in den subdominantischen Es-Dur-Dreiklang, der zwei Takte lang ausgehalten wird und ein Echo der Bewegung in die Subdominante im Themenkern darstellt. In der Kadenz am Schluß des Seitensatzes (T. 70ff.) wird zunächst der Ton es als verminderte Quinte der Dominante A-Dur, dann als Grundton des untermediantischen Es-Dur-Dreiklangs eingeführt, der — analog der Weiterführung des B-Dur-Akkords in Takt 34f. — in den kadenzierenden Quartsextakkord auf d geführt wird. Dem entspricht in der Reprise die Fortschreitung des Ges-Dur-Dreiklangs in den Quartsextakkord auf f. In der Reprise wandert der Ton ges in den um einen Takt verlängerten Themenkern als Mollwendung ein. Entscheidende Bedeutung kommt ihm vor dem Einsatz der Reprise zu. Er bewirkt eine Rücknahme der Emphase, die in der virtuosen Vorbereitung der Reprise ihren Höhepunkt auf dem kadenzierenden Triller des Klaviers erreicht. Das Hauptthema setzt verhalten im Piano ein. Erst die Coda realisiert den Einsatz des Hauptthemas im Fortissimo, aber die Mollwendung im Themenkern wird beibehalten.

In das Zentrum der weiträumigen Form rückt die Durchführung. Hier wird das lyrische Moment des Satzes entfaltet. In der Mitte dieses Formteils, den Adolf Bernhard Marx als „Bewegungsteil“ der Sonatenform definierte, steht paradoxerweise

1 Zur Tonartstruktur vgl. P. Weber-Bockholdt, *B-Dur und D-Dur bei Beethoven,* S. 325ff.

ein Punkt der äußersten Ruhe und Abspannung. Peter Gülke hat darauf hingewiesen, daß in den Takten 134ff. der Kern, die Takte 3 und 4 des Hauptthemas einsetzen, ohne daß ihnen der Beginn des Themas unmittelbar voranginge.[1] Sie sind aus dem engeren syntaktischen Zusammenhang des Hauptthemas gelöst. Blickt man auf die gesamte Durchführung, so erscheint sie als eine Vergrößerung des kantablen Hauptthemas, die auf zwei Attraktionspunkte ausgerichtet ist. In den Takten 107ff. erscheint eine Variante der ersten beiden Takte des Hauptthemas mit veränderter Fortführung. Sie steht in Es-Dur, vorausgegangen ist eine Rückwendung über B-Dur. Nach einer Abspaltung des Themenkopfes erklingt in den Takten 134ff. der zweite Zweitakter, der Kern des Hauptthemas. Er setzt im Pianissimo ein in D-Dur, der zweite Takt wird wiederholt, der G-Dur-Akkord bleibt liegen, und der Themenkern erscheint nochmals entrückt in der hohen Lage der Violine in G-Dur selbst. Die charakteristische Wendung zur Subdominante singt sich hier aus.

Bereits durch seine Tonart — D-Dur — steht der langsame Satz, „Andante cantabile ma però con moto", an hervorgehobener Position innerhalb des Zyklus. Seine Coda beginnt, als solle das hymnische Thema, das durch vier Variationen geführt worden war, erneut in seiner ursprünglichen Gestalt erklingen und den Satz so schließen.[2] Bereits im zweiten Takt wird jedoch die Harmonik getrübt. Die Mollwendung wird im folgenden Takt wieder zurückgenommen, die erste Hälfte des Themas erreicht nach acht Takten ihr Ziel, die Dominante A-Dur. In der zweiten Themenhälfte tritt erneut vom zweiten zum dritten Takt eine Wendung nach d-Moll ein. Die Bewegung stockt dann im vierten Takt im Septakkord auf dis.

Dieses Stehenbleiben ereignet sich an einem entscheidenden Punkt des Themas, der in keiner der Variationen angetastet wurde. Das Thema besteht aus zwei satzartigen Hälften, deren erste sich in die Dominante A-Dur wendet, deren zweite den harmonischen Bogen in einem Ganzschluß auf der Tonika D-Dur schließt; eine an sich konventionelle zweiteilige Anlage. Schon beim ersten Erklingen des Themas ist die Wiederholung der ersten Themenhälfte ausgeschrieben. Das Klavier trägt die ersten acht Takte zunächst allein vor, im neunten Takt treten Violine und Cello hinzu. Der zweite Teil des Themas, der zurückführt in die Tonika, besteht gleichfalls aus acht Takten, hier werden jedoch nur die vier letzten Takte wiederholt. Dies hat einen bestimmten Grund in der Anlage des Themas. Die erste Themenhälfte zeichnet sich aus durch rhythmische Kontinuität. Das in den ersten beiden Takten aufgestellte rhythmische Grundmuster bleibt erhalten. Der Hauptakzent liegt auf dem sechsten Takt. Bis zu ihm steigt die Melodie an, der Einsatz des cis'' in der rechten Hand des Klaviers wird durch einen arpeggioartigen Vorschlag betont. Diese Anlage wird in der zweiten Themenhälfte verändert. Der Hauptakzent wird auf den fünften Takt verschoben, er fällt auf den für die Rückkehr zur Tonika entscheidenden subdominantischen G-Dur-Akkord, auf den auch der Hochton des Themas trifft. Dadurch, daß nur noch die Takte 5—8 der zweiten Themenhälfte wiederholt werden — auch hier treten wieder die Streicher hinzu —, erhält dieser Akzent im fünften Takt noch größeres Gewicht. Auf ihn ist das gesamte Thema ausgerichtet. Es folgt ein dreitaktiges Absinken in den Schluß in D-Dur. Ein Skizzenblatt dokumentiert

1 Vgl. P. Gülke, *Kantabilität und thematische Abhandlung,* S. 263.
2 Zur Coda des Variationensatzes vgl. R. Bockholdt, *Zum Andante cantabile des Trios op. 97.*

die Arbeit Beethovens an genau diesen Aspekten des Themas, der Ausgestaltung der Hauptakzente und der metrischen Balance.[1]

Es ist genau der Auftakt zu diesem Zielpunkt des Themas, auf dem die Coda im verminderten Septakkord auf dis ins Stocken gerät. Erst der dritte, klanglich massierte Ansatz dieses Auftaktes führt weiter — er führt aber aus dem harmonischen Rahmen des Themas hinaus nach E-Dur. Dies ereignet sich, nachdem das Thema vier Variationen durchlaufen hat, die das gesangliche Thema in seiner periodischen Struktur und seiner harmonischen Anlage unangetastet gelassen hatten. Was stets ein hervorgehobener Punkt in einem geordneten, stets wiederkehrenden Ablauf war, wird nun zu einem außerordentlichen, über das Vorgegebene weit hinausschießenden Ereignis. Nach dem Schritt zum nun subdominantischen A-Dur-Dreiklang auf dem durch ein Sforzato piano hervorgehobenen zweiten Achtel von Takt 155, sinkt die Melodie, wie im Thema selbst, hinab zum Schluß. Auf der Paenultima (T. 157) bleibt die Kadenz jedoch stehen. Die Zeit scheint hier wie angehalten. Und angehalten ist in der Tat die innere Zeit der Periode, bis endlich nach 17 Takten der harmonische Bogen in D-Dur geschlossen wird.

Schon bei der Aufstellung des Themas und auch in den Variationen wird die zweite Themenhälfte nicht vollkommen abgeschlossen. Die Verschiebung des Hauptakzents, vor allem aber die weiche Vorhaltsbildung im letzten Takt lassen die Schlußwendung offen erscheinen. Dazu trägt auch die nachhallende Wendung in Violine und Cello auf der dritten und vierten Zählzeit des Taktes bei, die auf den achten bzw. sechzehnten Takt des Themas zurückgeht. Der Neuansatz des Themas in jeder Variation und schließlich der Einsatz der Coda sind durch diesen offenen Schluß des Themas eigens motiviert. Die nachhallende Wendung entfällt in der Coda in Takt 174, der Ganzschluß in D-Dur wird jedoch auch hier mehrfach abgeschwächt. Auf der Paenultima erklingt der Dominantquintsextakkord, der Quartvorhalt in der rechten Hand des Klaviers führt wie am Themenende in die Terzlage des Zielakkords, und die Schlußformel aus dem vorangegangenen Takt, die aus dem Themenkopf selbst gewonnen ist, wird sofort in eine melodische Sequenz gezogen. So beginnt auf dem Zielakkord D-Dur mit der Wiederaufnahme des Themenkopfes sofort ein neuer melodischer Bogen, dessen Ziel (T. 178) wieder überspielt wird und der erst in Takt 185 ans Ziel gelangt. Ihm folgt noch ein Nachgesang von zweimal zwei und zweimal einem Takt, der ein Verklingen darstellt.

Diese Coda nimmt einen Gestus vorweg, der im 19. Jahrhundert vollends in Nachspielen zu großen Liedern entfaltet wird. Über das Cantabile des Themas hinaus entfaltet das Nachspiel des Variationensatzes ein lyrisches Moment. Das Thema wird — die Wiederholungen entfallen hier — auf über 40 Takte gedehnt. Die innere Zeit der periodischen Konstruktion wird in der Dehnung des außerordentlichen Moments virtuell aufgehoben, die periodisch gefestigte Melodie weitet sich zu einem großen, befreiten Gesang.

Das Scherzo, das an der zweiten Stelle des Zyklus steht, knüpft in seiner großräumigen Anlage an den ersten Satz an, läßt jedoch die lyrischen Momente ganz zu-

---

1 Dieses Skizzenblatt (SV 358, New York, Public Library) ist in Faksimile und als Übertragung wiedergegeben in: H. H. Wetzler, *Die Geburt der musikalischen Idee bei Beethoven,* S. 173 und 163. Zu einer anderen Interpretation der Reihenfolge der Eintragungen auf dem Skizzenblatt siehe P. Mies, *Die Bedeutung der Skizzen Beethovens,* S. 133.

rücktreten. Ebenso der Schlußsatz. Der erste und der dritte Satz, das Scherzo und der Schlußsatz bilden miteinander verschränkte kontrastierende Paare. Wie im ersten Satz ein bestimmter Punkt des Hauptthemas zugleich zum konstruktiven Zentrum des Satzes wird, so wird der Anfangsklang des Rondothemas im vierten Satz zum Ausgangspunkt eines mutwilligen Spiels mit der modulatorischen Anlage des klassischen Sonatenrondos. Dieser Anfangsklang, der B-Dur-Septakkord, geht hervor aus dem attacca-Anschluß des Schlußsatzes an die Coda des Variationensatzes. Er verdrängt durch seinen Einsatz das lyrisch-introvertierte Zentrum des Zyklus. Dieser Übergang in das Rondo zeigt, daß auch in der Kammermusik Beethovens der Schlußsatz allein durch die Konvention der Satzfolge nicht mehr hinreichend gerechtfertigt ist. Sein Einsatz wird zum kompositorischen Problem, das eine individuelle Lösung erfordert.

Der B-Dur-Septakkord setzt im ersten Takt des Schlußsatzes nochmals, nun im Forte, ein, und aus ihm geht eine einem Doppelschlag ähnliche Spielfigur hervor, die auftaktig auf den zweiten Takt zielt. Dieser Zweitakter wird im Piano wiederholt und bildet den Kopf des Rondothemas. Das harmonisch irritierende Moment des Anfangsklanges, der dem Bereich von Es-Dur, nicht dem der Haupttonart B-Dur angehört, wird an den modulatorischen Gelenkstellen der Form immer wieder ausgespielt. Beethoven macht sich hier das ganz allgemeine Charakteristikum der Rondoform, die mehrmalige Rückkehr aus Zwischensätzen in Nebentonarten in das Rondothema in der Haupttonart, zunutze. Die Rückkehr aus dem ersten Seitensatz, der konventionell in F-Dur steht, in das Rondothema erfolgt über die Auflösung des verminderten Septakkords auf h in den Septakkord auf B, den Anfangsklang des Themas. Am Ende des Rondothemas (T. 105ff.) wird der B-Dur-Septakkord erneut eingeführt. Er leitet jetzt, wie es seiner Funktion entspricht, in die Subdominante Es-Dur. Hier setzt der zweite Seitensatz ein. Er wird durch Es-Dur und c-Moll nach g-Moll geführt. Die Rückkehr zur Reprise des Rondothemas geschieht nun erneut über den verminderten Septakkord auf h, dessen Grundton chromatisch zu b erniedrigt wird (T. 136ff.). In dem Moment, in dem das Thema einsetzt, erklingt jedoch einen Takt lang der verminderte Septakkord auf d, der eine enharmonische Umdeutung des verminderten Septakkords auf h darstellt. Erst im zweiten Takt des Themas wird die Septim ces nach b aufgelöst und damit der Anfangsklang des Rondothemas erreicht. Die Rückleitung über den verminderten Septakkord auf h ist hier in das Thema selbst eingewandert. Diese harmonische Verschärfung findet ihre Entsprechung in der veränderten Organisation des Satzes. Dadurch, daß nun das Ende des Rondothemas wiederum auf den B-Dur-Septakkord führt, setzt die Reprise des ersten Seitensatzes statt in der Haupttonart B-Dur zunächst in Es-Dur ein. Entsprechend dem Ende des ersten Seitensatzes in der Exposition wird an dem Punkt, an dem die letzte Wiederkehr des Rondothemas in B-Dur zu erwarten ist, wieder eine Rückleitung über den verminderten Septakkord auf h eröffnet. Hier wird jedoch die Septime as enharmonisch mit gis vertauscht und der verminderte Septakkord in den E-Dur-Septakkord aufgelöst (T. 252). Überraschend setzt so als Pointe des Satzes das Rondothema im ganz entlegenen A-Dur und in zum Presto beschleunigtem Tempo ein, bevor das Rondothema nach einer letzten Rückleitung, die zum verminderten Septakkord auf h greift, nochmals in der Haupttonart erklingt.

Lothar Schmidt

Liederkreis „An die ferne Geliebte" op. 98

GEDICHTE: A. Jeitteles.
ENTSTEHUNGSZEIT: April 1816.
ERSTAUFFÜHRUNG: unbekannt.
SKIZZEN: British Library London, Add. Ms. 29997; Library of William Scheide Princeton, Scheide-Skizzenbuch.
AUTOGRAPH: Beethoven-Haus Bonn.
ERSTDRUCK UND WIDMUNG: Wien 1816 (S. A. Steiner & Co.); dem Fürsten Franz Joseph v. Lobkowitz gewidmet.
GESAMTAUSGABEN: Alte Gesamtausgabe: Nr. 224 = Serie 23 Nr. 10; Neue Gesamtausgabe: Abt. XII, Bd. 1.

Der Liederkreis *An die ferne Geliebte* wurde Anfang 1816 komponiert. Das Autograph, seit 1904 im Besitz des Beethoven-Hauses in Bonn, trägt die Bezeichnung: „1816 im Monath April". Dieses Datum stimmt überein mit der Position der Skizzen auf den Seiten 63—73 des Scheide-Skizzenbuchs, das außerdem Skizzen zur Cellosonate op. 102, Nr. 2 und zur Klaviersonate op. 101 enthält.[1] Die Erstausgabe, herausgegeben von Steiner und Prinz Franz Joseph von Lobkowitz gewidmet, erschien im Oktober 1816. Beethoven änderte offenbar den genauen Titel des Liederzyklus — bis zum Autograph hieß die Komposition eigentlich *An die entfernte Geliebte*, sogar nach seinem Erscheinen nannte eine Annonce in der November-Ausgabe der *Musik-Anzeige* das neue Werk noch *An die Entfernte*.

Zu jener Zeit, als Beethoven den Liederzyklus komponierte, hatte sich seine persönliche Lebenssituation bereits sehr verschlechtert. Aufgrund seiner völligen Ertaubung war seine Karriere als Interpret vorbei, seine Schutzherren waren entweder gestorben oder hatten Wien verlassen, und der starke Druck der wirtschaftlichen Inflation hatte sein Einkommen drastisch reduziert. Hinter ihm lagen die Oper *Fidelio*, acht Symphonien, alle seine Solokonzerte und der größte Teil seiner Kammermusik. Im Frühjahr 1816 jedoch wendete sich sein Schicksal zum Besseren: Nach dem Tod seines Bruders Caspar im vorangegangenen November hatte Beethoven im Januar das Sorgerecht für seinen Neffen Karl erhalten — ein zeitlich begrenzter, aber bedeutsamer Sieg.

Obwohl ihn seine nun veränderten Lebensumstände gedanklich stark beschäftigten, schritt doch zugleich Beethovens Arbeit an seiner Klaviersonate op. 101 und an dem berühmten Liederkreis schnell voran. Seine Vertonung der sechs Gedichte von Alois Jeitteles gilt allgemein als der erste Liederzyklus überhaupt. Jeitteles, ein Medizinstudent und zweitrangiger Poet, könnte seine Verse speziell für Beethoven geschrieben haben — jedenfalls publizierte er sie offenbar nicht eigenständig. In der jüngeren Rezeption erfreut sich das Werk einer Wertschätzung als zentrales Werk,

1 Zu den Skizzen und zum Autograph vgl. G. Nottebohm, *Zweite Beethoveniana,* S. 334—339 und Johnson / Tyson / Winter, *The Beethoven Sketchbooks,* S. 241—246. Siehe außerdem J. Kerman, *„An die ferne Geliebte"*; Chr. Reynolds, *The Representational Impulse in Late Beethoven, I: „An die ferne Geliebte"* sowie ders., *Seperated Lovers and Seperate Motives.* Im vorliegenden Artikel sind Teile der beiden vorangegangenen Studien überarbeitet und erweitert.

als ein — mit Joseph Kermans Worten — „quiet herald" („leiser Vorbote") jener Vorliebe für stark integrierte und verinnerlichte Kompositionen, die dem späten Beethoven eigen war.[1] Im 19. Jahrhundert wurde der Zyklus hoch geschätzt, ja, geradezu verehrt.

Musik und Dichtung sind hier eng miteinander verflochten. Beethoven zeichnet nur einige wenige Bilder des Textes musikalisch nach (im 4. und 5. Lied sind Vogelrufe zu hören), aber die Geschichte in Jeitteles Gedichten lieferte ihm eine poetische Idee, die er musikalisch ausarbeitete. Nachdem der Liebende seine Gefühle über die Trennung und seine Sehnsucht nach der abwesenden Geliebten beschrieben (1. Lied) und die Entfernung nach den Abständen von Bergen, Tälern und Wäldern gemessen hat (2. Lied), bittet er die Vögel, den Wind und den Fluß, der Geliebten sein Bild zu überbringen (3. Lied); dann ersucht er die verschiedenen Elemente der Natur, ihn selbst zu ihr zu führen, um sie zu liebkosen (4. Lied); der Monat Mai kommt und vereint die Liebenden überall, sogar die Vögel — nur ihm ist solche Freude versagt (5. Lied); schließlich sendet der Dichter seiner Geliebten diese Lieder, damit sie sie singe („Nimm sie hin denn, diese Lieder"), und überwindet so die Zeit und die Entfernung, die sie beide trennt (6. Lied).

Beethoven baut seinen Liederkreis zyklisch auf mit Elementen, die schon in der Dichtung enthalten sind. Die Tabelle zeigt einige der symmetrischen Aspekte sowohl der Musik als auch der Dichtung.

Zyklische Aspekte der Dichtung und der Musik in *An die ferne Geliebte*

Lied Nr.	1	2	3—4	5	6
Anzahl der Strophen	4 (+1)	3	5 3 8	3	4
Zeilen pro Strophe	4	6	4	6	4
poetisches Metrum	Trochäus	Anapäst	Trochäus	Anapäst	Trochäus
Tonart	Es	G	As	C	Es

Das Schema der Tonarten (Es, G, As, C, Es) und das poetische Metrum sind jeweils kreisförmig angelegt, und die Kraft dieser Kreisförmigkeit wird durch zwei innovative Besonderheiten der Komposition noch verstärkt: Übergänge im Klavier führen ohne Pause von einem Lied zum nächsten, und es besteht eine poetische Verbindung zwischen dem 1. und dem 6. Lied. Die beiden letzten Verse der letzten Strophen wiederholen sowohl in der Musik als auch im Text: „Und ein liebend Herz erreichet, / Was ein liebend Herz geweiht!" Nach Kermans Darstellung ist die letzte Strophe des 1. Liedes „beinahe sicher eine Hinzufügung des Komponisten".[2] Demnach erfand Beethoven offenbar eine neue abschließende Strophe für das 1. Lied, um die

1 Vgl. J. Kerman, *„An die ferne Geliebte"*, S. 123 und 155.
2 Vgl. ebenda, S. 126—128.

wörtliche Wiederholung der Musik am Ende des Zyklus zu rechtfertigen. Aber wie noch zu zeigen ist, war dies nicht der einzige Grund, der Beethoven zum Beitrag einer eigenen Strophe bewegt haben könnte.

In jedem der Lieder greift Beethoven stark auf Variationstechniken zurück. Variationen der Begleitfiguren sorgen für Abwechslung, während die Stimme in der Regel jede Strophe auf dieselbe Melodie singt. Und abgesehen davon, daß er eigenständige Strophenvariationen aneinanderfügt, verwendet Beethoven motivische Transformationen, um alle folgenden Lieder von individuellen Phrasen des ersten abzuleiten. Die ersten zehn Takte des 1. Liedes, „Auf dem Hügel", enthalten das melodische Material für den gesamten Zyklus. Aufeinanderfolgende Motive kehren später einzeln umgeformt zu Themen der folgenden fünf Lieder wieder. Zusätzlich zu den vier Motiven der Gesangslinie (je eins pro Textvers) erscheint ein fünftes in den Anfangstönen der Klavierbegleitung. Diese fallende Terz findet sich zusammen mit den anderen Motiven in Beispiel 1. Es handelt sich um die einzige Abweichung von der Gesangslinie, die Beethoven dem Klavier in diesen Anfangstakten zugesteht. Die Themen, die durch diese Motive vorgebildet sind, finden sich in den Beispielen 2—6. Paradoxerweise diente ein derart akademischer Plan einem der romantischsten Werke Beethovens.

1: „Auf dem Hügel" (T. 1—10), Motive

2: „Wo die Berge so blau" (T. 4—10), Motiv 1a

3: „Leichte Segler" (T. 5—7), Motiv 2

Transponierte Tonhöhen von Motiv 2

4: „Diese Wolken in den Höhen" (T. 3—7), Motiv 3

Transponierte Tonhöhen von Motiv 3

5: „Es kehret der Maien“ (T. 14—16), Motiv 4

Transponierte Tonhöhen von Motiv 4

6: „Nimm sie hin denn, diese Lieder“ (T. 1—2, 8—10, 26—28), Motiv 1

Aus den Motiven werden mit nur wenigen Veränderungen ganze Melodien. Im 2. Lied („Wo die Berge so blau“) erklingt Motiv 1a dauernd, mit 36 fallenden Terzen in 45 Takten (Beipiel 2 zeigt vier davon). Die 14 aufsteigenden Terzen sind eine späte Hinzufügung; in frühen Skizzen bewegt sich die Singstimme ausschließlich absteigend. Im 3. Lied („Leichte Segler“) kehrt, um eine Terz nach oben versetzt, Motiv 2 wieder. Einige Sprünge werden durch Stufenbewegungen ausgefüllt (Beispiel 3), doch bleibt die charakteristische Kontur erhalten: eine Terz abwärts, eine Quint auf- und dann wieder abwärts. Beispiel 3a notiert Motiv 2 transponiert und direkt unter den entsprechenden Tönen von „Leichte Segler“.

Motiv 3 wird zum Hauptthema des 4. Liedes („Diese Wolken in den Höhen“). Um eine Quart transponiert erscheint das Motiv Note für Note in gleichförmigen Viertelnoten mit in der darunterliegenden Terz nachschlagenden Achtelnoten (vgl. die Beispiele 4 und 4a). Beethoven verwendet hier außerdem eine Folge vogelrufartiger Mordente über dem Notengerüst der Klavierbegleitung. Nachdem in der längeren Einleitung zum 5. Lied („Es kehret der Maien“) die Mordente sich zu Trillern erweitert haben, tritt Motiv 4, statt von es vom hohen g absteigend, in Erscheinung. Die Veränderungen sind hauptsächlich rhythmischer Art (vgl. die Beispiele 5 und 5a).

Beethovens Motivplan erreicht seinen Höhepunkt im 6. Lied („Nimm sie hin denn, diese Lieder“). Nachdem er alle anderen Motive entwickelt hat, greift er nun auf das einzig verbleibende Motiv, Motiv 1, zurück. Beispiel 6 zeigt drei Varianten des neuen Themas: a) die Einleitung, b) Strophe 1 und c) Strophe 3. Im Gegensatz zum Originalmotiv aus dem 1. Lied wird der Sextsprung abwärts nun teilweise ausgefüllt, und der Anfangston ist, wenigstens zunächst, c statt b. In der letzten Version bei „und du singst“ (Beispiel 6c) kehrt das b wieder. Die Schlußstrophe enthält ein Da capo der Musik, die zuvor mit der letzten Strophe des 1. Liedes erklungen war, und dieses Da capo bereitet die Coda vor.

Auf der Basis dieser Interpretation von Beethovens Plan zu seinem Liederkreis lassen sich gewisse Beobachtungen von Joseph Kerman erweitern. In bezug auf die Verbindungen zwischen den Liedern bemerkt Kerman, daß „die inneren Lieder [2—5] kaum genug lyrische Qualitäten aufweisen, die es ihnen ermöglicht hätten, sich aus eigener Kraft zu erhalten".[1] Dies liegt zum Teil darin begründet, daß Beethovens sorgfältige Anlage der melodischen Phrasen im 1. Lied den inneren Motiven Entwicklungsstatus zuweist. Mehr noch als alle anderen zeichnet sich das 1. Lied (und dementsprechend auch das 6.) durch ein melodisch stark profiliertes Kopfmotiv aus.

Allerdings kehrt Beethoven im 6. Lied nicht einfach zum Eröffnungsmotiv zurück. Er konstruiert dessen Anfangsphrase, indem er die Motive 1 und 1a in einer neuen Konfiguration vorführt; beide erscheinen jetzt in einer melodischen Linie und nicht mehr verteilt auf Singstimme und Begleitung.

7: 6. Lied, T. 9—12, Reprise der Motive

Im gesamten Verlauf von „Nimm sie hin denn, diese Lieder" tritt Motiv 1a verstärkt auf — fünfmal vor dem Beginn der zweiten Strophe. Und Motiv 2 folgt weniger profiliert als zuvor. Die f-Moll-Quinte auf- und abwärts wird (wie Kerman beobachtet hat[2]) wieder aufgegriffen, allerdings vereinfacht. Beethoven hatte in seinen Skizzen anfänglich den Plan, das Da capo zu Beginn des 6. Liedes einsetzen zu lassen. Indem er aber stattdessen mit Reminiszenzen an die ersten Lieder beginnt, erhält die Einleitung zu „nimm... diese Lieder" figurative Bedeutung; „diese Lieder" sind durch motivische Anspielungen präsent.

Es gibt jedoch noch einen tieferen Beweggrund für den veränderten Beginn des 6. Liedes. Nachdem der Liebende der Geliebten seine Lieder offeriert hat, gelangt er in der vierten Strophe zu seiner letzten Vision: Wenn du, Geliebte, diese Lieder gesungen hast, „Dann vor diesen Liedern weichet, Was geschieden uns so weit", und diese Hoffnung auf eine spirituelle Vereinigung hat Beethoven für das Da capo und die Coda aufgespart. Mit seinen Motivwiederholungen sowie dem lang hinausgezögerten Erreichen seines melodischen und harmonischen Ziels es kommt das Da capo zum Abschluß. Doch bei aller Befriedigung, daß der musikalische Zirkel somit geschlossen ist, bleibt das Da capo bloße Vorbedingung für das Einsetzen der Coda. Wie in der Dichtung vorgesehen, muß die Geliebte erst die Lieder gesungen haben, bevor die Trennung überwunden werden kann.

In der Coda läßt Beethoven nur das Motiv 3 unverändert. Er ist wie besessen von diesem Motiv, wiederholt es dreimal nacheinander in der Überleitung vom Da capo zur Coda und vier weitere Male in der Coda. Kein anderes Motiv ist derart präsent. Motiv 4 erscheint einmal in der Überleitung zur Coda, Motiv 2 fehlt ganz, und Motiv 1a, allgegenwärtig in der ersten und dritten Strophe, kehrt an keiner Stelle in seiner ursprünglichen Gestalt wieder. Seltsamerweise gibt die Coda Motiv 1 wenig Raum. Zwar schließt es den Zyklus ab, doch sein einziges weiteres Erscheinen ge-

1 Ebenda, S. 155.
2 Vgl. ebenda, S. 146.

schieht in verkürzter Form, da Beethoven die Coda mit zwei freien Verarbeitungen der aufsteigenden Quarte b—es beginnen läßt.

Motiv 3 hat innerhalb der Coda dieselbe Funktion wie Motiv 1a zu Beginn des 6. Liedes. Beethoven nutzt die deutliche Verwandtschaft beider Motive, den Abgang von b nach g, und konstruiert eine erweiterte Version der Motivkreuzung aus der ersten Strophe. Indem er das 6. Lied mit der Synthese der Motive 1 und 1a beginnt, verbindet Beethoven in der Coda die ursprüngliche Form des Motivs 1 mit seiner längeren Schlußversion. Motiv 3 steigt hier dreimal zum g herab; eine nachdrückliche Antwort auf den wiederholten Aufstieg b—es, mit dem die Coda beginnt. Die Kombination beider Motive, die Beipiel 8c veranschaulicht, behält die Kontur des Motivs 1 bei. Der ursprüngliche Sprung abwärts von es nach g, der zu Beginn des 6. Liedes zum Teil stufenweise ausgefüllt wurde (Beispiel 8b), weist nun alle dazwischenliegenden Schritte auf. Beethovens abschließende Transformation von Motiv 1 kehrt die ursprüngliche Abfolge von Sprüngen und Stufen völlig um.[1]

8: Motiv 1 und seine Transformationen

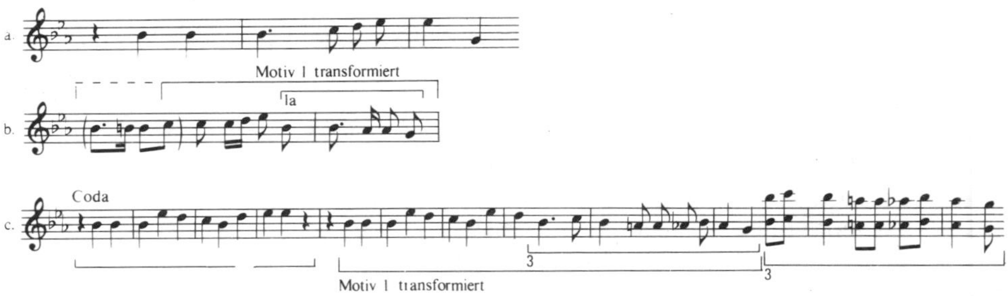

Die Motiv-Synthese in der Coda beendet das letzte Lied, wie es anfing: mit einer melodischen Kombination von Motiven, die ursprünglich im 1. Lied zugleich erklangen. Beethoven begann „Auf dem Hügel" mit den Motiven 1 und 1a in verschiedenen Stimmen, um sie schließlich im 6. Lied zu einer Linie zu verbinden. Ebenso ergeht es den Motiven 1 und 3, denn im 1. Lied ist Motiv 3 dem Sänger überlassen, während das Klavier eine Variante des Motivs 1 als Kontrapunkt im Baß bringt. In Beispiel 9 sind die beiden Motive einander gegenübergestellt.

1 Zu der Annahme, daß Beethoven dem Motiv 3 besondere Bedeutung beimaß, vgl. Chr. Reynolds, „*An die ferne Geliebte*", S. 61 und V. O. Beahrs, *The Immortal Beloved Riddle Reconsidered* sowie die dort angeführte Literatur. Beethoven verwendete das Motiv bei mindestens drei weiteren Gelegenheiten: in seinem *Andante favori* von 1805 (WoO 57), im Variationensatz der E-Dur-Klaviersonate op. 109 (in der zweiten Phrase des Themas) und nochmals 1825, als George Smart Beethoven darüber „for about twenty minutes in a most extraordinary manner" („etwa zwanzig Minuten lang und in ganz außergewöhnlicher Manier") improvisieren hörte (zit. nach E. Forbes, *Thayer's Life of Beethoven*, Bd. II, S. 963).

9: „Auf dem Hügel“ (T. 1—3, 5—7), Motiv-Transpositionen

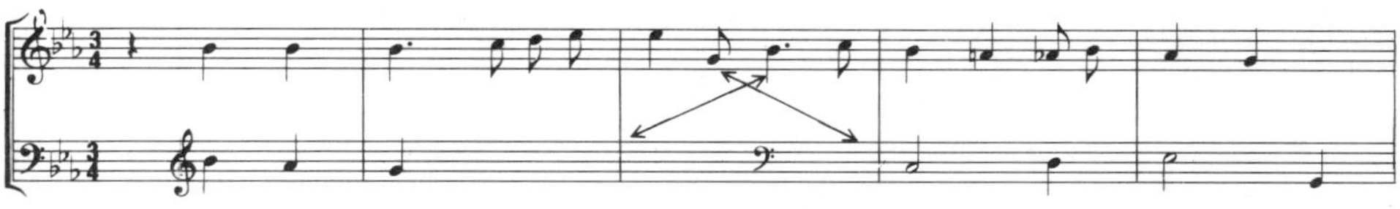

Ob als Teil der Melodie (wie Motiv 3) oder der Begleitung (wie Motiv 1a) — jene absteigende Terz wurde im 1. Lied auf zweifache Weise von Motiv 1 getrennt: physisch durch die Trennung von Stimme und Klavier, zeitlich durch die Einfügung des zweiten Verses und von Motiv 2, das eine motivische und poetische Barriere zwischen den Motiven 1 und 3 bildet. Die Synthese der Motive im 6. Lied überwindet somit zwei Hindernisse, musikalische Hindernisse, die Beethoven errichtete, um die physische und zeitliche Distanz zwischen den beiden Liebenden zu veranschaulichen. Letztlich werden damit Zeit und Raum überwunden — gerade so, wie es die letzte Strophe des 1. Liedes prophezeit.

Kermans Vermutung, daß speziell diese Strophe „beinahe sicher durch den Komponisten hinzugefügt wurde“, scheint wohlbegründet.[1] Einerseits gibt die Ähnlichkeit dieser Strophe mit der letzten Strophe des Gedichts Anlaß zu einer symmetrischen musikalischen Wiederholung am Ende des Zyklus; mit der Kunde, daß „vor Liedesklang entweichet / Jeder Raum und jede Zeit“, liefert sie auch eine literarische Vorstellung, die Beethoven musikalisch darstellen konnte. Demnach mag er diese Strophe zur Bekräftigung seines weitgesteckten kompositorischen Ziels eingefügt haben: des Ziels nämlich, den Zyklus mit einer aus zwei im 1. Lied melodisch und kontrapunktisch getrennten Motiven bestehenden Melodie zu beenden.

Auf die folgende Komponistengeneration übte *An die ferne Geliebte* einen außerordentlichen Einfluß aus. Von Schumann ist bekannt, daß er den Beginn von „Nimm sie hin denn, diese Lieder“ mehrmals zitiert hat: in seiner Fantasie op. 17, in der Mitte des 6. Liedes von *Frauenliebe und -leben* sowie in den Schlußsätzen seines Streichquartetts op. 41, Nr. 2 und seiner 2. Symphonie op. 61. Vielfach kommentiert wurde auch die Verwendung derselben Phrase durch Brahms im Finale seines Klaviertrios in H-Dur op. 8 (erste Fassung).[2]

Womöglich hängt die Popularität, deren sich Beethovens Liederzyklus unter den Komponisten des 19. Jahrhunderts erfreute, mit der spezifischen Verbindung von Text und Musik zusammen. Es ist vielleicht bezeichnend, daß Schumann und Brahms nicht den Anfang des 1. Liedes, sondern die Kombination der Motive 1 und 1a im 6. Lied zitieren. Insbesondere Schumann scheint die motivischen Transformationen durch Beethoven auf sehr ähnliche Weise interpretiert zu haben. Im Finale seiner 2. Symphonie handelt es sich nicht einfach um ein Zitat des 6. Liedes — vielmehr kombinierte Schumann Motiv 1 mit der Hälfte des Motivs 3 zu einer neuen Konfiguration.

1 J. Kerman, *„An die ferne Geliebte“*, S. 126.
2 K. Hull bespricht diese Zitate in seinem Buch *Brahms the Allusive*, S. 62—65.

10: Schumann, 2. Symphonie, Finale: Zitat der Motive 1 und 3

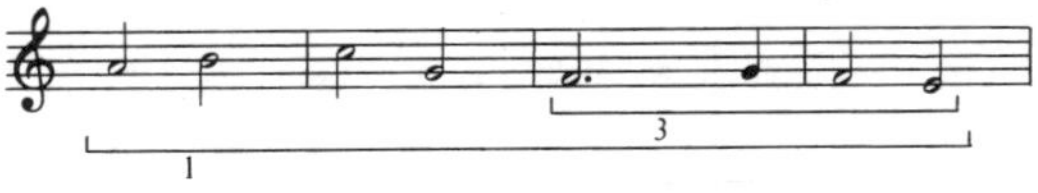

Anatoly Leiken hat einleuchtend dargelegt, daß Schumann noch eine andere Kombination dieser beiden Motive in seiner C-Dur-Fantasie verwendete.[1]

Überdies benutzte Schumann diese Form des Motivs (mit der verzierenden Nebennote) auch in einem weiteren Werk mit offensichtlichen Bindungen zu *An die ferne Geliebte*: Das 7. seiner *Lieder und Gesänge aus Goethes Wilhelm Meister* beginnt damit in Es-Dur.

11: Schumann, op. 98a, Nr. 7

Wie in Beethovens abschließendem Lied mahnt Schumanns Text den Sänger: „Singet nicht in Trauertönen". Schumann kommt auch wie Beethoven zweimal innerhalb des Liedes auf das Motiv zurück. Und es erscheint kaum zufällig, daß Schumanns Liederzyklus wie der Beethovens sein op. 98 ist.[2] Mit der Wahl gerade dieses Motivs setzt Schumann Goethes Verse von den in der Nacht zueinander findenden Liebenden Jeitteles Gedichten der Trennung und Sehnsucht gegenüber: „Singet nicht in Trauertönen von der Einsamkeit der Nacht, / Nein, sie ist, o holde Schönen, zur Geselligkeit gemacht."

Weitere Vokalwerke Schumanns scheinen sich in ähnlicher Form auf *An die ferne Geliebte* zu beziehen. Dazu gehören das Kyrie der Messe op. 147 (1852) und zwei Es-Dur-Zitate in den Balladen für Chor, Solisten und Orchester *Des Sängers Fluch* op. 139 (1852). Die beiden Balladen sind jeweils auf Texte komponiert, welche Musiker zur Aufführung anhalten, und besonders in der Ballade Nr. 6 — wie schon beim Zitat in *Frauenliebe und -leben* ist womöglich die Nummer des Liedes bezeichnend — setzt Schumann den Text wiederum als Kommentar zu demjenigen Beethovens. Der König, ungehalten über das Liebeslied, das er soeben gehört hat, befiehlt den Sängern, ein besseres Lied auszuwählen: „Genug des Frühlings und der Lust! Ein bess'res Lied stimmt an".

---

1 Vgl. A. Leiken, *The Dissolution of Sonata Structure in Romantic Piano Music*, S. 170.

2 Schumann publizierte seine *Lieder und Gesänge aus Goethes Wilhelm Meister* als op. 98a. Sein op. 98b ist das *Requiem für Mignon aus Goethes Wilhelm Meister* für Chor, Solisten und Orchester. Dieses Werk enthält ebenfalls einen Tribut an die ferne Geliebte: Es ist ein Zyklus aus sechs Liedern mit verbindenden Überleitungen zwischen den Liedern.

12: Schumann, „Des Sängers Fluch", Nr. 6

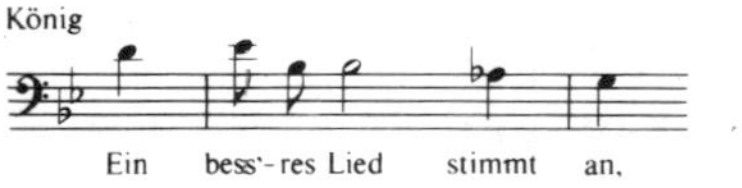

Jenes dem König mißfallende Lied ist auf Geheiß der Königin gesungen worden, die ihrerseits „Nimm sie hin denn, diese Lieder" zitiert hat. In dem Wunsch, im Geist „zu meiner Heimath Heerd" zurückzukehren, befiehlt sie den Musikern — unter Verwendung der Triolenverzierung aus Beethovens „Auf dem Hügel" —: „Lass tönen deine Harfe mit kunstgeübter Hand!"

13: Schumann, „Des Sängers Fluch", Nr. 3

Schumann war nicht der einzige Komponist, der eine Variante dieses Motivs mit der ornamentalen Nebennote verwendete. Fanny Hensel Mendelssohn bedient sich eines ähnlichen Motivs für ihr Chorlied „Lockung" (1846). Hier wird die Aufforderung zur Frage, und die Musik kommt aus einer weit entfernten Vergangenheit: „Kennst du noch die irren Lieder aus der alten, schönen Zeit?"

14: Fanny Hensel Mendelssohn, „Lockung" (1846)

Die früheste Komposition jedoch, die eine Verbindung zu *An die ferne Geliebte* nahelegt, sind Johann Nepomuk Hummels *5 Lieder für Gesangsstimme und Klavierbegleitung* op. 84, deren erstes mit „An die Entfernte" überschrieben ist. Da die Ähnlichkeiten sich keineswegs im Titel erschöpfen und da die genaueste Datierung von Hummels Lied lediglich „um 1816" lautet, stellt sich die Frage, welche der Kompositionen eigentlich die Vorlage und welche die Kopie ist. Während Beethoven mit „Auf dem Hügel sitz ich spähend" beginnt, lautet der Anfang von Hummels erstem der fünf Lieder: „Neidisch trennen Thal und Hügel" — was wiederum zu einem inneren Vers Beethovens paßt: „Trennend liegen Berg und Thal". Hummels letztes Lied, überschrieben „Andante grazioso con moto", weist gleichfalls eine starke Parallele zu Beethovens letztem Lied (Andante con moto) auf. Wo Beethoven mit der Aufforderung „Nimm sie hin denn, meine Lieder" beginnt, vertont Hummel „Töne sanft, geliebte Laute". Auch an dieser Stelle fühlt man sich an einen inneren Vers Beethovens erinnert: „Singe sie dann abends wieder / Zu der Laute süßem Klang!" (vielleicht erklärt sich so auch die Laute, die auf dem Umschlag der ersten Beethoven-Ausgabe erscheint). Außerdem nannte eine frühe Notiz Beethovens Zyklus, wie bereits einleitend bemerkt, *An die Entfernte*, und noch im Autograph findet sich der Titel *An die entfernte Geliebte*. Allerdings ist Hummels Liederfolge keineswegs ein Zyklus: Das erste Lied steht in E-Dur, das letzte in F, und die späteren Lieder datieren vermutlich aus den 1820er Jahren.[1]

Welchen Stellenwert der Liederkreis für Beethoven auch gehabt haben mag — die Spekulationen über dessen Verbindung mit Beethovens eigener „Unsterblichen Geliebten“ gehen unvermindert weiter —, seine Bedeutung für die romantischen Komponisten ist derjenigen der 9. Symphonie vergleichbar. Denn wie die 9. Symphonie die Möglichkeiten der symphonischen Komposition veränderte, so lieferte *An die ferne Geliebte* Beethovens Nachfolgern ein Modell für den musikalisch vereinheitlichten Liederzyklus. In dem Eröffnungsmotiv von „Nimm sie hin denn, diese Lieder“ fanden spätere Komponisten außerdem eine musikalische Idee, die sie eher aus textlichen als aus musikalischen Gründen faszinierte. Das Motiv und sein zugehöriger Text waren mehr als ein Symbol für die unglücklich getrennten Liebenden, ein Topos, für den kein Mangel an musikalischen und poetischen Symbolen bestand. Romantische Komponisten müssen insbesondere von jenem Element fasziniert gewesen sein, das auch für Beethoven entscheidend war, nämlich von der orphischen Idee, daß Musik imstande ist, das Unüberwindliche zu überwinden.

Christopher Reynolds
Übersetzung: Lydia Jeschke

Klavierlied „Der Mann vom Wort“ op. 99

GEDICHT: Fr. A. Kleinschmid.
ENTSTEHUNGSZEIT: Anfang 1816.
ERSTAUFFÜHRUNG: unbekannt.
SKIZZEN: Library of William Scheide Princeton, Scheide-Skizzenbuch.
AUTOGRAPH: Beethoven-Haus Bonn.
ERSTDRUCK: Wien 1816 (S. A. Steiner & Co.).
GESAMTAUSGABEN: Alte Gesamtausgabe: Nr. 225 = Serie 23 Nr. 11; Neue Gesamtausgabe: Abt. XII, Bd. 1.

In seiner aufschlußreichen Untersuchung der Beethoven-Lieder ordnet Hans Boettcher den „Mann vom Wort“ der Gruppe zu, die er als „einfach-volkstümliche Strophenlieder“ definiert.[2] Unter dieser Bezeichnung versteht Boettcher Strophenlieder in ihrer reinsten Ausprägung, gesteht allerdings zu, daß auch diese Kategorie noch weiter unterteilbar ist. Diese weitere Unterteilung zieht hauptsächlich den Charakter des jeweiligen Textes in Betracht: Wie Boettcher richtig feststellt, verwendet Beetho-

1 Zum Autograph und zu frühen Drucken von Hummels Liederfolge vgl. D. Zimmerschied, *Thematisches Verzeichnis der Werke von Johann Nepomuk Hummel,* S. 126f. und J. Sachs, *A Checklist of the Works of Johann Nepomuk Hummel,* S. 732.

2 Vgl. H. Boettcher, *Beethoven als Liederkomponist*, S. 63.

ven erst in späteren Schaffensphasen einfache volksliedartige Strophenformen, um Gedichte von besonderer lyrischer Qualität zu vertonen.

„Der Mann vom Wort“ — auf einen Text des westfälischen Dichters Friedrich August Kleinschmid — repräsentiert das eine Extrem dessen, was man üblicherweise mit Strophenform bezeichnet. Es gehört zu den allereinfachsten Liedformen, die Beethoven komponierte: Das Lied ist derart geradlinig und offensichtlich so wenig charakteristisch, daß Boettcher es als „unpersönlich und unbeethovensch“ beschreibt.

In gewisser Hinsicht hat Boettcher recht. Kleinschmid war ein Dichter, der bei den Liederkomponisten in Wien zu Beginn des 19. Jahrhunderts großen Anklang fand; seine Werke erfuhren mehr als einmal anspruchslose und unkomplizierte musikalische Bearbeitungen. Daß seine Gedichte derart populär wurden, hat vielleicht ebensoviele soziale und politische wie literarische und kulturelle Gründe. 1749 in Westfalen geboren, ging Kleinschmid 1776 nach Wien, wo er 1791 Polizeidirektor wurde und noch bis 1838 lebte. Wie viele derartige Beamte widmete er einen beträchtlichen Teil seiner freien Zeit literarischen Aktivitäten, wobei sein Status die Verbreitung seiner Werke sicherte. Über Beethovens Beziehung zu Kleinschmid ist nur sehr wenig bekannt, obwohl die Tatsache, daß keine gedruckte Fassung von „Der Mann vom Wort“ existiert, die Vermutung nahelegt, Komponist und Dichter seien persönlich miteinander bekannt gewesen und der Text sei so als Manuskript direkt von Kleinschmid an Beethoven gegangen. Wie dem auch gewesen sein mag: „Der Mann vom Wort“ läßt sich jedenfalls problemlos in die große Anzahl ähnlicher Produkte jener Periode einreihen, ohne daß dem Werk übermäßige Aufmerksamkeit zukommen müßte. Es gibt tatsächlich wenig, was Beethovens Komposition von irgendeiner zeitgenössischen unterscheidet: Die Gesangslinie ist in ihrer militaristischen Gestik wenig exzeptionell, und ähnlich verhält es sich mit der Begleitung, die seit dem Ende des 18. Jahrhundert wenig Fortschritte gemacht zu haben scheint.

Wie so häufig in derartigen nationalistischen Gedichten enthält die allerletzte Strophe die wesentliche Botschaft:

„Nun sind wir auch der Deutschen wert,
des Volkes, das die Welt verehrt.
Hier meine Hand; wir schlagen ein,
und wollen deutsche Männer sein.“

Allerdings finden sich in den vorangegangenen Strophen viele Sätze, die nicht bloße patriotische oder moralische Äußerungen enthalten, sondern zugleich Reminiszenzen an einen literarischen Stil, der im Wien der 1780er Jahre gepflegt wurde, als Symbole der Freimaurer in viele literarische Werke Eingang fanden. Insbesondere Aussprüche wie „Du kamest nicht; ist das ein Mann, auf dessen Wort man trauen kann?“ oder — noch auffälliger — die frauenfeindlichen Verse: „wer Worte, gleich den Weibern, bricht, verdient des Mannes Namen nicht“ gemahnen sehr an einige Verse Blumauers oder Leons. Natürlich war um 1816 die öffentliche Praxis des Freimaurertums in Wien schon lange verboten, aber es sind viele Vermutungen über eine Mitgliedschaft Beethovens in der Zunft geäußert worden. Ob nun Kleinschmids Gedicht von Freimaurer-Idealen beeinflußt war und ob, wenn dem so war, Beethoven bewußt oder unbewußt an diese anknüpfte: Letztlich verstärken derartige verbale Andeutungen einer Verbindung zwischen dem späten 18. und dem frühen 19. Jahrhundert doch nur den offenbaren Anachronismus in der musikalischen Substanz des Liedes.

In der Beschäftigung mit „Der Mann vom Wort“ ist die eingehende Analyse der musikalischen Struktur (die wenig Anspruch darauf erhebt, allzu ernst genommen zu werden) weniger sachdienlich als vielmehr die grundsätzliche Frage, warum Beethoven überhaupt von jener Dichtung angesprochen wurde und warum er sie im Geist einer so offensichtlichen Naivität und Einfachheit vertonte, ganz im Gegensatz zu anderen Liedern derselben Periode — namentlich dem Zyklus *An die ferne Geliebte*.

Zwei Erklärungen scheinen einleuchtend, wenngleich beide notwendig spekulativ und nicht zu beweisen sind. Die erste ist, daß Beethoven, weit entfernt davon, von solchen Versen mit ihrer leidenschaftlichen nationalistischen Aussage eingenommen zu sein, diese im Gegenteil als seiner eigenen Gesinnung völlig fremd empfand. Dementsprechend behandelte er sie auf banalste Weise, um die Leere und Eitelkeit der im Gedicht vorgestellten Empfindungen auszudrücken. In diesem Zusammenhang muß daran erinnert werden, daß die geradlinigsten seiner strophischen Vertonungen alle auf Gedichte komponiert sind, die sich am besten allgemein als Kriegslieder beschreiben lassen.

Boettcher gibt eine andere Interpretation für solche Lieder, die vielleicht reizvoller und der Ausarbeitung wert ist. Grundsätzlich scheint Beethoven — wie die Untersuchung der Kompositionen seiner letzten Jahre zeigt — Einfachheit, auch rohster Art, eindeutig als eine Tugend angesehen zu haben; nicht zuletzt, weil er dank ihrer in anderen Zusammenhängen, vor allem in Instrumentalkompositionen, demonstrieren konnte, wie sich mit ausgereiften kompositorischen Fähigkeiten aus einer harmlosen Idee ein Werk von tiefstem Ausdruck bilden ließ. Innerhalb des spezifischen Kontextes eines Liedes ist es natürlich schwierig, Einfachheit und Tiefe nebeneinander bestehen zu lassen, wie es etwa im B-Dur-Streichquartett op. 130 geschieht. Es scheint aber offensichtlich, daß für Beethoven solche „einfachen“ Lieder geradezu eine Notwendigkeit darstellten, wenn er in anderen wirkliche Tiefe des Ausdrucks erreichen wollte. Boettcher ist darin zuzustimmen, daß die Komposition dieser geradlinigen Strophenlieder mitten durch Beethovens Schaffen verläuft — bis zu ihrer Apotheose in der 9. Symphonie, wo er in der „Ode an die Freude“ der einfachen Form des strophischen Volksliedes bewegendsten Ausdruck verleiht.

Bei „Der Mann vom Wort“ dürfen wir also nicht zulassen, daß uns das einzelne Werk zu sehr beschäftigt, oder versuchen, es isoliert vom übrigen Schaffen Beethovens zu betrachten. Es repräsentiert vielmehr eine Facette seines Umgangs mit der Dichtung — nicht nur, indem es eine Vertonung eines speziellen Textes darstellt, sondern auch, indem es musikalische Mittel enthält, durch die der Komponist inspiriert wurde, Verse von weit größerer Bedeutung und Tiefe zu vertonen.

Ewan West
Übersetzung: Lydia Jeschke

Lied „Merkenstein“ für 2 Singstimmen und Klavier op. 100 (zusammen mit „Merkenstein“ WoO 144)

GEDICHT: J. B. Rupprecht.
ENTSTEHUNGSZEIT: op. 100: Anfang 1815; WoO 144: Ende 1814.
ERSTAUFFÜHRUNG: op. 100 und WoO 144: unbekannt.
SKIZZEN: op. 100 und WoO 144: Biblioteka Jagiellońska Krakau, Mendelssohn 6 und Mendelssohn 1.
AUTOGRAPH: op. 100 und WoO 144: unbekannt.
ERSTDRUCK UND WIDMUNG: op. 100: Wien 1816 (S. A. Steiner & Co.); WoO 144: *Selam. Ein Almanach für Freunde des Mannigfaltigen auf das Schaltjahr*, hg. von I. F. Castelli, Wien 1816 (A. Strauss); op. 100 wurde vom Dichter dem Grafen Joseph Karl v. Dietrichstein gewidmet.
GESAMTAUSGABEN: op. 100: Alte Gesamtausgabe: Nr. 226 = Serie 23 Nr. 12; Neue Gesamtausgabe: Abt. XII, Bd. 1; WoO 144: Alte Gesamtausgabe: Nr. 276 = Serie 25 Nr. 13; Neue Gesamtausgabe: Abt. XII, Bd. 1.

Gegen Ende des Jahres 1814 und zu Anfang des Jahres 1815 entwarf Beethoven zwei Melodien für das Gedicht „Merkenstein“, das ihm der Geschäftsmann, Hortologe, Schriftsteller und Bücherzensor Johann Baptist Rupprecht (1776—1846) mit der Bitte um Vertonung zugesandt hatte. Die Melodien haben wenig Liebe bei der Nachwelt gefunden. „Beide Fassungen dieses Werkes sind derart belanglos, daß Beethoven, hinge sein Ruhm von einer oder von beiden dieser Fassungen ab, in der Musik ebenso unbedeutend wäre, wie es Rupprecht in der Literatur ist“, faßt Oskar George Sonneck die Stimmen der Beethoven-Biographen und der Biographen des Textdichters zusammen.[1] In seiner mit ironischer Akribie verfaßten Untersuchung der Merkenstein-Lieder verwundert sich der Verleger Sonneck über die künstlerischen Maßstäbe des Verlegers Carl Friedrich Peters, der Beethoven 1822 um die Komposition weiterer Lieder in der Art von „Adelaide oder Schloss Markenstein“ gebeten habe. Schwankend gemacht in seinem eigenen Urteile zeigt sich Sonneck durch die Wertschätzung, die Beethoven selbst für Rupprechts „schönes Lied“[2], ja für dessen lyrische Produktion insgesamt hegte; als habe er Peters' Ansinnen vorausgeahnt, bat Beethoven um weitere Gedichte.[3] Zuletzt entschließt sich Sonneck, das Urteil dem Leser selbst zu überlassen, und gibt seiner Sammlung von Briefen beide Fassungen des Liedes bei.

Unter Hinweis auf Beethovens Skizzen hat Gustav Nottebohm Beethovens Tagebucheintrag „1814 am 22. Dezember ist das Lied auf Merkenstein geschrieben“[4] auf WoO 144 bezogen und die als op. 100 erschienene zweistimmige Fassung des Liedes

1 O. G. Sonneck, *Beethoven Letters in America,* S. 134. — Vgl. zu Beethoven: Thayer / Deiters / Riemann, *Ludwig van Beethovens Leben,* Bd. III (^{2}1911), S. 483; M. Unger, *Beethoven und Rupprecht*; zu Rupprecht: Fr. Grässer / J. J. H. Czihann, *Oesterreichische National-Encyklopädie,* Bd. IV, S. 449; C. v. Wurzbach, *Biographisches Lexikon des Kaiserthumes Oesterreich,* Bd. XXVII, S. 273.

2 E. Kastner / J. Kapp, *Ludwig van Beethovens sämtliche Briefe,* S. 290.

3 „ein grosses Vergnügen würden sie mir gewähren, wenn sie mir einmal 6 noch unbekannte Gedichte von ihnen mittheilen wollten, um selbe zu komponieren“ (undatierter Brief Beethovens an Rupprecht, zit. nach O. G. Sonneck, *Beethoven Letters in America,* S. 128).

4 M. Solomon, *Beethovens Tagebuch,* Nr. 85, S. 87; vgl. S. 157.

auf Anfang 1815 datiert. Diese Reihenfolge bezieht sich indessen nur auf die Fertigstellung der beiden Fassungen, denn sogleich in den — „a due“ überschriebenen und zum Teil auch zweistimmig notierten — Anfangstakten der ersten Skizze findet Nottebohm „einige Aehnlichkeit mit dem Anfang des unter der Opuszahl 100 gedruckten Liedes“.[1] Durch den Umstand, daß der Beginn der ersten Skizze an die zweistimmige Fassung (op. 100) erinnert, während die folgenden Melodieentwürfe auf WoO 144 hinführen, wird die Darstellung bei Thayer verständlich, der schreibt: „‚Merkenstein‘ hat Beethoven sogar zweimal ziemlich gleichwertig im Jahre 1814 komponiert [...]; die erste Version erschien als Op. 100.“[2]

Was ist der Gegenstand von Beethovens Komposition? Auf dem Titelblatt der 1816 erschienenen Erstausgabe von op. 100 wird das damals beliebte Ausflugsziel „Ruine Merkenstein“ als landschaftliche Sehenswürdigkeit vorgestellt: „Ein Schloß aus der grauen Vorzeit in der Nähe von Baden, hinter Vöslau, in der halben Höhe eines romantischen Gebirges. Sowohl seines Alterthumes, seiner Größe, seines Umfanges, als der herrlichen Aussicht wegen, die es dem Blick gewährt, höchst interessant.“ Johann Baptist Rupprechts Gedicht, das die Ruine besingt, bescheidet sich indessen nicht mit einer Naturschilderung. Anhebend mit dem Ruf „Merkenstein, Merkenstein, wo ich wandle, denk' ich dein!“ verfolgen die ersten vier der sechs sechszeiligen Strophen den Lauf eines Tages: In dem wechselnden Licht des Morgens, des Mittags, des Abends und der Nacht sinnt das lyrische Ich stets wieder über die Ruine Merkenstein nach. In der fünften Strophe evoziert der verfallene Bau die Erinnerung an den Topos von den Vorfahren als den vergangenen Riesen, auf deren Schultern zwergenklein die Lebenden sitzen. In der letzten Strophe weitet sich abermals der Blick, und über der Ruine erscheint der Begriff der Natur: „Merkenstein, Merkenstein! / Höchster Anmut Lustverein! / Ewig jung ist in Ruinen / Mir Natur in dir erschienen; / Ihr, nur ihr mich stets zu weihn, / Denk ich dein, Merkenstein.“ Ostinat erklingt der Ruf „Merkenstein, Merkenstein!“ am Anfang und am Ende jeder Strophe. Wie in der ersten Strophe wird er hier am Ende des Gedichtes zu „Denk ich dein, Merkenstein!“ variiert. Die Absicht, die Rupprecht mit dieser Anlage seines Gedichtes verfolgt, läßt sich erahnen, wenn man anstelle des Namens „Merkenstein“ probeweise andere bekannte Burgennamen aus dem Umland Wiens wie „Rauhenstein“ oder „Rauheneck“ mit dem Ruinenmotiv zusammenhält. „Merkenstein“ ist nicht nur „Mark-, d.h. Grenzstein“, sondern auch „Gedenkstein“.[3] In diesem Sinn steht dieser Name für die Ruine schlechthin. Ruinen sind Merksteine.

Rupprechts Gedicht läßt sich als die österreichische Fassung der „Invocation“ aus Constantin François Volneys *Les ruines ou méditation sur les révolutions des empires* von 1791 (^{2}1792) lesen. „Seid mir gegrüßt, einsame Ruinen, heilige Gräber, schweigende Mauern! Euch rufe ich an, zu euch richte ich mein Gebet [...]. Wie viele nützliche Lehren, rührende, oder erschütternde Betrachtungen bietet ihr dem Geiste dar, der in euch zu lesen weiß!“[4] Die Ruinen von Palmyra werden Volney zu Zeichen eines für alle Menschen gleichermaßen geltenden Gesetzes, des Naturge-

1 G. Nottebohm, *Zweite Beethoveniana,* S. 308; vgl. S. 308f. und 316.
2 Thayer / Deiters / Riemann, *Ludwig van Beethovens Leben,* Bd. III (^{2}1911), S. 483.
3 Vgl. die Artikel *merken, Marke* und ^{2}*Mark* in: *Duden Etymologie. Herkunftswörterbuch der deutschen Sprache,* bearb. von G. Drosdowski, P. Grebe u.a., Mannheim 1963.
4 C. Fr. Volney, *Die Ruinen* (^{7}1829), S. 3.

setzes der Selbsterhaltung, das er als das Grundgesetz seines (1793 erschienenen) „Katechismus des französischen Bürgers“ betrachtete. Anders als in der Volneyschen Abhandlung, die von „mille sentimens“ sogleich zu „mille pensées“ fortgeht[1], bleibt der Naturbegriff in Rupprechts Gedicht undeutlich. Nach der Evokation des Zyklus-Gedankens in den ersten vier Strophen und nach dem Dekadenz-Topos der fünften Strophe wird man bei Rupprechts abschließender Anrufung der Natur vielleicht an Patriotisches denken angesichts einer Burg, die dem osmanischen Ansturm im 16. Jahrhundert widerstand und erst 1683 zerstört wurde.

Beethovens Strophenlied geht nicht auf den Inhalt der sechs Strophen von Rupprechts Gedicht ein. Sichtbar aber ist Beethovens Versuch, die formale Ungunst des Gedichtes auszugleichen, die darin besteht, daß der Ruf „Merkenstein“ in den sechs Strophen 22mal vorkommt, und zwar, da der zweimalige Ruf Anfang und Abschluß jeder Strophe bildet, im Inneren des Gedichtes stets viermal hintereinander.

Der Vergleich der ersten Skizze zu op. 100 mit dem fertiggestellten Lied zeigt Beethovens Absicht, die Devise „Merkenstein“ musikalisch enger an die folgende Gedichtzeile anzubinden. Hier wie dort tragen zwei absteigende Terzgänge in zwei und zwei Takten den Ruf „Merkenstein, Merkenstein!“ An die Stelle der Sprünge, die in der ersten Skizze auf die Devise folgen, tritt ein weiterer Terzgang, der von der in Takt 4 erreichten Terz g’—b’ aus zunächst die absteigende Bewegungsrichtung der Devise fortsetzt. Anstatt der Anlage von Rupprechts Gedicht zu folgen und die trochäische Bewegung der Devise fortzuführen (| wó ich wándle | dénk ich deín), setzt der dritte Terzgang mit einem energischen Auftakt ein (wo ich | wándle denk ich | deín), der nach der je zweitaktigen Vorstellung von Tonika (F-Dur) und Subdominante nun in Takt 5 die Dominante und in Takt 6 die Tonika erreicht und die ersten beiden Gedichtzeilen in eine Kadenz zusammenbindet. Diesem energischen Zugriff liegt der Dreiachteltakt zugrunde, der an die Stelle des in der Skizze vorgesehenen Sechsachteltaktes getreten ist. Er verleiht auch der melodisch unveränderten Devise des Liedes durch eine Verkürzung der ersten Silbe größere Prägnanz.

Dieselbe Absicht zeigt sich bei dem Vergleich des ersten größeren Entwurfes in Es-Dur mit dem fertiggestellten Lied WoO 144. In dieser Fassung vertont Beethoven den einleitenden Ruf mit einer im Forte auf der Oktave es’’ des Grundtones einsetzenden, absteigenden Dreiklangszerlegung. Die Skizze zeigt nach den beiden textierten Einleitungstakten zwei Takte, die nur durch den liegenbleibenden und durch eine Fermate verlängerten Grundton es’ ausgefüllt werden.[2] In dem fertiggestellten Lied wurden diese Takte gestrichen. Das Echo der Klavierbegleitung, das an dieser Stelle vielleicht in derselben Weise auf die Devise antworten sollte, wie es am Ende des Liedes geschieht, wurde auf die ersten beiden Takte vorgezogen. Es trifft gleichsam früher ein und beginnt nun bereits mit dem vierten Achtel des ersten Taktes. Das Echo des zweiten Rufes wird auf drei Sechzehntel mit anschließender Fermate verkürzt. Nach vier Takten ist ein weiteres Echo zu vernehmen: Die Melodie kehrt, eine Oktave höher, in der Klavierbegleitung wieder. Hier wie dort, in WoO 144 wie in op. 100, wird die Devise enger an die jeweils vier Binnenzeilen (2—5) angebunden, die Beethoven in WoO 144 unter eine einzige Steigerung zusammenfaßt, während er in op. 100 die Anordnung von 4 + 2 Takten wiederholt.

1 Ders., *Les ruines* (^{2}1792), S. XI.
2 Vgl. G. Nottebohm, *Zweite Beethoveniana,* S. 308.

Getrennt dagegen werden von Beethoven Anfang und Ende der Strophen. Die Schlußwiederholung des Rufes „Merkenstein, Merkenstein“ wird in beiden Liedfassungen gegensätzlich zu der jeweiligen Devise gestaltet: In WoO 144 steht dem Forte der einleitenden Dreiklangszerlegungen das Cantabile eines Abgesanges gegenüber. Legato steigt die Melodie durch Sekunden zur Dreiklangsquinte, um von der Sexte über die Quinte auf die Dreiklangsterz zurückzugehen. Der Anfangs- und Grundton es'' findet sich hier durch die Sexte cis'' ersetzt, und es entspricht diesem geänderten Ton, daß das auf An- und Abstieg des Abgesanges antwortende Echo des Klaviers nicht länger einstimmig, sondern in Terzen und Sexten geführt wird. In op. 100 führt die zweite Sechstaktgruppe mit Takt 12 auf die Dominantterz e''. Die Schlußwiederholung des Rufes „Merkenstein, Merkenstein“ tritt nicht erst in Takt 13 ein, wie es dem Vorhergehenden entspräche, sondern schließt sogleich auf Schlag zwei von Takt 12 mit f'', mit der Oktave des Grundtones, an. Von diesem melodischen, rhythmisch und harmonisch hervorgehobenen Höhepunkt aus kehrt die Melodie, harmonisiert mit den Kadenzstufen, über die Sexte zum Grundton zurück. Von diesem Abschluß her gesehen erscheint der anfängliche Terzgang nicht wie eine Wiederholung, sondern wie ein erneutes Anheben im Piano. Im Vergleich zu dem pastoralen Schluß des resolut beginnenden WoO 144 findet sich hier eine entgegengesetzte dramatische Disposition.

Beethoven selbst hat die beiden Fassungen des Liedes miteinander verglichen und die später fertiggestellte als „besser gerathen“ beurteilt.[1] Zwar hat er während der Arbeit an beiden Versionen das Ostentative des Rupprechtschen Gedichtes zurückgenommen. Durch diese einheitliche Richtung der Arbeit an den beiden Versionen wird aber der grundsätzliche Charakterunterschied zwischen den beiden Devisen nicht aufgehoben. Der Bukolik des Duetts in F-Dur mit seinen gebundenen Terzgängen stehen die Dreiklangszerlegungen der Es-Dur-Fassung beinahe martialisch gegenüber — als habe Beethoven in ihnen Rupprechts Gedicht vertont, während er dort an die besungene Landschaft zurückdenkt. Wie sein Brief an Rupprecht zeigt, hat er letzterem Gedanken den Vorzug gegeben, mit welchem er seinem ursprünglichen Entwurf treu geblieben ist.

Michael Maier

Klaviersonate A-Dur *op. 101*

ENTSTEHUNGSZEIT: 1813—1816.
ERSTAUFFÜHRUNG: unbekannt.
SKIZZEN: vor allem Staatsbibliothek Preußischer Kulturbesitz Berlin, aut. 11; Library of William Scheide Princeton, Scheide-Skizzenbuch.
AUTOGRAPH: Privatbesitz.

1 Undatierter Brief Beethovens an Rupprecht, zit. nach O. G. Sonneck, *Beethoven Letters in America*, S. 128.

ERSTDRUCK UND WIDMUNG: Wien 1817 (S. A. Steiner & Co.); Freiin Dorothea Ertmann gewidmet.
GESAMTAUSGABE: Alte Gesamtausgabe: Nr. 151 = Serie 16 Nr. 28.

Wie bereits die Sonaten op. 81a (*Les Adieux*) und op. 90 veröffentlichte Beethoven die Sonate op. 101 mit deutschen neben den traditionellen italienischen Satzbezeichnungen. Auch erhielt sie den neuartigen Titel „Sonate für das Hammer-Klavier", über den Beethoven eigens eine Korrespondenz mit dem Verleger Steiner führte. Ähnlich wie in op. 90 gehen die Satzüberschriften in deutscher Sprache über die italienischen Angaben hinaus und zielen auf eine Charakterisierung, die bereits darauf deutet, daß die Sätze über die im klassischen Zyklus angelegte typisierte Abfolge hinaus individualisiert sind: „Etwas lebhaft und mit der innigsten Empfindung. — Lebhaft. Marschmäßig. — Langsam und sehnsuchtsvoll. — Zeitmaß des ersten Stückes. — Geschwinde, doch nicht zu sehr, und mit Entschlossenheit."

Der erste Satz, italienisch „Allegretto ma non troppo" bezeichnet, ist seit dem 19. Jahrhundert stets als Sonatenhauptsatz aufgefaßt worden, er stellt jedoch in seiner Kantabilität eher das Gegenbild dessen dar, was sich mit der Vorstellung vom Kopfsatz einer großen Sonate verbindet.[1] Der zweite Satz nimmt als „Vivace alla marcia" im Zyklus die Funktion des Scherzos ein. Daß das Scherzo an der zweiten Stelle des Zyklus steht, mag zusammenhängen mit dem gemäßigten Tempo des ersten Satzes. Bedeutsam ist zugleich, daß sich so eine Abfolge von langsamem Satz und schnellem Schlußsatz ergibt, eine Tempofolge, die in mittleren und späten Werken Beethovens immer wieder zu einem wichtigen Punkt der Zykluskonzeption wird: im Streichquartett op. 59, Nr. 1 der Übergang zum „thème russe" im Schlußsatz, im Klaviertrio op. 97, in dem eine Dissonanz zwischen dem Ende der Coda des langsamen Satzes und dem Einsatz des Finales komponiert ist, schließlich auch in der 9. Symphonie. Eine Besonderheit des Zyklus ist die Reduktion des langsamen Satzes auf die Form einer Einleitung zum Schlußsatz. Eine solche Konzeption hatte Beethoven bereits in den Klaviersonaten op. 27, Nr. 1, op. 53 und op. 81a realisiert. In op. 101 erhält sie jedoch zusammen mit der Reminiszenz an den ersten Satz, die zwischen das Adagio und den Schlußsatz gelegt ist, eine individuelle Bedeutung. Der Schlußsatz, ein Sonatenhauptsatz, steht bereits durch das Hervortreten der Fugentechnik in der Durchführung in einer gewissen Verbindung zu den anderen späten Klaviersonaten Beethovens.

Der erste Satz der Sonate galt dem späten Wagner als Paradigma der „unendlichen Melodie", einer Melodie, die als Ausdrucksträger Form erst hervorbringt, statt von vornherein auf Form ausgerichtet zu sein. Versuche, den Satz als Sonatenhauptsatz zu analysieren, geraten in gewisse Schwierigkeiten, mit Konsequenzen für das Verständnis des ganzen Zyklus. Die Momente, an denen eine solche Analyse ansetzt, sind die Dreiteiligkeit des Satzes, dessen Mitte in der Abspaltung des Melodiekopfes und dem Durchgang durch fremde Tonarten Züge einer Durchführung trägt, die modulatorische Bewegung in die Dominanttonart im ersten Formteil und schließlich der Reprisencharakter des dritten Teils mit der Herstellung der tonalen Einheit. Diesen allgemeinen formalen Grundriß teilt die Sonatenform jedoch auch

1 Für einen Überblick über Analysen des Satzes vgl. P. Dinslage, *Studien zum Verhältnis von Harmonik, Metrik und Form,* S. 141ff.

mit der — an sich weit beschränkteren — „Liedform", aus der sie ein Theoretiker wie Adolf Bernhard Marx hervorgehen ließ. Und in der Tat verbindet den Satz mit diesem Formtypus der Umstand, daß sein erster Teil, folgt man den Kategorien der Kompositionslehre des 18. Jahrhunderts, syntaktisch auf ein achttaktiges Modell zurückgeführt werden kann. Heinrich Christoph Koch beschrieb in seinem *Versuch einer Anleitung zur Composition* ein differenziertes Instrumentarium zur „Verlängerung" melodisch-syntaktischer Einheiten. Gerade der Charakter der „unendlichen Melodie" entsteht im ersten Satz der Sonate durch einen höchst individuellen Einsatz solcher Techniken. Die ersten vier Takte bilden einen Vordersatz, der mit einem Halbschluß endet. Der in Takt 5 beginnende Nachsatz, der die Modulation zur Dominante E-Dur vollzieht, erreicht sein interpunktisches Ziel endgültig erst in Takt 25; was folgt, ist vom Gesichtspunkt der melodischen „Interpunktion" aus gesehen: „Anhang". Es fehlen gerade die syntaktischen Einheiten, schließlich auch der thematische Kontrast, die den ersten Teil eines Sonatenhauptsatzes ausmachen.

Was Koch als melodische „Verlängerungsmittel" beschreibt, gehört im Verständnis des 18. Jahrhunderts zum „mechanischen Teil" der Komposition. Dessen Gegenstück ist der Bereich des „Ästhetischen", der zum Kern die Erfindung hat und bezogen ist auf die „Erregung", den „Ausdruck" der Empfindungen. Die Dichotomisierung von Technik und Ausdruck erweist sich jedoch gegenüber einem Werk wie der Sonate op. 101 als nicht mehr angemessen. Dies zeigt sich an einem Moment wie der Chromatik, die den Satz durchzieht.[1] Diese Chromatik, die im ersten Takt in der fallenden Tenorlinie gleichsam nur angedeutet wird und den pastoralen Charakter der Oberstimmenmelodie eigentümlich färbt, ist im weiteren Verlauf stets bezogen auf die Technik der Kadenzierung: auf die Kadenz als Definition des harmonischen Schwerpunkts wie als Schlußformel. Die Chromatik trägt im ersten Takt dazu bei, daß das harmonische Zentrum in der Schwebe gehalten wird. Die Melodie setzt ein auf dem E-Dur-Akkord, die beiden ersten Takte umschreiben diesen Akkord, und der Durchgangston dis geht aus E-Dur hervor, bevor er zur Septime d wird, die dem E-Dur-Klang dominantischen Charakter verleiht. Vom Beginn des Nachsatzes (T. 5ff.) an breitet sich dann die Chromatik über dem Satz aus, um erst in der eigentlichen Kadenzphase (T. 19ff.) in die Funktion einer Wechselnote zurückgenommen zu werden. Zwischen diesen Punkten der Form resultiert sie aus der Einführung aufsteigender zwischendominantischer Leittöne: eis in Takt 6, his in Takt 8, ais in Takt 10. Diese Leittöne erzeugen die Erwartung eines Kadenzvorgangs und zögern zugleich die Schlußbildung in E-Dur immer wieder hinaus.

Der viertaktige Vordersatz stellt ein dynamisch geschlossenes und durch die Bewegungsrichtung balanciertes Modell dar. In Takt 5 wird der erste Zweitakter des Vordersatzes wieder aufgenommen, in Takt 6 führt der Leitton eis zu einem Halbschluß auf fis, der durch eine Fermate gedehnt wird. Von hier aus beginnt zugleich mit der syntaktischen Verlängerung eine dynamische Weitung: A tempo setzt der Nachsatz nochmals an und erreicht den Gis-Dur-Septakkord in Takt 9. Er steht auf dem Höhepunkt eines bis zum Mezzoforte führenden Crescendos, das anschließend bis zum Trugschluß in cis-Moll (T. 16) wieder zurückgenommen wird. Mittel der

1 Zur Chromatik des Satzes unter anderem Aspekt vgl. C. Dahlhaus, *Cantabile und thematischer Prozeß*, S. 91ff.

Dynamisierung des Verlaufs ist auch die Disposition des Klangraums. Die Auseinanderbewegung von linker und rechter Hand, die in Takt 1 angelegt, jedoch am Beginn des Satzes ebenso wie das leichte Crescendo im folgenden Takt wieder aufgehoben wird, führt von Takt 7 bis zum Baßschritt gis—a in Takt 9 zu einer Weitung, ja Aufspaltung des Klangraums über viereinhalb Oktaven. Mit der zunehmenden Ausrichtung des Satzes auf die E-Dur-Kadenz zieht er sich wieder zusammen bis auf den Raum einer kleinen Sexte in Takt 15. Ein solcher genau kalkulierter Einsatz des Klangraums ist eines der Charakteristika der späten Klaviersonaten Beethovens. Bedenkt man, daß die Weitung des Klangraums ab Takt 7 motivisch aus der Gegenbewegung zur Melodie im ersten Takt hervorgeht, so lassen sich die Takte 7—16 auch unter diesem Gesichtspunkt als Weitung und zugleich Intensivierung des zweitaktigen Melodiekopfes verstehen. In Takt 17 wird nach dem Trugschluß der vorangegangenen Takte im Baß die fallende Chromatik aus Takt 1 bzw. 5 wieder aufgenommen. Die Bewegungsrichtung des Basses wechselt somit abermals, nachdem ab Takt 9 eine aufsteigende Bewegung den Baß dominiert hatte. Die Tonfolge ais—a—gis wird zum Ausgangspunkt einer schrittweisen Annäherung an die E-Dur-Kadenz als Ziel der vorangegangenen Entwicklung. Heinrich Schenker hat sie beschrieben als Synthese des aufsteigenden Leittonschritts dis—e und der komplementären Linie gis—fis—e.[1] Beide liegen in der rechten Hand beim Übergang zu Takt 21, terzversetzt erklingt im Baß die Folge h—a—gis, die zur Terz des Zielakkordes führt. In Takt 25 wird der E-Dur-Akkord in der Grundstellung durch den Baßschritt h—e erreicht, nun tritt die Linie gis—fis—e in den Baß, der aufsteigende Leittonschritt dis—e in den Sopran des Satzes (T. 26f., T. 28f.), so daß die abschließende Synthese der einzelnen Momente der Kadenz noch über den formal-syntaktischen Abschluß des periodischen Zusammenhangs hinausreicht. Gerade die Bewegung in der linken Hand des Klaviers in den Takten 25—27 bzw. 27—29 — dies verschweigt die exklusiv auf die Naturgesetzlichkeit der kompositorischen Technik gerichtete Analyse Schenkers — greift aber in ihrem Hornquinten ähnlichen Charakter auf den Beginn des Satzes, genauer auf die Schlußformel in Takt 4 zurück. Insofern schlägt die Kadenz einen Bogen zum pastoralen Charakter des Satzanfangs, zu einem Bereich mithin, dem auch die nachklingenden Akkordsynkopen der Takte 29ff. angehören.

Der Abschluß der kantablen Melodie, die vom Satzbeginn an einen syntaktischen Zusammenhang darstellt, die Kadenz selbst, wird so zum Thema des Satzes. Das von Koch dem „mechanischen", rein technischen Bereich der Komposition zugeordnete Verfahren der „Verlängerung" der syntaktischen Einheit wird hier zum Ausdrucksmoment. Diese Technik läßt das, was Thema sein könnte, zur „unendlichen Melodie" werden. Daß die Synthese der Takte 26ff. die an sich eigentümliche Bezeichnung „espressivo e semplice" erhält, ist so sehr konsequent.

Der Mittelteil der Form läßt sich als Durchgang zum dritten, reprisenartigen Formteil verstehen. Er spaltet den kantabel-pastoralen Melodiekopf ab und verändert seinen Charakter, indem er ihn durch eine mit einer harmonischen Digression verbundene Konfliktzone führt. Den Wendepunkt des Verlaufs stellt die Fermate auf dem Gis-Dur-Quintsextakkord in Takt 52 dar. Die Reprise des ersten Formteils

1 Vgl. H. Schenker, *Beethoven. Die letzten Sonaten. Sonate A-Dur op. 101* ([2]1972), S. 18ff.

wird durch die angespannte Mollvariante der Takte 1—2 (T. 55ff.) eingeleitet. Ein Zwischentakt (T. 60), der bereits in Takt 57 rhythmisch vorbereitet ist, bewirkt die Quinttransposition und mündet (T. 61) direkt in den Schritt Cis^7—D (vgl. T. 9), von dem aus sich der Satz wieder auf die Kadenz hin bewegt. Mittelteil und Reprise des ersten Teils sind so miteinander verknüpft, daß die Reprisensituation erst im zur Kadenz strebenden Teil selbst erreicht wird. Die Coda des Satzes, die aus den Akkordsynkopen hervorgeht, greift nicht auf die Durchführungssituation des mittleren Formteils zurück, sondern nimmt vom über dem Orgelpunkt a erklingenden verminderten Septakkord auf gis (T. 85—88) aus erneut den abschließenden Kadenzvorgang auf und zwar in drei Durchgängen (T. 88—92, 93—97 und 98—102). Die erste dieser drei Kadenzen greift zurück auf die Takte 69—73. Die zweite Kadenz stellt eine erweiterte und intensivierte Variante der vorangegangenen dar. Der Schlußakkord wird in einem ausgeschriebenen Ritardando verzögert. Die dritte Kadenz, die insgesamt mit einem Ritardando einhergeht, greift wieder auf die fallende Baßlinie (dis—d—cis) der Takte 69f. zurück, führt sie aber weiter durch die Tonfolge cis—h—a der Takte 78f., die schließlich um die Schritte a—e—a verlängert wird. Dieser Satzschluß faßt so den gesamten Kadenzvorgang der Takte 69—81 (vgl. T. 17—29 im ersten Teil) in eine erweiterte Variante des pastoralen Kadenzmotivs zusammen.

Immer wieder wurde auf die Bedeutung der Kantabilität für die späten Werke Beethovens hingewiesen, oft unter der Fragestellung, welche besonderen Probleme durch sie für die Organisation eines Sonatensatzes entstehen. Kantabilität einer höchst eigentümlichen Prägung verbindet jedoch in den späten Werken Beethovens auch Sätze völlig verschiedenen formalen Zuschnitts. Und scheint eine Analyse des ersten Satzes der Sonate op. 101 möglich, die den formalen Zusammenhang beschreibt, ohne ihn unter Kategorien des Sonatensatzes zu stellen, so ist doch die Kantabilität des Satzes nichts weniger als einfach gegeben. Sie wird vielmehr einem Prozeß unterworfen, der das Verhältnis des gesanglich-pastoralen Charakters der Melodie zu seiner Entsprechung auf technisch-syntaktischer Ebene — der Einteilung in leicht faßliche rhythmische Einheiten — auf das Äußerste anspannt.

Die Beschreibung der „Arietta" der Sonate op. 111 in Thomas Manns Roman *Doktor Faustus* kreist um das Verhältnis der hochartifiziellen Komposition zu dem Stück Natur, das im Gesang des Variationenthemas repräsentiert ist. Bereits am Anfang des 19. Jahrhunderts wurde von einem Musikästhetiker, der seine Prägung durch die Kunsttheorie des deutschen philosophischen und literarischen Klassizismus erhalten hatte — Christian Friedrich Michaelis — das Verhältnis der „neueren" Musik zum als Natur gedachten Gesang als gebrochenes beschrieben. Die Dichotomie von „naiver" und „sentimentaler" Musik — so lautet das Schillersche Begriffspaar bei Michaelis — wird dem Bereich der subjektiv-lyrischen Musik zugeordnet, die den Ausdruck der Empfindungen zu ihrem Gegenstand hat. Michaelis' Aufsatz mit dem Titel *Etwas über sentimentale und naive Musik* erschien erstmals 1805, also mehr als zehn Jahre vor der Komposition der Sonate op. 101. Die Passage, in der die moderne, „sentimentale" Musik geschildert wird, ist somit, auch wenn Beethoven ausdrücklich unter ihren Vertretern genannt wird, geschrieben vor einem früheren kompositionsgeschichtlichen Hintergrund. Der Aufsatz reflektiert jedoch eine Problematik, die nicht nur zu den kunsttheoretischen Konstanten der Moderne gehört, sondern sich in der Tat seit Beginn des 19. Jahrhunderts in den Werken erst entfaltet. Bei seinem Wiederabdruck im Jahr 1813 in der *Wiener allgemeinen musikalischen Zeitung* hatte der Aufsatz Michaelis' nichts von seiner Bedeutung eingebüßt. „Die *naive* Musik" — so Michaelis — „drückt in der größten Einfalt und Ruhe die sanften Gefühle des mit sich selbst harmonirenden Gemüths [...] aus. Leicht fließend ist ihre Melodie, kunstlos, einfach und natürlich in den Akkorden und Wendungen ihrer Harmonie [...]. Häufiger, als die naive, trifft man die *sentimentale* Musik, in welcher nicht sowohl die ungetrübte Klarheit und ruhige Einfalt des Gemüths im harmonischen Spiel der Empfindungen sich offenbart, als vielmehr ein Sehnen und Streben nach diesem Zustande sich ausdrückt. Hier erscheint das Naive nur in einzelnen Spuren, die liebenswürdige Unschuld nur in gebrochenen Strahlen. Die Melodie windet sich gleichsam durch Kunst und Kampf zu jener Einfalt hin."[1]

Nicht nur erhält die Melodie durch die Anspannung auf die Kadenz — die einem nüchtern-technisch argumentierenden Analytiker wie Schenker Begriffe wie „Beseligung" und „Erfüllung" abnötigte[2] —, durch den Prozeß, dem sie unterworfen wird, einen sentimentalischen Charakter, sondern auch die Anlage des ganzen Zyklus prägt das sentimentalische Verhältnis zur Kantabilität. Es kristallisiert sich in der Wiederkehr der ersten Takte des Kopfsatzes zwischen dem Adagio und dem Allegro-Schlußsatz.

Vom Adagio aus gesehen, das in die Reminiszenz an den Kopfsatz mündet, wird das „Lebhaft. Marschmäßig" überschriebene Scherzo zur kontrastierenden Zwischenstation im Ablauf des Zyklus. Mehr oder weniger verdeckte Bezüge binden es dennoch in den Zyklus ein. Das Trio deutet einerseits mit der Melodie, die es zu Beginn ankündigt, auf die pastorale Kantabilität des ersten Satzes zurück. Der imitatorische Satztyp des Scherzos und die Kanontechnik im Mittelteil des Trios führen andererseits einen Aspekt des Satzes ein, der im großen Fugato, das die Durchführung des Schlußsatzes bildet, entfaltet wird. Gerade ein Moment jedoch, das das Scherzo mit dem ersten Satz gemeinsam hat, trägt zum äußersten Kontrast, den dieser Satz zu jenem bildet, entscheidend bei. Der chromatische Quartdurchgang f—e—es—d—des—c, der aufgespalten in die große und die eingestrichene Oktave den Baß der ersten vier Takte des Scherzos bildet und von dort in die anderen Stimmen eindringt, ist dem chromatischen Quartdurchgang e—dis—d—cis—h im Tenor der ersten beiden Takte des Kopfsatzes verwandt. Diese chromatische Bewegung steht in einem seltsam verqueren Verhältnis zum Bewegungscharakter des Scherzos. Dem Marschcharakter — in der da capo-Vorschrift wird dieser Teil des Scherzos ausdrücklich als „marcia" bezeichnet — entspricht traditionell eine diatonische Bewegung, mit der der Satz auch beginnt. Sie wird jedoch fortschreitend von Chromatik überlagert. Hier liegt eine Brechung eines festumschriebenen musikalischen Charakters vor, die im gleichsam satirischen Kontrast von Bewegung und Harmonik ebenfalls ein sentimentalisches Moment enthält.

Das „Adagio ma non troppo, con affetto" führt in den Sonatenzyklus traditionelle Momente der Fantasie ein, und auch die Folge von deklamatorisch-offenem Satz, Reminiszenz an die kantable Melodie und Einsatz des schnellen Satzes entstammt dem Formenrepertoire der Fantasie. Entscheidend für die Konzeption die-

---

1 Chr. Fr. Michaelis, *Etwas über sentimentale und naive Musik,* S. 149f.

2 H. Schenker, *Beethoven. Die letzten Sonaten. Sonate A-Dur op. 101* ([2]1972), S. 20.

ses Zyklus ist jedoch das besondere Verhältnis dieser Teile zueinander. Martin Zenck hat gezeigt, welche Topoi zur Darstellung des Affekts, von dem die italienische Vortragsbezeichnung („Adagio, ma non troppo, con affetto") spricht und den die deutsche Satzüberschrift präzise benennt („Langsam und sehnsuchtsvoll"), beitragen: die threnodische Sexte (T. 1) und der fallende chromatische Baßgang (T. 14—17).[1] Entscheidend für die Affektdarstellung ist aber zugleich die Anlage des Adagios, durch die Trauer zu Sehnsucht, ein Zustand zur Erwartung wird: Syntaktisch beginnt der Satz mit einem eher festgefügten Zusammenhang, der Folge zweier Viertakter, deren erster von a-Moll aus zum Halbschluß auf dem E-Dur-Akkord, deren zweiter in die Tonikaparallele C-Dur führt. Nach diesem ersten formalen Einschnitt in Takt 8 scheint eine neue Periode in C-Dur beginnen zu wollen, der syntaktische Zusammenhang öffnet sich jedoch zu einem wechselseitigen Sich-Antworten des Sextmotivs aus Takt 1, um schließlich in den Sog der abwärtsgleitenden chromatischen Baßlinie und dreier sequenzierter verminderter Septakkorde zu geraten. Diese Bewegung kommt auf dem dominantischen E-Dur-Akkord zum Stillstand. Hier setzt nun die ausgeschriebene Kadenz ein. Die Affektdarstellung durch rhetorische Mittel und die offene formale Anlage ergänzen und steigern sich so wechselseitig zu einer Erwartung, in die hinein die Wiederkehr des ersten Satzes klingt.

Der Schlußsatz erst durchschlägt den Zusammenhang der vorangegangenen Sätze. Er tritt aus dem Bereich, der durch sie vorgegeben ist, heraus. So ist eines seiner charakteristischen Merkmale der Verzicht auf die Chromatik, die in unterschiedlicher Form und Funktion jeden der drei vorangegangenen Sätze prägte. Schließlich setzt er entschieden einen Gegenpol gegen die sentimentalische Kantabilität, die durch das Adagio nochmals herbeigerufen wurde, indem er aus einem instrumentalen Spielcharakter entwickelt wird. Dort, wo Charaktere der vorangegangenen Sätze anklingen — in den Fermaten in den Takten 40 und 121, im Piano dolce in Takt 81f. —, wird sofort der Spielcharakter des Schlußsatzes wieder aufgenommen, oder das kantable Moment wird wie zu Beginn der Reprise (T. 240: piano dolce poco espressivo) als Kontrapunkt mit dem Hauptthema vereint.

Das Verhältnis von Fugentechniken und Kantabilität nehmen die anderen späten Sonaten als Thema wieder auf. Die Finallösung von op. 101 ist in dieser Hinsicht nicht das letzte Wort. Das problematische, sentimentalische Verhältnis zur Kantabilität treiben die späten Sonaten in neue Konstellationen, spielen es bis eben zum Schlußsatz der letzten Sonate op. 111, den Variationen über die „Arietta", immer wieder durch.

Lothar Schmidt

1 Vgl. M. Zenck, *Die Bach-Rezeption des späten Beethoven,* S. 163ff.

2 Cellosonaten C-Dur und D-Dur op. 102

ENTSTEHUNGSZEIT: 1815.
ERSTAUFFÜHRUNG: unbekannt.
SKIZZEN: zu Nr. 1 und 2 : Biblioteka Jagiellońska Krakau, Mendelssohn 1; zu Nr. 2: Beethoven-Haus Bonn, Mh 92; Gesellschaft der Musikfreunde Wien, A 50; Library of William Scheide Princeton, Scheide-Skizzenbuch; zu den Skizzen vgl. Johnson / Tyson / Winter, *The Beethoven Sketchbooks*, S. 343.
AUTOGRAPH: Staatsbibliothek Preußischer Kulturbesitz Berlin.
ERSTDRUCK UND WIDMUNG: Bonn und Köln 1817 (N. Simrock); der Gräfin Marie Erdödy gewidmet, die eine ausgezeichnete Pianistin war und die beiden Sonaten mit dem Cellisten Joseph Linke aufführte.
GESAMTAUSGABEN: Alte Gesamtausgabe: Nr. 108 und 109 = Serie 13 Nr. 4 und 5; Neue Gesamtausgabe: Abt. V, Bd. 3.

Die beiden im Sommer 1815 komponierten Sonaten für Klavier und Violoncello in C-Dur und in D-Dur, die 1817 im Erstdruck bei Simrock erschienen, bilden den Abschluß der insgesamt fünf Cellosonaten Beethovens wie — mit ganz wenigen Ausnahmen — der Werkgruppe „Kammermusik für Klavier und Streicher" überhaupt. Die Sonaten, über die ihr erster Rezensent in der *Allgemeinen musikalischen Zeitung* vom 11. November 1818 (Sp. 792) geschrieben hatte, sie gehörten „ganz gewiß zu dem Ungewöhnlichsten und Sonderbarsten, was seit langer Zeit [...] für das Pianoforte geschrieben worden" sei, rechnen bis heute zu den sperrigsten Werken des Komponisten. Der Eindruck ihrer Sperrigkeit läßt sich indessen weder durch den seit über 100 Jahren repetierten Hinweis auf ihre stilistische Stellung „auf der Schwelle zum —" oder „am Anfang des Spätstil(s)" noch durch eine Unterscheidung zwischen traditionellen und avancierten, dem mittleren und dem späten Stil zugehörigen Kompositionselementen auflösen[1], sondern einzig dadurch mindern, daß sie in ihrer Gesamtheit als Antworten auf die kompositorischen Probleme zu erkennen versucht werden, mit denen Beethoven sich während jener relativ unproduktiven Zeit beschäftigte.

Wenn als ein wichtiges Ziel der Musikwissenschaft die Erkenntnis musikalischer Kunstwerke und des in ihnen komponierten und wirkungsgeschichtlich entfalteten Sinngefüges gelten darf, dann hat auch die Frage ihre Berechtigung, ob und auf welche Weise Einsichten der musikalischen Formanalyse für die aufführungspraktische Interpretationskritik fruchtbar gemacht werden können. Wir werden darum in diesem Beitrag bei der doppelten Bedeutung der musikalischen Interpretationskategorie als theoretisch-hermeneutische und als aufführungspraktische ansetzen und versuchen, zentrale Resultate unserer Formanalyse in aufführungspraktische Begriffe umzuformulieren, um diese alsdann mit einem repräsentativen Segment der interpretatorischen „Wirklichkeit", wie sie für uns in einer Auswahl von neun Schallplatteneinspielungen des Werkes dokumentiert ist, zu vergleichen. Als theoretische Bezugsrahmen wären dabei so gegensätzliche Positionen wie die historisch orientierte Aufführungspraxis, die ontologische Vortragslehre Heinrich Schenkers, die viel

1 Vgl. M. Cooper, *Beethoven*, S. 138.

zum Verständnis des späten Beethoven beigetragen hat, und die Interpretationstheorie Theodor W. Adornos, der eine universale Geschichtlichkeit musikalischer Werke behauptet, denkbar.[1] Eine Beschreibung des musikalischen Regelkreises der Cellosonaten op. 102 als Antworten auf einen geschichtlich definierten Problemstand des Beethovenschen Komponierens um 1815 braucht jedenfalls nicht notwendigerweise in eine historische Rekonstruktion von Beethovens Aufführungspraxis im Lichte des zeitgenössischen Horizontes zu münden, sondern kann ebenso versuchen, das in seinen Widersprüchen entfaltete Werk auf eine sinnvolle Aktualisierbarkeit hin, welche die Geschichtlichkeit des Aufführens und Hörens von Musik mitberücksichtigt, zu befragen.

ZUM PROBLEMSTAND DES KOMPONIERENS. 1. Während die D-Dur-Sonate hinsichtlich der satzzyklischen Disposition allenfalls im „Allegro fugato"-Finale neue (und für das Spätwerk wesentliche) Wege einschlägt, im übrigen aber der Tradition des dreisätzigen Wiener klassischen Zyklus folgt, thematisiert die C-Dur-Sonate, die Beethoven selbst als „freie Sonate" bezeichnete und so mit den Fantasie-Sonaten für Klavier op. 27 verband, die satzzyklische Organisation in ähnlicher Weise wie die erst 1816 vollendete Klaviersonate op. 101. Im Unterschied zur traditionellen Balance annähernd gleichwertiger, in sich geschlossener Sätze läßt sich in op. 102, Nr. 1 die Intention erkennen, den mittleren langsamen Satz einerseits — im Gegensatz etwa zu den Cellosonaten op. 5 — zu bewahren, andererseits aber sein Gewicht als tektonisches Zentrum eines Werkes so weit zurückzudrängen, daß umgekehrt die langsame Einleitung zum ersten Satz ausgebaut werden und die Doppelfunktion einer Introduktion und eines vorgezogenen langsamen Satzes erfüllen kann. (Zu erinnern wäre an die verwandte Doppelfunktion der außerordentlich umfangreichen langsamen Einleitung zu op. 5, wobei diese frühen Cellosonaten hierin möglicherweise noch an die barocke Sonatentradition anknüpfen.) Das eröffnende Andante von op. 102, Nr. 1 ist somit weder „Introduktion als Widerspruch im System" der thematischen Abhandlung, der dialektisch-prozessualen Entfaltung[2], noch ist es — unter Wahrung des Introduktionscharakters — bereits Anfangsteil der sonatenhaften Prozessualität wie in op. 31, Nr. 2 (1. Satz) oder op. 59, Nr. 3 (1. Satz).[3] Statt einer Ambiguität, die in einer Verbindung von Introduktion und Sonatenexposition gründet, zeitigt es eine Ambiguität anderer Art, die aus der Vereinigung ebenfalls konträrer Charakter- und Funktionsbestimmungen entsteht: Es verbindet nämlich Funktionselemente von langsamer Introduktion einerseits — im präludierenden Gestus der Halbschlüsse (T. 4f., 10, 16), Fermaten (T. 5, 10), Trillerketten (T. 16f., 24) und des Arpeggios (T. 24) — und langsamem Satz andererseits — in der strengen Konstruktivität einer motivisch aufs äußerste durchgebildeten Polyphonie. Die Ambiguität des ersten Andantes findet eine Entsprechung im Mittelteil dieser Sonate, wo das stark komprimierte Adagio von ganzen neun Takten Länge rezitativische Freiheit mit polyphoner Konstruktivität vereinigt und in eine veränderte Wiederaufnahme des Andantes — gleichsam dessen auf sieben Takte konzentrierter Essenz

1 Vgl. hierzu die Einleitung des Verfassers zum Band *Musikalische Interpretation* (= *Neues Handbuch der Musikwissenschaft*, Bd. XI).
2 Vgl. P. Gülke, *Introduktion als Widerspruch im System*, S. 5f.
3 Vgl. C. Dahlhaus, *Ludwig van Beethoven und seine Zeit*, S. 207ff.

— mündet, welches gleichzeitig Ziel des Adagios und Ausgang für das Finale ist.[1] Historisch folgeträchtig ist die motivische Vereinheitlichung, die die ganze Cellosonate in C-Dur durchzieht und die alle wichtigen thematischen Gestalten mindestens teilweise aus dem anfangs verborgenen Motivbestand der zweitaktigen Eröffnungs-Kantilene des Cellos analytisch deduziert.[2] Ohne daß sämtliche Motivableitungen gleichermaßen deutlich sich offenbarten, gehören sie dennoch zur Ästhetik des Werkes selbst und bilden einen Widerpart gegenüber der Lockerung der satzzyklischen Tradition in der „freien“ Sonate.

1: Nr. 1:
a) Andante, T. 1—3

b) Vivace, T. 28—29 und T. 40f.

c) Allegro vivace, T. 21—25

1 Zum Problem musikalischer Ambiguität auf syntaktischer, formfunktionaler und satzzyklischer Ebene vgl. über op. 90.
2 Vgl. C. Dahlhaus, *Zum Begriff des Thematischen bei Beethoven,* S. 45ff.

2. Die ersten Allegrosätze der beiden Sonaten scheinen im Schema so problemlos als Sätze in Sonatenform rubrizierbar, daß Martin Cooper sie im ganzen noch Beethovens Musikdenken der mittleren Periode zuweist und wenige auffallende Partien (z.B. T. 89—93 der C-Dur-Sonate) als Interpolationen des Spätstils begreift.[1] Indessen erscheinen die angeblichen Spätstil-Interpolationen dem gesamten Sonatengefüge kohärent, sobald sie auf den tatsächlichen Problemstand des Sonatendenkens in op. 102 bezogen werden. Dieser ist vornehmlich bestimmt durch eine Brüchigkeit der musikalischen Prozessualität, die sich aus der im Sonatensatz der mittleren Periode (namentlich der Jahre 1806—1808) ausgetragenen Vermittlung zwischen Kantabilität und thematischer Abhandlung herleitet[2], mit ihr jedoch nicht mehr übereinkommt. Hat besagter Vermittlungsprozeß — im Unterschied zu den lückenlos prozessualen, dramatischen Sonatensätzen wie dem ersten der 5. Symphonie — in Sonatensätzen wie dem ersten des Streichquartetts op. 59, Nr. 1 oder des Klaviertrios op. 97 zu einer gestaltenreichen musikalischen Epik Beethovenscher Art, an die Schubert anknüpfte, geführt, so zeitigt die auffällige Konzentration der Sonatensätze von op. 102 eine qualitative Veränderung jenes kompositorischen Vermittlungsproblems: An die Stelle einer prozeßhaft entwickelten thematischen Kantilene, an die Stelle einer thematischen Exposition ohne exponierenden Gestus — Eigenschaften, die exemplarisch auch in der dritten Cellosonate op. 69 zu beobachten sind — tritt hier eine Restitution des exponierenden Gestus, ohne daß sich eine von den Erfahrungen dieser mittleren Werke unberührte prozessuale thematische Arbeit daran anschlösse.

Nach stürmisch exponierendem Anfang wendet sich der Hauptsatz der D-Dur-Sonate im fünften Takt einer nicht prozeßhaft relevanten Kantilene zu, jener der C-Dur-Sonate — womöglich noch charakteristischer — bricht in einer Generalpause im 12. Takt brüsk ab und findet dem hier auf den Andante-Beginn bezogenen Prinzip der kontrastierenden Ableitung gemäß seine Fortsetzung in einem ruhigen, kantablen Kontrast (T. 40—45, Taktzählung incl. Andante), der formfunktional die zum Seitensatzkomplex modulierende Überleitung darstellt. Sofern die Überleitung ein kantables „Espressivo", der Seitensatz (T. 46f.) aber eine vorwärtstreibende Triolenbewegung aufweist, musikalischer Charakter und Formfunktion also auseinandertreten, zeigt sich mindestens ansatzweise, daß Beethoven in op. 102 das Problem einer „materialen Form" (Adorno), bei der Formfunktion und musikalischer Charakter zur Einheit verschmelzen, kompositorisch vergegenständlicht und thematisiert. Auch in den Durchführungspartien der beiden Sätze erweist sich die eigene Sonatentradition als gestörte. Die thematische Arbeit, selbstverständlich noch vorhanden, verliert, ihres Zieles beraubt und sich gleichsam im Kreise drehend, ihren eigentlichen Sinn. In auffallend ähnlicher Weise verstoßen die Durchführungen beider Sätze gegen die Formtradition: Bei beiden versickert der themenverarbeitende, modulierende Abschnitt in einem Stillstand (Nr. 1: T. 90f.; Nr. 2: T. 82f.), aus dem sich die musikalische Bewegung anstelle einer Rückleitung mit einer variierten subdominantischen Scheinreprise herausreißt, welche die erste Phrase des Hauptsatzes

1 Vgl. M. Cooper, *Beethoven,* S. 134.
2 Vgl. P. Gülke, *Kantabilität und thematische Abhandlung,* S. 252f.

vorwegnimmt. Die reguläre, ebenfalls motivisch verdichtete Tonika-Reprise, die sich unmittelbar daran anschließt, geht dadurch jeglicher mit dem Repriseneinsatz verbundenen Emphase — auch einer verinnerlichten — verlustig und scheint das Prinzip der motivisch-thematischen Arbeit, das sich in der Durchführung nicht voll etablieren konnte, auf den Reprisenbeginn verlagern zu wollen. Auf solche Weise verändert sich das für den mittleren Beethoven substantielle Prinzip der musikalischen Prozessualität beim Übergang zum Spätstil in op. 102 zu einem nurmehr intermittierend wirksamen Prinzip. Gewiß erfaßt es noch die Reprise und die knappe Coda, doch bestimmt es nicht länger — wie beispielsweise die harmonisch kühne, auf den Brahmsschen Klavierstil vorausweisende Partie beim Durchführungsbeginn und die Pianissimo-Suspension in der Coda der D-Dur-Sonate zeigen — die Essenz der Sonatensätze.

3. Die in op. 102 sichtbare neuartige Bedeutung der Polyphonie modifiziert gegenüber op. 69 entscheidend die satztechnischen und konstruktiven Möglichkeiten einer Duosonate für Klavier und ein Streichinstrument. In den früheren Duosonaten Beethovens, selbst noch in der Violinsonate op. 96, herrschen die Satztypen: Hauptstimme/Nebenstimme/Begleitung oder bloß Hauptstimme/Begleitung vor, die eine wechselnde Aufteilung der Tonsatzfunktionen auf zwei gleichwertige Spieler begünstigen. In op. 102 hingegen führt die Tendenz zur Polyphonie, welche nicht selten — etwa im Adagio der ersten und in der Fuge der zweiten Sonate — die Stimmen im mehrfachen Kontrapunkt austauscht, zu einer produktiven Spannung zwischen der „dualistischen" Partnerschaft zweier Interpreten und der Mehrstimmigkeit eines Tonsatzes, welcher dem Klavierpart bis zu drei Stimmen auferlegt, die mit der Cellostimme zusammen wechselnde Hierarchien bilden.

Gegenüber der verbreiteten Redeweise vom spröden Klangcharakter der Cellosonaten op. 102[1], die auf die dem Spätstil zugeschriebene Entmaterialisierung der Tonsprache hindeuten möchte, ist zu betonen, daß die Polyphonie in op. 102 Klangcharaktere verschiedener, ja geradezu gegensätzlicher Art ausprägt. Sie gründen in der — unter den Bedingungen der Beethovenschen Musiksprache kaum anderswo weiter vorangetriebenen — Differenz zwischen linearem und romantischem Kontrapunkt. Zielt jener auf abstrakte Entsinnlichung, so dieser auf euphonisch-kantable „Versinnlichung". Im Maggiore-Mittelteil des Adagios der D-Dur-Sonate op. 102, Nr. 2 stiftet der tendenziell romantische Kontrapunkt in der gleichzeitigen Kantabilität mehrerer gleich- oder mindestens ähnlich gearteter Stimmen einen lyrischen, auf den musikalischen Augenblick konzentrierten Wohlklang, der im Werk Beethovens selten ist und sehr direkt auf Schubert und einen romantischen Klangcharakter überhaupt verweist.

1 Vgl. P. Bekker, *Beethoven,* S. 447.

2: Nr. 2, 2. Satz, T. 24—29

Den scharfen Gegensatz zu solch romantischem Kontrapunkt bildet die Polyphonie des Fugen-Finales derselben Sonate — eine Polyphonie, welche die seit 1814 verstärkte Bach-Rezeption Beethovens unmittelbar dokumentiert und in der Tat zu einer auf sehr freier Dissonanzbehandlung beruhenden, abstrakten Entsinnlichung der Musiksprache führte. Hatte August Halm die (Bachsche) Fuge und die (Beethovensche) Sonate als zwei Kulturen der Musik einander entgegengesetzt und an dieser die dramenhafte Prozessualität, an jener die melodisch-thematische Durchbildung als zueinander konträre Eigenschaften hervorgehoben[1], so zeigt sich in op. 102, Nr. 2 der Gegensatz zwischen Sonate und Fuge verschoben, ja — so möchte man sagen — in sein Gegenteil verkehrt. Die Fuge der D-Dur-Sonate, die weitgehend auf gegensatzstiftende Kontrapunkte verzichtet, übernimmt nicht nur kompositionstechnische Elemente der motivisch-thematischen Arbeit wie Motivspaltung, imitatorische Engführung usw., die in den Sonatensätzen selbst preisgegeben wurden. Vor allem zeitigt ihr unerbittlicher, beinah lückenloser Verlauf, der nur in der Pianissimo-Umkehrung (T. 102f.) und im kontrastierenden zweiten Kontrasubjekt (T. 143f.)[2] eine kurze Ablenkung erfährt, eine dramatische Finalität, welche monothematisch realisiert, was der (auch durch die Integration einer kantabel durchgebildeten Thematik) gestörten Prozessualität der Sonate nicht mehr möglich erscheint.

---

1 Vgl. A. Halm, *Von zwei Kulturen der Musik.*

2 Dabei handelt es sich nicht um das zweite Thema einer vermeintlichen Doppelfuge; vgl. W. Kirkendale, *Fuge und Fugato,* S. 284.

INTERPRETATIONSANALYTISCHER KOMMENTAR. 1. Die Rede von den komponierten Anstrengungen, von dem Beinahe-Unmöglichen, das Beethoven den Interpreten abverlange, betrifft nicht nur die spieltechnische Seite der Ausführung, sondern ebenso die Realisierung eines oft komplexen musikalischen Sinnes, wie er zum Beispiel beim Andante der C-Dur-Sonate op. 102, Nr. 1 in der Ambiguität der gegenteiligen Funktionen von Introduktion und langsamem Satz komponiert ist. Auch in diesem Andante erscheint der Begriff der unendlichen Melodie, den Wagner selbst auf den ersten Satz von op. 101 bezog[1], ästhetisch — als in jedem Augenblick beredte, expressive Musiksprache — ebenso wie kompositionstechnisch — als musikalische Kontinuität, deren Zäsuren verdeckt sind — erfüllt. Ein Vortrag des Andantes muß sich danach beurteilen lassen, in welchem Maße er die komplexe Phrasenkonstruktion des polyphonen Tonsatzes plastisch realisiert, ohne den großen Atem der Kontinuität einzubüßen, der auch von der harmonischen Anlage des Andantes als einer Art komplizierte Groß-Periode verlangt wird, und in welchem Maße er einen der Introduktion unverzichtbaren Gestus improvisatorischer Spontaneität dem polyphon durchgebildeten Tonsatz mitzuteilen versteht. Neben dem großen Gewicht, das den Fermaten in Takt 5 und 10 zur verzögernden Auflockerung des Kontinuitätsflusses zukommt, spielt das Legato-Spiel für den Klavier- wie für den Cellopart eine entscheidende Rolle. Für den Cellisten gilt es zu erwägen, inwieweit die historische Bogenstrichpraxis, welche die notierten Bindebögen weit weniger als heute üblich unterteilte[2], zur Förderung des Legatos wieder berücksichtigt werden kann; der Pianist aber sollte überlegen, inwieweit das Legato dem Legatissimo, das die Töne über den vorgeschriebenen Wert hinaus hält — Schenker nannte dies „Handpedal"[3] —, angenähert werden darf, ohne die Deutlichkeit der polyphonen Linienführung zu gefährden.

2. Die skizzierte neue Stufe der Krise zwischen thematischer Abhandlung und Kantabilität in op. 102 wird durch eine Interpretation verdeutlicht werden, welche einerseits mittels Tempomodifikationen, prägnanter Phrasierungs-, Artikulations- und Dynamikdifferenzen und anderes die aufgebrochene Vermittlungslosigkeit der kontrastierenden Formabschnitte herausarbeitet, andererseits jedoch das für den späten Beethoven zentrale Prinzip des wenigstens scheinbar unvermittelten Gegensatzes nicht zur formalen Zusammenhanglosigkeit verzerrt, sondern die Male der Diskontinuität als gestörte Prozessualität, als aufgehobene Kontinuität ästhetisch zu vermitteln weiß. Welche aufführungspraktischen Mittel diesem Zwecke dienlich sind, müßte einer ausgearbeiteten, den Systemcharakter der beiden Kunstwerke bis in den Zusammenhang der Einzelheiten aufdeckenden Interpretationsanalyse vorbehalten bleiben.

Hier sei das Problem anhand des Anfangs der D-Dur-Sonate op. 102, Nr. 2 illustriert:

1 Nach J. Kaiser, *Beethovens 32 Klaviersonaten*, S. 475.
2 Vgl. E. Melkus, *Bogensetzung und Stricharten im Werk Beethovens*, S. 102ff., vor allem S. 123.
3 Vgl. G. Jarecki, *Beethovens Anmerkungen zu Etüden von Cramer*, S. 169f.

3: Nr. 2, 1. Satz, T. 1—11

Auf der einen Seite betont die Aufnahme von Pablo Casals/Mieczyslaw Horszowsky die gegenseitige Unabhängigkeit der Abschnitte des Hauptsatzes und wirkt dem Eindruck einer rhapsodischen Formlosigkeit kaum entgegen. Nach einem sehr freien Aufschwung des Cellos in Takt 4 und einer weiterhin introduktionshaften Agogik in den kadenzierenden Takten 5—7 wird erst in Takt 8 ein einigermaßen stabiles Allegrotempo erreicht, wodurch der falsche Schein erweckt wird, die vier (in der Reprise gestrichenen) kantablen Takte 8—11 stellten den eigentlichen Beginn des Hauptsatzes dar. Der Vortrag von Casals/Horszowsky kann in diesem Aspekt als Beispiel für den Mangel einer Interpretation einstehen, welche die Prozessualität nicht mehr als gestörten, aufgehobenen Hintergrund der Sonatenexposition erkennen läßt. Den gegenseitigen Fehler demonstrieren auf der anderen Seite Mstislav Rostropovich/Sviatoslav Richter. Indem sie die Phrasen und Abschnitte des Hauptsatzes in strikt gleichgehaltenem Tempo spielen, überspielen sie die komponierte Zerklüftung dieses Anfangs und täuschen eine musikalische Kontinuität vor, die, bereits in mittleren Werken wie zum Beispiel dem Beginn des Klaviertrios op. 70, Nr. 1 angegriffen, noch weniger in den Sonatensätzen von op. 102 vorausgesetzt werden darf.

Eine Passage in der Durchführung desselben Satzes, des Kopfsatzes von op. 102, Nr. 2, wirft das Akzent-Problem auf, die mit Sforzato-Synkopen durchsetzten Takte 61f.:

4: Nr. 2, 1. Satz, T. 60—62

Es scheint, als sei diese implizit polyphone Partie geradezu ein Muster eines möglichen Anwendungsfalles der — von Anton Schindler überlieferten — prosodisch orientierten, freien Vortragsweise Beethovens, dergemäß Akzente nicht allein dynamischer, sondern — dem Positivismus einer äußerlichen Texttreue zuwider — ebensowohl rhythmischer Qualität sein können, um die unterschiedliche Gewichtung rhythmisch gleichwertig notierter Töne zu verdeutlichen. Einmal vorausgesetzt, es handle sich bei dieser möglicherweise mit dem barocken Notes-inégales-Spiel verwandten Vortragsweise tatsächlich nicht um eine Erfindung Schindlers[1], so braucht man keineswegs Harry Goldschmidts Interesse an einer Text-Semantisierung der reinen Instrumentalmusik zu teilen, um gleichwohl eine umfassende historische Rekonstruktion der Beethovenschen Vortragsweise, für die seine Anmerkungen zu den Cramer-Etüden eine wichtige Quelle darstellen, als eine bedeutende Aufgabe der Musikforschung zu erachten. Einem modernen Interpretationsverständnis dürfte indessen am ehesten ein Vortrag der fraglichen Passage wie in der Einspielung von Rostropovich/Richter entsprechen, die ohne den geringsten Anflug eines rhythmischen Akzentes allein die dynamischen Akzente — diese freilich umso schroffer — realisieren und die Partie strikt im Tempo und in unnachgiebigem Staccato spielen. Die innere Dramatik der Beethovenschen Musik tritt so jedenfalls überzeugender in Erscheinung als bei einer Interpretation, welche die energische Ausdruckskraft der dynamischen Akzente etwa unter Berufung auf August Halms polemische Einwände gegen die Sforzato-Manie einer „oratorischen Dynamik" zurückdrängt.[2]

3. Am Beispiel des zweiten und dritten Satzes der D-Dur-Sonate op. 102, Nr. 2 seien schließlich noch einige Bemerkungen zu Fragen der aufführungspraktischen Bedeutung verschiedener Arten des Beethovenschen Tonsatzes, namentlich der unterschiedlichen Typen von Polyphonie, angebracht. Hinsichtlich des Erfordernisses, das Gewicht der verschiedenen Stimmen eines Tonsatzes aufgrund einer Erkenntnis ihres funktionalen Stellenwertes unterschiedlich zu realisieren, lassen sich nicht selten auch bei namhaften Interpreten gravierende Mängel beobachten, die zwar von der Aufnahmetechnik mitbewirkt sein mögen, aber doch von den Künstlern zu ver-

---

1 Vgl. I. Ahlgrimm, *Barocke Tradition bei Beethoven,* S. 165; vgl. überdies H. Goldschmidt, *Beethovens Anweisungen zum Spiel der ‚Cramer'-Etüden,* S. 545f.

2 Vgl. A. Halm, *Von Grenzen und Ländern der Musik,* S. 151f.; ders., *Beethoven,* S. 241f.

antworten sind. Die insgesamt neun Aufnahmen von op. 102, die wir für unseren Beitrag berücksichtigt haben[1], stellen hierbei keine Ausnahme dar.

Für den mezza voce-Beginn des „Adagio con molto sentimento d'affetto" bedeutet es einen Unterschied ums Ganze, ob der homophone Satz fälschlicherweise als Cello-Hauptmelodie mit untergeordneter Klavierbegleitung oder treffend als choralartiger, wenngleich nicht strengstimmiger Instrumentalsatz begriffen wird, dessen mezza voce-Verinnerlichung alle Stimmen gleichermaßen betrifft.

5: Nr. 2, 2. Satz, T. 1—6

Die „espressivo"-Fortsetzung dieses homophonen Beginns prägt ab Takt 9 einen sehr verschiedenen, nun über einem Baßostinato imitatorisch von Klavieroberstimme und Cello geführten Tonsatz aus, dessen musikalischer Sinn — wie jener der meisten Imitationen von op. 102 — gefährdet ist, bemüht sich der Cellist nicht um strikte Differenzierung seines Parts (was gegebenenfalls auch Unterordnung bedeuten muß) und trägt der Pianist seine Hauptstimme nicht genügend sonor vor. Pierre Fournier/Friedrich Gulda sowie Rostropovich/Richter lösen diese Aufgabe treffend. Andere Probleme des mehrstimmigen Vortrags stellt der tendenziell romantische Kontrapunkt im Maggiore-Mittelteil dieses Satzes (T. 25ff., vgl. Notenbeispiel 2), wobei die Charakterisierung „tendenziell" die geringfügige, gleichwohl aber zu beachtende Differenz dieses Beethovenschen Kontrapunkts zu dem ununterschieden gleichgewichtigen Strömen zweier Stimmen im Paradigma des Schubertschen romantischen Kontrapunkts, im Seitensatz des C-Dur-Quintetts (D 956), zum Ausdruck bringen möchte. Bei Beethoven läßt sich eine gewiß sekundäre Funktionsdifferenzierung zwischen den Hauptstimmen der besonders in Frage stehenden Partien Takt 25f., Takt 34f. und Takt 40f. nicht übersehen. So wird der lyrisch erfüllte Melodiefluß bei Takt 25f. gestiftet von: 1. der Oberstimme des Klaviers, die rhythmisch am reichsten, diastematisch am ausgreifendsten ist; 2. der Cellostimme, die als romantischer Kontrapunkt von gleichem Ausdruckscharakter erfüllt, doch etwas weniger durchgebildet ist; und 3. der vom Orgelpunkt A gebrochenen, untergeordneten Nebenstimme in der linken Hand des Klavierparts.

1 1. Pablo Casals / Mieczyslaw Horszowsky: Philips A 00507 L; 2. Pierre Fournier / Artur Schnabel: EMI C 147-01 382/83; 3. Ludwig Hoelscher / Elly Ney: Telefunken BLE 14 097; 4. Enrico Mainardi / Carlo Zecchi: DGG LPM 18354; 5. János Starker / György Sebok: Erato EJA 6/7; 6. Pierre Fournier / Wilhelm Kempff: DGG 138993/95; 7. Pierre Fournier / Friedrich Gulda: DGG 138083; 8. Mstislav Rostropovich / Sviatoslav Richter: Philips 835 182/83; 9. Jacqueline du Pré / Daniel Barenboim: EMI C 153-97 313/15.

Das Problem, eine solcherart nuancierte, beinah unmerkliche und überdies von Passage zu Passage veränderte Stimmenhierarchie, für deren Wohlklang eine hohe Legato-Kultur unerläßlich ist, angemessen zu realisieren, gelingt unter den berücksichtigten Aufnahmen Fournier/Schnabel und du Pré/Barenboim am besten.

Mit Absicht hatten wir bisher das komplizierte und — wie Rudolf Kolisch zu Recht betonte[1] — zentrale Tempoproblem ausgeklammert. Die Breite sinnvoll möglicher Tempoentscheidungen ist bei einem Satz besonders gering, beim Finale der D-Dur-Sonate nämlich, weshalb eine auch nur fragmentarische Interpretationskritik desselben die Tempo-Kategorie berücksichtigen muß. Für dieses Allegro fugato, die erste der großen Schlußfugen des späten Beethoven, deren kompositorischen Wagnissen nicht nur seine Zeitgenossen verständnislos gegenüberstehen mußten, ist der Mut zu einem schnellen, in etwa Czernys Vorschlag (punktierte Halbe = M.M. 63) entsprechenden Tempo unabdingbar, soll der spielerisch brillante Charakter des Satzes nicht aus falscher Vorsicht zu einer von Beethoven um der poetischen Idee willen verabscheuten, stümperhaften Fugenpedanterie verzerrt werden, wie es bei Casals/Horszowsky oder Mainardi/Zecchi geschieht, die die punktierte Halbe ungefähr = M.M. 53 spielen. Die notwendige Risikofreudigkeit setzt freilich ein instrumentaltechnisches Rüstzeug voraus, das nur wenige besitzen, und selbst Pianisten vom Range Schnabels oder Barenboims zeigen sich den technischen Schwierigkeiten, welche die Klarheit der linearen Stimmführung oder die Schroffheit von Dissonanzhäufungen wie in Takt 56—58 bedingen, kaum gewachsen. Czerny macht zu Recht darauf aufmerksam, daß die zahlreichen Anweisungen zur Dynamik wohl zu beachten seien[2], denn sie gehören in der Tat zu den wichtigsten, leider oft vernachlässigten Mitteln zur Gliederung eines musikalischen Verlaufs, dessen kontrapunktische Organisation sich nur noch frei auf Momente der Fugen-Tradition stützt. Rostropovich/Richter realisieren bewußt den formalen Sinn der dynamischen Disposition, welche fünf Crescendi — teils nach längerem Forte — subito piano zurücknimmt und erst das mit dem sechsten Crescendo erreichte Forte erstmals in einem Diminuendo (T. 98—101) bis zum Pianissimo reduziert, so daß die hier einsetzende Umkehrung des Themas auf der bisher leisesten dynamischen Stufe und im teilweise chromatisch geführten Legato ihre wesentliche Kontrastwirkung ästhetisch deutlich zu vermitteln vermag. So gewiß die Thema-Umkehrung und später das zweite Kontrasubjekt (T. 143f.) als gegen die Unerbittlichkeit der fugierten Abhandlung gerichtete, die Lückenlosigkeit der Bewegung aufsprengende Partien aufs deutlichste realisiert werden sollen, so gewiß ist andererseits ihre bloß momentane, auf Verzögerung, nicht auf Abbruch der Hauptbewegung zielende Funktion. Die Auflockerung dient vor allem der Steigerung der Finalität dieser Schlußfuge, und nur eine Interpretation, welche die finale Dramatik bis zu den Trillerketten und Läufen ab Takt 185 durchhält, ja intensiviert — und nicht wie Casals/Horszowsky die Bewegung in den Schlußtakten bremst —, wird der neuen, aus dem Geist der Sonate komponierten Fuge ihr Recht geben.[3]

Hermann Danuser

---

1 Vgl. R. Kolisch, *Tempo und Charakter.*

2 Vgl. C. Czerny, *Über den richtigen Vortrag* (1963), S. 84.

3 Vgl. C. Dahlhaus, *„Von zwei Kulturen der Musik“,* S. 397ff.

Bläseroktett Es-Dur
op. 103 (→ op. 4)

Streichquintett c-Moll
op. 104 (→ op. 1, Nr. 3)

6 variierte Themen für Klavier (Flöte oder Violine ad lib.)
op. 105

ENTSTEHUNGSZEIT: 1816—1818.
ERSTAUFFÜHRUNG: nicht ermittelbar, da als private Kammermusik intendiert, öffentliche Aufführungen sind bis heute selten geblieben.
SKIZZEN: British Library London, Ms. Egerton 2327.
AUTOGRAPH: British Library London, Ms. Egerton 2327 („Air[s] Ecossais avec Variations").
ERSTDRUCK: London und Edinburgh 1819 (T. Preston und G. Thomson); Wien 1819 (Artaria & Co.).
GESAMTAUSGABE: Alte Gesamtausgabe: Nr. 113 und 114 = Serie 14 Nr. 2 und 3.

Die mit den Titeln *National Airs / With Variations / For The / Piano Forte / And Accompaniment for the Flute* in Schottland und England, in Wien jedoch als *Thèmes Variés / bien faciles à éxécuter / Pour Le / Piano-forte seul / Ou / avec accompagnement d'une Flûte / ou d'un Violon (ad libitum)* versehene Sammlung und mit Satzfehlern behaftete Edition von Variationen legt einen in dieser Divergenz der Bezeichnungen angelegten Konflikt offen zutage. Weder sind nämlich die Kennzeichnungen *National Airs* oder *Thèmes* in ihrem künstlerischen Anspruch gleichwertig, noch ist die als verkaufsbeförderndes Signal mitgegebene Empfehlung *bien faciles à éxécuter* in Einklang zu bringen mit den Anforderungen, die diesen Stücken tatsächlich mitgegeben sind. Die Problematik, in einer Abfolge von Variationen entweder „Kunstwerke" mit Themen oder aber „elegante Modearbeiten" über vorgegebene Airs zu vermitteln, hat nicht erst im Jahre 1837 die *Neue Zeitschrift für Musik* (Bd. 6, S. 176), sondern bereits der Autor selbst reflektiert. Dieser wollte einen von dem schottischen Verleger und Musikliebhaber George Thomson (1757—1851) an ihn ergangenen Auftrag, „12 Thèmes avec variations" zu liefern, gewinnbringend nutzen, wobei es galt, marktbedingte Anpassungszwänge mit dem um 1818 erreichten Standard einer eigen geprägten Gewichtigkeit von opera musicae zu verknüpfen. In dem mit Thomson bereits 1806 geführten Briefwechsel wird dieser Widerstreit angesprochen. Beethoven war demnach deutlich willens, sich zu „bemühen", die Kompositionen leicht sowie angenehm zu machen und zudem diese für den damals modischen Hausgebrauch mit der Flöte oder Violine ad libitum einzurichten. Freilich wurde ihm dieses Entgegenkommen an den gesellschaftlichen Usus dadurch erschwert, daß die vor 1832 ausschließlich gebräuchliche Traversflöte „zu beschränkt und unvollkommen" (wegen der erst später behobenen Intonationsmängel) war, weswegen er dieses Instrument seit op. 41 von 1803 solistisch nicht mehr verwendet hatte. Zudem war sich Beethoven dessen bewußt, daß er diese Aufgabe nur mehr eigenverantwortlich „in my style" (1816) lösen konnte, welcher mit einer gefälligen „Simplicité" und mit „la nature du chant" (1818) schwerlich zu harmonisieren war. Beethoven war nicht minder die Diskrepanz einer gebrauchsgerechten, etwa den begrenzten Ansprüchen der Mitglieder der Edinburgh Musical Society (wozu Thomson als Geiger gehörte) genügenden Faktur von simplen Arrangements, also „pièces d'occasion", sowie den idealen Forderungen an thematischer Arbeit im Rahmen von Charaktervariationen, die an Liedvorgaben gebunden sind, gegenwärtig. Er artikulierte daher künstlerische Vorbehalte, die später etwa Arnold Schönberg gegen Bearbeitungen von Volksmelodien mit den Mitteln der „wahren Musik" radikaler formuliert hat, ohne freilich daraus die Konsequenz der Verweigerung zu ziehen. Vielmehr intendierte er, so weit als möglich das in Liedvariationen übliche Konvenable und nur Galante unbekümmert eigenwillig zu überbieten. Dies geschah auch im Sinne einer sozialen Rückversicherung eines vereinsamten Komponisten zwecks praktischer Einlösung der Maxime „seid umschlungen Millionen" mittels der Benutzung von „chansons de diverses nations" (1817).

„Chansons de diverses nations" faßte Beethoven in op. 105 zusammen, indem er sechs sogenannte „airs écossais", die nicht sämtlich aus Schottland, sondern auch aus Irland und Wales stammen, sowie ein „air autrichien" in zwei Hefte gebündelt (Nr. 1—3 und Nr. 4—6) aneinander reihte. Aus mündlicher Tradition stammende Volksmelodien stehen neben schlagerhaft verbreiteten, urbanen Gesängen aus dem Bereich leicht faßlich komponierter Singspieleinlagen. Keines dieser Stücke ist mit mehr als sechs Variationen ausgestattet worden, womit offensichtlich ein lediglich ebenso begrenzter Kunstanspruch dokumentiert wird wie in der dem Belieben überlassenen Verwendung der Begleitinstrumente Flöte und Violine, deren Stimme nur gelegentlich als ein unverzichtbar integraler Part auskomponiert ist. Diese Stücke sind somit primär als Klaviermusik zu betrachten und den bereits 1815/1816 geschriebenen Liedbearbeitungen op. 108 als stilisierteres, weil textloses Arbeitsergebnis zeitlich anzuschließen. Die zitierten Melodien, deren Texte Beethoven nur teilweise kannte, dienten ihm als Materialbasis, sie sind indessen nicht — wie bei späteren Volksliedbearbeitern — das scheinhaft naiv oder verklärend herauszustellende Ziel eines Gestaltungs- und Umgestaltungsprozesses.

Die Nr. 1 basiert auf dem walisischen Lied „The cottage maid" (vgl. WoO 155, Nr. 3). Die aus mehrmaligen Wiederholungen einer Phrase bestehende Melodie dürfte wegen dieser Redundanz nur schwerlich dem Anspruch genügen, welchen Adolf Bernhard Marx für ein „künstlerisches Gelingen" stellte, das mehr sein sollte als ein „Zerreissen und stückweis' Abnützen" eines vorgegebenen Gebildes.[1] Dennoch hat Beethoven es vermocht, mittels seines individuierenden und also ernst nehmenden Zugriffs das simpel Erscheinende zu verwandeln. Variation 1 überführt die schlichten Dreiklangsbrechungen in G-Dur in eine an Synkopen und chromatischen Zwischenstufen reiche Andersartigkeit, welcher auch der Baß folgt, der anstelle

1 A. B. Marx, *Die Lehre von der musikalischen Komposition,* Bd. III, S. 54.

eines monotonen Pendelns radikal kontrastierend ein verhaltenes, die betonten Taktteile aussparendes Schweben antönt.[1] Variation 2 hingegen läßt über einem durchlaufenden „Triolen-Basso" nachschlagende Akkorde erklingen, die nur mehr andeutend die Liedweise präsent halten. Dieses Nachschlagen spart die schweren Taktteile aus und wird dem Ende zu verschoben bis zum Schlußakkord, der auf das sechste Sechzehntel, also das leichteste im 2/4-Takt, fällt. Variation 3 löst im Klavierpart die Liedweise in gebrochene Klänge auf, die bis in die höchste Oktave angehoben werden, während das Soloinstrument reduziert die Kerntöne der walisischen Weise markiert. In einer anschließenden g-Moll-Variation wird aus der kennzeichnend deszendenten Brechung des Grundakkords des ersten Liedtaktes das Thema für ein gewichtiges Fugato abgeleitet, welches in ein finales Zitieren („dolce") des Themas in G-Dur überführt wird, so daß das auf knappste Weise vollzogene, vielfältig gestaltete musikalische Geschehen wie eine Reminiszenz an den Beginn zurückverweist.

Nr. 2 „Air écossais" ist ebenfalls ein „Welsh Air" mit dem Inzipit „Of noble race was Shenkin", in welchem nach Art einer Ballade im Molltone archaisiert zeilenweise Solo- und Chorpartien voneinander abgesetzt sind. An diesem scheinhaften Rollenspiel von Vorsänger und Allen hält Beethoven auch in den Variationen fest; die Anteilnahme des Soloinstruments an dieser Strukturierung unterstreicht diese Anlage, bis kurz vor dem Ende beide Instrumente unisono bestärkend zusammenwirken, um mit einem markanten Sforzato-Schlußakkord auf der zweiten Zählzeit das kleine Werk zu beschließen. In den Variationen löst der Komponist die Liedweise auf bis zur punktuellen Andeutung des Gerüstes. Beethoven belebt diese mit rhythmisch differenzierendem Schwung, er gestaltet sie um zu einer behaglich („dolce") sich drehenden Tanzmelodie, um diese endlich beschleunigt in ihrer gleichsam „edlen Simplizität" unter einem durch 17 Takte gehaltenen Triller auf g'' in Erscheinung treten zu lassen.

Nr. 3 wird als „air autrichien" gekennzeichnet. Es ist dies das um 1800 in Wien populär gewesene Scherzlied „A Schüsserl und a Reindl", welches sich Beethoven 1816 mit der Bemerkung „ich brauch' es" von Siegmund Anton Steiner hatte zuschicken lassen.[2] Es besingt die Anspruchlosigkeit eines armen Freiers seiner Braut gegenüber. Bereits 1799 war es in dem komischen Singspiel *Der Marktschreyer* von Franz Xaver Süßmayer im Kärntnertortheater zu Wien im Schlußchor präsentiert sowie als Gesellschaftslied zur Guitarre in Umlauf. Dieses „Tema" zitiert somit ein besonders in der Stadt Wien gassenhauerisch bekannt gewesenes Stück. Beethoven adaptiert das Lied, indem er es problematisiert, analysiert, verfremdet, ausgestaltet, indem er etwa die Begleitung der ersten vier Takte (♩ ♪𝄾 | ♪♪♪𝄾 | ♪♪♪♪ | ♪) abweichend von der gängigen Praxis, rhythmisch die Spannung steigernd, ausformuliert. Variation 1 setzt die simple Melodie um in eine sowohl strömende als auch ruckartig gestoßene Bewegung, Variation 2 löst das Thema in leicht schwebende Andeutungen der markanten Kerntöne auf, die Variationen 3 und 4 kontrastieren damit insofern, als dieses Spiel der Rückbindung an Partikel der Liedweise nebst deren Ver-

---

1 Zum Folgenden vgl. J. Uhde, *Beethovens Klaviermusik,* Bd. I, S. 426ff.; C. B. Oldman, *Beethoven's Variations on National Themes,* S. 45ff.

2 Vgl. L. Schmidt, *Zu „A Schüsserl und a Reindl",* S. 43f.

flüchtigung, bis hin zum punktuellen Antönen reichend, auskomponiert werden. Die Variationen 5 und 6 schließlich verleihen dem Gassenhauer die Gewichtigkeit einer tiefer auslotbaren musikalischen Kleingestalt, worin die eindunkelnde Molltönung im „Adagio sostenuto" ebenso aufgespürt wird wie eine „semplice" auszuführende Kahlheit oder überraschende harmonische Querstände, die Entrückung in die höchste Oktave sowie die abrupte Rückführung („dolcissimo") in eine scheinbar beseligende Einfachheit des Anfangs eingebracht sind, also ein Höchstmaß an Kunstfertigkeit.

Der Nr. 4, einem „Air écossais", ist das populare irische Lied „The last rose of the summer" (vgl. WoO 153, Nr. 6) zugrundegelegt, in einer durch den synkopierenden Scotch snap (z.B. T. 2) von der gängigen Wendung (etwa bei Friedrich von Flotow in der Oper *Martha*) markant abweichenden Fassung. Auch die auf einem ostinaten Baß simpel basierende Begleitung gibt dieser Version den Anstrich eines eine regional determinierte Intonation reflektierenden Gepräges. Dieser auf ethnisch Bestimmtes hinweisende Tonfall wird freilich in den fortlaufenden Achteltriolen der ersten Variation suspendiert. In Variation 2 wird die Terzen- und Sextenseligkeit des Themas auf dem Klavier der linken Hand übergeben, überzogen von einer girlandenartig schwebenden Oberstimme. In Variation 3 wird dieser Eindruck der Verflüchtigung fortgesetzt, wobei die Terzen und Sexten in der Brechung von Spielfiguren präsent bleiben, die auf einer Fermate in der Untermediante Ces zum Stillstand gebracht werden, gefolgt von einer lediglich einzeiligen Rückkehr in die Es-Dur-Tonart des Eingangs.

Nr. 5, „Chiling O'Guirg" (vgl. WoO 154, Nr. 6) deutet ebenfalls einen als irisch-schottisch zu interpretierenden Tonfall an mittels der Grundierung dieser Tanzweise auf ein bordunierendes Getön in Dudelsackmanier. Diese undifferenzierte Klanglichkeit ohne vorgeschriebenen Stärkegrad (im Piano zu spielen?) soll vermutlich in dem gesamten Stück durchgehalten werden, denn erst im vorletzten Takt wird ein Forte als Vortragsanweisung verlangt. Beethoven umschreibt seinen Eindruck von der Sonderbarkeit solcher Vorlagen für seine kompositorische Tätigkeit in einer Tagebucheintragung von 1814 mit dem Satz: „Die Schottischen Lieder zeigen als ungezwungen die unordentlichste Melodie vermöge die Harmonie behandelt werden kann."[1] In den drei Variationen operiert der Komponist mit der rural-derben Weise, indem er deren Schwerpunkte rhythmisch verschiebt und damit aus einem „Natur"-Gebilde ein Kunstprodukt macht, indem er außerdem die ostinate Begleitung auf Tupftöne reduziert und damit artifiziell stilisiert sowie schließlich Thema und Begleitung durch die Verschiebung der oberen Töne aus der Gemächlichkeit des Anfangs heraus in ein gespannteres Verhältnis setzt, um am Schluß verharmlosend auf die Simplizität des Anfangs zu rekurrieren.

Nr. 6 zitiert das irische Lied „English bulls" („Oh! have you not heard, Pat", vgl. WoO 152, Nr. 12). Dieses wird in seinem monotonen Ablauf durch eine nach der ersten Melodiezeile harmonisch steigernde Begleitung künstlerisch ausgestaltet. Dieser Prozeß wird in vier Variationen fortgesetzt. Einfaches wird einfallsreich umspielt und in zwischen dem Soloinstrument sowie dem Klavier ausgetragene variantenreiche Tonleiter- und Oktavspannungen überführt, sodann „p dolce" der linken

1 M. Solomon, *Beethovens Tagebuch,* S. 53.

Hand übergeben, um schließlich in forte kontrastierend bei Nutzung der im Thema angelegten Vorschläge — im Solopart wie im Klavier — überhöht zu werden zu einem dem Spätwerk Beethovens sich würdig einfügenden Stück. Dieses beschließt in kompakter Steigerung thematischer wie klanglicher Reminiszenzen eine Coda, welche bemerkenswerterweise dieses op. 105 nicht affirmativ im Fortissimo zu Ende bringt, sondern vielmehr ungewöhnlich in zwei Piano-Akkorden, die — staccato — leicht getupft auszuführen sind, beschließt.

Eine überschauende Betrachtung der in op. 105 zusammengefaßten sechs Variationen ist unten auf S. 154f. im Zusammenhang mit op. 107 zu finden.

Walter Salmen

Klaviersonate B-Dur „Hammerklaviersonate" op. 106

ENTSTEHUNGSZEIT: 1817—1819.
ERSTAUFFÜHRUNG: Uraufführung unbekannt; erste nachweisbare Aufführung durch Carl Czerny 1823/1824 (vgl. K.-H. Köhler / Gr. Herre, *Ludwig van Beethovens Konversationshefte*, Bd. V, S. 133), möglicherweise schon vorher durch dessen damals zehnjährigen Schüler Franz Liszt 1821/1822 (vgl. Fr. Liszt, *Briefe an die Fürstin Carolyne Sayn-Wittgenstein*, Teil 4, S. 164).
SKIZZEN: Staatsbibliothek Preußischer Kulturbesitz Berlin, Artaria 136 und aut. 58; Deutsche Staatsbibliothek Berlin, Grasnick 20b und Landsberg 9; Beethoven-Haus Bonn; Gesellschaft der Musikfreunde Wien; Fitzwilliam Museum Cambridge; Bibliotheca Bodmeriana Genf; Library of William Scheide Princeton; Library of Congress Washington.
AUTOGRAPH: nicht erhalten bzw. Aufbewahrungsort nicht ermittelt.
ERSTDRUCK UND WIDMUNG: Wien 1819 (Artaria & Co.); London 1819 (The Regent's Harmonic Institution); Erzherzog Rudolph von Österreich gewidmet.
GESAMTAUSGABE: Alte Gesamtausgabe: Nr. 152 = Serie 16 Nr. 29.

„Jetzt schreibe ich eine Sonate, welche meine größte seyn soll." Mit diesen Worten berichtete Beethoven seinem Schüler Carl Czerny[1] von der Arbeit an der B-Dur-Sonate, die im September 1819 als „Grosse Sonate für das Hammerklavier" bei Artaria in Wien, im Dezember 1819 als „Grand Sonata for the Piano Forte" bei The Regent's Harmonic Institution in London erschien. Während die Wiener Ausgabe die Opuszahl 106 und eine Widmung an Erzherzog Rudolph trug, fehlte in der Londoner Ausgabe beides.[2] Mehr noch: Die englische Ausgabe veröffentlichte die Sonate in einer reduzierten Fassung mit abweichender Reihenfolge der Sätze: I. Allegro, II. Adagio sostenuto, III. Scherzo. Assai vivace. Die Schlußfuge (mit Largo-Einleitung) erschien beim gleichen Verleger separat unter dem Titel: „Introduction & Fugue for the Piano Forte". Die Legitimation für dieses Vorgehen des Verle-

1 C. Czerny, *Über den richtigen Vortrag* (1963), S. 16.
2 Vgl. G. Kinsky / H. Halm, *Das Werk Beethovens*, S. 290ff.; A. Tyson, *The Hammerklavier Sonata*, S. 235ff.

gers liegt in dem bekannten Brief Beethovens vom 19. April 1819 an seinen in London lebenden Schüler Ferdinand Ries, durch dessen Vermittlung die englische Ausgabe zustandegekommen war. Die entscheidenden Sätze dieses überraschenden, angesichts der imponierenden zyklischen Einheit der Sonate höchst befremdlichen Dokuments seien hier im Wortlaut zitiert: „[...] sollte die Sonate nicht recht seyn für London, so kön[nte] ich eine andere schicken, oder Sie können auch das Largo auslaßen u. gleich bei der Fuge das letzte Stück anfangen [...] oder das erste Stück alsdann das Adagio u. zum 3-ten das Scherzo u. N° 4 sammt Largo u. All° risoluto ganz weglaßen, oder Sie n[ehmen] nur das erste Stück und Scherzo als S[onate]. Ich überlaße Ihnen dieses, wie Sie es am besten finden."[1] Wenn der englische Verleger von den insgesamt drei hier angebotenen Alternativmöglichkeiten die zweite wählte, so konnte er sich also auf das Einverständnis des Komponisten berufen.

Will man die Gründe Beethovens für diese überraschende Großzügigkeit gegenüber dem englischen Verleger verstehen, so wird man die Fortsetzung des zitierten Briefes an Ries lesen müssen: „Die Sonate ist in drangvollen Umständen geschrieben, denn es ist hart beinahe um des Brodeswillen zu schreiben und *soweit* hab ich es *nur* gebracht, wegen nach London zu kommen, werden wir unß noch schreiben, es wäre gewiß die einzige Hoffnung für mich aus dieser elenden sorgenvollen Lage zu kommen."[2] Die Entstehung der Sonate, die im wesentlichen in die Jahre 1817/1818 fiel, war überschattet durch den Tod des Bruders Caspar Carl und die nachfolgenden Auseinandersetzungen um die Vormundschaft des Neffen; hinzu kam die fortschreitende Ertaubung, die ab Februar 1818 die Benutzung von Konversationsheften notwendig machte. Auch die wirtschaftliche Lage Beethovens hatte sich rapide verschlechtert, und so konnte es nicht überraschen, daß er alle Hoffnungen auf England setzte. Eine Einladung der Philharmonic Society, in London eigene Symphonien zur Aufführung zu bringen, lag bereits seit 1817 vor. Wie ein roter Faden zieht sich durch die an Ries gerichteten Briefe dieser Jahre der Wunsch, baldmöglichst nach London zu reisen, um seinem „gänzlichen Ruin" zu entgehen.[3] Es waren wohl vor allem gesundheitliche Gründe, die sich der Verwirklichung dieses Plans in den Weg stellten.

Den Namen „Sonate für das Hammerklavier" teilt die B-Dur-Sonate mit ihrer Vorgängerin, der A-Dur-Sonate op. 101. Er steht in Zusammenhang mit dem Wunsch Beethovens nach Eindeutschung bestimmter musikalischer Besetzungs- und Vortragsanweisungen. Mit Bezug auf op. 101 erklärte der Komponist am 23. Januar 1817 dem Wiener Verlagshaus Steiner seine feste Absicht, „daß hinfüro auf allen unseren Werken, wozu der Titel deutsch, statt Pianoforte ‚Hammerklavier' gesetzt werde".[4] Daß er für diese Absicht an anderer Stelle eine historisch unrichtige Begründung anführte („ohnehin ist die Erfindung auch deutsch, gebt Ehre dem Ehre gebührt"[5]), sei nur am Rande vermerkt. Widmungsträger der Sonate ist Erzherzog

1 Zit. nach J. Fischer, *Zur „Grossen Sonate für das Hammerklavier"*, S. 190ff. (mit Faksimile des Brief-Autographs); E. Kastner / J. Kapp, *Ludwig van Beethovens sämtliche Briefe*, S. 503.
2 Siehe Anm. 1.
3 Fr. G. Wegeler / F. Ries, *Biographische Notizen*, S. 146.
4 G. Kinsky / H. Halm, *Das Werk Beethovens*, S. 293; E. Kastner / J. Kapp, *Ludwig van Beethovens sämtliche Briefe*, S. 401.
5 Ebenda.

Rudolph, der jüngste Sohn Kaiser Leopolds II. und Schüler Beethovens. Schon inmitten der Skizzen und Entwürfe des Jahres 1817 zu op. 106 findet sich ein Fragment, das möglicherweise für eine an den Erzherzog gerichtete Huldigungskomposition bestimmt war. Die Textunterlegung „Vivat Rudolphus“ sowie die auffallende Ähnlichkeit mit dem Themenkopf des ersten Satzes der Sonate ließ Nottebohm in diesem Fragment zu Recht eine „Anticipation der Widmung der Sonate“ sehen.[1] Daß die Dedikation von Anfang an dem Erzherzog zugedacht war, läßt sich dem bekannten Brief entnehmen, mit dem Beethoven seinem kaiserlichen Schüler zur Ernennung zum Erzbischof von Olmütz gratulierte: „Ich füge hier zwei Stücke bei, worauf geschrieben, daß ich sie vor dem Namenstag Ihrer Kaiserlichen Hoheit [17. April] voriges Jahr [1818] schon geschrieben habe [...] Zu den zwei Stücken von meiner Handschrift an I. K. H. Namenstag geschrieben sind noch zwei andere gekommen, wovon das letztere ein großes Fugato, so daß es eine große Sonate ausmacht, welche nun bald erscheinen wird und schon lange aus meinem Herzen I. K. H. ganz zugedacht ist.“[2]

Die großformale Anlage der „Riesensonate“ konstituiert sich durch die Abfolge der Sätze 1. Allegro — 2. Scherzo. Assai vivace — 3. Adagio sostenuto — 4. Largo / Allegro risoluto. Sie folgt damit der konventionellen Viersätzigkeit der Wiener Klassik — mit dem Scherzo an zweiter statt an dritter Stelle — und verleiht op. 106 in dieser Hinsicht eine Ausnahmestellung unter den späten Klaviersonaten Beethovens. Aus der Abfolge der vier Sätze resultiert eine klug ausbalancierte Gewichtverteilung: Der mit großer Geste einsetzende sonatenförmige Eröffnungssatz findet sein Gegengewicht in der mächtigen Fuge des Finalsatzes; beide Ecksätze umschließen den zu nicht minder großen Dimensionen geweiteten, wohl umfangreichsten langsamen Mittelsatz Beethovens, das Adagio sostenuto in fis-Moll. Lediglich das Scherzo scheint sich diesem „Gleichgewicht“ nicht einzufügen; in seiner rasch vorüberhuschenden Kürze wirkt es wie ein „parodistisches Echo“ auf den ersten Satz.[3] Untypisch für den Spätstil Beethovens ist auch das Fehlen jenes „Strebens nach vokalem Ausdruck“, das sich in anderen Sonaten der Spätzeit, aber auch in den letzten Streichquartetten in Formen wie Rezitativ, Arie, Lied, Choral manifestiert.[4] Allenfalls bildet das Adagio sostenuto mit seiner Häufung von Vortragsanweisungen wie „con grande espressione“ und „molto espressivo“ eine Insel des Liedhaften, der instrumentalen Kantabilität inmitten einer Komposition, die einen Extremfall des Beethovenschen Stils darstellt. „Nie wieder komponierte er ein so zwanghaft konzentriertes Werk.“[5]

Mit großer zupackender Geste eröffnet Beethoven den ersten Satz. Die „Vivat Rudolphus“-Rufe der Skizzenhefte verleihen dem Themenkopf seinen fanfarenähnlichen Charakter und lassen die fallende Terz von Anfang an als zentral bedeutsames Intervall hervortreten. Nicht zufällig ist auch der Anfang der 1799/1800 ent-

1 G. Nottebohm, *Zweite Beethoveniana,* S. 127f.
2 G. Kinsky / H. Halm, *Das Werk Beethovens,* S. 291f.; E. Kastner / J. Kapp, *Ludwig van Beethovens sämtliche Briefe,* S. 492f.
3 Ch. Rosen, *Der klassische Stil,* S. 476f.
4 M. Bauer, *Formprobleme,* S. 341.
5 Ch. Rosen, *Der klassische Stil,* S. 488.

standenen B-Dur-Sonate op. 22 durch Terzfallstrukturen geprägt.[1] Hier bestätigt sich erneut die Beobachtung, daß Gleichheit der Tonart oft Gleichheit oder Ähnlichkeit der motivisch-thematischen Gestalten mit sich bringt — ein deutlicher Hinweis auf eine physikalisch nicht begründbare, ästhetisch gleichwohl wirksame Tonartencharakteristik. Die der Sonate op. 106 mottoartig vorangestellten Anfangstakte, vom Folgenden durch eine Fermate getrennt, aber auch die Fortführung der Hauptthemengruppe wirken auf den Hörer wie ein gewaltiges Ausmessen des Klangraums, dessen Höhepunkt in Takt 16 (linke Hand: Kontra-F, rechte Hand: c'''') erreicht wird. Der Komponist schöpft hier den Tonumfang des ihm seit 1803 zur Verfügung stehenden Erard-Flügels voll aus; erst 1818, also nach Beginn der Arbeit an der B-Dur-Sonate, erhielt er den zur Tiefe hin erweiterten Broadwood-Flügel als Ehrengeschenk.[2]

Der Eröffnungssatz folgt einem klar gegliederten Sonatengrundriß. Deutlich tritt dem Hauptsatz in B-Dur (T. 1—38), vorbereitet durch eine überraschende Wendung nach D-Dur und eine nachfolgende kurze Überleitung (T. 39—46), ein Seitensatz in G-Dur gegenüber (T. 47—99). Ob man diesen Seitensatz als Seitenthemen-Gruppe mit den vier Phasen Takt 47ff., 63ff., 75ff. und 91ff. betrachtet oder im Abschnitt Takt 63ff. das eigentliche Seitenthema (im Sinne eines Themendualismus) sieht, bleibt dem Formempfinden des einzelnen Hörers überlassen. Takt 100ff. schließt sich eine Schlußgruppe mit eigenem Thema an. Unter der Oberfläche dieses Sonatengrundrisses aber ereignen sich andere, für die zyklische Gesamtstruktur der Sonate weitaus wichtigere Vorgänge. Die zentrale Stellung der Terz im Themenkopf des Hauptsatzes (T. 2 und 4) verleiht diesem Intervall auch in der Fortführung (T. 5ff.) eine wichtige Funktion für die Genese der motivisch-thematischen Bildungen. Der Abschnitt Takt 17ff. weist ein noch höheres, durch die dynamischen Vorschriften zusätzlich akzentuiertes Maß an „Terzensättigung" auf. Auch der Seitensatz basiert auf Terzstrukturen, die sich in den einzelnen Phasen in unterschiedlicher Ausprägung präsentieren. Besonders die zweite Phase (T. 63ff., das eigentliche Seitenthema?) läßt — ersetzt man die Sexten durch ihr Komplementärintervall, die Terz — das Gerüst einer Terzfallkette in Erscheinung treten, deren satzübergreifende Bedeutung für die zyklische Einheit der Sonate sich noch erweisen wird.

Zu Beginn der Durchführung führt der Weg von G-Dur über c-Moll nach Es-Dur. Auf dieser Tonartstufe setzt nun ein längeres Fugato ein, dessen Thema sich aus dem Hauptthemenkopf entwickelt. Hatte sich schon die Seitenthemengruppe in einer Tonart bewegt, die um eine Terz unterhalb der Grundtonart lag, so vollzieht die Tonart dieses Anfangsabschnitts der Durchführung (T. 138—192) nochmals einen Terzschritt abwärts. Bemerkenswert ist, wie dieses Fugato Terzfallsequenzen „als nahezu einziges Konstruktionsmittel mit einer nie zuvor gehörten Entschlossenheit und Heftigkeit" exponiert.[3] Auch der Abschnitt Takt 167ff., der auf

---

1 Die folgenden analytischen Beobachtungen sind in vielfacher Hinsicht den Arbeiten früherer Autoren verpflichtet, ohne daß dies in allen Fällen eigens vermerkt wird, und zwar insbesondere: E. Ratz, *Einführung in die musikalische Formenlehre,* S. 201ff.; Ch. Rosen, *Der klassische Stil,* S. 462ff.; J. Uhde, *Beethovens Klaviermusik,* Bd. III ([3]1986), S. 384ff.

2 Vgl. E. Kastner / J. Kapp, *Ludwig von Beethovens sämtliche Briefe,* S. 465; H. Pollak, *Umfangs- und Strukturfragen,* S. 272.

3 Ch. Rosen, *Der klassische Stil,* S. 462.

dem Prinzip der Themenengführung basiert, ist in geradezu demonstrativer Weise „terzengesättigt". Ein gewaltiger Steigerungsbogen (T. 177—200) — zugleich dynamischer Höhepunkt der Durchführung — führt nach D-Dur. Die dadurch geweckte „G-Dur-Erwartung" wird jedoch enttäuscht: In h-Moll/H-Dur setzt mit dem Codathema der Schlußgruppe der letzte Abschnitt der Durchführung ein (T. 201—226). Auch diese neue Tonartstufe setzt also die Terzfallkette der tonalen Zentren weiter fort (B—G—Es—H). Weniger im Sinne einer organischen Rückleitung als vielmehr im Sinne eines plötzlichen, abrupten „Durchbruchs" setzt in Takt 227 mit der Wiederkehr des Hauptthemas der Beginn der Reprise ein. Für diesen Vorgang des „Durchbruchs" zur Reprise hat die mit Bezug auf Takt 224—226 so heftig diskutierte Frage „Ais oder A?" entscheidende Bedeutung.[1] Eine Korrektur des Ais zu A (durch Ergänzung eines von Beethoven angeblich vergessenen Auflösungszeichens) hieße das Formprinzip des „Durchbruchs" mißverstehen, hieße „die enharmonische Genialität zu einer chromatischen Trivialität" verharmlosen.[2]

Die im Schlußabschnitt der Durchführung (T. 201ff.) so bedeutsame Tonartstufe h/H, die von der Grundtonart B-Dur auf dem Wege einer Terzfallsequenz der tonalen Zentren erreicht wurde, läßt rückblickend einige Vorgänge in der Exposition in neuem Licht erscheinen. Schon im Schlußgruppenthema (T. 100ff.) gab das Schwanken zwischen B und H einen ersten Hinweis auf das dialektische Gegenüber dieser beiden Stufen. Noch deutlicher geschieht dies am Ende der Exposition: Der 1. Schluß (= Rückleitung zur Wiederholung der Exposition) durchmißt mit großer, demonstrativer Geste den Terzraum G—B, der 2. Schluß (= Überleitung zur Durchführung) in gleicher Weise den Terzraum G—H. Zu Recht ist immer wieder darauf hingewiesen worden, daß ein Verzicht auf Wiederholung der Exposition diesen für die Gesamtkonzeption der Sonate so wichtigen Vorgang mißachtet und letztlich zerstört.

Beim Wiedereintritt des Hauptthemas zu Beginn der Reprise erscheinen der Themenkopf und seine Fortführung simultan, gleichsam „übereinanderphotographiert". Dieser unauffällige kompositionstechnische Vorgang vermittelt dem Hörer den Eindruck drängender Hast. Große Teile der Hauptthemengruppe vollziehen im folgenden eine Rückung von B-Dur nach Ges-Dur (ab T. 239). Dieser erneute Terzfall bedeutet für die „Tonart-Dramaturgie" (J. Kaiser) dieser Sonate, daß mit Ges, enharmonisch umgedeutet zu Fis, das tonale Zentrum des späteren dritten Satzes (Adagio sostenuto) und damit zugleich die Dominante von H erreicht wird.

Es ist nur folgerichtig, daß sich die so entstandene Spannung in einem h-Moll-Ausbruch entlädt (T. 267ff.), bevor ein „erschöpfter Abstieg" (wiederum in Terzen)[3] nach B-Dur zurückführt und zur Seitenthemengruppe überleitet. Zwar bleibt von nun an bis zum Ende des Satzes B-Dur die endgültig gefestigte, nicht mehr in Frage gestellte Tonart, doch zittert die Spannung zwischen den beiden Polen B und H noch lange nach. Dem aufmerksamen Hörer wird der das Schlußgruppenthema begleitende Triller zwischen Ces (H) und B nicht entgehen, und auch der folgende Triller zwischen den Dominanttönen Ges (Fis) und F trägt ein Moment der Unruhe bis in die allerletzten Takte hinein.

---

1 Vgl. R. Hauser, *Das Ais*, S. 243ff.; P. Badura-Skoda, *Noch einmal zur Frage Ais oder A*, S. 53ff.
2 H. v. Bülow, *Beethoven's Werke für Pianoforte*, Teil 2, S. 30, Anm. c.
3 Ch. Rosen, *Der klassische Stil*, S. 467.

Obwohl also der Grundriß des Sonatensatzes mit aller Deutlichkeit gewahrt bleibt, sind die eigentlichen strukturbildenden Faktoren auf anderen Ebenen zu suchen: in den allesbeherrschenden Terzfallsequenzen und der daraus resultierenden Konfrontation der Pole B und H. Die Struktur dieses Eröffnungssatzes konstituiert sich also nicht aufgrund von vorgegebenen Schulregeln der Formenlehre, sondern sie erwächst aus dem Intervallpotential der Themen. „Die aufgezeigte Großstruktur ist aus dem Themenmaterial abgeleitet oder — Beethovens Kompositionsweise macht beide Formulierungen gleichermaßen gültig — die Themen entspringen der Struktur."[1]

Der enge Bezug des Scherzos zum Eröffnungssatz ist schon oft hervorgehoben worden. Gleich im Themenkopf ist das Intervall der fallenden Terz präsent, und „Terz-Bausteine" durchsetzen den gesamten Scherzo-Hauptteil. Eine weitere Verbindung zwischen den beiden Sätzen wird durch das rhythmische Element geschaffen: Die rhythmische Grundformel des Scherzo-Themas nimmt den rhythmischen Gestus der Schlußtakte des ersten Satzes unmittelbar auf (T. 398ff., rechte Hand), der seinerseits auf das am Satzanfang exponierte Hauptthema zurückweist. Ein wichtiger Unterschied aber darf nicht übersehen werden: Während im ersten Satz die Spannung zwischen den Polen B und H noch eher unterschwellig ausgetragen wurde, tritt sie hier mit greller Offenheit zutage. Es ist nicht zuletzt dieser gleichsam parodistische Grundzug, der das Scherzo als ein „entstelltes Echo" des ersten Satzes erscheinen läßt.[2]

Die Großform des Satzes folgt der konventionellen dreiteiligen Anlage eines Scherzos mit Trio-Mittelteil. Doch zeigt die Analyse einige bemerkenswerte Besonderheiten der Gestaltung, die der Gattungstradition zuwiderlaufen. Schon am Satzanfang dringt in die scheinbar unbeschwerte Heiterkeit ein Moment der Unruhe, ausgelöst durch die ungewöhnliche Gliederung in siebentaktige Phrasen. Eine frühe Fassung des Scherzo-Themas hatte noch eine gewöhnliche achttaktige Periode (4 + 4) zugrundegelegt und damit ganz den Konventionen des 18. Jahrhunderts entsprochen.[3] Die höchst eigenwillige Umgestaltung der Scherzo-Form prägt aber vor allem den Trio-Mittelteil und seine Rückkehr in das Scherzo-Hauptthema. Durch die Vorzeichnung ist b-Moll, die Mollvariante der Grundtonart, als Tonart des Trios eindeutig ausgewiesen; doch vermittelt das Fehlen jeglicher Dominanten, die ja eine Tonart erst eigentlich definieren, den Eindruck eines „schwerelosen Schwebens".[4] Dem gleichen Ziel dient die versteckte Kanonstruktur zwischen rechter und linker Hand (ab T. 55, mit Auftakt), die nach Auskunft der Skizzen von Anfang an geplant war. Die schon von Hans von Bülow geforderte Einbeziehung der Dynamik in diesen Kanonprozeß stellt an die Pianisten höchste Anforderungen.[5]

Im Anschluß an dieses kanonische Trio hatte Beethoven in einem frühen Stadium des Entstehungsprozesses eine Art zweites Trio im Presto-Zeitmaß vorgesehen.[6] In der Endfassung blieb davon nur eine 26taktige Presto-Episode, die auf einem

1 Ebenda.
2 Ebenda, S. 477.
3 Vgl. G. Nottebohm, *Zweite Beethoveniana,* S.130; M. Cooper, *Beethoven,* S. 158.
4 J. Uhde, *Beethovens Klaviermusik,* Bd. III ([3]1986), S. 419.
5 Vgl. H. v. Bülow, *Beethoven's Werke für Pianoforte,* Teil 2, S. 38, Anm. a.
6 Vgl. G. Nottebohm, *Zweite Beethoveniana,* S. 131.

F-Dur-Halbschluß abbricht und mit durch mehrere Oktaven hinabstürzenden Terzenklängen das Scherzo auf seinen Höhepunkt führt. Kadenzartige Prestissimo-Läufe durch fünf Oktaven aufwärts, die diesen „Sturz“ gleichsam rückgängig zu machen versuchen, sowie der anschließende Tremolo-Akkord leiten zur Wiederaufnahme des Scherzo-Hauptthemas zurück — eine zweifellos gewaltsame, wenig organische Rückkehr, die offenbar durch die „poetische Idee“ der Sonate diktiert war und daher die konventionelle Scherzo-Form sprengen mußte.

Mit Takt 159f. endet die dreiteilige Anlage dieses Satzes, aber die folgende Coda (T. 160—175) hält noch einen weiteren, überraschenden Höhepunkt bereit. Nach enharmonischer Umdeutung des B zu Ais macht nun H noch einmal seinen Anspruch als tonaler Gegenpol geltend. Die Skizzen verraten, daß Beethoven diese Rückkehr nach h-Moll schon frühzeitig plante, anfangs aber nur als kurze, vorübergehende Andeutung. In der Endfassung erhält dieser Vorgang jedoch wesentlich stärkeres Gewicht. Durch das hartnäckige, zwanzigmalige Insistieren auf dem Ton H, akzentuiert durch ein großes Crescendo vom Pianissimo zum Fortissimo bei gleichzeitigem abruptem Übergang zum Presto, erhält diese Episode den Charakter einer „spöttischen Parallele“ zu den Vorgängen des ersten Satzes.[1] Der plötzliche Zusammenprall der Pole B und H stellt den Hörer erneut vor Fragen, die der flüchtige Pianissimo-Schluß dieses Satzes noch unbeantwortet läßt.

Auf das Scherzo folgt das Adagio sostenuto, einer der schönsten und zugleich umfangreichsten langsamen Sätze Beethovens überhaupt. Die vom Komponisten gewählte Tonart fis-Moll wirft die Frage auf, ob hier nicht im Grunde ges-Moll gemeint sei, das nur aus Motiven der leichteren Lesbarkeit als fis-Moll notiert wurde. Die Beantwortung dieser Frage setzt differenzierte Überlegungen voraus. Einerseits nutzt Beethoven dieselbe Terzverwandtschaftsbeziehung B/Ges, die schon im Eröffnungssatz (Reprise: T. 240ff.) zu einer längeren Ges-Dur-Episode geführt hatte; andererseits repräsentiert Fis die Dominantstufe zu H, dem wichtigen Gegenpol zu B in der Tonart-Strategie dieser Sonate. Der Grundton des Adagio sostenuto ist also Fis und Ges zugleich — je nach dem Kontext im tonalen Aufbauplan des viersätzigen Zyklus.

Das Hauptthema des Satzes, durch die Vortragsanweisung „Appassionato e con molto sentimento“ näher charakterisiert, intoniert einen ergreifenden Klagegesang. Schon Hans von Bülow glaubte, hier höchste Maßstäbe anlegen zu müssen: „Zu fast keinem Tonstücke des Meisters wird eine so andächtige, ehrfurchtsvolle Hingebung erfordert, um seiner schmerzreichen Erhabenheit gerecht zu werden. Hier hört das Klavierspielen auf: wer auf seinem Instrumente nicht seelenvoll zu ‚sprechen‘ vermag, begnüge sich mit dem Lesen.“[2] Die fallenden Terzen im Themenkopf geben der Hauptthemen-Melodie einen leidvoll-resignierenden Grundzug. Den nachträglich vorgeschalteten ersten Takt hat Beethoven erst am 16. April 1819 an Ferdinand Ries geschickt, also zum Zeitpunkt der bereits beginnenden Drucklegung. Sehr verhalten („mezza voce“ und „una corda“), aber dennoch höchst bedeutungsvoll öffnet sich mit der steigenden Terz A—Cis ein „Vorhang“, der das nachfolgende Thema umso eindringlicher hervortreten läßt. Nichts berechtigt zu der Annahme, daß

1 Ch. Rosen, *Der klassische Stil,* S. 477.
2 H. v. Bülow, *Beethoven's Werke für Pianoforte,* Teil 2, S. 42, Anm. c.

dieser nachträglich eingefügte erste Takt mit einer der für England vorgeschlagenen abweichenden Versionen der Sonate in Zusammenhang steht.[1] Gleichgültig, ob das Adagio unmittelbar auf das Scherzo folgt oder — bei geänderter Reihenfolge der Sätze — auf das Eröffnungs-Allegro: In jedem Fall bedurfte dieser außergewöhnliche Satz einer „Vorstufe", die Distanz zum Vorangehenden schuf. Überdies zeigt ein Vergleich mit der Wiederaufnahme des Hauptthemas zu Beginn der Reprise, daß die „formale Logik" des Adagios die vom Komponisten nachträglich vorgenommene Ergänzung zwingend erfordert. Die schon erwähnten fallenden Terzen im Themenkopf erscheinen so als eine „Antwort" auf das Intervall der steigenden Terz des ersten Taktes. Eine genauere Analyse führt auch hier zur Entdeckung einer längeren Terzfallkette. Die beiden fallenden Terzen Cis—A—Fis der rechten Hand (T. 2) finden ihre Fortsetzung in der Terzfallsequenz Fis—D—H—Gis—Eis der linken Hand (T. 3—5).

Zweimal wird in das fis-Moll des Hauptsatzes — wie ein Trost aus anderen Welten — ein beinahe überirdisch lichtes G-Dur eingeblendet (T. 14f. und 22f.). Paul Bekker empfand an diesen Stellen die Nähe zum Benedictus der *Missa solemnis*.[2] Dies mag ein erster (aber sicher nicht der einzige) Anlaß sein, sich an eine Notiz Beethovens inmitten der Skizzen zu op. 106 zu erinnern: „Präludien zu meiner Messe".[3] In der Tonart-Strategie der Sonate bedeuten diese G-Dur-Interpolationen in einen fis-Moll-Kontext eine Analogie zur Polarität B/H des ersten Satzes, zugleich aber auch eine Rückkehr zur Tonart des dortigen Seitenthemas.

Die Überleitung vom Haupt- zum Seitensatz steigert sich zu einem erregten Gefühlsausbruch. Nicht allein die Vortragsanweisung „con grande espressione", sondern vor allem der ungewöhnliche, weit in die Zukunft weisende Klaviersatz verdeutlicht die Absichten des Komponisten. Schon ein flüchtiger visueller Eindruck des Notenbildes (T. 27ff.) suggeriert die Nähe Chopinscher Nocturnes[4], verweist aber zugleich auf eine andere, für beide Komponisten gleichermaßen wichtige Quelle: die reich ornamentierten, affektgeladenen langsamen Sätze des Barockzeitalters.[5] Tonartliches Ziel dieses Überleitungsteils ist nicht die Tonikaparallele A-Dur, sondern die Subdominantparallele D-Dur, in der Takt 45ff. das Seitenthema einsetzt. Klanglich bestimmend ist hier der dialogartige Wechsel zwischen extrem hoher und tiefer Lage des Klaviers. Gleichwohl ist nach der schmerzlichen Unruhe des Hauptsatzes jetzt Ruhe und entspannte Versöhnung erreicht. Die Tonart D-Dur, die hier bedeutsam hervortritt, wird uns im Fugenfinale als Tonart des zweiten Themas wiederbegegnen.

Mit einer simultanen Verknüpfung der steigenden Terz aus Takt 1 (linke Hand) und des doppelten Terzfalls aus Takt 2 (rechte Hand) beginnt in Takt 69 die Durchführung. Die damit erneut aufgegriffene Terzfallkette zieht das harmonische Geschehen bald darauf (T. 77ff.) in einen Strudel: Ein wahrer „Höllensturz" von Terz-

1 Vgl. M. Cooper, *Beethoven,* S. 164.
2 Vgl. P. Bekker, *Beethoven* ([2]1912), S. 183.
3 G. Nottebohm, *Zweite Beethoveniana,* S. 353; E. Ratz, *Einführung in die musikalische Formenlehre,* S. 238.
4 Vgl. R. Rosenberg, *Die Klaviersonaten Ludwig van Beethovens,* Bd. II, S. 379; J. Uhde, *Beethovens Klaviermusik,* Bd. III ([3]1986), S. 426; H. Goldschmidt, *Chopiniana,* S. 209.
5 Vgl. M. Cooper, *Beethoven,* S. 166.

fallsequenzen führt — begradigt man den Verlauf durch Umwandlung der steigenden Sexten in fallende Terzen — durch einen Raum von nicht weniger als elf Oktaven.[1] Der wiederholte Wechsel von „tutte le corde“ (mit zahlreichen Sforzato-Akzenten) und „una corda“ verleiht diesem Abschnitt eine zwar verhaltene, aber unüberhörbare innere Erregung.

Ein über fünf Takte ausgedehntes, aus dem Pianissimo aufsteigendes Crescendo begleitet die Reprise des Hauptthemas, das diesmal durch überreichen Gebrauch von ornamentaler Figuration fast bis zur Unkenntlichkeit verschleiert wird. Hatte schon das Seitenthema des Adagios entfernt an die Arietta aus Beethovens Klaviersonate c-Moll op. 111 erinnert, so nimmt auch diese „großartigste Figuralvariation der Klavierliteratur“ viele Stileigenheiten der Arietta-Variationen vorweg.[2] Wie fast immer in Beethovens Spätwerk ist die Aufgabe der Figuration auch hier die „charakteristische Hervorhebung“ einer thematischen Substanz, und zwar diesmal im Sinne von Entrückung und Verklärung: „Das Thema in seiner melodischen Gestalt verliert zwar seine deutlichen Konturen, doch findet durch die Figuration eine Art von Transzendieren statt, die das Thema vergeistigt, erhoben, verklärt, gleichsam aus seinem tonkörperlichen Dasein befreit erscheinen läßt.“[3] Das Ende des Hauptsatzes in der Reprise vollzieht sich in einem sechs Takte langen Diminuendo und Ritardando; Beethoven hat hier Resignation und Erschöpfung gleichsam auskomponiert. Auch wenn nur wenige Interpreten den Forderungen des Komponisten ohne Einschränkungen folgen, so bleibt doch festzuhalten, daß an dieser Stelle eben keine „reprisenhafte Wiederholung, sondern ein Erstarren“ gewollt ist.[4]

Am Beginn der Coda erinnert die Rückkehr nach G-Dur (T. 156—163) noch einmal an jenes Gefühl von Tröstung und Hoffnung, das schon die „neapolitanischen“ Interpolationen im Hauptthema vermittelt hatten (T. 14f. und 22f.). Nicht zufällig verbindet sich dieser Abschnitt mit Reminiszenzen an das „versöhnliche“ Seitenthema. Der Schlußteil der Coda (T. 166—187) fällt jedoch nach fis-Moll zurück. Das zweimal wiederkehrende Hauptthema erscheint jetzt in wesentlich verkürzter Form, gleichsam auf seine Substanz reduziert. Insbesondere sein letztes Auftreten (T. 181—183), „una corda“ und ohne jede nähere Vortragsbezeichnung, wirkt wie der zu Asche ausgeglühte Rest jenes Klagegesangs, mit dem der Satz begonnen hatte.[5]

Der anschließende Finalsatz gliedert sich in eine Einleitung (Largo) und den nachfolgenden „zyklopischen“ Riesenbau der Fuge (Allegro risoluto). Die Largo-Einleitung hat eine doppelte Funktion: Zunächst bedeutet sie den Versuch, die B-Tonalität zurückzugewinnen. Ihm dient vor allem das vorsichtig-tastende F-Arpeggio durch den Klangraum von nicht weniger als fünf Oktaven, das den Satz eröffnet. Sodann aber übernimmt die Einleitung die Aufgabe, die Terzfallstrukturen des Fugenthemas vorzubereiten. Ein Blick in die Skizzenbücher zeigt, daß der tonale Aufbauplan des Largos von Anfang an feststand;

1 Vgl. J. Uhde, *Beethovens Klaviermusik,* Bd. III ([3]1986), S. 432.
2 Ebenda, S. 434.
3 St. Kunze, *Figuration in Beethovens Spätwerk,* S. 166.
4 J. Kaiser, *Beethovens 32 Klaviersonaten,* S. 535.
5 Vgl. E. Ratz, *Einführung in die musikalische Formenlehre,* S. 223.

(nach G. Nottebohm, *Zweite Beethoveniana,* S. 135)

er läßt sich beschreiben als eine große Terzfallsequenz mit eingeschobenen kurzen Zwischenspielen.[1] War schon in den vorangehenden Sätzen das Prinzip fallender Terzen als latente strukturelle Grundlage mehrfach in Erscheinung getreten, so bedeutet das Largo — und mehr noch das Takt 16 einsetzende Fugenthema — die „offene Darlegung der Konstruktionsidee" dieser Sonate.[2]

Die duale Konzeption des Finalsatzes — Fuge mit vorbereitendem Einleitungsteil — wirft allgemeine Fragen der Finallösung im Spätwerk Beethovens auf. Im Zusammenhang mit der auffallenden Neigung zu kontrapunktischen Formen begegnet ja nicht selten auch der Typus des Fugenfinales. Die bekanntesten Beispiele finden sich in der Violoncellosonate op. 102, Nr. 2, in der Klaviersonate op. 110 sowie im Streichquartett op. 130, dessen Schlußsatz später als *Große Fuge* op. 133 separat veröffentlicht wurde. Wichtige neue Perspektiven eröffnet die Bach-Rezeption des späten Beethoven. Hier hat vor allem Martin Zenck aus den zeitlich benachbarten Werken op. 102, Nr. 2, op. 106 und op. 110 mit der Formel „Stilantithese von Fantasie und Fuge" einen vielversprechenden Interpretationsansatz entwickelt und auf Johann Sebastian Bachs *Chromatische Fantasie und Fuge* als historisches Vorbild hingewiesen. Für die „Formdynamik" von op. 106 erscheint ihm der „deiktische" Charakter der Largo-Einleitung von konstitutiver Bedeutung: Eine fantasieartige Einleitung lenkt die Erwartungen des Hörers ganz auf das Fugenfinale hin.[3] Dabei vermittelt die in Terzfallbewegung „schweifende" Harmonik jenen Eindruck von Tonartverschleierung, den schon die Autoren des 18. Jahrhunderts als ein Wesensmerkmal der Gattung Fantasie hervorgehoben hatten.[4]

---

1 Vgl. G. Nottebohm, *Zweite Beethoveniana,* S. 135f.; P. Mies, *Die Bedeutung der Skizzen Beethovens,* S. 124f.; K. v. Fischer, *Die Beziehungen von Form und Motiv,* S. 247ff.; N. Marston, *Approaching the Sketches,* S. 447. (Von dem letztgenannten Aufsatz erhielt der Verf. erst nach Abschluß seines Manuskripts Kenntnis.)

2 R. Klein, *Beethovens „gebundener Stil",* S. 198.

3 M. Zenck, *Die Bach-Rezeption des späten Beethoven,* S. 203.

4 Ebenda, S. 208.

Das F-Arpeggio am Beginn des Largos findet seine Entsprechung in einem ganz ähnlichen, gleichfalls über fünf Oktaven sich ausbreitenden Arpeggio des Tones A (T. 9). Die so erzielte Hervorhebung der Pole F/A kündigt bereits den aus diesen beiden Tönen bestehenden Kopf des Fugenthemas an. Takt 10, am Ende der langen Terzfallkette des Largos, erscheinen diese beiden Pole noch einmal in umgekehrter Reihenfolge (A/F), gleichsam als Spiegelbild des unmittelbar darauf einsetzenden Fugenthemenkopfes. Bedeutsam für die satzübergreifenden, zyklischen Beziehungen ist dessen strukturelle Verwandtschaft mit dem Hauptthemenkopf des ersten Satzes. Frühere Fassungen des Fugenthemas, von Nottebohm in Auswahl mitgeteilt, nehmen fast ausnahmslos schon im Entwurfsstadium jene Gestalt an, aus der Beethovens Absicht zweifelsfrei ersichtlich ist: die endgültige Offenlegung der Terzenstruktur.[1] Dagegen erscheinen alle Versuche, konkrete Vorbilder Beethovens in den Fugenthemen des *Wohltemperierten Klaviers* ausfindig zu machen, als völlig abwegig. Mehr als vage Entsprechungen zu bestimmten Thementypen Bachs sind kaum feststellbar.[2]

Die großformale Gliederung der Fuge erweist sich als dreiteilig[3]:

Teil 1	(T. 16—249):	Exposition des ersten Themas
Teil 2	(T. 250—278):	Exposition des zweiten Themas
Teil 3	(T. 279—400):	Kombination beider Themen und Coda

Ein differenzierteres Bild ergibt sich aus der folgenden tabellarischen Übersicht, die eine in sieben Abschnitte gegliederte Anlage erkennen läßt[4]:

Abschnitt 1:	T. 16— 84	(Exposition des ersten Themas, B-Dur)
Abschnitt 2:	T. 85—152	(Themenvergrößerung, es-Moll)
Abschnitt 3:	T. 153—207	(Themenkrebs, h-Moll)
Abschnitt 4:	T. 208—249	(Themenumkehrung, G-Dur)
Abschnitt 5:	T. 250—278	(Exposition des zweiten Themas, D-Dur)
Abschnitt 6:	T. 279—366	(Kombination von erstem und zweitem Thema / Kombination von Originalgestalt und Umkehrung des ersten Themas, B-Dur)
Abschnitt 7:	T. 367—400	(Coda, B-Dur)

Schon diese grobe Formübersicht macht auf eindrucksvolle Weise deutlich, wie Beethoven hier das ganze Arsenal kontrapunktischer Techniken zum Einsatz bringt. Daß kritische Einwände von Wiener Musikern „strenger Observanz" gegen seine früheren Fugen den Komponisten zu einer gleichsam demonstrativen Zurschaustellung seiner Fugentechnik veranlaßt hätten, bleibt jedoch eine kaum beweisbare Vermutung.[5] Beachtenswert ist vor allem, wie Beethoven auch die Formteile der Fuge in den satzübergreifenden Tonartenplan der Sonate integriert. Nicht zufällig steht der im dritten Abschnitt einsetzende Krebs des Themas in der „schwarzen" Tonart

1 Vgl. G. Nottebohm, *Zweite Beethoveniana,* S. 136; Ch. Rosen, *Der klassische Stil,* S. 484; R. Klein, *Beethovens „gebundener Stil",* S. 190.

2 Vgl. H. Riemann, *L. van Beethovens sämtliche Klavier-Solosonaten,* Bd. III (²1920), S. 365; M. Zenck, *Die Bach-Rezeption des späten Beethoven,* S. 218f.

3 Vgl. E. Ratz, *Beethovens Größe,* S. 55.

4 Vgl. E. Ratz, *Einführung in die musikalische Formenlehre,* S. 226; J. Uhde, *Beethovens Klaviermusik,* Bd. III (³1986), S. 445f.

5 H. Riemann, *L. van Beethovens sämtliche Klavier-Solosonaten,* Bd. III (²1920), S. 346.

h-Moll, die schon im ersten Satz als wichtiger tonaler Gegenpol wirksam geworden war. Das wenig natürliche, fast gewaltsame Gebilde dieses Themenrücklaufs unterstreicht die Absicht Beethovens, mit dieser Krebsform die „Negation des Themas" zu exponieren.[1]

Das im fünften Abschnitt einsetzende zweite Thema bewirkt den denkbar größten Kontrast zu den von motorischer Unruhe erfüllten vorangehenden Abschnitten. Beethoven unterstreicht das „Herausgehobene" dieser kurzen Episode auf mehreren Ebenen: durch die vorgeschaltete Generalpause, durch die Vortragsanweisung „sempre dolce, cantabile" und durch die Pedalisierungsvorschrift „una corda". Er erzielt damit den beinahe räumlichen Effekt eines „wie aus weiter Ferne", den Gustav Mahler später zu so unvergleichlichen Wirkungen genutzt hat. Schon früh haben Kritiker und Interpreten an dieser Stelle die innere Beziehung zur *Missa solemnis* zu spüren geglaubt — ein auch durch Skizzenfunde zu stützender Interpretationsansatz.[2] Die Annäherung an Gedanken- und Empfindungswelt der Messe verdichtet sich fast zum wörtlichen Zitat, wie ein Vergleich des zweiten Fugenthemas mit dem Thema des dortigen Benedictus zeigt.[3]

Der folgende sechste (und damit vorletzte) Abschnitt gibt entscheidenden Aufschluß über die Formdynamik dieses Fugenfinales. In einem ersten Teilabschnitt werden zunächst — entsprechend den Schulregeln der Gattung Doppelfuge — die beiden Fugenthemen miteinander kombiniert (T. 279—293). Daß diese Zusammenführung beider Themen jedoch nicht das formale Gleichgewicht zu den früheren Formabschnitten herzustellen vermag, ist in erster Linie dem nur episodischen Charakter des zweiten Themas zuzuschreiben. Dieses Gleichgewicht wird vielmehr durch die Kombination des ersten Themas mit seiner eigenen Umkehrung gewonnen (T. 294—348). Erwin Ratz hat in einer einfühlsamen Analyse dieser Fuge gezeigt, daß dieselbe Kombination zwar schon im zweiten Abschnitt kurz angedeutet worden war, dort aber sogleich abgebrochen und offenbar bewußt für die Schlußsteigerung des sechsten Abschnitts aufgespart wurde.[4] Von hier aus gesehen muß die Klassifizierung des Finalsatzes als „Doppelfuge" äußerst fragwürdig erscheinen. Das zweite Thema hat rein episodischen Charakter; das erste Thema bleibt auf sich gestellt, muß „mit sich allein fertigwerden".[5]

Die Frage nach der Funktion der Fuge im zyklischen Aufbau der Sonate führt zunächst noch einmal auf den satzübergreifenden tonartlichen Gesamtplan zurück. Offensichtlich ist, daß die drei wichtigsten Tonartstufen des ersten Satzes — B-Dur, G-Dur, h-Moll — im Fugenfinale mit den Haupterscheinungsformen des ersten Themas verknüpft sind: B-Dur mit seiner Originalgestalt, h-Moll mit seinem Krebs und G-Dur mit seiner Umkehrung. Planvolle Absicht verbirgt sich hinter der Tatsa-

1 J. Uhde, *Beethovens Klaviermusik,* Bd. III ([3]1986), S. 455.
2 Vgl. G. Nottebohm, *Zweite Beethoveniana,* S. 353; E. Ratz, *Einführung in die musikalische Formenlehre,* S. 238.
3 Vgl. J. Uhde, *Beethovens Klaviermusik,* Bd. III ([3]1986), S. 457; E. Ratz, *Beethovens Größe,* S. 56; R. Klein, *Beethovens „gebundener Stil",* S. 198; ders., *Die Struktur von Beethovens Missa solemnis,* S. 89ff.
4 Vgl. E. Ratz, *Einführung in die musikalische Formenlehre,* S. 235.
5 H. Riemann, *L. van Beethovens sämtliche Klavier-Solosonaten,* Bd. III ([2]1920), S. 377; J. Uhde, *Beethovens Klaviermusik,* Bd. III ([3]1986), S. 458f.

che, daß der einzige gemeinsame Ton der Dreiklänge dieser Tonarten — der Ton D — zur Tonartstufe des zweiten Themas wird (die schon die Tonartstufe des Adagio-Seitenthemas war). Weitergehende Überlegungen zu spiegelbildlichen Entsprechungen in der Tonartenabfolge zwischen den Ecksätzen bleiben reine Spekulation. Dagegen erscheint der Versuch, die wichtigsten Tonartstationen auch hier aus dem Terzfallprinzip herzuleiten, durchaus überzeugend. Vor allem aber stellt die Tonart h-Moll des Themenkrebses eine unmittelbare Beziehung zum „h-Moll-Einbruch" in der Reprise des ersten Satzes dar, der erst jenen Konflikt schuf, zu dessen Lösung die weiteren Sätze erforderlich wurden.[1]

Weitere Komponenten des Zyklischen werden aus der Perspektive der Bach-Rezeption des späten Beethoven ersichtlich. Martin Zenck hat auf kompositionstechnische und formzyklische Zusammenhänge mit der Klaviersonate op. 101 hingewiesen. Das dort zur Lösung des Finalproblems eingesetzte Mittel des Fugatos (anstelle der Durchführung) wird in op. 106 schon im ersten Satz „verbraucht". Der überdimensionale Umfang des Fugenfinales ist hier also die logische Konsequenz aus dem Fugato in der Durchführung des ersten Satzes, das gleichsam zu „überbieten" war.[2] Zugleich aber ist die gewaltige Anstrengung der Fuge das Korrelat der „Beredtheit" und „Ausdruckskraft" des vorangehenden Largos. Hier wie auch in der folgenden Klaviersonate op. 110 ist die Fuge „Antwort" auf die von der vorangehenden Einleitung gestellte Frage.[3]

Der hohe spieltechnische Schwierigkeitsgrad des Fugenfinales lenkt die Aufmerksamkeit auf die pianistischen Aspekte der *Hammerklaviersonate.* Schon früh sind die teilweise ungewöhnlichen Anforderungen an den Interpreten mit Beethovens fortschreitender Ertaubung in Zusammenhang gebracht worden. Carl Czerny erinnert sich: „Der dritte Styl Beethovens datirt sich von der Zeit, als er nach und nach ganz gehörlos wurde. Daher die unbequeme Spielweise bey seinen letzten Claviersachen [...], daher manche harmonische Härte, und er äußerte sich gegen Dr. Bertolini im Vertrauen, daß ihn seine Taubheit hindre, den consequenten Fluß und Zusammenhang seiner früheren Werke auch in seinen letzten zu befolgen, da er früher gewohnt war, alles beym Clavier zu componieren. Gewiß würde er in seinen letzten Werken gar vieles geändert haben, wenn er es hätte hören können."[4] Hans von Bülow hat sich denn auch nicht gescheut, an einigen Stellen in den Originaltext Beethovens einzugreifen und klangliche „Milderungen" vorzuschlagen.[5] Es ist alles andere als Zufall, daß gerade in dieser Sonate immer wieder eine beinahe prophetische Nähe zur Neuen Musik des 20. Jahrhunderts beobachtet wurde. So erkennt Martin Cooper in den Takten 118—120 des zweiten Fugenabschnitts „the most revolutionary sonorous combinations that European music was to know until the days of Schoenberg", und Jürgen Uhde fühlt sich am Beginn der Coda (T. 367f.) „in der Abstraktion und gleichzeitig mathematischen Verdeutlichung des Konflikts" gar an Partituren Weberns erinnert.[6]

---

1 Vgl. E. Ratz, *Beethovens Größe,* S. 56.
2 M. Zenck, *Die Bach-Rezeption des späten Beethoven,* S. 201.
3 Ebenda, S. 204.
4 C. Czerny, *Über den richtigen Vortrag* (1963), S. 15; D. Christoff, *Einige Gedanken zur Fuge der Klaviersonate op. 106,* S. 334.
5 H. v. Bülow, *Beethoven's Werke für Pianoforte,* Teil 2, S. 73, Anm. b.
6 M. Cooper, *Beethoven,* S. 173; J. Uhde, *Beethovens Klaviermusik,* Bd. III (^{3}1986), S. 461f.

Daß sich das volle Verständnis dieser „Riesensonate" einer rein kompositionstechnischen Analyse nicht zu erschließen vermag, liegt auf der Hand. Beethoven selbst lenkt unsere Aufmerksamkeit auf mögliche außermusikalische Vorstellungsgehalte, wenn er gegenüber Karl Holz äußert: „Eine Fuge zu machen ist keine Kunst, ich habe deren zu Dutzenden in meiner Studienzeit gemacht. Aber die Phantasie will auch ihr Recht behaupten, und heut' zu Tage muß in die althergebrachte Form ein anderes, ein wirklich poetisches Element kommen."[1] Liegt also auch dem Fugenfinale von op. 106 — und darüber hinaus dem ganzen viersätzigen Zyklus — eine „poetische Idee" zugrunde? Und steht der Hinweis auf „alcune licenze", steht das Formprinzip der „gescheiterten Doppelfuge" mit dieser poetischen Idee in Zusammenhang? Immer wieder sind außermusikalische Deutungen der Sonate versucht worden — vor allem im Sinne eines autobiographischen Dokuments, aber auch im Sinne einer gedanklichen Verbindung zu Goethes *Faust*.[2] Alle Bemühungen, das geheime Programm der Sonate zu entschlüsseln, müssen jedoch reine Spekulation bleiben, da konkrete Äußerungen des Komponisten fehlen. Während in der Sonate op. 110, die eine ganz ähnliche Finallösung verwirklicht, zahlreiche ausführliche Vortragsanweisungen ein sicheres Geleit geben („perdendo le forze, dolente [...] poi a poi nuovo vivente"), fehlen in op. 106 derartige Hinweise gänzlich. Lediglich das „risoluto" in der Tempovorschrift des Fugenfinales deutet an, daß hier „mit Entschlossenheit" (vgl. das Finale von op. 101) die Lösung und Befreiung aus vergangenem Schmerz und Leid angestrebt wird.

Dietrich Kämper

10 variierte Themen für Klavier (Flöte oder Violine ad lib.) op. 107

ENTSTEHUNGSZEIT: 1817—1818.
ERSTAUFFÜHRUNG: nicht ermittelbar, da als private Kammermusik intendiert, öffentliche Aufführungen sind bis heute selten geblieben.
SKIZZEN: Staatsbibliothek Preußischer Kulturbesitz Berlin, Artaria 197 (zu Nr. 8, Var. 3 und 4).
AUTOGRAPH: British Library London, Ms. Egerton 2327 und Add. Ms 29997; Beethoven-Haus Bonn (Nr. 6 und 7); Gesellschaft der Musikfreunde Wien, A 49 (zu Nr. 4).
ERSTDRUCK: London und Edinburgh 1819 (T. Preston und G. Thomson); Teildruck von Nr. 2, 6 und 7: Bonn und Köln 1820 (N. Simrock).
GESAMTAUSGABE: Alte Gesamtausgabe: Nr. 115—119 = Serie 14 Nr. 4—8.

Als Fortsetzung der sechs in op. 105 zusammengefaßten *National airs with Variations* publizierte Beethoven im August/September 1820 weitere *Dix Thèmes / Russes, Ecossais et Tyroliens / Variés pour le / Piano-Forte / avec accompagnement*

1 W. v. Lenz, *Kritischer Katalog,* Bd. IV, S. 219.
2 Vgl. E. Ratz, *Beethovens Größe,* S. 50ff.

/ d'une Flûte ou d'un Violon / ad libitum [...] bei dem Verleger Nikolaus Simrock in Bonn und Köln. Dieser Wechsel des Erscheinungsortes von der Donau und Themse an den Rhein war notwendig geworden, da der Druck von op. 105 in England nicht die erwartete Nachfrage ausgelöst hatte. Beethoven bot daher im Februar und März — nach einem Ausweg suchend — zunächst nur „8 kleine Werke [...] für ein Honorar von 70 Dukat. in Gold" an. Diesen Hinweis auf die Kleinheit und den dahinter zu vermutenden geringen künstlerischen Anspruch hat die Forschung allzu leichtfertig aufgegriffen und op. 107 häufig abgewertet zu einer belanglosen Nebensache, so zum Beispiel Theodor von Frimmel.[1]

Diese Geringschätzung ist ebenso wenig gerechtfertigt wie die reduzierte Bearbeitung zum auf zwei Systemen notierten Klavierwerk, wie diese zum Beispiel im Jahre 1964 durch Max Bendik (Ed. Schott Nr. 09664 1/2) vorgelegt worden ist. Hingegen gilt es auch in diesen Setzungen die Problematik der vom Komponisten selbst benannten „Stückarbeit" aufzuspüren, die sich im Konflikt befand mit der nach 1810 immer deutlicher ausgeprägten Intention Beethovens, in möglichst all seinen Werken „allen Salon-Konvenienzen" emanzipatorisch unter Hervorhebung der „Eigenwilligkeit" zu entsagen. Auf diese Qualität des „sonderbaren Werks" hat der erste Rezensent des Druckes in der *Allgemeinen musikalischen Zeitung* bereits ausdrücklich aufmerksam gemacht[2], indem er „die Klasse von Künstlern und Liebhabern, für die es zunächst bestimmt scheint", hinwies auf die darin enthaltene Antinomie, „rücksichtslos und zutraulich" zugleich zu sein. Die Empfehlung, mit „Beharrlichkeit zu suchen, wo etwas sich nicht sogleich von selbst zeigen will", gilt angesichts des relativ geringen Bekanntheitsgrades dieses Opus bis heute.

Zur Auswahl des „Temas" zur Nr. 1 ließ Beethoven wie bei op. 105, Nr. 3 abermals im Genre des Wiener Singspielliedes Umschau halten, wo er auf das Teppichkrämerlied „I bin an Tyroler Bua" stieß.[3] Dieses betitelte er „Air tirolien", denn auch der Besteller dieser Stücke, der schottische Verleger George Thomson, benannte ausdrücklich in einem Brief vom 1. Januar 1816 unter den „nations de l'Europe" jene „du Tyrol" als eine von der österreichischen abgesetzte. Das Tirolerlied im Ländlerrhythmus wurde somit damals bereits international als ein eigengeprägtes Genre eingeschätzt und auch von Beethoven neben Werken „alla Austriaca" (WoO 73, Var. 10) gesondert geschätzt. Der Komponist war eingenommen für ländlerisch beschwingte Tänze (siehe GA Nr. 198 von 1798). Vergleicht man freilich seine Adaption etwa mit derjenigen einer Variante dieses Liedes durch Ignaz Moscheles (um 1827) in dessen *Twelve Favorite Songs. Sung by the Tyrolese Family Rainer* (S. 11), dann wird deutlich, wie stark Beethoven einer „gemütlich" wiegenden Singspielmelodie mit ihren Dreiklangsbrechungen und Umspielungen eines „Ankertones" seine eigenwillige Akzentuierung einzuprägen vermochte. Er verlegt die Akzente durch wider das Tänzerische gerichtete Sforzati auf das zweite Viertel, er phrasiert in Takt 1 anders als dieselbe Wendung in Takt 5, um damit Differenzierungen und Unkonventionelles in einen vorgegebenen Einheitsablauf einzubringen. In der Vokalfassung[4] gewinnt diese Einrichtung eines Gassenhauers einen großspre-

1 Vgl. Th. v. Frimmel, *Beethoven-Handbuch,* Bd. II, S. 361.
2 *AmZ* 23 (1821), Sp. 568.
3 Vgl. Supplemente zur GA XIV, 1971, S. 12.
4 Vgl. ebenda.

cherisch vulgären Charakter. Da in der zweiten, vierten sowie letzten Zeile unisono die Flöte mit dem Klavier zusammenspielt, ergibt diese Verstärkung ein zusätzlich wirksames Gliederungsmoment.

Variation 1 erreicht die höchste künstlerische Dignität im Spätwerk Beethovens, die an die elitäre Höhenzone etwa der *Diabelli-Variationen* heranreicht. Das Derbe des Ländlers wird sublimiert zu einem klavieristisch mit Raffinement ausgestalteten Kabinettstück. Der Hörer wird angeregt, die erinnerten Töne des Themas verteilt auf drei Stimmen eng liegender Akkorde aufzuspüren, was ein aufmerksames Rezipieren herausfordert. Variation 2 läßt die Ländlerweise vom Soloinstrument spielen, wozu sich das Klavier in einem beziehungsreichen Laufwerk ergeht, worin die Töne des Themas eingewoben sind; diese sind freilich gegenüber der Solomelodie irregulär verschoben. Akkordblöcke der rechten Hand variieren zudem in ihren Abfolgen, sodaß hier auf mehreren Ebenen das Gewöhnliche zum Ungewohnten stilisiert wird. Variation 3 versetzt abrupt die Tonalität von Es-Dur nach e-Moll und macht diese Transponierung am Schluß ebenso unvermittelt wieder rückgängig. Ohne Akkordik wird hierin die nach Tiroler Art schablonisierte Pendelmelodik kahl und leer herausgestellt. Das Leierhafte des Ländlergenres wird dadurch hervorgekehrt. Dem entgegengesetzt wird Variation 4 wie ein „Herausschmeißen“ nach Art der Tanzbodenmusikanten am Schluß eines Balles angefügt. Daß diese Gestik freilich nicht das Ziel dieser ereignisreichen Gestaltveränderung sein soll, macht die Coda deutlich in der Zurücknahme der tänzerischen Beschwingtheit ins Pianissimo und dem Verzicht auf die widerborstigen Sforzato-Setzungen des Eingangs. Aus dem landläufig deftigen Teppichkrämerlied ist unter der umgestaltenden Einwirkung Beethovens ein zart-schwebendes Gebilde geworden.

Wenn Beethoven in einem Brief vom 23. April 1820 an den Verleger Simrock Kompositionen dieser Art untertreibend nur als „Kleinigkeiten“ gelten läßt, deren er „viele geschrieben“ habe, so gilt diese Abschätzung generell gewiß nicht für alle Variationen in op. 107, jedoch für die Nr. 2, die Air écossais „Bonnie laddie, highland laddie“ (vgl. op. 108, Nr. 7). Als leittonloses Thema wird dieses Lied simpel, ja ungelenk mit tapsig springenden Bässen vorgeführt. Offenbar war es Absicht des Komponisten, dessen Dürftigkeit und Redundanz herauszustellen. In den vier Variationen werden die Zentraltöne f, c und d in der Solostimme ständig umkreist, im Klavierpart folgen auf nachschlagende Achtelrhythmen Triolen und Viertel, Triolen-Sechzehntel und Achtel sowie Siciliano-Rhythmen mit Zweiunddreißigsteln. Ein das Leierhafte betonendes Allegro am Schluß endet mit einer barsch niederfahrenden Geste in einem deszendenten F-Dur-Arpeggio.

Die Nr. 3 bedient sich einer Melodie „de la petite Russie“ (= aus Kleinrußland), welche Beethoven wie bei op. 59 (siehe oben Band I) der *Sammlung russischer Volkslieder* von Ivan Prác (St. Petersburg 1790 und 1806, Neuausgabe 1815) entnahm, ohne diese — wie ansonsten — auch für eine Singstimme mit Triobegleitung zu bearbeiten. Tonrepetitionen und Kurzgliedrigkeit prägen dieses im Vivace-Tempo eilig vorzutragende Thema, welches betont schlicht nach Art einer Chaconne im Baß begleitet wird. Diese Baßlinie bekommt gar im abschließenden Finale die Gewichtigkeit eines Fugatothemas, so daß in diesem Werk sowohl das zitierte kleinrussische Lied als auch der als Gegenstimme dazu gesetzte Baß thematisiert und gleichwertig in den Prozeß des Variierens einbezogen werden. Dem Baß kommt zudem die Rolle der Überwindung oder der Ablösung des Air zu, da dieses am Schluß nur mehr bruchstückhaft revoziert wird. Variation 1 weitet den Spielraum des simplen Liedes bis zu fünf Oktaven aus, Variation 2 löst die strenge, pausenlose Gebundenheit des Themas in kurzgliedrige, dialogisierende Partikel auf. Variation 3 läßt den damals als exotisch geltenden Tonfall von Janitscharenmusik aufklingen, die sich als Marsch über einem trommelartigen Grund dynamisiert vom Pianissimo bis zum Forte kraftvoll mitteilt, um in der anschließenden vierten Variation im Fortissimo eine Klimax zu erreichen. Diese wird allerdings nach dem Doppelstrich ins Pianissimo und in eine sanftere Triolenbewegung zurückgenommen. Variation 5 ist ein Paradigma für die geballte Reduktion einer Liedweise in kahl wirkende Akkorde, die im dialogisch angelegten viermaligen Wechsel von stark und schwach konzentriert ein verfremdendes Fazit daraus zieht. Dem wird entgegengesetzt das anschließende „Adagio sostenuto", worin das Erstarrte, als Material auf den Kern hin gleichsam Durchleuchtete in das gänzlich Andersartige, eines „espressivo" vorzutragenden Cantabile überführt wird, vergleichbar etwa der in op. 111 („Arietta" und „Adagio") vorkommenden polaren Spannung. Das Soloinstrument wird hier gewichtiger als anderswo in den auch rhythmisch facettenreichen Prozeß der Ausdeutung einbezogen. Diese Variation ist zu den hervorragenden Adagio-Sätzen Beethovens zu zählen. Variation 7 bringt das eingangs erwähnte „Fugato" sowie eine weitere Variation nebst Abschluß „a tempo", in dem das naiv Ungestüme des Themas nochmals erinnert wird.

Nr. 4 hat eine im Jahre 1816 publizierte, zwischen Dur und Pentatonik angesiedelte Liedweise irischer Provenienz als Thema (vgl. WoO 154, Nr. 4), die Tanzweise im 6/8-Takt „St. Patrick's day", welche die ungewöhnliche Struktur von 8 + 6 + 8 Takten aufweist. Sie ist geprägt vom tänzerischen Schwung ihres Ursprungs und genuinen Gebrauchs, den Beethoven in seinen Variationen als bemerkenswert aufgreift und variantenreich ausmusiziert. Der Zählung des Komponisten zufolge besteht dieses Werk lediglich aus zwei Variationen, tatsächlich sind jedoch deren fünf auszumachen, denn das der zweiten Variation angehängte „Poco adagio" ist als starker Kontrast zu dem kontrapunktisch fesselnden Duettieren des ersten Teils dieser Nummer beigegeben. Reduziert auf einen Unisono-Satz sowie auf einen Orgelpunkt As gesetzt, erscheint hier das Tanzlied als ein verfremdet anderes. Im anschließenden Vivace (= Var. 4) wird der 6/8-Rhythmus zu einem schnell pointierten 2/4 gestrafft. Verkürzungen, Engführungen, Sforzato-Markierungen lassen sodann einen rasanten Abschluß erwarten. Dieser wird freilich nicht sogleich eingelöst. Eine Rücknahme in ein „Adagio" mit anschließender Kadenz verzögert den Ausklang zwecks Überleitung in ein behäbiges „Moderato" (= Var. 5), worin die Melodie leicht gefällig zum Klingen gebracht wird. Die Reminiszenz an den Anfang ab dem fünftletzten Takt läßt das Thema als ein in die Entfernung gerücktes erscheinen. Der arpeggierte Schlußtakt unterstreicht diese Intention.

Nr. 5, ein kraftbetonendes „Air tirolien" mit dem Textanfang „A Madel, ja a Madel is wie a Fahn" entstammt wahrscheinlich dem Singspiel *Anton, der dumme Gärtner* von Schikaneder/Schack. Auch hier benutzte Beethoven somit nicht ein genuines Tiroler Volkslied, sondern vielmehr ein Tirolerlied aus zweiter Hand, dessen Ländlerrhythmus er abermals (wie in op. 107, Nr. 1) wider die Konvention durch Sforzato-Schläge auf das zweite Viertel aus der tänzerischen Normalität enthebt. Das Thema ist dreigeteilt, es besteht aus 4 + 2 + 4 + 2 Takten in F-Dur, 2 + 4 + 4 Takten in C-Dur sowie 4 + 2 + 4 + 2 + 2 + 2 Takten in F-Dur. In Variation

1 wird abwandelnd mit den stilisierten Rhythmen des Themas ebenso gespielt wie mit den Akkordbrechungen in der Melodie sowie dem kennzeichnenden Septimenfall in den Takten 3 und 4. Variation 2 erfordert einen virtuosen Spieler am Klavier, dem sich verstärkend ein Flötist oder Geiger in den Forte-Partien zugesellen kann. Variation 3 sollte am eindrücklichsten dazu angetan sein, das gängige Vorurteil gegenüber op. 105 und op. 107 zu entkräften, es handele sich hier lediglich um Beiläufigkeiten, denn dieses mehrteilige Gebilde hat die Ausmaße und Ansprüche eines Sonatensatzes in sich. Trillerketten, eine geballte „Maestoso"-Episode, Unisono-Passagen, kräftigste gespannte Gegensätze machen eindringlich, daß auch in einem trivialen Singspiellied die Potenz zum Außergewöhnlich-Großen steckt, daß der Schein des Volkstones entlarvt zu werden vermag als Vorstufe zu autonomer Hochkunst, verbunden freilich mit einem zu intensiver Perzeption herausfordernden Anspruch.

Nr. 6 ist das walisische Lied „Merch Megan" (vgl. WoO 155, Nr. 11), welches im 6/8-Takt ruhig getragen um den Grundakkord es—g—b—c kreist. Beethoven adaptiert dieses nicht sonderlich eindrückliche Gebilde unter anderem dadurch, daß er es in Variation 1 in die Nähe einer tänzerisch-wienerischen Bewegtheit versetzt. Bis zu Variation 3 werden Varianten dieses wiegenden Schwungs der Wahlheimat des Komponisten ausgestaltet, in Variation 4 ist hingegen in einem von Sforzato-Betonungen und kurzgliedrigen Piano- und Forte-Kontrasten mit Lagenwechsel bestimmten Vivace der souveräne Anspruch auf eine gänzlich eigenwillige Umgestaltung mit rücksichtslosem Zugriff verwirklicht. Statt eines „dolce"-Wiegens wird ein energisches Stampfen gefordert, welches am Schluß „Poco Adagio" bremsend in einem triolierten Arpeggio der Kadenz aufgehoben wird.

Nr. 7 appelliert an das um 1818 auch in Westeuropa allbekannt gewesene ukrainische Lied „Schöne Minka" in gehendem 2/4-Takt, welches mit deutschen Versen von Christoph August Tiedge in aller Munde war (vgl. WoO 158, Nr. 16). Dieses getragene Andante behält der Komponist bei bis zu Variation 6, welche eine Tempo-Beschleunigung bringt, die nach einer Rückkehr in den Andante-Rhythmus in einem „Poco vivace" ausklingt, ohne freilich affirmativ ins Große auszugreifen oder dem durch Tonrepetitionen geprägten einfachen Gebilde pathetische Töne abzuverlangen. Insgesamt wird das „Air russe"-Abschiedslied acht Variationen unterzogen, von Moll nach Dur gewendet, in die Mediante transponiert sowie in großflächigere übergreifende Strukturen überführt. Vorwärtsdrängen und der Gestus des resignativen Aufhaltens begegnen sich in einem dialektisch angelegten Verfahren.

Nr. 8 ist tatsächlich ein „Air écossais", nämlich das intime Lied „Oh Mary, at the window be" (vgl. op. 108, Nr. 17). Beethoven setzt dieses in einigen Takten so aus, wie man damals gewöhnlich Volkslieder am Klavier begleitete, in anderen hingegen recht eigenwillig. Variation 1 nimmt herausstellend den Impuls des Auftaktes auf und verabsolutiert diesen. Variation 2 hingegen wandelt den Auftakt ab in gleitende Synkopen, Variation 3 reißt das melodisch pausenlose Kontinuum auf in abrupte Staccato-Partikel. Die vierte Variation betont dagegen die Legato-Bindung, ruhende Töne, Terzklänge im zarten Miteinander zweier Stimmen. Diese bringt über fis'' (Thema), d''' (Var. 1), fis''' (Var. 2), g''' (Var. 3) mit a''' den melodischen Spitzenton des gesamten Werks, also einen zielgerichteten Höhepunkt.[1] Eine

1 Vgl. J. Uhde, *Beethovens Klaviermusik,* Bd. I, S. 456ff.

Coda mit kadenzierendem Lauf und Triller bereitet abschließend ein als Variation 5 nicht gezähltes „Allegro assai" vor, welches wie ein mit tänzerischer Beschwingtheit inszenierter „Rausschmiß" erscheint, wie ihn damals improvisierende Pianisten oder Tanzgeiger gern anbrachten.

Nr. 9 verwendet das schottische Lied „Oh thou art the lad of my heart" (vgl. op. 108, Nr. 11) mit dem rhythmischen Kennzeichen des Scotch snap. Dieses Merkmal wird unter anderem in den Varianten harmonisch unterschiedlich akzentuiert. Ansonsten gibt es in dieser Reihe keine derben Kontraste, Überraschungen oder lautstarken Heftigkeiten. Beethoven sucht diesem Thema ohne artistische Brüskierungen harmonisierend nahe zu kommen. Gleichrhythmen, Einheitsabläufe bestimmen durchweg den Ablauf von fünf Variationen, einmal in Scherzando-Manier, einmal — so in Variation 2 — über einem Unisono und Akkordik (Var. 4) oder dem konventionell dahineilenden Vivace der Variation 5.

Die Schlußnummer 10, ein aus 4 mal 4 Taktgruppen bestehendes Air écossais „The highland watch" (vgl. op. 108, Nr. 22), bietet „Spirituoso e marciale" gespielt ein Abbild schottischen Marschierens, das musikgeschichtlich bereits im 16. Jahrhundert als ein Eigentümliches ausgewiesen worden ist. Die pausenlose, an den Binnenzäsuren mittels der Begleitung zu einem Kontinuum gefügte Melodie wird in Variation 1 unter Betonung des Marschmäßigen aufgelöst in kurzgliedrige, auch durch Lagenwechsel abgesetzte Mikrostrukturen. Variation 2 hingegen beläßt das zu Variierende stationär in gleicher Lage, wobei der Marschrhythmus sublimierter in der linken Hand durchgeführt wird, entgegengesetzt jedoch den Synkopen in der rechten Hand des Klavierparts sowie in der Flöte. Dieser komplementäre Rhythmus macht nebst einer archaisch anmutenden modalen Tonalität deren Reiz aus. Variation 3 bringt eine Tempobeschleunigung, den Wechsel nach D-Dur und eine Glättung des Themas durch Vermeiden von Punktierungen. Gänzlich vom Marsch entfernt sich Variation 4 im Tempo „Adagio espressivo". Punktierte Rhythmen werden hierin mit etlichen anderen verbunden, wobei die Grundstruktur des Themas nicht verlassen wird. Vielfalt in der Verknüpfung mit einem einheitlich Verbindlichen ist hier ein hervorstechendes Merkmal. Die abschließende fünfte Variation präsentiert die Marschmelodie im 2/4-Takt völlig sinnverwandelt im 6/8-Rhythmus. Ohne satztechnische Problematisierungen, dynamische oder expressive Schattierungen klingt das Werk und damit op. 107, all das Vorhergehende verharmlosend, aus. Dies ist ein Finale ohne autographe Angabe von Stärkegraden. Vermutlich ist es durchweg in einem enteilenden Pianissimo zu realisieren, das mehr offen läßt als beschließt. Es signalisiert, daß das variierende Spiel mit „airs de diverses nations" trotz aller eingebrachten Gründlichkeit der Arbeit ein heiter Unterhaltendes, auch den reflektierenden Geist Beschäftigendes sein kann.

Beethoven hat Werke wie op. 105 und op. 107 als „Stückarbeit" apostrophiert. In dieser seiner Kennzeichnung von „Kleinigkeiten" ist das Eingeständnis von Arbeit enthalten, also des nicht lediglich konventionell-spielerischen Umgehens mit einfachen Liedweisen nach Art der modischen Arrangeure. Er benutzte diese Liedthemen vielmehr auch zur streng prüfenden Auseinandersetzung mit dem naiv Einfachen als einem vorgegebenen Material, das es sublimierend in Kunst umzugestalten galt. Der Komponist schickte sich niemals an, etwa für den Salongebrauch eine folkloristisch getönte Schönmacherei zu verwirklichen, Lieder aus Rußland oder aus Wales zum Anlaß für verharmlosende Niedlichkeiten im idyllischen Genre zu mißbrauchen. Materielle Erwägungen, Verlegerwünsche, das „nützliche Geschäft“ (1809 an G. Thomson), „Salonkonvenienzen“ hielten ihn nicht davon ab, diese Gelegenheiten dazu zu nützen, im Sinne Schillers die Natur, repräsentiert in Volksliedern und Singspielgesängen, zu erweitern, ironisch — zuweilen auch auffahrend exzentrisch — damit zu verfahren, Triviales zu veredeln, um dieses zu einer Sache von Kunst umzuformen. Beethoven stellt dabei Merkmale des Gassenhauerischen übertreibend heraus und benützt Triviales für humoristische Spiele. So vermochte er in kritisch reflektierender Aneignung das naiv Anmutende mit der „Erhabenheit und Originalität seines Stils zu vereinigen“. Dies war sein bereits 1806 deutlich erklärtes Vorhaben. Beethoven belegt damit, daß es durchaus möglich ist, in sich abgeschlossene Strophenmelodien aufzuschließen für motivisches Arbeiten, Durchführungsprozesse und Entwicklungen. Er vermochte es dabei, weitgehend all jene Teilmomente auszusondern oder zu überspielen, die sich nicht seiner Werkidee fügten. Der souveräne Komponist holte aus dem Einfachen alle Aspekte des Erhabenen, Ungewöhnlichen, Facettenreichen heraus, ohne dabei in der Abfolge von 16 Stücken einem Schema zu folgen. Die starke innovatorische Intention der Individuierung auch von teilweise schablonisiert Vorgegebenem ist diesen kleinen Stücken eingeprägt. Manche Variation erweist sich zwar als eilig hingeworfen, die Mehrzahl hingegen als auslotend gearbeitet. Der schottische Verleger Thomson lehnte diese deswegen als „zu gelehrt“ ab und verwies diese mehr an die Nachwelt denn an seine vornehmlich Ergötzung mittels Musik suchende Mitwelt. Bei allen materiellen Beweggründen, die Beethoven zur Komposition von op. 105 und op. 107 veranlaßt haben, ist indessen festzustellen, daß er hierin seinen alles musikalisch Vorhandene achtenden Humanismus kraft einer auch sozialen Selbstverpflichtung gegenüber dem Popularen eigenwillig mit eingebracht hat.[1]

Walter Salmen

25 schottische Lieder mit Klaviertrio-Begleitung op. 108

GEDICHTE: J. Baillie (Nr. 19, Nr. 23), A. Ballantyne (Nr. 15), R. Burns (Nr. 8, Nr. 9, Nr. 14, Nr. 17), Lord Byron (Nr. 12), Mrs. Grant (Nr. 20), J. Hogg (Nr. 7, Nr. 16, Nr. 22), W. Scott (Nr. 2, Nr. 4, Nr. 18), W. Smyth (Nr. 1, Nr. 3, Nr. 5, Nr. 6, Nr. 10, Nr. 11, Nr. 13, Nr. 24); Nr. 25 ist als „The old English Ballad of Sally in our Alley“ betitelt.
ENTSTEHUNGSZEIT: 1815/1816.
ERSTAUFFÜHRUNG: unbekannt.
SKIZZEN: Deutsche Staatsbibliothek Berlin, aut. 29 II; Beethoven-Haus Bonn, NE 43; Gesellschaft der Musikfreunde Wien, A 46; Library of William Scheide Princeton, Scheide-Skizzenbuch.
AUTOGRAPH: Deutsche Staatsbibliothek Berlin; Wildegg (Schweiz), Sammlung Louis Koch; Pierpont Morgan Library New York (Cary Collection); Hans Rahner (Hamburg-Langenhorn); Biblioteka Gosudarstvennoja Publicnaja Petersburg.

1 Vgl. W. Salmen, *Soziale Verpflichtungen,* S. 144ff.

Erstdruck und Widmung: London (Edinburgh) 1818 (G. Thomson); dem Fürsten Anton Heinrich Radziwill gewidmet.
Gesamtausgabe: Alte Gesamtausgabe: Nr. 257 = Serie 24 Nr. 1.

Die Vertonungen der Schottischen Volkslieder, op. 108, kosteten Beethoven und George Thomson eine beträchtliche Menge Zeit, Mühe und, in Thomsons Fall, Geld, — Aufwendungen, die in keinem wirklichen Verhältnis zum künstlerischen Wert der Lieder standen, aber gerade darum interessante Einblicke in die gegenseitigen Beweggründe und Ziele der beiden Männer bieten. Die Lieder sind häufig als reine Brotarbeit abgetan worden. Wenn sie auch eindeutig nicht zu Beethovens großen Werken zählen, sind sie immerhin Mikrokosmen der komplexen Beziehungen zwischen künstlerischen Idealen, Zeitmode und kaufmännischem Geist. Thomson hegte eine Leidenschaft für den Volksgesang der britischen Inseln, und er sehnte sich danach, seine Lieblingsmelodien in einen dem Kunstlied ähnlichen Status erhoben zu sehen. Seine Sammlungen irischer, schottischer, walisischer und englischer Lieder sollten dieses Ziel erreichen und zugleich aus dem augenblicklichen Modetrend zur Volksdichtung und Volksmusik Kapital schlagen. Beethoven wiederum, bestenfalls ein unerfahrener Unternehmer, ließ sich öfters auf Projekte ein, von denen er zusätzliches Geld erhoffte, ohne daß sie ihm viel Zeit oder kompositorischen Aufwand abverlangten. Doch waren diese Unternehmungen häufig mit Streitigkeiten zwischen dem Komponisten und dem Verleger oder einem anderen Geldgeber beladen. Und typisch für Beethoven ist es, daß er sich selbst zum Trotz mehr Energien in solche Werke fließen ließ, als er ursprünglich vorhatte, offenbar aus einem Empfinden künstlerischer Verantwortung. Im Fall der Volksliedvertonungen, die er für Thomson ausführte, muß sein aufrichtiges Interesse an Volksmusik als wichtiger Faktor für seine Bereitwilligkeit, die Arbeit zu übernehmen, mitgespielt haben.

George Thomsons Interesse an einer Sammlung seiner heimatlichen schottischen Volkslieder datiert aus den frühen 1790er Jahren, als bei den Sankt-Cäcilien-Konzerten in Edinburgh zwei italienische Sänger, Signor Tenducci und Domenica Corri, vortrugen. Später berichtete er: „ich hörte schottische Volkslieder in einer excellenten Manier gesungen, die jegliche Vorstellung, die ich vorher von ihrer Schönheit gehabt hatte, weit übertraf [...]. Daß ich den Gedanken faßte, all unsere besten Melodien und Lieder zu sammeln und Begleitungen dazu zu erhalten, die ihrer Vortrefflichkeit wert waren, war eine Folge davon, daß [Tenducci] und Signora Corri eine Anzahl unserer Lieder so reizend vortrugen.“[1] Mit den bereits erhältlichen Sammlungen erklärte er sich unzufrieden: „die Lieder werden von Symphonien weder eingeleitet noch beschlossen, und die Begleitungen (nur für Klavier oder Cembalo) waren mager und trivial, während die Worte in sehr vielen Fällen von der Art waren, daß sie in guter Gesellschaft nicht geduldet oder gesungen werden konnten.“[2] Nach Thomsons Vorstellung trat die eigentliche Schönheit der Lieder erst in der Ausführung durch hervorragend geschulte Sänger zutage; ebenfalls von Bedeutung war, daß sie im Rahmen eines offiziellen Konzerts zu Gehör kamen, was ihnen von vornherein einen gewissen künstlerischen Status verlieh. Folglich faßte er eine

1 J. C. Hadden, *George Thomson, the Friend of Burns,* S. 20.
2 Ebenda, S. 22f.

Sammlung nicht von wirklichen Volksliedern, sondern von Bearbeitungen ins Auge, die das Material „erheben" würden. Zu diesem Zweck boten sich gewisse Handgriffe der Kunstmusik — Vorspiele, Nachspiele und ausgeklügelte Begleitungen — ebenso nachdrücklich an wie Retuschen der Texte, die einen gehörig feinen Ton gewährleisteten. Etwa 30 Jahre lang verfolgte Thomson sein Ziel mit Sammlungen von Liedern aus den britischen Inseln, für deren musikalische Neugestaltung er sich an führende Komponisten der Zeit — Haydn, Pleyel, Kozeluch und auch Beethoven — wandte, während er bekannte Dichter wie Scott, Burns, Hogg, Smyth und Baillie dazu verleitete, die Texte neu zu schreiben.

Thomson brachte eine mögliche Zusammenarbeit mit Beethoven zum ersten Mal 1803 zur Sprache, als er dem Komponisten schrieb und ihn bat, sechs Klaviersonaten über schottische Melodien zu komponieren. Beethoven antwortete zustimmend, verlangte aber doppelt so viel Honorar wie Thomson zu zahlen bereit war.[1] Verhandlungen kamen 1806 mit Thomsons Bitte um einige Kammermusikstücke erneut in Gang. In seiner Erwiderung mit dem Angebot verschiedener Werke fügte Beethoven ein Postskriptum hinzu, worin er erwähnte, daß er bereit sei, „kleine schottische Lieder mit harmonischer Begleitung zu versehen".[2] 1809 teilt er Thomson schließlich mit: „Je composerai des Ritornells pour les 43 petits airs, mais je demande encore 10 livres sterling ou 20 ducats de Vienne en espèces, plus que vous m'avez offert [Ich werde Ritornelle für die 43 kleinen Lieder komponieren, aber ich verlange 10 Pfund Sterling oder 20 Wienerische Dukaten mehr in klingender Münze, als Sie mir angeboten haben]." Um seine Forderung nach einem höheren Honorar zu rechtfertigen, fügte er hinzu: „Cette travail est outre cela une chose, qui ne fait pas grand plaisir à l'artiste, mais pourtant je serai toujours pret de vous en consentir, sachant qu'il y a quelque chose utile pour le commerce [Diese Arbeit ist außerdem eine Sache, die dem Künstler kein großes Vergnügen macht, aber trotzdem werde ich immer bereit sein, Ihnen zuzustimmen, weil ich weiß, daß es etwas Nützliches für den Handel gibt]."[3] Diese Bemerkungen spiegeln vermutlich mehr wider als Beethovens rationale Begründung für ein höheres Honorar; sie drücken zweifellos genau und typisch offen heraus seine Einstellung gegenüber dem ganzen Unternehmen aus, das er für ein Kompositionsprojekt hielt.

Man sollte jedoch nicht vergessen, daß Beethoven ein Verehrer der Ossian-Gedichte und der Schriften von Walter Scott war sowie anderer, die sich von der Folklore inspirieren ließen. Wenn er auch die Volksliedbearbeitungen als eine Art Lohnarbeit angesehen haben mag, die ein bißchen „schnelles Geld" bringen sollte, hatte er nichtsdestoweniger ein echtes Interesse an Volksdichtung und Volksgesang. Und dieses Interesse hat wohl auch dazu beigetragen, daß er Thomsons Projekt so lange treu blieb, obwohl ihn Thomsons ständiges Herumnörgeln an den schwierigen Begleitungen und anderen Aspekten seiner Vertonungen deutlich verärgerte.

Allein die Art und Weise, in der Thomson seine Sammlung zusammentrug, muß zu beträchtlichen Frustrationen seitens seiner Mitarbeiter geführt haben. Er schickte den Komponisten nämlich nur die Melodien, den Dichtern nur die Texte. Beide Par-

1 Vgl. E. Anderson, *The Letters of Beethoven,* Bd. I, Brief Nr. 83, S. 98.
2 Ebenda, Brief Nr. 136, S. 154f.; bei E. Kastner / J. Kapp, *Ludwig van Beethovens sämtliche Briefe,* S. 96.
3 E. Anderson, *The Letters of Beethoven,* Bd. I, Brief Nr. 229, S. 247.

teien arbeiteten demnach partiell blind. Besonders Beethoven klagte darüber, daß ihm die Texte fehlten. Im November 1809 schrieb er an Thomson: „Une autre fois je vous prie aussi de m'envoyer les paroles des chansons, comme il est bien necessaire pour donner la vrai expression [Beim nächsten Mal bitte ich Sie, mir auch die Liedtexte zu schicken, da es durchaus nötig ist, sie zu kennen, um den wahren Ausdruck zu übermitteln]."[1] Thomson wiederum beschwerte sich über Klavierparts, welche — Thomson war sich da sicher — die Fertigkeiten „unserer schottischen Damen" überstiegen. Wenn Beethoven sich in diesen Unterhandlungen oft als ein reizbarer Briefpartner zeigte, hatte er auf jeden Fall manchen guten Grund.

Als Gruppe weisen die 25 Lieder eine Anzahl von Ähnlichkeiten auf. Alle sind Strophenlieder; fünf haben einen Refrain für 1—4 Sänger.

Tabelle 1: Liedformen

Alle Lieder in einfacher Strophenform, mit folgenden Ausnahmen:

Nr. 1:	strophisch mit dreistimmigem Refrain, alle Stimmen im Violinschlüssel;
Nr. 3:	strophisch mit einstimmigem Refrain; im Refrain Tempowechsel zu „Allegro ben marcato";
Nr. 13:	dreistimmiger Refrain;
Nr. 19:	vierstimmiger Refrain;
Nr. 22:	dreistimmiger Refrain.

Mehr als die Hälfte der Melodien sind als pentatonisch anzusehen oder weisen „lückenhafte" Skalen auf (am häufigsten fehlt die siebte Stufe).

Tabelle 2: Skalentypen in Thomsons Volksliedern

Pentatonische oder lückenhafte Skalen: Nr. 2, 3, 4, 6, 7, 9, 10, 13, 15, 19, 20, 22, 23.
Vollständig diatonisch: Nr. 1, 5, 8, 11, 12, 14, 16, 17, 18, 21, 24, 25.

Selbst in durchaus diatonischen Melodien kommt gewissen Skalenstufen nur geringe Bedeutung zu. Fast immer sind die Begleitungen diatonischer als die Melodien, aber im allgemeinen gab sich Beethoven Mühe, die Harmonien ziemlich schlicht zu halten. Oft gehen die Harmonisierungen nicht über Tonika-, Dominant- und Subdominantakkorde hinaus; gelegentlich kommt noch ein Moll- oder Durakkord der zweiten Stufe oder ein dominantischer Vertreterklang wie etwa ein Moll- oder Durakkord der siebten Stufe dazu. Viele Lieder weisen ein ungewöhnlich häufiges Vorkommen von Tonika-Akkorden auf (Umkehrungen sowie Grundform und Septakkord) und eine entsprechende Untergewichtung der Dominantakkorde. Diese Merkmale spiegeln zweifellos Beethovens Versuch wider, den tonalen Charakter der Originalmelodien zu erhalten. Allerdings schwächt seine Harmonik trotz dieser Bemühungen doch häufig die pentatonische Färbung der Originalmelodie.

Die einleitenden „Symphonien", auf denen Thomson bestand, wurden zu kurzen Vorspielen, in der Regel vier bis acht Takte lang. Fast alle beruhen auf Motiven oder ganzen Phrasen der Volksmelodie. Nur fünf haben eine minimale oder gar keine Beziehung zur Melodie. Die meisten Nachspiele machen ebenfalls von Fragmenten der

1 Ebenda, S. 248.

betreffenden Melodie Gebrauch, insbesondere ihrer letzten Phrase. Die Klavierbegleitungen kombinieren Verdoppelungen der Gesangsstimme (gewöhnlich in der rechten Hand) mit Stützakkorden. Die Streicherstimmen sind dagegen abwechslungsreicher. In zehn Liedern verdoppeln auch sie die Gesangsstimme und verschaffen akkordische Unterstützung; in drei Liedern haben sie eine reine Obligato-Funktion. In den übrigen zwölf Liedern wechseln beide Satzarten miteinander ab.

Tabelle 3: Typen der Begleitung

Klavier: In fast allen Liedern wird die Gesangsstimme im Klavier verdoppelt und mit einfachen Akkorden unterstützt. Ausnahmen bilden:

Nr. 5:	nur gebrochene Akkorde;
Nr. 6:	Hauptmotiv der Volksmelodie in der linken Hand, die Gesangsstimme leicht imitierend; Blockakkorde in der rechten Hand;
Nr. 19:	nur akkordische Unterstützung;
Nr. 24:	nur akkordische Unterstützung;
Nr. 25:	akkordische Unterstützung, die manchmal die Melodie nachzeichnet.

Streicher: Verdopplung der Gesangsstimme mit akkordischer Unterstützung (Nr. 5, 6, 8, 9, 10, 16, 17, 19, 24, 25 [nur Akkorde]).

Streicher: Obligato (Nr. 12, 21, 23).

Streicher: Kombination aus beiden Techniken (Nr. 1, 2, 3, 4, 7, 11, 13, 14, 15, 18, 20, 22).

Eine Auswahl von vier Liedern mag diese und andere charakteristische Verfahren veranschaulichen. Nummer 3, „Oh, sweet were the hours", ist die Vertonung eines nostalgischen Textes von William Smyth über die sorglosere Vergangenheit. Die Klavierbegleitung verdoppelt und harmonisiert die leittonlose Melodie in der rechten Hand; die linke Hand hat nur Tonika-Akkorde in der Grundform und Dominant-Akorde in der zweiten Umkehrung. Mit Hilfe dieser Bordunwirkung gelang es Beethoven, den tonalen Charakter der Originalmelodie zu erhalten. Merkwürdigerweise setzte er jedoch die arpeggierten Akkorde der linken Hand in Triolen gegen die vorherrschende Zweier-Unterteilung der Originalmelodie. Das Resultat entsprach eher der damaligen Mode als dem volkstümlichen Charakter des Originals.

Nummer 4, „The Maid of Isla", nach einem Gedicht von Walter Scott, gebraucht die vierte und siebte Tonleiterstufe nur zu Verzierungszwecken auf schwachen Taktzeiten oder Bruchteilen von Taktzeiten. Das Lied hat somit einen ausgesprochen pentatonischen Charakter, obwohl die Melodie vorwiegend aus den Tönen des Tonikadreiklangs gebaut ist.

Die Harmonien sind einfach; Beethoven stützte sich fast ausschließlich auf Tonika-, Dominant- und Subdominantakkorde und benutzte entsprechend dem melodischen Gewicht auf den Tönen des Tonika-Dreiklangs eine sehr hohe Rate an Tonikaklängen. Außerdem verwendete er in der Begleitung die in der Originalmelodie ausgesparten Töne so wenig wie möglich und erhielt so teilweise die pentatonische Färbung.

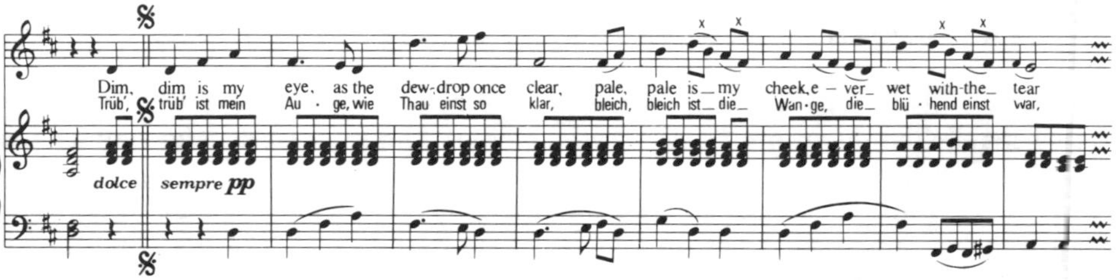

Dieses Lied weist mehrere typische „schottische" (und irische) Melodiewendungen auf, wie etwa die Oktavsprünge auf- und abwärts. Ebenfalls charakteristisch ist die melodische Gestik der gebundenen fallenden Terzen (bei „X"). Beethovens rein diatonische Harmonisierung umgeht den Leitton und macht von der Subdominante nur wenig und in metrisch schwachen Positionen Gebrauch, was dem pentatonischen Charakter der Originalmelodie entgegenkommt. Ansonsten bleibt die Harmonik im ganzen Lied fast völlig auf Tonikaklänge, zum Teil in Umkehrungen, beschränkt. Der Klavierpart hat in der rechten Hand Blockakkorde in enger Lage, während die linke Hand das Hauptmotiv der Gesangsstimme imitiert.

Beethoven, der Verehrer des Ossian, steht seiner Vorlage in dieser Vertonung besonders nahe. Die Schlichtheit der Bearbeitung spiegelt stark den Volkscharakter der Originalmelodie wider, und der Nachdruck auf der Anfangsphrase verstärkt den pentatonischen Charakter. Aber wenn der Klavierpart auch vom rein musikalischen Standpunkt bemerkenswert zurückhaltend wirkt, mag er sich mit seinen drei- und viertönigen Akkorden, die manchmal eine Oktave umspannen, für Thomsons „schottische Damen" doch als schwierig erwiesen haben. Übrigens geben diese Wiederholungsakkorde dem Stück ein typisch Beethovensches Gepräge, das mit den Eigentümlichkeiten der Originalmelodie in gewisser Hinsicht im Widerstreit zu stehen scheint.

Von ganz anderem Charakter ist Nummer 17, „O Mary, at thy window be“. Die Melodie dieses Liedes ist rein diatonisch, so daß Beethoven eine weitaus größere Vielfalt von Akkorden als in den meisten anderen Liedern zu benutzen vermochte, und zwar neben den Hauptakkorden der Tonart auch die Subdominantparallele, die Untermediante und den verminderten Septakkord auf der siebten Stufe sowie ein paar alterierte Akkorde. Neben Nummer 11, „Oh! Thou art the lad of my heart, Willy“, weist diese Bearbeitung somit die größte harmonische Vielfalt auf. Der Klavierpart trägt einen charakteristischen Beethoven-Stempel. Insbesondere sein Anfang und Schluß müssen Thomsons „schottische Damen“ auf die Probe gestellt haben.

Diese kurzen Beispiele mögen ein Bild vermitteln von den Extremen in Beethovens Vertonungen, von solchen, die vom echten Volksliedideal geprägt sind, bis zu einigen, die eher Beethoven als schottische Barden heraufbeschwören. Gerade diese Eigenschaft der Lieder ergab sich aus Thomsons und Beethovens Idealen einerseits und andererseits aus den Kompromissen, auf die sich beide angesichts der gegebenen Arbeitsumstände und kommerziellen Ziele einlassen mußten. Denn Thomson gewahrte in den Volksliedern zwar eine natürliche Schönheit, fand aber, daß es einer verfeinerten Bearbeitungs- und Darstellungsweise bedurfte, um diese Schönheit erkennen zu können. Wie die meisten Gebildeten seiner Zeit hielt er das echte Volkslied für primitiv und unvollkommen; Juwelen mochten es sein, aber rohe und ungeschliffene. Die Vertonungen, die er von Haydn, Pleyel, Kozeluch und Beethoven erbat, sollten ihnen die nötige Verfeinerung, Erhebung und Veredelung geben. Zu Beginn des Unternehmens war er zuversichtlich, daß seine Sammlungen bei der vornehmen Gesellschaft Erfolg haben würden, da sie bewußt der Sucht der Zeit nach Volksdichtung und Volksmusik entgegenkamen und die Autorität führender Komponisten und Dichter des Tages für sich in Anspruch nahmen. Beethoven teilte diese Ideale und sah wie Thomson auch eine finanzielle Gelegenheit. Sein Versuch, angemessen verfeinerte Bearbeitungen herzustellen und gleichzeitig ihren Volkscharakter zu erhalten, gelang jedoch nur zum Teil. Bei der Arbeit fehlten ihm nicht nur die Texte, sondern wohl auch ein tieferes Verständnis für die musikalischen Eigenheiten des britischen Volksliedes, und so verschätzte er sich häufig. Die Folge war eine seltsame Mischung aus wirklich Volkstümlichem und folkloristisch gefärbt Modischem, die jedoch unverkennbar Beethovens eigenen stilistischen Stempel trägt. Vielleicht hätte Beethoven Gefallen gefunden an der Einschätzung eines Rezensenten, der in der Leipziger *Allgemeinen musikalischen Zeitung* schrieb: „Es durchklingt diese Lieder des genialen Tonsetzers ein ganz eigenthümlicher Geist [...]. Man wird hier nicht Liederweisen zu suchen haben, die sich an die alten wundersamen Melodieen der Hochländer Schottlands anschliessen; kein entschlafener Barde wird hier aus den Trümmern nebelvoller Vorzeit geweckt: Beethoven's selbstständiger Geist ist es, der hier über Hügeln des Schlummers in einem sich selbst eträumten Lande wandelt, das er Schottland nennt, weil es eben schottische Texte sind, an welche seine innere Welt des Tones sich bindet.“[1]

Kathryn Bumpass
Übersetzung: Gudrun Budde

1 *Schottische Lieder mit englischen und deutschen Texten...*, anonyme Rezension in: *AmZ* 30 (1828), Sp. 283f.

Klaviersonate E-Dur
op. 109

ENTSTEHUNGSZEIT: 1820.
ERSTAUFFÜHRUNG: unbekannt.
SKIZZEN: Staatsbibliothek Preußischer Kulturbesitz Berlin, Artaria 195 und Artaria 197; Deutsche Staatsbibliothek Berlin, Grasnick 20b; Konversationsheft 11 (Anfang April bis etwa 14. April 1820), fol. 76r (K.-H. Köhler / D. Beck, *Ludwig van Beethovens Konversationshefte*, Bd. II, S. 56 und Abb. vor S. 81); Beethoven-Haus Bonn, BH 107; Gesellschaft der Musikfreunde Wien, A 47.
AUTOGRAPH: Library of Congress Washington (Whittall Foundation); überprüfte Abschrift: Gesellschaft der Musikfreunde Wien.
ERSTDRUCK UND WIDMUNG: Berlin und Wien 1821 (A. M. Schlesinger, Artaria & Co., Cappi & Diabelli, S. A. Steiner & Co.); Maximiliane Brentano gewidmet.
GESAMTAUSGABE: Alte Gesamtausgabe: Nr. 153 = Serie 16 Nr. 30.

Die kompositorischen Anfänge von Beethovens op. 109 lassen sich bis in die ersten Monate des Jahres 1820 zurückverfolgen. Sie gingen Beethovens Verhandlungen mit Adolf Schlesinger, dem Verleger aller drei letzten Sonaten, voraus. In der neueren Forschung wird behauptet, daß es ein anderes Ersuchen, nämlich jenes des Musikers und Herausgebers Friedrich Starke, gewesen sei, welches Beethoven veranlaßte, die Arbeit an der *Missa solemnis* im April jenes Jahres abzubrechen, um zu komponieren, was alsbald der erste Satz von op. 109 wurde. Starke bat Beethoven um einen Beitrag für seine Klavier-Anthologie, die *Wiener Pianoforteschule*, worauf ihm Beethoven schließlich die Bagatellen op. 119, Nr. 7—11 anbot. Doch hat es den Anschein, daß „das kleine neue Stück", wie es in Beethovens Konversationsheft im späten April beschrieben wurde, ursprünglich mit dem Stück identisch war, das als „Vivace, ma non troppo" die Sonate einleiten würde.[1] Die ungewöhnliche Anlage des Stücks läßt an eine Bagatelle denken, die von zwei fantasieartigen Zwischenspielen unterbrochen wird, und in seinem Entwurf im Manuskript Grasnick 20b bezeichnete Beethoven die langsame Fortsetzung im Dreiertakt — im fertigen Werk mit „Adagio espressivo" gekennzeichnet — denn auch als „Fantasie".[2] Sieghard Brandenburg hat auf der Basis von Skizzen (Grasnick 20b, fol. 1v) die Behauptung aufgestellt, daß Beethoven möglicherweise zunächst eine neue zweisätzige e-Moll-Sonate ohne den unabhängig davon ersonnenen ersten Satz erwogen hat.[3] Einige der hervorstechenden motivischen Glieder, die das Vivace mit dem nachfolgenden Prestissimo-Satz und den abschließenden Variationen verbinden, wurden offensichtlich erst nach Beethovens Entschluß, die drei Sätze zu einem Werk zusammenzuschweißen, geschaffen oder weiterverarbeitet.

Die erste, von Schlesinger im November 1821 in Berlin veröffentlichte Ausgabe war hauptsächlich deshalb mit Fehlern durchsiebt, weil Beethoven krank gewesen

1 Vgl. W. Meredith, *The Origins of Beethoven's op. 109.*
2 Ein Faksimile und eine Transkription dieses Entwurfs enthält W. Kinderman, *Thematic Contrast and Parenthetical Enclosure in the Piano Sonatas, op. 109 and 111.*
3 Vgl. S. Brandenburg, *Die Skizzen zur Neunten Symphonie,* S. 105, Anm. 35. Beethovens frühere Sonate in e-Moll op. 90, komponiert 1814, hatte einen zweisätzigen Anlageplan mit einem Schlußsatz in Dur benutzt.

war und kaum imstande, hinreichend Korrekturen zu lesen.[1] Krankheit hinderte Beethoven auch daran, die zwei zugehörigen Sonaten op. 110 und op. 111 vor 1822 zu vollenden. Op. 109 wurde Maximiliane Brentano gewidmet, der Tochter von Antonie Brentano, die Maynard Solomon überzeugend als die „Unsterbliche Geliebte“, die beabsichtigte Empfängerin des berühmten Liebesbriefs von 1812, identifiziert hat.[2] Anders als in der vorausgehenden, gigantischen *Hammerklaviersonate* kehrte Beethoven mit op. 109 zu den kleineren Dimensionen und dem intimeren Charakter früherer Sonaten wie op. 90 oder op. 101 mit ihrer Mischung aus Improvisation und Polyphonie zurück. Der Schwerpunkt von op. 109 findet sich, wie in so vielen von Beethovens späteren Werken, im Schlußsatz, einer Folge bemerkenswerter Variationen über ein erhabenes, gesangliches Thema.

Der erste Satz spiegelt das starke Interesse wider, das Beethoven zu dieser Zeit an Strukturen hatte, die parenthetisch von kontrastierenden Abschnitten eingeschlossen sind. Die Verwendung derartiger parenthetischer Abschnitte gewinnt in den letzten Sonaten immer mehr an Bedeutung und hat sich anscheinend als Folge der mühevollen Arbeit am Credo der *Missa solemnis* in der ersten Hälfte des Jahres 1820 noch vertieft; hier erfand Beethoven eine ungeheure parenthetische Struktur, welche die musikalische Vertonung der Ereignisse auf Erden (vom „Et incarnatus est“ bis zum „Resurrexit“) vom übrigen Satz absetzt. Eine abrupte Unterbrechung der Kadenz bei „descendit de coelis“ bereitet dann die spätere Wiederaufnahme der Musik bei „ascendit in coelum“ vor. Der erste Satz von op. 109 wurde, wie wir gesehen haben, etwa um die gleiche Zeit komponiert, und seine einzigartige formale Struktur ist wohl das Produkt ähnlicher Techniken des parenthetischen Einschlusses. Das Anfangsmaterial im Vivace-Tempo wird nach nur acht Takten unterbrochen, wenn es die Schwelle einer Kadenz auf der Dominante von E-Dur erreicht. In der darauf folgenden fantasieartigen Passage im Adagio-Tempo, deren kunstvolle Arpeggierungen einen auffallenden Gegensatz zum anfänglichen Material des Vivace mit seiner Gleichförmigkeit von Satz und Rhythmus bilden, wird die Kadenz nicht zugelassen, sondern vermieden. Wenn jedoch die Musik schließlich fest auf einer Kadenz auf der Dominante anlangt (T. 15), fällt dieses Ereignis mit der Wiederaufnahme der Vivace-Musik in genau derselben Tonlage wie vorher zusammen. Der ganze Adagio-Teil entwickelt sich also aus dem Punkt, an dem die Kadenz unterbrochen wird, und die sich daraus ergebende parenthetische Struktur wirkt so, als ob im kontrastierenden Teil die Zeit ausgesetzt oder eine Zeit in eine andere eingeschlossen würde.

Sich dieser parenthetischen Struktur bewußt zu sein, ist wesentlich für das Verständnis der formalen Anlage des Satzes, der sich so oft einer von Analytikern vorgebrachten schematischen Kategorisierung widersetzt hat. Charles Rosen und andere Autoren haben behauptet, daß das zweite Thema des Satzes bereits in Takt 9, zu Anfang des Adagios, zu finden sei.[3] In Wirklichkeit wird die feste Ankunft auf einer

---

1 Eine ausführliche Diskussion der Entstehungsgeschichte von op. 109 einschließlich der Probleme um die Erstausgabe findet sich in der Dissertation von W. Meredith, *The Sources for Beethoven's Piano Sonata in E Major, Opus 109.*

2 M. Solomons Erörterungen zur „Unsterblichen Geliebten“ sind im Kapitel 15 seiner Biographie *Beethoven,* S. 158—189, dargestellt.

3 Vgl. Ch. Rosen, *Sonata Forms,* S. 283f.

Kadenz auf der Dominante, die für den Beginn einer zweiten Themengruppe bezeichnend ist, hier bis zum Beginn der Durchführung, die auf dem Material des Vivace basiert, hinausgezögert. Die zentrale Idee der Exposition besteht gerade in der gegenseitigen Abhängigkeit der beiden kontrastierenden Themenkomplexe, bei der die parenthetische Struktur eine wesentliche Rolle spielt. Die kühne und nicht vorhersehbare Eigenart dieser Anlage wird dadurch bestärkt, daß Beethoven in späteren Stadien des Satzes eine getreue Reprise vermeidet, etwa bei Takt 48, wo die Musik die höchste Tonlage erforscht, oder bei der Wiederkehr des Adagios (T. 58ff.), die keine bloße Transposition der Exposition ist, sondern eine Neuinterpretation, welche die Musik emphatisch und höhepunktmäßig in die entfernte Tonart C-Dur trägt. Es bleibt der Coda überlassen, die gegensätzlichen Themen zur Synthese zu führen und sie in eine neue und engere Beziehung zu setzen. Diese Elemente ständiger Weiterentwicklung und Neuinterpretation stehen paradoxerweise für Beethovens Treue gegenüber klassischen Prinzipien ein: Vorhersehbarkeit der Anlage, einschließlich getreuer Transpositionen in der Reprise, hätte kaum zum unvorhersehbaren, explorativen Charakter eines Satzes gepaßt, dessen Anfangsmaterial von einem derart erstaunlichen, abrupten Kontrast geprägt ist.

Beethovens Coda leistet tatsächlich mehr als eine Synthese von Aspekten der beiden kontrastierenden Themen, da sie gleichzeitig die kommenden Sätze vorbereitet.

Melodisch entscheidend ist die fallende Sekunde Cis—H, die zweimal in der akkordischen Legato-Passage vorkommt und dann zu wiederholten Malen, auch alteriert (mit C) in den folgenden Takten, wo der Klaviersatz vom Anfang des Vivace wiederhergestellt wird. Diese melodische Betonung des Abstiegs von Cis liefert ein direktes Bindeglied zur zweiten Hälfte des Themas im Schlußsatz, während die plötzliche Verschiebung in der Tonlage und im Rhythmus, die durch die Pause und den nachfolgenden E-Dur-Schlußakkord erzeugt wird, das überraschende Hineinspringen in das bevorstehende Prestissimo in e-Moll nicht ganz unvorbereitet erscheinen läßt. Wie in op. 110 und op. 111 baut Beethoven eine Brücke zur nachfolgenden Musik in den Schluß des Anfangssatzes ein, der in seiner sehnsuchtsvollen Unvollständigkeit anscheinend mehr vorausahnt, als er in sich fassen kann. Ein ähnlicher narrativer Faden, in dem die Coda des ersten Satzes zugleich als Erinnerung und Ahnung funktioniert, ist in den beiden folgenden Sonaten, op. 110 und op. 111, zu beobachten.

Das Prestissimo steht im 6/8-Takt und hat viel vom Charakter eines Scherzos an sich, obwohl es in der Sonatenform steht und kein Trio aufweist. Wie der erste Satz benützt es einen schrittweise fallenden Baß. Ebenso gewinnt das motivische Verhältnis C—H oder Cis—H wieder beträchtliche Bedeutung. Das zweite Thema beginnt auf der zweiten Stufe, Fis, indem es den motivischen Schritt C—H durch Cis—H ersetzt, wogegen in der Durchführung ein auffallender Orgelton im Baß von H nach C ansteigt. Ein Nachlassen der erregten Getriebenheit der Musik leitet am Ende der kurzen kontrapunktischen Durchführung in eine Passage sul una corda, die so angelegt ist, daß jegliches Gefühl einer Vorwärtsbewegung erst verlangsamt und dann, nach der Fermate neun Takte vor der Reprise, faktisch unterbunden wird.

Beethoven bringt diesen Eindruck zustande, indem er einen melodischen und rhythmischen Krebs der thematischen Grundzelle einführt; deren Diskantlinie E—Fis—G—E—Fis und rhythmisches Modell lang—lang—kurz—kurz—lang wird in den folgenden Takten mit ihrer Melodieformel E—G—Fis und der rhythmischen Formel kurz—kurz—lang auf sich selbst zurückgeworfen. Im Mittelpunkt dieses spiegelbildlichen, krebsartigen Vorgangs steht eine erneute Betonung der zweiten Stufe Fis; somit ist es nicht die Dominante der Grundtonart e-Moll, sondern die Dominante des dominantischen h-Moll — der „falschen" Tonart —, die in die Reprise führt. Das Entlegene dieser rückwärtsgewandten Geste entsteht nicht nur durch tonale Mittel, sondern auch durch die Sparsamkeit des Satzes und die äußerst leise Dynamik, pianissimo und una corda, im Gegensatz zum Fortissimo und tutte le corde bei der Reprise. Im folgenden wird die Musik gewaltsam und ruckartig in die Reprise gestoßen, wobei Beethoven die harmonischen Konventionen über den Haufen wirft. Dennoch erscheint der Stoß, so wie er auf den stillen, nach innen gekehrten Augenblick des Nachdenkens am Ende der Durchführung folgt, im Zusammenhang völlig überzeugend. Hier wie in der Coda des ersten Satzes transzendiert die Musik wiederum sich selbst und blickt, bevor der erregte Gesamtcharakter des Satzes sich wieder durchsetzt, gleichsam wie in einem Akt der Hellsichtigkeit über ihre unmittelbare Umgebung hinaus, indem sie in der Ferne die heitere Innerlichkeit des Schlußsatzes vorausahnen läßt.

Einige Parallelen zu diesen speziellen Verfahrensweisen finden sich in den schnelleren Sätzen sowohl von op. 110 als auch von op. 111. Im scherzohaften Allegro molto von op. 110 verlangsamt die Musik, ganz knapp vor der brüsken erneuten Wiederholung des Grundcharakters mit der Kadenz des Hauptteils in f-Moll, ihr Tempo. Die thematische Kontur dieser auffälligen wiederholten Geste wird später in der „Coda", die schon zum gewichtigen Schlußsatz überleitet, weiter verarbeitet. In op. 111 dagegen wird das kontrastierende lyrische As-Dur-Thema in der Exposition des turbulenten Allegro con brio ed appassionato in Parenthese gesetzt; es verlangsamt das Tempo und verwandelt den vorherrschenden Charakter des Satzes. Zwar wird dieses Thema in der Exposition durch eine Wiederaufnahme der ungestümen Allegro-Musik abrupt abgeschnitten, doch ist seiner Verarbeitung bei der Rückkehr in der Reprise mehr Platz eingeräumt, während die Coda den bemerkenswerten Übergang zum nachfolgenden Arietta-Satz mit seiner Hilfe zustandebringt. In allen letzten drei Sonaten dient somit Beethovens Verwendung des thematischen Gegensatzes in den schnelleren Sätzen der größeren Aufgabe, auf die vergeistigten Schlußsätze vorauszudeuten; die narrative Bedeutsamkeit dieses Verfahrens ist subtil, aber unmißverständlich.

Wie das Thema des langsamen Variationensatzes des *Erzherzog-Trios* op. 97 ähnelt das Thema der Variationen, mit denen op. 109 schließt, einer Sarabande, einem würdevollen barocken Tanztypus, dessen Rhythmus in charakteristischer Weise die zweite Zählzeit des Dreiertakts betont. Der nachdenkliche Charakter des Themas wird zum Teil durch den Nachdruck auf dem Grundton E vermittelt, der zunächst von der Terz darüber erreicht wird und dann von ausdrucksstärkeren und entfernteren Intervallen darüber oder darunter. Die durchgängige Abwärtsbewegung des Basses, die wir aus den vorhergehenden Sätzen kennen, ist hier umgekehrt: Der Baß steigt in den ersten zwei Takten anderthalb Oktaven aufwärts und bildet einen wirksamen Kontrapunkt zur Melodie im Diskant, deren fallende Terzen in ähnlicher Weise den Duktus aufsteigender Terzen vom Anfang der Sonate umdrehen. Beethovens Angabe „Gesangvoll, mit innigster Empfindung" unterstreicht das sublim Lyrische, das das Ganze auszeichnet und in der außergewöhnlichen 6. Variation und dem nachfolgenden, abschließenden Da capo des ursprünglichen Themas gipfelt.

Wie bei der Komposition des Arietta-Satzes von op. 111 lassen Beethovens Manuskripte für diese Variationen ein rigoroses Auswahlverfahren erkennen. Viele skizzierte Variationen blieben unbenutzt; einige frühe Einfälle finden sich in später beendeten Variationen kombiniert wieder.[1] Die 1. der vollendeten Variationen behält das Tempo des Themas bei, erweitert aber in der Entfaltung einer leidenschaftlichen Melodik von fast opernhaftem Charakter das Tonregister. Die 2. Variation hat einen dreiteiligen Aufbau mit variierten Wiederholungen der Bauteile in beiden Hälften. Während der erste und dritte Teil eine leichte Ähnlichkeit mit dem Klaviersatz des Vivace im ersten Satz aufweisen, wird jeweils im zweiten Teil der tiefere Ton jeder fallenden Terz durch einen ausdrucksvollen Triller gleichsam verherr-

1 Zu den Untersuchungen, in denen die Skizzen zu op. 109 analysiert werden, gehören außer den oben zitierten Werken von Meredith: G. Nottebohm, *Drei Skizzenhefte aus den Jahren 1820—1822*; H. Schenker, *Beethoven. Die letzten Sonaten. Sonate E-Dur Op. 109;* A. Forte, *The Compositional Matrix*; N. Marston, *Schenker and Forte Reconsidered*; ders., *The Sketches for Beethoven's Piano Sonata in E, Opus 109.* Wenn die Interpretation dieser Quellen noch keineswegs erschöpfend ist, so liegt dies zum Teil an dem engen methodischen Ansatz, der die ins einzelne gehenden Analysen von Forte und Marston kennzeichnet.

licht. Die folgenden Variationen bringen Abwechslung in den Taktarten und eine zunehmende kontrapunktische Dichte: Derweil Variation 3 an eine zweistimmige Bach-Invention mit doppeltem Kontrapunkt denken läßt, führt Variation 4 vier imitierende Stimmen ein, und Variation 5, von intensiver rhythmischer Energie durchdrungen, entwickelt ein komplexes fugiertes Gewebe. Das Höhepunktartige der 5. Variation veranlaßte Beethoven sogar zu einer zusätzlichen und gedämpften Wiederholung der zweiten Variationshälfte als Überleitung zur Schlußvariation, die Tempo und Grundcharakter des ursprünglichen Themas wiederherstellt.

Daß mehrere Variationen durch subtile klangliche Übergänge unmittelbar miteinander verbunden sind, steigert die Einheit des Ganzen. Der gewaltige Gegensatz zwischen dem schnellen Allegro vivace im 2/4-Takt und der sanfteren kontrapunktischen 4. Variation mit ihren ausgedehnteren 9/8-Takten in einem Tempo, das langsamer ist als jenes des Themas, wird zum Beispiel durch einen gemeinsamen übergehaltenen Ton überbrückt. Ein direkter harmonischer Übergang verbindet das fugierte Allegro ma non troppo (Variation 5) mit der letzten Variation, da der letzte Akkord der ersteren auf der Dominante belassen wird und sich erst zu Beginn der nachfolgenden Reprise des ursprünglichen Themenkopfes in die Tonika auflöst. Eine noch eindrucksvollere kadenzielle Überlappung verbindet später den Schluß der ätherischen 6. Variation mit dem abschließenden Da capo des gesamten Themas.

Nach den auffälligen Gegensätzen der vorausgehenden Variationen scheint Variation 6 mit einer Wiederkehr der Sarabande in der ursprünglichen Tonlage den Kreis zunächst zu schließen; aber jetzt schöpft Beethoven das Thema aus, indem er den dominantischen Orgelpunkt vom Anfang beider Hälften weiterentwickelt. Der Orgelpunkt wird also verlängert, um alsbald in Form eines langsamen Trillers herausgearbeitet zu werden; und nach insgesamt fünf fortschreitenden rhythmischen Diminutionen erreicht er das nicht mehr eingeteilte Pulsieren schneller Triller erst in der linken, dann in der rechten Hand. Auch hier noch führt Beethoven den Prozeß der rhythmischen Intensivierung fort, indem er die Bewegung der Melodiestimmen zu Achteltriolen steigert und schließlich, wenn der Triller auf der Dominante in das tiefste Register fällt, zu Zweiunddreißigsteln. Noch ein weiteres Transformationsstadium wird bei der Wiederholung der zweiten Hälfte des Themas erreicht: In der höchsten Tonlage erscheint über dem Triller in der Mittellage und schnellen Zweiunddreißigstel-Figurationen in der linken Hand die ursprüngliche Kontur des Themas in Synkopen. Das langsame Cantabile-Thema explodiert so in einem rigorosen Prozeß der rhythmischen Beschleunigung faktisch von innen heraus. Durch eine Art radioaktiven Zerfalls entsteht eine phantastisch kunstvolle Kette flimmernder, vibrierender Klänge.

Dieses ekstatische Moment in der Schlußvariation bestätigt im himmlischen Diskantregister noch einmal die harmonische Fortschreitung, die zum melodischen Gipfel auf Cis führt; sie ist aus dem Thema selbst, drei Takte vor Schluß der Sarabande, abgeleitet. Es ist diese Geste, die, in der Coda des ersten Satzes vorausgeahnt, bereits im Fortissimo-Höhepunkt von Variation 4 hervorgehoben wurde; doch ist vielleicht nirgends sonst die nachdrückliche Wirkung des dissonanten Nonenakkords so auffallend wie hier. Nach diesem Höhepunkt löst sich ein allmähliches Diminuendo auf der lang angehaltenen Dominante schließlich in das leicht variierte Da capo des Themas, das nun durch die Erfahrung, die wir durchlaufen haben, verklärt erscheint.

In gewissem Sinn vereinigen also die op. 109 beschließenden Variationen zwei Transformationszyklen in sich: Die ersten fünf Variationen gestalten Struktur und Charakter des Themas vielfältig um, wogegen die 6. Variation eine neue Folge von Veränderungen in Bewegung setzt, die, in einem einzigen fortlaufenden Prozeß komprimiert, von der unnachgiebigen Logik ihrer rhythmischen Entwicklung geleitet wird. In der Schlußvariation scheint der Wille, das unausweichliche Entschwinden von Zeit und Klang zu überwinden, den Raum des Themas mit beispielloser Materialdichte zu füllen und an physische Grenzen der Ausführung wie des Hörens zu rühren. Später sollte dieses Konzept einen weiteren großartigen Variationensatz, nämlich jenen von Beethovens letzter Sonate op. 111, insgesamt beherrschen.

William Kinderman
Übersetzung: Gudrun Budde / Alfred Brendel

Klaviersonate As-Dur op. 110

ENTSTEHUNGSZEIT: 1821/1822.
ERSTAUFFÜHRUNG: unbekannt.
SKIZZEN: Staatsbibliothek Preußischer Kulturbesitz Berlin, Artaria 197 und Artaria 201; Beethoven-Haus Bonn, Mh 91; Bibliothèque Nationale Paris, Ms 51 und Ms 80; Gesellschaft der Musikfreunde Wien, A 48.
AUTOGRAPH: Staatsbibliothek Preußischer Kulturbesitz Berlin, Artaria 196 (dieses Manuskript enthält auch Skizzen); Umarbeitung des letzten Satzes: Beethoven-Haus Bonn (Sammlung Bodmer).
ERSTDRUCK: Paris, Berlin, Wien und London 1822 (M. Schlesinger, A. M. Schlesinger, S. A. Steiner & Co., T. Boosey & Co.).
GESAMTAUSGABE: Alte Gesamtausgabe: Nr. 154 = Serie 16 Nr. 31.

Die Klaviersonate in As-Dur wurde im Spätsommer oder Frühherbst 1821 begonnen, kurz nach Beethovens Genesung von einer ernsten Erkrankung, die im Sommer zum Ausbruch einer Gelbsucht geführt hatte, einem ominösen Symptom jenes Leberleidens, das ihm schließlich das Leben nahm. Beethoven komponierte diese Sonate sowie die Begleitsonaten op. 109 und op. 111 als Unterbrechung der über Jahre ausgedehnten Arbeit an der *Missa solemnis*. Die Skizzen für die Sonate stehen neben der Arbeit am Agnus Dei und Dona nobis pacem der Messe sowie Einträgen für Stellen im Credo. In ihren Spätstadien überlappte sich die Komposition von op. 110 mit der Arbeit an der letzten Sonate op. 111, wie nicht nur die ziemlich enge Nähe der Daten auf den Autographen (25. Dezember 1821 bzw. 13. Januar 1822) anzeigt, sondern auch das Nebeneinander von Einträgen für die letzten Sätze beider Sonaten in den Taschenskizzenblättern, die jetzt in der Bibliothèque nationale als Paris 51 und 80 katalogisiert sind. Beethovens Mühe mit dem Schlußsatz von op. 110 spiegelt sich im Autograph anschaulich wider, das so stark überarbeitet wurde, daß er für diese Teile des Werkes eine völlig neue Niederschrift anfertigte, bevor er sich dem Autograph wieder zuwandte, um seine letzten Verbesserungen einzutragen. In ihren Spätstadien erstreckte sich die Entstehung von op. 110 sicherlich in den Anfang des Jahres 1822 hinein, und erst im Frühling jenes Jahres machte Beethoven im Mittelteil des Trios im zweiten Satz einen wichtigen Zusatz. Die Erstausgabe wurde im Juli 1822 von Schlesinger in Paris und Berlin veröffentlicht, und während der folgenden Monate kamen drei weitere Ausgaben in Wien und London heraus.

Von allen Kompositionen Beethovens weist diese Sonate vielleicht die mächtigste auf den Schluß und sogar auf das Schweigen danach gerichtete Schubkraft auf. Die radikale Aufspaltung des Schlußsatzes in den zweimaligen Vortrag eines Arioso dolente und einer damit gepaarten Fuge trägt ebenso zu dieser Wirkung bei wie das ungewöhnlich komplexe Beziehungsgeflecht der Motive und Texturen zwischen den Sätzen und die unmißverständlichen Konnotationen der Themen. Der Reichtum an Anspielungen und die Tiefe der Synthese in op. 110 sind sogar für Beethoven ganz hervorstechend und bieten besondere Herausforderungen für die Analyse. Jürgen Uhde und Renate Wieland haben jüngst den ersten Satz als „Musik der Erwartung“ beschrieben in Anspielung auf die besondere Fähigkeit des Werkes, seine eigene Zukunft vorwegzunehmen.[1] Ein Kennzeichen dieser Tendenz ist, wie die Intervallstruktur des Fugenthemas im letzten Satz mit den drei sukzessiven aufsteigenden Quarten (As—Des, B—Es, C—F) bereits in den vier Anfangstakten des lyrischen ersten Satzes verborgen liegt; diese Anfangsphrase ist von dem Nachfolgenden durch ihren polyphonen Klaviersatz und ausgedehnten Triller abgesetzt und wirkt daher fast wie ein Motto für das ganze Werk.

Diese Beziehung zwischen dem Motto und dem Fugenthema weist nur den Weg für eine Unmenge derartiger Vorausdeutungen und Erinnerungen in einer Matrix, die nicht weniger dicht ist als die der 9. Symphonie. Außerdem komponiert Beethoven wie in der Symphonie eine kunstvolle rezitativische Überleitung zum Schlußsatz der Sonate. Das Gegenstück zum „Freude“-Thema der 9. Symphonie wäre hier das Fugenthema, besonders in seiner abschließenden Apotheose, die zugleich als Alternative zum Arioso dolente und als dessen Auflösung fungiert sowie als Ziel verschiedener Vorausdeutungen, die von Anbeginn des Werkes zu hören sind. Unser zentrales Anliegen ist hier, einige der Hauptlinien des narrativen Verlaufs in und zwischen den Sätzen aufzuspüren und ihre symbolische Bedeutung einzuschätzen.

Carl Dahlhaus hat beschrieben, wie Beethovens Behandlung von „Cantabile und thematischem Prozeß“ im anfänglichen Moderato cantabile molto espressivo von op. 110 dazu tendiert, Material, das zunächst nacheinander zu hören ist, zur Synthese zu führen und zu kombinieren.[2] Am Anfang der Durchführung bringt Beethoven zum Beispiel den Kopf des lyrischen Anfangsthemas mit den gebrochenen Begleitakkorden seiner Fortsetzung (T. 5) zusammen, wogegen er das lyrische Thema in der Reprise mit der aus der Überleitung der Exposition genommenen flimmernden Zweiunddreißigstel-Figuration (T. 12) verschmilzt. Nacheinander nehmen Beethovens Erweiterungen der Sequenz in der Durchführung und des Tonregisters in der Reprise sowie die Verwendung von schnellen Begleitfiguren (ebenfalls in der Reprise) Aspekte des Schlusses des Finales vorweg, der schließlich vom Kontrapunkt abläßt und in die hohe Tonlage vorstößt.

---

1 Vgl. J. Uhde / R. Wieland, *Denken und Spielen,* S. 342—357.
2 Vgl. C. Dahlhaus, *Ludwig van Beethoven und seine Zeit,* S. 259—262.

Einen anderen Aspekt des Satzes, der für den Charakter der ungestillten Sehnsucht ebenso wesentlich ist, bilden jene Stellen, die blockiert zu sein scheinen und nicht organisch weitergehen können oder die sich durch Rückbezug oder Erinnerung auszeichnen. Die Durchführung ist zum Beispiel eine der statischsten, die Beethoven jemals komponiert hat. Die leeren, kahlen absteigenden Oktaven, die die Terz Es—Des—C umreißen, leiten nicht nur die Durchführung ein, sondern setzen eine riesige fallende lineare Folge über eine ganze Oktave in Bewegung, deren Impetus sich erst am Anfang der Reprise umkehrt. Innerhalb dieser fallenden linearen Progression von 16 Takten wird der Kopf des Anfangsthemas nicht weniger als achtmal wiederholt, denn er hat anscheinend nicht die Kraft, den dritten Takt seiner früheren Fortsetzung zurückzuerobern. Die Sequenzkette durchläuft Molltonarten und hat dissonante Vorhalte in den Mittelstimmen und mysteriöse Skalenfiguren im Baß. Im Gegensatz zur Exposition oder Reprise ist die Musik anscheinend ziellos oder verloren, überläßt sich der Wiederholung und dem unaufhaltsamen Abstieg. Der Eintritt der Reprise klingt in diesem Kontext nicht vorbereitet, nicht wie das logische Ergebnis einer musikalischen Architektur, sondern vielmehr wie ein überraschender Wendepunkt; und genau aus diesem Grund nimmt sie etwas vom Charakter der Fuge, die auf das Arioso dolente folgt, vorweg. Beethoven komponiert in op. 110 nicht nur mit einer geradlinigen Folge von Gedanken, sondern auch mit Materialien, deren Beziehung paradoxerweise auf Trennung oder Gegensätzlichkeit gegründet werden kann.

Bestimmte Stellen lassen daher nicht nur einfach eine fortschreitende Entfaltung der Musik erkennen, sondern unterstreichen im Gegenteil ihr diesbezügliches Versagen und öffnen einen Leerraum, der durch die erneute Prüfung früherer Teile des Diskurses oder durch einen Rückfall in diese Teile gefüllt wird. Der Prozeß ist so hinreichend komplex, daß die Analyse einer einzigen Stelle — etwa der letzten sechs Takte des ersten Satzes — die Betrachtung von Verbindungsfäden, die über das gesamte Werk reichen, nach sich zieht.

Diese Schlußpassage markiert den letzten von mehreren überraschenden Rückzügen aus den hohen Tonlagen gegen Ende des ersten Satzes und bringt neben dem Abbruch der Zweiunddreißigstel-Figuration einen Sturz um eine Dezime vom hohen

As zum F. Die für Beethoven charakteristische dynamische Intensivierung, hier durch ein Crescendo, das plötzlich ins Piano führt, dient dazu, ein Schlaglicht auf den entscheidenden Ton F zu werfen, der zum Brennpunkt einer konzentrierten Zusammenfassung des Satzes wird. F ist ein Ton von besonderer Bedeutung, zum Teil, weil er die Obergrenze des anfänglichen viertaktigen Mottos bildet sowie, in Takt 13, den Gipfel der nachfolgenden thematischen Periode. Überdies ist die Fähigkeit — oder Unfähigkeit — der Musik, von der Tonika bis zur Sexte oder von As bis F aufzusteigen, entscheidend für die narrative und dramatische Kontinuität. Während der Musik in der Durchführung die Entfaltung bis zur Sexte versagt bleibt, erreicht sie dieses Ziel am Anfang der Reprise und geht sogar darüber hinaus. Somit entsteht die Aura des Höhepunkts, die den Anfang der Reprise umgibt, nicht nur aus der von Dahlhaus bemerkten Synthese der Themen, sondern auch aus der neuen Fortsetzung, wenn das Motto in der linken Hand bis Ges aufsteigt, während darüber eine ätherische Zweiunddreißigstel-Figuration auf dem hohen oktavierten As erklingt. An späteren Stellen, wie etwa in den Spitzentönen der zweiten Themengruppe in der Reprise oder bei der mysteriösen Überleitung vom Ende der Reprise zur Coda, wird ebenfalls F als melodischer Zielpunkt betont.

Daß Beethoven das hohe ätherische Passagenwerk durch den Abfall nach F in der Coda unterbricht, nachfolgend an die Ausweitung des Mottos in der Reprise in der linken Hand erinnert und das sprechende F im nächsten Takt wiederholt, all das scheint im Kontext des oben Gesagten einen Prozeß zusammenzufassen, der noch nicht abgelaufen ist, sondern hinübertragen muß in die verbleibenden Sätze. Die Stelle ist zugleich eine Erinnerung und eine Vorausdeutung. Folglich hält Beethoven an dem ursprünglichen polyphonen Klaviersatz, der Tonlage und dem oberen melodischen Umriß des Anfangsmottos — jetzt reduziert auf den auf- und absteigenden Halbton C—Des und Des—C — fest, während er das Register der Akkorde vorbereitet, womit das nachfolgende Allegro molto beginnen soll, namentlich die Terz C—As, die im Begriff steht, in f-Moll neu harmonisiert zu werden. Und zur gleichen Zeit deutet der dissonante verminderte Septakkord mit Fes in der Kadenz auf den dissonanten, höhepunktartigen Klang voraus, der ganz am Ende des letzten Satzes in den abschließenden As-Dur-Akkord aufgelöst werden soll. Wie die Skizzen und das Autograph zeigen, fand die Hereinnahme dieser auffallenden harmonischen Parallele erst sehr spät im Kompositionsprozeß statt, als Beethoven danach trachtete, dem Ganzen eine noch straffere Einheitlichkeit zu verleihen.

Der wichtigste Aspekt dieser Vorausdeutung am Schluß des ersten Satzes hängt jedoch mit dem Fugenthema des Finales zusammen. Denn in der Altstimme läßt Beethoven eine Fassung dieses Themas auf der Dominante erklingen. Die Folge seiner aufsteigenden Quartensequenz — Es—As und F—B — wird beim dissonanten Fes des vorletzten Akkords abgebrochen. Die rhythmische Struktur dieser Vorwegnahme mit der Verlängerung des ersten Tons entspricht dem Fortissimo-Einsatz auf der Dominante von c-Moll im ersten Fugenteil. Das Ende des ersten Satzes bezieht sich somit auf ein Zusammenspiel verwandter Passagen, die das ganze Werk umfassen. In dieser konzentrierten Geste werden Erinnerung und Antizipation, Reminiszenz und Verheißung vereinigt. Sogar der Charakter der unerfüllten Sehnsucht ist durch das Abbrechen des Fugenthemas versinnbildlicht.

Der zweite Satz (Allegro molto) ist in Form und Charakter einem Scherzo ähnlich, obwohl er nicht als solches gekennzeichnet und im 2/4-Takt komponiert ist.

Das Allegro molto enthält ein Trio und weist die für Beethovens Scherzi typische humoristische Stimmung auf, auch wenn der Satz von der Grundtonart her in Moll steht. Wie Martin Cooper bemerkte, hat Beethoven im Scherzoteil sogar Material aus zwei Volksliedern, „Unser Kätz häd Katzln ghabt“ und „Ich bin lüderlich, Du bist lüderlich“, absorbiert.[1] Die Sforzandi in den Kadenzen widersprechen den bei Beethoven normalerweise abgerundeten Phrasen und klingen komisch und parodistisch, ebenso das seltsame Zögern, das der nachdrücklichen Kadenz, mit der das Scherzo schließt, vorausgeht. Strukturell wird der Satz vom Prinzip der Gegenbewegung beherrscht, das auch in der zweiten Themengruppe des ersten Satzes hervorstechend war. Höchst ausgefallen ist das Trio, dessen herabstürzende Kaskaden von Figurationen die thematische Quarte auf kleinstmöglichem Raum komprimieren. Hier forciert die Gegenbewegung ein Überkreuzen der Hände und wird verstärkt durch unablässige Synkopierungen in der linken Hand, die durch alle Tonlagen ansteigen und eine besondere Art von rhythmischem Kontrapunkt erzeugen.

Die Hinwendung zur Dur-Tonika F-Dur am Schluß des Allegro molto liefert die dominantische Vorbereitung des nachfolgenden Adagio ma non troppo, das in b-Moll anfängt. In der folgenden Überleitung ist die Musik teilweise ohne Taktstriche und mit einer Fülle von Tempo- und Ausdrucksanweisungen notiert. Explizit taucht ein Rezitativ im vierten Takt auf und trägt uns nach as-Moll, der Molltonika der Sonate als ganzer. Für ein paar Augenblicke verweilt die Musik nachdenklich auf dem a''; diese Geste könnte vielleicht als die Vision eines entfernten Ziels und als Vorausdeutung auf den Aufstieg in das hohe Tonregister am Schluß der Sonate gesehen werden. Dann fällt das Rezitativ in der Tonhöhe und bestätigt kurz E-Dur, bevor es in den Takten, die dem Anfang der großen Klage vorausgehen, nach as-Moll zurückkehrt. In gewissem Sinne hat das darauf folgende Arioso dolente opernhaften Charakter, wobei eine weitgespannte, aber unsymmetrische Melodielinie durch stechende Harmonien in den wiederholten Akkorden der linken Hand unterstützt wird. Das Rezitativ deutet bereits auf das tragisch Leidenschaftliche der Klage voraus und bildet einige ihrer motivischen Beziehungen vor. Am Ende des Arioso dolente gibt es sogar eine einrahmende kadenzierende Geste, die auf das Ende des Rezitativteils zurückgreift (vgl. T. 6—7 mit T. 25—26).

Für die Verschränkung des Arioso dolente mit der Fuge in A-Dur gibt es in der vorausgehenden Klaviermusik Beethovens keinen Präzedenzfall. Die engste Affinität besteht zum Agnus Dei und dem Dona nobis pacem der *Missa solemnis*. Das Agnus Dei in h-Moll ist mit dem überwältigenden Bewußtsein von den Sünden der Menschheit und dem gefallenen Zustand der irdischen Existenz befrachtet; im Gegensatz dazu stellt das Dona nobis pacem das Versprechen der Erlösung von diesem endlosen Kreislauf aus Leiden und Ungerechtigkeit dar, symbolisiert durch das wiederholte und ominöse Herannahen kriegerischer Musik. Bezeichnenderweise benutzt Beethoven bei der Vertonung des Dona nobis pacem in D-Dur ein auffälliges Motiv, das im Umriß perfekte aufsteigende Quarten nachzeichnet, die mit einer schrittweisen Bewegung ausgefüllt werden. Auch das Fugenthema von op. 110 besteht, wie wir gesehen haben, aus drei perfekten aufsteigenden Quarten; die letzte davon wird durch eine Sekundbewegung abwärts ausgefüllt, während auch das

1 Vgl. M. Cooper, *Beethoven,* S. 190f.

Kontrasubjekt durch eine geglättete stufenweise Bewegung charakterisiert ist. Eine Parallele in Beethovens Klaviermusik zu dieser sublimen Fugensprache bietet die wundervolle Fughetta aus den *Diabelli-Variationen*, die bald nachher, im Frühjahr 1823, komponiert wurde.

Beethovens spätere Fugen neigen zum ausgiebigen und mitunter erschöpfenden Gebrauch von Techniken wie Umkehrung, Engführung, Diminution und Augmentation. Diese Techniken werden tendenziell nicht um ihrer selbst willen benutzt, sondern als Mittel ausdrucksvoller Intensivierung, besonders in den späteren Stadien eines Werkes; in op. 110 konzentrieren sie sich im zweiten Teil der Fuge, der in der entfernten Tonart G-Dur beginnt. Die zentrale Idee dieses Schlußsatzes liegt in dem Verhältnis zwischen dem irdischen Schmerz der Klage und dem Trost und der inneren Kraft der Fuge. Anfangs kann die Fuge jedoch nicht durchgehalten werden; sie bricht plötzlich auf einem Dominantseptakkord von As-Dur ab, der als übermäßiger Quintsextakkord interpretiert wird und sich in den g-Moll-Dreiklang auflöst, und dieser düstere Klang wird bei der Rückkehr des Arioso dolente zum Tonika-Dreiklang. Das Tonartenverhältnis ist kühn und bei Beethoven ohne Beispiel: Die ganze Klage wird erneut in intensivierter und abgewandelter Form in g-Moll vorgetragen; und die einrahmende kadenzierende Geste bringt eine Wendung nach Dur, die den Charakter einer ans Wunderbare grenzenden Entdeckung annimmt. Neun zunehmend intensivierte Wiederholungen dieses G-Dur-Klangs folgen, und eine schrittweise Arpeggierung des Akkords führt aufwärts in die Umkehrung des Fugenthemas, die jetzt ruhig und una corda in G-Dur einsetzt.

Die abschließende Fuge beginnt also in der Tonart des Leittons, um erst später wieder, in den triumphalen Schlußpassagen, in die Grundtonart As-Dur einzutauchen. Dieses ungewöhnliche Tonartenverhältnis steigert das Mächtige des Schlusses. Gleichermaßen auffallend ist Beethovens meisterliche Behandlung der kontrapunktischen Vertauschungen in der Überleitung von G-Dur nach As-Dur. Das Thema tritt nicht nur gegen sich selbst diminuiert und augmentiert auf, sondern es erscheint in doppelter Verkürzung und enthält eine auszierende Motivzelle, die die ausgehaltenen Notenwerte des Umkehrungsthemas umspielt (T. 170—174). Der Einsatz des Originalthemas in Takt 174 wird von Sechzehntel-Figurationen begleitet, die die Bewegung der doppelten Verkleinerung fortsetzen, was so wirkt, als ob das Thema durch seine eigene Substanz glorifiziert wird. Der Übergang vom Dunkel und dem Pessimismus des Arioso dolente zum Licht und Überschwang der Fuge ist jetzt völlig erreicht; und selbst die kontrapunktische Satzweise kann zurückgelassen werden, wenn Beethoven das Fugenthema melodisch auf das hohe Register ausdehnt, bevor er es ein für allemal in den emphatischen, weit auseinanderliegenden As-Dur-Dreiklang fünf Takte vor Schluß auflöst. Dies ist strukturell gesehen der Abschlag, das Ziel, auf das anscheinend das ganze Werk hinstrebt. Und dennoch liegt der eigentliche Schluß hinter diesem Akkord und hat eine Verbindung zum Schweigen, wenn, wie Alfred Brendel sagt, das Werk sogar „die Fesseln der Musik selbst“ abwirft.[1]

Noch ein anderes Merkmal dieser Auflösung besteht in ihrer Verwendung dessen, was Joseph Kerman in seinen Anmerkungen zur Coda bei Beethoven die themati-

1 A. Brendel, *Beethoven's New Style*, S. 70.

sche „Vollendung" genannt hat.[1] Denn erst beim letzten Auftreten des Themas erreicht die Aufwärtsbewegung vom Grundton As aus nicht nur die Sexte F, sondern geht darüber hinaus über Ges in die obere Oktave, um zunächst am Anfang der abschließenden Arpeggierungen das C und dann im Schlußakkord As zu bekräftigen. Dem ersten Satz gelang es, wie wir gesehen haben, in der Reprise nur, F oder versuchsweise Ges zu erreichen; das Trio des Scherzos hatte dagegen in einem anderen tonalen Kontext großen Nachdruck auf den Halbtonschritt Ges—F gelegt. Nur in der Engführung zwischen Sopran und Baß am Schluß der ersten Fuge gelangt die Musik kurz zum Ziel, wenn sie über G die Oktave erreicht und dann die Schwelle zur implizierten Kadenz bei dem dynamisch herausgehobenen Dominantseptakkord von As-Dur sondiert, auf dem die Fuge abbricht. Das Enttäuschte, sogar Depressive des zweiten Arioso — das so stark der mit „Beklemmt" überschriebenen Passage aus der Cavatina des Streichquartetts op. 130 ähnelt — ist zum Teil eine Reaktion darauf, daß es der Fuge nicht gelingt, eine Auflösung durchzuhalten. Erstaunlicherweise baut Beethoven sogar kurz vor dem Zusammenbruch der Fuge eine melodische Vorwegnahme der absteigenden Konturen des Arioso dolente in die Sopranstimme ein. Den folgenden Arpeggierungen des Dominantseptakkords von As-Dur fehlt es anders als den schnellen ekstatischen Arpeggierungen am Schluß des Werkes an Energie oder geistiger Stärke, um den im Arioso dolente verkörperten depressiven Kräften zu widerstehen.

Donald Francis Tovey betonte den Vokalcharakter der Fuge von op. 110, indem er darlegte, daß Beethoven einen „orgelmäßigen Höhepunkt" mit seinen asketischen Konnotationen von „Weltverleugnung" scheute; „wie alle Visionen Beethovens absorbiert und transzendiert diese Fuge die Welt".[2] Diese umfassende Qualität der Offenheit von op. 110 wird vermittelt durch Beethovens Hereinnahme des humorvollen Allegro molto, seine offensichtliche Anspielung auf diesen Satz in der Passage mit der doppelten Diminution in der Fuge (vgl. T. 16—20 des Allegro molto mit T. 170—171 des Schlußsatzes) und das abschließende Emportauchen aus dem labyrinthischen Fugendurchführungen in den klaren Himmel des „triumphalen Cantabile" (Dahlhaus). Die „Musik der Erwartung" des ersten Satzes wird dadurch ausgeglichen und aufgelöst und der Pessimismus des Arioso dolente mit Erreichung des Schlußakkords überwunden, der den Charakter eines transzendierenden Symbols annimmt. Nur bei einem Stil von so außergewöhnlichem Bewegungsspielraum und so außergewöhnlicher Dichte konnte ein solcher Reichtum an Inhalt in die bescheidenen Dimensionen dieser Klaviersonate gefaßt werden.

William Kinderman
Übersetzung: Gudrun Budde

1 Vgl. J. Kerman, *Notes on Beethoven's Codas,* besonders S. 149—151 und 156; siehe auch L. Lockwoods Erläuterung von Aspekten dieses Prinzips in seinem Artikel *„Eroica" Perspectives,* besonders S. 96—105.
2 D. Fr. Tovey, *A Companion,* S. 260—270.

Klaviersonate c-Moll op. 111

ENTSTEHUNGSZEIT: 1821/1822.
ERSTAUFFÜHRUNG: unbekannt.
SKIZZEN: Deutsche Staatsbibliothek Berlin, Artaria 180; Staatsbibliothek Preußischer Kulturbesitz Berlin, Artaria 197 und Artaria 201; Bibliothèque Nationale Paris, Ms 51; Gesellschaft der Musikfreunde Wien, A 48.
AUTOGRAPH: 1. Satz: Beethoven-Haus Bonn, BH 71; vollständige Sonate: Deutsche Staatsbibliothek Berlin, Artaria 198; eigenhändiges Korrekturverzeichnis: Beethoven-Haus Bonn; eine weitere Korrekturliste: Library of Congress Washington.
ERSTDRUCK UND WIDMUNG: Paris 1822 (M. Schlesinger); dem Erzherzog Rudolph von Österreich gewidmet.
GESAMTAUSGABE: Alte Gesamtausgabe: Nr. 155 = Serie 16 Nr. 32.

Das Schlußglied der Klaviersonaten-Trilogie, die Beethoven für Schlesinger schrieb, wurde in den ersten Monaten des Jahres 1822 komponiert. Die Arbeit an op. 111 überlappte sich mit der Fertigstellung und Überarbeitung von op. 110. Wie in der vorausgehenden Sonate zeigt die Anlage von op. 111 eine starke Ausrichtung auf den Schlußsatz hin, der wie in op. 109 aus einer gewichtigen Variationenfolge über ein kontemplatives hymnisches Thema besteht. Die Variationen über die „Arietta" in C-Dur, die den zweiten Satz von op. 111 bilden, sind straffer integriert als die op. 109 beschließenden Variationen und entfalten sich nach dem altehrwürdigen Plan, demgemäß jede Veränderung des Themas mit zunehmenden rhythmischen Unterteilungen einhergeht. Beethoven treibt diesen Prozeß in op. 111 so weit voran, daß die Abfolge rhythmischer Diminuierungen zunächst den ursprünglichen Charakter verwandelt, ohne daß sich das Grundtempo ändert, und sich dann, wenn in den abschließenden Stadien die schnellsten, in durchgehenden Trillern gipfelnden rhythmischen Texturen erreicht werden, wieder dem sublimen Charakter des choralartigen Themas nähert. Derselbe Plan liegt bis zu einem gewissen Grade auch der letzten Variation im Schlußsatz von op. 109 zugrunde, doch in seiner letzten Sonate entwickelte Beethoven dieses Verfahren zur strukturellen Basis des gesamten Satzes. Die Variationen über die Arietta wurden zum passenden Höhepunkt und zur Lösung eines Werkes, das auf jeden weiteren Satz verzichtet und das stürmische c-Moll-Idiom des anfänglichen Allegros weit hinter sich läßt. Moritz Schlesingers unschuldige Anfrage, ob ein abschließender dritter Satz aus dem Manuskript weggelassen worden sei, wurde von Beethoven verächtlich aufgenommen, der auf eine ähnliche Frage von Anton Schindler mit der ironischen und vielleicht sogar geringschätzigen Bemerkung geantwortet haben soll, daß er „keine Zeit gehabt habe, einen Schlußsatz zu schreiben und daher den zweiten Satz etwas ausgedehnt hätte".[1] Thomas Mann widmete (nach Beratungen mit Theodor W. Adorno) diesem Stück bekanntlich ein Kapitel seines Romans *Doktor Faustus* und ließ seine fiktionale Gestalt Wendell Kretzschmar den ergreifenden und dennoch offenen Charakter des Endes des Arietta-Satzes als ein „Ende auf Nimmerwiederkehr" beschreiben, worin

1 E. Forbes, *Thayer's Life of Beethoven*, S. 786.

ein Abschied von der Sonate allgemein „als Gattung, als überlieferte Kunstform“ inbegriffen ist.[1]

Der erste Satz von op. 111 stellt das letzte Beispiel für Beethovens berühmte „c-Moll-Stimmung“ dar, eine Stimmung, die ihn zu einer ganzen Anzahl von Werken inspirierte, vom Streichtrio aus op. 9 und der *Sonate Pathétique* op. 13 bis hin zur *Coriolan-Ouvertüre* und der 5. Symphonie. In diesen Werken wird großer Nachdruck auf verminderte Septakkorde in einer turbulenten, dissonanten Musiksprache gelegt. Wie die *Pathétique* hat op. 111 eine langsame Einleitung, doch offenbart sich die größere musikalische Spannung der späteren Sonate sogleich in der tonalen Mehrdeutigkeit der verminderten Septime Fis—Es und der Verwendung der drei möglichen verminderten Septakkorde in den anfänglichen Sequenzen, hervorgehoben durch den majestätischen doppelt punktierten Rhythmus und die Triller. Am engsten verwandt mit dieser Stelle ist die Vertonung des Crucifixus in der *Missa solemnis*, wie Wilfrid Mellers dargelegt hat.[2] Die hohe Spannung dieser Passage wird in der Pianissimo-Fortführung weiter durchgehalten, die zunächst zu einem dominantischen Orgelpunkt als Baßtriller führt und dann zu einer Überleitung zum neuen Tempo, „Allegro con brio ed appassionato“, mit der lange aufgeschobenen Auflösung des Trillers nach c-Moll, die den Anfang der Sonatenexposition markiert.

Das folgende Hauptthema enthält ganz auffällig das Intervall der verminderten Septime. Das Thema wird zunächst in schlichten Oktaven präsentiert und entwickelt sich erst allmählich, nach mehreren zögernden Schlüssen auf der Tonika. Ein Großteil der Sonatenexposition (T. 35—50) besteht aus einer Fugenexposition über eine Variante dieses Themas, kombiniert mit einem Kontrasubjekt in Oktaven. Dieses Material wird so koordiniert, daß es einen großangelegten Aufwärtsverlauf erzeugt, der auf C beginnt und eine Oktave durchwandert, bevor der Baß die Musik von Des über D nach Es zum Höhepunkt führt (T. 48—50; vgl. Beispiel 1). Dieser außergewöhnliche Höhepunkt wird durch die disparate Tonlage der von der rechten Hand gespielten Töne F—Des—D—Ces unterstrichen, die eine rhythmisch vergrößerte Variante des Hauptmotivs darstellen. Der Sprung von D bis ces'''' umfaßt mehr als fünf Oktaven, so daß das Motiv über den ganzen Tonraum hinweg vergrößert oder aufgespalten erscheint. Dann plötzlich, bei der Ankunft des Basses auf Es in Takt 50, ist eine lyrische Stimme in der entfernten Tonart As-Dur zu hören. Eine dreitaktige Phrase mit ausdrucksvollen Vorhalten füllt die Takte 50—52, ein flüchtiger lyrischer Augenblick, der in den nachfolgenden Takten durch eine verzierte Wiederholung bei einer Verlangsamung des Tempos bis zum Adagio ausgedehnt wird.

1 Th. Mann, *Doktor Faustus,* S. 86.
2 Vgl. W. Mellers, *Beethoven and the Voice of God,* S. 242.

1: 1. Satz, T. 47—56

Die formale Isolierung dieses lyrischen zweiten Themas ist ein Beispiel für Beethovens wichtige Technik des parenthetischen Einschlusses, ein Mittel, das auch in zwei seiner unmittelbar vorausgehenden Werke, dem ersten Satz von op. 109 und dem Credo der *Missa solemnis*, auffällig zutage tritt.[1] In op. 111 gewinnt diese Technik eine besondere Bedeutung als Mittel zur Verzahnung seiner beiden vom Charakter her so antithetischen Sätze. Die Wirkung als parenthetischer Einschluß wird nicht nur durch den thematischen und tonalen Kontrast und die Tempoverlangsamung hervorgerufen, sondern auch durch die plötzliche Wiederkehr des ursprünglichen Tempos und des ursprünglich erregten Charakters der Musik mit dem Auftakt zu Takt 56, wo Beethoven die verminderte Septime im zuvor erklungenen Register wieder aufgreift (vgl. ebenfalls Beispiel 1). Hier wird das hohe Ces als deutliches Bindeglied zur früheren Passage rückbezogen, und die verminderte Septime wird ausgearbeitet mittels Sequenzen, die durch eben jene Tonregister absteigen, die in der vorausgehenden Geste überbrückt worden waren. Folglich wirken die dazwischenliegenden isolierten lyrischen Äußerungen in As-Dur in der Bildersprache von Thomas Manns Kretzschmar wie „Passagen melodischer Lieblichkeit, von denen der zerwühlte Sturmhimmel des Stückes zuweilen wie von zarten Lichtblicken erhellt ist".[2]

In der Reprise wird dieses lyrische Material nicht so leicht hinweggefegt; vielmehr dehnt Beethoven die Passage aus und verändert sie, beginnend in Takt 128, so, daß

---

1 Zu einer eingehenderen Diskussion dieser Technik beim späten Beethoven siehe W. Kinderman, *Thematic Contrast and Parenthetical Enclosure in the Piano Sonatas, op. 109 and 111.*

2 Th. Mann, *Doktor Faustus,* S. 86.

sie uns zurück in den Sturm führt. Die lyrische Passage hat, wenn sie hier erneut vorgetragen wird, jetzt C-Dur erreicht — die Tonart des zweiten Satzes —, und um Takt 120 herum scheint sie auf die sublime Sphäre des Schlußsatzes vorauszudeuten. In die Coda wird eine direkte Überleitung zum nachfolgenden Arietta-Satz eingebaut, wenn dreifache Phrasen, die sich plagal in die Dur-Tonika auflösen, die Spannung und den Zwist der drei Phrasen, die die langsame Einleitung eröffnet hatten, aufzulösen scheinen. Der Rhythmus und die Tonlage der letzten Codatakte spielen unmißverständlich auf die bedrohlichen verminderten Septakkorde an, die die lyrische Episode in der Exposition unterbrachen (T. 55f.; Beispiel 2). Hier jedoch wird die verminderte Septime ein für allemal in den C-Dur-Dreiklang aufgelöst, dessen hohe Tonlage und weite räumliche Verteilung auf wichtige Merkmale des Arietta-Satzes vorausdeuten.

2: 1. Satz, T. 155—158

Angesichts des erhabenen Charakters des Arietta-Themas überrascht die Erkenntnis, daß Beethoven in vielen Skizzen ein tanzartiges Thema im 3/8-Takt benutzt, das stilistisch dem Walzer von Diabelli verwandt ist, der den Ausgangspunkt für seine großartigste Variationenfolge, die *33 Veränderungen in C-Dur* op. 120, bildete.[1] Jüngste Untersuchungen zur Entstehungsgeschichte der *Diabelli-Variationen* haben überdies gezeigt, daß bereits 1819, vor der Komposition von op. 109—111, ein Entwurf mit zwei Dritteln der Variationen vollendet war, wogegen op. 120 selbst erst ein Jahr nach op. 111, im Frühjahr 1823, fertiggestellt wurde. Wie die Handschriften erkennen lassen, übernahm Beethoven auffallende melodische Parallelen aus dem Diabelli-Walzer — wie etwa dessen anfängliche fallende Quarte und Quinte — in seine späteren Skizzen für die Arietta in derselben Tonart C-Dur. Und sollte Beethovens Inanspruchnahme durch das Diabelli-Projekt einen Einfluß auf op. 111 ausgeübt haben, so diente der Arietta-Satz seinerseits als direkteres Vorbild für einige der letzten *Diabelli-Variationen*, die Beethoven seinem Entwurf 1823 hinzufügte. Besonders die letzte Diabelli-Variation und die Coda weisen weitreichende Motiv- und Strukturparallelen zum Arietta-Satz auf, die sogar an ein Eigenzitat denken lassen, das als Kulminationspunkt einer reichen Serie von stilistischen Anspielungen in den vorausgehenden Variationen fungiert.[2]

Der langsame Arietta-Satz ist das vielleicht außergewöhnlichste Beispiel für einen neuen Typ der Variationenfolge, der für Beethovens spätere Jahre charakteristisch

1 Zur Analyse und Übertragung von Beethovens Skizzen für die letzte Sonate siehe W. Drabkin, *The Sketches for Beethoven's Piano Sonata in C Minor, opus 111.*

2 Eine Untersuchung der Entstehungsgeschichte und Struktur von op. 120 bietet W. Kinderman, *Beethoven's Diabelli Variations.*

ist. Zuvor waren Variationen zumeist in den Mittelsätzen der Sonate (op. 14, Nr. 2; op. 57) oder im Kopfsatz (op. 26) benutzt worden; doch hier, ebenso wie in op. 109, nehmen sie ein derartiges Gewicht und eine derartige Endgültigkeit an, daß sie jeden weiteren Satz überflüssig, wenn nicht gar undenkbar machen. Wie schon gesagt, basieren die Variationen von op. 111 strukturell auf dem Vorbild der letzten Variation von op. 109. Dort folgt nach dem Aufgreifen der langsamen rhythmischen Werte des ursprünglichen Themas eine Reihe rhythmischer Verkürzungen, die in langen Trillern gipfelt. Jetzt, in dem Arietta-Satz von op. 111, wird die rhythmische Bewegung in jeder Variation schneller, ohne daß das Grundtempo davon beeinflußt wird. Folglich scheint sich das Thema durch einen rigoros kontrollierten Prozeß von innen heraus zu entwickeln. Bei der 3. Variation ergibt sich wegen der großen Erregtheit und Komplexität des Rhythmus, den Beethoven im 12/32-Takt notiert, ein Wandel im Charakter. Danach, in der 4. Variation, schaffen die Tremoli und Arabesken der Zweiunddreißigstel-Triolen, zusammen mit den synkopischen Akkorden in der rechten Hand und den auffälligen Kontrasten in den Tonlagen, eine ätherische Atmosphäre, als hätte die Musik ein verklärtes Reich betreten.

Das Ergebnis dieses allmählichen Prozesses der rhythmischen Diminuierung wird mit der Klavierkadenz erreicht, die der reprisenartigen 5. Variation vorausgeht. Diese Kadenz und die nachfolgende Überleitung stellen innerhalb der Gesamtform eine ausgedehnte Parenthese dar. Der Schluß auf C-Dur ist schon vorbereitet, bevor er durch den langatmigen, ausgedehnten Triller auf der II. Stufe noch hinausgezögert wird. Kurz darauf erklingt dieser Triller als Bestandteil eines anhaltenden dreifachen Trillers über einem Orgelpunkt auf B, und die Tonart wechselt zum ersten Mal nach Es-Dur. Beethoven erforscht und betrachtet das Thema von innen, während sich, ausschließlich in Trillern, ein allmählicher Aufstieg in die höchste Tonlage entfaltet. Hier ist dann eine Phrase zu hören, die aus der zweiten Hälfte des ersten Teils des Themas stammt, jetzt aber in Es-Dur und mit einer weiten Kluft zwischen den Registern von Diskant und Baß, ein Merkmal, das Thomas Manns Kretzschmar faszinierte. Wie Charles Rosen bemerkte, scheint diese Episode des Satzes den Zeitfluß zu suspendieren[1]; sie schließt eine stark besinnliche Vision in sich, eingebettet in den Kontext einer ihrerseits in hohem Maße kontemplativen Variationenfolge.

Variation 5 bringt eine Synthese und Überlagerung der verschiedenen rhythmischen Ebenen: Die Zweiunddreißigstel-Triolen im Baß stammen aus der ätherischen 4. Variation, während die Sechzehntel in den Mittelstimmen aus der Überleitung und den ersten beiden Variationen kommen. Hier nimmt Beethoven das ursprüngliche Arietta-Thema in einer Geste von beachtlichem Gewicht und Bedeutsamkeit wieder auf. Dieser Arietta-Satz ist insgesamt das erste wichtige Beispiel für die Vorliebe des alternden Beethoven für verzierte reprisenartige Variationen, denen Episoden in fremden Tonarten vorausgehen. Dieses Verfahren ist auch in den langsamen Variationensätzen der beiden späten Streichquartette op. 127 und op. 131 wirksam sowie im dritten Satz der 9. Symphonie. Doch im Arietta-Satz von op. 111 bewegen wir uns mit der Coda über diese reprisenartige Geste hinaus; denn sie führt eine zweite und vergeistigtere Synthese der rhythmischen Ebenen vor: Das Thema er-

1 Vgl. Ch. Rosen, *The Classical Style,* S. 448.

klingt jetzt in der hohen Tonlage, begleitet von Zweiunddreißigstel-Triolen in der linken Hand und dem ausgehaltenen Triller, jetzt auf dem g'''.

Rückblickend ist zu sehen, daß der sich höhepunktartig steigernde Verlauf der Variationen nicht nur einem System fortschreitender rhythmischer Diminuierungen folgt, sondern auch in einem allmählichen Ansteigen der Tonlage besteht, wobei der melodische Ton G eine zentrale Rolle übernimmt. Dieser Ton wird schon am Ende des Themas und der ersten beiden Variationen betont, wo er mittels eines langen Crescendos angesteuert und dann von einem Sforzando unterstrichen wird. In der ätherischen 4. Variation markiert das Erreichen des G in der hohen Tonlage den Moment, wo die Musik von dem Formgerüst des Themas abweicht und zu der kadenzartigen Stelle mit mehrfachen Trillern führt. In der reprisenartigen 5. Variation fällt der Höhepunkt auf den weit auseinanderliegenden Dominant-Septnonakkord mit A in der Oberstimme zwei Takte vor Ende der Variation (T. 158), wobei der Ton der melodischen Auflösung des Vorhalts g''' dann über weite Teile der nachfolgenden Coda als Triller auskomponiert wird. Der Nachdruck, den diese Geste auf der Dominante von der Tonalität und vom Klaviersatz her erhält, hat ein größeres Gewicht als die abschließende Tonika-Auflösung und trägt dadurch dazu bei, daß die Schlußkadenz als offen und das Ganze als auf etwas gerichtet empfunden wird.

Das Arietta-Thema selber ist unter den Klavierwerken Beethovens eines der erhabensten Beispiele für das Hymnische, das häufig als Inspirationsquelle langsamer Sätze diente, die von kontrastierenden Ecksätzen umgeben waren. Hier trägt die innere Vision allerdings weiter und ist weitaus affirmativer und ekstatischer als in früheren langsamen Sätzen. Dennoch ist dieses Variationsgerüst vereinbar mit dynamischen Prozessen wie etwa dem System der rhythmischen Diminuierungen und der modulierenden Klavierkadenz, die der 5. Variation vorausgeht. Sein und Werden verschmelzen hier zu einer einheitlichen Struktur. Das Sich-Aufschwingen und das Visionäre der zweiten Hälfte des Arietta-Satzes kommen nicht nur aus der Veränderung des Themas und der Gipfelwirkung von Synthese und Reprise, sondern auch daher, daß dem Satz die Rolle zufällt, den von Uneinigkeit beherrschten vorausgegangenen Allegro-Satz zu transzendieren. In vieler Hinsicht strebt der Arietta-Satz nach Vollkommenheit, wogegen das Allegro offensichtlich unvollkommen ist; sogar das Fortschreiten vom Zweiertakt des Anfangssatzes zum Dreiertakt des Arietta-Satzes — mit seinen vielen Unterteilungen in Dreiergruppen — ist in diesem Zusammenhang bezeichnend.

Verschiedene Kommentatoren haben in diesem großen Werk zu Recht eine philosophische und sogar religiöse Dimension wahrgenommen. Wie Alfred Brendel dargelegt hat, ist die in den beiden Sätzen von op. 111 verkörperte Dichotomie unterschiedlich beschrieben worden als „Samsara und Nirwana" (von Bülow), „Dies- und Jenseits" (Edwin Fischer) und „Widerstand und Ergebung" (Lenz); Brendel erwähnt auch die Dichotomie des „männlichen und weiblichen Prinzips" (von der Beethoven manchmal redete) und die der realen und der mystischen Welt.[1] Es ist in diesem Zusammenhang aufschlußreich, op. 111 mit einigen anderen Werken Beethovens aus den 1820er Jahren zu vergleichen. In der 9. Symphonie führt der

---

1 A. Brendel, *Der neue Stil,* S. 85. Zu den Untersuchungen über op. 111, die ins Spekulative tendieren, gehört Ph. T. Barford, *„Beethoven's Last Sonata"*.

kontemplative, in sich versenkte langsame Variationensatz ganz anders zu einer erneuten Konfrontation mit der „Außenwelt“ in Form der dissonanten „Schreckensfanfare“ und der nachfolgenden Vertonung von Schillers Ode „An die Freude“ im Schlußsatz mit Chor. Der Schluß von op. 111 wird hingegen von nachdenklicher Modalität beherrscht; hier gibt es auch kein Anzeichen für einen von Kampf geplagten „Welthintergrund“ wie etwa die kriegerische Musik, die durch das Agnus Dei der *Missa solemnis* geistert.

Der Schluß der vorangegangenen Sonate op. 110 überträgt trotz all seiner transzendentalen Merkmale ein größeres Gefühl von „Weltabsorption“, vermittelt durch die Verzerrung des Fugenthemas in der doppelt diminuierten Passage und sein endgültiges Auftauchen aus dem Fugenlabyrinth in den Schlußpassagen der Apotheose. Jede überzeugende Einschätzung von op. 111 muß aber nicht nur die eigenartige Kraft und Prozeßhaftigkeit der Veränderungen der Arietta anerkennen, — Veränderungen, die zunehmend den Eindruck erwecken, daß die kontemplative Vision realer geworden ist als die im Allegro symbolisierte Außenwelt; ebenso entscheidend ist die ergänzende Beziehung zwischen beiden Sätzen. Wie wir gesehen haben, läßt Beethoven durch den parenthetischen Einschluß in der Mitte des ersten Satzes die Arietta vorausahnen; in der Reprise und der Coda wird aus dieser Vorahnung eine Überleitung zur Arietta selber. Zugleich bringt Beethoven in der Coda eine Veränderung und Auflösung von früher im Satz erklungenen Schlüsselstellen, etwa des Anfangs der langsamen Einleitung, und die Bestätigung der verminderten Septimen, die in der Exposition das lyrische zweite Thema abgeschnitten hatten. Der in op. 111 ausgedrückte Symbolgehalt hat also zwei hauptsächliche Momente: die Annahme und Lösung eines im Allegro und der Überleitung zur Arietta verkörperten Konflikts einerseits und die reiche dynamische Synthese von Erfahrung, die in den nachfolgenden Variationen versinnbildlicht wird, andererseits. Beethovens letzte Klaviersonate ist ein Denkmal seiner Überzeugung, daß Lösungen für Probleme, denen sich die Menschheit gegenübersieht, stets in unserer Reichweite liegen, wenn die Probleme als solche erkannt werden und ihnen Modelle positiver Veränderung entgegengesetzt werden. Maynard Solomon hat gefolgert, daß „Meisterwerke der Kunst eine Reserve sich ständig erneuernder Energie bergen — einer Energie, die als treibende Kraft die Beziehungen zwischen den Menschen verändert —, da sie Projektionen menschlicher Wünsche und Ziele enthalten, die noch nicht erfüllt und erreicht sind (und vielleicht auch unerreichbar bleiben)“.[1] Unter Beethovens Instrumentalwerken nimmt op. 111 als — in der Formulierung Schillers — „Symbol des Vortrefflichen“ eine Sonderstellung ein, und jede adäquate Interpretation muß wieder etwas von diesem Prozeß in Gang setzen, der über die bloße ästhetische Dimension hinausreicht, um den Bereich der Moral und der Ethik zu berühren.

William Kinderman
Übersetzung: Gudrun Budde

1 M. Solomon, *Beethoven. Biographie,* S. 357.

„Meeresstille und glückliche Fahrt" für gemischten Chor und Orchester op. 112

GEDICHTE: J. W. v. Goethe.
ENTSTEHUNGSZEIT: 1814/1815.
ERSTAUFFÜHRUNG: am 25. Dezember 1815 im Großen Redoutensaal in Wien.
SKIZZEN: Biblioteka Jagiellońska Krakau, Mendelssohn 1; Beethoven-Haus Bonn, Mh 90; Bibliothèque Nationale Paris, Ms 90 und Ms 100; Musee des Beaux Arts Tours; vgl. G. Nottebohm, *Zweite Beethoveniana*, S. 309, 317f. und 328.
AUTOGRAPH: verschollen.
ERSTDRUCK UND WIDMUNG: Wien 1822 (S. A. Steiner & Co.); dem Dichter Johann Wolfgang v. Goethe gewidmet.
GESAMTAUSGABE: Alte Gesamtausgabe: Nr. 209 = Serie 21 Nr. 2.

Beethovens Vertonung der beiden Gedichte „Meeresstille" und „Glückliche Fahrt" in einer zweiteiligen, etwa acht Minuten dauernden Komposition für großen gemischten Chor und Orchester wird seit langem von Musikern, Hörern und in der Fachwelt gleichermaßen als bedeutende Leistung geschätzt und zu seinen signifikanten Kreationen gezählt. Nicht zuletzt ergibt sich die besondere Stellung des Stücks im Gesamtwerk einerseits durch die Schwierigkeit, es einer festumrissenen Gattung zuzuordnen, und andererseits durch die Möglichkeit, ihm in verschiedenartigen Zusammenhängen von Beethovens schöpferischer Entwicklung gerecht zu werden. Das Werk als Kantate zu bezeichnen und dabei sowohl auf die frühen Bonner Stücke WoO 87 und 88 als auch auf den fast gleichzeitig entstandenen *Glorreichen Augenblick* op. 136 zu verweisen, wie dies nicht wenige Experten getan haben, erscheint als übertrieben, wenn nicht gar verfehlt, denn es entbehrt einiger dafür konstitutiver Elemente wie zum Beispiel eines diskursiv entfalteten Sujets oder wechselnder Gesangsformen in mehrteiliger Gliederung. Aber auch von den durchaus verwandten Vertonungen poetischer Texte für Chor und Instrumente, wie etwa dem *Chor auf die verbündeten Fürsten* WoO 95, dem *Opferlied* op. 121b, dem *Bundeslied* op. 122 oder dem solistisch-kammermusikalischen *Elegischen Gesang* op. 118 unterscheidet sich das Werk durch seine dramatisch kontrastierende Zweiteiligkeit und das Moment symphonischer Durchbildung des klanglichen Materials. Natürlich läßt es sich des weiteren unter die Früchte von Beethovens emphatischer Goetheverehrung einreihen (zwischen etwa einem Dutzend Klavierlieder, der *Egmont*-Musik und dem *Faust*-Projekt), die — wie die „hochachtungsvolle" Widmung an den „unsterblichen" Dichter beweist — trotz der beiderseitig frustrierenden persönlichen Begegnung im Sommer 1812 ungebrochen blieb. Nicht minder sinnvoll wäre eine Würdigung des Stücks im Entstehungs- und Aufführungszusammenhang während des Wiener Kongresses — in jenem Klima patriotischer Feste und neuer politischer Hoffnungen, zu dem Goethes Sinngedichte und Beethovens jubelnde Apotheose sehr wohl stimmen, obwohl sie im Unterschied zu ihren handfest politischen Kunst-Manifesten hier eine Technik der mehrdeutigen Verschlüsselung bevorzugen. Was dabei die klangliche Gestik von Beethovens Freiheits-Ideen anbelangt, so weist das Werk schließlich Merkmale einer stilistischen Studie auf, die nach der Chorfantasie op. 80 und neben der gleichzeitig entstandenen Ouvertüre *Namensfeier* op. 115 zielgerichtet auf das Finale der 9. Symphonie vorausweist.

Goethes Gedicht „Meeresstille" besteht aus acht Versen, die Beethoven in 72 Vierviertel-Takten (alla breve) vertont. „Poco sostenuto" lautet die Anweisung für das übergreifend langsame, verhaltene, gleichsam statisch fließende Tempo dieses Teils. Es gibt den Rahmen für jene musikalischen Entsprechungen des Naturbildes, dessen Stille, Reglosigkeit und grenzenlose Weite das poetische Subjekt — ihnen hilflos unterworfen — erst „bekümmert", dann mit „fürchterlicher" Todesangst registriert. Diesen Zustand einer objektiven und subjektiven Verlorenheit macht die Musik von Anfang an zu ihrer Sache, wobei sie die Momente individueller Furcht und ihrer Artikulation im Aufschrei durch den chorischen Gesang zum kollektiven Erlebnis vervielfacht und die in Goethes Versen sich steigernde Erregung an eine streng und spiegelsymmetrisch gebundene Reprisenform zurückbindet, in der letztlich nicht die menschliche Impulsivität, sondern der Naturzustand lähmender Ruhe zu klanglich beredtem Ausdruck kommt. Die ersten vier Verse werden im homophonen Chorsatz vorgetragen und nur von den Streichern konturierend begleitet, nachdem sie in zwei präludierenden Takten „tiefe Stille" durch das liegende Intervall der großen Terz in gespreizter Lage und im Pianissimo imaginiert haben. Aus dieser Erstarrung löst sich der beinahe flüsternde Gesang in sanfte melodische Bewegung, die sich in vier Phrasen von je vier Takten fast ohne Melismen, aber in stockender und synkopisch verzögerter Diktion (lange Haltetöne auf Schlüsselbegriffen) dem Text anschmiegt. Harmonisch lenkt Beethoven über auffällig unvollständige Akkorde das klangliche Geschehen sogleich in die trugschlüssige Tonikaparallele zur Dominante, um über eine dissonante Ausweichung (des Schiffers Bekümmernis) zur Subdominante zu kadenzieren.

Die anschließenden 16 Takte, die wiederum für die restlichen vier Verse sich in vier Phrasen zu je vier Takten gliedern, bilden zum Anfangsteil einen deutlichen Kontrast, denn entsprechend Goethes evokativen Sätzen erhöht Beethoven die strukturelle Dynamik. Der Chor wird antiphonisch gespalten: Die Frauen artikulieren, erst quasi atemlos im Staccato, dann im Legato mit scharfem Akzent, nur vom Pizzicato der Violinen gestützt, jene ängstliche Beklemmung, auf die unisono mit puren Fundament-Tönen die Männer reagieren. Die „fürchterliche" Situation erfährt kompositorische Zuspitzung durch weitere Befremdlichkeiten — harmonisch zunächst durch die Mollsphäre und einen neapolitanisch alterierten Durchgang (B-Dur) zur Dissonanz des verminderten Septimakkords, des weiteren durch den Einsatz der Holz- und Blechbläser (noch ohne Trompeten) und schließlich durch die plötzlich aufschreiende, gewaltsame Spreizung des Chorsatzes in die extreme Spannungslage eines Dominantseptimenakkords, der im Decrescendo über drei Takte als sinnliches Symbol der „ungeheuren Weite" ausgehalten wird, um sofort wieder zusammenzubrechen und mit stockender Stimme dem Blick auf die reglosen Wellen zu entsprechen. Von hier an — der Mitte des Stücks — behandelt Beethoven den Text nicht mehr als Nachricht, sondern als spalt- und wiederholbares Sprachmaterial, mit dessen Hilfe er klangliche Korrespondenzen herstellt und die musikalische Form rundet. In abermals 16 Takten knüpft er, zu den beiden letzten Gedichtzeilen, unmittelbar an den zweiten Teil an, denn er wiederholt den Aufschrei und versenkt sich ins Bild von den abwesenden Wellen, um gerade deren instabiles Wesen in vier verschiedenen motivischen Varianten tonmalerisch zu veranschaulichen. Die letzten

22 Takte bilden, indem sie die beiden ersten Verse repetieren, auch musikalisch die Reprise des anfänglichen Teils, jedoch dehnen sie ihn, als breit kadenzierende Coda mit teilweise imitatorisch gefächerten Stimmeinsätzen, im Zeichen erschöpfter Ruhe.

Die imitatorischen Andeutungen entfalten sich sogleich in der instrumentalen Überleitung zum zweiten Gedicht, das nun aufgrund frischer Winde und aufgeklärter Sicht „glückliche Fahrt“, frohe Regsamkeit, heitere Erwartung und die Gewißheit sicherer Landung thematisiert. Zum Auftakt dieser vokalsymphonischen Freudenfeier im „Allegro vivace“ und im impulsiven Sechsachteltakt lösen sich aus der vormaligen Erstarrung vom Baß her aufschießende Skalengänge der Violoncelli, die von den hohen Streichern übernommen werden und sich unter mitreißender Beteiligung der Holzbläser zu stürmischer Gegenläufigkeit verdichten. Zur heftig pulsierenden Begleitung des Orchesters, nun auch durch Trompetensignale und Paukenschläge verschärft, jubelt der euphorisch kompakte Chor die rettende Botschaft hervor. Lapidare Motive fügen sich ostinat zu zweitaktigen Phrasen und bestätigen jene teils leicht federnde, teils derb stampfende Rhythmus-Maschinerie, die den klanglichen Dithyrambos unerbittlich zusammenhält. Noch viel stärker als im ruhigen Teil konzentriert sich der Text auf nur einen freudigen Grundaffekt, und daher wird er kompositorisch nicht nur rasch schon im ersten Drittel verbraucht, sondern danach in einen Strudel der Segmentierungen, der Überlagerungen und der freien Permutationen von Versen und Worten hineingerissen, über den die musikalische Artikulation souverän gebietet — als reines, frei formbares Klangmaterial. Zwar respektiert Beethoven die latente Dreistrophigkeit der zehn Verse, aber für seine Großform in fünf Teilen nutzt er vor allem ihre mögliche Untergliederung in vier und zweimal drei Verse. Dem auch chorisch kompakten A-Teil (Vers 1—4) folgt ein zunächst dialogisch in Gruppen geteilter und piano ansetzender B-Teil (Vers 5—7), der sich jedoch sofort wieder akklamierend aufrüstet und — „Schon seh ich das Land!“ — mit einem Fanal schließt (Vers 8—10). Die wirbelnde Musik des Vorspiels führt zur variativen Wiederholung des A-Teils und des stark erweiterten, in durchführungsartige Kontrapunktik des Textes wie auch der figuralen Begleitung verstrickten B-Teils. Noch einmal kehrt das tänzerische Hauptthema des A-Teils zurück, kombiniert mit dem Schluß des B-Teils — nicht ohne leise retardierende, ungläubig fragende Zurücknahme der Meldung, ob es denn wirklich Land sei, was da gesichtet wird. Umso nachdrücklicher und triumphaler bekräftigen die letzten Takte Musik, daß ein Irrtum ausgeschlossen werden kann — nicht zuletzt, weil er ausgeschlossen bleiben muß.

Frank Schneider

Musik zu „Die Ruinen von Athen" op. 113 (zusammen mit „Die Weihe des Hauses" WoO 98 und dem Marsch mit Chor op. 114)

TEXT: A. v. Kotzebue.
ENTSTEHUNGSZEIT: op. 113 und op. 114: August/September 1811; WoO 98: Ende September 1822.
ERSTAUFFÜHRUNG: op. 113: am 9. Februar 1812 im Deutschen Theater Pest; op. 114 und WoO 98: am 3. Oktober 1822 im Josephstädter Theater in Wien.
SKIZZEN: op. 113: Deutsche Staatsbibliothek Berlin, Artaria 205; Beethoven-Haus Bonn, BH 105, Mh 59, Skizzenbuch Petter, und Mh 84; British Library London, Add. Ms 29801, Kafka Sketchbook; Kungl. Musikaliska Akademiens Bibliothek Stockholm; op. 114 und WoO 98: Staatsbibliothek Preußischer Kulturbesitz Berlin, Artaria 201.
AUTOGRAPH: op. 113 und 114: Deutsche Staatsbibliothek Berlin; WoO 98: Staatsbibliothek Preußischer Kulturbesitz Berlin.
ERSTDRUCK: op. 113: Wien 1846 (Artaria & Co.); op. 114: Wien (S. A. Steiner & Co.); WoO 98: 1888 in der Alten Gesamtausgabe.
GESAMTAUSGABE: Alte Gesamtausgabe: op. 113: Nr. 207 = Serie 20 Nr. 2; Nr. 28 = Serie 3 Nr. 11; op. 114: Nr. 207a = Serie 20 Nr. 3; WoO 98: Nr. 266 = Serie 25 Nr. 3.

Die Ruinen von Athen sind textlich und musikalisch ein typisches Gelegenheitswerk. Der hochberühmte Vielschreiber August von Kotzebue hatte den Auftrag erhalten, für die Eröffnung des neuen Theaters zu Pest, die für Anfang Oktober 1811 geplant war, ein Festspiel zu verfassen. Er legte das Vorspiel *Ungerns erster Wohlthäter*, das Drama *Belas Flucht* und das Nachspiel *Die Ruinen von Athen* vor. Gemäß ihrer Bestimmung hatten die Stücke besonderen Anforderungen zu genügen: Dazu gehörte ein Sujet aus der Geschichte Ungarns, eine gehörige Portion Fürstenlob und natürlich die Gelegenheit für Massenszenen sowie für besondere Bühneneffekte, um dem Publikum die technischen Möglichkeiten des Neubaus zu demonstrieren. Kotzebue entledigte sich seiner Aufgabe — zumindest was die Rahmenteile anging — mit Geschick. (*Belas Flucht* akzeptierten die Auftraggeber nicht, weil es schmerzliche Erinnerungen an die Flucht des Kaisers Franz aus Wien wachrief.) Als Komponist war Beethoven ausgewählt worden. Über die näheren Umstände berichtet er selbst in einem Brief vom 9. Oktober 1811 an Breitkopf & Härtel: „Ein anderes Ereignis waren noch die Ungarn für mich. Indem in meinen Wagen steige, nach Teplitz zu reisen, erhalte ich ein Paket von Ofen mit dem Ersuchen, zu der Pester Eröffnung des neuen Theaters etwas zu schreiben. Nachdem ich drei Wochen in Teplitz zugebracht, mich leidlich befand, setze ich trotz dem Verbot meines Arztes mich hin, um den Schnurrbärten, die mir von Herzen gut sind, zu helfen, schicke am 13. September mein Paket dorthin ab, in der Meinung, daß den 1. Oktober die Sache vor sich gehen sollte."[1] In dem Paket befanden sich die beiden Schauspielmusiken op. 113 und op. 117, die, wie Beethoven schildert, in dem kurzen Zeitraum von etwa drei Wochen komponiert worden waren. *Die Ruinen von Athen* lassen Spuren die-

1 E. Kastner / J. Kapp, *Ludwig van Beethovens sämtliche Briefe,* S. 200f. (9. Oktober 1811).

ses raschen Entstehungsprozesses erkennen, doch sie erfüllen alle Ansprüche, die an das Genre zu stellen waren. Möglicherweise wollte Beethoven sich mit seiner Komposition auch dem Textdichter empfehlen, den er so sehr schätzte, daß er ihn wenig später schriftlich um ein Opernlibretto bat. Ist das Werk also, wie sein Schöpfer selbst durch seine Erzählung andeutet, eher als Nebensache einzuschätzen, so dürfen doch seine wirkungsvollen, besonders auf die Bühne zugeschnittenen Züge nicht übersehen werden. — Der Schauplatz von Kotzebues Nachspiel ist zunächst eine „rauhe Gegend auf dem Olymp". Zur Strafe dafür, daß sie den Tod des Sokrates nicht verhinderte, wurde Minerva von Zeus in einen 2000jährigen Schlaf versetzt. Nun weckt sie ein unsichtbarer Chor (Nr. 1: „Tochter des mächtigen Zeus! erwache"), und zusammen mit Merkur bricht sie auf, um ihr geliebtes Athen wiederzusehen. Eine Verwandlung macht dessen „erhabene Trümmer" sichtbar: Athen stöhnt unter dem Joch der türkischen Eroberer. Ein Griechenpaar besingt seine Schmach (Nr. 2: Duett „Ohne Verschulden Knechtschaft dulden"). Dann wirbeln Derwische vorbei (Nr. 3: Chor „Du hast in deines Ärmels Falten"), gefolgt von bewaffneten Türken (Nr. 4: Marcia alla turca). Der entsetzten Minerva empfiehlt Merkur, einen Ort aufzusuchen, an dem die Musen es besser haben: Der zweite Szenenwechsel führt die beiden auf einen „freien Platz" in Pest. In einem Melodram rühmt ein Greis den König (Nr. 5: Musik hinter der Szene). Ein feierlicher Zug mit Gestalten aus Tragödien von Lessing, Schiller, Goethe und Collin naht heran. Dieser Marsch geht nach einer weiteren Verwandlung (ein prächtiger Tempel wird sichtbar) in den Chor der Jungfrauen und Priester über (Nr. 6). In der nun folgenden Arie mit Chor (Nr. 7) spricht der Oberpriester den Wunsch aus, daß der König sich inmitten seiner Kinder zeigen möge. Da steigt, herbeigefleht von Minerva, ein „Altar mit des Königs Brustbild" empor, der Tempel „wird plötzlich transparent". Nun geben Minerva und Merkur sich zu erkennen und bekränzen des Königs Büste. Das Volk stimmt einen Jubelchor an (Nr. 8: „Heil unserm König"). — Um diese Handlung zu konstruieren, machte der Textdichter sich geschickt die Parallelität der historischen Ereignisse zunutze: Wie Athen (1397—1688) standen auch Buda und Pest unter türkischer Herrschaft (1541—1686). Pest als anderes, ja besseres Athen, in dem die Musen Zuflucht finden: Das war die etwas hybride Ausgangsidee für Kotzebues Text. So wie er nicht an optisch reizvollen Szenen sparte (die Verwandlungen gehören ebenso dazu wie der aus der Versenkung auftauchende Altar), so sorgte er auch in seinem wie ein Libretto abgefaßten Stück für musikalisch ergiebige Situationen (feierliche Prozessionen, exotische Tanz- und Kriegsmusik). Beethoven hatte also nichts anderes zu tun, als sich nach diesen Vorgaben zu richten. Zu mehr hätte die Zeit wahrscheinlich auch nicht gereicht.

Zu den Auffälligkeiten der Partitur gehören die mit exotischem Kolorit versehenen Teile: der Chor der Derwische und die Janitscharenmusik. Vor allem an ihr läßt sich ablesen, wie Beethoven ein musikalisches Thema „türkisierte": Die Vorlage dafür waren die 1809 entstandenen Variationen für Klavier op. 76. Die Einkleidung in ein orientalisches Gewand übernehmen jetzt Vorschläge, die die Harmonik verschleiern, indem sie aus dem leitereigenen Ton es ein e machen, und eine Baßführung, die ihrerseits einer klaren harmonischen Definition entgegenarbeitet, da sie sich in Wechselnoten (im Pianissimo und Sechzehnteltriolenrhythmus) artikuliert oder ebenfalls mit Vorschlägen versehen ist. Auch die Instrumentation schlägt einen „türkischen" Ton an, bezieht sich dabei bezeichnenderweise aber nicht auf die Originalbesetzung der türkischen Feldmusik (die man seit den Türkenkriegen kannte), sondern auf populäre Vorbilder in der Kunst-, genauer: in der Opernmusik. Das waren Glucks *Iphigénie en Tauride* (1779) und Mozarts *Entführung aus dem Serail* (1782). Beethoven griff eine Klangvorstellung auf, die durch das Musiktheater vermittelt war und eindeutige Assoziationen wachrief, und besetzte die „Marcia alla turca" mit Piccoloflöte, Oboen, Klarinetten, Fagotten und Kontrafagott, Hörnern, Trompeten, Streichern, Triangel, Becken und großer Trommel. Als Anknüpfung an einen Orientalismus, wie er sich in der Kunstmusik der Zeit zum Klischee verdichtet hatte, ist auch die entwicklungslose Faktur des Marsches zu interpretieren. Das durch die allgegenwärtigen Vorschlagsnoten stark vereinheitlichte musikalische Material besteht aus kleinen, ständig wiederholten Motiv- und Taktgruppen. Diese Kombinatorik besitzt keine zielgerichtete Energie und wirkt in ihrem Auf-der-Stelle-Treten ebenso fremdartig wie die bizarr kostümierten Gestalten auf der Bühne. Unverkennbar machte Beethoven sich hier, angeregt durch das exotische Spektakel, ein Erfolgsrezept zunutze, indem er ein bereits existierendes Thema den bewährten Verfremdungsverfahren unterwarf. Das zweite durch seine koloristischen Wirkungen auffällige Stück ist der Derwisch-Chor. Außer zwei Hörnern, zwei Trompeten, Alt- und Baßposaune und Streichern fordert ein Vermerk im Autograph noch „alle mögliche hierbei lärmende Instrumente wie Castagnetten, Schellen etc". Der Eindruck leiernder Gleichförmigkeit wird hier erzielt durch eine nur selten aufgegebene Wechselnotenbewegung der Streicher in Achteltriolen. Diese monotonen Figuren zieren die Melodietöne der Chorpartien aus, bewirken also eine Tonhöhenverzerrung durch Sekundreibungen mit den Männerstimmen. Im Petterschen Skizzenbuch findet sich hierzu ein Entwurf von einigen Takten, in denen als Wechselnote die Untersekunde fungiert. In der endgültigen Version entscheidet Beethoven sich jedoch ausnahmslos für die Obersekunde, deren „orientalisierender" Effekt größer ist. Ein weiteres musikalisches Mittel der Verzeichnung ins Fremde ist die Verwendung des Tritonusintervalls, das sowohl angesprungen als auch schrittweise erreicht und scharf akzentuiert wird. Wie im „türkischen Marsch" entsteht auch hier ein mosaikartiges Ensemble prinzipiell gleichwertiger Varianten. Der Entwicklungsgedanke scheint dieser Musik abzugehen. Indem sie das besinnungs- und richtungslose Taumeln nachzeichnet, denunziert sie zugleich eine als barbarisch verschriene Kultur. „Ha! welchen Unsinn hat mein Ohr vernommen", kommentiert Minerva und bedient sich damit eines landläufigen Ressentiments. Beethoven wußte selbst, wie wohlfeil dies war. In einem Brief an Josef Varena vom März 1813 schrieb er: „Unter den Chören befindet sich ein Derwisch-Chor, für ein gemischtes Publikum ein gutes Aushängeschild."[1]

Für die Vermutung, daß die „türkische" Musik nicht ganz ernstgemeint war, sondern sogar parodistische Züge trägt, liefert die Partitur ein Indiz: In dem kurzen Rezitativ des Oberpriesters (zwischen Nr. 6 und Nr. 7), das sich als Bestandteil der fiktiven Handlung ebenso wie als Kommentar und Programm der Theatereinweihung verstehen läßt, findet sich der Satz: „Was, mit dem Schicksal kämpfend, große Seelen litten, das hat Melpomene uns warnend aufgestellt, indes Thalia, wachend über die Sitten, zu ernsten Lehren muntern Spott gesellt." Darauf erklingt drei Tak-

1 Ebenda, S. 245.

te lang die aus dem Derwisch-Chor stammende Triolenfigur; dort wie hier wird sie von den Violinen und der Bratsche vorgetragen. Im Kontext dieses Accompagnatos illustriert sie den Text, und zwar mit ähnlicher Eindeutigkeit wie etwa im Rezitativ Nr. 21 in Haydns *Schöpfung*, wo eine Tonmalerei jeweils die verbale Aussage erläutert. Indem das Derwisch-Motiv nachträglich als Ausdruck von Thaliens Spott identifiziert wird, präzisiert sich das Verhältnis der beiden Ausdruckssphären, die das Stück bestimmen: Das Feierliche ist dem Exotischen übergeordnet. Dieses steht für die spielerischen Möglichkeiten der Theaterkunst, gewissermaßen für das, worüber die Muse kichert; jenes repräsentiert die ethische Seite der Kunst („Wohlthätig wirkt der Musen geistig Spiel, der Sterblichen Veredlung ist ihr Ziel", lautet die Fortsetzung des Rezitativs) und zugleich die Selbstgewißheit derjenigen, die über sie zu verfügen glauben. Die innere Dramaturgie des Stückes beschreibt den Bogen von der Demonstration der Kunstmittel — exotischer Tanz und exotische Musik, die, wenn auch barbarisch, doch eine schillernde Außenseite haben — zur Verherrlichung der Kunst in einem quasi religiösen Zeremoniell. Gleichzeitig nimmt der fiktionale Charakter des Geschehens ab. Spätestens mit dem Auftauchen der Kaiserbüste ist er ganz und gar erschöpft. Zwischen denen, die auf der Bühne jubeln, und denen, die es ihnen im Publikum gleichtun sollen, gibt es keine allegorische Vermittlung mehr. Zugespitzt könnte man sagen, daß das Singspiel sich in ein Oratorium verwandelt. An der Nahtstelle beider Bereiche steht das bereits zitierte Rezitativ, mit dem sich eine höhere Stilebene ankündigt. Der erste Teil trägt hingegen einige dem populären Musiktheater des späten 18. Jahrhunderts entlehnte Merkmale. Dazu gehört nicht nur der gesprochene Dialog. Schon die Ouvertüre bezieht sich mit ihren Vorausdeutungen auf ein Verfahren, das Mozart etwa in der *Zauberflöte* (mit dem berühmten Akkord) und in der *Entführung* (mit dem Einschub im Vorspiel, der Belmontes Arie „Hier soll ich sie denn sehen" antizipiert) angewandt hatte. Beethoven zitiert als Vorspann (T. 1—19) zunächst den Anfang des Duetts (Nr. 2) und schließt das Thema des Marsches (Nr. 6) an (T. 20—28). Erst dann beginnt die Ouvertüre ihr eigenes Hauptthema. Das Duett des griechischen Sklavenpaares könnte, wäre es nicht so reich instrumentiert, ebenfalls einem Singspiel oder einer Opéra comique enstammen: Die wiegende 6/8-Bewegung ist gänzlich unprätentiös, den Vokalparten fehlt jede Virtuosität, die Streicher begleiten colla parte. Der klagende Text macht das Kunstlose rührend. Auf die pittoresken Qualitäten der nachfolgenden Nummern, des Derwisch-Chores und des türkischen Marsches, wurde schon hingewiesen. Orientalische Sujets reüssierten vor allem in den komischen Gattungen des Musiktheaters — die *Entführung* ist nur das prominenteste in einer ganzen Reihe von Beispielen. Auch das Einsetzen melodramatischer Elemente zeigt, daß Beethoven sich von erfolgreichen Genres inspirieren ließ. Während die sanfte Holzbläsermusik hinter der Szene (Nr. 5) ertönt, spricht ein Greis Verse zum Lob des Herrschers. Danach erläutert Merkur Minerva die Tragödiengestalten, die zum Marsch (Nr. 5) in den Musentempel einziehen. Freilich sind das keine Melodramen im eigentlichen Sinne nach Art von Anton Schweitzer oder Georg Benda, die die Musik als locker gefügten Kommentar zur Rezitation auffaßten und sie mit gestischen Momenten untermalten (diese Lösung wählte Beethoven in seiner Schauspielmusik zu *König Stephan*), doch bleibt der Anspielungshorizont kenntlich.

Das Herzstück des zweiten Teils, der sich auch tonartlich vom ersten abhebt, bildet die Arie mit Chor des Oberpriesters. Sie schließt sich mit dem ihr voraufgehenden Chor (Nr. 7) zu einer größeren Szene zusammen. Dieser Chor („Wir tragen empfängliche Herzen im Busen, wir geben uns willig der Täuschung hin. Drum weilet gern, ihr holden Musen, bei einem Volke mit offenem Sinn") schlägt einen bewußt einfachen Ton an. Die Begleitung beschränkt sich auf Streicher sowie je zwei Flöten und Klarinetten; sie erschöpft sich weitgehend im colla-parte-Spiel. Dynamische Kontraste sind rar, für alle Stimmen wird piano oder pianissimo gefordert. Das Anflehen der Musen geschieht im schlichten, demütigen Gebet. Dieser Gestus bestimmt auch die folgende Arie: Der Oberpriester bittet, daß der König „in seiner Kinder Mitte" erscheinen möge. Die warme Klangfarbe der begleitenden vier Hörner und zwei Fagotte nähert den Gesang der sakralen Sphäre an. Der Vokalpart ist sehr wenig virtuos und auch nur in Grenzen kantabel konzipiert: Tonrepetitionen und kürzere Phrasen bestimmen seine Konturen, selten wird der Ambitus wirklich ausgeschritten. Sehr sorgfältig behandelt Beethoven das Orchester: Vor allem die beiden Hörner in F und das erste Fagott werden als obligate Instrumente geführt. Vortragsbezeichnungen wie „dolce" und „espressivo" (Horn 1: T. 20, 30, 47; Horn 2: T. 19, 30, 48) wandeln den Charakter des Hornklanges so ab, daß er, zumal gestützt durch die beiden Fagotte, in die Nähe eines weichen Orgelregisters rückt. Das Adagio mündet in ein Pianissimo-Tremolo der Streicher, während dessen Minerva leise den Beistand von Vater Zeus herbeiruft. Beim plötzlichen Emporsteigen der Kaiserbüste — das Libretto vermerkt einen „Donnerschlag" — bricht das Orchester ins Tutti aus. Dieser theatralische Effekt wird visuell noch dadurch verstärkt, daß der Tempel plötzlich transparent erscheint. Es schließt sich ein Allegro con brio an, in dem Oberpriester und Chor dankbar bekunden, daß Zeus ihre Bitte erhört habe. In seiner Ereignishaftigkeit, die nicht musikalisch zu begründen ist, sondern sich den Erfordernissen von Text und Szene verdankt, erinnert der zweite Teil der Arie an Haydns Chöre aus der *Schöpfung*: Die jetzt sehr virtuos geführte Solostimme alterniert mit überwiegend homophonen Chorphrasen. Es ist geradezu erstaunlich, mit welcher Distanzlosigkeit Beethoven das von Kotzebue vorgeschriebene Huldigungsritual — am Ende knien alle nieder — noch musikalisch verdoppelt, indem er es zu einer Art religiöser Handlung stilisiert. Der Komponist war sich übrigens sehr wohl darüber im klaren, daß diese Nummer notwendig ihres Kontextes bedurfte, um zu überzeugen. Zum reinen Konzertstück taugte sie ihm nicht. Als im Jahre 1814 eine Aufführung im Großen Redoutensaal in Wien anstand, beschwor Beethoven Nikolaus von Zmeskall brieflich, doch unbedingt für einen Vorhang zu sorgen: „— sei's nur ein Vorhang, wenn auch ein Bettvorhang oder nur eine Art von Schirm, den man im Augenblicke [beim Einsatz des Orchestertutti] wegnimmt, ein Flor usw. Es muß was sein; die Arie ist ohnedem mehr dramatisch fürs Theater geschrieben, als daß sie im Konzert wirken könnte, alle Deutlichkeit geht ohne Vorhang oder etwas Ähnliches verloren! — verloren! — verloren! — zum Teufel alles! [...] Vorhang!!!! oder die Arie und ich werden morgen gehangen."[1]

Den Beschluß macht ein Chor, dessen Text anfangs eine höchst charakteristische Mischung aus Fürsten- und Gotteslob darstellt („Heil unserm König! Heil! Vernimm uns Gott!"), um in einen Schwur „alter ungarischer Treue" zu münden. Als Hommage an die „Schnurrbärte", nämlich als Nachahmung eines in der ungari-

1 Ebenda, S. 262.

schen Folklore geläufigen fünfteiligen Rhythmus, mag man eine aus zwei Achtelnoten und Achteltriole bestehende Begleitfigur der Streicher interpretieren.

Trotz ihrer sehr kurzen Entstehungszeit enthält die Schauspielmusik einige reizvolle Nummern, und man kann ihr auch eine innere Ausgewogenheit zwischen ernsthaft-feierlichen und theatralisch wie musikalisch auf Wirkung angelegten Partien nicht absprechen. Beethoven war sich dessen bewußt. Denn als man ihn 1822 damit beauftragte, ein Festspiel für die Einweihung des Josephstädter Theaters in Wien zu schreiben, griff er auf die *Ruinen von Athen* zurück und ließ von Carl Meisl den Text einrichten. Allerdings komponierte er eine neue Ouvertüre, vielleicht weil ihm die ursprüngliche zu leichtgewichtig erschien. Dies legt zumindest ein Brief vom 6. Oktober 1822 an den Bruder Johann nahe: „Wegen der neuen Ouvertüre kannst Du ihnen sagen, daß die alte nicht bleiben konnte, weil das Stück in Ungarn nur als Nachstück gegeben, hier aber das Theater damit eröffnet wurde [...].“[1] In der Tat unterscheidet sich diejenige zu op. 113 in Themengestaltung und formaler Disposition von seinen anderen Ouvertüren. Die Sonatensatzform ist gleichsam nur als Andeutung präsent, die Themen prägen keine deutlichen Kontraste aus, das zweite Thema steht in der Subdominante und taucht in der Reprise nicht mehr auf, der Durchführungsteil beschränkt sich auf modulierende Sequenzen. Ein Rezensent schrieb im Jahre 1829, diese Ouvertüre gehöre „nicht zu jenen Werken, in denen Beethoven die Gränzen der Kunst erweitert, dem Kunstleben eine neue Richtung gewonnen hat“.[2] Für die *Weihe des Hauses* — so betitelte Meisl seine Neufassung — schuf Beethoven außer der neuen Ouvertüre op. 124 noch den Chor WoO 98 „Wo sich die Pulse jugendlich jagen“ und arbeitete den Marsch Nr. 6 (1826 gedruckt als op. 114) um. Die zusätzliche Nummer WoO 98 umfaßt laut Libretto eine Tanzszene. Personifizierungen von Tanz und Grazie erscheinen mit ihrem Gefolge und stellen singend Observationen von der Art „leicht ist die Freude, hüpfend die Jugend“ an. In der Tat ist der Meislsche Text ein arges Pasticcio biedermeierlicher Gemeinplätze, oft genug in unglücklichste Formulierungen gekleidet. („Zum Meissel ist er gut, aber zum Bildner?!“ lautete Beethovens Kommentar.) Der Komponist schrieb eine Nummer mit alternierenden Chor- und Solopassagen und prägnanten Tanzrhythmen im Zweier- und Dreiertakt, versuchte also, eine geschlossene Szene aus den undramatischen Verlautbarungen der allegorischen Gestalten zu schmieden. Die Veränderungen an op. 113, Nr. 6 sind geringfügig und bestehen im wesentlichen darin, daß die Prozession der Musenbilder, die in den *Ruinen von Athen* stumm abläuft (ab T. 121), nun von einem vierstimmigen Chor begleitet wird.

Die Ruinen von Athen stehen im Schaffen Beethovens an untergeordneter Position. Reizvoll ist allenfalls die Mischung der Genres, reizvoll ist es vielleicht auch, das Verhältnis zwischen Aufwand und Wirkung zu betrachten, mit anderen Worten: das Maß an künstlerischer Ökonomie, das Beethoven bei der Erledigung dieses Kompositionsauftrages für angemessen hielt.

Ruth E. Müller

---

1 Ebenda, S. 626 (6. Oktober 1822).
2 St. Kunze, *Gesammelte Konzertberichte*, S. 398.

Marsch mit Chor op. 114 (→ op. 113)

Ouvertüre C-Dur „Zur Namensfeier" op. 115

ENTSTEHUNGSZEIT: 1814/1815.
ERSTAUFFÜHRUNG: am 25. Dezember 1815 im Großen Redoutensaal in Wien.
SKIZZEN: Deutsche Staatsbibliothek Berlin, Landsberg 5 und Landsberg 12; Biblioteka Jagiellońska Krakau, Mendelssohn 1; Beethoven-Haus Bonn, Mh 59, Skizzenbuch Petter; British Library London, Add. Ms 29801, Kafka Sketchbook; Bibliothèque Nationale Paris, Ms 54; Gesellschaft der Musikfreunde Wien, A 40, Dessauer Skizzenbuch; vgl. G. Nottebohm, *Beethoveniana*, S. 37ff. und Kapitel XIV und ders., *Zweite Beethoveniana*, S. 14 und Kapitel II.
AUTOGRAPH: Österreichische Nationalbibliothek Wien.
ERSTDRUCK UND WIDMUNG: Wien 1825 (S. A. Steiner & Co.); dem Fürsten Anton Radziwill gewidmet.
GESAMTAUSGABEN: Alte Gesamtausgabe: Nr. 22 = Serie 3 Nr. 5; Neue Gesamtausgabe: Abt. II, Bd. 1.

Unter den elf Ouvertüren Beethovens ist dieses Werk in C-Dur das einzige ohne erkennbare programmatische Intention oder bestimmte Funktion für ein konkretes theatralisches Ereignis. Als der Komponist im Jahr 1809 erste Skizzen notierte, dachte er vielmehr an eine Ouvertüre zu jeder Gelegenheit oder zum Gebrauch im Konzert. Dazu steht auch nicht im Widerspruch, daß er 1812, mitten in der Arbeit an der 7. und 8. Symphonie, thematisches Material für einen vokalsymphonischen Plan mit Schillers „Ode an die Freude" festhielt, von dem einige Motive in der Ouvertüre verwendet wurden. Den Anstoß zu ihrer Ausarbeitung gab schließlich ein Konzert, das für den 4. Oktober 1814 zum Namenstag des österreichischen Kaisers Franz in Wien angesetzt war. Beethoven aber wurde mit der Partitur nicht rechtzeitig fertig, und so konnte ihre Uraufführung erst über ein Jahr später in Wien stattfinden — in einer musikalischen Akademie zugunsten des Bürgerspitalfonds am ersten Weihnachtsfeiertag 1815 neben seinem Oratorium *Christus am Ölberge* und *Meeresstille und Glückliche Fahrt*. Weder die Annoncen zu diesem Konzert noch der Erstdruck des Werks kennen einen charakterisierenden Titel. In der gedruckten Widmung an „Seine Durchlaucht den Fürsten und Herrn Anton Heinrich Radziwill, Statthalter im Großherzogthum Posen, Ritter des Schwarzen Adler Ordens &&& in aller Ehrfurcht" ist lediglich von einer „gedichteten" Gran Ouverture in C-Dur die Rede. Dies mag aufgrund einiger kompositorischer Details noch zu Beethovens Lebzeiten zu dem Beinamen „La Chasse" geführt haben, den er entschieden ablehnte.[1] Ob er einem frühen Rezensenten zugestimmt hätte, der vom „Gemälde eines Streits" spricht[2], bleibt ebenso ungewiß wie seine Meinung über den posthum ver-

1 Vgl. A. Schindler, *Biographie* (1977), S. 263 und 420.
2 G. Chr. Grosheim in der *Cäcilia* 5 (1826), zit. nach St. Kunze, *Gesammelte Konzertberichte,* S. 403.

breiteten Titel *Zur Namensfeier*. Ohne authentisch zu sein, bleibt er immerhin hinreichend unbestimmt, wie es sich Beethoven ursprünglich gewünscht hatte, und er verweist auf einen Anlaß, der vielseitige Verwendung ermöglicht, aber zu nichts verpflichtet. Unter den Ouvertüren ist sie das Stück absoluter Musik schlechthin und damit vielleicht leider auch — weil einer gern gehegten Erwartung widersprechend — das am seltensten gespielte und am wenigsten bekannte geblieben.

Daß der Ouvertüre ein griffiges, dramatisch zupackendes Sujet fehlt, hat offenbar kompositionstechnische Konsequenzen, die gleichfalls die Gunst des großen Publikums mindern können. Beethoven verzichtet nämlich — um es grob zuzuspitzen — ebenso auf unverwechselbar prägnante motivische Formulierungen wie auf Techniken ihrer Entwicklung, die sie — analog zu einer selbst imaginären theatralischen Handlung — wie dramatische Figuren agieren und in fühlbaren Szenenwechseln irgendwelche Schicksale bestimmen oder erleiden lassen könnten. Er wählt im Gegenteil ein thematisches Grundmaterial, das nur durch seine Unscheinbarkeit auffällt, weil es aus elementaren Bewegungsimpulsen, spielerischen Figuren und konventionellen Floskeln herstammt, wie sie jeder zeitgenössische Dilettant im Rahmen des bestehenden melodisch-harmonisch-rhythmischen Ordnungsgefüges erfunden und verwertet haben würde. Durchaus im klassizistischen Geist Mozarts, der nicht dem individualisierten Kurz-Einfall, sondern der Kunst einer auf unnachahmliche Ganzheit zielenden Durchbildung des Materials primäre Aufmerksamkeit widmete, benutzt nun aber auch Beethoven diese ubiquitären Bausteine, um sie — wie ein reflektierender Analytiker seiner eigenen konstruktiven Ideen — einerseits aufeinander so zu beziehen, daß sie aus einer gemeinsamen strukturellen Formel geboren zu sein scheinen, und andererseits dem Formplan eines schnellen Sonatensatzes mit langsamer Einleitung so verfügbar zu machen, daß sie ständig auch in ihren extremen Varianten präsent und daher in permanenter Variation begriffen sind. Wenn der moderne dialektische Gedanke einer klanglichen Vielfalt der Erscheinungen aus einheitlicher materialer Substanz schon bei Beethoven vor den späten Quartetten einen exklusiven Sinn macht, dann, neben einigen symphonischen und kammermusikalischen Sätzen, gerade bei dieser Ouvertüre — einem Wunderwerk der innerkompositorischen Vermittlungen ohne erkennbaren programmatischen Außenhalt.

Die motivische Keimzelle für alle thematischen Formulierungen begegnet kaum wahrnehmbar gleich zu Beginn des einleitenden „Maestoso“ nach dem festlichen C-Dur-Akkord des Tutti in den straff punktierten und scharf akzentuierten, gegenläufig zu den absteigenden Bässen aufwärts gestuften Violinen und Holzbläsern, ehe sich das ganze Orchester mit pompöser Attitüde auf den martialisch rhythmisierten Akkord der Dominante fixiert. Dabei handelt es sich schlicht um die zweifache Umspielung des Terztones in großer und kleiner Sekunde — um eine Pendelbewegung also nach Art eines auskomponierten Doppelschlags in Umkehrung. Er bestimmt sogleich die kantable Entgegnung im vierstimmigen Hörnersatz (T. 3f.) und — nach der subdominantisch gewendeten Wiederholung dieses Kontrasts (T. 6—9) — die figurativen Verzierungen ebenso wie die breiten Vorhalte der 1. Violinen samt deren Imitation in den Celli und Bässen (T. 9—12) bis zum spannungsvollen Ruhepunkt dieser weich kadenzierenden Bewegung in der Dominant-Region. Auch das im rasanten Sechsachteltakt leise vibrierende Hauptthema des „Allegro assai vivace“ folgt dieser mottoartigen Grundfigur in kurzatmig aufspringenden Spiegelungen um den zentrierenden Grundton (T. 1f.), wobei der sukzessive Wechsel von jambisch und trochäisch rhythmisierten Partikeln bald auch zu simultaner Kontrapunktik genutzt wird. Und in erweitertem Ambitus bleibt sie erhalten, wenn sich das Thema in enggeführt kanonischer Auffächerung durch die Streicher und Holzbläser fortsetzt (T. 5f.) und über fließende Wellenbewegungen (T. 13) zur kräftigen Tuttiversion emanzipiert. Das anschließende Seitenthema, in der Dominant-Tonart ebenfalls in dreifacher Stufung mit nacheinander rhythmischer, harmonischer und melodischer Dominanz präsentiert, bringt wohl den obligaten „ruhigen" Kontrast durch aufgelichtete Instrumentation, hält aber in diastematischer Hinsicht unvermindert an der Variation des Pendelmodells fest — insbesondere bei der zart schwingenden Melodie der Violinen und Bratschen (T. 71) sowie danach der solistischen Holzbläser, bevor mit ungestüm hämmernden Impulsen das Ende der Exposition erreicht ist.

Die nahtlos angeschlossene Durchführung ist relativ knapp formuliert — mit 48 Takten erreicht sie kaum die halbe Länge der Exposition bzw. der Reprise. Auch sie läßt sich ohne Mühe in drei Abschnitte gliedern, wobei der erste (T. 101—112) in scharfen, zugespitzt dynamischen Kontrasten auf engstem Raum und mit Hilfe motivischer Vorhaltpartikel aus dem Hauptthema vorwiegend modulatorische Funktionen erfüllt. Der zweite Abschnitt (T. 113—130) greift den eröffnenden Gedanken des Seitenthemas auf und führt ihn, verdichtet durch kontrapunktische Gegenbewegungen, über A-Dur, a-Moll, F-Dur, C-Dur, G-Dur und D-Dur zum dritten Abschnitt (T. 131—148). Er leitet mit rotierenden Dauersequenzen des Kernmotivs, gestützt von akzentuierten Orgeltönen auf G und vorangetrieben durch massive Akkordimpulse, zur vollständigen Reprise der Exposition über (T. 149). Bis auf instrumentatorische Varianten und geringfügige Eliminierungen einiger Takte — zugunsten der fälligen Modulation zum Seitenthema von der Subdominante her — bringt sie keine qualitativen Änderungen hervor. Dann aber weitet sie die dithyrambisch gesteigerte Schlußgruppe aus und geht plötzlich, mit abruptem Wechsel zum Pianissimo eines Paukenwirbels (T. 253), mit schwirrenden Mikromotiven in den Streichern (darunter flüchtig die B-A-C-H-Figur) und mächtigem Crescendo zu einer ausgedehnten Coda über (T. 265), die sich zu einem flächigen Klangtableau des hymnischen Jubels formiert. Obwohl das Material hier gänzlich auf das effektvolle Arrangement von puren Dreiklangsbrechungen und rasanten Skalengängen reduziert zu sein scheint, läßt Beethoven selbst hier die strenge motivische Verbindlichkeit nicht außer acht. Nur gleicht er sie jetzt den ursprünglichen Prägungen aus der langsamen Einleitung so deutlich an, daß diese auch hörbar dem Sonatensatz nicht länger bloß extern vorgelagert bleibt. Sie wird hineingezogen in den Strudel der lärmenden Apotheose, ihrer anfänglich zeremoniellen Steifheit enthoben und anverwandelt den tänzerischen Impulsen, die mit dem nochmaligen Zitat des Hauptthemas am Schluß unangefochten den Klang des entfesselten Orchesters beherrschen.

Frank Schneider

Terzett „Tremate, empi, tremate“ für 3 Singstimmen und Orchester op. 116

GEDICHT: G. de Gamerra.
ENTSTEHUNGSZEIT: 1802.
ERSTAUFFÜHRUNG: am 27. Februar 1814 im Großen Redoutensaal Wien.
SKIZZEN: Gesellschaft der Musikfreunde Wien, A 34, Skizzenbuch Keßler; Staatliches M. I. Glinka-Zentralmuseum für Musikkultur Moskau, Skizzenbuch Wielhorsky.
AUTOGRAPH: verschollen.
ERSTDRUCK: Stimmen und Klavierauszug: Wien 1826 (S. A. Steiner & Co.); Partitur: 1863 in der Alten Gesamtausgabe.
GESAMTAUSGABE: Alte Gesamtausgabe: Nr. 211 = Serie 22 Nr. 2.

Das Terzett wurde im Jahre 1802 komponiert, erfuhr jedoch erst am 27. Februar 1814 seine Uraufführung. Die zählebige Vermutung, Beethoven habe das Stück zunächst skizziert und erst 1814 fertiggestellt, hat Sieghard Brandenburg entkräftet, indem er die erhaltene Partiturabschrift zweifelsfrei auf 1802 datierte. Als Sänger traten Anna Milder-Hauptmann, die Leonore von 1805, der italienische Tenorist Giuseppe Siboni und der Bassist Carl Weinmüller auf, der 1814 auch den Rocco in der neuen Fassung des *Fidelio* übernahm. Die von Beethoven sehr geschätzte Milder stand damals, wie Anton Schindler berichtet[1], im Zenit ihres Ruhms und war sicher Publikumsmagnet für ein Konzert, welches außer dem Terzett noch die 7. und 8. Symphonie sowie *Wellingtons Sieg* op. 91 zu Gehör brachte.

Der Text entstammt dem Libretto *Medonte Rè di Epiro* von Giovanni de Gamerra und war vor allem in Giuseppe Sartis Vertonung bekannt (Florenz 1777). Sarti übernahm das Terzett schließlich in seine Oper *Giulio Sabino* (Venedig 1781), als diese 1785 in Wien herauskam. Im übrigen wurde auch *Medonte* 1794 dort gegeben. Ein zeitgenössischer Partiturdruck des Stückes läßt auf seine Popularität schließen.

Beethovens Version erfüllte für sein eigenes Konzert wohl eine Art Alibifunktion: Plaziert zwischen drei ausgedehnten symphonischen Werken, sollte es auch die Freunde der Opernmusik zufriedenstellen. Der Komponist griff also in die Schublade, wo seit 1802 ein Bravourstück ruhte, das an Sartis „Schlager“ anknüpfte. Der Text führt eine fatale Dreieckskonstellation vor: Ein vor Eifersucht Rasender ertappt zwei Liebende und bedroht sie mit seinem Zorn. Die Bedrängten flehen um Gnade und überbieten sich in Gesten des Opfermuts. Musikalisch ergeben sich demnach Möglichkeiten zur Affektdarstellung von Wut, aber auch von zärtlichen Gefühlen und Verzweiflung. Am Ende vereinigen sich alle drei zur Klage an die Götter über die erlittene Grausamkeit. Es herrschen also die üblichen Situationstopoi der Opera seria, und die typische Metaphorik des Textes, die etwa den „Blitz des Zornes“ beschwört, tut das ihre dazu, um den adäquaten musikalischen Stil zu evozieren: pathetische Gesten, illustriert durch Tonmalerei. Beethoven hatte sich mit diesem Stil um 1800 auseinandergesetzt, und er kannte auch Sartis Vertonung. Das läßt sich jedenfalls aus weitgehenden Übereinstimmungen in der Anlage beider Stücke

---

1 Vgl. A. Schindler, *Biographie* (^{3}1860), S. 160.

sowie der Disposition von Ton- und Taktarten und Tempi ersehen. Beethoven schreibt ein Allegro (69 Takte, ₵-Takt, B-Dur) für die Verse 1—15, die das Drohen und Flehen enthalten, schließt ein Adagio (51 Takte, 3/4-Takt, Es-Dur) der zärtlichen Gefühle an (Verse 16—24) und endet mit einem Allegro molto (117 Takte, ₵-Takt, B-Dur) als Anrufung der grausamen Götter. Auch bei der Textverteilung folgt er Sartis Beispiel, dessen Version, da sie Vorbildcharakter für Beethoven hatte, in ihren wesentlichen Zügen zum Vergleich herangezogen werden soll: Anders als bei Beethoven, dafür aber im Einklang mit der Gattungstradition im 18. Jahrhundert, schreibt Sarti zwei Soprane und Tenor vor. Seine Orchesterbesetzung fordert Flöte, 2 Oboen, 2 Trompeten, 2 Hörner und die Streichergruppe. Das „Zittert, Verruchte, zittert“ erklingt als Folge kurzer, von Pausen unterbrochener Phrasen, die durch energische Intervallsprünge gekennzeichnet werden. Die Streicherbegleitung tremoliert im Sechzehntelrhythmus, „zittert“ also wirklich mit. Den Blitzschlag („il fulmine cadrà“) malt ein Oktavsprung abwärts. Ganz selbstverständlich bedient Sarti sich einer Musiksprache, in der gegenständliches Abbild und Affekt zu einer neuen Bedeutungseinheit verschmelzen. Dieses Szenario verändert sich abrupt mit dem Einsatz der Soprane: Heroische Sprünge und punktierte Rhythmen weichen schmeichelnden Tonumspielungen und Stufenbewegungen. Die Begleitung vollzieht den Umschwung mit und unterstreicht ihn, indem sie den Baß aussetzt oder seine Bewegung anhält, um beim nächsten Tenoreinsatz (T. 26) wieder den Tonfall der Anfangsverse aufzunehmen. Die dramatische Situation findet ihren unmittelbaren Niederschlag in der Partitur: Bis zum Ende des ersten Teils, der bei Sarti 65 Takte umfaßt, wird der Antagonismus der musikalischen Sphären konsequent durchgehalten und spiegelt sinnfällig den Konflikt der handelnden Personen. Beethoven übernimmt diese Gestaltungsidee — nach anfänglichem Schwanken, wie es scheint. Denn in den überlieferten Skizzen ist der Kontrast zwischen Sprüngen, in eine Richtung verlaufender Stufenbewegung und Punktierungen der Baßstimme einerseits und der rhythmisch eher planen Wechselnoten- und Seufzermelodik der Oberstimmen andererseits noch nicht so deutlich ausgeführt wie in der endgültigen Fassung (vgl. etwa die Entwürfe zu „tolgansi agli occhi miei“ und zu „risparmia, o Dio, quel sangue“ auf Blatt 24^{v}). Im Mittelteil (Largo, 32 Takte) behandelt Sarti die Stimmen und ihre Begleitung einheitlich und reagiert damit auf den Inhalt der Verse 16—24: Während die Liebenden ihre Gefühle besingen, erinnert sich der enttäuschte Dritte seiner vergeblichen Hoffnungen. Ab Takt 24 regiert Homophonie das Verhältnis der Gesangsparte zueinander. Beethoven behandelt diesen Teil ausführlicher und differenzierter als Sarti. Wenn sich in den Oberstimmen auch ein Hang zu stereotypen Terz- und Sextparallelen zeigt, so erstarren sie dennoch nicht in identischen Rhythmen. Die Baßstimme ihrerseits hat nur Phrasenenden, nicht -anfänge mit den anderen gemein, behauptet also ihre Unabhängigkeit. In der Begleitung prägt sich ein auffälliger Reichtum an rhythmischen Modellen aus. Es ist nicht auszuschließen, daß wiederum Sartis Version Beethoven den Anstoß zur Themenfindung für die Verse 16—21 („Son queste, amato bene, / le amabili catene / onde m'avvinse amor! / Son questi, idolo mio, / quei cari lacci, o Dio, / che ci serbava amor!“) gegeben hat. Sartis Themen charakterisieren an dieser Stelle Sechzehntelwerte in engen Intervallen, die die „lieblichen Ketten“ andeuten sollen. Auch Beethoven entscheidet sich schließlich für ganz ähnliche Gestalten. Doch die Skizzen verzeichnen einige Entwürfe, in denen dieses tonmalende und zugleich eine zärtliche

Stimmung stiftende Element noch gar nicht oder nur in Ansätzen vorhanden ist (vgl. beispielsweise die Blätter 26v und 27r). Sartis Schlußteil (Allegro, 75 Takte) bringt eine furiose Steigerung: In ausgedehnten Koloraturen jagen die drei Stimmen dem Ende entgegen und symbolisieren damit, daß die handelnden Personen durch ein grausames Schicksal miteinander verbunden sind. Beethoven folgt diesem durch und durch dramatischen Konzept einer Klangverdichtung und Akzeleration (was im übrigen zu den Selbstverständlichkeiten der Gattung gehörte), weicht jedoch in einem Punkt von seiner Vorlage ab: Als genüge es ihm nicht, sich dem stilistisch Verbindlichen zu unterwerfen, greift er auf einige Verse aus dem ersten Teil zurück, die noch einmal die Unversöhnlichkeit des Konflikts heraufbeschwören („tolgansi agli occhi miei / quegli aborriti sposi! / A, quest'affanno, a, i pianti! / Ho di macigno il cor“). So verhindert er, daß der Schlußteil allzu einträchtig-homophon gerät. Im übrigen spart er die Baßstimme bei den Koloraturen aus und hebt sie ab gegen die Oberstimmen in einer finalen Steigerung, die alles zu vereinheitlichen droht. Dem Sopranpart fallen einige Spitzentöne zu, etwa ein über mehr als einen ganzen Takt auszuhaltendes b'' — für die Milder sicher eine willkommene Gelegenheit zum Brillieren. Insgesamt ist dieser letzte Teil offensichtlich auf den Effekt aus. Mehrere dynamische Zurücknahmen ins Piano mit nachfolgenden Crescendo-Anläufen gliedern das musikalische Geschehen und treiben es gleichzeitig um so energischer seinem Ziel entgegen. Ein Rezensent der Uraufführung befand denn auch, das Stück sei „Anfangs ganz im italienischen Styl gedacht“, ende dann aber „mit einem feurigen Allegro in Beethovens eigener Manier“.[1] Diese „eigene Manier“ kann sich, wenn man die beiden Rahmenteile im schnellen Tempo miteinander vergleicht, nur auf das am Schluß dominierende symphonische Verfahren beziehen: Beethoven stellt die einzelnen Instrumentengruppen tendenziell als Blöcke gegeneinander. Kurze, prägnante Motive bestimmen die Entwicklung und erwecken den Eindruck des Zielgerichteten. Es fällt immerhin auf, daß Beethoven der Ausstattung der Vokalparte mit Koloraturen wenig Aufmerksamkeit widmet. Was bei Sarti weitgehend die Substanz des Schlußteils ausmachte, tritt hier in den Hintergrund zurück. So deutlich Sartis Terzett Beethoven als Muster diente und so präzise sich die Einflüsse rekonstruieren lassen — in diesem Punkt gibt es einen bezeichnenden Unterschied. Eine auf der Stelle tretende Präsentation stimmlicher Virtuosität war Beethovens Anliegen nicht. Sein Schlußeffekt zielt auf Überzeugungskraft aus orchestralem Geist. Vielleicht war die Programmfolge des Konzertes am 27. Februar 1814 gerade geeignet, um diesen Aspekt hervorzuheben: Inmitten symphonischer Werke geradezu verfremdet, offenbarte das Terzett seine überraschende Affinität zum symphonischen Stil. — Nach diesem Abend versank es allerdings für zehn Jahre in Vergessenheit. Erst 1824 erfolgte eine zweite Aufführung, 1826 erschienen Stimmen und Klavierauszug bei Steiner & Co. in Wien und gaben der *Allgemeinen musikalischen Zeitung* Veranlassung zu einer Besprechung.[2] Dort stellt der Rezensent einen Vergleich an mit der Szene und Arie „Ah, perfido“ op. 65 und schreibt: „Es [das Terzett] ist gedacht, angeordnet, ausgeführt, nach Art der grossen Terzetten oder Quartetten

1 *AmZ* 16, Nr. 12 vom 23. 3. 1814, Sp. 201.
2 *AmZ* 28, Nr. 30 vom 26. 7. 1826, Sp. 494—496 (vgl. St. Kunze, *Gesammelte Konzertberichte,* S. 404f.).

in der Opera seria jener Zeit, wie jene Arie nach Art der grossen Arien der Opera seria jener Zeit [...]: aber, wie diese gleichfalls, mit eigenthümlichem Geiste, tiefem Gefühl und selbstständiger Kraft; auch nicht ohne manche wahrhaft originellen, doch nicht excentrischen Züge in der Instrumentirung u. dgl.“ Dieses Urteil erscheint allerdings etwas hochgegriffen, da das Stück für Beethoven selbst eine Gelegenheitsarbeit war und er sich, wohl aus Zeitgründen, deutlich am Vorbild einer anderen Komposition orientierte.

Ruth E. Müller

Musik zu „König Stephan“ op. 117

TEXT: A. v. Kotzebue
ENTSTEHUNGSZEIT: 1811.
ERSTAUFFÜHRUNG: am 9. Februar 1812 zur Eröffnung des Theaters in Pest.
SKIZZEN: Beethoven-Haus Bonn, Mh 81, Mh 82, Mh 83, BSk 2/50, BSk 3/51 und BSk 4/52; British Library London, Add. Ms 29801, Kafka Sketchbook, und Add. Ms 29997; Bibliothèque Nationale Paris, Ms 86, Ms 88, Ms 91 und Ms 92; Skizzenblätter: Fitzwilliam Museum Cambridge, Henry E. Huntington Library San Marino, Kungl. Musikaliska Akademiens Bibliothek Stockholm.
AUTOGRAPH: Ouvertüre: Deutsche Staatsbibliothek Berlin; Stücke 1—9: Staatsbibliothek Preußischer Kulturbesitz Berlin.
ERSTDRUCK: Ouvertüre: Wien 1826 (S. A. Steiner & Co.); gesamtes Werk: 1864 in der Alten Gesamtausgabe.
GESAMTAUSGABE: Alte Gesamtausgabe: Nr. 207b = Serie 20 Nr. 4; zweiter Abdruck der Ouvertüre: Nr. 23 = Serie 3 Nr. 6.

Anfang August 1811 reiste Beethoven auf Rat seines Arztes zur Kur nach Teplitz. Aber anstatt sich zu erholen, bereitete er sein Oratorium *Christus am Ölberge* für den Druck vor und erledigte zwei kompositorische Aufträge der Wiener Hoftheaterdirektion. Für die Eröffnung des neuerbauten kaiserlichen Theaters in Pest waren bei dem Erfolgsdichter August von Kotzebue zwei Festspiele bestellt worden — *König Stephan* als Vorspiel und *Die Ruinen von Athen* als Nachspiel. Die Musik zu beiden Stücken, insgesamt 19 Nummern, scheint Beethoven in der für ihn außerordentlich kurzen Zeit von etwa drei Wochen geschrieben zu haben, weil er annahm, daß sie für den vorgesehenen Zweck schon Anfang Oktober gebraucht werden würde. Die Eröffnung des Theaters mit den beiden Festspielen fand dann jedoch erst im Februar des folgenden Jahres in Pest statt. *König Stephan* — eine natürlich poetisch ganz freie Folge von Episoden aus der Chronik um „Ungarns ersten Wohltäter“, seine Krönung sowie um die Gründung und den Aufstieg der ungarischen Nation — behandelt zwar ein patriotisches Thema (das Beethovens Sympathie gewiß geweckt haben mochte), doch dem Anlaß der Aufführung entsprechend zielt es opportunistisch auf unverhüllte Huldigung an die habsburgischen Beherrscher Ungarns und namentlich den damals regierenden Kaiser Franz. Daß Beethoven nicht mit ganzem Herzen und unter Zeitdruck bei der Sache war, teilt sich der Musik — einer Ouvertüre und neun anschließenden Einzelnummern — in manchen Partien durchaus mit. Einzig die Ouvertüre, die aber auch schon von manchen Zeitgenossen mit enttäuschter Kritik bedacht worden war, blieb als glänzend inspiriertes und brillant instrumentiertes Orchesterstück ganz eigener Art im Konzertsaal lebendig.

Noch immer kann man dem anonymen Rezensenten des *Allgemeinen Musikalischen Anzeigers* (Wien 1829) zustimmen, in dieser Ouvertüre spreche sich „der heitere, gemüthvoll bewegte, lieblich naive, kräftig aufwallende Charakter der hungarischen Nation mit festen Pinselstrichen im allverständlichen Tongemälde aus; dieß, und ja nicht mehr sollte gegeben werden, und wurde auch in reiner, schmuckloser ungesuchter Herzenseinfalt ausgesprochen“.[1] Gemeint ist damit wohl vor allem, daß Beethoven durchaus in der Lage war (im Gegensatz zu den vielen Beispielen, in denen er sich künstlerisch unangepaßt, unverhältnismäßig und disfunktional verhielt), innerhalb eines vorgegebenen Rahmens konkret sujetbezogen und funktionsgerecht zu komponieren. Er hält Maß im Umfang, wählt einfach strukturierte, formelhaft artikulierte Themen, arbeitet mit effektvollen Kontrasten und stellt alle „entwickelnden“, „durchführenden“ Möglichkeiten der Materialbehandlung zurück — zugunsten ihrer eher potpourriartigen Reihung und Rundung. Vier ausgehaltene Töne im Zweivierteltakt und Tempo „Andante con moto“, fallende Quarten vom Grundton Es aus, in Oktavierung nacheinander den Trompeten, Hörnern, Streichern mit Fagotten und schließlich allen Holzbläsern zugeteilt, eröffnen das Stück auf ebenso lapidare wie befremdliche und zugleich assoziationsreiche Weise: Es sind tönende Signale, die zu einem festlichen Anlaß rufen und dafür den Auftakt geben. Andererseits verweist ihre archaische Kunstlosigkeit, ihre elementare Natürlichkeit auf den historisch fernen Ansatzpunkt der Geschichte, die Kotzebue nachfolgend skizziert. Es entsteht ein gleichsam offener, leerer Raum, den eine historische, oder hier besser: eine „erzählende“ Szenerie erst noch besetzen und ausfüllen soll.

Ähnliches scheint Beethoven auch im Hinblick auf den konkreten kompositorischen Vorgang vorgeschwebt zu haben, denn die vier Töne erfüllen keineswegs eine irgendwie leitmotivische Funktion (dann müßten sie, was hier nicht der Fall ist, konstruktive Konsequenzen haben), sondern sie schaffen so etwas wie eine angespannte Situation der tönenden Erwartung, eine Atmosphäre der tonalen Unbestimmtheit, die noch mehr verblüfft, wenn die anschließende, unvermittelte Entscheidung für den Beginn der thematischen Setzungen auf die Subdominant-Region As-Dur fällt. Hier nun setzt, als sei der Anfang im Unhörbaren verloren gegangen, jene zart tändelnde Flötenmelodie ein, deren „ungarischer“ Ton oft behauptet worden ist, weil sie Beethoven auch für den „Chor der Frauen“, die Nummer 4 der Bühnenmusik mit der Charakteristik „Andante con moto all' Ongarese“ verwendet hat. Abgesehen vom liedhaft-populären Idiom erinnern daran jedoch höchstens (weil für den magyarischen Sprachrhythmus eigentümlich) die anapästischen Kurzmotive und, in der gleichfalls einfach pendelnden Begleitung, die cymbalartigen Tremolo-Effekte in den ersten Violinen. Wenn nach acht Takten die zweigliedrige melodische Phrase (als Stimme des Volkes?) kadenziell beendet ist, erklingen zum zweiten Mal, um einen Ganzton erhöht und auf dem Dominantseptimakkord der Grundtonart innehaltend, die „herrschaftlichen“ Signale. Auf dieser ostinat-dominanten Linie spielt sich die Reigenmelodie fort, jetzt in den Holzbläsern dialogisch aufgeteilt, auch einmal nach Moll gewendet und schließlich in fragmentierte Echos zwischen Baß- und

1 *Allgemeiner Musikalischer Anzeiger* 1 (1829); zit. nach St. Kunze, *Gesammelte Konzertberichte*, S. 408.

Diskantlage zerlegt. An den sich auflösenden, entschwindenden Klang hängt Beethoven vorsichtig einen alterierten Akkord, den er sogleich anschwellen läßt, um den Umschlag ins „Presto", den Hauptsatz der Ouvertüre, zu vermitteln.

Dieser „Presto"-Teil gliedert sich in drei Abschnitte nach den Umrissen einer Sonatenexposition. Der erste Abschnitt dient der ebenfalls triadischen Entfaltung des Hauptthemas, und auch dieses selbst — ein Geschwindmarsch mit synkopisch federndem Kopfmotiv, einer straff kadenzierenden Fortsetzung und deren modulierender Wiederholung — ist dreiteilig gebaut. Nachdem es die Holzbläser in zwölf Zweiviertelaktaken etabliert haben, führt eine vom Horn-Duett eröffnete, dynamisch und klanglich crescendierende Überleitung zur Wiederholung des Themas im Fortissimo-Geschmetter des vollen Orchesters. Stürmische Unisono-Gänge und kadenzierende Figuren (deren Brio an Partien aus dem Kopfsatz der 5. Symphonie erinnert) führen zum tänzerisch animierten Seitenthema in der Dominante — einer in Terzen gedoppelten, aus Skalensegmenten gefügten Buffogestalt, die ohne Veränderung zuerst zweimal in den Holzbläsern, dann zweimal in den Streichern erscheint. Aus ihrer Fortsetzung bildet sich die Schlußgruppe zu gleichsam jubilierenden Aufschwüngen im synkopischen Rhythmus des variativ umgebildeten Kopfmotivs. Wo nun die Durchführung fällig wäre, kehrt Beethoven zu den Signaltönen des Anfangs in fallenden Quarten zurück und läßt in der Mediant-Tonart G-Dur die graziöse „Andante"-Melodie von der Oboe repetieren. Ihre Moll-Version führt über die teilmotivische Verdichtung und erneute Klangsteigerung zur Reprise des „Presto"-Teils ohne nennenswerte Abweichung von der Exposition. An deren Ende interpoliert Beethoven eine kurze Reminiszenz an das „Andante", ehe eine ausgedehnte, in Wellen immer furioser entflammte Coda Platz greift — das Seitenthema in martialischer Version zitierend, schließlich mit dem Kopfmotiv des Hauptthemas einen „Eclat triomphale" entfesselnd wie in vielen vorausgegangenen Werken seines heroischen Stils.

Das Festspiel beginnt mit einem Männerchor (Nr. 1, „Andante maestoso e con moto", C-Dur, 4/4). Er verkörpert eine Schar „edler Ungarn", die nach der szenischen Beschreibung auf einem „freien Feld bei Pesth" einen thronenden Kriegshelden, den Fürsten Stephan umringen. Daß dichter Nebel den Hintergrund verbergen soll, scheinen die instrumentalen Umrahmungen des Gesangs — dreimal je ein diffus aufgefächerter, figurativ durchbrochener, sanft an- und abschwellender Akkord — anzudeuten. Im verhaltenen Tempo und feierlich deklamierten Ton eines langsamen Marsches erfährt man in zwei variierten Strophen, responsorisch zuerst leise von den Bässen, dann kräftig in der fünfstimmig ausgesetzten Wiederholung vom ganzen Männerchor, daß der Fürst zu einer gewichtigen politischen Versammlung gerufen hat. Den dynamischen Kontrast unterstützt die Instrumentierung einmal durch bloße Pizzicato-Akzente in den Streichern und knappe Signale der Hörner, zum anderen aber durch kohärente melodisch-harmonische Konturierung mit einem Instrumentarium aus allen Gruppen des Orchesters. Stephan erhebt sich danach zu einer Ansprache ohne Musik, um die Männer an die alten Zeiten der heidnischen Barbarei und die zivilisatorischen Segnungen des Christentums zu erinnern, zu dem sein Vater sie bekehrt hatte. Während dieser Rede lichtet sich der Nebel, und im Hintergrund wird die Silhouette von Pest sichtbar. Ein weiterer, jetzt nur vierstimmig ausgesetzter Männerchor (Nr. 2, „Allegro con brio", c-Moll, 4/4) reflektiert zustimmend den geschichtlichen Aufstieg vom „dunklen Irrweg" der Vergangenheit zur hellen Gegenwart durch christliche Erleuchtung. Die Licht-Metapher inspirierte Beethoven — sicher nach dem berühmten Vorbild in Haydns *Schöpfung* — zu einer antithetisch zweigeteilten Form. Zu langen Orgelpunkten (Fagott und Horn) singen Gruppen der Bässe und Tenöre in gleichsam ziellos tappenden, räumlich beengten, in starrer Terzenkoppelung kreisenden Tonschritten. Das rettende Heil kündigt sich im Diskant mit dem von Flöte und Oboen repetierten G-Dur-Dreiklang an, um plötzlich — „es wurde hell" — mit einem gloriosen C-Dur-Fanal im Fortissimo-Tutti durchzubrechen und sich in impulsiven Unisonogängen, herrischen Marschgesten oder aufjubelndem Streicherdekor zu behaupten.

Nach dieser Exposition konkretisiert sich die szenische Situation: Ein Krieger tritt als Bote auf und verkündet das Ende blutiger Schlachten. Die Feinde Ungarns seien geschlagen, die Ecclesia militans habe überall die Götzenbilder zerschlagen und das Kreuz aufgepflanzt. Das erfolgreiche Heer zieht heran, mit erbeuteten Trophäen und gefesselten Heiden — unter ihnen der hartnäckigste Widersacher Stephans, Fürst Gyula. Beethovens Siegesmarsch (Nr. 3, „Feurig und Stolz", G-Dur, 4/4) weist kaum Momente artifizieller Stilisierung auf, sondern er erweist sich als veritable Gebrauchsmusik in diesem Genre. Die simplen Melodie- und Rhythmusfloskeln — wie aus der Ferne kommend — beginnen sich zuerst leise nur von den Hörnern, Fagotten und Pauken zu formieren, ehe sie sich, zur abgezirkelten Dreiteiligkeit komplettiert, im massiven Tutti (mit einer zusätzlichen Baßposaune) präsentieren. Anschließend sucht Stephan den Dialog mit Gyula. Er löst dem Feind die Fesseln, verzeiht ihm, bietet christliche Nächstenliebe an und gewinnt ihn, den so entwaffneten „freien Knecht", als Verbündeten. Es erscheint nun vor Stephan der bayerische Gesandte, um ihm die zur Frau bestimmte „fromme Gisela" zuzuführen: „Von den edlen Frau'n umgeben, / Die, der Fürstin Schleier tragend, / Ihre liebliche Gesänge / In den Hauch der Flöte mischen, / nahet schon die holde Braut." Genau dies hat Beethoven im anschließenden „Chor der Frauen" (Nr. 4, „Andante con moto all' Ongarese", A-Dur, 2/4) auskomponiert. Die „ungarische" Flötenmelodie — auch in der Ouvertüre verwendet — begleitet als ornamentaler Kontrapunkt den liedhaft schlichten Gesang in drei variierten Strophen auf den zweimal wiederholten Text in vier Versen. Jede Strophe ist in doppelter Zweiteiligkeit geformt, denn je zwei Verse bilden eine achttaktige Phrase, deren Instrumentalpart als ebenso langes Vorspiel mit gleicher, nur koloristisch veränderter musikalischer Substanz dient. Während in den ersten beiden Strophen der vokale Vordersatz einstimmig und der Nachsatz homophon zweistimmig geführt werden, kommt es in der Schlußstrophe zu kanonischen Kombinationen und zur maximalen Fülle des begleitenden Instrumentariums, wobei für diese vom Dichter geforderte „sanfte Musik" ein kammermusikalisch reduziertes und fein ziseliertes Klangbild ohne Trompeten und Pauken gewahrt bleibt.

Ohne Pause folgt ein kurzes melodramatisches Präludium (Nr. 5, „Melodram") zum ebenfalls direkt anschließenden Jubelchor der versammelten Massen (Nr. 6, „Vivace", F-Dur, 6/8). Zu Stephans zeremoniellen Grußworten an die Braut erklingt in den Streichern eine Akkordfolge entsprechend den syntaktischen Sinneinheiten. Dann bereitet eine lebhafte, aber grazile melodische Phrase („Vivace") in Geigen und Bratschen Giselas Antwort vor. Sie möchte im neuen Land geliebt werden, um der „Trennung Wunde" zu heilen. Die Oboe übernimmt den melodischen Gedanken, bevor einzelne Bläser in zwei Akkorden „tremulando" Giselas Erregtheit auszudrücken versuchen und danach überleiten zum fröhlich animierten Chorsatz nach dem schwungvoll punktierten Modell einer Tarantella. Der vierstimmige gemischte Chor gibt seiner „süßen Freude“ und „seligen Wonne“ über das Herrscherpaar in aufjauchzenden Wendungen Ausdruck, die das Orchester, in motivisch spezifizierten Klanggruppen, übernimmt und durch knappe Ritornelle verbindet. Abermals attacca bereiten melodramatisch einige robust dreiklängige Signalakkorde (Nr. 7, „Maestoso con moto“, D-Dur, 4/4) eine Ansprache Stephans vor, in der er noch einmal die christlichen Gesinnungen seines Volkes hervorhebt, um ihm — als krönende Gabe solcher Veredelung — einen Codex schriftlich fixierter Rechte und Gesetze auszuhändigen. Die weihevolle Übergabe der Gesetzesrolle an die Edlen unterlegt Beethoven mit einer ausführlichen Variante jener „nebulös“ wallenden Akkorde vom Beginn der Bühnenmusik, nur daß er sie hier kadenzierend aneinanderfügt und crescendieren läßt. Militärische Akkordsignale beschließen die Szene, wie sie begonnen hatte.

Ebenfalls aus verschiedenen Teilen setzt sich die Musik der folgenden Episode zusammen (Nr. 8). Sie beginnt mit einem „Geistlichen Marsch“ („Moderato“, B-Dur, 4/4 alla breve) zum Auftritt römischer Greise — Abgesandten der päpstlichen Kurie, die Stephan eine goldene Krone (die berühmte Stephans-Krone) überbringen. Es handelt sich um einen schlichten, schmucklosen Choralsatz der Streicher (mit sordinierten Violinen) im Pianissimo nach dem vierteiligen Formschema a—a’—b—b’ (jeweils vier Takte). Ein minimaler Epilog (mit Horn) kadenziert halbschlüssig zur gesprochenen Botschaft eines der Greise, der auf Geheiß des Papstes Stephan zum König krönt. Dieser, von „Heil“-Rufen des Volkes umtost, setzt sich — zu feierlichen, melodramatisch akzentuierten Schwüren — die Krone aufs Haupt und fühlt sich dabei von prophetischem Geist durchglüht („Grave risoluto e ben marcato — Allegro“). Er gerät in visionäre Verzückung und beginnt in einem großen Melodram („Andante mosso“, 12/8), die politische Zukunft Ungarns zu schildern. Begleitet von gleichmäßig pulsierenden, chromatisch sich aufwärts verschiebenden Akkordketten in den tiefen Streichern, mustert Stephan die auf ihn folgenden Fürstengeschlechter, er erwähnt Ladislaw, Andreas, Ludwig und mit besonderem Nachdruck Mathias Hunyades, weil er Ungarns historische „Morgenröthe“ einleitete. Dies meint — bei sichtbar aufgehender Sonne, unter mächtig anschwellenden Crescendi der immer volleren akkordischen Pulsationen mit schließlich motivisch geprägter Bewegung („Allegro molto“) — das „allgeliebte Fürstenhaus“ der Habsburger. Weitere Abschnitte mit je eigener klanglicher Kontur („Presto“ F-Dur, „Agitato“ h-Moll, „Più Allegro / Allegro / Andante“ C-Dur, „Maestoso“ A-Dur) preisen die Verdienste der österreichischen Protektoren in der Geschichte „zum Schrecken der Osmanen, zum Segen für Euer Vaterland“, die Liebe und Treue der Ungarn bis zu jenem Tag der fernen Zukunft, da Stephan — angekommen in der Gegenwart von 1812 — gerade noch das „herrliche Bild“ des „biedern Enkels“ der Maria Theresia, des regierenden Kaisers Franz zu schauen vermag.

Pünktlich bricht hier der „Heil“-Jubel des „Schlußchors“ aus (Nr. 9, „Presto“, D-Dur, 4/4), eine jener hymnisch triumphalen, mitreißenden Apotheosen aus dem Geist der französischen Revolutionsmusik, für die sich Beethoven auch dann nicht zu schade war, wenn er wohl wußte, daß er nicht gerade einem Sachwalter entsprechender Ideen zu huldigen hatte. Ein typisches Klangfresco mit repetierten Akkordfolgen in scharf punktierten Rhythmen (wie etwa im Finale der 7. Symphonie) eröffnet mit erneuten „Heil"-Rufen den markigen Gesang im homophonen Blocksatz. Das Kopfmotiv zu „Heil unsern Enkeln" besitzt mit seiner synkopischen Federung und abwärts gerichteten dreiklängigen Struktur große Ähnlichkeit mit dem Hauptmotiv des „Presto"-Themas aus der Ouvertüre, und es ist sehr wahrscheinlich, daß Beethoven diese Verklammerung von instrumentalem Prolog und chorischem Finale bewußt angestrebt hat, zumal der Text immer noch visionär auf die späteren Segnungen (also in Beethovens eigener Zeit) von Stephans Taten abhebt. Der Komponist entlockt den wenigen Worten des Preisgesangs eine erstaunliche Vielfalt der klanglichen Gestalten im raschen Wechsel des knapp bemessenen Stücks. Da gibt es leise Episoden und grelle Ausbrüche des Tutti, dialogisch aufgelockerte Chorpartien neben kompakter Hymnik, ehe das Orchester obligat seine emphatischen Schlußpunkte setzt.

Frank Schneider

„Elegischer Gesang" für 4 Singstimmen und Streichquartett op. 118

GEDICHT: Autor unbekannt.
ENTSTEHUNGSZEIT: 1814.
ERSTAUFFÜHRUNG: vermutlich am 5. August 1814 im Hause des Freiherrn v. Pasqualati.
SKIZZEN: Gesellschaft der Musikfreunde Wien, A 40, Dessauer Skizzenbuch, vgl. G. Nottebohm, *Zweite Beethoveniana*, S. 299; Stanford University Library.
AUTOGRAPH: unbekannt; überprüfte Abschrift: Staatsbibliothek Preußischer Kulturbesitz Berlin.
ERSTDRUCK UND WIDMUNG: Wien 1826 (T. Haslinger); Johann Freiherrn v. Pasqualati gewidmet.
GESAMTAUSGABE: Alte Gesamtausgabe: Nr. 214 = Serie 22 Nr. 5.

Traditionen der Trauermusik haben sich in mehreren musikalischen Gattungen gebildet: in der Messe (Requiem), in der Motette, im Lied, in der Kantate, in der Instrumentalmusik. Beethovens Kompositionen auf diesem Gebiet sind: die Kantate auf den Tod Josephs II. (1790); die drei Posaunensätze (*Equale*) für den Allerseelentag (1812) — zwei davon wurden von Ignaz Xaver von Seyfried zu Trauergesängen für Beethovens Begräbnis bearbeitet —; der Gesang der Mönche aus Schillers *Wilhelm Tell*, ein homophoner Liedsatz für drei Männerstimmen, zur Erinnerung an Wenzel Krumpholtz (1817); der hier zu besprechende *Elegische Gesang*: ein motettischer Satz, 1814 komponiert für den Freund Johann Freiherrn von Pasqualati zum dritten Jahrestag des Todes von dessen „verklärter Gemahlin", 1826 als op. 118 gedruckt.[1] — Beethoven hat ein Requiem geplant[2], den Gedanken an den Tod jedoch in Werken entfaltet, die als autonome Kunstwerke auf Traditionen der Trauermusik

1 Die oben genannte Abschrift enthält die Eintragung Beethovens: „An die verklärte Gemahlin meines verehrten Freundes Pascolati von seinem Freunde Ludwig von Beethoven". Eleonore v. Pasqualati geb. v. Fritsch starb am 23. August 1811 im Alter von 24 Jahren (vgl. G. Kinsky / H. Halm, *Das Werk Beethovens*, S. 342).
2 Vgl. Th. v. Frimmel, *Beethoven-Handbuch*, Bd. II, S. 63—65.

nur indirekt Bezug nehmen: Sonate op. 26, *Eroica*, *Missa solemnis*, Streichquartett op. 132; *Fidelio* ist, nach Ernst Bloch, ein Requiem, „ein völlig unzweideutiges, mit dies irae für Pizarro, mit tuba mirum spargens sonum für Florestan".[1] Gerade der Gesang auf den gleichsam heilsgeschichtlichen „Augenblick" entstammt der frühen Trauerkantate.

Unter den anfangs genannten Trauerkompositionen nimmt der *Elegische Gesang* eine besondere Stellung ein: formal, weil motettischer und symphonischer Tonsatz in ihm verbunden sind; inhaltlich, weil er eine bestimmte Auffassung vom Tod musikalisch vorstellt, den Tod als Selbstvollendung der Person. Nach dieser idealistischen Auffassung ist der Tod nicht das Ende, das dem Menschen von außen widerfährt und seine personale Einheit zerstört, sondern ein dem Menschen innewohnendes Ziel, das auf dem Lebensweg zu erreichen ist als Zusichkommen, als Vollendung der Person, wobei diese als „himmlischer Geist" gedacht wird, der durch seinen irdischen Weg seine „Heimkehr" vollzieht. Ausgeklammert wird der Widerspruch zwischen Leben und Sterben (durch das gemeinsame Adverb „sanft") und der Schmerz (durch die Limitation „zu heilig"). Es geht nicht um Erlösung im Sinne christlicher Lehre, sondern um menschliche Vollendung im Sinne des klassischen Humanitätsideals.

Wie in der Komposition die Intentionen des Textes entfaltet und wie sie umgedeutet werden, zeigt sich vor allem an Eigenarten der Metrik dieses Werkes. Die Analyse erfolgt daher vorwiegend unter dem Gesichtspunkt der Metrik.

Die Einleitung der Streicher besteht in zwei Perioden, deren Gliederung aufgehoben ist in ein zäsurloses Fließen. Die Aufhebung ergibt sich aus feinen Abweichungen von der — dem Sarabandenrhythmus naheliegenden — Symmetrie: aus Motivimitationen, aus metrischen Dehnungen und aus dem synkopischen (oder wiederholenden) Festhalten eines Tones über die Taktgrenze hinaus (dies oft gleichzeitig in mehreren Stimmen). Der Vordersatz beginnt imitierend; nach dem dritten Einsatz entfällt der Harmoniewechsel, verlagert sich auf einen überzähligen Takt, der durch sein Gewicht (Moll-Subdominante, melodischer Spitzenton, Synkope) den Nachsatz zäsurlos an sich bindet. Dieser, seinerseits fünftaktig, nimmt im Baß die Achtellinie vorweg, mit der die zweite Periode beginnt. Die besondere Kontinuität ergibt sich daraus, daß die Motivimitation der Takte 10—12 der des Anfangs Takt 1—3 entspricht, ihren Einsatz jedoch, sogar durch einen Auftakt erweitert, mit dem Ende der ersten Periode verschränkt. Die Pause Takt 15, 1. Zählzeit, ist keine metrische Zäsur, sondern eine melodische Figur: die abruptio, ein Abbrechen im Kontext, hier unmittelbar nach dem Ansetzen einer mit „espressivo" bezeichneten Linie, die ihrerseits den Zielton des Vordersatzes zum Anfang umdeutet. Das Abbrechen ist Moment einer melodischen Kontinuität, weil es genau die Taktstelle jener Synkopierung oder Tonwiederholung trifft und weil sich die genannte Linie auf gleicher Stufe, um eine Oktav zurückgenommen, fortsetzt. Ihre Kadenz wird um ein Viertel verschoben (T. 18, 3. Zählzeit gegenüber T. 14, 2. Zählzeit); die Imitation der Kadenzwendung leitet in den Einsatz des Chores, wobei der Zielton der Kadenz nochmals um ein Viertel verschoben wird (T. 21, 1. Zählzeit gegenüber T. 18, 3. Zählzeit).

Die Synkopen, die Prosadiktion gegenüber einer zäsurierten Metrik, die Motivimitationen zu Beginn der ersten und in beiden Halbsätzen der zweiten Periode sind mo-

1 E. Bloch, *Zur Philosophie der Musik,* S. 329.

tettische Elemente, und diese sind eingebettet in einen symphonischen Duktus, der sich in der Melodieführung (Ambitus, große Intervalle) und im harmonischen Rhythmus zeigt, zum Beispiel in dessen durch crescendo hervorgehobenem Stau Takt 3f. In dem hier vorgestellten zäsurlosen Fluß des Satzes auf der Grundlage eines verlangsamten Sarabandenrhythmus konvergieren drei Ideen des Textes: der Charakter der Sanftheit, der Gedanke einer Kontinuität im Modus des Lebens und Sterbens (...wie du lebtest, hast du vollendet) und schließlich, in aller Schlichtheit, die Idee der Vollendung selbst als Gegenbild einer durch Zäsuren begrenzten Endlichkeit.

Im vokalen Hauptteil werden Zäsur und Kadenz bedeutsam. Das Sarabandenmotiv wird zur deutlich gegliederten Periode ergänzt, freilich auf eine nicht naheliegende Art. Die beiden Halbsätze des Teiles A (T. 21—32) bestehen aus je dreitaktigen Einheiten. Die ersten beiden Dreitaktgruppen sind einander ähnlich in der instrumentalen Motivwiederholung, einer Geste des Nachsinnens, und unterscheiden sich voneinander als abtaktig und auftaktig. Die beiden Dreiergruppen des Nachsatzes entsprechen einander (die zweite ist die gesteigerte Sequenz der ersten), weisen aber einen außerordentlichen Binnenkontrast auf. Das unterscheidende Merkmal, der Auftakt einerseits, der Binnenkontrast andererseits, ist von weitreichender Be-
♩ | 𝅗𝅥 ♩ | ♩ ♩
deutung. Der Auftakt dient der Hervorhebung des Du (hast Du vollendet) anstelle
♩ ♩. ♪ | ♩ ♩
des zu erwartenden Sarabandenrhythmus (hast Du vollendet), entspricht also jener eingangs genannten Auffassung von der Aktivität der Person in der Vollendung des Lebens, von dem aktiven Sich-zur-Vollendung-Bringen. Der Binnenkontrast aber (T. 28 und 31) wirkt in seiner Heftigkeit als Widerspruch zu dem im Wort Ausgesagten. Der Kontrast ist gleichzeitig dynamisch (forte gegen pianissimo), harmonisch (verminderter Septakkord gegen schlichte Konsonanzen) und metrisch-kontrapunktisch (abtaktige Imitation des auftaktigen Motivs gegenüber gleichrhythmischer, homophoner Fortschreitung). Mit diesem geradezu einbrechenden Kontrast wird das betont, was verbal zurückgewiesen wird: Die Verstorbene sei „zu heilig für den Schmerz"; ob für den ihres Lebens und Sterbens oder für den der Trauernden — in beiden Fällen wird das als dem Subjekt nicht entsprechend Ausgesagte, der Schmerz, betont: Das dem Subjekt Abgesprochene erhält musikalisch eine Affirmation. Es scheint, daß Beethoven dem Idealismus der Textvorlage, der etwa der Aussage „Der Schmerz bleibt schön in einer tiefen Seele" in der Hegelschen *Ästhetik* entspricht[1], die Vorstellung einer einbrechenden Wirklichkeit des Schmerzes entgegensetzt; Teil A bricht mit der Dissonanz des verminderten Septakkordes ab.

Auch im Mittelteil (T. 33—59) findet sich eine gewisse musikalische Umdeutung des im Text Gemeinten, an der die Metrik entscheidenden Anteil hat. Die Zeile „Kein Auge wein' ob des himmlischen Geistes Heimkehr" ist musikalisch als Periode gefaßt, die aus einem imitatorischen Vordersatz (T. 33, ^{oS}S) und einem akkordischen Nachsatz besteht (T. 40, S^{+}) und als ganze steigernd wiederholt wird (T. 43ff., ^{o}S — D_{D} — D). In der optativischen Formulierung ist das Weinen das Zurückgewiesene, die Heimkehr das Erhoffte. In dem von einem traditionellen

1 G. W. Fr. Hegel, *Ästhetik*, Bd. II, S. 308.

Kopfmotiv ausgehenden imitatorischen Vordersatz (T. 33—39; T. 43—47) wird das Wort „Weinen“ melismatisch entfaltet, während die emphatische Kadenz, in der der Nachsatz besteht, auf dem Wort „Heimkehr“ zunächst merkwürdig abbricht (T. 43); bei der Wiederholung der Periode wird das Wort „Heimkehr“ durch eine — um einen eingeschobenen Takt verlängerte — Synkope zögernd festgehalten, bei der Wiederholung des Nachsatzes klingt es in den Instrumenten nach, mehr Abschiedsgeste als Zustimmung. Der kompositorische Zusammenhang läßt an der „Heimkehr“ den Verlust aufscheinen, wie er deren Subjekt (dem „himmlischen Geist“) die Leiblichkeit wuchtiger Akkordschritte zuweist (T. 40f. und 48f.). Der dritte Teil greift auf den ersten zurück (A’). Die kontrastierende Vorstellung vom Schmerz entfällt, dafür wird das „Du“ als tätiges Subjekt der Vollendung noch stärker hervorgehoben, und zwar dadurch, daß die dreitaktigen Einheiten des Nachsatzes dieser Periode um einen Takt erweitert werden, nämlich um den Takt, der in dominantischer Spannung jenes „Du“ hervorhebt. Die Affirmation der Vollendung, im Text durch ein eingeschobenes „ja“ verstärkt, erscheint musikalisch als nachhaltiges Einmünden in die Kadenz.

Adolf Nowak

11 Bagatellen für Klavier op. 119

ENTSTEHUNGSZEIT: Ausarbeitung 1820—1822; Nr. 2—5 und wahrscheinlich auch Nr. 1 sind schon früh entworfen (zwischen 1800 und 1804, Nr. 2 und 4 vermutlich noch einige Jahre früher, Nr. 6 aber erst 1820—1821); Fertigstellung von Nr. 1—6 im Herbst 1822, das Autograph ist vom November datiert; Nr. 7—11 sind am Neujahrstag 1821 niedergeschrieben worden.
ERSTAUFFÜHRUNG: unbekannt.
SKIZZEN: Fragmente aus Nr. 8 und 9: Beethoven-Haus Bonn; Nr. 2 und 4: Conservatoire de Musique Paris.
AUTOGRAPH: Nr. 1—6: Staatsbibliothek Preußischer Kulturbesitz Berlin; Nr. 8—9: Beethoven-Haus Bonn; Nr. 9 (T. 10—20), Nr. 10 (8 Takte) und Nr. 11: Bibliothèque Nationale Paris.
ERSTDRUCK: Paris 1823 (M. Schlesinger).
GESAMTAUSGABE: Alte Gesamtausgabe: Nr. 189 = Serie 18 Nr.7.

Im Gegensatz zu den Bagatellen op. 33 sind diejenigen von op. 119 sehr disparat, was schon aus ihrer Entstehungszeit hervorgeht: Nach dem fünften Stück entsteht ein Bruch im Stil dieser Musik. Da aber Beethoven weder in op. 33 noch hier in op. 119 an einen in sich geschlossenen Zyklus gedacht hat, fällt diese Disparatheit nicht so stark ins Gewicht; sie muß aber bei der Analyse gebührend berücksichtigt werden.

Die erste Bagatelle zeichnet sich aus durch verschiedene „Dialekte“ innerhalb des harmonischen-tonalen Idioms. Grob gesagt könnte man sie als ein elegisches Menuett bezeichnen mit dem Hauptteil (T. 1—16), einem Trio (T. 17—36), der zum Teil variierten Reprise (T. 37—52) und einer Coda (T. 53—74). Innerhalb dieser Abschnitte sind aber stilistische Divergenzen feststellbar: Nach den ersten vier Takten, die auf einem Halbschluß enden und in Takt 3 auf dem letzten Viertel den übermäßigen Sextakkord aufweisen, der bei Johann Sebastian Bach noch sehr selten auftritt, folgt ein Passus von vier Takten, der durchaus noch aus dem Notenbüchlein für Anna Magdalena Bach oder einer Sammlung von Tänzen aus der Frühklassik stammen könnte. Über gemessen in Vierteln schreitendem Baß erscheint in der rechten Hand eine Reihe von Achteln, die bestrebt sind, die durch den Baß angedeuteten Akkorde klarer hervortreten zu lassen, wie man das gerade aus jenem Notenbüchlein gut kennt. Denkbar wäre, daß der Pianist — oder besser Cembalist — noch einige Töne dazu greift, die, ganz im Sinne der Generalbaß-Lehren, den Klang noch ein wenig voller machen würden. Die ersten acht Takte folgen dem Schema Phrase—Phrase—Entwicklung, das auf einem Halbschluß schließt, um dann, von vorne noch einmal beginnend, den Ganzschluß in Takt 16 zu erreichen. Wir haben es also mit einer Periode von 16 Takten zu tun, wie man sie auch in Bachs Notenbüchlein finden kann.

Das Trio bricht nun aber aus diesem Rahmen aus, indem chromatische Fortschreitungen auftauchen (T. 17, 21 und 29), die bei Bach noch nicht auftreten und eher auf die Frühklassik verweisen. Die Takte 17—24 bringen zweimal eine vollständige Kadenz, Tonika—Subdominante—Dominante—Tonika, der sich ein ganz auf die Dominante zentrierter Teil anschließt (T. 25—28). Den Schluß bildet eine Wiederholung der ersten vier Takte eine Oktave höher, worauf eine Rückleitung in die Haupttonart g-Moll auf die denkbar einfachste Weise erfolgt: Aus der Tonika Es-Dur des Trios wird die VI. Stufe von g-Moll, und mit einem übermäßigen Sextakkord (T. 33 auf dem dritten Viertel) wird der Quartsextakkord erreicht, der nun keinen Zweifel an der Richtung der Modulation mehr aufkommen läßt und sich in die Dominante auflöst. Das ganze Trio wäre in seiner harmonischen Anlage höchst konventionell, wenn sich da nicht eine Versunkenheit in den Klang des Instrumentes manifestierte, wie man sie schon aus den langsamen Sätzen der Klaviersonaten von Beethoven kennt.

Nach den ersten acht Takten der Reprise beginnen nun die Variationen, Umspielungen der Melodie und Bässe in Achteln, die den Rahmen eines „zopfigen" Menuetts sprengen. Die Coda führt diese Entwicklung fort, indem sie in durchgehenden Achteln Hemiolen einführt, die die Taktschwerpunkte zeitweise verwischen. Hemiolen waren schon bei Bach und seinen Zeitgenossen wichtige Elemente von Menuetten (man findet sie noch zu Beginn des Menuetts von Mozarts g-Moll-Symphonie KV 550). Wichtig ist hier, daß die Rollen der beiden Hände vertauscht werden: Zuerst erscheint die Hauptstimme oben (T. 53—58), dann unten (T. 59—63), worauf eine durch Chromatik intensivierte Kadenz (T. 64—65) den letzten Teil der Coda herbeiführt, der die Subdominante betont und schließlich mit einer plagalen Kadenz (Moll-Subdominante und Dur-Tonika) schließt, die kaum zu einem traditionellen Menuett des 18. Jahrhunderts gehört, sondern vielmehr auf sakrale Musik der Renaissance und des Frühbarocks verweist. Damit wird der Rahmen des Menuetts auf unerwartete Weise gesprengt. Ob diese Disparatheiten auf spätere Überarbeitungen eines ursprünglich sehr bedeutungslosen Materials zurückzuführen sind, läßt sich nicht unbedingt behaupten. Wichtig ist es zu wissen, daß diese zu Anfang erwähnten verschiedenen „Dialekte" des harmonisch-tonalen Idioms Beethoven während seines ganzen Lebens zur Verfügung standen; die *Diabelli-Variationen* op. 120 enthalten auch ein Menuett, und archaisierende Wendungen finden sich in der *Missa solemnis* op. 123, der 9. Symphonie op. 125 und den späten Streichquartetten.

Ganz in die Tradition des 18. Jahrhunderts mit seiner Vorliebe für Spielautomaten gehört die zweite Bagatelle. Sie zeigt eine Ökonomie der musikalischen Mittel auf verschiedenen Ebenen: An Rhythmen finden sich hier nur Achtel und Sechzehnteltriolen (nur in Takt 33 erscheint ein Viertel), und die Harmonik beschränkt sich auf die Tonika, die Tonikaparallele und die Dominante mit ihren jeweiligen Dominanten, die stereotyp alternieren. Reicher wird das ganze Stück nur durch den Umstand, daß zeitweise die linke über die rechte Hand greift und so statt zwei Klangebenen deren drei entstehen, und die Sechzehnteltriolen sind nicht nur rokokohaftes Filigran, sondern dehnen sich auch in die Tiefe aus und klingen heftig, womit der Rahmen einer gemütlichen Spieluhr-Musik verlassen wird.

Die dritte Bagatelle ist mit „à l'Allemande" überschrieben, ist aber nicht nur ein ländlicher Tanz, sondern vielmehr dessen Karikatur. Formal hält sich das Ganze an die Konvention: Auf einen Hauptteil (T. 1—16) folgen ein Trio (T. 17—32), ein Da capo des Hauptteils und eine Coda (T. 33—56). Die verschiedenen Teile grenzen sich durch ihre pianistischen und harmonischen Mittel hart voneinander ab. Der erste Teil schöpft die Möglichkeiten der Klaviatur voll aus, indem die höchsten und tiefsten Lagen gleichzeitig auftreten (T. 2, 6, 10 und 14), und bringt nur die Tonika und die Dominante ins Spiel, wie das für volkstümliche Musik typisch ist (noch in Franz Schuberts Walzern und Ländlern ist dieses Schema anzutreffen). Das Trio zeigt nun vollgriffige Akkorde in mittleren Lagen zu Sechzehntel-Bässen, die die Akkorde der rechten Hand massiv unterstützen. Zudem treten nun mehr Stufen auf: nach der I. und der IV. (T. 17—18) die Dominante zur V. und VI. (T. 19—22), um schließlich auf der Dominante zu schließen (T. 24). Die Coda nimmt diese Akkordfolge zum Teil wieder auf (T. 33—38), um dann in einen unablässigen und lärmenden Wechsel zwischen der Tonika und der Dominante einzumünden, der nichts anderes als Spott auf die rund um Wien herrschende Trivialmusik zu sein scheint. Die zwei letzten Takte bestätigen diese Annahme noch. Denn nach einer brüsk die Automatik des Verlaufs unterbrechenden Pause von zwei Achteln erscheint die Arabeske des Anfangs in höchster Lage und im Piano noch einmal und scheint zu sagen: Es war alles nicht so ernst gemeint... Die sich so wichtig gebenden, auftrumpfenden Kadenzen werden in ihrer Wirkung fragwürdig gemacht.

Wie die erste so weist auch die vierte Bagatelle streckenweise auf Praktiken des Generalbasses hin: Zu einem zweistimmigen Gerüst von Oberstimme und Baß können gelegentlich Mittelstimmen treten, die die Harmonik verdeutlichen, aber keine eigenständigen Linien ausführen; sie helfen nur aus und können nach einigen Takten wieder verschwinden. Folgende drei Erscheinungsformen treten hier auf: 1. Ein Anfangston der Melodie oder der Begleitung kann liegen bleiben, um den Klang voller zu machen (das e' der ersten zwei Viertel und derselbe Ton in Takt 9—10 mit Auftakt, was im folgenden eine Oktave tiefer wiederholt wird). 2. Dem Akkord wird die Terz beigefügt, ohne die der Klang „leer" wäre (das gis' auf den zwei ersten Vierteln des ersten Taktes, das sich nicht nach a' auflöst, sondern auf dem dritten Viertel abspringt auf die Quinte der Tonika, um auch hier „auszuhelfen"). 3. Melodie oder Baß können mit Terzen oder Sexten versehen werden (Takt 2 mit Auftakt, die zwei ersten Viertel von Takt 4 und die zwei letzten Viertel von Takt 6). Andere Stellen sind dagegen ganz einfach zweistimmig, wie es dem Grundprinzip des Stückes entspricht (Takt 3 mit Auftakt und erste Hälfte von Takt 15 mit Auftakt), während ihre Schlüsse durch Mittelstimmen bereichert werden. Das Ganze stellt eine Struktur im freistimmigen Satze dar, indem die Erinnerung an den Generalbaß noch nicht vollständig getilgt ist.

Ein weit summarischeres Verfahren zeigt die Satztechnik des fünften Stückes, eine Art martialische Siciliana wie die 6. Variation aus dem zweiten Satz von Mozarts Sonate für Violine und Klavier F-Dur KV 377. Wie dort so findet sich auch hier eine Begleitung in mehrstimmigen Akkorden in der linken Hand. Beide Stücke sind in Moll und bringen den neapolitanischen Sextakkord (bei Beethoven auf dem dritten Achtel von Takt 15), wie das zur Konvention dieser Art von süditalienischen Tänzen gehört. Nur einmal, in der Coda (T. 17—19), durchbricht Beethoven das rhythmische Gleichmaß, indem die Musik auf der Subdominante stockt, worauf ein Takt Pause folgt. Damit wird diese Siciliana aus dem Bereich von genrehafter, geselliger Tanzmusik herausgehoben. Daß dieser Eingriff in ein von Beethovens Vorgängern fraglos akzeptiertes Schema gerade in der Coda vollzogen wird, wo früher nur die Tonika unablässig betont wurde, wiegt besonders schwer, läßt sich aber bei des Komponisten Sonaten-, Lied- und Rondoformen schon früh feststellen.

Kein größerer Gegensatz wäre denkbar als der zwischen der risoluto zu spielenden Siciliana der fünften Bagatelle und der sechsten, die zart mit einer improvisatorischen Einleitung beginnt. Nur angedeutet wird eine Imitation zwischen der linken und der rechten Hand (T. 1—2), ohne daß altmeisterlicher Kontrapunkt entstünde. Das Stück beginnt auch nicht auf der Tonika, sondern auf der Subdominante. Damit entsteht der Eindruck, daß man vorsichtig und beiläufig nach und nach in die Musik hineingezogen wird. Die folgenden Akkorde (T. 3—4) mit dem chromatischen Baß h—b—a führen auf D-Dur mit Fermate, das als Dominante zur Haupttonart G-Dur aufgefaßt werden kann. Doch die Tonika wird hinausgezögert durch eine Girlande von klein gedruckten Zweiunddreißigsteln, womit das Pulsieren des Taktes außer Kraft gesetzt wird. Bei den nachfolgenden Akkorden in Sechzehnteln, die zwischen den beiden Händen alternieren, verstärkt sich noch diese Unsicherheit, da die Akkordwechsel zuerst nicht auf die betonten Taktteile fallen, sondern auftaktig notiert sind. Wenn sie im sechsten Takt dann doch plötzlich der Norm, die man eigentlich erwartet, gehorchen, läßt sich der schwebende Charakter dieser ganzen Einleitung nicht mehr vergessen. Daß aber überhaupt eine solche existiert und das Stück nicht gleich mit dem Hauptthema beginnt, ist ein Novum innerhalb dieser Bagatellen und läßt vorausahnen auf die Bagatellen op. 126, in denen solche Situationen häufiger auftreten und die Rolle eines Teils zum Ganzen problematisch wird.

Mit dem siebenten Takt setzt nun über der immer wieder repetierten Tonika im Baß eine tänzerische Melodie ein, die durch ihre rhythmische Stereotypie mit dem Vorangegangenen kontrastiert (T. 7—10). Sie wird darauf in die linke Hand verlegt, wobei nun die Dominante unablässig wiederholt wird (T. 10—19). Statt aber das Ganze mit einer Wiederholung des Tonika-Abschnittes liedmäßig abzurunden, folgt auf d nun dis (T. 20), das e-Moll anzukündigen scheint. Doch wiederum wird die banale Erwartung getäuscht. Denn es folgt in der rechten Hand eine absteigende Sequenz von Septimen, die sich in Sexten auflösen, von der tänzerischen Melodie in der linken Hand durch die Tonarten a-Moll, G-Dur und D-Dur geführt (T. 24—26), das sich für eine Weile fest zu etablieren scheint (T. 26—28), um dann unvermittelt mit es' und c' zurück nach G-Dur zu führen. Darüber steht „un poco ritard.“, um die unerwartete Wendung zu unterstreichen.

Was nun folgt, ist nicht einfach eine — gefällig und unbedeutend variierte — Reprise, sondern deren allmähliche Auflösung in immer schnellere Notenwerte. Nach Achteln und Sechzehnteln (T. 30—37) folgen Triolen (T. 37—39). Darauf wechselt der Takt von zwei Vierteln zu einem in sechs Achteln (T. 40—43), wobei — über einem Wirbel der linken Hand auf der Tonika — die melodische Linie und die Akkorde der Oberstimmen immer diffuser, chromatischer werden, um schließlich abrupt abzubrechen. Die bis ins Ungestüme gesteigerte Bewegung zittert noch in einzelnen Sechzehntelgruppen nach (T. 44 und 46), um sich dann in Achteln zu mäßigen (T. 48 und 49). Sequenzartige Takte schließen sich an (T. 50—52), die aber von der früheren Sequenz (T. 24—26) verschieden sind und nur wie eine flüchtige Erscheinung wirken, die nicht thematisch, aber wegen ihrer Beiläufigkeit an die Einleitung erinnern. Schon vorher trat die Quarte g'—d' deutlich hervorgehoben auf (T. 45—46 und T. 47—48), um nun, rein spielerisch, in höheren Oktaven wiederholt zu werden (T. 54—55, 55—56 und 57—58) und allmählich das erste tänzerische Thema in seiner unveränderten Form wieder zu erreichen. Zuerst wird es noch durch Triller und Chromatik verziert (T. 59—62), um dann, eine Oktave höher als am Anfang, aber sonst ganz wie dort, den Schluß des Stückes zu bilden (T. 63—66).

Der Verlauf dieser Bagatellen ist assoziativ und improvisatorisch. Das Abdriften von einem gegebenen Thema, dessen Entwicklung oder intakte Wiederholung der mit den früheren Bagatellen vertraute Hörer vergeblich erwartet, weist schon voraus auf op. 126.

Nicht minder eigenartig ist die folgende, die siebente Bagatelle, da sie scheinbar Unvereinbares zusammenführt: die Partien mit Trillern in der rechten und der linken Hand, die zugleich rhythmisch vage gehalten sind (T. 1—4 und T. 17—27), mit konzisen, kurzatmigen und imitatorischen Phrasen (T. 5—14), die in ihrer Harmlosigkeit an ein längst überwundenes Stil-Niveau Beethovens erinnern. Doch findet sich Ähnliches auch in den *Diabelli-Variationen* op. 120: die Triller im Baß in der 10. Variation und die Imitation von kurzen Melodien am Anfang der 30. Variation, die dann freilich einen komplizierteren Verlauf nimmt als diese Bagatelle, die aber in nuce den ganzen Spätstil Beethovens enthält: höchste Einfachheit, die unmittelbar „zu Herzen geht", und verwischte, undeutliche Strukturen wie im Übergang von der Fuge zum Tempo di Menuetto in den *Diabelli-Variationen.*

Die drei folgenden Bagatellen werden immer kürzer, bis die zehnte nur noch zwölf Zweivierteltakte im Allegramente aufweist. Dennoch heben sie sich scharf voneinander ab, gerade wie wenn Beethoven den Kontrast, der sich zwischen dem sechsten Stück und den fünf davorstehenden manifestierte, auf engem Raum hätte wiederholen wollen.

Die Nummer 8 ist vor allem satztechnisch interessant. Die ersten acht Takte sind streng vierstimmig gehalten, ohne daß die geringsten Verstöße gegen akademische Regeln aufträten, ausgenommen die Kadenz in Takt 8, wo der Tenor „zu große" Sprünge ausführt, — ein Phänomen, das auch im letzten Takt des Stückes, diesmal im Alt, auftritt. Beides geschah wohl nur aus klanglichen und pianistischen Gründen: Die beiden Stellen klingen einfach besser, als wenn die Mittelstimmen jeweils den „kürzesten Weg" wählten. Trotz der übrigen „Korrektheit" der Stimmführungen sind diese ersten acht Takte weit davon entfernt, einen lapidaren Choralsatz zu bilden. Denn die Außenstimmen zeichnen sich gelegentlich durch Chromatik aus, die im siebenten Takt auch vom Alt in schnellerer Bewegung übernommen wird, womit eine Steigerung entsteht, die sich nach dem spannungsvollen Aufstieg der ersten sechs Takte schließlich in einer Kadenz auf der Dominante löst (T. 8).

Für eine sanfte Überraschung sorgen die Takte 9—12. Schon das isoliert auftretende B am Anfang wirkt rätselhaft, da es sich vorläufig noch nicht tonal definieren läßt. Erst die Fortsetzung orientiert sich nach F-Dur, wobei nun aber die Satztechnik und der Rhythmus freier werden: Es treten im vierstimmigen Satz Oktavparallelen auf (T. 10—12), und der Baß hält den Ton g von einem Takt zum andern über (T. 11—12), womit dessen sonst überall deutlicher Schwerpunkt verwischt wird. Die Parallelen sind zwar nur einmal direkt, sonst indirekt, bedeuten aber doch einen willentlichen Verstoß gegen die Regeln, die noch in den ersten acht Takten herrschten.

Die Fortsetzung (T. 13—16) verdünnt sich zu einem dreistimmigen Satz in durchbrochener Arbeit, — eine Art Kontrapunkt, fußend nicht auf barocker Thematik, sondern auf klassischer Melodik, wobei zwischen c-Moll und C-Dur changiert wird. Die letzten vier Takte sind wieder vierstimmig und weisen als beherrschendes Element die aufsteigenden Terzenparallelen in der linken Hand auf (T. 17—18), deren Achtel sich in der rechten fortsetzen (T. 19—20), bis die Mittelstimmen zum Sopran in Gegenbewegung gehen. Diese Verzahnung der verschiedenen Stimmen findet sich schon bei Johann Sebastian Bach, nicht nur in den Chorälen, sondern auch im cis-Moll-Praeludium aus dem ersten Bande des *Wohltemperierten Klaviers*. Die achte Bagatelle vereinigt verschiedene Satztypen miteinander, über die Beethoven in vollkommener Freiheit verfügt. Die barocke Tradition ist ihm gegenwärtig, ohne daß er sich ihr in jedem Punkt zu unterwerfen versucht ist.

Dagegen weist die neunte Bagatelle weit ins 19. Jahrhundert, bis zu den Walzern von Frédéric Chopin. Die Eigenschrift enthielt die Vortragsbezeichnung „un poco sentimentale", die in den ersten Ausgaben nicht mehr erscheint. Ob sie wohl ironisch gemeint war? Einiges ließe darauf schließen: die Vorhalte über dem neapolitanischen Sextakkord und der Dominante (T. 3—4), das plötzliche Piano der Tonika, nachdem die Dominante noch forte gespielt wurde (T. 7—8), der rudimentäre Mittelteil (T. 9—12), der immer nur zwischen der Dominante und der Tonika alterniert, und die textuelle Wiederholung des Anfangs als Reprise (T. 13—20), die den Eindruck des hastig Hingeworfenen, Unfertigen hinterläßt.

Der „Chopin-Walzer" in a-Moll findet seine unmittelbare Fortsetzung in der zehnten Bagatelle in A-Dur. Nicht nur wegen der gut zusammenpassenden Tonarten hat man den Eindruck, daß die beiden Stücke aufeinander bezogen sind, sondern ihre extreme Kürze bindet sie enger zusammen, obwohl sie in allen übrigen Bereichen kontrastieren. Die zweite von diesen beiden Bagatellen wirkt wie ein — auch ironisches? — Postskriptum zur ersten; sie übertreibt noch den flüchtigen Gestus der ersten. Die nachschlagenden Bässe auf der Wechseldominante, der Dominante und der Tonika verstärken den skizzenhaften Charakter dieses Stückes.

Ganz deutlich davon abgehoben ist die letzte, die elfte Bagatelle, die in einigen Punkten mit der achten verwandt ist. Wieder beginnt das Stück mit einem vierstimmigen Satz, der aber insofern merkwürdig ist, als sich der Tenor während der ersten acht Takte nicht vom f fortbewegt und schon in der zweiten Hälfte des ersten Taktes Alt und Tenor weiter als eine Oktave auseinanderrücken, was im strengen Choralsatz nur selten der Fall ist. Daß Beethoven an ein einfaches Lied, einen sanften Hymnus gedacht hat, geht aber schon aus der Vortragsbezeichnung „Innocentemente e cantabile" hervor.

Die Fortsetzung (T. 5—9) hält noch an diesem Ton fest, wobei aber nun, steigernd, dichtere Akkorde auftreten, die wie in der achten Bagatelle zu Oktavparallelen führen. Mit Takt 9 ist die Dominante der Dominante (die Wechseldominante) erreicht, worauf eigentlich ein Mittelteil in F-Dur beginnen könnte. Doch wählt Beethoven den überraschenden Ausweg, mit Melismen, die einen tonal unbestimmten, chromatischen Charakter haben (T. 9—10), nach B-Dur, in die Haupttonart, zurückzumodulieren, um hier mit einem neuen Satztyp aufzuwarten: mit einer Melodie molto cantabile in höchster Höhe und einer Begleitung im Staccato, was den Gebrauch des rechten Pedals unmöglich macht. Diesen dünnen, ausgezehrten Klang findet man schon in der Nummer 4 der Bagatellen op. 33, und er ist typisch für den Klavierstil des mittleren und späten Beethoven; auch in den Bagatellen op. 126 taucht er auf. Die Takte 11—13 wiederholen sich im folgenden eine Oktave tiefer, um eine ausdrucksvolle Mittelstimme bereichert und ein Sforzato auf dem höchsten Ton (T. 17), der als Synkope noch in den nächsten Takt hinübergehalten wird und so eine milde Steigerung verursacht. Auch in diesem Stück voll kontemplativer Ruhe gelingt es Beethoven zu variieren und zu entwickeln.

Die letzten vier Takte schlagen wieder jenen hymnischen Ton an, wie er am Anfang geherrscht hat. Damit finden die Bagatellen op. 119, die so verschieden in ihrem Charakter und Gewicht sind, doch noch einen abrundenden Schluß, obwohl es sich dabei nicht um einen Zyklus im strengen Sinne des Wortes handelt.

Theo Hirsbrunner

33 Veränderungen über einen Walzer C-Dur für Klavier „Diabelli-Variationen" op. 120

ENTSTEHUNGSZEIT: 1819—1823.
ERSTAUFFÜHRUNG: am 25. November 1856 in Berlin durch Hans v. Bülow.
SKIZZEN: Deutsche Staatsbibliothek Berlin, Artaria 180/200; Staatsbibliothek Preußischer Kulturbesitz Berlin, Artaria 201 und Landsberg 10, Pastoralsymphonie-Skizzenbuch; Beethoven-Haus Bonn, Mh 60, Engelmann-Skizzenbuch, und BSk 1/49, Wittgenstein-Skizzenbuch; Bibliothèque Nationale Paris, Ms 57, Ms 58B, Ms 77A, Ms 77B, Ms 96; ein Skizzenblatt im Museum Ingres Montauban.
AUTOGRAPH: jetzt in deutschem Privatbesitz, Kopie im Beethoven-Haus Bonn.
ERSTDRUCK UND WIDMUNG: Wien 1823 (Cappi & Diabelli); Antonie Brentano gewidmet.
GESAMTAUSGABEN: Alte Gesamtausgabe: Nr. 165 = Serie 17 Nr. 4; Neue Gesamtausgabe: Abt. VII, Bd. 5.

Die *33 Veränderungen über einen Walzer von A. Diabelli*, kurz *Diabelli-Variationen* genannt, teilen mit den anderen Werken dieser Kompositionsphase Beethovens die wesentlichen Eigenschaften des Spätwerks im emphatischen Sinne: die unbestrittene Qualität der achtunggebietenden Größe; die kompositionstechnische Komplexität, welche den analytischen Zugang zumal hinsichtlich der Formanlage aufs äußerste erschwert; die Schwierigkeiten der praktischen Realisierung, die nicht nur im rein Technischen, sondern auch im Problem der gedanklichen Bewältigung eines derart groß dimensionierten Gegenstandes bei der Interpretation durch einen Einzelnen begründet sind. Soweit wir wissen, verhinderte der Ruf der Unspielbarkeit eine öffentliche Aufführung der Komposition bis zum 25. November 1856, als Hans von Bülow, dessen künstlerisches Niveau als Dirigent und Komponist kaum überschätzt werden kann, sie in Berlin präsentierte.[1] (Ähnliches gilt für die *Hammerklaviersonate* op. 106, die erst 1836 von Liszt in Paris uraufgeführt wurde; Liszt, der angesichts seiner intensiven Beethoven-Kenntnis und seines eminenten pianistischen Vermögens wohl in erster Linie für eine Uraufführung von op. 120 in Frage gekommen wäre, listet das Werk ebenso wie Bachs *Goldberg-Variationen* zwar in seinem Répertoire générale auf, scheint aber in beiden Fällen vor einer tatsächlichen Konzertaufführung zurückgeschreckt zu sein.)

Mit Bachs als IV. Teil der Klavierübung von ihm etwa 1742 selbst in Druck gegebener Aria mit 30 Veränderungen (BWV 988) repräsentieren die *Diabelli-Variationen* die Höhepunkte in der Geschichte der Klaviervariation, die danach und mit gleichem Anspruch allenfalls noch in den *Händel-Variationen* op. 24 von Brahms und Regers *Bach-Variationen* op. 81 eine Fortführung gefunden hat. Es war daher für viele Kommentatoren naheliegend, Analogien zwischen den Variationszyklen Bachs und Beethovens aufspüren zu sollen. Ausgangspunkt dafür waren vorab die ähnliche Zahl der Variationen (freilich hatte Beethoven bereits im Herbst 1806 mit WoO 80 einen Zyklus aus 32 Variationen verfaßt), eine symmetrische Zweiteilung des Werkes, die bei Bach offenkundig ist und sich in op. 120 durch das einzige ganz deutliche Variationenpaar 16/17 anzudeuten scheint, sowie die Ähnlichkeit des Charakters zwischen den Mollvariationen 31 bei Beethoven und 25 bei Bach; dem hinzuzufügen wäre noch, daß Beethoven hier zum einzigen Mal — wie Bach — das Wort Veränderungen für seine Variationen verwendet. Allerdings ist dokumentarisch nicht belegt, daß Beethoven die *Goldberg-Variationen* trotz all seiner Bemühungen um Bachsche Werke überhaupt im Notentext kannte. Und als sicher kann festgehalten werden, daß alle Versuche, Parallelen hinsichtlich der Formanlage beider Werke festzumachen, überaus dürftige Resultate erbracht haben.

Auch wenn es aus dem Namen nicht hervorgeht, so teilt op. 120 den Anspruch von Größe, der ein Merkmal des Spätwerks von Beethoven ist und der den Wandel der allgemeinen Rezeptionshaltung jener Zeit kennzeichnet; er zielt neben der Dimension vor allem auf den ästhetischen Rang. Um einige Beispiele zu geben: Op. 106 heißt *Große Sonate für Hammerklavier*, op. 133 *Große Fuge*; und als am 7. Mai 1824 die 9. Symphonie im Wiener Kärntnertortheater zur Uraufführung gelangte, verzeichnete das Programm neben dieser „Großen Symphonie" eine „Große Ouvertüre", nämlich *Die Weihe des Hauses* op. 124, sowie drei „Große Hymnen", nämlich das Kyrie, Credo und Agnus Dei aus der *Missa solemnis* op. 123. Was die *Diabelli-Variationen* betrifft, so wird ein solcher Anspruch bereits in einem Brief vom 10. Februar 1820 an Simrock erhoben (als an die Fertigstellung noch nicht zu denken war): „Große Veränderungen über einen bekannten Deutschen", dann allerdings am 5. Juni 1822 im Brief an Peters bereits auf die Ebene der Dimension

1 Das ergab die Durchsicht der Konzertprogramme Bülows durch Hans-Joachim Hinrichsen.

verschoben: „Variationen über einen Walzer für Klavier allein (es sind viele)“, und schließlich Ende 1822 Diabelli gegenüber auch hinsichtlich der Realisierungsmöglichkeit dieses Aspekts mit Fragezeichen versehen (wobei allerdings die Prätention der ursprünglichen Konzeption erhalten bleibt): „Das Honorar für die Variationen würde höchstens 40 ♯, im Falle sie so groß ausgeführt werden als die Anlage davon ist; sollte aber dieses nicht statthaben, so würde es geringer angesetzt werden.“[1]

Bei op. 120 allerdings hat die Betonung der großen Anlage noch eine besondere Bedeutungsrichtung innerhalb der Entstehungsgeschichte; letztere ist nicht nur an und für sich mitteilenswert, sondern muß auch deshalb kurz dargestellt werden, weil seit Anton Schindler und bis in die neueste Zeit so viele falsche Informationen darüber im musikliterarischen Umlauf sind. Anton Diabelli hatte Anfang 1819 50 Komponisten aufgefordert, je eine Variation über seinen Walzer für einen geplanten Sammelband des „Vaterländischen Künstlervereins“ zu komponieren, darunter Schubert, den damals noch siebenjährigen Liszt, Hummel, Czerny und eben auch Beethoven; daß jene Aufforderung im Frühjahr 1819 erfolgt sein muß, dokumentiert die Datierung der Variation Czernys „7. May, 1819“. Die Realisierung des Sammelbandes indes nahm naturgemäß einige Zeit in Anspruch: Er erschien erst Mitte 1824 bei Diabelli & Comp. (vgl. den 1983 von Günter Brosche herausgegebenen revidierten Nachdruck) — dieses allerdings als 2. Abteilung des Vaterländischen Künstlervereins, welcher im Jahr zuvor der Druck von Beethovens Variationen noch bei Cappi & Diabelli vorausgegangen war. Beethoven hatte sich also zunächst von dem Unternehmen distanziert, das ihn auf die Verfertigung nur einer Variation verpflichtete — und darauf eben verweist auch die Betonung der großen Anlage —, war letztlich aber doch bereit, das Werk Diabelli als Verleger zu übergeben (nicht ohne es freilich zuvor Simrock und Peters anzubieten — vgl. oben) und es solchermaßen in das Umfeld von Diabellis ursprünglichem Plan zurückzuversetzen.

Dieser Aspekt ist insofern von besonderer Bedeutung, als die mehr oder minder weitreichende Distanzierung vom Thema Diabellis eine beträchtliche Rolle in allen Besprechungen und Analysen des Beethovenschen Werks spielt. Beethoven hat, das scheint sicher, das Thema nicht nur als neutrales musikalisches Material angesehen (wie etwa Brahms das Händelsche Thema in seinem op. 24 trotz dessen Quintparallelen), sondern fühlte sich zu einer kritischen Kommentierung aufgerufen. Welche tiefgreifenden kategorialen Konsequenzen dies für den Aspekt Musik über Musik hat, unter dem allgemein jede Variationenfolge über ein fremdes Thema betrachtet werden kann und dem bei den *Diabelli-Variationen* eine besonders weitreichende Rolle zugesprochen werden muß, ist bislang nicht in voller Schärfe herausgestellt worden. Kaum zutreffend ist die verharmlosende Annahme eines bloßen Sinneswechsels bei Beethoven: „Trotz seiner anfänglichen Abneigung gegen das ‚Thema mit dem Schusterfleck‘ und die Beteiligung an dem Sammelwerk fand Beethoven doch Gefallen an der Aufgabe, so daß die Zahl der ‚Veränderungen‘ im Laufe der Zeit immer mehr anwuchs.“[2] Richtig vielmehr scheint es zu sein, daß die Abneigung gegen das Thema bzw. die bewußte Distanzierung davon im Laufe des zwiegespaltenen Produktionsprozesses an Schärfe zunahm; die parodistisch kommentierenden

1 G. Kinsky / H. Halm, *Das Werk Beethovens,* S. 351.
2 Ebenda, S. 348.

Variationen nämlich sind ein Kennzeichen der zweiten Kompositionsphase. Noch deutlicher wird bei der Wiederaufnahme der kompositorischen Arbeit die Intention, zum Gegenstand seiner Variationen und zu dessen Defizienzen kritisch Stellung zu nehmen: eine Kategorie des musikalischen Denkens, die als in jeder Hinsicht ernstgemeinte Kritik von Musik mit musikalischen Mitteln umschrieben werden kann und die hinsichtlich von Variationenfolgen erst durch Charles E. Ives wieder eingeholt wurde (etwa in den *Variations on America* für Orgel). Die Redlichkeit freilich gebietet, daß man den Gegenstand solcher Kritik als Ausgangspunkt korrekt zitiert; und so übernimmt Beethoven das Thema von Diabelli (anders als etwa Brahms in seinen Variationen op. 56 das Haydnsche) tatsächlich beinahe buchstabengetreu; vergleicht man den Text der alten Beethoven-Gesamtausgabe mit dem jenes Neudrucks der 2. Abteilung des Vaterländischen Künstlervereins, so sind — auch in scheinbar sekundären Aspekten wie Artikulation und Dynamik — nur solche Abweichungen zu finden, die auf die normale Fehlerhaftigkeit der Quellenüberlieferung, keine aber, die auf einen bewußten Eingriff zurückgeführt werden können.

Besonders bemerkenswert und aufschlußreich ist die Chronologie der konkreten kompositorischen Arbeit an den Variationen. Auch von ihr wurde bis in die jüngste Zeit eine fehlerhafte Darstellung gegeben, über den tatsächlichen Ablauf dürfte aber nach neuesten Forschungen, namentlich durch Arnold Münster und William Kinderman, die zu fast gleichen Resultaten kommen, endgültige Gewißheit bestehen. Wie die Skizzen dokumentieren, beschäftigte sich Beethoven bereits im Frühjahr 1819 — also kurz nach jener Aufforderung Diabellis — intensiv mit den Variationen und gelangte im Laufe des Jahres zu einem umfangreichen Konzept, das wenigstens 22 der endgültigen Variationen umfaßt. Dann indes wandte er seine ungeteilte Aufmerksamkeit der *Missa solemnis* op. 123, der Klaviersonate op. 109, den Bagatellen op. 119, den Klaviersonaten op. 110 und 111 und endlich wieder op. 123 zu. Erst nach der Fertigstellung der Messe Mitte 1822 — also nach einer Unterbrechung von ungefähr zweieinhalb Jahren — sind wieder Skizzen zu den Variationen nachweisbar, die dann direkt zur Vollendung des Werkes im Frühjahr 1823 (eine als Stichvorlage gedachte Abschrift des Werkes ist mit 30. April 1823 datiert) hinführten. So interessant es wäre, aufgrund dieser eigentümlichen Chronologie der Werkentstehung Überlegungen zur Arbeitsweise Beethovens anzustellen: Wichtig in unserem Zusammenhang, zumal für die analytische Betrachtung, ist die Relation der kompositorischen Ergebnisse aus der ersten bzw. zweiten Kompositionsphase. Bemerkenswert ist zum einen, daß knapp zwei Drittel der Variationen bereits in der ersten Arbeitsphase in einer Form konzipiert waren, die als direkte Vorstufe zur Endfassung gelten kann, nämlich die Variationen 3—14, 16—22, 27, 30 und 32.[1] Zum anderen hatte Beethoven am Ende der frühen Beschäftigung mit den Variationen — nach mehreren anderen Anordnungsversuchen — die Reihenfolge dieser Variationen durch eine durchlaufende Numerierung so wie in der Endfassung festgelegt. Diese Numerierung mit arabischen Ziffern reicht von 1 bis 22, umspannt 23 Variationen (die endgültige Nr. 22, die *Don Giovanni*-Variation, ist übergangen) und betrifft 22 Variationen der Endfassung (der mit 19 numerierte Entwurf wurde

1 Vgl. dazu und zum Folgenden vor allem die Tabellen bei W. Kinderman, *Beethoven's Diabelli Variations*, S. 15 und 28f.

später ausgeschieden). Fest steht damit erstens, daß bereits in der ersten Kompositionsphase das Verlaufsgerüst bis zur Variation 22 fixiert war, in das dann lediglich die Variationen 1 und 2 sowie 15 eingefügt wurden; zweitens, daß sich die Arbeit in der zweiten Phase vornehmlich auf die Fortsetzung dieses Verlaufsgerüsts, das heißt die Ausweitung des Werks nach Variation 22 konzentrierte; drittens, daß bereits in der frühen Phase für den letzten Teil der Komposition eine Mollvariation und die Fuge in Es-Dur geplant waren. Nicht aus den frühen Entwürfen zu erschließen indes und von Beethoven in diesem Stadium vielleicht noch gar nicht ins Auge gefaßt ist die Gestaltung des Schlusses — ein für sein Spätwerk eminent wichtiger Aspekt: ob etwa, um nur die beiden vorliegenden Möglichkeiten zu nennen, jene Fuge das Werk beenden sollte (was angesichts der Tonart unwahrscheinlich ist) oder ob ihr wie in der Endfassung eine weitere Variation und die Coda folgen sollten.

Daß Beethoven die Arbeit an den *Diabelli-Variationen* nach einer so langen Pause — und das ohne erkennbaren äußeren Druck — wiederaufnahm und vollendete, zeigt an, daß ihm dessen Idee bzw. Konfiguration von Ideen — bewußt oder unbewußt — besonders wichtig war. In der Tat läßt sich das Werk als Lehrstück des Beethovenschen Spätwerks interpretieren, in dem sich die sichere Gewißheit der technischen Verfügung über das musikalische Material mit einer facettenreichen Sicht nach außen verbindet: dem retrospektiven Blick auf die kompositorische Vergangenheit eigener und fremder Provenienz, der Möglichkeit, Musik hinsichtlich des Metiers mit musikalischen Mitteln zu diagnostizieren, letztlich und besonders weitreichend der ästhetischen Haltung der Verweigerung einer eindeutigen Sinngebung, das heißt der nachdrücklich gestellten Aufforderung an den Interpreten und Hörer, die Musik nicht auf eine eindeutige Bedeutung festzulegen, sondern bereit zu sein, eine Vielfalt von Sinngebungen wahrzunehmen.

Für die Exemplifizierung all dieser Intentionen ist die Variationenfolge besonders geeignet; es nimmt daher nicht wunder, daß sie auch in Werken anderer Gattung aus dem Spätwerk Beethovens eine beträchtliche Rolle spielt. Freilich prägt nur op. 120 eingestandenermaßen dieses Dispositionsprinzip aus; der dritte Satz der 9. Symphonie wird ihm allzu vorschnell (hier sind Implikationen der Sonatenform in Anschlag zu bringen), der vierte derselben Symphonie mit Vorbehalt zugerechnet (hier sind die Versuche, eine spezifische Formgliederung aufzuspüren, uferlos); und schließlich beim langsamen dritten Satz des Streichquartetts F-Dur op. 135 ist die Zuordnung — schon zwischen Hugo Riemann und Romain Rolland — strittig. Übersehen wird bei all diesen Diskussionen das Faktum, daß die Variationenfolge (der Begriff Variationenform ist irreführend) überhaupt keine Formanlage impliziert. Die Variationenfolge ist keine Form — weder im Sinne eines formalen Schemas noch im emphatischen eines Funktionsgefüges: Ihr ist also allgemein und im vorhinein weder ein Buchstabenschema wie etwa A—B—A bei der Liedform zugrundezulegen (es sei denn, man gäbe sich mit $a—a^1—a^2—a^3...a^n$ zufrieden), noch ist sie kategorial als Funktionsgefüge wie das ausgereifte einer Sonatenform bestimmt. Sie gibt lediglich ein äußerlich formales Konzept vor: die Gliederung der Zeit durch die immer abgewandelte Wiederholung des exponierten Themas als ganzes oder von dessen Elementen. Über den Inhalt, über den Sinn dieser Zeitgliederung, über eine funktionale Abstufung der Einzelteile besagt sie nichts. Selbst das Thema hat, als Ausgangspunkt der variativen Verarbeitung, zunächst nur eine Funktion im technischen Sinne; ob es aber Hauptsache des Ganzen, ob es „thematisch" wird, ist Sache der individuellen Ausführung. An der individuellen Auskomposition auch ist erst zu ermessen, ob ein formaler Gesamtzusammenhang gegeben ist, der die Komposition als ein geschlossenes Ganzes und nicht als bloße Aneinanderreihung paralleler Glieder wirken läßt. So nur ist es verständlich, daß sich etwa die Passacaglia des Finales in der 4. Symphonie von Brahms in Annäherung an die Sonatenform (vgl. auch den langsamen Satz der 9. Symphonie Beethovens) entfaltet, so auch ist es begreiflich, daß die hinsichtlich ihrer Machart eindeutigen Variationen im Finale der 9. Symphonie einer Sonatenform, einer Konzertform, einer Barform etc. untergeordnet werden können. Variationen als Form sind eine Fiktion, und die Offenheit des Formkonzepts zur Vielfalt oder Uneindeutigkeit ist die Chance, die Beethoven in seinem Spätwerk, namentlich in den *Diabelli-Variationen* nutzt. Ein signifikantes Merkmal von Variationsfolgen zum Beispiel ist, daß sie in der Regel — falls sie nicht wirklichen Formtypen angepaßt werden — der bis zum Anfang des 19. Jahrhunderts fundamentalen formstiftenden Kraft der harmonischen Disposition entbehren. Einbezogen neben der Tonika wird gewöhnlich nur deren Variante Moll bzw. Dur, allenfalls noch die Tonikaparallele. An diese Beschränkung halten sich auch die *Diabelli-Variationen*: Nur Variation 9 und dann die drei Variationen 29—31 stehen in der Mollvariante der Tonika, und letzteren schließt sich die Fuge in der Tonikaparallele der Mollvariante Es-Dur an. Alle anderen Variationen halten am C-Dur der Tonika fest.

Charakteristisch für eine Variationenfolge als solche, die — wie gesagt — nichts mit Form zu tun hat, ist der stetige Blickwechsel von einem auf ein anderes Bild des vielfältig interpretierten Ausgangspunkts, ist gewissermaßen die dramaturgische Verschiebung der Perspektive auf das vorgegebene Thema. Sehr viel wichtiger als bei der Auskomposition eines vorgegebenen Formschemas werden daher die unmittelbaren Relationen zwischen den benachbarten Bestandteilen des Stückes, das heißt den einzelnen Variationen. Jene Verschiebung der Perspektive kann sich kontinuierlich, in geradliniger Entwicklung gleich weit voneinander entfernter Variationsstufen realisieren, beispielsweise in der üblichen Form, daß die unmittelbar aufs Thema folgenden Variationen in regelmäßigen Schritten ihre Bewegung erhöhen; sie kann aber ebensogut sprunghaft geschehen, in schroffem Szenenwechsel, in — scheinbar — unvermitteltem Kontrast. In den *Diabelli-Variationen* schlägt das Pendel deutlich zugunsten der letztgenannten Entfaltungsart aus: Die Auslotung der vielfältigen kompositorischen Möglichkeiten, musikalisch Gegensätze darzustellen, die allerdings nie gänzlich unvermittelt sind, ist das wesentliche Prinzip der Komposition.

Grundlage für eine solche kompositorische Ausrichtung indes ist zunächst der eminent weite Rahmen der Ausdrucksmöglichkeiten, die dem späten Beethoven zur Verfügung standen und die er in einem Variationenwerk ungehindert durch formale Fesseln entfalten konnte. Angesichts der bis weit ins 18. Jahrhundert gültigen und auch im 19. noch weiter wirkenden Maxime der Einheitlichkeit des Affekts innerhalb eines Stückes sind die hier zusammengezwungenen Gegensätze — auch in einem Beethovenschen Stück — wahrhaft extrem zu nennen (auch dies hat die Rezeption des Werks behindert): Wie beispielsweise kann die gleichsam außerirdische Zurückgenommenheit der 20. Variation mit der gestelzten Leichtfüßigkeit des Themas zusammengedacht werden, wie könnte die hämmernde Insistenz auf einem Motiv in der 9. Variation zu der gleichsam biedermeierlichen Schlichtheit der Fughetta in Beziehung gesetzt werden?

Wie sehr das Stück vom Prinzip des Kontrasts geprägt ist, zeigt sich zunächst an der Tatsache, daß Beethoven nur selten von der konventionellen Möglichkeit Gebrauch macht, Variationen direkt zusammenzuschließen oder einen einigermaßen kontinuierlichen Verlauf ausbilden zu lassen. Nur die 16. und 17. Variation bilden ein Paar, was nicht nur durch den gleichen Inhalt, sondern auch durch den bruchlosen Übergang klar ist; und nur die Variationen 3—6, vielleicht auch noch 7 (sie stammen aus der ersten Kompositionsphase) lassen sich als einen durchgängigen, steigernden Bewegungszug auffassen, was sich auch aus der Bezugnahme der Tempoangaben bei den Variationen 4 und 7 zur jeweils vorangehenden Variation ableiten läßt (solche Bezugnahme gibt es dann nur noch zwischen Variation 11 und 12). Die beiden motivisch so verwandten Variationen 9 und 11 dagegen, denen das Potential zur Paarbildung innewohnt, werden durch die deutlich gegensätzliche 10. voneinander abgesetzt. In der Tat exponiert Beethoven das Prinzip des Kontrasts gleich zu Beginn — eine Idee, die der zweiten Kompositionsphase entstammt: Kaum je in einer anderen Variationenfolge dürfte die 1. Variation eine so große Distanz zum Thema aufweisen wie hier der schwergewichtige Marsch zum Walzer Diabellis. Und Beethoven geht sogar so weit, den internen Zusammenhang einer Einzelvariation wie der 21. durch schroffen Charaktergegensatz aufzureißen.

Das Darstellungsmittel des Kontrasts steht in direkter Korrelation zum — bewußt oder unbewußt — anvisierten Ziel der ästhetischen Vieldeutigkeit (ein Aspekt, der — nun freilich ausgesprochenermaßen — sehr viel später für das Komponieren von Ives grundlegend ist). Denn positive Beziehungen zwischen musikalischen Gestalten mögen einem einigermaßen entwickelten Kategoriensystem unterliegen, die negativen dagegen, von Charaktergegensätzen gar nicht zu reden, können mit keinem wie immer verzweigten Denkmodell dingfest gemacht werden: Zu vielfältig sind die Möglichkeiten der Andersartigkeit, die Satzbildung etwa, die Eigenheit von melodischem und harmonischem Inhalt, die Bewegung in der Zeit, die historische Provenienz, die Stilhöhe und vieles mehr. Die Divergenz bei der Interpretation etwa schon der 1. Variation der *Diabelli-Variationen* im Verhältnis zum Thema hat mithin ihre guten Gründe: Will Beethoven sich vom „Schusterfleck" des Themas als Meister seines Fachs persiflierend distanzieren, setzt er hier — formal gesehen — den eigentlich thematischen Gegenstand der Variationenfolge, schließt er lediglich bei beibehaltenem Rahmen von Tanzsätzen durch den Marsch an den Walzer an, oder handelt es sich um eine neutrale Veränderung des Themas, die ja immerhin mehr motivische Elemente davon bewahrt als die ursprüngliche 1., nun 3. Variation (von der trotz der deutlichen Entfernung vom Thema niemand behauptet, daß sie ihm „widersprechen" wolle)?

Die vielfältige und kaum systematisch zu erfassende Kontrastierung indes vollzieht sich nicht in willkürlicher Setzung von Einzelteilen, die gleichsam in Null-Relation zueinander stehen, sondern wird durch ein alles überspannendes Netz von Vermittlungen zusammengehalten, das allerdings wiederum überaus komplex ist, weil dessen Fäden nicht nur in säuberlicher Verknüpfung benachbarte, sondern Maschen ganz unterschiedlichen Abstandes aneinanderbinden. Kompositorische Grundlage dieser Verknüpfung ist in erster Linie die motivische Variationstechnik, die Beethoven hier in souveräner Verfügung über sein Material bis zu einem Extrem ausreizt (der Schönbergsche Begriff der entwickelnden Variation, der sich neuerdings für diesen Aspekt eingebürgert hat, sollte allerdings — wie dann bei Brahms

— auch bei Beethoven mit Vorsicht angewandt werden, weil er neben dem handwerklichen Moment der hoch entwickelten Variantentechnik, das hier zweifellos gegeben ist, auch auf die mehr oder minder kontinuierliche formale Bewegung zielt, die hier gerade verweigert wird).

Ausgangspunkt der motivischen Variation sind Formulierungen des Themas, insbesondere die Verzierungsfigur beim Auftakt zu Takt 1 bzw. 5 (die vor Takt 17 bzw. 21 reduziert wird), der niedertaktige Quartfall mit anschließenden Repetitionen in Takt 1—4 (die Quarte wird in Takt 5 zur Quinte; zu Takt 17 bzw. 21 ist der Sprung auftaktig und als Quint bzw. Sext aufwärts gerichtet), schließlich das Motiv aus Sekunde plus Terz, das sich von Takt 9 bzw. 25 an in beiden Richtungen entfaltet (in der Unterstimme ab Takt 25 unter Liquidierung der Terz). Arnold Münster, der diesem Aspekt besondere Aufmerksamkeit widmet und zu eindrucksvollen Ergebnissen gelangt, hat bereits darauf hingewiesen, daß diese Formulierungen des Themas erst durch Beethoven als Motive „aktualisiert" werden, das heißt die Qualität als thematisches Material gewinnen. Tatsächlich ist in Diabellis Walzer nur der Konstellation aus Sekunde und Terz — namentlich durch die Sequenzierungen — motivischer Rang zuzusprechen (also ausgerechnet dem Modell des „Schusterflecks"); die Wechselnotenfigur ist bloßes Ornament (was bei der Reduktion auf eben dieses Moment beim Auftakt vor Takt 17 bzw. 21 klar wird), der Quartfall und die Tonrepetition als solche sind zu allgemein oder abstrakt, um motivische Prägnanz erlangen zu können. Das Thema bietet mithin keinen Fundus an motivischen Gestalten, aus dem Beethoven für die Variationen schöpfen konnte, sondern ein zusammengestücktes Konglomerat musikalischer Gemeinplätze, von dem er sich durch qualitative Verschiebung von dessen Bestandteilen absetzen konnte. Zu Recht hat Kinderman von dem Thema als „a reservoir of unrealized possibilities" gesprochen[1]; und Lars Ulrich Abraham hat Beethovens Haltung dem Thema gegenüber durch die Begriffe Parodie und Korrektur auf den Punkt gebracht.[2]

Zum konkreten Nachweis mehrerer der zuvor besprochenen Facetten des Werkes konzentrieren sich die folgenden Ausführungen auf die zu Takt 1 des Themas hinführende Auftaktfigur mit ihrem Zielton. Sie kaschiert im Walzer als bloßes Ornament die Tonwiederholung c''—c'' zwischen Auftakt und Niederschlag, die angesichts der folgenden Tonrepetitionen selbst Diabelli wohl nicht vertretbar erschien. Darauf legt Beethoven gleich in der 1. und 2. Variation den Finger: Die Umspielung entfällt. Doch beginnen schon hier die interpretatorischen Schwierigkeiten: Ist dieser korrigierende Eingriff als eine neutrale Rückführung auf den Kern der Sache, die die Repetitionshäufung in Kauf nimmt, oder als Entlarvung der Absicht anzusehen, durch eine Verzierung musikalischen Sinn vorzutäuschen, oder verdankt sie sich letztlich Erwägungen der kompositorischen Ökonomie, die sich jene Figur für eine spätere Verwendung aufbewahrt? Keine dieser Interpretationsmöglichkeiten ist gänzlich auszuschließen, was den dem ganzen Stück innewohnenden Zug der Mehrdeutigkeit exemplifizieren mag. Sicher ist, daß Beethoven die Verzierungsfigur, die er hier durch Reduktion ihres Spielcharakters entkleidet, im späteren Verlauf ganz und gar ernst nimmt, indem er sie zum Motiv, zum thematischen Material mobili-

1 Ebenda, S. 20 und 67.
2 Vgl. L. U. Abraham, *Trivialität und Persiflage in Beethovens Diabelli-Variationen.*

tiert. In dieser Hinsicht ist Richard Wagners Wort von der „entzückenden Unverkennbarkeit“ allerdings nur der 9. Variation angemessen, wo die Figur in unangetasteter Gestalt zum allbeherrschenden „Motiv der Variation“ wird. Doch ihr folgen kurz darauf die 11. und 12. Variation, für die eine Triolen- bzw. eine — erweiterte und umgekehrte — Achtelvariante des Motivs (vgl. dazu Variation 18) bestimmend sind, der Bezug zum Modell mithin außer Frage steht.

Die Figur spielt indes auch schon zuvor und mehrfach danach eine wichtige Rolle, dies allerdings in unterschiedlichen Graden der Deutlichkeit und unter Rekurs auf unterschiedliche Merkmale: die Auftaktigkeit (von der im weiteren nicht zu reden sein wird, weil sie mit Ausnahme der 22., 23. und 29. für alle Variationen gilt); die Konfiguration als Verzierung; die diastematische Konstellation, die einen fallenden Terzzug mit einer steigenden Sekunde verbindet; die von dieser Konstellation buchstäblich implizierte Repetition eines umspielten Kerntons.

Die oben erwähnte Tendenz des Beethovenschen Spätwerks zum Kontrast, zum diskontinuierlichen Verlauf, hat in op. 120 seine materiale Basis wesentlich darin, daß er — trotz der abstrakt zusammenbindenden Funktion der Motive — im Fortgang des Stückes auf einer höheren Ebene immer wieder und zuweilen sprunghaft den motivischen Gegenstand der Ausarbeitung wechselt und auf einer niederen — potentiell ebenso diskontinuierlich — andere Aspekte derselben Motive in den Vordergrund rückt. Letzteres dokumentiert der Weg, den das Umspielungsmotiv durch das Stück nimmt. Die 2., 3. und 4. Variation beziehen sich auf die diastematische Konstellation und bilden so noch einen einigermaßen geradlinigen Entwicklungsstrang aus. In der 2. wird das Motiv in reduzierter Form und Transposition (aus d''—c''—h'—c'' wird in Takt 1 a'—fis'—g') Ausgangspunkt der motivischen Entwicklung; zwar ist es hier um den zweiten Ton verkürzt und hinsichtlich des formalen Ortes verschoben, doch immerhin steht es noch für sich. Am Anfang der 3. Variation dagegen dienen seine Resttöne h'—c'' der Verkettung zweier Transpositionen des motivischen Quartfalls; und in der 4. Variation kumuliert solche Verschränkung in der Verbindung dreier Motive: h'—c'' ist im Quartraum Bestandteil und Verbindung zweier Varianten des Motivs aus Terz und Sekund. Schroff ist der Wechsel der Blickrichtung in den folgenden Variationen: Die 5. insistiert auf der Tonrepetition nun im Auftakt selbst, die 6. wendet sich — wie dann auch die 16., 21. — als Triller der Konfiguration Verzierung zu (vgl. dazu auch die 31. und — freilich nicht am Beginn — die 33. Variation).

Immer wieder wird mithin das Ohr des Hörers im Fortgang des Stückes mit einem anderen inhaltlichen Gegenstand konfrontiert, seien es jene drei Motivbereiche, die das vielsträngige Netzwerk wesentlich konstituieren, seien es einzelne Elemente von ihnen. Beethoven erreicht sein Ziel der zwar abstrakt vermittelten, an der musikalischen Oberfläche aber disparaten Füllung der Zeit nicht nur aufgrund von schwer gegeneinander abzuwägenden Charaktergegensätzen, sondern ganz entscheidend durch Art und Material der motivischen Arbeit. Hierzu steht ihm ein kaum je übertroffenes Repertoire an Verfahrensweisen zur Verfügung: die mengenmäßige Erweiterung und Reduktion eines Motivs, die Spreizung seiner Bestandteile, die Verschränkung mit anderen Motiven usw. Freilich führt solche eminente Flexibilisierung des motivischen Materials bis an die Grenzen der Wahrnehm- und Analysierbarkeit: So manche vielleicht intendierten Beziehungen sind eher spürbar denn hörend zu begreifen oder analytisch zu beweisen. So sind, um nur zwei Beispiele zu nennen, die Anfänge der 14. bzw. 28. Variation nur mit Vorbehalt auf jene Umspielungsfigur zurückzuführen. In ersterer ist das Motiv aus Sekund und Terz durch eine Wechselnote ausgeziert; ist aber jede Verzierung vom Kopf des Walzers ableitbar? Und am Anfang der 28. Variation wäre nur dann eine positive Beziehung zur diastematischen Konstellation des Motivs anzunehmen, wenn man bereit ist, die Spreizung des zweiten Sekundschrittes zum Quartfall als plausible Variantenbildung anzuerkennen.

Der Reichtum an Interpretationsmöglichkeiten, den die *Diabelli-Variationen* eröffnen, erschöpft sich indes, wie bereits angedeutet, nicht im intern musikalisch-technischen Beziehungsgefüge, sondern wird durch eine vielschichtige Sichtweise nach außen, genauer gesagt: durch die Perspektive, die Beethoven mit dem von ihm hier konkret Verfertigten auf bereits vorliegende Musik einnimmt, erhöht. Das betrifft in erster Linie sein Verhalten zum Thema, das er — wie für wohl jedermann hörbar — nicht nur als neutrales musikalisches Material nimmt, sondern als Gegenstand der kompositorischen Kritik. Lars Ulrich Abraham hat als erster auf den Aspekt der Karikatur und Persiflage hingewiesen, mit dem Beethoven auf Diabellis Walzer reagiert; William Kinderman nimmt diesen Gedanken auf und zieht daraus bemerkenswerte Konsequenzen nicht nur hinsichtlich des Wandels zwischen erster und zweiter Kompositionsphase, sondern auch in Bezug auf die Formgebung des definitiven Stückes.[1]

Das deutlichste Beispiel der Karikatur bietet wohl die 13. Variation (aus der frühen Kompositionsphase); sie nimmt nicht etwa den Schusterfleck als Problem aufs Korn, sondern die Ton- bzw. Akkordrepetitionen des Themas, von denen bereits die Rede war. Es gibt wohl kaum eine andere Komposition in der Musikgeschichte, für die Pausen eine so herausragende Rolle spielen. Sie stellen das eine Mittel dar, durch das Beethoven sich von der Monotonie der Tonrepetition abhebt: die zeitliche Spreizung der Klangereignisse. Als zweites Mittel dient die Spreizung hinsichtlich der Tonhöhe, die die Monotonie der identischen Tonhöhe in große Intervalle aufbricht (das Extrem stellt in Takt 17—19 der Sprung der Unterstimme über drei Oktaven dar). Beide zusammen richten sich — gleichsam analytisch — gegen die beiden konstituierenden Momente von Repetitionen, die zeitliche und lagenmäßige Uniformität. Zugleich aber weist Beethoven unmißverständlich darauf hin, wovon hier gehandelt wird: Die Tonrepetitionen sind nicht einfach ausgelassen (was die kritische Zielrichtung ins Leere laufen ließe), sondern werden in Verschiebung auf eine niedrigere Dimension des Tonsatzes zur Maßgabe der einzelnen, durch Pausen voneinander abgehobenen Klangereignisse. Von ihr löst sich die erste Hälfte der Variation erst im letzten Takt, die zweite etwa in der Mitte.

Aus der zweiten Kompositionsphase stammen drei weitere Variationen, denen der Charakter der Persiflage mehr oder minder deutlich zu eigen ist; in der Tat scheint sich die Schärfe des kritischen Blicks auf das Thema 1822/1823 vergrößert zu haben. Vom Marsch der 1. Variation, der wie eine Riposte zum Walzer des Themas wirkt, wurde bereits gesprochen. Mit einem hektisch jagenden Gestus setzen die beiden Hälften der 15. Variation an; hier ist die karikierende Intention wohl unverkennbar: Um sie klarzustellen, greift Beethoven in Takt 21—24 sogar zum Mittel

1 Vgl. W. Kinderman, *Beethoven's Diabelli Variations,* S. 68ff.

der fehlerhaften Satzfügung und verspottet solchermaßen die entsprechenden Defizienzen des Themas (die Korrektur dieser Stelle, die Siegfried Kross in der NGA im Anschluß an eine letztlich aber wieder verworfene Erwägung von Brahms vorgenommen hat, ist begreiflicherweise heftig umstritten). Einer Etüde endlich gleicht (wie schon die im Stile J. B. Cramers ausgeführte 23.) die satztechnisch und rhythmisch uniforme 25. Variation. Diese Variationen gehören auch insofern zusammen, als sie dem Thema gestaltlich nicht nur durch die unverstellte Wiederaufnahme des Quartfalls mit anschließenden Repetitionen, sondern vor allem auch durch die Identität der Tonhöhe der Wiederaufnahme besonders nahestehen. Aus dieser Beobachtung hat Kinderman den analytisch wertvollen Schluß gezogen, daß Beethoven auch die Identität der Tonhöhe als Verfahren zur Stiftung von Beziehungen einsetzt. Er hat des weiteren die Reihung derjenigen Variationen, in denen dies Verfahren zum Tragen kommt, als Raster für den gesamten Formverlauf beschrieben, wobei er auch die Fuge der 32. Variation einbezieht, weil hier trotz der Terztransposition die Lage und die Relation der motivischen Konstellation zur Tonart erhalten bleiben. Bemerkenswert immerhin ist, daß bei dieser Sichtweise eine einigermaßen regelmäßige, sich verjüngende Aufeinanderfolge der von den betreffenden Variationen vertretenen Stufen hervortritt: 14 (zwischen 1 und 15), 10 (zwischen 15 und 25), 7 (zwischen 25 und 32).

Die Ausführung des Aspekts „Musik über Musik“ in den *Diabelli-Variationen* indes visiert mehr an als das Thema und das von ihm eröffnete „reservoir of unrealized possibilities“; sie bezieht sowohl die Musikgeschichte als auch das eigene Komponieren mit ein. Sichere Eckdaten für jenes sind die als solche ausgewiesene *Don Giovanni*-Variation 22 (bei der wiederum der Aspekt der Parodie in Frage steht), für dieses die bis zum buchstäblichen Zitat reichende Bezugnahme auf die Arietta im zweiten Satz der Klaviersonate op. 111 (die ebenfalls in C-Dur steht, ebenfalls als Variationenfolge ausgeführt ist und deren Thema sich ebenfalls an das Gegenüber des Quartfalls c’’—g’ und des Quintfalls d’’—g’ hält). Dem schließen sich — bei genügend differenzierter Betrachtungsweise auch durchaus zu Recht — weitere Beobachtungen von Gestalt- und Charakterähnlichkeiten zu anderen Kompositionen und anderen Komponisten an: zum Etüdenstil J. B. Cramers in der 23., zu Bachs *Goldberg-Variationen* in der 31., zur Bachschen Fugenkomposition allgemein in der 32. und endlich zum Mozartschen Menuett in der 33. Variation einerseits; andererseits in der 6. Variation zur Gestaltprägung des Kopfthemas der 9. Symphonie op. 125 sowie des Fugenthemas im Finale der Klaviersonate op. 106 (T. 11ff.), in der Fughetta der 24. Variation zur Anlage und zum Charakter der D-Dur-Episode in eben diesem Finale von op. 106 (T. 250ff.).

Für die Interpretation dieser mehr oder minder deutlichen Beziehungen ist die Tatsache im Auge zu behalten, daß die Verwendung gleichen Materials in mehreren Werken — das dokumentiert vor allem die abstrakte Tonhöhenkonfiguration, die bekanntlich die späten Streichquartette miteinander verbindet — ein Merkmal des Beethovenschen Spätstils darstellt. Auffällig allerdings ist, daß sich die — vielleicht unbewußten — Verknüpfungen zum eigenen Werk zumeist in der ersten Hälfte des Werkes finden, die zu anderen Komponisten dagegen durchweg in der zweiten. Kinderman hat daraus einen weiteren Aspekt der Formgestaltung abgeleitet: Nach der Konzentration aufs Thema in der ersten Hälfte (in die jene für das Spätwerk typischen Eigenbezüge einfließen) richtet Beethoven den Blick in der zweiten Hälfte auch auf die Musikgeschichte, um dann letztlich — und nun ganz ausgesprochenermaßen — in der 33. Variation und der Coda zum eigenen Komponieren zurückzukommen.

Wie diese gleichsam an Orientierungspunkten festgemachte Perspektive auf die formale Entfaltung des Werkes mit jenem Raster der direkt aufs Thema verweisenden Variationen oder gar mit der konkreten und im Fortgang disparaten motivischen Ausarbeitung korreliert, deren Resultat man mit einem unentwirrbaren Knäuel eines in sich intakten Netzes vergleichen könnte, bleibt offen. Wie schon des öfteren zuvor wird hier aufs neue unwiderlegbar klar, daß eine Analyse, die auf ein eindeutiges Ergebnis abzielt und sich der Offenheit zur Vieldeutigkeit verweigert, den *Diabelli-Variationen* — wie den meisten Werken aus Beethovens Spätzeit — unangemessen ist.

Christian Martin Schmidt

Variationen über das Lied „Ich bin der Schneider Kakadu" G-Dur für Klaviertrio op. 121a

ENTSTEHUNGSZEIT: geraume Zeit vor 1816 aufgrund eines Briefes Beethovens an Gottfried Härtel vom 19. Juli 1816 (vgl. G. Kinsky / H. Halm, *Das Werk Beethovens*, S. 352); möglicherweise schon 1802/1803 (siehe A. Tyson, *Pictorial Beethoven*, in: *The Musical Times* 111, 1970, S. 1001 und Johnson / Tyson / Winter, *The Beethoven Sketchbooks*, S. 245); nach Ansicht des Verfassers aber nicht vor 1809 wegen Verwendung des erweiterten Klaviaturumfangs bis f'''' (e'''' in Var. 10, T. 29—31 und T. 136), sofern diese nicht auf nachträgliche Redaktion zurückgeht.
ERSTAUFFÜHRUNG: nicht bekannt; vgl. aber Thayer / Deiters / Riemann, *Ludwig van Beethovens Leben*, Bd. IV (²1907), S. 458 (hierzu A. Tyson, *J. R. Schultz and his Visit to Beethoven*).
SKIZZEN: unbekannt (siehe aber Johnson / Tyson / Winter, *The Beethoven Sketchbooks*, S. 118).
AUTOGRAPH: Beethoven-Haus Bonn.
ERSTDRUCK: Wien 1824 (S. A. Steiner & Co.), vgl. G. Kinsky / H. Halm, *Das Werk Beethovens*, S. 354 und A. Tyson, *Authentic Editions of Beethoven published in Great Britain*, S. 201.
GESAMTAUSGABEN: Alte Gesamtausgabe: Nr. 87 = Serie 11 Nr. 9; Neue Gesamtausgabe: Abt. IV, Bd. 3.
Die Taktangaben richten sich im folgenden nach der Zählung der Neuen Gesamtausgabe, die nicht durchgehend ist, sondern (im Gegensatz etwa zur Henle-Ausgabe) mit jeder Variation neu beginnt.

Von den 31 selbständigen Variationenzyklen Beethovens gehören weniger als ein Viertel, nämlich nur sieben, zur Reihe der mit Opuszahl erschienenen Werke. Nimmt man die in der Regel von Beethoven selbst überwachte Opusnumerierung als äußerliches Indiz für die Einschätzung einer Komposition durch den Schöpfer selbst, und bedenkt man, daß unter den mit Opuszahl erschienenen Variationen Beethovens diejenigen über fremde, seinerzeit populäre Themen überwiegen, so scheint die Herkunft des Themas (fremd oder selbsterfunden) für den Werkstatus, den Beethoven einem Variationenzyklus zuerkannt hat, keine Bedeutung gehabt zu haben. Ganz im Sinne der alten instrumentalen Gattungstradition des Variierens (auf-)gegebener Themen verkörpert im vorliegenden Fall die Tatsache, daß das zugrundeliegende Thema nicht von Beethoven selber stammt, sondern seinerzeit ein

„Gassenhauer“ war (vgl. op. 11), sogar eine wesentliche Pointe der Werkkonzeption. Der Prozeß des Hervorbringens, Darstellens und Aufhebens eines eigentlich Fremden, mithin die Aneignung des Themas, spiegelt sich schon in den äußeren Proportionen des Werks, in denen eine dem Thema und der Variationenfolge vorgelagerte langsame Einleitung und ein von Beethoven im Autograph selbst so bezeichneter „Anhang“ nach der letzten (10.) Variation besonders breiten Raum einnehmen.

Die Originalausgabe von op. 121a verschweigt, möglicherweise absichtlich, daß den zehn Variationen für Klaviertrio das volkstümlich gewordene Lied „Ich bin der Schneider Kakadu“ aus Wenzel Müllers Singspiel *Die Schwestern von Prag* zugrundeliegt. Tatsächlich sieht sich der „ahnungslose“ Hörer (oder Spieler) durch eine gravitätisch anhebende, außergewöhnlich ausgedehnte und in entfernte Tonartenbezirke abschweifende langsame Einleitung in g-Moll zunächst scheinbar in die Irre geführt, während er in Wahrheit zielsicher zum Thema hingeleitet wird, das am Ende, nach einem langwierigen Prozeß des Suchens, nach einem scheinbar unsäglich mühevollen Gebärvorgang plötzlich als ein Fertiges und Ganzes hervorspringt und in den Lauf der Variationen entlassen wird. Unter dem paradoxen, ja beinahe grotesken Aspekt, daß ein eigentlich schon vorhandenes, noch dazu sehr populäres Thema erst gleichsam gefunden und zur Welt gebracht werden muß, bevor die Variationenfolge ihren Lauf nehmen kann, ist der Vorgang nähere Betrachtung wert.

Die Anfangstakte der langsamen Einleitung enthalten nicht die geringste Andeutung des späteren Variationenthemas. Nach dem eröffnenden Akkordschlag stecken sie mit einer Sequenz von terzweise fallenden Seufzervorhalten die tonale Ausgangsbasis ab (T. 1: Tonika, T. 2: Subdominante, T. 3: Dominante), von der sich das Geschehen nach einer Rückkehr zum Anfangsakkord (T. 5) alsbald zu lösen beginnt, um die Paralleltonart B-Dur anzusteuern. Nach gründlicher Vorbereitung durch eine breite Dominantfläche mit vorübergehender Ausweichung (T. 8—12) und nach einer zweitaktigen Zäsur auf der Dominante F-Dur (T. 13f.) bildet B-Dur ab Takt 15 den Ausgangspunkt eines modulierenden Sequenzabschnitts mit dem Eröffnungsmotiv (T. 15—24), in dessen Verlauf sich erstmals auf eine höchst seltsame, ja bizarre Weise das Thema der späteren Variationen ankündigt. Zunächst schiebt sich die Sequenz um einen Ganzton aufwärts von B-Dur nach c-Moll (T. 17f., im Klavier in Quart-Sext-Lage), wo die fortwährende Sechzehntelrepetition des Klavierparts plötzlich innehält; unter Pausieren der Streicher hebt eine gravitätische Folge von Staccato-Achteln an (T. 18). Kaum ein Hörer wird die Tonfolge in der rechten Hand des Klavierparts auf Anhieb als eine Anspielung auf die ersten sieben Noten des Themas — in gleichen Notenwerten, aber Adagio, in Moll und um eine Quart transponiert — identifizieren. Tatsächlich hält die Achtelfolge bei Erreichen der Oberquart (f), die auch im Thema selbst (dort c) den melodischen Wendepunkt der ersten Phrase bildet, mit Nachdruck inne und steigt nach einer echoartigen Bekräftigung des subdominantischen Sforzato-Viertels durch die Streicher wieder zum Anfangston (c) herab, so, wie auch das spätere Thema mit der ersten Phrase zum Grundton zurückkadenzieren wird. Eine Kadenz kommt allerdings hier gerade nicht zustande: Der im Pianissimo wieder zurückgenommene, quasi resignierende Quartgang mündet im Klavierpart in denselben Quart-Sext-Klang, aus dem er sich erhoben hat (T. 20, vgl. T. 18), und die Sequenz des Eröffnungsmotivs, nunmehr imitierend in beiden Streicherstimmen, nimmt ihren modulatorischen Gang über den Akkordrepetitionen des Klaviers wieder auf. Nächste „Station“ ist das aufgrund einer enharmonischen Verwechslung es—dis (T. 22f.) erreichte a-Moll von Takt 25, das nun im Gegensatz zu dem durchgangsartig aufscheinenden c-Moll von Takt 18—20 einer sehr breiten und kräftigen Kadenz zugeführt wird (Cello T. 23—25 und „cresc.—f“). Wieder erhebt sich, bedeutungsschwer und rätselhaft, die schwerfällige Achtelfolge. Hier ist nun der tonikafernste Punkt der langsamen Einleitung erreicht: Während die g-Moll-Vorzeichnung vorübergehend für drei Takte aufgehoben wird, schließt eine klare Kadenzfolge (Klavier, T. 26) anstelle der resigniert zurückfallenden Wendung von Takt 19 die vorangegangene Entwicklung ab und setzt zugleich, ohne sich regelrecht in eine Tonika aufzulösen, bereits wieder die rasche Rückkehr zur Ausgangsbasis g-Moll in Gang. Die zweimal erschienene Vision des späteren Variationenthemas zeigt sich nun beständig: Erstmals von den Streichern übernommen und durch dreimaligen Einsatz auf dem Leitton (T. 27 cis, T. 28 fis, T. 29 h) harmonisch anders gewichtet, begleitet sie die Takt für Takt im Quintenzirkel durch die Dominanten A, D und G absteigende Sequenz des Klavierparts bis unmittelbar vor die Tore der Grundtonart g-Moll (T. 30f.), bis der verminderte Septakkord über fis den Gang aufhält (T. 31f.). Nach der Wiederkehr des Eröffnungsakkords (T. 33) und einer engführenden Verdichtung des Eröffnungsmotivs, die in Takt 37 deutlich kadenziert, erscheint die in fernen Tonalitätsbezirken (a-Moll) empfangene und nach g-Moll quasi heimgeholte Themenvision erstmals in der Grundtonart g-Moll (T. 38—40). In einem unerhört beschwerlich wirkenden Gang, dessen einzelnen Schritten die Sforzato-Akzente auf den unbetonten Achteln und die in Vorhalten verschränkte Gegenbewegung des Klavierparts übermenschliches Gewicht verleihen, quält sich das Achtelmotiv taktweise sequenzierend aufwärts bis zur V. Stufe D-Dur, die in Takt 42 erreicht ist und als erwartungsvoll gespannter Dominantschluß der langsamen Einleitung gefestigt wird.

Wie eine plötzliche Erleuchtung springt nun das Thema selbst sogleich als ein Fertiges, Abgeschlossenes und Ganzes hervor — nicht unähnlich dem „Freudenthema“ im Finale der 9. Symphonie, das bekanntlich ebenfalls durch einen langwierigen Einleitungsprozeß hervorgebracht und anschließend durch eine Folge von Variationen dargestellt wird. Jetzt werden die schwerfällig in Repetitionen sich vorwärtsquälenden Achtelschritte von Takt 38ff. im Allegretto auf Anhieb als metrisch gefaßte, sprachgezeugte Deklamation verständlich. Die Oberquart stellt sich dem melodischen Anstieg nicht mehr wie eine unüberwindliche Barriere entgegen (T. 18, 25, 38ff.), sondern bildet einen Wendepunkt, über den sich die erste Phrase erstmalig kadenzierend abrunden kann (T. 2f. im Thema), so daß nach einer wiederholenden Bestätigung durch das ganze Ensemble endlich auch die folgenden Thementeile hervortreten können.

Abgesehen von der grotesk-komischen Wirkung, die diese plötzliche Demaskierung eines wohlbekannten Themas auf den zeitgenössischen Hörer ausgeübt haben mag, wirft der Enthüllungsvorgang ein Schlaglicht auf bestimmte elementare Eigenschaften des Themas, die in der folgenden Variationenarbeit im wesentlichen konstant und unangetastet bleiben, aber am Ende des gesamten Zyklus nun im umgekehrten Sinne für die Auflösung des Themas und damit für den Abschluß des ganzen Werks wichtig werden.

Die Variationenfolge im engeren Sinne ist mit der 10. Variation im finaletypischen 6/8-Takt (Presto) abgeschlossen (vgl. etwa op. 44, 14. Variation und op. 11,

Finale, 9. Variation); eine nochmalige Wiederholung des Themenabgesangs mit einem pianissimo bis zur oberen Klaviaturgrenze sich verflüchtigenden Klavierpart signalisiert den (vorläufigen) Abschied vom Thema und setzt einen Schlußpunkt hinter die Variationenarbeit (10. Variation, T. 25—32, vgl. aber auch 7. Variation, T. 25—32). Da beginnt unerwartet ein von Violine und Cello angeführtes, wenig später vom Klavierpart aufgegriffenes Fugato (T. 33ff.) über jene ersten vier Töne des Themas, die sich bereits in der langsamen Einleitung herausgeschält hatten — nun mit der abschließenden Kadenzwendung versehen, die ihnen dort vorenthalten und erst durch die Enthüllung des eigentlichen Themas zugewachsen war. Allerdings ist das liedhaft geschlossene Periodenschema nun abgestreift, und die mit unwidersetzlicher Zielstrebigkeit sich entwickelnde Fugenexposition verläßt den Boden des Themas augenblicklich. Die erneut in g-Moll einsetzende zweite Hälfte dieses Presto-Teils (T. 67ff.), der in der Originalausgabe unzutreffend als „Rondo“ bezeichnet ist, führt zu einem dynamischen und strukturellen Höhepunkt: Unterlegt mit der lapidaren Klangfolge I—V—I—IV wird die viertönige Initialwendung des Themas vom Klavierpart mit mächtigen Akkordschlägen in c-Moll hervorgeschleudert (T. 75ff.), also in jener Tonart, in der die langsame Einleitung diese Tonfolge zum ersten Mal hat anklingen lassen (T. 18). Wie die langsame Einleitung sammelt sich auch der unruhevoll schweifende Presto-Teil auf einer breiten D-Dur-Dominantfläche, um dann noch einmal dem Thema in seiner eigentlichen Gestalt Raum zu geben. Die Situation ist vergleichbar mit derjenigen am Schluß der *Diabelli-Variationen* op. 120. Hier wie dort beendet eine Schlußfuge bzw. ein Schlußfugato die Variationenarbeit im engeren Sinne — übrigens beide Male nach einer Mollvariation in langsamem Tempo (op. 120: Variation 31, Largo, c-Moll; op. 121a: Variation 9, Adagio espressivo, g-Moll) — und leitet dann zurück zu einer letzten Themenwiederkehr, die keine bloße Variation mehr verkörpert, sondern als eine Retrospektive, eine Reminiszenz an einen früheren Zustand des Themas zu verstehen ist. Während in der letzten Variation von op. 120 der „antiquierte“ Menuettcharakter das Walzerthema gleichsam in historische Ferne rückt, entsteht die Distanz zur ursprünglichen Themengestalt hier durch die Auflösung des sprachgezeugten, syllabischen Duktus in eine Folge auftaktiger, zwischen Streichern und Klavier hin- und widergeworfener Partikel, die den gesamten Themenverlauf auf den auftaktigen Anfangsimpuls reduzieren, sowie durch die wie verloren wirkenden tonalen Entrückungen von Takt 114f. (H-Dur) und Takt 118f. (h-Moll).

Die Schlußphrase dieses letzten vollständigen Themenzitats schließt nicht mehr ab, sondern mündet in einen Epilog (T. 127ff.), der mit einem über sechs Takte festgehaltenen Bordun-g im Klavierpart den Zielpunkt der gesamten bisherigen Entwicklung verkörpert. Aus dem wehmütigen Rückblick auf jene Themenphrase, die kurz vorher so gänzlich entrückt aus dem simplen harmonischen Rahmen gefallen war (T. 114f., 118f., jetzt T. 127ff. in Violine und Cello abwechselnd), erwächst direkt die Kraft zum endgültigen Abschied, der sich in der lange vorbereiteten (crescendo seit T. 130) und entschlossenen Kadenz von Takt 137f. unwiderruflich vollzieht (vgl. auch im ersten Satz der Sonate op. 81a, T. 243ff.).

Hatte mit den ersten vier Tönen des Themas buchstäblich alles angefangen, so bedeutet ihre isolierte Wiederkehr unter schließenden Vorzeichen nunmehr den Abschluß und die werkhafte Vollendung der Komposition (T. 142ff.). Der Kadenzschluß der ersten Phrase, der sich in der langsamen Einleitung zwar angebahnt, aber nie hat vollenden können und erst im Thema selbst zur Selbstverständlichkeit wurde, entpuppt sich jetzt als der Angelpunkt des Werkschlusses. Durch rhythmische Zäsurbildung (Punktierung), besonderes harmonisches Gewicht (II. Stufe a-Moll) und kurzes Crescendo auf dem melodischen Wendepunkt c besonders hervorgehoben, verwandelt er vermittels bekräftigender Wiederholung (T. 145f.) die ganze Phrase in einen schließenden Abgesang. Ab Takt 147 gelangt das Thema nicht mehr über den Anfangsschritt g—a hinaus, der, wie zum Abschied, mit den charakteristischen Hörnerparallelen unterlegt wird. Wenn man die kontrapunktierenden Zweiunddreißigstel des Klavierparts als eine Raffung der Sechzehntelumspielung von Takt 142—144 versteht, wird deutlich, daß nun der gesamte kadenzierend geschlossene Verlauf der ersten Themenphrase auf die stereotype, den Schluß bekräftigende Formel „Tonika—Dominante—Tonika—Dominante" des Anfangsschritts g—a eingeschmolzen ist. Anfangen und Schließen reichen sich gewissermaßen die Hand und durchdringen sich im Werkschluß gegenseitig. Eine letzte Beschleunigung in Takt 151 läßt auch den Initialschritt g—a verschwinden und nagelt die Schlußtonika der beiden letzten Takte unverrückbar fest.

Robert Forster

„Opferlied" für Sopran, Chor und Orchester op. 121b (zusammen mit „Opferlied" WoO 126)

GEDICHT: Fr. v. Matthisson.
ENTSTEHUNGSZEIT: erste Fassung: vermutlich 1796; zweite Fassung (WoO 126): um 1797/1798; dritte Fassung: zwischen 1802 und 1823; vierte Fassung: bis Sommer 1824.
ERSTAUFFÜHRUNG: erste und zweite Fassung (WoO 126): unbekannt; dritte Fassung: am 23. Dezember 1822 in einer Akademie des Tenors Wilhelm Weber in Preßburg (und am 4. April 1824 im Großen Redoutensaal in Wien); vierte Fassung: am 20. Oktober 1825 und Anfang 1826 im Gewandhaus Leipzig.
SKIZZEN: zu op. 121b: Staatsbibliothek Preußischer Kulturbesitz Berlin, aut. 11; Deutsche Staatsbibliothek Berlin, aut. 45; British Library London, Add. Ms 29801, Kafka Sketchbook, und Add. Ms 29997; Bibliothèque Nationale Paris, Ms 53; zu WoO 126: Deutsche Staatsbibliothek Berlin, Grasnick 1; Gesellschaft der Musikfreunde Wien, A 34, Skizzenbuch Keßler.
AUTOGRAPH: erste Fassung: Deutsche Staatsbibliothek Berlin, Grasnick 8; zweite Fassung (WoO 126): unbekannt; dritte Fassung: Staatsbibliothek Preußischer Kulturbesitz Berlin, Mus. Ms 1246 (Partitur-Abschrift von Julius Rietz) und Gesellschaft der Musikfreunde Wien, Invent. 6516 (Aufführungsmaterial); vierte Fassung: Stadtbibliothek Wien und Deutsche Staatsbibliothek Berlin, Sammlung Landsberg (Klavierauszug).
ERSTDRUCK: erste Fassung: in den Supplementen zur Alten Gesamtausgabe; zweite Fassung (WoO 126): Bonn 1808 (N. Simrock); dritte Fassung: in den Supplementen zur Alten Gesamtausgabe; vierte Fassung: Mainz 1825 (Schott).
GESAMTAUSGABE: Alte Gesamtausgabe: erste Fassung: Supplemente zur Alten Gesamtausgabe, Bd. 5, Nr. 23; zweite Fassung (WoO 126): Nr. 233 = Serie 23 Nr. 19; dritte Fassung: Nr. 268 = Serie 25 Nr. 5; vierte Fassung: Nr. 212 = Serie 22 Nr. 3.

Auf die wegen ihres „Wohllauts" und ihrer „sanften Schwermut" unter anderem von Wieland und anfänglich auch von Schiller gelobten Gedichte des sentimentalen, klassizistischen Lyrikers und Klopstock-Epigonen Friedrich von Matthisson

(1761—1831) griff Beethoven in seinem Liedschaffen nur gelegentlich zurück.[1] Immerhin aber wurde die (dem Dichter selbst gewidmete) „Adelaide" (op. 46) zu einer der bekanntesten Liedkompositionen Beethovens; und mit Matthissons 1788 verfaßtem und 1790 im Musen-Almanach von Johann Heinrich Voß veröffentlichtem *Opferlied* hat sich der Komponist über nahezu drei Jahrzehnte hinweg beschäftigt.

Das zweistrophige Gedicht Matthissons „Die Flamme lodert" stellt ein antikisierend-aufklärerisches Weihegebet eines Jünglings an eine Gottheit dar, die am Ende der ersten Strophe als „Höchster" bezeichnet und in der vorletzten Zeile der zweiten Strophe mit dem Namen des Göttervaters „Zeus" angerufen wird. Sich selbst, das heißt seinen Lebensweg bringt dieser Jüngling zum „Opfer" dar, und dies geschieht in dem antikisierend-kultischen Ambiente eines von „Weihrauchdüften" durchdrungenen „düstern Eichenhain", den die Opferflamme (hier wohl auch Symbol des männlichen Elements) mit „mildem Schein durchglänzt" (I, 1—3). Zunächst bittet der Jüngling (traditionsgemäß) um gnädige Annahme seines Opfers (I, 3—6), dessen eigentliche Zielrichtung erst in der zweiten Strophe genannt wird: die „Freiheit" (hinsichtlich der Lebenseinrichtung) sowie das „Schöne" und das „Gute" (als ästhetische und moralische Lebenserhöhung). Für beides bietet dieser Gott, „der Freiheit Wehr und Schild" (II, 1), die Gewähr, dieser allmächtige Baumeister aller Welten, dessen „Lebensgeist" die vier Elemente „Luft, Erde, Feu'r und Fluten", das heißt die räumliche und existentielle Ganzheit „durchatmet" (II, 2—3)[2] und der aus der Urkraft seines „väterlichen Herdes" (ein Sinnbild des Heimes) „das Schöne zu dem Guten" zu bereiten vermag (II, 3—6). Er wird damit zu einer Art Schutzgeist eines rechten, moralisch verantwortbaren Lebens und eines nach Veredlung strebenden Menschentums.

Die in der ersten Strophe gleichsam zu einem Bilde sich verdichtende klassizistische Attitüde erfährt in der zweiten Strophe eine deutliche aufklärerische Wendung. Das hier umschriebene Humanitätsideal eines nach Vollkommenheit strebenden Menschentums, der geradezu bildhafte kultische Weiheakt, in dem dies geschieht, sowie nicht zuletzt der exponierte Begriff der „Freiheit" und die gedankliche Einführung der vier Elemente erinnern natürlich auch an freimaurerisches Gedankengut. Im ganzen scheint es sich hier jedoch nicht um ein eigentliches Freimaurer-Gedicht zu handeln. Immerhin aber hat Franz Gerhard Wegeler schon 1797 der (wohl ersten) Beethoven-Vertonung des Gedichts einen anderen, rein freimaurerischen Text („Das Werk beginnet! heil'ge Glut") unterlegt und es in dieser Form in der Bonner Freimaurer-Loge singen lassen.[3] Beethoven hörte davon und bat, in der Annahme, es handele sich um seine originale Komposition, die er „selbst nicht [mehr] habe" (was im übrigen sehr eigenartig erscheint), seinen Freund mit Brief vom 2. Mai 1810 um Zusendung derselben.[4] Auch Beethoven hat die Verse Matthissons wohl nicht als genuin freimaurerisch angesehen. Zur Komposition bzw. zu den mehrfachen Umarbeitungen motiviert war er, als junger wie als älterer Mann („Gib mir, als Jüngling und als Greis"; II, 4), sicher schon allein aufgrund des hohen und

1 Vgl. H. Boettcher, *Beethoven als Liederkomponist,* Übersicht im Anhang.
2 Die vier Elemente sind auch ein altes Symbol für die vier Temperamente, nach Hippokrates für die vier Säfte im Körper, also für die menschliche Ganzheit.
3 Nach Thayer / Deiters / Riemann, *Ludwig van Beethovens Leben,* Bd. II (^{3}1922), S. 26.
4 Vgl. hierzu Fr. G. Wegeler / F. Ries, *Biographische Notizen,* S. 47 und 67.

— wie umschrieben — speziellen Ethos, das dieses Gedicht verkündet. So wurde das Gedicht, indem er es komponierte, zu seinem eigenen Gebet „zu allen Zeiten“[1] um einen rechten, diesen Idealen geweihten künstlerischen Lebensweg. Darüber hinaus wurde die Devise „Das Schöne zu dem Guten“ zu seinem mehrfach verbal geäußerten und in Töne gefaßten Wahlspruch.[2]

Die klassizistisch verhaltene Grundstimmung des Gedichts findet in der ebenmäßigen, klaren sprachlichen und metrischen Diktion der Verse ihre Entsprechung. Die beiden regelmäßig gebauten Strophen bestehen aus jeweils sechs Zeilen (mit Schweifreim aab ccb), die sich inhaltlich und syntaktisch in zweimal drei Zeilen gliedern. Dabei kommt es zu einem Wechsel zwischen vierhebigem (Zeile 1 und 2 bzw. 4 und 5) und dreihebigem Jambus (Zeile 3 bzw. 6). Diese spezielle, zweimal dreizeilige Strophenform, die im übrigen in der Lyrik um 1800 weitaus seltener als die vierzeilige zu finden ist[3], stellt nun jeden Komponisten vor die Aufgabe, zum einen die dreizeilige Halbstrophe mit einer üblicherweise zweiteiligen Liedperiodik (Vorder- und Nachsatz) in Einklang und die sechszeilige Strophenstruktur in eine traditionelle zwei- oder dreiteilige Liedform zu bringen. Dies war offensichtlich auch für Beethoven ein kompositorisches Problem, an dem er in den vier Fassungen seines *Opferliedes* immer wieder arbeitete.[4] Der synoptische Vergleich der vier Melodiefassungen läßt sogar den Schluß zu, daß — von lied- und melodieästhetischen Aspekten und verschiedenen Besetzungsintentionen einmal abgesehen — dieses kompositorische Problem vielleicht auch der eigentliche Anlaß für die mehrfache Überarbeitung *eines* — mit der ersten Fassung bereits fixierten — melodischen Grundmusters war.[5] So bleibt der diastematische Verlauf der Melodie in den vier Fassungen des Liedes im wesentlichen unverändert: Lediglich die zweite Fassung (WoO 126) ersetzt die absteigende Dreiklangsbewegung h'—gis'—e'—h—e' in Quartsextakkordlage am Beginn des Liedes durch eine emphatischere Grundakkordumschreibung h'—e''—h'—gis'—e' mit einem die Tonika zusätzlich fixierenden Quartinitium. Im übrigen betreffen die diastematischen Varianten eine melodische Auszierung über „Weihrauchdüfte wallen“ in der vierten Fassung (op. 121b), einen vier- bzw. sechstaktigen freien melodischen Anhang bei der Chorwiederholung am Ende der ersten und zweiten Strophe der vierten Fassung sowie einige wenige Vorschlagstöne bzw. Vorhaltsbildungen (vor allem in der ersten Fassung).

Gravierender dagegen sind die rhythmisch-metrischen Veränderungen auf der Grundlage einer in allen vier Fassungen beibehaltenen großformalen Zweiteiligkeit (die Zeilen 1—3 und 4—6 verteilen sich auf jeweils eine Periode mit Vorder- und

---

1 G. Nottebohm, *Beethoveniana,* S. 51.

2 Vgl. hierzu etwa seinen Brief vom 3. Mai 1825 an Rellstab; Thayer / Deiters / Riemann, *Ludwig van Beethovens Leben,* Bd. V ([4]1923), S. 208f.

3 Bei Matthisson kommt der Wechsel von drei- und vierfüßigen Jamben öfters vor, wie auch bei ihm neben der vierzeiligen Strophe am häufigsten die sechszeilige zu finden ist. Vgl. hierzu: J. Wehner, *Lenaus literarisches Verhältnis zu Friedrich von Matthisson,* S. 59f.

4 Zur Chronologie der vier Fassungen und zu den unterschiedlichen Interpretationen des Quellenmaterials vgl. G. Nottebohm, *Zweite Beethoveniana,* S. 540, O. Jonas, *Zur Chronologie von Beethovens „Opferlied“* und — grundlegend — K. Herbst, *Beethovens Opferliedkompositionen,* wo auch die Anfänge der vier Fassungen mitgeteilt sind.

5 Schon Nottebohm (*Beethoveniana,* S. 52) bezeichnete dieses mehrmalige Zurückkommen auf den „allerersten Entwurf“ als „merkwürdig“, da es für Beethovens Liedkompositionen untypisch sei.

Nachsatz). Die beiden Sololiedfassungen (1 und 2) bringen die Melodie in einem Allabreve-Takt. Dem achttaktigen Vordersatz der ersten Periode (Zeile 1 und 2) folgt ein auf fünf Takte gedehnter viertaktiger Nachsatz (Zeile 3) mit regelmäßiger Modulation in die Dominanttonart H-Dur. Dieses quantitative Mißverhältnis zwischen Vorder- und Nachsatz hängt nicht unmittelbar mit der Textstruktur (zwei Zeilen gegenüber einer Zeile) zusammen, denn Beethoven läßt zwar den Text der dritten Zeile wiederholen, geht aber gleichzeitig durch den Wechsel von einer Halbenoten-Bewegung in einen Viertelnoten-Schritt praktisch ins doppelte Zeitmaß über, so daß die zur Periodenfüllung an sich richtige Textwiederholung formal wirkungslos bleibt. Erst in der dritten Fassung des Liedes, die die Melodie im 2/4-Takt notiert, hebt Beethoven diese „Beschleunigung" auf und gelangt so nicht nur zu einer regelmäßigen 16- (8 + 8-) taktigen Periode, sondern auch zu einer durchgängig gleichrhythmischen Bewegung. Auch in der vierten Fassung des Liedes hält er prinzipiell an dieser Gleichgewichtigkeit zwischen Vorder- und Nachsatz der ersten Periode fest, nur daß er hier die Melodie in einen 4/4-Takt gliedert, die Schlußphrase des Nachsatzes (über „Weihrauchdüfte wallen") melismatisch um einen Takt dehnt und somit zu einer 4 + 5-taktigen Periodengliederung gelangt.

Eine noch etwas kompliziertere Binnenstruktur weist der zweite Liedteil, die zweite Periode (Zeile 4—6) auf. Hier ist in den Fassungen 1 und 2 das Verhältnis zwischen Vorder- und Nachsatz, das heißt die Zugehörigkeit des Melodieteils über der Textzeile 5, labil: Einer viertaktigen Phrase (Zeile 4) folgen eine in die Mollparallele (cis) modulierende dreitaktige (Zeile 5) sowie eine dann noch wiederholte viertaktige (Zeile 6). Die periodische Strukturierung schwankt hier zwischen 4 + 3 (Vordersatz) + 8 (Nachsatz) Takten und 4 (Vordersatz) + 3 + 4 [+Wiederholung] (Nachsatz) Takten. Diese periodische Labilität leitet sich sicher von der Inhaltsstruktur des Textes ab, denn die Zeile 5 („und laß des Jünglings Opfer dir") gehört syntaktisch zur folgenden sechsten Zeile („du Höchster wohl gefallen"), was eine Gliederung 1 + 2 Zeilen ergibt, während die erste Halbstrophe bzw. Periode (Zeile 1—3) ja eine syntaktische Zeilen-Gliederung 2 + 1 aufweist.[1] Auch hier ist die dritte Fassung des Liedes eindeutig periodisiert: Der achttaktige Vordersatz (Zeile 4 mit Textwiederholung) ist durch eine Viertelpause klarer von dem — durch die Wiederholung der Anrufung „du Höchster" — auf zehn Takte gedehnten Nachsatz (Zeile 5—6) abgehoben. Außerdem ist die cis-Moll-„Zäsur" am Ende der Zeile 5 durch einen Tonika-„Übergang" zur folgenden Zeile 6 ersetzt. Ähnlich verhält es sich in der vierten Fassung des Liedes: Hier folgt dem viertaktigen Vordersatz (Zeile 4) ein auf sechs Takte gedehnter Nachsatz (Zeile 5—6). Hinzu kommt dann in den Fassungen 3 und 4 die Wiederholung der zweiten Periode (Zeile 4—6) durch den Chor, sowie in der Fassung 4 noch eine Chor-Coda, die in der ersten Strophe vier Takte umfaßt und in der zweiten Strophe, über der Sentenz des Liedes „Gib mir das Schöne zu dem Guten", auf 6 + 2 (Orchester-)Takte melodisch gedehnt ist.

Die unterschiedliche metrisch-periodische Gestaltung und Textverteilung in den vier Fassungen führt auch — abgesehen von den verschiedenen Besetzungen — zu

1 Das alles gilt natürlich nur für die erste, hier ausschließlich zitierte Strophe des Gedichts. Die Strophenliedform der Beethovenschen Komposition verhinderte von vornherein ein spezielles kompositorisches Eingehen auf die wiederum andere syntaktische Struktur der zweiten Strophe (Zeile 1 + Zeile 2—3 / Zeile 4—6).

einer jeweils etwas differierenden Ausdrucksgebung, wenn auch die Vortragsanweisungen alle in die gleiche Richtung weisen (Fassung 1: ohne; Fassung 2: „Langsam und feierlich"; Fassung 3: „Langsam, mit innigster Andacht"; Fassung 4: „Mit innigem andächtigem Gefühl, in ziemlich langsamer Bewegung"[1]) und auch die Tonartenwahl E-Dur den objektiv-erhabenen, religiösen Charakter dieser Musik in allen vier Fassungen prädestiniert.[2] Die beiden Sololied-Fassungen (1 und 2), mit ihrer schlichten, schmucklosen Melodiegebung und ihrer unauffälligen, klanglich weitgehend ausgesparten Klavier-*Begleitung*, bewegen sich ganz in der klassischen Ausdruckssphäre eines innigen, aber emotional gefaßten Weihegebets. Dabei hat die erste (wohl nie aufgeführte) Fassung noch mehr den Charakter einer Vorstudie zur zweiten, 1808 veröffentlichten Fassung, die — trotz ihres gegenüber den übrigen Versionen geänderten Anfangs —, nicht zuletzt auch wegen der hier eliminierten Vorhalte und Pausen, einen einheitlicheren und sachlicheren Eindruck hinterläßt. Das sechstaktige Zwischen- bzw. Nachspiel (das wohl auch für die Fassung 1 vorgesehen war[3]) fügt sich bruchlos in den Gesamtduktus der Komposition ein.

Von den beiden Fassungen 3 und 4 für Soli, Chor und Orchester entspricht die dritte, mit ihrer klaren periodischen Struktur, ihrer homophonen, überwiegend syllabischen Deklamation im schlichten dreistimmigen Solo- und vierstimmigen Chortutti-Satz sowie mit dem — außerhalb des viertaktigen Vorspiels und des achttaktigen Nachspiels — die Vokalstimmen lediglich stützenden Instrumentalpart noch ganz der ästhetischen Zielsetzung der beiden Sololied-Fassungen 1 und 2. Umso extrovertierter erscheint die vierte, endgültige Fassung. Nicht nur die Solostimme schert mit den zum Teil verkürzten Notenwerten und den Fiorituren über „Eichenhain und Weihrauchdüfte wallen" aus dem gefaßt ruhigen, gravitätischen Gang aus; auch die Orchesterpartie verselbständigt sich verschiedentlich und ist an mehreren Stellen in kleine Motivpartikel aufgelöst. Ein Violoncello-Solo tritt in der zweiten Strophe mit einer fortlaufenden punktierten Figur in einen Dialog zur Solostimme und zur Chorwiederholung und lockert das ganze Gefüge noch mehr auf. Andererseits gewinnt diese Musik durch den kompakten, vierstimmigen, zum Ende der Strophen erweiterten Chorrefrain noch einen gehörigen Schuß Emphase. Es scheint, daß die fülligere Besetzung dieser Fassung auch eine gegenüber den vorangehenden kompositorischen Lösungen veränderte Ausdrucksästhetik anzeigt und daß es sich — wenn überhaupt — nicht nur um eine kompositionsstilistische Entwicklung zwischen der dritten und vierten Fassung handelt. Zwar weisen alle vier Fassungen intentional die gleiche ausdrucksmäßige Grunddisposition auf, jedoch unterscheidet sich die Fassung 4 von den vorangehenden drei Versionen im Ergebnis doch beträchtlich. Sie scheint einem anderen gattungstypologischen Zweig anzugehören. Während die Fassungen 1—3 dem schlichten, klassizistischen Solo- bzw. Chorlied verpflichtet sind, zeigt die Fassung 4 schon eine gewisse Affinität zu kantatenhafter Gestaltung.

---

1 Laut Druckvorlage ursprünglich nur „Mit Andacht".
2 Vgl. hierzu H. Boettcher, *Beethoven als Liederkomponist,* S. 128f. und 132.
3 Vgl. die Ausgabe von W. Hess.

Vielleicht liegt es an dem zeitverhafteten Text Matthissons, vielleicht auch nur an dem Mißverhältnis zwischen der einfachen kompositorischen Grundintention und dem doch relativ großen Darbietungsaufwand der Beethovenschen Vertonung, daß sich die Rezeptionsgeschichte speziell der vierten Fassung des *Opferliedes* bis heute recht bescheiden ausnimmt.[1]

Winfried Kirsch

„Bundeslied" für Soli, Chor und Bläser op. 122

GEDICHT: J. W. v. Goethe.
ENTSTEHUNGSZEIT: entworfen 1797, ausgearbeitet 1822, vermutlich überarbeitet 1824.
ERSTAUFFÜHRUNG: unbekannt, eine Wiener Aufführung vermutlich 1826.
SKIZZEN: Staatsbibliothek Preußischer Kulturbesitz Berlin, aut. 11; Gesellschaft der Musikfreunde Wien, A 50 und A 64.
AUTOGRAPH: Partitur (aus dem Besitz von Karl Holz): Bayerische Staatsbibliothek München; Klavierauszug (ohne Singstimmen, zusammen mit op. 121b): Deutsche Staatsbibliothek Berlin, Sammlung Landsberg.
ERSTDRUCK: Partitur, Stimmen und Klavierauszug: Mainz 1825 (Schott).
GESAMTAUSGABE: Alte Gesamtausgabe: Nr. 213 = Serie 22 Nr. 4 (Partitur); Supplemente zur Alten Gesamtausgabe, Bd. 5, Nr. 24 (Original-Klavierauszug, hg. von W. Hess, Wiesbaden 1980).

Beethovens *Bundeslied* („In allen guten Stunden"), mit dem autographen Vermerk „In geselligen Kreisen zu singen", ist eine im ganzen anspruchslose Gelegenheitskomposition, deren Entstehungsanlaß allerdings unbekannt ist.[2] Max Friedlaenders Vermerk in einem Brief an Humperdinck, es handele sich „bekanntlich [um] ein Hochzeitslied"[3], ist entweder im Kontext der amüsanten „Eulenspiegeleien" zu sehen, aus denen dieser Briefwechsel besteht, oder er beruht auf einer Verwechslung mit der ersten, sechsstrophigen Fassung des Goethe-Gedichtes („Bundeslied. Einem jungen Paar gesungen von Vieren")[4], deren Verse („Den künft'gen Tag' und Stunden / Nicht heut dem Tag allein, / Soll dieses Lied verbunden / von uns gesungen

---

1 Zu den frühen Presse-Stimmen über dieses Werk vgl. *AmZ* 26 (1824), Sp. 343; 27 (1825), Sp. 740 und 859; 28 (1826), Sp. 166; ferner *Cäcilia, Intelligenzblatt* zu Heft 11, S. 35; *Cäcilia* 5 (1826), S. 30f. und 247—249.

2 Die Mitteilung Schindlers, daß das Stück „1822 für den Tenoristen Ehlers zu dessen Benefice Konzert in Preßburg geschrieben" sei, hält schon Thayer (Thayer / Deiters / Riemann, *Ludwig van Beethovens Leben,* Bd. IV, [4]1923, S. 472) für „unmöglich". — Zur Editionsgeschichte der Komposition vgl. ebenda, S. 469f.; *Ludwig van Beethoven. Der Briefwechsel mit dem Verlag Schott* (1985), S. 19 und 32f.; M. Unger, *Zu den Erstdrucken,* S. 149.

3 M. Friedlaender, *Engelbert Humperdinck als Beethoven-Forscher,* S. 453; vgl. dazu G. Kinsky / H. Halm, *Das Werk Beethovens,* S. 359. Auch O. E. Deutsch (*Beethovens Goethe-Kompositionen,* S. 129) spricht von einem „Hochzeitslied".

4 Entstanden 1775 zur Hochzeit des Pfarrers J. L. Ewald in Offenbach mit Rachel Gertud du Fay aus Frankfurt am Main, im Namen von Goethe, Lili, André und dessen Frau. Vgl. J. W. v. Goethe, *Werke,* Bd. I ([12]1981, Hamburger Ausgabe), S. 93ff.

sein" etc.) unter anderem von Johann Friedrich Reichardt vertont wurden.[1] Beethoven benutzte aber die bald nach der Veröffentlichung der ersten Fassung (*Teutscher Merkur* 1776) vorgenommene fünfstrophige Umdichtung Goethes („In allen guten Stunden, / Erhöht von Lieb und Wein, / Soll dieses Lied verbunden / Von uns gesungen sein!" usw.), in der alle Anspielungen auf eine besondere Gelegenheit eliminiert sind.

So feiert das dem älteren anakreontischen Gesellschaftslied (Hagedorn) nachgebildete Gedicht Goethes ganz allgemein die heitere, freie Lebensweise („Mit freiem Lebensblick") in der einträchtigen Gemeinschaft von Gleichgesinnten, die „ein Gott zusammenhält", dem nur noch ganz entfernt ein religiöser Sinn zukommt[2], der vielmehr eine Art Schutzpatron des idealistischen Freundeskreises darstellt, einer zwischenmenschlichen Beziehung, die „Von keinen Kleinigkeiten" gestört (III, 7), „Durch Grillen nicht gedränget" (IV, 5), „Durch Zieren nicht geenget" wird (IV, 7), — eines dauerhaften Bundes, der der Herzens- und Geistesbildung dient, „die rasche Lebensbahn" weitet (V, 1—2) und einen heiteren, „nimmer bangen Blick hinan" ermöglicht (V, 3—4), „Wenn alles steigt und fällt" (V, 6). Die positive, unbeschwerte Stimmung des Gedichtes findet ihr Äquivalent in der durchgehend regelmäßigen metrischen Struktur des Textes, dessen zehn vierzeilige Volksliedstrophen (in dreihebigen, kreuzgereimten Jamben) inhaltlich paarweise in fünf achtzeilige Großstrophen gegliedert sind. Das ergibt einen sehr schmiegsamen, ausgeglichenen, geradezu musikalischen Bewegungsablauf.

Inhalt und Versbau des *Bundesliedes* entsprechen dem Einfachheits-, Volkstümlichkeits- und Geselligkeitsideal des ausgehenden 18. und beginnenden 19. Jahrhunderts. Sie zielen geradezu auf eine Musikalisierung, die auch durchaus im Sinne Goethes war, der einmal — im Zusammenhang mit den Gedichten seines *West-Östlichen Divan* — davon sprach, daß „dieses doch im Grunde für sich nackte Liederwesen" mit „musikalischer Fülle" zu bekleiden und in die Welt einzuführen sei.[3] Das trifft vor allem für jene Dichtungsart zu, die nicht „zur Reflexion hintreibt", die singbar ist, weil sie gesellig gesungen werden kann: „Denn was nicht gesellig gesungen werden kann, ist wirklich kein Gesang, wie ein Monolog kein Drama."[4] So darf es nicht verwundern, daß — auf der Basis dieser Vokalmusikästhetik — Goethes *Bundeslied* in jener Zeit recht oft vertont wurde.[5]

Auch Beethovens Vertonung des *Bundesliedes* steht in jener Tradition. Sie sei „ein treffliches Gesellschaftslied [...]; anspruchslos, aber mit Feuer und Genialität so wie gedichtet, so auch komponiert, und in so allgemein ansprechendem Tone durchgehalten [...]", meinte schon 1826 Gottfried Weber[6], und auch Thayer charakterisiert die Vertonung ganz treffend, wenn er schreibt: „Das Stück erfüllt seinen Zweck, einer frohen geselligen Stimmung Ausdruck zu geben, völlig, und will nichts

1 Vgl. *Das Erbe Deutscher Musik*, Bd. LVIII, Nr. 134.
2 Vgl. den Kommentar von E. Trunz in der Hamburger Goethe-Ausgabe.
3 Brief an Zelter vom 30. Januar 1820; M. Hecker, *Briefwechsel zwischen Goethe und Zelter*, Bd. II, S. 57.
4 Brief an Zelter vom Mai 1815; ebenda, Bd. I, S. 457.
5 Genannt seien vor allem die Bearbeitungen für eine und mehrere Stimmen von J. Fr. Reichardt (drei Versionen) und C. Fr. Zelter; vgl. K. G. Fellerer, *Das deutsche Chorlied im 19. Jahrhundert*, vor allem S. 787 und 791; W. Salmen, *Johann Friedrich Reichardt*, S. 234ff. und 296ff.
6 *Cäcilia* 5 (1826), S. 31f.

anderes"[1]; und „Fröhlichkeit ist aller Gesellschaft höchster Zweck: durch nichts wird dieser Zweck schneller, sicherer, allgemeiner erreicht als durch Gesang", hatte schon Reichardt 1782 gemeint.[2] Beethovens strophenliedförmige Vertonung erfüllt auch Reichardts Maxime, daß „das Lied der einfache und faßliche musikalische Ausdruck einer bestimmten Empfindung seyn [solle], damit es auch die Theilnahme einer jeden zum natürlichen Gesange fähigen Stimme gestatte".[3] Sie gehört zu jenen Kompositionen, die sich — im Sinne Reichardts — „ganz nah an die Dichtung anschließen und nicht mehr wollen, als jene mit dem Zauber des rhythmischen Gesanges und der musikalischen Deklamation, verstärkt durch die Kraft der bedeutenden Harmonie zum höchsten Leben zu beseelen"[4] und — ganz im Sinne Goethes — sich nicht durch eine „falsche Teilnahme am Einzelnen" auszeichnen, sondern den Text „ins Allgemeine befördern", was der Dichter ja auch mehrfach an den Liedvertonungen Zelters lobt: „Deine Kompositionen fühle ich sogleich mit meinen Liedern identisch, die Musik nimmt nur, wie ein einströmendes Gas, den Luftballon mit in die Höhe."[5]

Goethe hat Beethovens Vertonung seines *Bundesliedes*, die so ganz seiner eigenen Liedästhetik entsprach, wohl überhaupt nicht wahrgenommen. Sie hätte ihn sicher auch sehr verwundert, da sie doch so gar nicht in das Bild paßte, das Goethe von Beethoven — „er ist eine ganz ungebändigte Persönlichkeit"[6] — nach ihrer Begegnung 1812 in Teplitz gewonnen hatte. Für Beethovens Textwahl war in diesem Falle — neben der allgemeinen Verehrung, die er gegenüber dem Dichterfürsten natürlich empfand — wohl vor allem auch der aus dem *Bundeslied* sprechende Humanitätsgedanke, die Idee einer brüderlichen Gemeinschaft freier Menschen, entscheidend, nicht so sehr die pure Geselligkeitsformel, die die Textvorlage zunächst abgibt; das heißt die gelöste Freude, der Beethoven hier musikalischen Ausdruck verlieh, hatte einen konkreten ideellen Hintergrund. Dieser Gesichtspunkt bestimmte sicher auch — über den Aspekt der Tradition solcher Soli-Chor-Kompositionen von lapidarer Schlichtheit hinaus[7] — den Charakter und die eingesetzten Mittel seiner Komposition. Der Wechsel von zwei Solostimmen und drei jeweils die fünfte bis achte Textzeile refrainartig wiederholenden Chorstimmen (die zwar allesamt im Violinschlüssel notiert, wohl aber eher für Männerstimmen gedacht sind)[8] versinnbildlicht geradezu eine solche ideale Gemeinschaft, denn „im Zusammenklingen mehrerer Stimmen repräsentiert sich die brüderlich vereinte Menschheit".[9] Die einzige Variante im Ablauf der fünf Strophen stellt die Textwiederholung mit der emphatischen rhythmischen Dehnung am Schluß der letzten Strophe über „ja auf *ewig*, auf ewig so be-

1 Thayer / Deiters / Riemann, *Ludwig van Beethovens Leben,* Bd. IV ([4]1923), S. 473.
2 J. Fr. Reichardt, *Musikalisches Kunstmagazin,* Bd. I, S. 3.
3 J. Fr. Reichardt, *Musikalischer Almanach;* zit. nach W. Salmen, *Johann Friedrich Reichardt,* S. 298.
4 J. Fr. Reichardt, *Vertraute Briefe,* Bd. II (1915); zit. nach W. Salmen, *Johann Friedrich Reichardt,* S. 300f.
5 Brief an Zelter vom 11. Mai 1820; M. Hecker, *Briefwechsel zwischen Goethe und Zelter,* Bd. II, S. 70.
6 Brief an Zelter vom 2. September 1812; ebenda, Bd. I, S. 349.
7 Vgl. hierzu K. G. Fellerer, *Das deutsche Chorlied im 19. Jahrhundert,* S. 787; W. Salmen, *Johann Friedrich Reichardt,* S. 303.
8 Nach Thayer / Deiters / Riemann, *Ludwig van Beethovens Leben,* Bd. IV ([4]1923), S. 473, gibt es eine Skizze, „welche den Tenorschlüssel anwendet" und „nur 2 Stimmen Solo" anmerkt.
9 W. Salmen, *Johann Friedrich Reichardt,* S. 305, mit Bezug auf Reichardt.

stellt" dar. Auch die sechzehntaktige, zwischen Dreiklangstönen und skalischer Bewegung wechselnde, rein diatonische Melodie ist von einfachem Zuschnitt. Sie repräsentiert eine ganz regelmäßige dreiteilige Liedform (8 + 4 + 4 Takte), in der der dritte Teil eine verkürzte Kombination von Vorder- und Nachsatz des ersten Teils darstellt. Höchstens die dreifache Repetition des Tones d (über „soll dieses Lied") in dem (gegenüber dem Vordersatz melodisch anders verlaufenden) Nachsatz der ersten Periode scheint den ansonsten natürlichen Fluß dieser im ganzen sehr eingängigen Melodie etwas zu stören.[1] Die fast durchweg syllabische Deklamation des Textes ist dem Versrhythmus genau angepaßt und rundet das solide kompositionstechnische Bild weiterhin ab. Die beiden Solostimmen bewegen sich in Terzen oder fixieren im Quint- oder Sextabstand die Harmonie. Im dreistimmigen Chorrefrain wird dieser einfache, zweistimmige harmonische Stimmenauszug durch eine dritte, tiefere Stimme ergänzt, die die Grundtöne der auf die Stufen I, IV und V sich beschränkenden Harmonie wiedergibt. Der „kraftvolle" unisone Phrasenbeginn, mit dem die dritte (Refrain-)Periode eingeleitet wird, ist ein traditioneller Topos in derartigen volkstümlichen Sätzen.[2]

Etwas Farbe gewinnt die Komposition durch den begleitenden Bläsersatz, der sich in den ersten beiden Liedperioden streckenweise auf einzelne, quasi stützende Einwürfe beschränkt, in der dritten Periode und vor allem bei deren chorischer Wiederholung hingegen die Melodie voll ausharmonisierend mitspielt, wobei es zu oktavierten Verdoppelungen der Solo- bzw. Chorstimmen kommt. Über diese Begleitfunktion hinaus bestreiten die sechs Bläser jeweils achttaktige Vor- bzw. strophenverbindende Zwischenspiele sowie ein längeres Nachspiel, stets mit dem melodischen Material des Liedes. Diese pragmatische Orchesterbegleitung hielt schon Friedrich Rochlitz in seiner Besprechung der Komposition von 1825 für „vollkommen angemessen gewählt, originell fortgeführt und sehr wirksam", so daß sich das Stück „vorzüglich als frohes Tafellied" eigne.[3] Lediglich in den beiden rhythmisch gedehnten „Allegro"-Takten am Ende der fünften Strophe bricht der Instrumentalpart aus der Normalität aus: Hier verselbständigt sich die erste Klarinette zu einem kadenziellen, virtuosen Dreiklangsarpeggio in Sechzehntelsextolen[4], ohne Zweifel ein schalksnärrischer Gag Beethovens, der sich in dieser Gelegenheitskomposition ansonsten einer völligen Beschränkung der Ausdrucks- und Gestaltungsmittel unterwarf. Schon des Komponisten Vertrauter, Karl Holz, „mußte recht lachen über die originelle Stelle im Bundeslied, wo sich die Clarinette lustig macht", und der taube Beethoven äußerte: „Das Bundeslied wünschte ich zu hören, mit der Cadenz der Clarinette."[5] Vielleicht wollte Beethoven mit dieser Stelle den biedermeierlichen Grundduktus seiner Komposition sogar etwas parodieren, wie ja die Bläserbeglei-

1 Die eingängigste und wohl schönste Melodie zum *Bundeslied* erfand zweifellos C. Fr. Zelter für seinen bekannten Männerchorsatz, während Reichardts drei überlieferte Melodien (*Das Erbe Deutscher Musik*, Bd. LVIII, Nr. 26, 27 und 134), vielleicht wegen ihrer geradezu gesuchten Simplizität, streckenweise einen etwas unnatürlichen bzw. weniger sanglichen Charakter haben.

2 Vgl. hierzu K. G. Fellerer, *Das deutsche Chorlied im 19. Jahrhundert,* S. 79f.

3 Rezension in der *AmZ* 27, Nr. 44 vom 2. November 1825, Sp. 740.

4 Dabei haben wohl die Allegro-Viertel im Zeitmaß den Allabreve-Halben im Tempo I zu entsprechen.

5 K.-H. Köhler / Gr. Herre, *Ludwig van Beethovens Konversationshefte,* Bd. VIII, Heft 101, fol. 24^{v} bzw. 23^{v} (Anfang Januar 1826).

tung an sich schon den gewöhnlich einfachen Darbietungsrahmen „bei Tisch" bereits sprengt. Unter Umständen deuten auch die zahlreichen piano/forte-Anweisungen auf dem letzten bzw. ersten Viertel eines Taktes und die sforzato- und forte/piano-Phrasierungen am Taktanfang sowie die staccato-Bläserphrasierungen und auch die pleonastische Tempovorschrift „In rascher geschwinder Bewegung" in die gleiche Richtung. Wie man diese Dinge im einzelnen auch interpretieren mag, manches deutet darauf hin, daß Beethoven das ganze Stück und damit auch den geselligen Ausdrucksbereich, den es zu vertreten vorgibt, nicht so ernst nahm.

Die Klavierbegleitung in dem von ihm selbst erstellten Klavierauszug ist sehr einfach gehalten und gegenüber dem Bläsersatz stimmenmäßig reduziert. Die Allegro-Arpeggien beschränken sich hier auf eine simple Wiederholungsfigur und geben damit ihre witzige Pointe auf. So vertritt letztlich allein diese Klavier-Vokal-Fassung des *Bundesliedes* den Typus des ad hoc gemeinsam zu singenden, anspruchslosen, volkstümlichen Gesellschaftsliedes des Goethe-Kreises.

Winfried Kirsch

Missa solemnis D-Dur op. 123

ENTSTEHUNGSZEIT: 1819—1823.
ERSTAUFFÜHRUNG: Erste Gesamtaufführung: am 7. April 1824 (alter Stil 26. März 1824) in St. Petersburg in einem durch den Fürsten Galitzin veranlaßten Konzert der Philharmonischen Gesellschaft im alten philharmonischen Saal; erste Teilaufführung ohne Gloria und ohne Sanctus: am 7. Mai 1824 im Hoftheater beim Kärntnertor Wien; erste Aufführung in einem Hochamt: am 29. Juni 1830 in der katholischen Kirche Warnsdorf (Nordböhmen).
SKIZZEN: Berlin, Bonn, Genf, London, Paris, Rochester, Krakau (zusammen 20 Handschriften und Blätter).
AUTOGRAPH: Staatsbibliothek Preußischer Kulturbesitz Berlin (mit Ausnahme des Gloria); Reinschrift: Gesellschaft der Musikfreunde Wien (Arbeitsexemplar Beethovens aus dem Besitz von Johannes Brahms).
ERSTDRUCK UND WIDMUNG: Mainz 1827 (Schott); Erzherzog Rudolph von Österreich, Kardinal-Erzbischof von Olmütz, gewidmet.
GESAMTAUSGABE: Alte Gesamtausgabe: Nr. 203 = Serie 19 Nr. 1; neue kritische Augabe: Eulenburg Taschenpartitur Nr. 951 (1952 und 1985 von W. Hess revidiert).

Wenn man heute von der *Missa solemnis* spricht, so versteht es sich für weite Kreise von Musikliebhabern fast von selbst, daß damit nur Beethovens *Missa solemnis* in D-Dur op. 123 gemeint sein kann. Die Aura, welche sich im Laufe der Zeit um die Missa gebildet hat, führte, wie Adorno hervorhob, zu einer Art von „beziehungsloser Verehrung".[1] Unübersehbar ist jedenfalls die Kluft zwischen einer vielleicht nur scheinbaren Beliebtheit und der tatsächlich schwierigen Entzifferbarkeit des Werkes. Etwas von seiner Problematik ergibt sich schon aus der Rezeptionsgeschichte.

1 Th. W. Adorno, *Verfremdetes Hauptwerk*, S. 164.

Divergieren doch, wie Friedrich Coenen 1949 in seiner ungedruckten Dissertation zeigt, die Urteile zur Missa im deutschen Sprachraum des 19. Jahrhunderts oft ganz beträchtlich. Sie schwanken zwischen „ungeheuerlichster musikalischer Unsinn" bis zu „Beethoven hat alles übertroffen, was von ihm vorhanden ist". Eine ganz entscheidende Rolle spielte bei der Rezeption des Werkes, besonders seit den vierziger und fünfziger Jahren, die Frage, ob der Kritiker die Missa als für das Hochamt brauchbares oder als von liturgischer Musik mehr oder weniger unabhängiges Werk verstanden hat. Aber selbst vom kirchenmusikalischen Gesichtspunkt her gesehen ergaben sich Differenzen. Während Beethovens Freund Andreas Streicher in einem Brief vom 17. September 1824 an den Gesangverein von Zürich (im Anschluß an die Wiener Erstaufführung von Kyrie, Credo und Agnus) von kirchenmusikalischer Gemäßheit spricht, überschreiten für Joseph Fröhlich „manche Stellen die Gränze des Kirchenstyls" (*Cäcilia* 1828). Daß bis weit über die Jahrhundertmitte hinaus gerade auch bedeutende Musikschriftsteller sich mit der Missa schwer getan haben, zeigen die Stimmen von Friedrich Rochlitz und Ludwig Nohl: „Ich aber, so oft ich es [die Missa] durchgegangen, habe ich es jederzeit anstaunen und betrübt zurücklegen müssen" (1832)[1], und der Beethovenforscher Nohl, noch negativer, spricht von „fast nur ein Irren und Missgreifen" (1877).[2] Schließlich ist nun noch Beethovens eigener Beurteilung seines Werkes zu gedenken. Am 10. März 1824 schrieb der Komponist an seinen Verleger Schott in Mainz: „[...] so schwer es mir wird, über mich selbst zu reden, so halte ich sie [die Missa] doch für mein größtes Werk."[3] In diesem Sinne zu deuten ist auch das 1820 entstandene Porträt des Komponisten von Karl Stieler, das Beethoven mit einem Notenumschlag zeigt, auf dem zu lesen ist: „Missa Solemnis ex D".

Es besteht kein Zweifel: Die Missa ist ein Ausnahmewerk. Ohne Auftragskomposition im engeren Sinne des Wortes zu sein, war sie, auf Beethovens eigene Initiative, für das am 9. März 1820 zu feiernde Hochamt anläßlich der Inthronisation des Erzherzogs Rudolph als Erzbischof von Olmütz geplant „zur Verherrlichung des feierlichen Tages". Die Vollendung des Werkes allerdings ließ noch mehrere Jahre auf sich warten. Erst am 7. Januar 1823 meldet Beethoven die Fertigstellung der Missa, und am 19. März desselben Jahres überreichte der Komponist das Werk seinem Widmungsträger: Mehr als vier Jahre (Überarbeitungen nicht eingerechnet) hatte die Arbeit gedauert. Außergewöhnlich ist auch, daß Beethoven seine Missa, bevor er sie zum Druck freigab, verschiedenen Fürstenhäusern in Abschriften anbot. Ungewöhnlich schließlich die Uraufführung: nicht in Wien, sondern, auf Veranlassung des Fürsten Galitzin, am 7. April 1824 in St. Petersburg als Konzert der dortigen Philharmonischen Gesellschaft. Auf dem Programm erschien das Werk nicht als *Missa solemnis*, sondern als *Oratorium*, ein Gattungsbegriff, der nicht nur damit zusammenhängen mag, daß im russisch-orthodoxen Bereich die lateinische Missa des römischen Ritus nicht allgemein bekannt war, sondern auch von Beethoven selbst in zwei fast gleichlautenden Briefen vom 8. Februar 1823 an Goethe und an Friedrich Zelter verwendet worden ist: „[...] eine große Messe, welche auch als

1 Fr. Rochlitz, *Für Freunde der Tonkunst,* Bd. IV, S. 240f.
2 L. Nohl, *Beethovens Leben,* Bd. III, S. 150.
3 E. Kastner / J. Kapp, *Ludwig van Beethovens sämtliche Briefe,* S. 706.

Oratorium könnte [...] gegeben werden."[1] Eine erste Teilaufführung des Werkes fand in Wien am 7. Mai 1824 im k.k. Hoftheater statt, wo es, ohne Gloria und Sanctus, zusammen mit der Ouvertüre op. 124 und der Uraufführung der 9. Symphonie auf dem Programm stand; die drei aufgeführten Sätze waren hier aus Zensurgründen als Hymnen bezeichnet; war damals doch die Verwendung des Messetextes in profanem Kreis verboten.

Wenn auch die Bezeichnung der Missa als Oratorium ihre besonderen Gründe hat, so stellt sich heute doch die grundsätzliche Frage, als was denn Beethovens *Missa solemnis* anzusehen sei: als Messe bzw. Fest- oder Konzertmesse, als Oratorium oder gar als Chorsymphonie mit liturgischem Text? Daß die Missa, trotz all ihrer Besonderheiten und trotz all ihrer unterschiedlichen Facetten, ein Werk ist, das tief in einer liturgischen Tradition steht, ergibt sich schon allein daraus, daß Beethoven, mit einer ganz kleinen Ausnahme im Gloria, den Messe-Ordinariumstext wörtlich übernommen hat. Großes Gewicht hat er dabei nicht nur auf die sprachliche Gestalt, sondern auch auf die präzise Bedeutung der liturgischen Texte gelegt. In einer Notiz des Jahres 1818, das heißt wohl kurz vor dem Beginn der Arbeit an der Missa, heißt es: „Um wahre Kirchenmusik zu schreiben — alle Kirchenchoräle der Mönche durchgehen auch zu suchen, wie die Absätze in richtigsten Uebersetzungen nebst vollkommener Prosodie aller christkatholischen Psalmen und Gesänge überhaupt."[2] Daß die hier geäußerten Gedanken sich auf die Komposition der Missa ausgewirkt haben, ergibt sich aus der wie Stilzitate wirkenden, psalmodisch-rhythmischen Prosa (z.B. Credo, T. 141f.) und aus vereinzelten kirchentonartlichen Wendungen sowie aus der Verwendung eines stile antico für gewisse Abschnitte. Schwer verständlich von der Komposition her, in der Tendenz aber bezeichnend, ist Beethovens Bemerkung, die Missa könnte „beinahe bloss a cappella" aufgeführt werden. Daß das Werk jedenfalls keine solistische Konzertmesse ist, fiel schon den Zeitgenossen auf. Andreas Streicher, in dem oben erwähnten Brief, spricht ausdrücklich davon, daß Arien und Duette gänzlich vermieden seien. Ein weiteres traditionelles Element, auf das Warren Kirkendale nachdrücklich aufmerksam gemacht hat, ist in den Bezügen von Beethovens Missa zu rhetorischen Traditionen des Barock bis zurück ins Mittelalter zu sehen.[3] Doch selbst, wenn man berücksichtigt, daß in Wien die alten Rhetoriklehren bis ins 19. Jahrhundert nachgewirkt haben, sollte nicht vergessen werden, was Carl Dahlhaus (1987) im Hinblick auf Beethovens Verwendung archaischer Elemente gesagt hat, daß nämlich solche nicht als Rückzug auf einen alten Stil, sondern viel eher als „Ferment von Modernität, als ‚bestimmte Negation' der klassischen Stilnorm" zu begreifen seien.[4]

Eine weitere, für das Verständnis der Missa wichtige Komponente besteht in Beethovens persönlichem, seine Frömmigkeit widerspiegelndem Engagement. Keineswegs war der Komponist seiner Kirche und deren Glauben entfremdet; Beethoven ist vielmehr, schon von seiner Bonner Herkunft, als katholischer Aufklärer zu bezeichnen, der damit zugleich das Humanitätsideal des ausgehenden 18. Jahrhunderts vertritt. Die Missa ist nach Beethovens eigenen Worten dazu bestimmt, „bei

1 Ebenda, S. 639.
2 Zit. nach Thayer / Deiters / Riemann, *Ludwig van Beethovens Leben,* Bd. IV, S. 130.
3 Vgl. W. Kirkendale, *Beethovens Missa Solemnis und die rhetorische Tradition.*
4 C. Dahlhaus, *Ludwig van Beethoven und seine Zeit,* S. 243.

den Singenden als bei den Zuhörenden religiöse Gefühle zu erwecken und dauernd zu machen" (Brief vom 16. 9. 1824 an J. A. Streicher).[1] Aus dieser Haltung sind Bezeichnungen wie „Mit Andacht" im Kyrie und Sanctus sowie das berühmte „Von Herzen — Möge es wieder — zu Herzen gehen!" zu verstehen, ein Wort, das mit Pascals Glaubensdefinition „Dieu sensible au cœur" in Verbindung gebracht werden kann.

Schon zwei von Beethovens Zeitgenossen haben in ihren im 9. Jahrgang der Zeitschrift *Cäcilia* 1828 veröffentlichten Rezensionen auf die Dramatik einzelner Abschnitte der Missa hingewiesen. So spricht Joseph Fröhlich davon, daß Beethoven mit dem Gloria „in das ungebundene Feld der dramatischen Musik durch das Uebermass seiner drängenden Kraft geleitet worden sey", und Ignaz Xaver von Seyfried schreibt mit Bezug auf Gloria und Credo von einer „rhapsodischen Behandlungsweise", von einem „häufigen, unmotivierten Wechsel des Zeitmasses, der Ton- und Tactarten", woraus sich ein „zerstückeltes Bild" ergebe. In diesem Zusammenhang ist ein Brief Beethovens an den Schott-Verlag aus der zweiten Dezemberhälfte 1826 von Interesse, mit welchem der Komponist die allerdings nie erfolgte Übersendung der Metronomisierungen zur Missa mit der vielsagenden Bemerkung ankündigt: „Wir können beinahe keine *tempi ordinari* mehr haben, indem man sich nach den Ideen des freyen Genius richten muß."[2] Wenn auch der Messetext als Verbalisierung eines stets wiederholbaren Rituals und wegen des Fehlens diskursiven Redens nicht, jedenfalls nicht primär, als dramatisch zu verstehen ist, so besagt dies nicht, daß in der Vertonung des Messetextes, insbesondere seit der Wiener Klassik, dramatische Akzente und Passagen fehlen würden. Solche spielen auch für Beethovens Missa eine bedeutende Rolle. Dies heißt nun freilich nicht, daß die gesamte Missa oder deren einzelne Sätze notwendigerweise große dramatische Einheiten im Sinne eines symphonischen, auf prozessualen Entwicklungen beruhenden Stils aus Beethovens mittlerer Stilperiode bilden müßten. Wie Carl Dahlhaus richtig bemerkt, kann in Beethovens Spätwerk „von thematisch-motivischer Arbeit oder entwickelnder Variation [...] fast nirgends die Rede sein [...]. Der Konnex bildete sich [...] in einer halb latenten, submotivischen Schicht des Tonsatzes".[3] Zu dieser Schicht gehören unter anderem die von Joseph Schmidt-Görg (1962) aufgezeigten fallenden Terzen und die damit in Verbindung stehenden fallenden Dreiklangsbildungen.[4] Ein weiteres wichtiges, Einheit schaffendes Moment bilden die von Thrasybulos G. Georgiades zu Beginn und vor allem am Ende der Sätze nachgewiesenen, nach vorn und nach hinten überhängenden, das heißt nicht mit den metrischen Taktschwerpunkten übereinstimmenden Strukturen; so zum Beispiel der Schluß des Gloria[5]:

1

1 E. Kastner / J. Kapp, *Ludwig van Beethovens sämtliche Briefe,* S. 726.
2 Ebenda, S. 833.
3 C. Dahlhaus, *Ludwig van Beethoven und seine Zeit,* S. 239.
4 Vgl. J. Schmidt-Görg, *Zur melodischen Einheit in Beethovens „Missa solemnis".*
5 Vgl. Thr. G. Georgiades, *Zu den Satzschlüssen der Missa solemnis.*

Zu den dem Ganzen übergeordneten Elementen gehört auch das Vermeiden von Dominant—Tonika-Kadenzen klassischer Stilnorm am Schluß der Sätze: Kyrie und Agnus enden mit stufenweise in die Tonika fallenden Bässen, die übrigen drei Sätze schließen plagal. Was die Unterabschnitte der einzelnen Sätze betrifft, gehen diese sozusagen nahtlos, das heißt ohne Vollkadenzen oder Generalpausen ineinander über. Besonders bemerkenswert ist dies bei den von der Tradition üblicherweise deutlich voneinander abgesetzten Sätzen wie „Qui tollis" im Gloria oder „Et incarnatus est" im Credo. In beiden Fällen, wie auch im Sanctus beim Übergang vom Osanna zum Praeludium des Benedictus, sind die Abschnitte durch übergebundene Klänge bzw. Töne realisiert: Kontraste werden durch solche und ähnliche Vermittlungen nicht abgeschwächt, sondern eher überraschungsartig intensiviert. Die hier zusammenfassend skizzierten Strukturelemente reichen weit über die Missa hinaus und lassen gemeinsame Züge des Beethovenschen Spätwerks erkennen, die ebenso für die 9. Symphonie wie auch für die späten Klavierwerke und insbesondere für die letzten fünf Streichquartette Geltung besitzen. Solche Zusammenhänge werden deutlich aus den Skizzen erkennbar, wo zuweilen ein Werk ins andere überzugehen scheint.

Eine besondere Situation der Missa im Rahmen der Spätwerke ergibt sich aus der an sich trivialen Feststellung, daß es in diesem Werk um die Vertonung von Texten geht. Schon zur C-Dur-Messe op. 86 hatte Beethoven am 8. Juni 1808 an Breitkopf & Härtel geschrieben: „Von meiner Messe [...] glaube ich, daß ich den Text behandelt habe, wie er noch wenig behandelt worden."[1] Dasselbe hätte der Komponist auch von der *Missa solemnis* sagen können. Über das schon oben zu Beethovens sorgfältiger Textvertonung Gesagte hinaus lassen sich wesentliche Aufschlüsse über Beethovens Textverständnis und damit wichtige Einsichten auch für unser Werkverständnis aus der Art des Umgangs des Komponisten mit seinem Text gewinnen. Solches bezieht sich nicht nur auf die vokalen Partien des Werkes. Wie schon Fröhlich bemerkt, sind die „Gefühle auch vor dem Eintritte der Singstimmen von den Instrumenten so wahr entwickelt, dass der Hörer beim ausgesprochenen Wort nur die Bestärkung der in seiner Seele gebildeten Erregung und Anschauung erhält"; das heißt die instrumentalen Partien erheben „sich jedesmal bis zur Glut und Wahrheit wirklicher Sprache". So sind es vor allem expressive Partien, wie der Beginn des Kyrie, das „Gratias agimus" und „Qui tollis peccata mundi" des Gloria, Sanctus und Benedictus sowie die beiden Agnus Dei-Rufe, die sich von instrumentaler zu vokaler Textaussage verdichten.

Nach diesen im Hinblick auf die Bedeutung des Kontextes der Missa relativ ausführlichen allgemeinen Bemerkungen sei nun im folgenden auf die einzelnen Sätze des Werkes eingegangen.

KYRIE. Das traditionell dreiteilige Kyrie (Kyrie—Christe—Kyrie) beginnt mit der dreisilbigen Kyrie-Anrufung, zunächst scheinbar nicht wesentlich anders als in manchen Messen von Beethovens Vorgängern und Zeitgenossen. Doch fällt hier die schon oben erwähnte metrische Eigenheit auf, die Beethovens Kyrie von allen früheren Stücken unterscheidet: Orchester- und nach einigen Takten folgender Choreinsatz erfolgen nicht auf Taktbeginn, sondern im Forte um einen halben alla-breve-

1 E. Kastner / J. Kapp, *Ludwig van Beethovens sämtliche Briefe,* S. 115.

Takt voraus. Unterstützt wird die synkopisch betonende Wirkung dieses Voraus dadurch, daß Trompeten und Pauken erst auf die folgende Eins einsetzen:

2

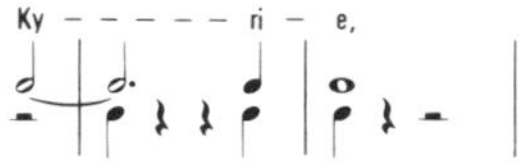

Dadurch erscheint die Anrufung dramatisch gesteigert. Als um so deutlicherer Kontrast wirken die folgenden Piano-Takte in ihrem Note-gegen-Note-Satz, der wie eine stile antico-Reminiszenz klingt, eine Deutung, die in den Skizzen durch eine allerdings von Beethoven nicht realisierte Bemerkung „bloss mit blasenden Instrumenten und Orgel“ sowie „dor.“ (dorisch?) eine gewisse Bestätigung erfährt. Mit der zweiten Hälfte von Takt 21 setzt der Chor mit „Kyrie“ ein; dreimal, in Anlehnung an die von der Liturgie vorgegebene dreimalige Anrufung, gefolgt von einer jetzt volltaktig einsetzenden Solostimme, die von Holzbläsern und Orchesterbaß im Sinne einer Vorwegnahme des Wortes „eleison“ im Piano begleitet wird. Dieser Anfang steht für einen Grundzug der ganzen Missa: dramatischer Aufbruch und Zurücknahme ins still feierliche Ritual. Bis zum Ende des ersten Kyrie ist der Wechsel von forte und piano bestimmend, wobei die Zuordnung des Forte zu „Kyrie“ und die des Piano zu „eleison“ nicht konstant bleibt. Im Sinne dramatisch bewegter Deklamation ist auch die immer wieder andersartige Rhythmisierung des Wortes „Kyrie“ zu verstehen.

Als Kontrast nach dem Assai sostenuto des Kyrie folgt ohne Unterbruch der Christe-Teil im Andante assai und in h-Moll, der Paralleltonart zum D-Dur des eröffnenden Kyrie. Anders als dieses ist das Mittelstück von einer fließenden Viertelbewegung im 3/2-Takt bestimmt. Anstelle des Alternierens von „Kyrie“ und „eleison“ tritt jetzt ein kontrapunktisch simultanes Gegeneinander von „Christe“ und „eleison“, möglicherweise als Symbolisierung der Doppelnatur Christi (Gott — Mensch) zu deuten. Harmonisch-mediantisch eng verknüpft (fis—a / D—fis—a) ist der Mittelteil mit dem abschließenden, das erste Kyrie relativ stark variierenden Abschnitt. Abgesehen von neuen harmonischen Wendungen wird hier, im Anschluß an eine Kumulierung der Kyrie-Rufe, das bis dahin zweitaktige „eleison“ auf fünf, expressiv mit Sforzati versehene Takte erweitert (T. 184ff.). Schon an dieser Stelle tritt die im Laufe der Missa immer wieder zu beobachtende Hervorhebung des für Beethoven zweifellos zentralen Begriffes eleison / miserere zutage.

Bei aller deklamatorisch dramatischen Anrufung Gottes ist der erste Satz der Missa als Gebet zu verstehen, das, ohne Verwendung von Posaunen, mit seinen am Schluß verklingenden, zu forte—diminuendo—piano—pianissimo zusammengefaßten Kyrie- und eleison-Rufen und mit der fallenden Terz a'—fis' nach vorne offen bleibt.

Gloria. Ein größerer Gegensatz als der von stillem Kyrie-Schluß und den das Gloria eröffnenden, im Allegro vivace nach oben drängenden Fortissimo-Figuren ist kaum denkbar. Daß aber die beiden Sätze von Beethoven im Sinne eines komplementär dialektischen Gegenübers von introvertiertem Gebet und extravertiertem Lobeshymnus verstanden worden sind, ergibt sich aus der gemeinsamen Tonart D-Dur und aus dem Terzfall a—fis, der nicht nur das Kyrie, sondern auch, nun allerdings im Fortissimo, den Anruf „Gloria in excelsis Deo" abschließt (T. 8 und 10). Wie Arnold Schmitz dargelegt hat, sind weite Teile des Gloria Beethovens, aber auch schon anderer Komponisten vor ihm, als Akklamationen, das heißt als öffentliche, hier liturgisch legitimierte Lobes- und Beifallsrufe zu deuten.[1] Der rituelle Akklamations-Charakter ergibt sich allein schon aus der großformalen, auf Wiederholung des Anfangsthemas beruhenden Gestalt des Satzes. Daß der Begriff Rondo hier nicht so ganz abwegig sein dürfte, ergibt sich aus einer Notiz in einer Skizze Beethovens, wo das Wort „Ritornell" erscheint. Unterstrichen wird der triumphale Anfang des Satzes durch eine spannungsgeladene Metrik: Dem 3/4-Takt der Streicher und der Orgel sind die Hemiolen der Bläser und der folgenden Vokalstimmen gegenübergestellt:

3

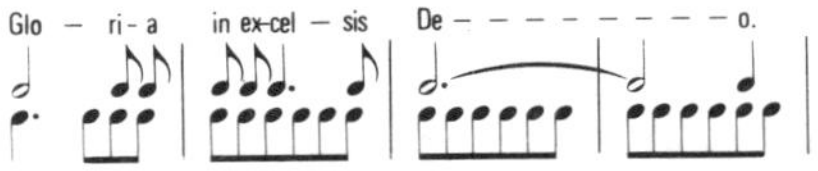

Akklamationen sind auch die zu anapästischen Rhythmen gesteigerten Gloria-Rufe, die sich erstmals in Takt 17f. und vor allem dann, nun in verdichteter Gestalt, am Abschluß des Satzes finden. Daß gerade dieser in seiner traditionellen Affirmation doch unkonventionelle Schluß für Beethoven von besonderer Bedeutung war, zeigt der Brief vom 13. Dezember 1823 an den für die Uraufführung der Missa in Petersburg verantwortlichen Fürsten Galitzin, wo die letzten vier Takte des Satzes, wohl ihrer metrischen Besonderheit wegen, nochmals speziell in Noten ausgeschrieben, vermerkt sind (vgl. oben Notenbeispiel 1).

Das Gloria läßt sich in drei Großabschnitte unterteilen.

1. Teil: Allegro vivace („Gloria...") — Meno Allegro („Gratias agimus") — Tempo I („Domine Deus" bis „Filius patris").
2. Teil: Larghetto („Qui tollis" bis „Miserere nobis").
3. Teil: Verschiedene Allegro-Varianten („Quoniam" bis „Amen") und Presto (variierte, gesteigerte Repetition des Satzbeginns).

Den Höhepunkt des ersten Teils stellt das über vier Takte ausgehaltene und dann über eine Duodezim a''—a'—d' in die Tonika abstürzende „omnipotens" (T. 186—190) dar, wo als Symbol der Allmacht Gottes die Posaunen zum erstenmal in der Missa (hier von Beethoven nachträglich) eingesetzt sind.

Inhaltlich gesehen steht im Mittelpunkt des zweiten, zu den Akklamationen der Eckteile kontrastierenden Teils das Wort „miserere": Es erklingt in 35 der insgesamt 80 Takte dieses Teiles. Nachdem es in Takt 282—288 als diskursiver Gegensatz der Solostimmen zum „qui sedet ad dexteram patris" des Chores gesetzt ist, erscheint es, homorhythmisch vom Chor deklamiert, im Fortissimo auf einem fis-Moll-Quartsextakkord (T. 293f.). Aus diesem lösen sich, jetzt im Piano, miserere-Rufe, welche mit ihren affektiven, von Beethoven dem Text hinzugefügten „o"- und „ah"-Exklamationen als Chiffren für den aktiv selbstgedachten und selbstgefühlten Glauben des Komponisten zu deuten sind. Über die fallende Terz cis—a verbunden folgt nun mit „Quoniam tu solus Dominus" der in vier Abschnitte

1 Vgl. A. Schmitz, *Zum Verständnis des Gloria in Beethovens Missa solemnis.*

gegliederte dritte Teil des Gloria, ein die traditionelle Gloria-Schlußfuge weit überragendes Formgebäude von symphonisch monumentalem Charakter: Dreimal erklingen ab Takt 310 fanfarenhafte Orchesteroktaven im Fortissimo, die jeweils auf das vokale „Quoniam" hinführen, beim dritten Mal zu einer durch Imitation erreichten Vierstimmigkeit verdichtet. Mit der Silbe „-tis-" („altissimus") beginnt ein homophoner Block, der nach fünftaktig liegendem a in allen Chorstimmen und scharfer Punktierung samt synkopischen Sforzati im Orchester zur homorhythmischen Deklamation der Worte „(altis-)simus, Jesu Christe, cum sancto spiritu in gloria Dei patris, amen", jetzt mit Orchestersforzati auf Taktbeginn, führt. Hier wird die chorische Deklamation zum Ruf der Menschheit, zum dramatischen Höhepunkt einer nicht allein vom christlichen Glauben, sondern auch vom Humanitätsgedanken getragenen Musik. So erklärt sich denn auch die stellenweise enge Beziehung der Missa zur ungefähr mit dieser zusammen entstandenen 9. Symphonie. Nicht nur die genannte Partie in ihrer blockhaften Monumentalität steht Abschnitten aus dem Finale der Symphonie nahe, auch die Melodieführung g''—gis''—a''—(b'') in den Takten 531ff. findet eine Analogie im „Such ihn überm Sternenzelt" des Chorfinales.

Als Verstoß gegen das liturgische Ritual wurde von Dogmatikern die Wiederholung der Anfangsworte des Satzes „Gloria in excelsis Deo" der Takte 525ff. kritisiert. Diese Repetition der Anfangstakte in gesteigertem Tempo (Presto statt Allegro vivace), verbunden mit einer blockhaften Verdichtung der Gloria-Akklamationen, ist als dramatischer Gestus zu verstehen, welcher der Anagnorisis, das heißt dem Ereignis des Wiedererkennens im antiken Drama vergleichbar ist.

CREDO. Das Wort „Credo" ist für Beethoven von zentraler Bedeutung. Mit seiner fallenden kleinen Terz b—g übernimmt der Komponist die zwei ersten Töne der liturgischen Intonation. Gerügt jedoch wurde von kirchlich strengen Kreisen, daß, im Gegensatz zur rituellen Vorlage, der Credo-Ruf im Verlaufe des Satzes mehrfach ritornellartig wiederholt wird: vor „in unum Dominum", „in spiritum sanctum", „in unam sanctam" und vor „in remissionem peccatorum"; ohne Text erscheint das Credomotiv zudem zweimal in Bässen und Posaunen während des „Amen" (T. 410f. und 424f.). Solche Wiederholungen sind keinesfalls als Neuerung Beethovens zu verstehen. Schon im 18. Jahrhundert (u.a. bei Mozart) gab es den Typus der sogenannten Credo-Messe. Die drei ersten Wiederholungen bei Beethoven unterstreichen den Trinitätsgedanken. Auch von den übrigen Einsätzen des Wortes „Credo" lassen sich Verbindungen zu Beethovens Glaubensverständnis herstellen.

Ein weiterer Haupteinschnitt des Satzes liegt, ebenfalls in alten Traditionen wurzelnd, vor dem „Et incarnatus est". Während der erste Teil des Credo (T. 1—123f.), den dogmatischen Textaussagen entsprechend, vorwiegend von Imitationen durchzogene Klangblöcke aufweist, wandeln sich Charakter und Satztechnik mit dem zweiten, die Vita Christi von der Inkarnation und Menschwerdung über Kreuzigung, Tod, Auferstehung und Wiederkunft umfassenden Teil, wobei die hier verwendete Symbolik, wie William Kinderman (1985) gezeigt hat, weit über die Tonmalereien des „descendit" und „ascendit" hinausgeht.[1] Daß die gesamte Partie,

1 Vgl. W. Kinderman, *Beethoven's Symbol for Deity*, S. 106ff.

schon vom „descendit de coelis“ an, von Beethoven als dramatisches Geschehen verstanden worden ist, zeigen besonders deutlich zwei Abschnitte: „Et incarnatus est“ bis „Et resurrexit“ und „cujus regni non erit finis“. Merkwürdig, aber von der Sache her erklärbar, ist die Vertonung der Konjunktion „et“, deren verbindende und zugleich trennende Bedeutung spätestens von Haydn in seiner *Missa in tempore belli* als dramatisches Element verstanden worden ist. Im Mittelteil von Beethovens Credo-Vertonung tritt es mehrfach auf: zu Beginn des Incarnatus-Teiles (T. 125f.) vom Solotenor piano diminuendo vorgetragen und isoliert zwischen zwei Pausen, dann gleich anschließend wiederholt, diesmal als Beginn einer melodischen Phrase:

4

Die eigenartigen Trillerfiguren der Flöte in hoher Lage (T. 134ff.) zum „de spiritu sancto“ sind schon 1828 vom Musikschriftsteller Seyfried als Anspielung auf den in Gestalt einer Taube über Maria schwebenden Heiligen Geist gedeutet worden. Auch beim „et homo factus est“ (T. 143f.), wiederum dem Solotenor zugewiesen, steht „et“ zweimal, das erste Mal gleichsam zögernd auf schwachem Taktteil als Quinte e’ des Dominantakkordes auf a, dann als Terzton fis’ der nun gefestigten Tonika D im Forte:

5

Daß hier, im Gegensatz zum vorangehenden kirchentonartlich gefärbten Abschnitt, das „et“ in eindeutiger Dur-Tonalität erscheint, ist Signet für den gegenwärtigen Menschen, den „homo factus“. So hat es jedenfalls Beethoven verstanden, der in einer Skizze zu dieser Stelle notiert: „hier menschlich“. In dieselbe Richtung weist auch das neue, bei Aufführungen leider nicht immer genügend berücksichtigte fließende Tempo (Andante statt vorangehendem Adagio). Nun folgt das „Crucifixus“ (Adagio espressivo), dessen diskursiv übereinander geschichtete, zum Teil auf barocke Rhetorik zurückführbare Figuren und Rhythmen bei Beethoven zu affektiver Dramatik verdichtet sind. Nochmals erscheint ein durch Pausen isoliertes und wiederholtes „et“, jetzt im Pianissimo zu den Worten „et sepultus est“ (T. 179f.). Schon früh hat das als begleitungsloser Ruf des Chortenors auf einem einzigen Ton g deklamierte, das „et“ nun nicht mehr wiederholende „Et resurrexit“ (T. 188f.) durch seine Knappheit und Schmucklosigkeit Verwunderung hervorgerufen. Für Beethoven sind diese zwei Worte offenbar Ausdruck eines Unbeschreibbaren, als dramatische Handlung Unfaßbaren. Jetzt folgt unmittelbar anschließend das „tertia die secundum scripturas“ in akkordischer stile antico-Rezitation mit kirchentonartlicher Färbung (Akkorde G—C—B—F—a—G). Erst mit dem bewegtes Handeln zum Ausdruck bringenden „Et ascendit“ treten die dramatischen Züge wieder hervor.

Der letzte, mit den Worten „Credo in Spiritum Sanctum“ auf den Beginn des Credos zurückgreifende Teil führt mit seiner Doppelfuge „Et vitam venturi saeculi“

(ab T. 306) zu einem gewaltigen, als Steigerung angelegten mehrgliedrigen Komplex. Das Ziel dieser Steigerung scheint, vorbereitet durch das jetzt ohne Text in den Blechbläsern und Baßinstrumenten erklingende Credo-Thema, in Takt 433 mit dem triumphalen Fortissimo des Grave erreicht zu sein. Doch nun — ganz anders als im Gloria — löst sich das Amen in Piano-Melismen der Solostimmen auf, durchsetzt von Amen-Rufen des Chores, die ausbruchartig ganz kurz in Takt 463 im Fortissimo erklingen, um sogleich wieder ins Pianissimo der lange gehaltenen Schlußklänge überzugehen. Gleichzeitig finden sich im Orchesterpart schon vorher (T. 451ff.) zum „amen" in den Vokalstimmen vorhandene, aufsteigende Achtel- und schließlich Sechzehntelskalen. Der letzte Takt bringt in den Bässen mit der fallenden Terz d—B, von Beethoven im Autograph nachgetragen, eine als submotivisch zu bezeichnende Erinnerung an das „et vitam venturi saeculi" (f''—f''—f''—f''—d''—b'). Der symphonische Impetus der dramatischen Steigerung ist gebrochen, Musik verströmt ins Flächenhafte: Abstraktion an Stelle von Sinnlichkeit. Eine Dimension wird spürbar, die am ehesten an Episoden aus den späten Quartetten und aus der 9. Symphonie erinnert. Hierzu paßt Kindermans Feststellung, daß das Credo der Missa als kompositorisches Modell für wesentliche Teile des Symphoniefinales gedient haben dürfte.[1]

SANCTUS — BENEDICTUS. Das Sanctus beginnt „Adagio. Mit Andacht". Klanglich sind die ersten Takte von unten nach oben aufgebaut: Sukzessiv im Piano setzen Bässe, Celli, Bratschen, Klarinetten, dann die Hörner II und III sowie die Posaunen ein. Auch das Kyrie war „Mit Andacht" überschrieben; zudem sind gewisse intervallisch-strukturelle Bezüge zwischen dem Beginn des Sanctus und dem Baß der Piano-Takte 5ff. des Kyrie festzustellen: Sanctus H—(Cis)—A—D (Solcalt d'—e'—a), Kyrie A—d—e. Beide Sätze sind Gebete, jedoch mit dem wesentlichen Unterschied, daß das Kyrie eine mit Anrufung beginnende Bitte um Erbarmen, das Sanctus feierliche, aus der Tiefe aufsteigende Anbetung des Dominus Deus Sabaoth darstellt. Mit dieser Deutung eines weder Erbarmen noch Glorie, sondern Ehrfurcht fordernden Sanctus steht Beethoven in einer langen Tradition.

Dreimal erklingt der Sanctus-Ruf, beim dritten Mal nur noch mezza voce rezitierend im Pianissimo über einem Nonenakkord ins Tremolo aufgelöst. Daß hier derselbe Gott angerufen wird wie in der 9. Symphonie, zeigt die zwar nicht rhythmische, wohl aber harmonische Identität des „Deus Sabaoth" und des „Über Sternen muß er wohnen". In beiden Passagen wird der Dominantnonenakkord mit dem Übergang zum folgenden Allegro in die D-Dur-Tonika aufgelöst: „Pleni sunt coeli" und „Seid umschlungen Millionen / Freude schöner Götterfunken" sind für Beethoven gleichbedeutend, zwei Facetten derselben Sache, das eine Mal liturgisch, das andere Mal humanistisch formuliert. Mit dem in vierstimmiger Imitation beginnenden und zu homorhythmischer Chordeklamation gesteigerten „Pleni sunt coeli" setzen, erstmals in diesem Satz, die Violinen ein. In gleicher Weise strukturiert (Imitationen und blockartige Chordeklamation) ist das folgende „Osanna", dessen vorletzter Akkord, höchst eigenwillig in hoher Lage über drei Takte gehalten, mit synkopisch taktverschiebenden Sforzati versehen ist:

1 Vgl. ebenda, S. 115ff.

6

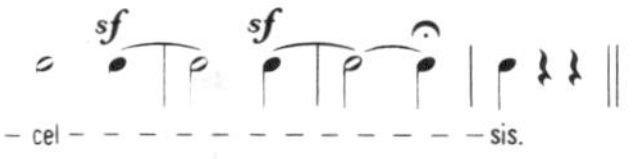

Das nun folgende Praeludium, das mit seinen drei ersten Tönen d'—e'—a' motivisch mit dem Beginn des Sanctus zusammenhängt, ist als Unikum im Rahmen der Messe-Vertonung des 19. Jahrhunderts zu bezeichnen. Wie Kirkendale überzeugend dargelegt hat, handelt es sich hier nicht um ein Vorspiel zum Benedictus, sondern um eine Musik zur Elevation der Hostie, analog zur gewöhnlich improvisierten Orgelmusik während der Wandlung. Es ist nicht auszuschließen, daß Beethoven Adriano Banchieris Traktat *L'organo suonarino* (1605) kannte, wo zwischen Sanctus und Benedictus Orgelspiel verlangt wird: „Si suona alla Levatione, ma piano & grave che muovi alla devotione." Dieser Forderung entspricht Beethoven mit seinem leicht modal gefärbten, in gebundenem Orgelstil von Bläsern und tiefen Streichern vorzutragenden Praeludium. Damit folgte Beethoven überdies, wenigstens im Prinzip, einer Verordnung von 1819, die für die Wandlungsmusik ein „sanftes Sanctus oder das Heilig, heilig, heilig oder ein leises Tantum ergo mit der Orgel" verlangte.[1]

Für die ganze Missa charakteristisch, geht auch das Praeludium ohne Unterbruch in das folgende, von der die Präsenz des Erlösers symbolisierenden Solovioline dominierte Benedictus über. Im Sinne einer für Beethovens Missa typischen Vermittlung von Kontrastierendem (vgl. u.a. auch den zu dieser Stelle inhaltlich analogen Beginn des „Et incarnatus est") ist der um einen Takt vorausgenommene Einsatz des Soloinstruments auf hohem g''' zu verstehen. Wie schon oft bemerkt, weisen Melodie und pastoraler 12/8-Takt des Benedictus auf einen inhaltlich-musikalischen Zusammenhang mit der berühmten, Beethoven sicherlich vertrauten Arie „Er weidet seine Herde" aus dem Weihnachtsteil von Händels *Messias*. Durch das Medium der Solovioline erscheint Beethovens Komposition zugleich vergeistigt und doch von einer klanglich sinnlichen Aura umgeben. Der für sich allein stehende, vier Takte nach dem Violineinsatz vom Chorbaß auf d vorgetragene Text „Benedictus qui venit in nomine Domini" ist als verbale Verdeutlichung der schon voraus erklungenen und weiterklingenden Musik der Solovioline zu verstehen. An diese drei Takte anschließend folgen weitere drei Takte, in denen Trompeten, Posaunen und Pauken im Pianissimo den Rhythmus „benedictus" dreimal skandieren und damit den Einsatz von Soloalt und Solobaß in Takt 133f. vorausnehmen:

7

Zum Gesamtcharakter des Satzes trägt das ruhige Fortschreiten der Harmonien bei.

Es ist Kirkendale zuzustimmen, wenn dieser eine Verwandtschaft zwischen dem Benedictus und dem langsamen Satz des Streichquartetts op. 59, Nr. 2 (T. 37ff., 42ff., 69ff.) postuliert und auf Czernys Mitteilung hinweist, wonach Beethoven das Adagio des Quartetts eingefallen sei, „als er einst den gestirnten Himmel betrachtete

1 K. G. Fellerer, *Beethoven und die liturgische Musik seiner Zeit,* S. 72.

und an die Harmonie der Sphären dachte".[1] Überdies bestehen, wie Kinderman gezeigt hat[2], Verbindungslinien zu einem weiteren Stück, zur dritten mit Takt 60 beginnenden Variation des zweiten Satzes aus dem Streichquartett op. 127, wo ähnliche, hier allerdings nicht triolige Achtelfiguren erscheinen; insbesondere die aufsteigenden Achtel der ersten Violine mit folgendem Abwärtssprung g'''—ais in Takt 67 des Streichquartetts sind mit Takt 149f. des Benedictus zu vergleichen. Daß hier Assoziationen zum gestirnten Himmel bestehen dürften, zeigt das 1820 komponierte „Abendlied unter gestirntem Himmel", dessen E-Dur mit der Tonart der genannten, aus ihrer As-Dur-Umgebung eigenartig herausfallenden E-Dur-Variation, aber auch mit dem E-Dur des zweiten Satzes von op. 59, Nr. 2 übereinstimmt.

Der formale Aufbau des ganzen Sanctus entspricht, mit einer wichtigen Ausnahme, der liturgischen Vorlage. Zwar folgt auf das Benedictus das Osanna (T. 213), das nach wenigen fugierten Takten in einen Fortissimo-D-Dur-Sextakkord mit Fermate mündet (T. 222); überraschend setzt nun nochmals das Benedictus mit der es charakterisierenden Solovioline ein. Gleich anschließend erscheint, einmal mehr der liturgischen Textfolge entsprechend, das Osanna, jetzt aber von der Solovioline kontrapunktiert (T. 229ff.). Was in der Liturgie im Nacheinander steht, wird in Beethovens Missa am Schlusse des Satzes in diskursiver Gleichzeitigkeit gebracht. Ähnlich wie schon das Credo schließt auch das Sanctus nicht, wie vom Osanna-Text her eigentlich erwartet, in lautem Jubel, sondern mit vom Forte ins Piano abschwellenden Klängen von Chor und Solovioline: alles in allem eine sehr persönliche Gestaltung, die einiges über Beethovens Verständnis dessen aussagt, „der da kommt im Namen des Herrn".

AGNUS DEI. Das Agnus Dei ist unter den fünf Sätzen der Missa derjenige, der am deutlichsten konkret zu interpretierende dramatische Elemente und zugleich, bei allen möglichen Rückbezügen auf ältere Bataille-Messen und insbesondere auf Joseph Haydns *Missa in tempore belli*, doch ganz eigene und einmalige Züge aufweist; diese haben nicht nur strenge Liturgiker, sondern auch manchen zeitgenössischen Musiker irritiert. Die Textvorlage ist dreiteilig: zweimal „Agnus Dei [...] miserere nobis" und einmal „Agnus Dei [...] dona nobis pacem". Beethoven schafft aus diesen drei Teilen eine große Zweiteiligkeit, bestehend aus einem Adagio-Abschnitt von 95 Takten mit Schwergewicht der Aussage auf „miserere" und aus einem zweiten, ungewöhnlich langen, der Bitte um den Frieden gewidmeten Teil von fast 340 Takten.

Im ersten, in Moll stehenden Abschnitt vermehrt Beethoven die zweimalige liturgische Anrufung „Agnus Dei" um eine dritte (ab T. 57ff.), wobei das „miserere" seine Präsenz im Sinne einer dramatischen Steigerung dauernd verstärkt: von 9 zu 11 und schließlich zu 24 Takten. Ein letztes, noch im Adagio stehendes „Agnus Dei" (T. 93f.), das der dritten liturgischen Anrufung mit folgendem „Dona nobis pacem" entspricht, erklingt pianissimo und leitet kadenzlos (D V^6—IVb—V^7) über absteigende Bässe in den zweiten, in D-Dur stehenden Hauptteil über, der, Beethovens zentralem Anliegen entsprechend, mit „Bitte um den innern und äussern Frieden" überschrieben ist. Daß der Gegensatz von „miserere" und „pax" vom Kom-

1 Zit. nach Thayer / Deiters / Riemann, *Ludwig van Beethovens Leben*, Bd. II (²1910), S. 532.
2 Vgl. W. Kinderman, *Tonality and Form in the Variation Movements*, S. 146ff.

ponisten als dramatischer Gegensatz von Spannung und Lösung verstanden wurde, geht allein schon aus dem Tempo- und Taktwechsel von 4/4-Adagio zu pastoralem 6/8-Allegretto vivace hervor.

Dem neuen Charakter des Allegretto-Teils entspricht die Motivik schon der ersten vier Takte: Schwebend wirken die jeweils auf dem zweiten Taktteil mit der Silbe „do-“ einsetzenden und in den folgenden Takt hinübergebundenen, im Dreiklang absinkenden Stimmen. Man ist versucht, den fallenden Dreiklang von Alt und Baß mit der Melodie des „(Et vitam) venturi (saeculi)“ zu assoziieren: Mit dem kommenden Äon wird die Bitte „dona nobis pacem“ dereinst erfüllt sein. Daß für Beethoven der Gegensatz von „miserere“ und „pax“, sowohl als Gegensatz von Krieg und Frieden als auch von Unruhe und Ruhe, das zentrale Anliegen dieses Satzes war, geht aus der formalen Gestalt des mit Allegretto vivace beginnenden Teils hervor: Zweimal wird der Friede durch unerwartete dramatische Einbrüche gestört. Diese beiden Abschnitte waren es auch, welche manche Zeitgenossen verwirrt haben und, von Beethoven aus gesehen, wohl auch verwirren sollten. Anton Schindler hat sogar vorgeschlagen, diese Passagen zu streichen. Zu beachten ist der unterschiedliche Charakter der beiden zu dramatischer Aktualität gesteigerten Kontrastpartien. Während die erste (T. 164ff.) mit ihren Trompeten und Paukenschlägen eindeutig Krieg signalisiert, fehlen in der zweiten (T. 266ff.), mit Presto überschriebenen Partie die „kriegerischen“ Instrumente. Dies sowie das eigenartig skandierte Motiv mit seinem kurzen Triller ist im Sinne von innerem Unfrieden und Wirrsal zu deuten.

Instrumental- und vokalmotivisch höchst differenziert ist der Gesamtaufbau des großen mit Takt 93 bzw. 96 beginnenden Schlußteils, der sich in drei Abschnitte mit Coda gliedern läßt:

1. Takt 93 bzw. 96 bis Takt 163, ausklingend in pacem-Rufe und mündend in die erste dramatische Szene mit ihren Agnus- und miserere-Rufen der Takte 164—189.
2. Takt 190—265 mit ähnlichem Aufbau wie Abschnitt 1, nach den pacem-Rufen in die zweite Kontrastgruppe der Takte 266—353 (Presto) mündend, wobei hier der am Schluß des Abschnittes stehende Agnus-Ruf (T. 319ff.) ohne „miserere“ sogleich vom „dona pacem“ gefolgt ist (T. 345ff.).
3. Takt 354—394: wie die zwei vorangehenden Abschnitte mit pacem-Rufen endend.

Was jetzt noch folgt, ist eine Coda, mit welcher der Satz in Takt 405 schließen könnte. Die in den Takten 406—415, von Beethoven erst nach langer Skizzenarbeit festgelegten, nur noch leise aus der Ferne nachklingenden und von „pacem, pacem“ unterbrochenen Paukenschläge und -wirbel stellen ein letztes, den zentralen Gedanken des Satzes nochmals in Erinnerung rufendes dramatisches Element dar. Nach einem kurzen, auf Takt 131 zurückgreifenden instrumentalen Zwischenspiel (T. 419—424) folgt ritornellartig der aus den Abschnitten 1 und 2 (T. 123—126 und 212—215) bekannte, mit seiner fallenden Sext mild expressive dona-nobis-pacem-Ruf, der als gedankliches Zentrum des Satzes, ja der ganzen Missa zu verstehen ist: im Gegensatz zu den vorangehenden Stellen hier nicht mehr piano a cappella, sondern mit Streichern und Holzbläsern forte „ben marcato“ in vollem colla parte-Satz. Weggelassen ist jetzt das „nobis“, eine textliche Variante, die in anderem Zusammenhang schon mehrfach im Sinne einer Betonung des Wortes und damit des Sinnes von „pacem“ auftauchte und am Schluß der Missa besondere Bedeutung gewinnt: Das

Drama ist zu Ende, jetzt darf Friede sein, nicht nur für uns („nobis"), sondern für alle Kreatur. Was aber sollen die unerwarteten Sechzehntelpassagen der letzten vier Fortissimo-Takte, welche motivisch an die schon ab Takt 384 zum Schluß drängenden Streicherfiguren anknüpfen? Fast gewaltsam wird mit ihnen ein in mancher Beziehung nach vorn offenes Riesenwerk abgeschlossen. Ein ähnlicher Schluß findet sich im Finale des cis-Moll-Streichquartetts op. 131, wo nach stillem Ausklang einige Fortissimo-Takte einen Abschluß erzwingen. Ein Zusammenhang mit dem Missa-Schluß, für uns vielleicht sogar im Sinne einer Interpretationshilfe, könnte sich aus dem von Robert Winter erwähnten, von Beethoven allerdings nie realisierten Plan ergeben, das cis-Moll-Quartett mit dem später im dritten Satz von op. 135 verwendeten Variationenthema schließen zu lassen[1]: Als „süssen Ruhegesang oder Friedensgesang" hat Beethoven dieses Thema bezeichnet: „Dona pacem."

Was ist Beethovens *Missa solemnis*: liturgische Messe, Oratorium, Chorsymphonie oder, wie Adorno meint, „verfremdetes Hauptwerk"? Gewiß ist die Missa nicht als Summa aller bisher komponierten Messevertonungen zu begreifen. Eingebunden in das gesamte Spätwerk steht sie vielmehr am Rande ihrer Gattung als eine Art von paraliturgischer Chorsymphonie. Altertümliches, Traditionelles, Liturgisches, Dramatisches, Monumentales, aber auch subjektiv „von Herzen zu Herzen" Gehendes steht, zuweilen fast unverbunden, nebeneinander. Deshalb sollte eine allzu weitgehende Harmonisierung von zuweilen Disparatem bei Aufführungen vermieden werden. Bezeichnend für das ganze Werk ist die immer wieder sich vollziehende Zurücknahme monumentaler Größe in Stille. Solches ist jedoch weder als Verfremdung noch als Protest oder gar als Verweigerung, sondern vielmehr als ein Zurückweichen vor Transzendenz, aber auch auf Transzendenz hin zu verstehen. Gott und Gottheit, Mensch und Menschheit, Himmel und Erde sind in der Missa in gleicher Weise im Spannungsfeld von miserere und pax angesprochen. In solcher Verbindung liegt wohl letztlich die kreative Problematik dieses bei aller Berühmtheit doch nicht leicht zugänglichen und gerade deshalb so faszinierenden Werkes. Für die *Missa solemnis* gilt, was Beethoven 1823 selbstbewußt an Erzherzog Rudolph schrieb: „Höheres gibt es nichts, als der Gottheit sich mehr als andere Menschen nähern und von hier aus die Strahlen der Gottheit unter das Menschengeschlecht verbreiten."[2]

Kurt von Fischer

1 Vgl. ebenda, S. 140.
2 E. Kastner / J. Kapp, *Ludwig van Beethovens sämtliche Briefe,* S. 693.

Ouvertüre C-Dur „Die Weihe des Hauses" op. 124

ENTSTEHUNGSZEIT: 1822.
ERSTAUFFÜHRUNG: am 3. Oktober 1822 in Wien am Theater in der Josephstadt.
SKIZZEN: Staatsbibliothek Preußischer Kulturbesitz Berlin, Artaria 201; Deutsche Staatsbibliothek Berlin, Artaria 205; vgl. G. Nottebohm, *Zweite Beethoveniana*, S. 404ff.
AUTOGRAPH: Stadtbibliothek Wien.
ERSTDRUCK UND WIDMUNG: Mainz 1825 (Schott); dem Fürsten Nikolaus Galitzin gewidmet.
GESAMTAUSGABEN: Alte Gesamtausgabe: Nr. 24 = Serie 3 Nr. 7; Neue Gesamtausgabe: Abt. II, Bd. 1.

Beethovens letzte Ouvertüre, überwiegend im September 1822 ausgearbeitet, verdankt ihre Entstehung einem guten Bekannten des Komponisten: dem damals populären Theaterdichter Carl Friedrich Hensler, der von 1803 bis 1817 in Wien das Leopoldstädter Theater, später das Theater an der Wien und seit 1822 das von ihm neu errichtete Theater in der Josephstadt leitete. Für die Eröffnung am 3. Oktober, dem Vorabend des kaiserlichen Namenstages, plante er, wie üblich, die festliche Aufführung einer szenischen Allegorie. Man gewann Carl Meisl, einen nicht weniger gefälligen Poeten, als aktualisierenden Bearbeiter von Kotzebues *Ruinen von Athen* und bat Beethoven um die Einrichtung seiner Bühnenmusik von 1811 für diesen Zweck. Nach dem überlieferten Textbuch[1] ist nun Thespis auf der Suche nach einem würdigen Platz für seine Kunst. Aus seiner griechischen Heimat wurde er vertrieben, seit dort die türkischen Usurpatoren herrschen (und noch nicht gewiß war, wie der eben ausgebrochene Freiheitskampf enden würde). Apollo (nach Aufführungsberichten aber Minerva) und allerlei theatralische Musenkinder weisen ihm den Weg jetzt nicht mehr wie bei Kotzebue nach Pest, sondern nach Wien und an die Pforten des neuen Theaters, wo unter dem erflehten Schutz des Kaisers (Schlußchor) eben ein neuer „Weihaltar der Künste" zum „Ruhm des Vaterlandes" errichtet sei.[2] Offenbar konnten, zum Teil neu textiert, alle Nummern der *Ruinen*-Musik wieder verwendet werden. Beethoven komponierte lediglich den Tanz-Chor „Wo sich die Pulse jugendlich jagen" WoO 98 hinzu, und er entschied sich für eine neue, großformatige Ouvertüre, weil er die ursprüngliche kleinere nach Schindlers Aussage „für nicht geeignet befunden" hatte.[3] Allen weiteren Notaten des Adlatus über die Entstehung des Stücks[4] (besonders seiner „Schuld"[5] an der von ihm angeblich mitentschiedenen Auswahl des thematischen Materials) ist zu mißtrauen, seitdem seine nachträglichen Manipulationen an den Konversationsheften bekannt sind.[6] Jeden-

1 Vgl. G. Nottebohm, *Zweite Beethoveniana,* S. 385ff.
2 Ebenda, S. 401.
3 A. Schindler, *Biographie* (1977), S. 290.
4 Vgl. ebenda, S. 290f.
5 Vgl. K.-H. Köhler / D. Beck, *Ludwig van Beethovens Konversationshefte,* Bd. III, S. 68.
6 Vgl. ebenda, S. 429, Anmerkung 184.

falls wurde die Ouvertüre erst unmittelbar vor der Uraufführung am 3. Oktober 1822 fertiggestellt, so daß die Interpretation unter Kapellmeister Franz Gläser höchst unbefriedigend geriet.

Bis heute ist die Rezeption dieses Werkes weniger von der Frage bestimmt, ob Beethoven einen dramatischen Zusammenhang mit dem Bühnengeschehen beabsichtigte oder — was wahrscheinlicher ist — eher bewußt vermied, um das Musikstück, ähnlich der C-Dur-Ouvertüre op. 115, für verschiedene konzertante Gelegenheiten verfügbar zu halten. Mehr hat sich das Interesse um die verwirrende, offenbar doch mit dem Entstehungsanlaß verknüpfte Tatsache gerankt, daß der Komponist hier einen plakativ vereinfachenden, pastos feierlichen, undramatisch monumentalen Ton anschlägt, daß er ein formal mehrdeutiges Mischprodukt aus Elementen des Sonaten- und des Fugen-Denkens (mit Präludium), aus konzertanten und polyphonen Techniken bietet und dafür, demonstrativ archaisierend, auf eine quasi barocke Formulierung des Hauptthemas, ein lapidar sequenziertes Fugenmotiv insbesondere Händelscher Art zurückgreift, um es beinahe monistisch, freilich in ständiger Metamorphose, teils konstruktiv streng, teils spielerisch frei zu entfalten. Wie immer man diese hervorstechende Eigenheit beurteilt, oh man sie — wie bereits in einer anonymen Kontroverse in der *Berliner Allgemeinen Musikalischen Zeitung* von 1826[1] — als regressive Wendung des Geistes oder als zukunftsweisende Wiederentdeckung des „alten Stils" begreift, so wäre es doch ganz abwegig, hier eine der vielen Launen des inkommensurablen Genies zu vermuten. Beethovens Verehrung für die Musik der alten Meister (namentlich Bachs und Händels, denen er mehr „Festigkeit" und „reelle[n] Kunstwert" attestierte als seinen Zeitgenossen[2]) blieb nicht nur lebenslang ein oft mitgeteiltes Bekenntnis, sondern gewann in der späten Phase für sein Schaffen, insbesondere seit den letzten Klaviersonaten und der *Missa solemnis* eine konkret impulsgebende Qualität. Sie ist durchaus dialektischer, nicht mechanisch nachahmender Art, denn so sehr Beethoven der zielstrebig angewandten Archaismen und Reminiszenzen bedurfte, um dem gewandelten Zeitgeist der romantischen Formauflösung und virtuosen Sinnentleerung zu widerstehen (weil ihm dazu die Mittel seines klassisch-heroischen Stils allein nicht mehr tauglich zu sein schienen), so entschieden integrierte er sie seiner eigenen Klangsprache — entsprechend der Überzeugung, daß sie undogmatisch formbewußt und gedankenvoll zu „verfeinern" sei, denn „allein Freiheit, Weitergehn ist in der Kunstwelt, wie in der ganzen großen Schöpfung, Zweck".[3] Daß dies nur im Bunde mit den Vorzügen der alten Meister möglich sei, mag er in dieser Ouvertüre einmal dezidiert und für jeden hörbar auskomponiert haben wollen, zumal eine solche Überzeugung — die innere Einheit und Gleichwertigkeit aller großen Kunst betonend — zu den zentralen Gedanken der nachfolgenden Allegorie zur „Weihe des Hauses" gehört: „Diese Kunst aus grauen Tagen / Ist geschützt durch Göttergunst. / Gleich der Sonne dringt belebend / Sie durch jede Finsterniss, / Allerquickend — allerhebend — / Zaubert sie ein Paradies / Aus der unwirthbaren Wüste / Aus der unbewohnten Küste. / Aus

---

1 Vgl. St. Kunze, *Gesammelte Konzertberichte,* S. 462ff.

2 In einem Brief an Erzherzog Rudolph vom 29. Juli 1819; zit. nach E. Kastner / J. Kapp, *Ludwig van Beethovens sämtliche Briefe,* S. 511.

3 Ebenda.

den Felsen lockt sie Blumen, / Melodie aus dem Gestein. / Selbst den Sturm macht sie verstummen. Nachtigallen flöten d'rein."[1]

In der breit ausladenden, langsamen Einleitung („Maestoso e sostenuto", 4/4, 87 Takte) suggeriert Beethoven zunächst die Vorstellung eines feierlich-erhabenen Zeremoniells — unter anderem mit drei zusätzlichen Posaunen, die im „Allegro" nicht mehr verwendet werden. Fünf kadenzierende Akkordschläge kündigen es an; dann entfaltet sich piano, als choralische Harmoniemusik der Holzbläser und mit vier gleichlangen Phrasen in 16 Takten, die ebenso schlichte wie weihevolle Melodik eines Marschs mit der Besonderheit ihrer leicht befremdlichen Binnenmodulation in die Dominantparallele e-Moll. Nach ihrer vollständigen Wiederholung, bei größerem Klangvolumen, antworten dem Massengesang, wiederum in regelmäßig gegliederten 16 Takten, martialische Gesten eines instrumentalen Saluts: Fanfaren in den Trompeten, von federnden Paukenrhythmen imitiert, durch Laufwerk in den Fagotten umspielt und von den übrigen Instrumenten akkordisch akzentuiert. An diesen pompösen Mittelteil der Einleitung schließen „Meno mosso" weitere zweimal 16 Takte an, die nun thematisch und satztechnisch unmittelbar der Vorbereitung des schnellen Hauptsatzes dienen. Leise und „sempre staccato" beginnen die ersten Violinen mit einer spielerischen Figur, die sogleich die zweiten Violinen, dann noch Fagotte und Celli kanonisch imitieren, um sie crescendierend und in gepreßten Teilmotiven sequenzierend zu einer angespannt pulsierenden Klangfläche aufzubauen. Nur kurz finden die Streicher zu entspannter Ruhe zurück, denn plötzlich entspringen aus ihnen (mit Echo im Holz) aufwärts drängend jene motivischen Skalenpartikel und Drehfiguren, aus denen sich das etwas laboratoriumshaft „künstlich" konstruierte Hauptthema Händelscher Art mit Beginn des „Allegro con brio" stürmisch vorandrängend formiert.

Dieser Satz von knapp über 200 Takten Länge läßt sich zusammengefaßt als geniale Kontamination fugen- und sonatenhafter, kontrapunktischer und symphonischer Kompositionstechniken charakterisieren. Das Fugenthema wird gemeinsam mit einem begleitenden Gegenthema zunächst in sechs Einsätzen (bis T. 110) regulär exponiert, wobei zugleich die homophone Massivität des Orchesterklangs allmählich die polyphone Textur aufsaugt und eine Fülle motivischer Abspaltungen zu Eigenleben im Sinne thematischer Verarbeitung kommt. Mit Takt 125 beginnt ein Durchführungsabschnitt von größerer modulatorischer Regsamkeit und voller solistischer Minidiskurse mit dem partikelhaft teils konzertant aufgespaltenen, teils konstruktiv enggeführten Material. Doch am Ende wird es auch hier wieder im symphonischen Sog zusammengefaßt, um bei Takt 176 in eine zweite Exposition entlassen zu werden, die man auch als „entwickelnde" Reprise bezeichnen könnte. Nach abermals sechs Einsätzen wird der instrumentale Wirbel von einigen energisch kadenzierenden Akkorden mit Fermaten in einem „Adagio"-Takt gestoppt, um nur desto stürmischer mit Takt 202 eine lange Coda aufzubauen, in der, trotz unvermindert durchführungsähnlicher Aktivität, das homophone Prinzip eindeutig die Oberhand gewinnt, ohne übrigens auf immer neue motivische Varianten und unerwartete harmonische Ausweichungen zu verzichten. Hierzu gehören die „neapolitanische" Rückung nach Des-Dur (T. 209f.) zu einem Motiv, das wie ein „Credo"-Ruf anmutet, oder jene signifikante

---

1 G. Nottebohm, *Zweite Beethoveniana,* S. 389f.

Folge von Akkordstößen (T. 225), die aus der dritten Leonoren-Ouvertüre zitiert zu sein scheint. Schließlich bleibt das Kopfmotiv die treibende Kraft bis hinein in die allerletzten Takte dieser fanalisch aufrauschenden und frenetisch jubelnden Musik, die vielleicht hier nur noch ihr eigenes, epochenübergreifendes Gelingen feiern und als Kunst über die irdischen, die zeitlichen Grenzen des Lebens triumphieren will.

Frank Schneider

9. Symphonie d-Moll op. 125

ENTSTEHUNGSZEIT: im wesentlichen Anfang 1823 bis Ende 1823/Anfang 1824.
ERSTAUFFÜHRUNG: am 7. Mai 1824 im Wiener Hoftheater.
SKIZZEN: Beethoven greift 1823 auf Gedanken zurück, die er früher — auf Vorrat gleichsam — notiert hat. Das Scheide-Skizzenbuch (1815) in Princeton enthält das Thema des zweiten Satzes. In Skizzen der Jahre 1816 bis 1818 finden sich Entwürfe, die Beethoven bei der Komposition des ersten Satzes nützt. Vom Herbst 1822 bis zum Anfang des Jahres 1823 projektiert Beethoven die zyklische Form. Er entscheidet sich für das vokale Finale. Er notiert die ersten vier Takte der Freude-Melodie. Die dichte Überlieferung setzt 1823 mit dem Engelmann-Skizzenbuch ein. Sie dokumentiert die intensive Arbeit an dem Werk. Den umfangreichen Quellenkomplex hat Sieghard Brandenburg eingehend gewürdigt. Literatur: G. Nottebohm, *Zweite Beethoveniana*, S. 157—192 und 321—348; R. Winter, *The Sketches for the „Ode to Joy"*; S. Brandenburg, *Die Skizzen zur Neunten Symphonie*; Johnson / Tyson / Winter, *The Beethoven Sketchbooks*.
AUTOGRAPH: Das Autograph der ersten drei Sätze und des Großteils des Finales (T. 1—330 und 595—698) befindet sich in der Deutschen Staatsbibliothek Berlin. Die restlichen Teile des Finales sind in der Staatsbibliothek Preußischer Kulturbesitz Berlin (T. 699—940 und die autographe Kontrafagottstimme) sowie im Conservatoire de Musique Paris (T. 343—374). Zwei Blätter aus der Coda des Scherzos befinden sich im Beethoven-Haus Bonn. Ein Blatt des Autographs (die letzten Takte des Andante maestoso, T. 650—654) ist wohl verlorengegangen. Ein Faksimile in: Peters-Reprints, Leipzig 1975. Die Stichvorlage befindet sich im Archiv des Verlags Schott, Mainz.
ERSTDRUCK UND WIDMUNG: Partitur: Mainz und Paris 1826 (Schott); 26 Orchester- und vier Singstimmen: Mainz 1826 (Schott); König Friedrich Wilhelm III. von Preußen gewidmet.
GESAMTAUSGABE: Alte Gesamtausgabe: Nr. 9 = Serie 1 Nr. 9.

Elf Jahre erst nach der 8. beendet Beethoven die 9. Symphonie.[1] Die Gründe, die man für seine Zurückhaltung verantwortlich macht, sind mannigfaltig. Häusliche Sorgen, Krankheit und ein wachsendes Gefühl der Einsamkeit plagen ihn. Die politischen und musikalischen Verhältnisse haben sich in einer Weise gewandelt, die dem Komponisten schwerlich passen konnte. Die Restauration dominiert. Rossini beherrscht die Bühne. Beethoven fühlt sich von den Wienern im Stich gelassen; ihm scheint, er lebe im Land der Phäaken. Die musikalische Öffentlichkeit schreibt den Komponisten ab. „Für grössre Arbeiten scheint er gänzlich abgestumpft zu seyn", mutmaßt die *Allgemeine musikalische Zeitung*.[2] Sie täuscht sich. 1819 beginnt Beet-

1 Zum folgenden vgl. D. Rexroth, *Ludwig van Beethoven. Sinfonie Nr. 9.*
2 *AmZ* 23 (1821), Sp. 539.

hoven mit der Komposition der *Diabelli-Variationen,* Anfang 1823 vollendet er nach langer Arbeit die *Missa solemnis,* Anfang 1824 die 9. Symphonie.

Aus der 9. Symphonie spricht nicht der Geist ihrer Tage. Sie ist kein Werk der Restauration und des Biedermeier, auch nicht insofern, als sie darauf reagieren würde. Sie schöpft aus anderen Quellen. Sie ist vor allem original: „wahre Kunst", so Beethoven, „ist eigensinnig, [...] läßt sich nicht in Schmeichelnde Formen zwängen."[1] Sie verdankt — das haben die Zeitgenossen immerhin begriffen — ihr Dasein und ihre Form vor allem der Genialität ihres Autors. So übermächtig trat sie ihnen in der Symphonie gegenüber, daß einige sie — wie die Chorfantasie op. 80 — für ein Selbstporträt Beethovens ansahen.[2] Das verkennt gewiß die Intention des Komponisten und ist dennoch nicht ganz unverständlich. Hinter dem Werk steht die musikalische und moralische Autorität des Komponisten. 1820 notiert er: „‚das Moralische Gesez in unß' u. der gestirnte Himmel über unß' Kant!!!"[3] Der Gedanke steht hinter dem Werk.

Daß sich die Symphonie uneinholbar weit von den herrschenden politischen Zuständen und musikalischen Usancen der Zeit entfernt, ist die Konsequenz, nicht die Absicht ihrer Konzeption. Sie zielt aufs Ganze und trifft nebenbei Metternich und Rossini. Sie ist von ihren aktuellen Gegenbildern unabhängig. Sie ist — ein seltsames Paradox — musikalisch bestürzend neu, reich und groß, und sie hält andererseits an Ideen des 18. Jahrhunderts, an Leitbegriffen der Aufklärung fest, an der Idee der Brüderlichkeit und der Idee des moralischen Fortschritts. „In ihr", so Otto Baensch, „triumphiert der Geist des 18. Jahrhunderts".[4] Die Symphonie ist ein Appell an die Menschen, eine neue, bessere Gesellschaftsordnung zu begründen und in alle Zukunft zu erhalten. Sie ist — wenn man die ungeheure musikalische Dynamik, die sie entfaltet, ernst nimmt — ein Appell zur Revolution aller Verhältnisse, zu einer Revolution, die — wie das Finale zeigt — mit den Verächtern ihres Ideals wenig tolerant umgeht.

Es ist nun freilich schon seltsam, daß dies den Zeitgenossen nicht aufgegangen zu sein scheint. (Daß sie es erkannt und nicht zu sagen wagten, kann man nicht ausschließen. Hinweise darauf aber finden sich nicht.) Deutlich war allen, daß die Symphonie mehr als nur ein musikalisches Ereignis ist. Friedrich August Kanne, der Redakteur der *Wiener musikalischen Zeitung,* fühlte immerhin, daß das Werk — wie er sich, Ernst Theodor Amadeus Hoffmann folgend, ausdrückte — eine „ganz eigene Welt" erschließt. Er erklärt sie aber zur Welt des Komponisten, als habe sie Beethoven zu seiner privaten Nutzung geschaffen. Man sehe — so Kanne — , „wie ihm die bisherige Welt zu klein erscheint, und er sich eine mit ganz neuen Gestalten bauen müße".[5] Das Verständnis für den Anspruch des Werks wächst nach der Juli-Revolution. Dafür gibt es immerhin zwei bedeutsame Zeugnisse. Wolfgang Robert Griepenkerl hörte 1838 in Beethovens Symphonien das Abbild einer weltbewegenden Zeit: „Das große Drama der Juli-Revoluzion hinter einem nur noch mühsam niedergehaltenen Vorhange der bewegten Völkerbühne ahnend, verachtete er die

1 K.-H. Köhler / Gr. Herre, *Ludwig van Beethovens Konversationshefte,* Bd. I, S. 326.
2 So der anonyme Rezensent der *BAMZ* 1826 und Joseph Fröhlich 1828 in der *Cäcilia;* in: St. Kunze, *Gesammelte Konzertberichte,* S. 500ff. und 510ff.
3 K.-H. Köhler / Gr. Herre, *Ludwig van Beethovens Konversationshefte,* Bd. I, S. 235.
4 O. Baensch, *Aufbau und Sinn des Chorfinales,* S. 96.
5 St. Kunze, *Gesammelte Konzertberichte,* S. 480.

Tändelei mit den Formen. Seine Symphonieen waren in der Kunst das erste Feldgeschrei jenes Ereignisses [...]. Man wird sagen müssen, daß in Beethoven's Symphonieen Saiten angeschlagen werden, die so mächtig schwingen wie der sausende Fittig der Zeit selber."[1] In der 9. Symphonie ersetzte man denn auch das Wort Freude durch das Wort Freiheit. Zum andern: Als Richard Wagner am Morgen des 8. Mai 1849, während der Dresdener Revolutionstage, zum Rathaus ging, rief ihm ein Gardist zu: „Herr Kapellmeister, nun, der Freude schöner Götterfunken hat gezündet."[2] Wagner hatte das Werk nur wenige Tage zuvor, am Palmsonntag, aufgeführt. „Der Generalprobe hatte" — so Wagner — „heimlich, und vor der Polizei verborgen, Michael Bakunin beigewohnt; er trat ohne Scheu nach der Beendigung derselben zu mir an das Orchester, um mir laut zuzurufen, daß, wenn alle Musik bei dem erwarteten großen Weltenbrande verloren gehen sollte, wir für die Erhaltung dieser Symphonie mit Gefahr unsres Lebens einzustehen uns verbinden wollten."[3] Schließlich klarhörend Debussy: „Eine überströmende Menschlichkeit sprengt die herkömmlichen Grenzen der Symphonie; sie bricht aus seiner freiheitstrunkenen Seele hervor [...]: daher dieser tausendstimmige Anruf seines Genius an die niedrigsten und ärmsten seiner Brüder. Ist er von ihnen gehört worden? Beunruhigende Frage."[4]

Die zünftige Musikkritik hat die „subversive" Tendenz der Symphonie, die die Kehrseite ihrer zukunftsweisenden Dynamik ist, überhört oder durch engherzige kunstkritische Reflexionen überspielt. Adolf Bernhard Marx, durchaus ein liberaler Mann, wußte drei Motive im „Grundgedanken" der Symphonie verbunden; ein biographisches: die Sehnsucht des vereinsamten Komponisten nach Menschen; ein künstlerisches: das Verlangen, das Instrumentale und Vokale „mit gleichem Rechte" zu vereinen; und ein „rein humanes": die Achtung vor dem Prinzip der Humanität. „Wir können weder die Natur, noch was an geistigem Leben neben oder über uns wohnen mag, liebend und gerecht erfassen, als durch das Menschentümliche hindurch."[5] Der Nachdruck, der hier und anderswo auf die idealistische Substanz des Werks gelegt wird, macht es immerhin verständlich, daß ein Werk, dessen Dynamik ins Grenzenlose zielt, zum tönenden Manifest des bürgerlichen Festes und seiner unbürgerlichen Abarten werden konnte. Einiges mögen die Verse Schillers dazu beigetragen haben, an die man sich wohl deshalb so festhielt, weil die Musik weithin so unfaßlich und ungeheuer ist. Debussy hat wohl recht, die 9. Symphonie ist „das Meisterwerk, über das am meisten Unsinn verbreitet wurde"[6] und das — so könnte man heute fortfahren — am übelsten mißbraucht wurde.

Einen Ausweg aus diesem Dilemma suchte 1912 Heinrich Schenker. Er erklärte die Symphonie zum autonomen musikalischen Kunstwerk und zog sich auf ihre musikalische Substanz zurück.[7] In einer monumentalen Analyse unternahm er den Versuch, den musikalischen Prozeß „organisch", allein aus sich selbst zu begründen. Er befreite das Werk dadurch von den ästhetischen Reflexionen, die sich darauf ab-

1 W. R. Griepenkerl, *Das Musikfest oder die Beethovener* ([2]1841), S. 62f.
2 In: J. Bergfeld, *Richard Wagner. Das Braune Buch,* S. 115.
3 R. Wagner, *Mein Leben,* S. 224.
4 Cl. Debussy, *Die Neunte Symphonie,* S. 35.
5 A. B. Marx, *Ludwig van Beethoven,* Bd. II ([6]1902), S. 245.
6 Cl. Debussy, *Die Neunte Symphonie,* S. 34.
7 Vgl. H. Schenker, *Beethovens Neunte Sinfonie.*

gelagert hatten, von einem Beiwerk, das er zutiefst verachtete. Damit aber schmälerte er die Symphonie um die Idee, der sie ihre allgemeine Bedeutung verdankt. Leo Treitler kritisiert ihn dafür herb: „Schenker's claim to give an account of the content of Beethoven's Ninth Symphony is as though someone were to claim to give an account of the content of *Hamlet* by analyzing its grammar and syntax without paying any attention to its meanings."[1] Die folgende Interpretation respektiert die Intention der Symphonie. Sie betrachtet die musikalische Substanz im Blick auf die Idee und begreift die Idee aus der musikalischen Substanz. Sie sucht dabei in rezeptionsästhetischen Methoden Halt.

Die Linie, die seit dem 19. Jahrhundert die Verehrer der Symphonie von ihren Kritikern trennt, geht durch das Werk. Beethoven selbst hat sie gezogen. Auf der einen Seite stehen — so Hanslick — drei instrumentale Sätze, schöne, wenn auch nicht makellos schöne Stücke, über die „unter aufmerksamen und vorbereiteten Hörern kaum ein Streit entstehen" wird. Auf der anderen Seite steht der zutiefst „unschöne" letzte Satz. Das Ganze ist — so Eduard Hanslick — eine „ästhetische Ungeheuerlichkeit". Denn der Chor stimmt mit dem instrumentalen Teil der Symphonie nicht zusammen.[2] Hanslicks Werturteil kann man auf sich beruhen lassen. Die Feststellung aber, auf die es sich gründet, ist unabweisbar. Die 9. Symphonie ist ein zutiefst uneinheitliches Werk.[3] Der Zwiespalt ihrer Teile läßt sich rein musikalisch nicht erklären. Er fordert eine Interpretation, die übers Musikalische hinausgeht. Wer sie dem Werk verweigert, weicht ihm aus.

Die Linie, die die Symphonie zerteilt, durchzieht die Einleitung des Finales. Beethoven markiert ihren Beginn durch entsetzliche Dissonanzen. Nachdem ihr die tiefen Streicher zweimal Einhalt geboten haben, klingt Musik der ersten drei Sätze. Auch sie wird zurückgewiesen. Skizzen zeigen, daß es Beethoven nicht leichtgefallen ist, diesen Prozeß auszuführen. Er dachte zunächst daran, ihn sogleich durch Worte zu verdeutlichen. Die ersten Worte, die er notiert, sind: „Nein diese ... erinnern an unsre Verzweiflung." Ein anderer Entwurf setzt der Schreckensmusik den Satz entgegen: „Heute ist ein feierlicher Tag meine Fru [Freunde?] dieser sei gefeiert durch [mit] Gesang und [Tanz? Scherz?]."[4] Hochbedeutsam ist das Wort „heute". Es bestimmt die Grenze zwischen den so verschiedenen Teilen der Symphonie zur Gegenwart, zum Fluchtpunkt der temporalen Perspektive. Der Punkt bezeichnet den geschichtsphilosophisch so bedeutsamen Moment, in dem die Menschen den alten Schrecken, Zwängen und Schwärmereien den Rücken kehren und sich einer neuen, humanen Ordnung zuwenden. Dieser Ort sollte das Appellationszentrum der Symphonie werden: „Laßt uns das Lied des unsterblichen Schillers singen".

Beethoven geht bereits in der Skizze nicht unmittelbar auf den neuen Freude-Hymnus zu. Er dramatisiert die Entscheidung dafür. Es ist, als solle davor geprüft werden, ob nicht die vergangene Musik den Übertritt in eine neue bessere Welt be-

---

1 L. Treitler, *History, Criticism, and Beethoven's Ninth Symphony,* S. 32.

2 E. Hanslick, *Vom Musikalisch-Schönen,* S. 50f.

3 Die Frage nach der musikalischen Einheit des Werks ist umstritten. Vgl. dazu M. Broyles, *Beethoven. The Emergence and Evolution of Beethoven's Heroic Style,* S. 237ff.

4 So D. Rexroth, *Ludwig van Beethoven. Sinfonie Nr. 9,* S. 335, nach der Übertragung von H. Riemann, in: Thayer / Deiters / Riemann, *Ludwig van Beethovens Leben,* Bd. V, S. 27ff.

gleiten könne. Beethoven vergegenwärtigt sie; er zitiert die Hauptgedanken der ersten drei Sätze. Keiner besteht das Examen. Ein jeder wird eigens und in einer auf seinen musikalischen Charakter abgestimmten Weise zurückgewiesen. In der Skizze noch durch Worte. Der erste Satz schroff mit einem Ausdruck schieren Entsetzens: „O nein dieses nicht". Das Scherzo, weil es „nur Possen" reiße. Die Melodie des Adagios durchaus liebevoll, weil sie „zu zärtlich" sei. Beethoven wählt die Worte überlegt. Er verabschiedet nicht nur die „alte", sondern beschreibt zugleich den Charakter der neuen zukunftsträchtigen Musik. Sie soll im Gegensatz zum ersten Satz „gefällig" sein, schöner und besser als das Scherzo und aufgeweckter als das Adagio. Sie ist demnach zyklisch auf den ersten Teil bezogen. Sie gleicht die Defekte der ersten Sätze aus. Sie ist gefällig, schön, edel, aufgeweckt. Kurz: Sie ist der Ausdruck der Freude, von der Schillers Gedicht spricht.

Nimmt man Beethoven beim Wort, so kommt man zu einem sehr seltsamen Ergebnis. Der letzte Satz der Symphonie soll einem der Prinzipien der Musik Geltung verschaffen. Er soll Freude verbreiten. Seitdem man über die Musik nachdenkt, zählt dies zu ihren Daseinszwecken. Die zyklische Form des Werks scheint eine Konzeption auszuführen, die unmittelbar der Natur und dem Zweck der Musik entspringt. Dies freilich ist nur scheinbar so. Und darin liegt das Problem der Komposition. Mozart noch hat das „Naturgesetz"[1] der Musik ausdrücklich anerkannt. Schon zu seinen Lebzeiten und vollends danach schwindet seine Kraft. Es hört auf, durchweg das Prinzip der Tonkunst zu sein. Deutsche Komponisten beginnen noch im 18. Jahrhundert, die Delektabilität der Wahrheit des Ausdrucks zu opfern. Keiner aber bricht so entschieden damit wie Beethoven. Er macht — mit Hoffmann zu reden — die Musik mächtig, „die Hebel der Furcht, des Schauers, des Entsetzens, des Schmerzes" zu bewegen. Wenn es also Freude ist, auf die sich die Symphonie letztlich hinbewegt, so scheint sie der Tendenz der musikalischen Kunstgeschichte zu widersprechen, die Beethoven selbst so nachhaltig gefördert hat. Und dies, der Widerspruch gegen das Interesse der musikalischen Kunstgeschichte, ist es, was den scheinbar so natürlichen Gedanken, einem musikalischen Kunstwerk die Freude zum Ziel zu setzen, nunmehr außerordentlich und problematisch macht. Man kann gewiß auf manches ältere Werk verweisen, in dem Beethoven Ähnliches unternommen hat, auf das Finale des *Fidelio*, auf die Chorfantasie, auch auf die eine oder andere Symphonie, auf die 3. und die 5. Nirgends aber hat er die Freude so ausschließlich und ausdrücklich thematisiert wie in der letzten Symphonie. Gewiß wußte niemand besser als Beethoven, daß es dabei nicht darum würde gehen können, die gottvertrauliche Vergnüglichkeit, die der Musik eben erst ausgetrieben worden war, zu restaurieren. Gefordert war eine neue ästhetische Qualität, ein gesteigerter Ausdruck der Freude, der den vielen wahrhaft verletzenden Expressionen des Schmerzes und des Schauders, den die neue Kunst erschlossen hatte, die Waage zu halten imstande ist. Das Finale der Symphonie unternimmt in einem spezifischen Sinne, über den noch zu handeln sein wird, den Versuch, den musikalischen Gestalten des Schreckens, der Unfreiheit und der Schwärmerei, die die ersten Sätze der Symphonie prägen, eine neue Delektabilität entgegenzusetzen. Diese neue Freude ist nicht wie die alte die „natürliche" Mitgift der Materie, der Töne und Klänge. Sie

1 Chr. M. Wieland, *Versuch über das Teutsche Singspiel*, S. 225.

ist das Produkt einer kompositorischen Leistung. Sie ist errungen; darin manifestiert sich ihre moralische Qualität.

Aus der Konzeption ergibt sich das zentrale Problem der Symphonie. Wie kann sich Freude jenseits der alten Delektabilität artikulieren? Wie klingt gefällige, schöne, aufgeweckte Musik nunmehr? Vor allem: Wie kann sie sich bedeutsam und machtvoll äußern, ohne hohl und peinlich zu sein? Richard Wagner kannte die Komposition wie wohl kaum ein zweiter. Er schreibt am 7. Juni 1855 Franz Liszt: „Der letzte Satz mit den Chören [ist] entschieden der schwächste Theil, er ist blos kunstgeschichtlich wichtig, weil er uns auf sehr naive Weise die Verlegenheit eines wirklichen Tondichters aufdeckt, der nicht weiß, wie er endlich (nach Hölle und Fegefeuer) das Paradies darstellen soll."[1] — Die Alten (Mozart hier mit eingeschlossen) brauchten die Sprache, wo sie Schreckliches einigermaßen deutlich ausdrücken wollten. Man könnte im Gegenzug dazu fragen: War es vielleicht auch die Schwierigkeit eines Komponisten, der den Bereich des „Natürlich"-Delektablen hinter sich gelassen hatte, die Schwierigkeit also, glaubhaft und wahrhaft Freude fühlbar zu machen, die Beethoven bewog, am Ende das Wort zu ergreifen?

„Überblicken wir die Entstehungsgeschichte der 9. Sinfonie, so bleibt festzuhalten, daß dieses Werk nicht aus einer von vornherein feststehenden Idee oder Konzeption hervorgegangen ist."[2] Dieter Rexroth hat recht. Zugleich gilt: Beethoven hat daran am Ende kontinuierlich gearbeitet. Er hat es in einem Zug Satz für Satz ohne nennenswerte Unterbrechung komponiert. Er hat daran gearbeitet, bis die Idee, die die Einheit verbürgt, ausgebildet war. Er überhöht die Einleitung ins Finale zum Ort, von dem aus sich das Ganze überblicken läßt. Zum ersten Mal hat der Hörer freie Sicht, scheiden sich ihm die Zeiten. Was bis dahin war, wird zur Vergangenheit erklärt, was ist, zur Gegenwart, was folgt, zur Zukunft. Nichts aber wäre so falsch wie die Annahme, die Symphonie zeichne — hypothetisch wie die erdachten Geschichtsbilder der Philosophen — die Menschheitsgeschichte nach: Sie begänne beschaulich und anschaulich bei den ersten dunklen Anfängen, mache den erhabenen Kampf mit einer übermächtigen Natur fühlbar, führe danach eine simple Form der Vergesellschaftung und den Zustand unglücklicher Einsamkeit vor und münde endlich in die Gegenwart, den Wendepunkt der Geschichte. Es mag wohl sein, daß der Hörer, der aus der Warte des letzten Satzes zurückschaut, einiges oder das Ganze so sieht. An Ort und Stelle aber, solange er es mit der Musik der ersten Sätze zu tun hat, hat er keine Distanz. Die Musik ist bestürzend neu, absolut gegenwärtig: erschreckend, zwingend, ergreifend. Nirgends spricht Beethoven im Tempus der Vergangenheit (wie Spohr in seiner „Historischen" Symphonie).

Der erste Satz (Allegro ma non troppo, un poco maestoso im 2/4-Takt) wird seit jeher als kolossal empfunden, obwohl er — schaut man auf die Zeit, die er in Anspruch nimmt — nicht außergewöhnlich lange dauert. Was ihn so gewaltig erscheinen läßt, ist nicht das Format, sondern im spezifischen und allgemeinen Sinne sein Thema. Durchaus gewöhnlich ist auch die Form. Bemerkenswert ist allenfalls, daß die Exposition nicht wiederholt wird. Außerordentlich aber ist der Gedankenreich-

1 *Briefwechsel zwischen Wagner und Liszt*, Bd. II ([4]1919), S. 74.
2 D. Rexroth, *Ludwig van Beethoven. Sinfonie Nr. 9*, S. 337.

tum und das Verhältnis, in das die so unterschiedlichen Gedanken und Motive zueinander gesetzt werden. Beethoven dynamisiert sie und damit ihr Verhältnis zueinander. Aus dem Gegensatz von Gedanken wird ein Gegensatz von Kräften. Das haben alle empfunden, die den Satz interpretiert haben. Durchweg ist er als Ausdruck eines Kampfes beschrieben worden. Im Dunkeln bleibt freilich, wer hier gegen wen kämpft, wann und worum und mit welchem Ende. Deutlich ist nur, daß gegensätzliche Kräfte miteinander verschränkt sind, aufeinander einwirken, miteinander ringen und daß es Explosionen und Katastrophen gibt und in stillen Momenten Töne der Hoffnung.

Der Hauptsatz (T. 1—35) prägt den ersten Satz. Er ist reich. Schenker zählt nicht weniger als fünf Motive und rechnet dabei das Crescendo (T. 1—16) nicht mit. Wie ist diese Mannigfaltigkeit zu verstehen? Das Crescendo beginnt — so Treitler[1] — nur um eine Nuance lauter als das Nichts. Der Satz kommt aus dem Nichts und macht diese Angrenzung auch im Inneren fühlbar. Das Crescendo hört sich zunächst an, als wäre es die Einleitung in den Satz. Die Wiederholung und die Modifikationen des Hauptsatzes zeigen indessen, daß es dazu gehört. Während es wächst und mehr und mehr den Tonraum füllt, braut sich leise das künftige Thema zusammen. Eine erste, noch kraftlose Form des Initialrhythmus zeichnet sich ab ([4/2] [𝅝] 𝅗𝅥 𝅗𝅥). Der Rhythmus wird enger, je mehr das Crescendo sich ausbreitet. Das ist indessen nur eine, die objektive Seite der Angelegenheit. Die andere, subjektive, betrifft den Hörer. Das Crescendo bestimmt — wenn man Treitlers Analyse weiterdenkt — das Verhältnis des Hörers zum Hauptthema. Es versetzt ihn ins Dunkle. Es ist harmonisch und metrisch unbestimmt. Und unabsehbar ist das Unheil, das sich vor den Ohren des Hörers so machtvoll auswächst. Das Tremolo ist nicht nur das Gebrodel des Werdens, sondern zugleich der Ausdruck der Angst. Treitler schreibt, das Crescendo umgebe den Hörer mehr und mehr. Man könnte fortfahren: Es erfaßt und überflutet ihn. Es nimmt ihm die Kraft, sich mit den Motiven des Hauptsatzes zu erheben. Der Part des Hörers ist der des Leidenden. Beethoven spekuliert aufs Pathologische. Das ist vermutlich einer und nicht der geringste der Schönheitsfehler, die Hanslick, der Klassizist, der Musik angekreidet hat. (Es ist im übrigen klar, daß Schenker diese Position nicht eingenommen hat. Er folgt dem motivischen Aufbau.)

Beethoven bindet den Themenkopf (T. 17ff.) an den allgegenwärtigen Rhythmus [4/4] 𝅗𝅥 ♩ ♩ und setzt ihm eine Schlußformel von lapidarer Kürze entgegen. Der enge Satz wird nicht erweitert, wenn man davon absieht, daß die ersten beiden Takte den takteigenen Rhythmus [4/8] ♩ ♫ dehnen. Die durchaus konventionelle Dehnung erlaubt es Beethoven, den d-Moll-Dreiklang weit, durch zwei Oktaven hindurch zu brechen und durch eine scharfe Punktierung jeden Ton des Modells zu akzentuieren. Es ist kaum merklich und doch für den Charakter des Themas sehr bedeutsam, daß Beethoven die Taktart schrittweise einführt. Die ersten Takte des Satzes zeichnen — wie gesagt — den Themenkopf in riesiger Dimension vor. (Man könnte sagen: im 4/2-Takt.) Das Thema selbst komprimiert ihn auf die halbe Zeit. (Man könnte sagen: auf den 4/4-Takt.) Erst die gewalttätige Kadenz zwingt das Thema unter das Gesetz des 4/8-Taktes und setzt damit den 2/4-Takt in Geltung. Schenker meinte, das Thema gehe organisch aus dem Crescendo hervor. Beethoven bereitet

1 Vgl. L. Treitler, *History, Criticism, and Beethoven's Ninth Symphony,* S. 19.

ohne Zweifel seine rhythmische Disposition und seinen Klang vor, diesen dadurch, daß er mit dem beiläufig gesetzten Ton d des Fagotts in Takt 15 die Tonika herbeiführt. Doch gilt ebenfalls: Mit dem Erscheinen des Themas ändert sich alles. Das Thema präsentiert sich nackt: ohne jede harmonische „Einkleidung", ohne metrische Grundierung, unisono in vier Oktaven, im Fortissimo des ganzen Orchesters. Eine riesige Kraft in gedrängtester Gestalt. Wenn der Hörer den Beginn der Symphonie passiv erlebt, dann bricht das Thema unvermutet über ihn herein. Dann wird er dadurch — wie Treitler sagt[1] — überwältigt wie von einer Explosion.

Die rigorose Kadenz (T. 19f.) bestimmt den Charakter des Themas nicht weniger als der Anfang. Ihre Potenz ist gewaltig, so gewaltig, daß Beethoven mit ihr den ganzen Satz „abschlagen" wird. Zeitweise hat er — wie Skizzen zeigen — daran gedacht, auf dem Schlußton des Themas einzuhalten oder die Kadenz zu wiederholen (so wie er es in der Reprise auch tut). Am Ende entscheidet er sich für eine andere Lösung. Er setzt dem Thema eine große Schlußpartie entgegen. Der Gegensatz wird deutlich als solcher herausgestellt. Beethoven verschränkt die Schlußpartie mit dem Thema. Dadurch wird sinnfällig, daß sie das Thema nicht fortsetzt, sondern dagegensteht. Sie ist der Ausdruck einer Gegenkraft, des Versuchs, das ungeheure Thema zu fassen. Beethoven profiliert die Schlußpartie. Er schreibt die Harmonien aus. Er pointiert die ersten beiden Motive durch Forte-Zeichen. (Carl Dahlhaus interpretiert sie als Sforzati.[2]) Er läßt ihnen eine pathetisch überhöhte Synkope (T. 25) folgen, interpoliert einen viertaktigen Orgelpunkt und geht danach in synkopisch ausgestellte, pathetische Kadenzschritte über. Merkwürdig ist der Einhalt auf der Dominante. Es erklingen martialische Rhythmen in Trompeten und Pauken und, dazu versetzt, leise kantable Motive in den Holzbläsern. Die Schlußpartie rundet sich nicht. Sie setzt zwar zu einer regulären Kadenz an. Doch eben in dem Moment, in dem sie den Schritt vom Dominantquartsextakkord zum Dreiklang gehen müßte, beginnt bereits die Wiederholung des Hauptsatzes (T. 34). Die erste Periode franst in einer Zweiunddreißigstel-Passage aus. Die außergewöhnliche Verschränkung zeigt abermals und nun in einer spektakulären, den Gesetzen einer ordentlichen Klangführung widersprechenden Weise, daß sich zwei Ereigniseinheiten von konträrer formaler und dynamischer Qualität überschneiden. Die Schlußpartie ist — schaut man nur auf das Werk — ein leidenschaftlicher Versuch, das kraftvolle Thema zu bewältigen. Sie ist — denkt man an den Hörer — das erste Ereignis der Symphonie, das ihn nicht zur Passivität verurteilt, sondern fordert. Sie appelliert an ihn, sich von dem gewaltigen Thema nicht annullieren zu lassen, sondern mit zu leisten, was die Komposition versucht, dies nämlich, das Thema zu beherrschen. Die Identifikationspartie des Hauptsatzes ist der lange, vielgliedrige Schluß. Er verlangt — mit Hoffmann zu sprechen — ein enthusiastisches, „hohes Eingehen". Nur der Hörer, der den ästhetischen Akt mitvollzieht, den der pathetische Satz ihm abverlangt, genügt dem musikalischen, ästhetischen und moralischen Anspruch der Musik. Der Satz läßt dem Hörer nicht die Freiheit der genießenden Kontemplation, sie zieht ihn in sich hinein, macht ihn zum parteiischen Teilhaber des musikalischen Prozesses.

Der Hauptsatz ist demnach alles andere als das bogenförmige, „organische" Ge-

1 Vgl. ebenda, S. 21f.
2 Vgl. C. Dahlhaus, *Ludwig van Beethoven und seine Zeit,* S. 110.

bilde, für das ihn viele ansahen.[1] Die verschiedenen Teile, aus denen er besteht, berühren den Hörer sehr unterschiedlich. Das dunkle Tremolo wirkt pathologisch. Das kolossale Thema ist Gegenstand einer eigentümlichen, durchaus panischen Anschauung. Die große pathetische Schlußpartie ist ein Appell an seinen Selbstbehauptungswillen. Dahlhaus wußte den Monumentalstil der Symphonie in der Ästhetik des Erhabenen begründet. Der Nachweis, den er dafür erbringt, orientiert sich an der Werkstruktur: an der Simplizität und Emphase des rhythmisch differenzierten Themenkerns. Auf eine andere Begründung kommt man, wenn man mit in den Blick nimmt, in welche Positionen die hochkomplexe Anlage den Hörer rückt. Sie exponiert ein Thema von überwältigender Kraft und appelliert im Versuch, das Thema formal zu bewältigen, an ihn, sich davon nicht vernichten zu lassen. Das ist eine Konfiguration von Natur und Mensch, die in der klassischen Ästhetik des Erhabenen ihre Erklärung findet. Nicht die schiere Übergröße und Unfaßlichkeit sind es, denen Kant Erhabenheit zugesprochen hat, es ist die menschliche Kraft, die sie zu beherrschen sucht, nicht zuletzt dadurch — so Schiller im Blick auf die Musik —, daß sie ihre pathologisch wirkende Macht formal faßt.[2]

Die Wiederholung des Hauptsatzes weitet den Themenkern; das aggressive Sechzehntel-Motiv wird viele Takte lang fortgesetzt. Beethoven konfrontiert das Thema mit einem Nachsatz von hoher Festigkeit. Durch zwei einander korrespondierende Halbsatzformeln (A und F) wird der zweite, modulierende Hauptsatz eingegrenzt. Im Schatten des zweiten, weich endenden Halbsatzes (T. 74ff.) ereignet sich etwas Außerordentliches. Der Satz hält auf dem Orgelpunkt f inne. In den Holzbläsern erklingen vier „süße" Motive. Ihre formale Qualität wurde unterschiedlich bestimmt. Schenker erklärt sie zur „Seele" der Modulation (obwohl diese längst vorbei ist), Rexroth zu einem Teil des Seitensatzes (obwohl sie den Schritt zur Parallele nicht vollziehen). Sie gehören aber wohl weder zur Modulation noch zum Seitensatz. Sie stehen zwischen den Zeiten der musikalischen Form. Das Ende des Überleitungssatzes ist mit Takt 74 erreicht; die neue Tonika B-Dur und mit ihr der Seitensatz heben in Takt 80 an. Beethoven hält den Formprozeß an. In der „Leerstelle" erklingen — um mit Hoffmann zu sprechen — vier Akzente einer unnennbaren, unendlichen Sehnsucht. Der formalen Qualität der Motive entspricht ihre ästhetische. Ihre Freiheit teilt sich unmittelbar mit. Sie sind wahrhaft ergreifend. Und sie weisen weit über ihren Kontext, ja über den Satz hinaus. Maynard Solomon hört darin einen deutlichen Vorklang des Freude-Hymnus.[3]

Das Thema des Seitensatzes ist anfangs durchaus faßlich. Es konzentriert sich ganz auf ein dreitöniges Bläsermotiv, das pathetisch das vierte Achtel des Taktes akzentuiert. Einher damit gehen die Hörner; sie spielen synkopisch wider den Takt. Die Streicher unterhalten gleichzeitig das Taktmetrum durch einförmig progredierende Sechzehntel-Figuren, die aus dem Sechzehntel-Motiv des Hauptsatzes (T. 19) hervorzugehen scheinen. Die Satzstruktur ist demnach zwiespältig: Ein progressives Metrum steht gegen eine pathetisch akzentuierende Melodiebewegung, die nach einer ausgewogenen Satzbildung verlangt. Die dynamisch fortschreitenden metrischen Figuren und der eher retardierende Rhythmus der Melodie aber halten einan-

---

1 So W. Riezler, *Beethoven,* S. 215.
2 Vgl. Fr. Schiller, *Zu Gottfried Körners Aufsatz über Charakterdarstellung in der Musik,* S. 1046.
3 Vgl. M. Solomon, *The Ninth Symphony: A Search for Order,* S. 13ff.

der die Waage. Es ist keine Frage: Der Hörner verknüpft sein Wohl und Weh mit der Melodie. Sie entwickelt sich durchaus regelmäßig. Um so stärker wird die Störung empfunden, die sie kurz vor ihrem Abschluß erleidet und die sie vom Weg abbringt.

Den Beginn prägt — wie gesagt — ein dynamisch angelegtes Vordersatzpaar (T. 80—87). Die viertaktige parentheseartige Phrase, die sich daran anschließt (T. 88—91), hält den Satzbau auf. Sie vermittelt zwischen Vorder- und Nachsatz. Der Nachsatz setzt danach (T. 93) ein. Er nimmt die natürliche Taktbewegung in den Griff. Jedes, auch das kleinste Detail ist beherrscht. Beethoven phrasiert die Sechzehntel-Ketten, aus denen er weithin besteht, so, daß das Taktmetrum ausgesetzt scheint. In Takt 96 könnte der Seitensatz beendet werden. Beethoven spart den Schlußakkord aus und läßt statt seiner einen zweiten, weit ausholenden Nachsatz beginnen. Dort, wo er sich der Kadenz nähert, brechen primitive martialische Rhythmen über ihn herein, Abbreviaturen wohl des Hauptsatzthemas. Der Versuch der Bläser, den Seitensatz danach mit einer leisen schönen Kadenz abzuschließen, wird ebenfalls brutal niedergeschlagen. Dieser zweite Überfall reißt den Satz aus seiner harmonischen Verankerung. Die Kadenz, die nun ansetzt, erreicht ihre Tonika, verfehlt aber das Ziel. Sie führt nicht nach B-, sondern nach H-Dur. Es dauert lange, bis der Rückweg nach B-Dur zurückgelegt ist.

Der Seitensatz ist das Gegenbild des Hauptsatzes. Der Hauptsatz exponiert ein Thema von unfaßlicher, nackter Gewalt. Eine Gestalt, die der Hörer allein schon wegen ihrer Unbegreiflichkeit als ein außer ihm, aber sehr wohl auf ihn wirkendes Ereignis wahrnimmt. Er identifiziert sich mit der dynamischen „Gegenbewegung", die das Thema zu fassen sucht, und scheitert mit ihr. Die Melodie des Seitensatzes bindet den Hörer sogleich an sich. Die Interpolation (T. 74ff.) disponiert ihn bereits dafür. Das Motiv des Vordersatzes ist der Ausdruck konzentrierter Beherrschtheit. Er hat — so will es scheinen — durchaus seine eigene, gefaßte Dynamik. Sie bestimmt die bis ins letzte durchorganisierte Entwicklung des Nachsatzes. Da der Hörer diesen Prozeß mitträgt, erleidet er die Schläge, die den Satz so kurz vor seinem Ende zerstören, als ein fremdes, von außen über ihn hereinbrechendes Unglück. So gegensätzlich Beethoven Haupt- und Seitensatz anlegt, in einem sind sie gleich. Sie entwickeln sich nicht linear, nicht „organisch". Beide bestehen sie aus Momenten, die nicht bloß musikalisch, rhythmisch oder formal gegensätzlich sind, sondern verschiedene Welten repräsentieren: die Innen- und die Außenwelt — eine Klangwelt, mit der der Hörer lebt, ja eins ist, und eine Klangwelt, die ihm fremd, ja bedrohlich entgegentritt. Nur auf den Leerstellen der Form scheint der Druck der Außenwelt nicht zu lasten. Das erklärt wohl, weshalb die Akzente, die darin erklingen, ein Gefühl der Freiheit und Weite evozieren, das alles, Form und Satz, überdauert (und den Zyklus innerlich mitbegründet).

Was für die heterogene Verfassung der Details gilt, wiederholt sich in der Struktur des Ganzen. Die Wiederholung des Hauptsatzes beginnt wiederum am Rande des Nichts (T. 34ff.). Der Wiedereintritt des Themas ist noch befremdender, weil es wider alle Regel in B-Dur einsetzt. Treitler bezieht diese Wendung auf den Schluß der Exposition. Das Ereignis dieses Schlusses ist der Wiedergewinn der Seitensatztonart, nachdem das Seitensatzthema gewaltsam aus seinem harmonischen Satz gerissen worden ist. Dieser Gewinn wird vielfach bekräftigt, am Ende durch Fanfaren. Nach diesem Triumph fällt der Satz unmittelbar auf den Anfang, aufs Tremolo zurück. Beethoven rückt von b nach a und setzt dem Ton b unvermittelt den Ton e

(T. 163) entgegen. Die Durchführung hat eine seltsame Anlage. Sie ist — von Anfang an — auf die Reprise hin ausgerichtet. Im ersten Teil (bis T. 218) dominiert der Hauptsatz, das Tremolo und die Motive des Hauptsatzkerns. Sie entfalten sich ungehindert und erschöpfen sich am Ende in sich selbst. Die Kadenz, die diese Phase abschließt, widerspricht allen Regeln der Kunst. „Der Baß" — so Berlioz — „schlägt zuerst ein Fis an, als Unterlage der verminderten Septime, dann ein As, als Unterlage der Terz, der übermäßigen Quarte und Sexte, und schließlich das G, über welchem Flöten und Oboen die Noten Es, G, C bringen, welche als Sextquartakkord eine vortreffliche Auflösung des vorhergehenden Akkordes bilden würden, wenn nicht die zweiten Geigen und Bratschen die zwei Töne F und As in die Harmonie würfen, wodurch diese entstellt [...] wird. Diese Stelle ist nicht stark instrumentiert und ist ganz und gar nicht rauh im Charakter; ich kann daher die so eigentümlich herbeigeführte, durch nichts motivierte vierfache Dissonanz nicht begreifen."[1] Beethoven lockert den Tonsatz. Die Harmonie verliert die Macht über die melodischen Bewegungen. Die Stimmen suchen, allein ihrem Gesetz folgend, ohne Rücksicht aufeinander den Weg zur Tonika. Die Kadenz, die musikalische Figur, die anfangs so entschieden an den Hörer appelliert hat, hat in der Mitte der Durchführung die Kraft verloren, auch nur sich selbst zu organisieren.

Das Fugato, das sich daran anschließt, ist gewiß mehr als nur geniales Handwerk. Es ist Ausdruck der Auflösung, des Durcheinander, der Flucht. Sie läuft in Etappen, aber doch geradewegs im Zuge einer großen Entwicklung auf die Reprise zu. Die Reprise setzt infolgedessen nicht im Pianissimo, sondern — das macht sie zum Zentrum des Satzes — im Fortissimo ein. Donald Francis Tovey schreibt darüber: „The whole development is at once a thing of the past, a tale that is told."[2] Zum ersten Mal in der Symphonie läßt ein ungeheures Ereignis, hier eine „schockierende" Reprise von drohendem, blendendem Glanz[3] alles, was vorausgeht, zur Vorgeschichte verblassen. Der Vorgang wird sich — wie gesagt — im Blick aufs Ganze vor dem Eintritt des Finales wiederholen. Die übrigen Teile der Reprise stehen tief im Schatten, die der mächtige Anfang wirft. Erst die Coda löst sich daraus.

Wohl in kleineren Werken, nicht aber in Symphonien hat Beethoven gelegentlich dem ersten Satz das Scherzo folgen lassen. In der 9. Symphonie aber tut er das. Man führt im allgemeinen zwei Gründe dafür an. Zum einen wird dadurch der Weg von d-Moll nach D-Dur, der — so Solomon — der allgemeinste musikalische Ausdruck ihrer Idee ist, begradigt.[4] Die ersten beiden Sätze stehen in d-Moll (mit einem bedeutsamen Vorgriff auf die Dur-Variante im Trio), der langsame Satz weicht nach B-Dur aus (nicht ohne ebenfalls bereits sehr nachdrücklich auf D-Dur zu verweisen). Schließlich setzt sich im Finale D-Dur durch. Zum anderen erlaubt die außergewöhnliche zyklische Form Beethoven, sich schrittweise dem Gesang zu nähern. Der erste Satz hat nur ein paar kurze, wennschon hochbedeutsame kantable Momente. Das Scherzo umschließt ein großes kantables Trio. Das Adagio ist instrumentaler Gesang. Und das Finale führt endlich den veritablen Gesang herbei. Viel-

1 H. Berlioz, *Musikalische Streifzüge*, S. 44.
2 D. Fr. Tovey, *Essays in Musical Analysis* (1989), S. 100.
3 L. Treitler, *History, Criticism, and Beethoven's Ninth Symphony*, S. 23.
4 Vgl. M. Solomon, *The Ninth Symphony: A Search for Order*, S. 18ff.

leicht kommt hinzu, daß das „possenreißende" Scherzo stilistisch unter dem Adagio rangiert und die Folge: humoristisches Scherzo, zärtlich flehendes Adagio, Freudenfeier stringenter ist, als es die konventionelle Satzfolge wäre.

Einige Momente des Scherzos, der laute Anfang mit den quer gestellten Pauken und der hohle zupackende Schluß, weisen zurück auf das Hauptsatzthema des ersten Satzes. Der Hörer empfindet sie als den Ausdruck einer großen, von außen auf ihn einwirkenden, ja einpeitschenden Macht. Die Bewegungsimpulse, die das Stück deutlich. Sie zwingen den Hörer in die Bewegung, die der Tonsatz vorführt: den Hörer nicht allein, sondern ihn und alle um ihn herum, einen nach dem anderen. Die Fuge, mit der das Scherzo beginnt, ist der musikalische Ausdruck einer primitiven Sozialisierung. Die Gewalt geht vom Rhythmus aus. Wer die Trommel schlägt, bleibt im Dunkeln.

Der Satz ist außergewöhnlich. Beethoven entgrenzt die musikalische Bewegung. Er komponiert einen pausenlosen Satz. Pausen gibt es grundsätzlich nur zwischen den Teilen der Großform. Im übrigen wird die daktylisch gezeichnete Viertelbewegung, von ganz wenigen Momenten abgesehen, ohne merkliche Einkerbung fortgesetzt. Sie bildet — der Idee nach — einen endlosen Rapport. Es dominiert der primitivste Faktor des klassischen Satzes, das einförmige Metrum. Einförmig ist indessen nicht nur die Taktbewegung, sondern auch der Duktus der übergeordneten rhythmischen Einheiten. Beethoven meidet alles, was die primitive Taktprogression zerteilen würde. Er komponiert keine Sätze, die sich gegeneinander abschließen würden, keine Einheiten mit regelrechten Einschnitten und Ruhepunkten. Er bildet über dem primitiven Taktmetrum einen zweiten, höheren „Takt" aus, einen Großtakt, der vier oder drei Takte vereint. Die Einheiten, die dadurch entstehen — Beethoven nennt sie Rhythmen —, proportionieren den elementaren Progreß, kerben ihn leicht, nehmen ihm aber nicht seine ursprüngliche Kraft. Schon die Durchführung des ersten Satzes ist — so Dahlhaus — weithin im Sinne dieses von Georgiades so genannten Gerüstsatzprinzips komponiert[1], das Scherzo aber gänzlich. Der „ritmo di quattro battute" bestimmt den Aufbau des Fugato, die melodische Zeichnung des langen Orgelpunkts auf a (T. 33ff.), die Gliederung des Tutti und den Ort seiner Kadenzen, er ist das Maß der Ausweichung nach C-Dur und der C-Dur-Melodie, die den Seitensatz darstellt. Nur gelegentlich — um die Form zu konturieren — modifiziert Beethoven den herrschenden Rhythmus. Er lockert in den Takten, die zu den letzten Kadenzen (T. 117ff.) hinführen, den Satzrhythmus. Er schmilzt das pulsierende Metrum in gebundene Linien ein und dehnt das Maß des Gerüstsatzes auf sechs Takte. In der Mitte des Scherzos — in seiner durchführenden Partie — treten an die Stelle der „natürlichen" Viererrhythmen „weniger natürliche" Dreierrhythmen. Schon im Übergang zur „Reprise" aber setzt Beethoven das Maß der „Exposition" wieder in Geltung. In der „Reprise" läßt er in der Überleitung zum Seitensatz das Metrum taktweise aussetzen (so etwa T. 305f.).

Das Trio — in D-Dur — ist der erste große Komplex der Symphonie, der entschieden aufs Ende deutet. Es ist das Antibild des Scherzos, und zwar tonal und — dies vor allem — stilistisch. Der rhythmische Charakter der Melodie ist gänzlich anders. Das Trio ist dem Gesetz des 3/4-Taktes entzogen; es hat sein eigenes Maß (den

1 Vgl. C. Dahlhaus, *Ludwig van Beethoven und seine Zeit,* S. 111f.

Alla-breve-Takt). Nicht das Taktmetrum dominiert, sondern die Melodie. Ihr breiter schöner Anfang, ein Anheben in den Usancen des alten Stils, bestimmt die Temporalstruktur des Satzes. Die Kadenzen der Melodie teilen den Satz deutlich auch dort ab, wo sie sich mit dem Folgenden verschränken. Dem altertümlichen, aber durchaus enthusiastischen Rhythmus der Melodie entspricht der Satz. Beethoven beginnt mit einem wirklichen Triosatz. Er setzt den beiden Oberstimmen einen Baß entgegen, der ostinat in Vierteln fortschreitet, komponiert also einen Satz im strengen Stil, gebunden, beherrscht und in einer bescheidenen Weise durchaus kunsthaft. Der eigentliche Attraktionspunkt freilich ereignet sich — wie im ersten Satz — zwischen den Zeiten der Form: in der Leerstelle zwischen dem Ende des Trios und der Reprise des Scherzos (T. 493ff.). Beethoven hält über viele Takte hinweg den Baßton d an und überläßt den Triosatz gleichsam sich selbst. Es entsteht — so Solomon — eine pastoral getönte Oase der Ruhe. Eine Vorahnung des Glücks, auf das das Ganze zielt.

Die Theorie des 18. Jahrhunderts wußte, daß ein einförmiger Rhythmus die Hörer in die Ekstase treibt, besonders wenn er regelmäßig auf sie einschlägt. Das Scherzo macht wie der erste Satz die ästhetische Qualität des Unfaßbaren fühlbar, aber auf eigene Weise: nicht durch übergroße Tongestalten, sondern durch eine endlose metrische und rhythmische Bewegung. Der Satz wird denn auch nicht eigentlich beendet, sondern nach einem steilen, sich beschleunigenden Crescendo mit äußerster Gewalt niedergeschlagen. Daß Beethoven während der Abschläge für einen Moment den Blick auf das vergangene pastoral getönte Trio freigibt, läßt den diktatorischen Schluß besonders abstoßend erscheinen. Es ist offensichtlich: Der Zug ins Grenzenlose, den das Scherzo antritt, bleibt nicht unerwidert. Es will scheinen, als befriedige das Trio das Verlangen der Hörer, aus der Bewegung des Scherzos wenigstens zeitweise herauszutreten. Ins Scherzo werden sie hineingezogen, dem Trio folgen sie freiwillig, mit Lust. Beethoven treibt den konventionellen Gegensatz von Scherzo und Trio ins Extrem. Scherzo und Trio werden zu Gegenbildern menschlichen Daseins, das Scherzo zum Ort einer zwangsweisen Vergesellschaftung, das Trio zur Idee, die „Leerstelle" zwischen dem Trio und der „Reprise" zum Traum freier Geselligkeit. Der Satz wendet — in Jean Pauls Sinn — das Erhabene ins Humoristische.

Zwingt das Scherzo den Hörer in den Strudel einer ins Unermeßliche sich steigernden Bewegung, so zieht ihn das Adagio in den Bann einer stillen, ausdrucksvollen Melodie. Seit jeher hören die Interpreten darin ein Gebet. Ein äußerster Gegensatz prägt die Mitte der Symphonie. Wie bedeutsam dieser Kontrast den Bewunderern des Werkes war und wie sehr sie darauf bedacht waren, ihn sich auch zu vergegenwärtigen, zeigt eine Episode der Beethoven-Novelle von Wolfgang Robert Griepenkerl. Dort befriedigt ein Kunstfreund sein Verlangen nach humoristischen Verhältnissen dadurch, daß er, während das Adagio erklingt, die Partitur des Scherzos liest.[1] Was sich auf den ersten Blick wie die Schrulle eines Sonderlings ausnimmt, hat durchaus Sinn. Er nimmt die Forderung, die das Werk gegenüber den Hörern erhebt, die inkommensurablen Gegensätze sich bewußt zu machen und auszuhalten, radikal ernst. Nur wer sie nachvollzieht, hat Anteil an den ästhetischen Qualitäten, auf die das Werk aus ist: an der Erhabenheit und am Humor. Die Mitte der Symphonie beherrscht ein humoristischer Kontrast, der den Gegensatz, der den zweiten

1 Vgl. W. R. Griepenkerl, *Das Musikfest oder die Beethovener* (^{2}1841), S. 197f.

Satz prägt, in den Schatten stellt. Die Flucht in die Orgie und der Rückzug ins Gebet haben indessen, so unvereinbar sie scheinen, eines gemeinsam: Sie sind Zeichen der Unfreiheit, sie mindern und tilgen das Selbstbewußtsein. Sie stehen für eine Gegenwart, die sich — wenn man von lichten Momenten absieht — in sich selbst erschöpft. Das macht es verständlich, daß auch dem schönen Adagio der Eingang ins Finale verwehrt wird.

Der langsame Satz hat eine höchst außergewöhnliche Anlage. Beethoven vereint darin — wenigstens scheinbar — zwei gänzlich verschiedene musikalische Charaktere. Er setzt sich damit über eines der Grundgesetze des klassischen Stils hinweg. Er gibt die Einheit der Taktbewegung, des Taktes und des Tempos, auf. Er läßt ein „Adagio molto e cantabile" in B-Dur im 4/4-Takt abwechseln mit einem „Andante moderato" im 3/4-Takt, das zuerst in D-, dann in G-Dur erklingt. Manchem Zeitgenossen wollte es scheinen, als verschränke er zwei langsame Sätze miteinander. Die Absicht, die Beethoven mit dieser ungewöhnlichen Disposition verbindet, ist offensichtlich. Das Adagio und das Andante sind formal nicht gleichgestellt. Im Adagio vollzieht sich der formbildende Prozeß. Es hat den Charakter eines Gebets und die Form eines Liedes. Die erste „Strophe" bildet den ersten Teil des Satzes (T. 1—22). Es gibt eine kurze Bläsereinleitung. Jede Zeile des Liedes wird durch einen Bläsersatz abgerundet. Das Nachspiel, das in Takt 20 anhebt, aber rundet sich nicht. In eben dem Moment, in dem es kadenzieren und der zweiten Strophe hätte Platz machen müssen, beginnt eine seltsam unwirkliche Digression. Was das Andante so unwirklich macht, ist der Umstand, daß es keinerlei harmonische Bewegung hat. Es ruht gänzlich im Ton A der Celli. Schon dies macht klar: Es ist die letzte, die deutlichste und ausdrucksvollste der vielen tönenden Leerstellen der Symphonie. Der Eindruck, der Zeitgenossen so verstört hat, nämlich, daß Beethoven zwei grundverschiedene Sätze in einem monströsen Zwitter vereint, ist demnach eigentlich falsch. Beethoven komponiert das Gebet und hält seinen Gang nicht auf. Denn die beiden Digressionen sind zeitlos, wesenlos, nur tönend bewegte Stillstände, Träume. Diese Träume freilich sind von höchster Attraktivität, sind Expressionen einer herzergreifenden, durchaus erotisch getönten Sehnsucht. Sie wirken auf den musikalischen Prozeß ein. Beethoven verändert das Lied, variiert es. Motive des Andante gehen bereits in die erste der ausdrucksvollen Variationen ein. Nach der zweiten Digression, die zwar nicht an sich, aber doch insofern über die erste hinausgeht, als Beethoven sie um eine Quarte nach oben versetzt, findet das Lied nicht mehr zu sich selbst zurück. Es setzt „falsch", in Es-Dur ein. Es kommt zu krisenhaften Ausweichungen und Zergliederungen, kurz: zu einer kleinen Durchführung. Erst danach erklingt die dritte, reprisenhafte „Strophe". Sie steht im 12/8-Takt, verbindet den geraden Takt mit Elementen des ungeraden. Ihre höchst nuancenreiche Figuration bringt die anfangs so verhaltene Dynamik des Liedes gleichsam musikalisch auf den Begriff. Und dies eben mit einem „Vokabular", das von der „Sprache" des Andante zehrt. Aus einem stillen Gebet wird ein inbrünstiger Ausdruck namenloser Sehnsucht, der Sehnsucht wohl weniger nach himmlischem Frieden als nach irdischem Glück, nach dem Glück, das der Mensch im Menschen findet.

Durch nichts, was das Adagio enthält, läßt sich erklären, was sich zu Beginn der Coda ereignet. Unvermittelt bricht ein Tutti mit Trompeten, Posaunen und Pauken darüber herein. Das Ereignis ragt über den Satz hinaus. Es entspricht den Akzenten, die in den Leerstellen des ersten Satzes ertönten. Dort waren es kantable Gesten der Sehnsucht inmitten einer dunklen Musik. Hier sind es schreckliche Fanfaren inmitten einer zarten Musik. Die leisen süßen Akzente waren zukunftsgewandt, die lauten, erschreckenden Rhythmen zeigen, wie groß der Schatten ist, den der Anfang der Symphonie wirft.

Mehr als ungewöhnlich ist der vierte Satz. Er überschreitet entschieden den Bereich, der der Gattung zugemessen ist. Es wäre nach dem, was der Zyklus bis dahin geboten hat, gewiß möglich gewesen, ihn auf herkömmliche Weise durch ein instrumentales Stück zu beenden. Beethoven hat dies — wie die Entstehungsgeschichte zeigt — auch lange, noch im Herbst 1823 erwogen.[1] Am Ende aber komponiert er ein Finale, das nicht „organisch" aus den ersten drei Sätzen hervorgeht, sondern jenseits dessen ist, was zuvor erklungen ist. Der Eindruck, den Kritiker des Werkes hatten, nämlich, daß es eine Chimäre sei und aus zwei unvereinbaren Teilen bestehe, trifft durchaus die Sache. Der Stilbruch ist das zentrale Ereignis der Symphonie. Ohne ihn hätte die Komposition ihr Ziel, einer menschenfreundlichen Zukunft den Weg zu weisen, nicht verwirklichen können.

Wie gesagt: Beethoven „dramatisiert" den Übergang von der abgelebten Vergangenheit in die glückliche Zukunft. Es ist, als nähme die alte Welt alle Kraft zusammen, um ihren Untergang zu vereiteln. Dreimal bricht ihre fürchterliche Musik über die Hörer herein. Zweimal, symmetrisch gestellt, im ersten Presto, hier in den Bläsern, einmal, wider Erwarten, nachdem die Instrumente das Thema des Finales bereits exponiert haben, zu Beginn des zweiten Prestos, im Tutti. Dreimal wird der Schrecken feierlich zurückgewiesen. Zuerst von den tiefen Streichern. Und endlich und endgültig durch die tiefe menschliche Stimme. Der Baß, der der dunklen Vergangenheit Einhalt gebietet, ist ein priesterähnlicher Wächter, ein zweiter Sarastro. Baensch hat recht: Hier spricht der aufgeklärte Philosoph (durchaus in Beethovens eigenstem Sinn).[2] Er ist es, der die Freude-Melodie, das innere Prinzip der neuen Gesellschaft, intoniert.

Hätte Herder dieses Lied gehört, er hätte es enthusiastisch begrüßt. Es ist die Ausgeburt seines Ideals: schlicht, edel und wirksam. Es ist — Beethoven macht es deutlich — ursprünglich einstimmig (T. 92ff.). Johann Georg Sulzer, der sozialpädagogisch engagierte Klassizist, wollte die Musik nur mehr dem Zweck gewidmet wissen, die öffentlichen Belange der Völker zu befördern. „Es ist in der Welt nichts, das die Gemüther so gar bis auf den innersten Grund öffnet, und jedem Eindruk so einnehmende Kraft giebt, als öffentliche Feyerlichkeiten, und solche Veranstaltungen, wo ein ganzes Volk zusammen kommt."[3] Das Finale der Symphonie ist ein großes Fest, nicht nur das Fest einer Nation, sondern das Fest der Menschheit — ein Fest, in dem sich eine neue Gesellschaft konstituiert.[4] Schon die erste, instrumentale Exposition des Hymnus vollzieht das Ritual einer — wie sich zeigen wird

1 Vgl. D. Rexroth, *Ludwig van Beethoven. Sinfonie Nr. 9,* S. 334; Brandenburg, *Die Skizzen zur Neunten Symphonie,* S. 128f.

2 Vgl. O. Baensch, *Aufbau und Sinn des Chorfinales,* S. 54.

3 J. G. Sulzer, *Allgemeine Theorie der schönen Künste,* Bd. I (²1792). S. XIVf.

4 Vgl. dazu O. Baensch, *Aufbau und Sinn des Chorfinales,* S. 54ff.; M. Cooper, *Beethoven* (²1990), S. 323. Cooper verweist auf zeitgenössische Feste, besonders auf die der französischen Revolution. Dazu auch G. Ziebura, *Frankreich 1790 und 1794,* S. 258ff.

— vorläufigen Vergesellschaftung. Der dritte Einbruch der „Schreckensfanfare" setzt dem enthusiastischen Ausgriff des Orchesters ein Ende. Die Instrumente haben nicht die Kraft, die alten Schrecken zu bannen. Das glückt erst der menschlichen Stimme. Das zweite Presto legitimiert ihren Einsatz. Hinter der kompositorischen Entscheidung steht vermutlich der Gedanke, der Aufbruch in die menschenfreundliche Zukunft müsse sich auf die ursprüngliche Ordnung der Dinge gründen. Die neue Gemeinschaft — so Rousseau, Sulzer und Herder — ist das Produkt eines neuen Liedes, eines Hymnus, der die Kraft der alten Gesänge erneuert.[1] Beethovens Lied erneuert die verlorene Kraft der Urmusik. Es versucht, die Menschen wieder zu vereinen. (Dabei spielt das Gedicht Schillers eine durchaus untergeordnete Rolle. Es ist an sich nicht mehr als ein dem Brauchtum nahes Geselligkeitslied. Beethovens Musik erst weitet seine Bedeutung. Der Komponist wählt die Verse frei aus. Er gruppiert sie, ohne Rücksicht auf die poetische Form zu nehmen, allein im Interesse seines Konzepts.)

Mit dem ersten Wort schon kommt ein neuer Ton in die Musik: „O Freunde". Es erklärt die Hörer zu Freunden. Der Protagonist der neuen Ordnung lädt die Hörer ein, in den Hymnus einzustimmen, mit dem Herzen natürlich, nicht mit der Stimme: „O Freunde, nicht diese Töne, sondern laßt uns angenehmere anstimmen, und freudenvollere." Es ist offensichtlich: Für die neue Welt steht ein gänzlich neues Verhältnis von Musik und Hörer. Der erste Satz hat ihn seine Ohmnacht fühlen lassen und seiner moralischen Kraft das Äußerste abverlangt. Der zweite hat ihn dem Zwang einer kollektiven Tanzwut unterworfen. Der dritte ließ ihn in selbstsüchtiger Inbrunst vergehen. Der letzte Satz appelliert an ihn, sich als Gleicher mit Gleichen zu verbinden. Schon das 18. Jahrhundert hat die Angelegenheiten Vieler zum Gegenstand der Symphonie erklärt. Die 9. Symphonie stellt sich dem Anspruch der Gattung. Sie bietet am Ende nicht weniger als den Entwurf einer neuen Menschheitsordnung, einer Ordnung, die alte „Moden" — dazu zählen gewiß die Stände und die Nationen — hinter sich läßt. Der Grund der Freude, die Beethovens Hymnus besingt, ist die Brüderlichkeit. Beethoven zeichnet zwei Wörter der ersten Strophe durch pathetische Akzente aus: das Wort „alle" („alle Menschen") dadurch, daß er es vorzeitig einsetzen läßt, und das Wort „Brüder" dadurch, daß er es auf drei Achtel dehnt.

Die Worte, durch die Beethoven zunächst das Rezitativ der Einleitung textieren wollte, erklären das Finale zu einer Feier. Das Werk selbst schweigt sich darüber aus. Der rituale Charakter ist indessen deutlich. So deutlich, daß manche — Baensch etwa — das Fest, das darin begangen wird, vor sich zu sehen und „inszenieren" zu können glaubten. Es vollzieht sich in rituellen Formen, in mehreren deutlich voneinander geschiedenen Akten. Daher kommt die Vielteiligkeit des Satzes. Der steife Pomp der alten Autoritäten ist ihm fremd. Das neue Fest zehrt von der Begeisterung derer, die es tragen. Es ist ein erstes Fest, gefeiert in einem großen Augenblick der Menschheitsgeschichte, an der Schwelle eines neuen Zeitalters. Es wird, je länger es währt, zur Vision des Glücks, das der neue Bund der Menschheit verheißt. Es schließt krisenhafte und kontemplative Momente ein, ist aber, aufs Ganze gesehen, ein grandioses, letztlich unabsehbares Crescendo, die Vision eines grenzenlosen Fortschritts.

---

1 Vgl. z. B. J. Starobinski, *Der gesellschaftliche Charakter der Musik,* S. 237ff.

Der Ablauf des vielteiligen Rituals läßt sich leicht überblicken. Das Finale verbindet, um die Festordnung zu konturieren, geschwinde und langsame Teile sehr unterschiedlicher Art. Es will scheinen, als wolle es im Rahmen des Finales wenigstens ansatzweise die Satzcharaktere des Sonatenzyklus abermals, nun auf neuer Ebene, vorführen. Das „alla Marcia" stünde für das Scherzo, das Andante und das Adagio für den langsamen Satz.[1]

Der erste Teil (D-Dur, 4/4-Takt; T. 237—330) ist die Phase der musikalischen Verbrüderung. Die ersten vier Takte wiederholen das „Schlüsselmotiv", das am Ende des ersten Rezitativs bereits die neue Zeitperspektive geöffnet hat. Freuderufe werden laut. Es will scheinen, als bilde sich das neue Lied — wie Schillers Freund Körner sich ausgedrückt hat — in einem Moment höheren Lebens.[2] Der Vorsänger intoniert das Lied. Ein dreistimmiger Chor singt unisono die zweite Hälfte nach. Die zweite Strophe führen die Solisten mehrstimmig ein. Ihnen antwortet der Chor. Nach dem gleichen Prinzip aufgebaut ist die dritte, sehr lebhafte Strophe. Jede Strophe hat ein kurzes instrumentales Nachspiel. Das der dritten Strophe wird erweitert. Es moduliert in den letzten Takten nach B-Dur. Der Chor zergliedert hier die letzte Zeile „Und der Cherub steht vor Gott". Dafür, daß der Aufbau nicht starr und leblos wird, sorgen die Variation des Hymnus und vor allem die Instrumentalbegleitung. Sie dynamisiert den Satz. Sie umspielt den Gesang mit Tongirlanden; sie belebt seinen Rhythmus mehr und mehr, durch metrische Figuren, gestochen scharfe Akzente und synkopische Schläge. Sie umgibt ihn am Ende mit schwirrenden Trillerfiguren: Das Lautbild wohl einer Volksversammlung. Der Aufbau des Satzes ist massenpsychologisch motiviert.

Der zweite Teil (Allegro assai, anfangs B-Dur, schließlich D-Dur, 6/8-Takt; T. 331—594) ist nicht leicht zu deuten. Die Mitte der Strophe ist der Imperativ: „laufet, Brüder, eure Bahn", die sonnengleiche Bahn des siegreichen Helden. Beethoven komponiert wohl ein heroisches Gemälde, ein Schlachtenstück. Aus weiter Ferne — so scheint es — nähert sich eine exotische Kriegsmusik (Bläser und viel Schlagzeug). Man hört eine bizarre, gänzlich aus den Fugen des Taktes geratene Fassung des Freude-Liedes. Es ist bedeutsam: Der Tenor, der den heroischen Appell vorträgt, läßt sich auf dieses Zerrbild nicht ein. Er erhebt sich kühn darüber. Und vor allem: Er respektiert das Taktmaß, das die freche Kriegsmusik so beharrlich mißachtet. Der dreistimmige Kriegerchor, der am Ende in seinen Gesang einstimmt, folgt ihm darin. Wenn man die Struktur der Komposition ernst nimmt, dann darf man die bizarre Kriegsmusik nicht zur Musik des Helden und seines Anhangs erklären. Dann muß man darin die Musik von Barbaren hören, die den neuen Hymnus und die Gesellschaft, die er repräsentiert, verhöhnen. Eine Notiz Beethovens scheint diese Interpretation zu stützen. Sie findet sich zwischen Skizzen des Finales: „türki-

1 Eine Auseinandersetzung mit anderen Erklärungen und Interpretationen des Satzes kann im Rahmen der Abhandlung nicht stattfinden. Einen Überblick gibt M. Broyles, *Beethoven. The Emergence and Evolution of Beethoven's Heroic Style,* S. 259ff. — Schwer ist es hier auch, Treitlers Ansatz zu folgen (*History, Criticism, and Beethoven's Ninth Symphony,* S. 25ff.). Er veranschlagt den instrumentalen Charakter des Satzes zu hoch und die Bedeutung der „Festordnung" und damit des Vokalen zu gering.

2 Vgl. W. Seifert, *Christian Gottfried Körner,* S. 150.

sche Musik in Wer das nie gekonnt, stehle —".[1] Die türkische Musik knüpft demnach an die zweite bereits verklungene „Strophe" an, an die Verse: „Und wers nie gekonnt, der stehle weinend sich aus diesem Bund." Damit erschließt sich auch der Sinn der langen, harmonisch bewegten, fugierten, instrumentalen Durchführung, die aus der türkischen Musik hervorgeht. Sie ist der Ausdruck des Kampfes zwischen den Brüdern und ihren trunkenen Verächtern.[2] Sein Gegenstand ist das Lied, der von den Frevlern verhöhnte Kultgegenstand der neuen Menschheit. Er wird, nachdem der Sieg errungen ist, denn auch feierlich wieder aufgestellt. Der Chor der siegreichen Brüder singt ihn, nun da er seine Errungenschaft ist, mit neuem Recht und neuer Feierlichkeit, im weiten Rhythmus eines neuen, edlen Marsches mit Pauken und Trompeten, in seinem Ton: in D-Dur. Die Feier der Verbrüderung geht in einen Triumph über.

Der langsame Teil besteht aus einem „Andante maestoso", das in G-Dur beginnt, und aus einem „Adagio ma non troppo, ma divoto", das von g-Moll ausgeht. Beide Teile modulieren und erweisen sich damit — aufs Ganze — gesehen als zweiter Teil der Mitte. Die Verse, die Beethoven damit verbindet, begründen die „Ausweichung" in die langsame Bewegung. Im Übermaß der Freude, das dem Sieg folgt, richten die Gerechten den Blick nach oben: „Brüder, überm Sternenzelt muß ein lieber Vater wohnen." Der nächtliche Gesang wendet sich vom Freude-Hymnus ab. Er ist in höchstem Maße ungewöhnlich. Beide Teile bewegen sich im breiten 3/2-Takt, in einem Maß des alten, sakralen Stils. Das Andante hat den Charakter eines machtvollen rituellen Grußes: „Seid umschlungen Millionen! Diesen Kuß der ganzen Welt!" Die Männerstimmen singen vier gewaltige dreitönige Posaunensignale. Der jüngste Tag wird säkularisiert. Die Signale verbinden sich zu einem unisonen, alles Faßliche übersteigenden Gesang. Der Chor wiederholt ihn in vierstimmigem Satz; das Orchester akzentuiert feierlich jeden Ton. Die responsoriale Vortragsweise verstärkt den Eindruck des Sakralen. — Durchaus abseitig ist der „devote" Gesang, der dem großen Appell folgt. Er ist nicht eigentlich ein Gebet, sondern ein Ruf an die Welt, den Blick frei über die Sterne zu Gott zu erheben. Beethoven gibt ihm eine unerhörte Bedeutung, er überhöht ihn — so Kunze — zur Figur der „Entrückung, Transzendenz".[3] Er beginnt in der Tiefe. Bratschen und Celli schattieren den choralartigen Satz der Bläser und des Chors ab. Schon im zweiten Takt des Chores beginnt ein Crescendo. Der Sopran steigt kontinuierlich. Der Anstieg wird durch den Anruf „Welt" unterbrochen. Er bewirkt Ungewöhnliches. Die Harmonie löst sich aus ihrer funktionalen Verankerung. Sie steigt mit der Dynamik frei von C- über D- nach Es-Dur. Im Höhepunkt — so will es scheinen —, dort wo die Entrückten einhalten, bricht ein himmlisches Licht über sie herein. Es erklingt — so Stefan Kunze — eine „schwebende, unzentrierte Harmonie", ein lichter, entrückter Klang, der sich „aus allen ‚irdischen' Bindungen" gelöst zu haben scheint: „Über Sternen muß er wohnen." Der Moment ist bedeutsam. Im Adagio vollzieht sich eine besondere Art der Ekstase. Die Eingeweihten werden — mit Hoffmann zu

---

1 G. Nottebohm, *Zweite Beethoveniana,* S. 186.

2 Auch in der Chorfantasie op. 80 „durchkreuzt" die Kriegsmusik die Variationen. Oder: Kriegsmusik unterbricht das Agnus Dei der *Missa solemnis* und verleiht den Bitten um Erbarmen und Frieden Dringlichkeit.

3 Dazu St. Kunze, *„Über Sternen muß er wohnen",* S. 285.

sprechen — zu begeisterten Geistersehern. Der Klang, in dem sich der Blick ins Unabsehbare weitet, ist der Dominantseptakkord von D-Dur. Er ist, obwohl man dies, solange er gleichsam zeitlos währt, nicht empfindet, der Akkord, der die Reprise evoziert.

Andante und Adagio sind deshalb so bedeutsam, weil sie den Schluß des Finales, die „Reprise" und die Coda, über den expositionsartigen Anfang und die zwiespältige, ausweichende Mitte erheben. Was vorausgeht, hat Realitätscharakter, ist die erste, durchaus noch gefährdete Verbrüderungsfeier. Was der ekstatischen Entrückung folgt, hat den Charakter einer Vision, ist die Verheißung eines unendlichen künftigen Glücks. Die Reprise ist eine Doppelfuge (Allegro energico, sempre ben marcato, 6/4-Takt, D-Dur). Sie steigert das Freude-Lied. Sie versetzt es in die neue geschwinde Taktbewegung. Sie überhöht es durch Holzbläser und belebt es durch mitreißende Streicherfiguren. Und vor allem: Das Lied hat den großen Gesang, den das Andante eingeführt hat, zum Fundament. Auch hier tragen ihn Posaunen. Dazu kommen Exklamationen der Freude. Die Fuge ist der erste Teil des Finales, das Beethoven weit ausführt. Sie ist auf D-Dur zentriert. In der Mitte weicht sie zweimal in entferntere Bezirke aus. Schwach ist der Schluß. Dort, wo das Kadenzensystem einsetzen müßte, das den Teil wirklich beenden würde, weicht der Satz in eine Dubitatio aus, die die Verse, nicht die Musik des Adagios wiederholt. Aus Figuren des Zweifels erwächst die Gewißheit: „Überm Sternenzelt muß ein lieber Vater wohnen." „Ein lieber Vater": Das Ende der Symphonie verheißt nicht nur eine neue Gesellschaft, sondern auch ein neues Gottesbild. Die Brüder begegnen ihrem Gott mit Ehrfurcht und Dankbarkeit, aber auch mit Selbstbewußtsein. Dieses gründet sich auf die Würde, die ihnen auf dem Weg zur Perfektion zuwächst. Der neue Gott ist der „liebe Gott". Er entspricht dem neuen, vollkommeneren Menschen. Er braucht — so Schiller in Versen des Gedichtes, die Beethoven beiseite ließ — die Hölle nicht mehr.

Die große Dubitatio moduliert nach G-Dur. In dieser Tonart, aufs Ganze gesehen in der Subdominante, setzt abrupt die Coda ein und führt in einem rasenden Fugato des ersten Hymnenmotivs die Tonika herbei (Allegro, ma non tanto, Allabreve-Takt). Ein grenzenloser Jubel bricht aus. Es will scheinen, als schaffe Brüderlichkeit das Paradies auf Erden, als hole der Freudengesang, der Wechselgesang der Solisten untereinander und mit dem Chor, das himmlische „alter ad alterum" in die Welt. Gegliedert wird der enthusiastische Freudengesang durch gedehnte Kadenzen. Die erste, kurze führt der Chor aus, die zweite, feingliedrige und längste das Quartett der Solisten. Ihr folgt ein orgiastisches Prestissimo mit Pauken und Trompeten, mit Triangel, Becken und großer Trommel. Der Gesang endet in einer großen Chorkadenz (Maestoso). Darüber hinaus gehen instrumentale Figuren des Jubels. Dieser Jubel ist der Idee nach unendlich, in der musikalischen Wirklichkeit hört er nach einer letzten himmelstürmenden Bewegung der Bläser auf.

Die 9. Symphonie ist zweifellos ein machtvolles Zeugnis einer vergangenen Zukunftshoffnung. Aber ist sie mehr als das? Die musikalische Substanz der hochkomplexen ersten Sätze ist von höchster Attraktivität. Sie ist — im spezifischen Sinne der Analyse — ergreifend noch immer. Schwierig ist die Idee des Ganzen, ist das Finale, — aus mehreren Gründen. Hohen Respekt verdient die Idee der Brüderlichkeit. Den optimistischen Glauben aber an die moralische Perfektibilität des Menschen, den Beethoven damit verbunden wußte, hat die Geschichte zu grausam widerlegt, als daß man dem Enthusiasmus noch trauen könnte, mit dem ihn die Symphonie verkündet. Das trifft — daran führt nichts vorbei — den Kern des Werks. Damit hängt es zusammen, daß man die großen Worte, die großen Gesten, das große Pathos, die hinreißende Dynamik, die das Finale prägen, wohl für die Dauer ihrer Darbietung mitvollzieht, dabei aber nie vergißt, daß man einen geschichtsphilosophischen Entwurf nachlebt, der sich nicht bewahrheitet hat. Vielleicht ist die 9. Symphonie das Werk Beethovens, dem sein Alter am deutlichsten ins Gesicht geschrieben ist. Daß es so machtvoll und doch vergebens in die Zukunft ausgegriffen hat, ist zu einem Teil seiner Botschaft geworden.

Hinzu kommt ein nicht unwesentliches Detail: die platonisch-rousseauistische Intoleranz der scheinbar so humanen Musik nicht allein, aber vor allem gegenüber denen, die ihren Enthusiasmus nicht teilen. Es will scheinen, als gründe sich der neue Bund auf die Freiheit seiner Mitglieder, als könne man — wie man es im 19. Jahrhundert erwogen hat und heute gelegentlich tut — das Wort Freude gegen das Wort Freiheit austauschen. Aber rechtfertigt das die Komposition? Welche Freiheit läßt sie denen, die sich von ihr erfassen lassen? Wird hier die Musik nicht im Sinne Platons und seiner Geistesgenossen eingesetzt? Will sie nicht die Herzen der Menschen für die neue Ordnung gewinnen, bevor sie fähig sind, sich frei zu entscheiden? Ist ihr Zugriff nicht total (und deshalb so leicht zu mißbrauchen)? Und vor allem: Wie geht sie mit ihren Gegnern um? Schiller hat sie nur des Raums verwiesen. Beethoven bekriegt sie. Das ist bedenklich, auch wenn man gewiß einrechnen muß, daß die Notwendigkeit, eine Durchführungspartie zu motivieren, ein, vielleicht sogar der Kriegsgrund war. Auch für einen, der das Werk bewundert, ist es so unverständlich nicht, daß viele den Ausweg wählen, den ihnen Schiller weist, und weinend gehen. Ihre Musik, die türkische, hat eine ganz eigene Attraktivität.

Wilhelm Seidel

6 Bagatellen für Klavier op. 126

Entstehungszeit: Ende 1823 bis Anfang 1824.
Erstaufführung: unbekannt.
Skizzen: Gesellschaft der Musikfreunde Wien, A 50; Skizzen zu Nr. 6: Beethoven-Haus Bonn; verworfene Fassungen und Entwürfe zu Nr. 1, 2 und 6: Bibliothèque Nationale Paris, Ms 69 und Ms 81.
Autograph: Beethoven-Haus Bonn; Nr. 2: auch Bibliothèque Nationale Paris.
Erstdruck: Mainz 1825 (Schott).
Gesamtausgabe: Alte Gesamtausgabe: Nr. 190 = Serie 18 Nr. 8.

Im Gegensatz zu den Bagatellen op. 33 und op. 119 sind diejenigen von op. 126 nicht Jugendwerke oder Ansätze früher Stücke, die in Beethovens Reife- und Spätzeit ausgearbeitet wurden, sondern sie präsentieren sich als ein Zyklus aus einem Guß, wobei aber nicht an einförmige, unproblematisch aneinander gereihte Stücke gedacht werden kann. Diese Bagatellen sind vielmehr quasi Experimente, die vieles vorwegnehmen, was in den späten Streichquartetten breit ausgeführt werden wird. Sie zeigen unter dem Anschein von höchster Einfachheit und angenehm Gefälligem, wie es der Gattung der Bagatellen entspricht, eine höchst komplexe Struktur. Nicht nur sind die Gegensätze zwischen den einzelnen Stücken sehr stark, ja kraß, sondern innerhalb der verschiedenen Nummern versammelt sich auch scheinbar Unvereinbares zu einem Ganzen, das schwer zu durchschauen ist. Nur die sechste Nummer aus op. 119 kann als Vorahnung zu op. 126 aufgefaßt werden. Das Außergewöhnliche dieses Werkes zeigt sich auf verschiedenen Gebieten: auf dem der Harmonik, Melodik, Rhythmik und Kontrapunktik, wobei auch die Großform jedes einzelnen Satzes Rätsel aufgibt.

Die erste Bagatelle trägt außer der Vorschrift Andante con moto den Titel Cantabile e compiacevole, der eher Harmloses verheißt. Aber unversehens gleitet der Verlauf in Regionen ab, die für solche Stücke eher ungewöhnlich sind. Die ersten vier Takte bringen in der rechten Hand eine Melodie von größter Einfachheit. Doch erstaunlich ist die Tatsache, daß am Anfang der Quartsextakkord der Tonika steht und nicht die Grundform, so daß der Eindruck entsteht, das Stück habe schon längst begonnen und man gleite wie beiläufig in dessen Aufführung hinein. Ganz gegen ungebrochene Unterhaltung spricht auch der dritte Takt, wo die Mittelstimme die chromatische Linie e—f—fis—g ausführt. Die Takte 4—8 zeigen nun die Melodie in der linken Hand in parallelen Terzen, während die rechte einen „lieblichen" Kontrapunkt dazu ausführt. Kontrapunktische Arbeit der Wiener Klassiker kann sich im allgemeinen nur schwer von der überkommenen barocken Thematik lösen, sie wirkt archaisierend wie zum Beispiel in der Fuge in c-Moll für zwei Klaviere KV 426 oder der Doppelfuge des Kyrie im *Requiem* von Mozart, die man direkt als barocke Stilkopie bezeichnen könnte. Auch Beethovens *Große Fuge* op. 133 wirkt mit ihren punktierten Rhythmen im ersten Teil eher streng, während hier in dieser Bagatelle, wie gesagt, ein lieblicher Ton vorherrscht, der die „gelehrte" Technik von Johann Sebastian Bachs Kontrapunkt verschleiert. (Ähnliches findet sich im ersten Satz des Streichquartettes in cis-Moll op. 131.) Doch der rein lineare Duktus dieser Hauptstimme im Baß wird konsequent durchgehalten, was sich vor allem darin zeigt, daß am Schluß (T. 7—8) kein Quintschritt von der Dominante auf die Tonika stattfindet, der rein harmonisch legitimiert wäre, sondern der Sekundschritt von A auf G, der eigentlich der Melodiestimme vorbehalten ist, hier aber auch im Baß auftritt.

Die Takte 9—16 bringen eine variierte Wiederholung der ersten acht Takte, die scheinbar noch viel konventioneller ist, da die Viertel des Anfangs in Achtel aufgelöst sind, wie man sie in anspruchsloser Klaviermusik sehr häufig findet. Der Kontrapunkt in Takt 12—16 ist nun viel reicher und weist voraus auf Takt 26—28, wo er in enthusiastischem Aufschwung den Höhepunkt des Mittelteils bilden wird. Dieser Mittelteil beginnt mit dem Thema des Anfangs, aber diesmal in D-Dur, und läßt in den Takten 17—20 kaum ahnen, was unmittelbar folgt: Taktwechsel vom Dreiviertel- zum Zweivierteltakt, Beschleunigung der Bewegung von Duolenachteln über Triolenachtel zu Sechzehnteln (T. 21—28), worauf Triller zur Dominante von G-Dur zurückführen (T. 29—30). Der letzte Triller auf der Septime der Dominante wird seiner rein ornamentalen Funktion enthoben, da er durch eine Kadenz in kleinen Noten zuerst umspielt, dann in seinem Klangraum ausgeweitet wird. Es handelt sich dabei nicht um virtuose Bravour, denn ausdrücklich steht dabei der Hinweis grazioso, was ein melodisches Spiel suggeriert, in dem alle Töne wiederum compiacevole (gefällig) wirken sollen. Der ganze Mittelteil zeigt ein assoziatives Abdriften vom Schema einer konventionellen Liedform. Die Form öffnet sich, nicht nur durch den unvermittelten Taktwechsel, sondern auch durch das, was Arnold Schönberg entwickelnde Variation nennen sollte. In Takt 32 scheint ein Punkt erreicht, von dem aus die Rückkehr zum Anfang unmöglich ist.

Doch gelingt es Beethoven, die Chromatik des abschließenden Mittelteils (T. 31—32) in die Reprise einzubeziehen (T. 32—33). Das Thema erscheint in Oktaven in der linken Hand (T. 32—36), während die rechte in mittleren Lagen Akkorde ausführt, die aber durch Vorhaltbildungen (T. 33 und 34) und „lieblich" melodische Intervalle wieder auf die Höhe des Kontrapunktes von Takt 4—8 oder Takt 12—16 gehoben werden. Freilich herrscht keine unabhängige Linienführung der Mittelstimmen vor, die, ganz im Gegenteil, nur harmonisch gemeint sind. Es entsteht eine Ambiguität zwischen Homophonie und Polyphonie, die im folgenden (T. 35—39) zugunsten letzterer entschieden wird, aber auf so ungewöhnliche Weise, daß der Klang auseinander zu brechen droht: Die beiden Hände streben in die Extreme, in Takt 38 erreichen sie gleichzeitig den höchsten und den tiefsten Punkt. Das Thema erklingt oben, während der Baß einen Absturz über zweieinhalb Oktaven ausführt, nicht in Tonleitern oder ausschließlich gebrochenen Akkorden, sondern durchaus linear, dann vom Kontra-G aufsteigend bis zum d (T. 39), wo die Entwicklung auf einem Quartsextakkord der Tonika endet.

Die Coda wird damit in einem schwebenden Zustand eröffnet. Sie bringt vorerst in Achteln Tonleitersegmente, die, ab- und aufsteigend, ganz neu und unerwartet wirken, aber im Grunde auf die Baßführung von Takt 4 zurückgehen. Dort bildeten sie nur eine Überleitung zwischen dem ersten und zweiten Viertakter und schienen sekundär. Nun werden sie hinterher thematisch bedeutsam und erreichen in Takt 43 den höchsten Punkt des Stückes auf h''', dem sogleich der sehr tiefe Baß in der linken Hand antwortet. Was darauf noch folgt, ist eine Gegenüberstellung von Hoch und Tief (T. 44—47) im Pianissimo, wie sie gerade auch im zweiten Satz der Klaviersonate op. 111 (T. 116—119) auftritt und für Beethovens pianistischen Spätstil typisch ist. Im vorletzten Takt erinnern die Terzen in der linken Hand an Takt 4—6, bevor die Schlußkadenz endgültig zu schließen scheint. Doch Beethoven vermerkt ausdrücklich: La seconda parte due volte, gerade wie wenn die Doppelpunkte beim Schlußstrich nicht genügen würden. Tatsächlich könnte der Eindruck entstehen, daß dieser höchst komplexe Prozeß, der mit dem Mittelteil begann, nicht noch einmal durchlebt werden müßte. Zu gravierend war das selbstvergessene Ausscheren aus dem überkommenen Schema. Es scheint unwiederholbar, einmalig zu sein. Doch will der Komponist diese prekäre formale Situation noch einmal zurückholen und damit das ganze Stück unwiderruflich auf ein höheres Niveau heben, als es die hintersinnige Anmerkung compiacevole verspricht.

Nicht nur bildet die zweite Bagatelle einen heftigen Gegensatz zur ersten, sondern innerhalb des Stückes stehen die Teile schroff gegeneinander. Jeder Versuch einer großformalen Einteilung versagt. Als Notbehelf könnte angemerkt werden, daß ein erster Abschnitt (T. 1—26) von der Haupttonart g-Moll in die Tonikaparallele B-Dur moduliert, worauf ein Mittelteil in der letzteren Tonart angedeutet wird (T. 27—41), aber auf einen Halbschluß von c-Moll ausweicht. Darauf herrscht wieder die Motivik des Anfangs vor (T. 42—77), aber nicht als wie auch immer geartete Reprise, sondern als Durchführung im sonatenhaften Sinne. Nachher erscheint eine

Coda (T. 78—89), welche Elemente des Schlusses des ersten Teiles wieder aufnimmt. Doch präsentiert sich die formale Anlage innerhalb der einzelnen Teile noch viel problematischer. Der Anfang (T. 1—4) erinnert an eine barocke Toccata; die Sechzehntel sind so auf die beiden Hände verteilt, daß kein Daumenuntersatz notwendig wird, — ein Verfahren, das an den Beginn von Johann Sebastian Bachs *Chromatischer Fantasie* erinnert. Als starker Gegensatz auf diesen forte zu spielenden Teil folgen im Piano legato zu spielende Achtel, die mit einem Halbschluß von g-Moll enden (T. 5—8), sie sind aber mit dem Vorangegangenen diastematisch verwandt; nur der Charakter hat sich gewandelt: Die Takte 5—6 sind eine vergrößerte, in Gegenbewegung laufende „Antwort" auf Takt 3. Die Takte 9—16 bringen eine Wiederholung der ersten acht Takte, gehen aber auf einen Ganzschluß von B-Dur. Der Kontrast zwischen heftigem Figurenwerk und weichen, melodischen Elementen nimmt den Anfang von Beethovens Streichquartett in B-Dur op. 130 vorweg. Dort sind aber die Gegensätze noch gesteigert und stehen in umgekehrter Reihenfolge: zuerst ein Adagio ma non troppo, dann ein Allegro, die wie hier in dieser Bagatelle scheinbar Unzusammenhängendes miteinander konfrontieren. Die folgenden Takte 16—26 bestätigen die neu erreichte Tonart B-Dur, verwenden dasselbe motivische Material wie Takt 1—16 und schließen quasi nonchalant mit einer graziösen Kadenz.

Das folgende Cantabile (T. 27—41) ist eine irreguläre Periode: Nach einem Halbschluß (T. 34) sollte der chromatisch gesteigerte Nachsatz auf der Tonika enden, „verirrt" sich aber auf den schon erwähnten Halbschluß von c-Moll (T. 41). Alles bleibt offen, die Fortsetzung ist ungewiß. Mit erratischen, von Pausen durchsetzten Wiederaufnahmen des Anfangsmotives wird zurück nach g-Moll moduliert (T. 42—53), ohne daß diese Tonart nachdrücklich bestätigt würde. Der chromatisch absteigende Baß g—fis—f—e—es—d erinnert wieder an barocke Toccaten (T. 54—57). Die Fortsetzung (T. 58—65) wirkt sehr unvermittelt, kann aber mit der Mittelstimme cis—d—es—d auf Takt 7—8 bezogen werden genau so wie as—g—fis—g (T. 72—73 und T. 76—77), wobei sich die Sechzehntel, die nicht nur harmonische Fülltöne sind, sondern wieder aus dem Anfang abgeleitet worden sein müssen, allmählich zu Achteltriolen verlangsamen.

Die Coda bezieht sich unmißverständlich auf Takt 23—25, ist aber bereichert durch den Wechsel der Dur-Tonika (T. 78) mit der Moll-Tonika (T. 82), was in seiner spielerisch-kontemplativen Art an Schubert erinnert. Der Schluß (T. 85—89) klingt versöhnlich und konventionell; er scheint alles das, was sich an Konflikten während des ganzen Stückes zugetragen hat, vergessen machen zu wollen. Die Mischung zwischen volkstümlich anmutender Melodik und ihrer radikalen Verneinung in aufgewühlten Passagen nimmt aber wieder die späten Streichquartette voraus, die aber selbstverständlich viel breiter angelegt sind und die Extreme noch mehr betonen. Der ganze Mittelteil und die Wiederaufnahme der Motivik des Hauptteils mit seinen problematischen Aspekten soll wiederholt werden, wie in der ersten Bagatelle.

Die dritte Bagatelle mit ihrer schlichten Melodik, die allmählich in reiches Figurenwerk übergeht, dem jede Stereotypie fehlt, nimmt den Ton des zweiten Satzes aus der Klaviersonate op. 111 wieder auf. Das Stück schöpft alle klanglichen Möglichkeiten innerhalb des Cantabile e grazioso aus. Von den mittleren und tiefen Lagen (T. 1—8) steigt die Musik vorerst in die enge mittlere Region auf (T. 9—16), die tiefen Bässe fallen weg. Sie tauchen aber in der Fortsetzung wieder auf (T. 17—24), wobei aber die rechte Hand immer mehr in die Höhe steigt, zuerst zwei-, dann dreistimmig, womit ein starker Gegensatz zu den hallenden Oktaven der linken Hand entsteht. Die Takte 24—28 bringen nun die Vermittlung zwischen den beiden Extremen. Rein formal betrachtet handelt es sich um eine Vorbereitung der Reprise, doch das regelmäßige Pulsieren des Taktes ist durch die kleinen Noten und die Fermaten aufgehoben. Diesen Takten fehlt jede Zielstrebigkeit, sie scheinen mit ihrem Wogen zwischen den hohen und tiefen Lagen und dem reichlichen Pedalgebrauch in sich zu ruhen und keiner Fortsetzung zu bedürfen. Der improvisatorische Gestus erinnert an Takt 21—32 der ersten Bagatelle. Die Form öffnet sich und könnte in entferntere Tonarten modulieren.

Doch in Sechzehntel aufgelöst und mit nachschlagenden Melodietönen erscheint der Anfang wieder (T. 28—32), er wirkt vorläufig undeutlich, um dann, wenn die Oberstimme ihren Triller aufgibt und die Hauptstimme übernimmt, an Prägnanz zu gewinnen (T. 32—35), ohne daß die linke Hand zur Gänze ihre linearen Energien verliert. Davon zeugen die chromatischen Durchgangstöne h (T. 32) und e' (T. 33). Die höchsten Lagen des Klaviers werden in der Folge ausgenützt (T. 36—43), und die Melodie, die schon vorher, wie erwähnt, leicht verschleiert war, verschwindet nun ganz unter den Zweiunddreißigsteln, denen aber nichts Mechanisches anhaftet, da ein Wechselspiel zwischen den rein harmonischen und den melodischen Erfordernissen von akkordfremden Tönen ein Rankenwerk entstehen läßt, das in keinem Augenblick die am Anfang stehende Bezeichnung Cantabile e grazioso vergessen macht.

Mit Takt 43 schließt die Reprise des Hauptteils. Daß es Beethoven nun noch in gesteigertem Maße darum ging, alle Möglichkeiten der Klaviatur auszunützen, zeigt die Coda (T. 44—52). Sie steigt langsam in die Tiefe und wiederholt nur noch die Schlußkadenz der Reprise, um schließlich im reichlichen Pedalgebrauch der letzten fünf Takte den Klang vollkommen verschwimmen zu lassen. Schon die siebente Bagatelle aus op. 33 kannte diese Akkordwechsel, die eigentlich Dissonanzen erzeugen, da sie sich im Nachhall überlagern. Dort herrscht aber ein schnelles Tempo, während hier der Klang im Pianissimo zögernd und langsam verlöscht. Die Tasten werden nur kurz vom Pianisten berührt, um dann im Pedal weiterzuvibrieren — ein Verfahren, das auf die sechste Bagatelle von op. 126 vorausweist, aber schon im dritten Satz der Klaviersonate op. 110 (T. 132—136) vorgebildet ist. Eine rein klangsinnliche Komponente manifestiert sich hier, die aber an die Grenzen der pianistischen Möglichkeiten stößt.

Die vierte Bagatelle wirkt auf den ersten Blick klischeehaft und scheint voll von Gemeinplätzen zu sein. Das Ganze besteht aus zwei Abschnitten, die miteinander alternieren, ohne bei ihrer Wiederholung bemerkenswert variiert zu sein. Ein Teil in h-Moll (T. 1—51) wird von einem andern in H-Dur (T. 52—105) abgelöst, worauf wieder der erste Teil erscheint, nur geringfügig erweitert (T. 106—162). Daran schließt sich der unveränderte zweite Teil, mit dem das Stück ohne Coda schließt. Eine klarere Formanlage wäre kaum denkbar, es herrscht ein willentlicher Primitivismus vor. Der Versuch einer Abrundung durch die Wiederholung von Elementen des Anfangs wird nicht gemacht.

Die ersten acht Takte wirken in ihrer rüden Art wie eine Bourrée aus dem Zeitalter des Barocks; auch die Belebung der Mittelstimme zusammen mit der Gegenbewegung im Baß (T. 3—4) weist in dieselbe Richtung. Die Nähe zum Kontrapunkt mit konflikthaften Dissonanzen wird später noch mehr betont und führt zu Imitationen (T. 27—31); dasselbe Thema wird aber darauf unvermittelt auch homophon behandelt (T. 32—39) und wirkt leicht und elegant. Mit diesem Wechsel des Ausdruckscharakters verliert die Bourrée ihre direkte Naivität und zeigt sich zu überraschenden Wandlungen fähig, wie sie im Barock kaum aufgetreten sein dürften. Auch das Stocken der Motorik in Takt 21—26 verweist auf eine komplexere Organisation des Ganzen, als wir sie von einem Tanz erwarten können. Die Repetition des Fis (T. 20—21 und T. 24—25) verweist auf h-Moll, dessen Dominante dieser Ton ist und mit dem das Stück beginnt. Doch unvermittelt nach einer Pause folgt C-Dur, um sofort durch das Fis widerrufen zu werden. Die Fortsetzung mit den schon erwähnten Imitationen führt von fis-Moll über h-Moll nach e-Moll. Daß hier C-Dur, die tiefe II. Stufe, dazwischen fährt und das Gleichgewicht der nahe verwandten Tonarten stört, ist aus vielen rondohaften Sätzen Beethovens belegt. Erinnert sei hier nur an das Des-Dur im Finale des 3. Klavierkonzertes in c-Moll op. 37 und an das E-Dur (eigentlich Fes-Dur) in der Coda des Rondos der Klaviersonate in Es-Dur op. 7.

Der zweite Teil in H-Dur ist eine Musette, wie man sie in den Bagatellen häufig antrifft. Zu einem Bordunbaß erscheint zuerst eine Melodie von enttäuschender Einfachheit (T. 52—67). Dieser „Leerlauf" wird aber plötzlich unterbrochen (T. 68—71) durch rätselhafte chromatische Intervalle, die das Ganze in ein Zwielicht rücken. Es wirkt wie der Einbruch aus einer andern Welt, der diese ländliche Musik auf die Höhe des Beethovenschen Spätstils hebt. Das Trio des zweiten Satzes aus dem Streichquartett in a-Moll op. 132 zeigt einen ähnlichen Verlauf: Nach simplen Melodien über liegenden oder gleichförmig repetierten Bässen (ab T. 100) folgt ein Unisono (T. 218—221) in weiten Sprüngen, das die Harmlosigkeit des Vorangegangenen und Folgenden gleichsam verzerrt. Diese Unterbrechung des gleichförmigen Ablaufs in der vierten Bagatelle findet aber ihre Entsprechung in dem schon erwähnten C-Dur des ersten Teils. Beethoven arbeitete hier auf zwei Ebenen: auf einer vordergründigen derben und direkten und einer hintergründigen, die den Verlauf des Stückes in Frage stellt. Auch das Innehalten in der bewußtlosen Bewegung kurz vor dem Schluß dieses Abschnittes (T. 101 und T. 212) wirkt in derselben Richtung. Ähnlich verhält es sich mit der schon erwähnten geringfügigen Erweiterung (T. 157—160), die plötzlich stockt. So burschikos, wie sich diese Bagatelle zuerst gibt, ist sie im Grunde genommen nicht. Sie arbeitet mit Klischees von niederer Tanzmusik, um diese sogleich zu durchbrechen.

Die fünfte Bagatelle kennt diese Widersprüche nicht; sie wirkt in sich abgerundet, ohne daß krasse Überraschungen auftreten. Nach einem ersten Teil, der von G-Dur auf die Dominante von e-Moll moduliert (T. 1—16), folgt ein Mittelteil in der Subdominante C-Dur, der steigernd an Höhe gewinnt, um wiederum G-Dur zu erreichen (T. 17—32). Nur der weite Abstand zwischen den beiden Händen erinnert hier an den pianistischen Spätstil Beethovens. Bemerkenswert ist die Rückleitung in die Reprise (T. 33—34): Sie ist kurz, zu kurz, möchte man sagen, und signalisiert die Zurücknahme aller aufwendigen Kunstmittel zugunsten von knappen Andeutungen. Dieser Verzicht auf die Dehnung der Periodik, wie man sie bei den Rückleitungen der ersten und dritten Bagatelle von op. 126 antraf, wirkt besonders subtil und stellt das Neue in einem sich sonst so demütig konventionell gebenden Stück dar.

Dieselbe Raffung der Zeit findet sich in der sechsten Bagatelle wieder. Nach einem brüsken Presto von nur sechs Takten folgt ein Andante amabile e con moto, das zur Hauptsache aus einer Aneinanderreihung von Dreitaktern besteht. Sonst herrschte in allen Bagatellen, auch denjenigen von op. 33 und 119, im Prinzip die Viertaktigkeit als tragendes Gerüst der Konstruktion. Auch wenn gelegentlich Dehnungen oder Verkürzungen auftreten, so wurden sie als solche, als Abweichungen von der Norm, unmittelbar fühlbar. Hier aber setzt sich die Dreitaktigkeit mit größter Selbstverständlichkeit durch; nur einmal „fehlt“ ein Takt (nach T. 32), wo die Musik im Pianissimo verebbt. Die Sechzehntelpause in der linken Hand ist auch ein deutliches Zeichen dafür, daß wir es hier nicht mit einer Verschränkung zu tun haben; Takt 33 ist nicht zugleich der Schluß des vorangehenden Dreitakters und der Anfang des folgenden, sondern nur der Beginn der Reprise in der Subdominante As-Dur.

Vollkommen neu und streng kontrolliert ist das Tempo, mit dem die Akkorde wechseln; es ist bald langsam, bald rasch. Von Takt 7—9 herrscht fast unumschränkt die Tonika, nur auf dem letzten Achtel geht sie mit dem Heben des Pedals in die Dominante über, die dann den größten Teil von Takt 10—12 beansprucht. Darauf wechseln die Akkorde schneller, in Vierteln und schließlich Achteln (T. 13—18), um dann mit der Staccato-Begleitung in der linken Hand wieder langsamer zu werden (T. 19—30). Nur der zu einem Zweitakter verkürzte Dreitakter (T. 31—32) weist wieder einen längeren Wechsel in Achteln auf, womit diese Stelle noch besonders ausgezeichnet wird. Die variierte Reprise (T. 33—53) zeigt dasselbe Bewegungsmuster der Akkorde wie der Hauptteil. Mit der Coda, die bei Takt 54 beginnt, steigert sich aber die Intensität: Nach dem höchsten Ton des Stückes, einem c''' (T. 55—56), wechseln die Akkorde im Abstand eines Achtels (T. 56—58), dann jedes Duolensechzehntel (T. 58—59) und schließlich mit einem Crescendo jedes Triolensechzehntel (T. 62), um dann brüsk in die Ruhe des Anfangs zurückzufallen (T. 63—68). Von diesem Umschlag der Stimmung her ist auch das mehr summarisch mit einem Orgelpunkt auf der Tonika verharrende Presto zu verstehen, das den Hauptteil umrahmt. Dieser Wirbel im Forte hebt die Ruhe des Ganzen auf, eine Ruhe, die bei näherer Betrachtung eher trügerisch ist.

Die Bagatellen op. 126 weisen einen sehr einfachen Plan der Tonarten auf: Nach G-Dur und g-Moll in den beiden ersten Nummern folgen Es-Dur, h-Moll, G-Dur und wieder Es-Dur. Wir haben es also mit einer in großen Terzen abwärts steigenden Bewegung zu tun. Diese Einfachheit würde aber noch nicht ausreichen, um die Stücke zu einem Zyklus zu formen. Wesentlich ist vielmehr, daß auch die einfachsten Strukturen immer wieder durch etwas Unerwartetes durchbrochen werden, daß das Gefällige und Angenehme, ja auch das Primitive, seine Selbstverständlichkeit verliert. Damit wird der Schein des Anspruchslosen oder Unterhaltenden, das der Titel Bagatellen suggeriert, aufgehoben und zu hoher Kunst.

Theo Hirsbrunner

Streichquartett Es-Dur
op. 127

ENTSTEHUNGSZEIT: 1822—1825.
ERSTAUFFÜHRUNG: am 6. März 1825 durch das Schuppanzigh-Quartett.
SKIZZEN: Deutsche Staatsbibliothek Berlin, Artaria 205, aut. 45; Staatsbibliothek Preußischer Kulturbesitz Berlin, aut. 11, Artaria 213; Biblioteka Jagiellońska Krakau, Artaria 206 und Grasnick 4; Beethoven-Haus Bonn, BH 112, Mh 97 und Mh 99, NE 47, Skizzenbuch de Roda, Mh 60, Engelmann-Skizzenbuch; Bibliothèque Nationale Paris, Ms 64; Gesellschaft der Musikfreunde Wien, A 51, A 50, A 55; weitere Skizzenblätter in London, Wien, Bonn, Berlin und München.
AUTOGRAPH: 1. und 2. Satz: Biblioteka Jagiellońska Krakau; 3. Satz: Stockholm, Stiftelsen Musikkulturens Främjande; 4. Satz: Beethoven-Haus Bonn.
ERSTDRUCK UND WIDMUNG: Mainz 1826 (Schott); dem Fürsten Nikolaus Galitzin gewidmet.
GESAMTAUSGABE: Alte Gesamtausgabe: Nr. 48 = Serie 6 Nr. 12.

Die Entstehung von op. 127, dem ersten der späten Streichquartette Beethovens, hängt zum Teil mit einem Auftrag des russischen Prinzen und Amateurcellisten Nikolaus Galitzin aus St. Petersburg zusammen. In einem Schreiben vom November 1822 ersuchte Galitzin Beethoven um gleich drei neue Quartette. Im Januar 1823 willigte Beethoven ein; durch andere Projekte — insbesondere die 9. Symphonie — verzögerte sich jedoch die tatsächliche Komposition des ersten dieser neuen Quartette noch um mehr als ein Jahr. In einem Brief vom 29. November 1823 zeigte der Prinz sowohl etwas Ungeduld als auch Verständnis für die Eigenart des Genies und die Unabhängigkeit der Inspiration von jedem geschäftlichen Zwang.[1] Am Ende wurde Galitzins Geduld reich belohnt. In der Zwischenzeit hatte er Beethovens *Missa solemnis* subskribiert und auch deren erste vollständige Aufführung organisiert, welche am 7. April 1824 in Petersburg stattfand.[2] Wenige Wochen später, nach der Wiener Uraufführung der 9. Symphonie im Mai, konnte Beethoven endlich mit der konzentrierten Arbeit am Es-Dur-Quartett beginnen. Es wurde zu seiner kompositorischen Hauptbeschäftigung zwischen Juni 1824 und Februar 1825 — wie die Skizzen zeigen, fanden die intensivsten Arbeiten im Spätsommer und Herbst 1824 statt. Wie so viele seiner Stücke aus diesen Jahren war op. 127 breit angelegt und sollte mehrere originelle und sogar beispiellose Besonderheiten aufweisen. Es wurde eine zentrale Komposition innerhalb der Meisterwerke des späten Beethoven — ein Werk, das formale und symbolische Aspekte der beiden großen Werke für Chor und Orchester in die intimere Sphäre der Kammermusik überträgt.

Die aktuellen Untersuchungen Sieghard Brandenburgs lassen die Genese des Quartetts in einem neuen Licht erscheinen. Brandenburg beurteilt das Skizzenmaterial neu, das zuerst vor mehr als 100 Jahren Gustav Nottebohm interpretiert hatte.[3] Nottebohm war besonders von der großen Anzahl an Skizzen zum zweiten Satz beeindruckt — eine großartige Variationenfolge über ein langsames Thema mit erhabenem Charakter. Die großformale Anlage des Quartetts in seiner Endfassung

1 Vgl. E. Forbes, *Thayer's Life of Beethoven,* S. 924.
2 Das richtige Datum der Aufführung erschien zuerst in: B. Schwarz, *More Beethoveniana in Soviet Russia.*
3 Vgl. S. Brandenburg, *Die Quellen;* G. Nottebohm, *Skizzen zum zweiten Satz des Quartetts Op. 127.*

greift noch auf den traditionellen viersätzigen Aufbau zurück; wie Brandenburg herausstellt, plante Beethoven aber, zwei weitere Sätze zu integrieren — ein Charakterstück in C-Dur mit dem Titel „La gaieté", welches offenbar einmal den zweiten Satz bilden sollte, und eine langsame Einleitung zum Finale in der neapolitanischen Tonart E-Dur.[1] Diese vorläufigen Entwürfe zeigen, wie Beethovens Versuche, das Werk als ein zyklisches Ganzes zu konzipieren, Elemente vorwegnehmen, die später in sein cis-Moll-Quartett op. 131 (in sieben untereinander verbundenen Sätzen) Eingang finden.

Es ist aufschlußreich, einige der Skizzen zu untersuchen, die Beethovens Pläne zur Ausarbeitung von op. 127 betreffen, vor allem das mit „La gaieté" überschriebene Material und die vielen Skizzen zum langsamen Variationensatz. Besonders interessant ist das Berliner Skizzenbuch, Autograph 11/2, eine Quelle, die sich einst im Besitz des Beethoven-Famulus und -Biographen Anton Schindler befand.[2] Wie seine Kommentare im Skizzenbuch zeigen, hatte Schindler nur ein begrenztes Verständnis für dessen Inhalt. Beispielsweise erwähnt er in seinem Bestandsverzeichnis zu Beginn des Buches nicht einmal die beiden darin skizzierten Hauptwerke op. 127 und das darauffolgende Quartett, op. 132. Stattdessen war Schindler ganz eingenommen von den Einträgen Beethovens, die sich auf eine Klaviersonate für vier Hände bezogen.

Der Verleger Anton Diabelli bat Beethoven am 7. August 1824 um eine Sonate für Klavier vierhändig; der Komponist reagierte zustimmend in einem Brief vom 24. August aus Baden bei Wien.[3] Schon bald aber verwarf Beethoven die Idee, diese Sonate zu komponieren; allein einige verstreute Skizzen zum geplanten Werk wurden in das Quartett übernommen. Unter anderem findet sich eine faszinierende Eintragung auf fol. 5^v des Autographs 11/2, wo eine als Einleitung bezeichnete Skizze in c-Moll mit einer Version des Themas in As-Dur verbunden ist, die später in die Variationen von op. 127 übernommen wird. Diese Skizze einer Einleitung ähnelt in ihrer intervallischen Kontur und im Rhythmus dem Beginn des Scherzos in Beethovens Endfassung des Quartetts.

Autograph 11/2, fol. 5^v

1 Vgl. S. Brandenburg, *Die Quellen,* S. 273f.

2 Dieses Skizzenbuch liegt in der Staatsbibliothek Preußischer Kulturbesitz in Berlin. Ich danke dem Direktor der Musikabteilung, Dr. Helmut Hell, der den Zugang zum Manuskript freundlicherweise ermöglichte.

3 Siehe Thayer / Deiters / Riemann, *Ludwig van Beethovens Leben,* Bd. V, S. 141—143. Dieses Material ist in der Ausgabe der Thayer-Biographie, die Forbes besorgt hat, nicht enthalten. Vgl. auch G. Nottebohm, *Ein Skizzenheft aus dem Jahre 1824,* S. 540f.

op. 127, 3. Satz, T. 2—4 (Cello)

Darüber hinaus zeigen die auffälligen Halbton-Verbindungen G—As und C—H, daß diese in jedem der drei folgenden Quartette hervorstechende Intervallgestalt schon Teil der frühen Konzeption dessen war, was dann op. 127 wurde.[1]

Beethoven mag das mit „La gaieté" überschriebene C-Dur-Material als zweiten Satz des Quartetts geplant haben, als er die Partiturskizzen auf S. 99—102 des Taschen-Skizzenbuches Artaria 206 schrieb — diese Quelle befindet sich heute in Krakau.[2] Allerdings grenzt er in seinen Skizzen das thematische Material des „La gaieté"-Bereichs nicht deutlich von demjenigen des langsamen Satzes ab. Abgesehen von Unterschieden in Tonart und Takt (4/4 gegenüber 12/8 im Adagio) ist das C-Dur-Thema dem Thema des Adagios nachempfunden, und der grobe Entwurf in Artaria 206 übernimmt die Variationenform. Zog Beethoven wirklich in Erwägung, zwei Variationensätze nebeneinanderzustellen, den ersten über eine fröhliche — bezeichnet als Allegro grazioso — und den zweiten über eine eher meditative, nachdenkliche Version des Themas? Die Skizze zeigt am Ende tatsächlich eine Modulation nach As, die in eine Variation des Themas in dieser Tonart überleitet — diese Variation erinnert ein wenig an die letzte Variation des langsamen Satzes der Endfassung, und Beethoven fügt sogar noch die Anweisung „als denn adagio in as dur" hinzu.

Wie die Sonate für Klavier zu vier Händen war auch Beethovens Plan zu einem eigenständigen Satz „La gaieté" kurzlebig; das skizzierte Allegro grazioso wurde verworfen, während er das Adagio ausarbeitete. Allerdings übernahm Beethoven, wie die deutlich unterschiedenen Charaktere einiger Variationen des langsamen Satzes zeigen, etwas vom Charakter des aufgegebenen Satzes in die Endfassung des Werks. Das Wesentliche in Beethovens Konzeption des langsamen Satzes faßt er in der Übersicht auf fol. 15^{r} des Autographs 11/2 zusammen — eine Skizze, die weder Nottebohm noch Brandenburg diskutieren.

Autograph 11/2, fol. 15^{r}, Hauptteil des Entwurfs

1 Varianten dieser Intervallgestalt erscheinen zum Beispiel zu Beginn von op. 131 und op. 132 und in der *Großen Fuge,* dem ursprünglichen Finale von op. 130.

2 Die Quelle liegt in der Biblioteka Jagiellońska, wo noch weiteres wichtiges Quellenmaterial für op. 127 zu finden ist, unter anderem das Skizzenbuch Grasnick 4 und das Autograph zum ersten und zweiten Satz.

Die Eintragungen zu einem „All[egr]o“ auf der linken Seite des ersten Systems — verändert zu „prest[o] sche[rzan]do“ und fortgesetzt auf dem zweiten System darunter — entsprechen der Variation 2 in der Endfassung: eine Variation mit lebendigem, humorvollem Charakter. In dem uns geläufigen Stück sind die Notenwerte halbiert, und die Variation trägt die Tempobezeichnung „Andante con moto“. Die rhythmische und intervallische Kontur der Cellostimme und die Diskantfiguration in der Skizze gleichen sehr der zweiten Variation, auch wenn Beethoven später die durchgängigen Akzente auf unbetontem Taktteil mit größerer Raffinesse ausführt, indem er Intervallsprünge und Triller in die Violinstimmen aufnimmt.

Die kurze Eintragung eines „adagio“ auf dem ersten System, verbunden mit einem Tonartwechsel, wird vermutlich weiter unten, zu Beginn des dritten Systems, entwickelt oder überarbeitet. Hier skizziert Beethoven in verkürzter Form ebenso die Bewegung nach E-Dur zur „3te[n] V[ar].“ wie auch die Rückmodulation nach As-Dur nach dem Wort „Schließ[t]“. Der Angelpunkt für die Rückkehr zur Tonika — der Halbtonfall von E nach Es — wird im vollständigen Werk wiederaufgenommen, wo er in allen vier Instrumenten in ruhiger Bewegung und nicht harmonisiert erklingt. Die folgende Variation in der Skizze ist deutlich als ausgeschmückte Reprise des Themas konzipiert und verwendet Triolenachtel-Figuren und einen kontrapunktischen Austausch der Stimmen — musikalische Mittel, die Beethoven in variierter Form im entsprechenden Abschnitt des uns bekannten Werks wiederaufgreift.

Beethovens Eintragung über der Reprisen-Variation: „letzte [Variation]“ deutet daraufhin, daß er beabsichtigt hatte, den Satz nach diesem Abschnitt zu beenden, obwohl die nächste Seite (fol. 15^{V}) noch eine weitere Variationsidee enthält, deren Sechzehntel-Figuration die letzte Variation der Endfassung vorwegnimmt — dieselbe Variation, welche schon in Beethovens Partiturentwurf Artaria 206 vorgezeichnet ist. Aus diesem zusammenfassenden Überblick über den Satz können wir schließen, daß einige der Schlußabschnitte — wie die mysteriöse Episode in Des-Dur/cis-Moll, die der letzten Variation vorausgeht — zu den letzten Einzelheiten gehörten, die Beethoven seiner Grundkonzeption hinzufügte. Tatsächlich sorgte die Episode in Des-Dur/cis-Moll zusammen mit der Durchführung des ersten Satzes sogar noch viel später im Kompositionsprozeß für Schwierigkeiten, wie die ausführlichen Revisionen im Partiturautograph zeigen.[1]

Was wurde also aus Beethovens Beschäftigung mit „La gaieté"? Nicht nur die zweite Variation des langsamen Satzes, sondern auch das Scherzo und Teile des Finales spiegeln den Schwung und die Heiterkeit wider, die Beethoven in seiner letzten Schaffensphase so häufig mit den sublimsten Eingebungen verbindet. In bezug darauf ist die thematische Verwandtschaft zwischen dem Adagio und dem Scherzo interessant — eine Verbindung, die schon in Beethovens früher Skizze zur vierhändigen Klaviersonate latent vorhanden war. Bezeichnend genug für diese Ähnlichkeit ist es, daß einige Kritiker den Beginn des Scherzos als parodistische Transformation des Adagios hörten. Hugo Riemann versuchte sogar, den Anfang des Scherzos — und auch dessen Trio — als weitere „Variationen" der Adagio-Melodie zu interpretieren.[2] Seine Analyse erscheint gewollt; aber man kann sich durchaus Riemanns Überzeugung anschließen, es existiere ein außergewöhnlicher Grad an Zusammenhang in diesem Werk — ein Zusammenhang, der zum Teil daraus erwächst, daß Beethoven gegensätzliche musikalische Ideen aus einem zugrundeliegenden Komplex gemeinsamer Intervallbeziehungen ableitet.

Auf der Basis dieser Beziehungen können wir die Endfassung des lyrischen Kopfsatzes neu beurteilen. Man fühlt sich an die lyrischen ersten Sätze zweier später Klaviersonaten Beethovens erinnert — op. 101 in A und op. 110 in As. Op. 110 weist in seiner Verwendung einer Anfangsgeste eine weitere Parallele zum Quartett auf: Diese Geste präfiguriert wie ein Motto wichtige Elemente der folgenden Komposition. So wird die strukturelle Kontur der aufsteigenden Quarten im Finale zum Fugenthema, ein Thema, das in melodisch erweiterter Form die ganze Sonate abschließt. In op. 127 übernimmt der Maestoso-Abschnitt zu Beginn, der mit einem Triller in der ersten Violine über einer ausgedehnten subdominantischen Harmonie endet, eine ähnliche Rolle.

1 Vgl. S. Brandenburg, *Die Quellen*, S. 274f.
2 Vgl. H. Riemann, *Beethovens Streichquartette*, S. 118—120, zit. in: J. Kerman, *The Beethoven Quartets*, S. 238. Siehe auch Thayer / Deiters / Riemann, *Ludwig van Beethovens Leben*, Bd. V, S. 150.

Diese eindrucksvolle Geste kehrt in der Durchführung zweimal in verschiedenen Tonarten wieder, verschwindet aber in den späteren Abschnitten des ersten Satzes. Wie zu Beginn von op. 110 verwendet Beethoven ein melodisches Muster, das durch aufwärtsgerichtete Quarten bestimmt wird (T. 4—6) und in einen ausgehaltenen Triller mündet; erst später, im Allegro, schlägt Beethoven einen innigeren Ton an: teneramente, sempre piano e dolce.

Diese thematische Nebeneinanderstellung bedeutet einen Wechsel von der eher rezeptiven, distanzierten Gestik im Maestoso zum direkten und spontanen Charakter des Allegro.[1] Der massive, choralartige Satz des Maestoso trägt ebenso wie die ungewöhnliche rhythmische Struktur zu seiner kraftvollen Ernsthaftigkeit bei. Im ersten und dritten Takt behält Beethoven den Tonika-Klangraum durch den gesamten Takt bei und wechselt die Harmonie nur bei den akzentuierten Synkopen-Akkorden in Takt 2 und 4. Folglich zerfällt die rhythmische Struktur der Zweitakt-Gruppen in ein Muster von 5 + 3 Achtelnoten; der metrische Puls jedoch entfaltet sich in Viertelnoten. Es stellt eine Herausforderung an die Ausführenden dar, die synkopierten Harmoniewechsel nicht wie schwere Taktteile klingen zu lassen, wenn das sechstaktige Motto als eine einzige, geschlossene Geste realisiert wird. In der Stimmenbalance der Akkorde gilt es, die großartige aufsteigende Linie zu beachten, die Beethoven zwischen den Instrumenten aufteilt: Das Cello wechselt in Takt 2 von Es nach F, während der nächste Schritt zum G in Takt 3 durch die Violinen und der folgende zum As in Takt 4 wieder vom Cello ausgeführt wird. Jeder der sechs Takte betont einen aufsteigenden Schritt, bis die sechste Stufe über der Tonika, C, erreicht ist und als Triller am Ende des Mottos ausgearbeitet wird.

Das rhythmische Muster von kurzen und langen Noten in jedem zweiten Takt des Mottos mag — in Augmentation — eine feine Vorahnung des unbarmherzigen jambischen Rhythmus im Scherzo darstellen.

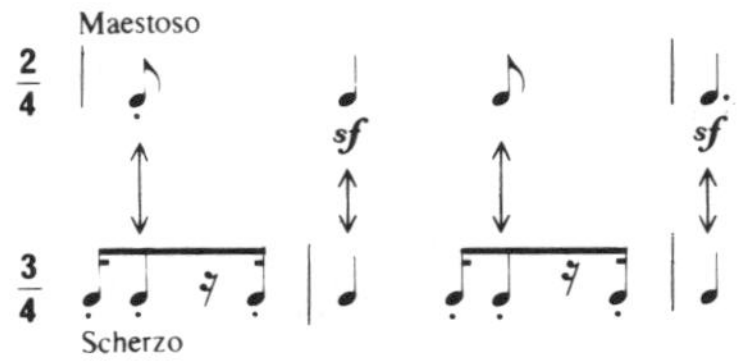

Beethoven verläßt dieses Muster im vorletzten Takt des Maestoso, um den zentralen subdominantischen Klang hervorzuheben — den ersten Akkord auf schwerem Taktteil, der keine Tonika ist. Sein rhythmischer und harmonischer Kontext steigert die treibende Kraft des As-Akkordes, der gleichzeitig Höhepunkt des Maestoso und Wendepunkt zu einer lyrischen Fortsetzung ist. Wie in op. 110 ist die Bedeutung dieses Anfangsmottos augenfällig und weitreichend; die monolithische Geste des Maestoso dient nicht in erster Linie als Einleitung des ersten Satzes, sondern als Vorwort des ganzen Werks.

1 Zur Diskussion um spontane und rezeptive Charaktere in der Musik vgl. J. Uhde / R. Wieland, *Denken und Spielen,* S. 358—444.

In Umkehrung erscheint die aufsteigende Fortschreitung aus dem Maestoso im nachfolgenden Allegro, das auf einem stufenweisen Abstieg basiert — angefangen beim C in der ersten Violine und As im Cello, zwei Oktaven tiefer. So löst sich die Spannung des Mottos. Der Grundcharakter des Allegro ist innig, trotz gelegentlich ausbrechender lebhafter Passagen, hauptsächlich in der Mitte der Durchführung. Seine Struktur ist kontrapunktisch, vor allem in der ersten Hälfte der Durchführung. Diese beruht auf einer beeindruckenden Folge von Kanons, in der die thematische Substanz gewissermaßen von innen erprobt wird, bevor eine — immer noch kanonische — aufgeregte Fortissimo-Fortspinnung dramatisch zum letzten Erscheinen des Maestoso in C-Dur führt. Joseph Kerman beschreibt diese Passage als „one of Beethoven's most extraordinary conceptions for a development section, comparable only to the first-movement development in the Quartet in Bb, op. 130".[1]

Die kulminierende kanonische Passage, die zum C-Dur-Maestoso führt, eröffnet eine Ebene mit symbolischen Untertönen — eine Dimension, die in Teilen des folgenden Variationensatzes, des Adagio ma non troppo e molto cantabile, weiter vertieft wird. Bevor wir aber diesen Zusammenhang detailliert betrachten, ist die formale Analogie zu erörtern zwischen diesem Satz und dem Chorfinale der 9. Symphonie — der Komposition also, die Beethoven 1824, unmittelbar vor der Arbeit am Quartett, vollendete.

Der Adagio-Satz des Quartetts enthält zusätzlich zu der Episode in Des-Dur/cis-Moll und einer Coda fünf Variationen über ein weitgehend lyrisches Thema. Die letzten beiden Variationen haben einen reprisenartigen Charakter und folgen auf Passagen in fremden Tonarten. Nach der hymnenartigen dritten Variation in der erniedrigten Untermediante E-Dur kehrt die vierte Variation zurück zur Tonika As-Dur und zur ursprünglichen Version des Themas, welches rhythmisch belebt wird, indem die Achtelnoten durch Sechzehntelnoten in der Melodie und Triller in der Begleitung ersetzt werden. Diese Variation greift auch den 12/8-Takt des Themas wieder auf, nachdem in der zweiten und dritten Variation Taktwechsel stattgefunden hatten. Der rekapitulierenden Variation folgt dann die mysteriöse Episode in der Subdominante — jene Passage, die Beethoven häufiger als beinahe jede andere skizziert und revidiert hat und, wie wir gesehen haben, selbst noch im Autograph veränderte. Eine abschließende Halbvariation in der Tonika und eine ebensolange Coda vervollständigen die Anlage des Satzes. Die abschließende Halbvariation hält sich — wenn auch nicht in streng rekapitulierender Funktion — hörbar an die Originalgestalt des Themas, die durch fließende Sechzehntel in der Violine ausgeschmückt wird. Ihre Struktur erinnert an die zweite Variation des Hauptthemas im langsamen Satz der 9. Symphonie.

Im Chorfinale der 9. Symphonie enthält der grundsätzliche Rahmen der zehn Variationen über das „Freude"-Thema zwei große Episoden: die Doppelfuge für Orchester in der erniedrigten Untermediante B und den langsamen Abschnitt in der Subdominante G auf den Text der letzten zwei Strophen, beginnend mit den Worten: „Seid umschlungen Millionen". Jeder dieser Passagen folgt eine Variation mit reprisenartigem Charakter in der Tonika D-Dur. Im Anschluß an die Orchesterfuge kehrt die neunte Variation deutlich zu der ursprünglichen melodischen Form des

1 J. Kerman, *The Beethoven Quartets,* S. 206.

„Freude"-Themas zurück, welches im vollen Chor und Orchester erklingt. Später, nach dem langsamen Abschnitt in G, kombiniert Beethoven in einer Doppelfuge für Chor und Orchester das Kopfmotiv des „Freude"-Themas mit der Melodie zu „Seid umschlungen Millionen". Sowohl im Quartett als auch in der Symphonie also rekapituliert nach einem kontrastierenden Abschnitt in der Untermediante die vorletzte Variation das Thema, während die Schlußvariation nach einer Episode in der Subdominante die Tonika und das grundsätzliche thematische Material wiedereinführt.

Die Verwandtschaft zwischen diesen Werken beruht allerdings keineswegs allein auf ihrem tonalen Gerüst, sondern erstreckt sich auch auf den Charakter und die thematische Substanz der E-Dur-Variation, die Kerman die „spiritual crown" des ganzen Quartetts genannt hat.[1] Martin Cooper behauptet in diesem Zusammenhang, die aufsteigende Terz Cis—E, mit der die Variation beginnt, wirke wie ein Sockel, der — ähnlich wie die aufsteigende Terz zu Beginn des langsamen Satzes der *Hammerklaviersonate* op. 106 — die folgende Passage auf eine im Vergleich zur vorangegangenen Musik höhere Ebene hebe.[2] Das Bild des Sockels paßt in diesem Fall besonders zum aufstrebenden Charakter der Musik. Parallelen existieren sowohl zu einer bestimmten Passage im Chorfinale der 9. Symphonie als auch zu einem verwandten Satz der *Missa solemnis.*

Bei der parallelen Passage in der Symphonie handelt es sich um den zweiten Teil des langsamen Abschnitts in G auf die letzte Strophe des Textes von „Ihr stürzt nieder" bis „Über Sternen muß er wohnen". Diese Musik erinnert stark an Teile der *Missa solemnis.* Wie in der Messe verwendet die Passage einen lebhaften Kontrast im Register zwischen der erdverbundenen Musik zu „Ihr stürzt nieder" und einem allmählichen, aber unaufhaltsamen Aufsteigen der Tonhöhen als Symbol göttlicher Präsenz über den Sternen. Der musikalische Höhepunkt bei den Worten „Über Sternen muß er wohnen" erreicht einen Es-Dur-Akkord in hoher Lage mit G als höchstem Ton — derselbe Klang, den Beethoven mit ähnlichen symbolischen Implikationen im Credo der Messe verwendet. Dieser Klang wird achtmal wiederholt, wie um jede einzelne Silbe des Textes zu unterstreichen. Der Akkord scheint statisch und unveränderlich und wird tatsächlich zu einem hörbaren monolithischen Symbol; selbst wenn der Klang im Orchester in einen verminderten Septakkord und kurz darauf in einen Akkord mit kleiner None verwandelt wird, wird das hohe G noch beibehalten. Wie Maynard Solomon herausgestellt hat, spielt Beethoven selbst auf den symbolischen Charakter dieser Passage an, indem er auf einem Skizzenblatt zu „Über Sternen muß er wohnen" notiert: „Die Höhe der Sterne [ist] mehr durch die Instrumente [darzustellen]".[3] Die Symbolik ist daher wörtlich und explizit, doch sie behält einen ideellen Charakter, insoweit Grenzenlosigkeit und Unendlichkeit sym-

---

1 Ebenda, S. 216.

2 Vgl. M. Cooper, *Beethoven: The Last Decade,* S. 160—167. Erwähnenswert ist in diesem Kontext auch die Einleitung zum Thema des zweiten Satzes, die diskutiert wird von M. H. Schmid, *Klangaufbau als Themenvorbereitung im Spätwerk Beethovens,* S. 283—285.

3 M. Solomon, *The Ninth Symphony,* S. 25. Die Notiz ist übertragen bei G. Nottebohm, *Zweite Beethoveniana,* S. 186. Vgl. auch L. Nohl, *Beethovens Leben,* Bd. III, S. 395. Die Einarbeitung dieser Passage in den größeren Kontext der Symphonie und Beethovens Œuvre insgesamt entspricht der Forderung Susanne Langers nach einem „process of articulation", in dem „music at its highest, though clearly a symbolic form, is an unconsummated symbol" (*Philosophy in a New Key,* S. 204).

bolisiert werden — Begriffe, die sich ihrer Natur nach einer direkten künstlerischen Darstellung entziehen.

In seinen kammermusikalischen Werken verwendet Beethoven die Tonart E-Dur vorzugsweise im Zusammenhang mit Himmelsassoziationen — wie der langsame Satz des *Rasumowsky-Quartetts* op. 59, Nr. 2 von 1806 oder das „Abendlied unterm gestirnten Himmel" WoO 150 von 1820 zeigen. Nach Czerny soll Beethoven den langsamen Satz jenes Quartetts konzipiert haben, als er den gestirnten Himmel betrachtete und über die Musik der Sphären nachgedacht hatte.[1] Tatsächlich existiert, wie Warren Kirkendale gezeigt hat, eine musikalische Verwandtschaft zwischen diesem Satz und dem Benedictus der *Missa solemnis*, wo die absteigende Linie vom hohen G in der Solovioline die Ankunft des Himmelsboten symbolisiert.[2] Ein anderer verwandter Satz ist das hier behandelte Stück, das Adagio des Streichquartetts op. 127. Das Thema des Adagios wird — wie das Benedictus — durch einen jambischen Rhythmus im 12/8-Takt bestimmt, und die Ähnlichkeit beider Themen erstreckt sich auch auf ihre melodische Kontur und sogar — im Hinblick auf die Rolle der Solovioline im Benedictus — auf ihre Instrumentation. Bedenkt man Charakter und wahrscheinliche Assoziationen des Adagio-Themas, dann überrascht es nicht, daß Beethoven, abgesetzt durch die plötzliche Modulation nach E-Dur, als Mittelstück des Satzes eine Variation aufnahm, die himmlische Kontemplation ausdrücken sollte.

In der 9. Symphonie steigen die Tonhöhen von „Ihr stürzt nieder" bis „Über Sternen muß er wohnen" vom E über dem mittleren C zum G drei Oktaven darüber. Das ist, trotz der abweichenden Tonart, genau der Umfang der melodischen aufsteigenden Linie im Quartett.

1 Vgl. E. Forbes, *Thayer's Life of Beethoven,* S. 408f.; Thayer / Deiters / Riemann, *Ludwig van Beethovens Leben,* Bd. II, S. 532.

2 Vgl. W. Kirkendale, *Beethovens Missa Solemnis und die rhetorische Tradition,* S. 145—147; in englischer Übersetzung: *New Roads to Old Ideas,* S. 690f.

Während in der Symphonie der Schlußabschnitt dieses Aufsteigens ins höchste Register sprunghaft geschieht und dem Orchester überlassen ist, steigt im Quartett die erste Violine allmählich zum hohen G, dem Ziel und Endpunkt der Bewegung. Das E ist noch Teil des Sockels, der die Variation einleitet. Von ihm aus steigt die erste Violine auf, und wie in der Passage der Symphonie fällt die Melodie vorübergehend zur Erde zurück, um dann erneut aufwärts zu streben. Im fünften Takt des obigen Notenbeispiels ersetzt die Wiederholung der ersten Phrase im Cello Gis durch G und nimmt damit den Wechsel zur kleinen Sexte zwei Takte später vorweg.

Der musikalische Höhepunkt enthält einen deutlichen Wechsel zu einem C-Dur-Akkord in Grundstellung mit der ersten Violine auf dem hohen G im achten Takt des Beispiels (T. 66). Dies ist der Augenblick, der dem Erreichen der Es-Dur-Akkordfolge zu „Über Sternen muß er wohnen" in der Symphonie korrespondiert; dort wird dasselbe hohe G durch einen ähnlichen Wechsel zur kleinen Sexte im weiteren harmonischen Kontext von g-Moll erreicht. Insofern diese aufsteigende melodische Fortschreitung zum Höhepunkt im Quartett unmittelbar in die Struktur der Variation integriert ist, wird sie in der zweiten Hälfte der Variation etwas abgewandelt und intensiviert neu formuliert. Die Funktion des g''' als Ziel- und Endpunkt beider Hälften der Variation erinnert an das Benedictus der Messe, wo dieselbe Tonhöhe als Anhaltspunkt dient, zu dem die Solovioline immer wieder zurückkehrt. In dieser bemerkenswerten Passage von op. 127 werden also musikalische Elemente von entscheidender symbolischer Bedeutung in die Form der Variation integriert und in die Sphäre instrumentaler Kammermusik übertragen.

Vor dem Hintergrund dieser Überlegungen läßt sich nun das dritte und letzte Auftreten des Anfangsmottos im ersten Satz, das Maestoso in C-Dur (T. 135—140), neu diskutieren. Beethoven hebt dieses Erscheinen des Maestoso durch die dynamische Steigerung zu Fortissimo und durch harmonische Mittel — die Vermeidung der Subdominante, die an anderer Stelle das Motto charakterisiert hatte — hervor. Er betont in choralartigem Satz in größtmöglicher Ausdehnung den C-Dur-Klang dreimal, wobei die erste Violine beim dritten und letzten Auftreten des Klanges zum hohen G aufsteigt. Auffällig ist die Parallele zu den dreimaligen C-Dur-Klängen in Variation 3 des folgenden Adagios. Das Motto erscheint danach kein weiteres Mal —

ein Umstand, der einige Kommentatoren verwirrt hat. Aber die Bedeutung des Maestoso geht über seine Funktion innerhalb des ersten Satzes hinaus. Wie das Anfangsmotto in op. 110 präfiguriert das Maestoso in op. 127 spätere Ereignisse und deutet voraus auf den symbolischen Höhepunkt des Adagios, das zu den gewichtigsten und vollkommensten langsamen Sätzen Beethovens gehört.

Nach den besinnlichen Variationen schlägt das folgende Scherzando vivace einen ironischen, sogar galgenhumorigen Ton an. Die Überleitung vom Ende des Adagios ins Scherzo erinnert an den Wechsel vom Allegretto ma non troppo zum Vivace alla Marcia in op. 101 — ein Satz, der in Rhythmus und Kontrapunktik unserem Scherzo ähnelt. Man assoziiert auch das Scherzo der *Hammerklaviersonate* und mehr noch das Scherzo der 9. Symphonie. Nach der Pizzicato-Fanfare zu Beginn — Kerman notiert: „There are no timpani in a string quartet!“[1] — entwickelt sich der Satz kontrapunktisch, sogar fugenartig. Beethoven hatte ursprünglich die Grundmotive sogar in Achtelnoten skizziert und führte erst später den schroffen auftaktigen Rhythmus ein, der das Scherzo durchzieht. Die fugierte Struktur wird immer wieder plötzlich und ruckartig von wuchtigen Unisono-Passagen und rezitativischen Gesten unterbrochen; eine kraftvolle, durchschlagende Energie charakterisiert das ganze Stück. Das Scherzando vivace spielt innerhalb des Quartetts eine entscheidende Rolle, indem es rhythmische Spannungen und dramatische Qualitäten enthält, die in den anderen Sätzen weitgehend fehlen.

Das Trio entsteht aus einer Beschleunigung des Scherzo-Rhythmus. Dieses wirbelnde Presto enthält die schnellste und am stärksten vorwärtstreibende Musik des Quartetts und exponiert einige seiner schärfsten Kontraste. Der düstere Anfang in es-Moll führt schon bald in eine laute, etwas derbe Parodie eines Tanzes über einem stark akzentuierten Orgelpunkt in Des-Dur; und dieser innere Kontrast wird daraufhin — dreimal insgesamt — in verschiedenen Tonarten wiederholt. Es scheint, als könne dieses Wechselspiel unendlich fortdauern, aber Beethoven durchbricht das Schema, indem er eine melodische Floskel der Tanz-Parodie im hohen Register der ersten Violine wiederholt. Das Trio verschwindet ins Nichts, bevor das Scherzo sanft in demselben hohen Register wiederkehrt. Wie in der 9. Symphonie ruft Beethoven das Trio kurz vor Ende des Satzes in verkürzter Form nochmals in Erinnerung. Dieses rhetorische Mittel wird dabei mit besonderer Raffinesse eingesetzt: Nachdem er den Anfang des Presto gekürzt hat, wiederholt Beethoven die Pianissimo-Überleitung zum Trio und krönt dann den Satz mit einer emphatischen Fortissimo-Kadenz, die auf dem grundlegenden auftaktigen Rhythmus beruht.

Wie wir gesehen haben, entwarf Beethoven Skizzen zu einem langsamen Satz in E-Dur, der das Finale einleiten sollte. Schließlich reduzierte er die Einleitung auf vier Takte im Unisono, die das Hauptthema ahnen lassen und in etwas erweiterter Form zu Beginn der Durchführung wiederkehren. Der springende Punkt in dieser Geste ist der Halbtonschritt G—As — ein Intervall, dem entscheidende Bedeutung zukommt. Das Hauptthema wird bestimmt durch eine lineare Bewegung von G über As nach A, eine ausdrucksvolle Dissonanz, die durch einen weiteren Schritt aufwärts: B—C, gelöst wird, wodurch der Spitzenton der Melodie erreicht wird. Die

1 J. Kerman, *The Beethoven Quartets,* S. 230.

Mehrdeutigkeit der Beethovenschen Phrasen — zweimaliges Auftreten des an As gebundenen Dreiklangsmotivs vom Anfang, gepaart mit dem dritten Motiv, welches den Höhepunkt A enthält — verleiht der Melodie Spannung. Ihr Ausdruckscharakter ist dennoch gelockert und sogar volkstümlich. Wie im ersten Satz durchzieht eine eher lyrische als dramatische Stimmung das ganze Stück.

Der breit angelegte Hauptsatz hat eine dreigliedrige Gestalt. In der ruhigen Wiederkehr des Themas, die im Cello beginnt, werden die Anfangsphrasen in eine kontrapunktische Struktur überführt. Der humorvolle Charakter des Seitensatzes entsteht durch wiederholte Noten im détaché, überraschende Akzente und wuchtige Fortissimo-Akkorde, begleitet durch eine Triolenfigur in der ersten Violine. Die aufsteigenden Quarten am Beginn dieses Themas sind mit dem Maestoso im ersten Satz verwandt. In der folgenden Überleitung betont Beethoven Motive mit fallenden kleinen Sekunden und läßt immer wieder den Halbtonschritt As—G erklingen — die Umkehrung der wichtigen G—As-Beziehung. An dieser Stelle wird die Anfangsgeste wiederholt, und ihre Behauptung von G—As im Unisono markiert den Beginn einer kurzen Durchführung, die auf der kontrapunktischen Kombination beider Hauptthemen basiert.

Der formal bedeutsamste Aspekt des Finales ist sicherlich seine Reprise in der Subdominante As-Dur. Wie Kerman herausgestellt hat, überschreitet diese „falsche" Reprise in der Länge (32 Takte) wohl jede andere im gesamten klassischen Quartettrepertoire.[1] Ihre Wirkung ist allerdings von derjenigen anderer „falscher" Reprisen verschieden. Beethoven läßt während seiner letzten zehn Jahre allgemein die Tendenz erkennen, die traditionelle Beziehung zwischen Durchführung und Reprise in seinen Sonatensätzen zu verändern, und die Vermeidung der Tonika in den Reprisen ist ein Aspekt dieser Tendenz. Der erste Satz des a-Moll-Quartetts op. 132 zum Beispiel enthält eine Reprise in der Dominante. Beethoven verwendet auch im Credo der *Missa solemnis* eine dominantische Reprise — dieser Satz wurde weitgehend um 1820 vollendet.

Im Gegensatz dazu hat die Reprise in der Unterdominante in op. 127 eine besänftigende Wirkung. Das Thema erscheint in neuem Licht, und die ganze „falsche" Reprise ließe sich auch als riesige formale Erweiterung der betonten Subdominante im Thema hören. In der subdominantischen Reprise beginnt die Melodie im höchsten Register der Bratsche über einem Triller in der ersten Violine. Indem er das Thema entfaltet, verwendet Beethoven feine Wechsel und neue Spielarten der Instrumentation. Die folgende „richtige" Reprise in der Tonika wird ebenso in immer neuen Variationen behandelt. Die Wiederholung der Anfangsphrase zum Beispiel erscheint doppelt in der zweiten Violine und Bratsche mit motivischen Imitationen und Verzierungen durch die erste Violine im ätherischen hohen Register. Andererseits wird der Seitensatz in völlig unveränderter Form in die Tonika übertragen.

Es folgt eine besonders zauberhafte Coda. Dieser Abschnitt im 6/8-Takt wird durch eine Verwandlung der wiederholten Noten vom Ende der Reprise erreicht, welche zu Trillern verschmelzen. Ebenfalls transformiert erscheint das Hauptthema: Gekürzt um die Wiederholung seines ersten Taktes und erweitert in seiner rhythmischen Kontur, wird es weniger spaßhaft und ausdrucksvoller, gar zierlich.

1 Vgl. ebenda, S. 236f.

Das Thema wird nun durch eine Begleitfigur aus Triolensechzehnteln geschmückt. Auffällig ist die Folge von wechselnden Tonarten in fallenden großen Terzen von C-Dur über As-Dur nach E-Dur. Die harmonische Energie der Modulationen erwächst aus der Halbton-Beziehung des Themas. Tatsächlich resultiert die gesamte Modulationenfolge direkt aus Beethovens Entwicklung dieser aufsteigenden kleinen Sekunde:

C-Dur: F—Fis—G—As
As-Dur: Des—D—Es—E
E-Dur: A—B—H—C—Des—D—Es

Die letzte Gruppe aufsteigender kleiner Sekunden wird erweitert, um die Tonika Es-Dur wieder zu erreichen.

Die Tonarten dieser Modulationen sind für das Werk als ganzes von Bedeutung. In C-Dur und E-Dur standen die zusätzlichen Sätze, die Beethoven skizzierte, und beide Tonarten sind auch in der Endfassung des Quartetts stark vertreten. Man erinnere sich an das C-Dur-Maestoso im ersten Satz, das Adagio in As mit seiner denkwürdigen mittleren Variation in E-Dur und die große Reprise auf As im Finale. Aber ganz abgesehen von ihrer Beziehung zu früheren Sätzen bedeuten diese harmonischen Exkurse durch den Durterz-Zyklus neue und außergewöhnliche ästhetische Bezüge, die direkt von der Struktur des Themas abgeleitet sind. Es handelt sich um eine jener Passagen in den späten Werken Beethovens, in der wir die Struktur wie sonst bei keinem anderen Komponisten *hören* können.

Im weiteren Verlauf der Coda erklingen Echos des aufsteigenden Halbtonschritts, begleitet durch eine pulsierende Bewegung in Triolenachteln. Beethoven hat diese Art einer schwebenden Struktur über Pedaltönen in einigen seiner letzten Klavierwerke wie der Arietta in op. 111 und der Coda der *Diabelli-Variationen* verwendet. In keinem der früheren Quartette aber erreichte er diese dichte Umgestaltung der grundlegenden Substanz des Themas. Im Gegensatz dazu ist die brillante, heitere Dur-Coda des Finales in Beethovens *Quartetto serioso* in f-Moll op. 95 problematisch, indem sie so fröhlich die dramatischen Spannungen ignoriert, die das übrige Werk bestimmten.

Beethovens Coda in op. 127 ist in ihrer musikalischen Struktur genau dann am tiefsten begründet, wenn sie am stärksten visionär und phantastisch erscheint. Hier existiert kein Widerspruch zwischen Einbildungskraft und Vernunft, sondern eine unauflösbare Synthese von Denken und Fühlen. Aus dieser gespannten Balance zwischen Struktur und Ausdruck erwächst ein geistvoller Humor, der weder derjenige Haydns noch Mozarts ist, aber einer Verbindung beider nahekommt. In den Schlußteilen des Finales vermittelt Beethoven diesen feinen Humor vor allem durch seine Behandlung des schelmischen, verunsichernden A. Das Thema kehrt in Umrissen ein letztes Mal wieder, als die Komposition As im Cello und A in der Violine erreicht, bevor der aufsteigende Halbton-Schritt nach B die kraftvolle Schlußkadenz einleitet.

Op. 127 war eine der letzten Kompositionen, deren Aufführung Beethoven beiwohnte, und so schließen wir mit einer kurzen Betrachtung der frühen Aufführungsgeschichte. Die Uraufführung am 6. März 1825 unter der Leitung von Ignaz Schuppanzigh geriet unbefriedigend; es entstand bloß ein „schwacher *succès d'estime*", wie Joseph Böhm berichtete. Böhm, der die Streichquartett-Konzerte in Wien während Schuppanzighs langer Abwesenheit leitete, schreibt: „Beethoven ward, als er dies vernahm, wüthend, Publikum und Darsteller wurden mit harten Worten hergenommen. Beethoven hatte keine Ruhe bis die Scharte ausgewetzt wurde. Er sandte in aller Frühe an mich. — In seiner gewohnten kurzen Weise sagte er mir: ‚Sie müssen mein Quartett spielen' — und die Sache war abgethan. — Einstreuungen, Bedenken halfen nichts, was Beethoven wollte, mußte geschehen. So übernahm ich denn die schwierige Aufgabe. — Es wurde fleißig studirt, unter Beethovens eigenen Augen häufig probirt: Ich sage nicht umsonst unter Beethovens *Augen*, denn der Unglückliche war damals schon so taub, daß er die himmlischen Klänge seiner Compositionen nicht mehr vernahm. Und doch war eine Probe in seiner Anwesenheit nichts leichtes. Mit gespannter Aufmerksamkeit folgten seine Augen dem Bogen und darnach wußte er die kleinsten Schwankungen im Tempo oder Rhythmus zu beurteilen und selbe auch gleich abzustellen. Eben in diesem Quartette war im letzten Satze ein *‚meno vivace'* zum Schlusse, welches mir die Wirkung des Ganzen abzuschwächen schien. Ich rieth daher bei der Probe das gleiche Tempo einzuhalten, was auch geschah und wirklich bessern Eindruck machte. Beethoven kauerte in einer Ecke, hörte nichts davon, sah aber mit gespannter Aufmerksamkeit zu. — Nach dem letzten Bogenstrich sagte er lakonisch: ‚Kann so bleiben' — ging zu den Pulten und strich das *‚meno vivace'* in den vier Stimmen aus."[1]

Daraufhin führte Böhm das Quartett mehrmals mit beachtlichem Erfolg auf. Seine Beurteilung der Uraufführung durch Schuppanzigh wird nochmals bestätigt durch einen Artikel vom 28. April in Bäuerles *Theaterzeitung*, der für Böhms Interpretation dieses bedeutenden Werks folgende lobende Worte findet: „[...] da veranstaltete ein standhafter Kunstfreund und edler Kenner eine neue Produktion dieses Quartettes durch die obigen genannten Herren [Schuppanzigh] mit der Besetzung der ersten Violine durch Herrn Prof. Böhm, da dieser mittlerweile das neue Quartett vor einem kleineren Ausschusse von Kunstkennern mit besonderem Erfolg gespielt hatte. Dieser Professor trug nun das wunderbare Quartett zweimal an demselben Abend vor derselben sehr zahlreichen Gesellschaft von Künstlern und Kennern so vor, daß nichts zu wünschen blieb, die Nebeldecke schwand und das herrliche Kunstgebilde in blendender Glorie strahlte."[2]

William Kinderman
Übersetzung: Lydia Jeschke

---

1 Thayer / Deiters / Riemann, *Ludwig van Beethovens Leben,* Bd. V, S. 181 (vgl. die englische Übersetzung in E. Forbes, *Thayer's Life of Beethoven,* S. 940f.).
2 Thayer / Deiters / Riemann, *Ludwig van Beethovens Leben,* Bd. V, S. 180 (vgl. die englische Übersetzung in E. Forbes, *Thayer's Life of Beethoven,* S. 941).

Klavierlied „Der Kuß“
op. 128

GEDICHT: Chr. F. Weisse.
ENTSTEHUNGSZEIT: 1798—1822.
ERSTAUFFÜHRUNG: unbekannt.
SKIZZEN: Staatsbibliothek Preußischer Kulturbesitz Berlin, Artaria 201; Deutsche Staatsbibliothek Berlin, Grasnick 1; Bibliothèque Nationale Paris, Ms 33.
AUTOGRAPH: British Library London (Stefan Zweig Collection); Mainz (Schott-Archiv).
ERSTDRUCK: Mainz 1825 (Schott).
GESAMTAUSGABEN: Alte Gesamtausgabe: Nr. 227 = Serie 23 Nr. 13; Neue Gesamtausgabe: Abt. XII, Bd. 1.

Von allen Liedern Beethovens hat keines eine so ausgedehnte Entstehungsgeschichte wie seine Vertonung von Christian Felix Weisses Gedicht „Der Kuß“, welche er 1798 begann und nicht vor Ende des Jahres 1822 abschloß. Die große Lücke zwischen Beethovens erster Hinwendung zu dem Gedicht und der letztlichen Beendigung seiner Vertonung gibt einerseits über den literarischen Geschmack und andererseits über die Arbeitsmethoden des Komponisten Aufschluß; um das Lied daher richtig einzuschätzen, müssen die Kompositionsumstände näher untersucht werden.

Es scheint, daß sich Beethoven bereits gegen Ende des Jahres 1798 für das Gedicht interessierte, da sich im Skizzenbuch Grasnick 1 (fol. 6^r) Skizzen finden, die denjenigen zur zweiten Version des „Opferlieds“ WoO 126 vorangehen. Die Skizzen zu „Der Kuß“ umreißen die spätere Form der Gesangsmelodie, wenngleich im Detail einige signifikante Unterschiede auszumachen sind; dafür, daß Beethoven auch schon mit der Planung der Klavierbegleitung begann, gibt es hingegen keinen Anhaltspunkt. Jedenfalls ließ er das Lied schnell fallen und ließ es unbeachtet bis zum Herbst 1822, als er eine Liste mit früheren, unveröffentlichten Stücken zusammenzustellen begann, in der er am Ende einer Reihe von Instrumentalstücken auf ein Lied mit dem Titel „bey chloen war ich ganz allein von gleim [sic]“ verweist.

Die Annahme Helga Lühnings[1], dieser Eintrag sei dazu bestimmt gewesen, Beethoven an die Vervollständigung des Liedes zu erinnern, ist durchaus plausibel. Aus der Folgezeit (Dezember 1822) existiert ein Fragment der endgültigen Vertonung; das vollständige Autograph ist deutlich mit „1822 im Decmb.“ datiert. Es dauerte noch bis zum Frühjahr 1825, bis „Der Kuß“ endlich im Druck erschien.

Sicherlich ist es bezeichnend, daß Beethovens Rückkehr zu diesem Lied nach beinahe einem Vierteljahrhundert nicht zu einer von seinem ersten Konzept radikal unterschiedenen Vertonung führte. Noch bemerkenswerter ist es allerdings, daß er noch immer genügend Sympathie für die Verse hegte, um sie der Vertonung für wert zu erachten, obwohl sie bereits altmodisch waren, als er sich zum ersten Mal für den „Kuß“ interessierte. 1822 nun hatte die ihm eigene ziemlich vereinfachte Gefühlswelt für die meisten Künstler längst jeden Anreiz verloren.

Im Grunde steht „Der Kuß“ direkt in jener „anakreontischen Tradition“ der deutschen Dichtung, deren Beginn man im allgemeinen um die Mitte des 18. Jahr-

---

1 Vgl. *Kritischer Bericht* zu L. v. Beethoven, *Werke,* NGA, Abteilung XII, Bd. 1, S. 77.

hunderts mit den Werken von Gleim, Uz und Götz ansetzt. Diese Tradition ist bisweilen mit der englischen Madrigaldichtung des 16. Jahrhunderts verglichen worden — in beiden Fällen handelt es sich zumeist um Frühling, Freundschaft, Blumen, Wein und vor allem um die Liebe. Die Liebenden, die gewöhnlich mythologische oder quasi-mythologische Namen tragen wie Amor, Damon oder Phyllis, bewegen sich in einer Landschaft von beinahe arkadischer Schönheit. Obwohl ihre einfachen, fast eindimensionalen Gefühle stets rein und unverfälscht empfunden sind, ist diesen Charakteren eine Naivität und Weltfremdheit zu eigen, die auch im mittleren 18. Jahrhundert völlig unglaubwürdig wirkte.

Die anakreontische Tradition, die von modernen Kritikern als künstlerisches Phänomen im allgemeinen unterschätzt, ja sogar mit Verlegenheit behandelt worden ist, war zu ihrer Zeit eine bedeutsame verjüngende Kraft innerhalb der deutschen Literatur. Noch wichtiger für Beethoven und sein Wiener Umfeld ist, daß sie es österreichischen Autoren zum ersten Mal ermöglichte, die Fesseln ihrer aus dem Lateinischen abgeleiteten Dichtung abzuschütteln, als nämlich das Land in den 1770er und 1780er Jahren begann, aus seiner literarischen Erstarrung zu erwachen. In den 1790er Jahren, als Beethoven sich dem „Kuß“ zum ersten Mal zuwandte, war die anakreontische Dichtung in Österreich im Gegensatz zu Deutschland noch immer sehr beliebt. In diesem Zusammenhang ist es bezeichnend, daß Weisses Gedicht, das in Deutschland schon 1758 (in seinen *Scherzhaften Liedern*) erschienen war, in Wien erst 1793 nachgedruckt wurde, als die mutmaßliche Textquelle für Beethovens Lied, der erste Teil von Weisses *Kleinen lyrischen Gedichten*, herauskam. 1822 waren solche Dichtungen auch in Wien aus der Mode gekommen, so daß er sich bei seinem Entschluß, mit seiner Vertonung fortzufahren, gewiß nicht nach dem Zeitgeschmack richtete.

Vielleicht war Beethoven auch einfach darauf bedacht, sich bereits geleistete Arbeit zunutze zu machen und wenigstens etwas Ertrag aus seinen früheren Versuchen zu ziehen. Im materiellen — wenn schon nicht im künstlerischen — Sinne würde das einleuchten. Falls aber die Vervollständigung von „Der Kuß“ demgegenüber als tatsächliches Indiz für Beethovens literarischen Geschmack in den frühen 1820er Jahren gelten kann, lassen sich daraus interessante Schlüsse ziehen.

Welche Motivation die Wahl des Gedichts auch gehabt haben mag, bereits 1798 demonstriert er — wie die Untersuchung der ersten Skizzen zeigt — seine Fähigkeit, in der Vertonung einer solchen Dichtung übliche Konventionen zu überschreiten. Nicht zu vergessen ist hierbei, daß die offensichtlich intendierte Sanglichkeit der anakreontischen Dichtung zu ihren grundsätzlichen Merkmalen gehört — häufig wird allein das Wort „Lied“ in Titeln von Gedichtsammlungen synonym für „Gedicht“ gebraucht. Die Vertonungen sollten einfach und in unveränderter Strophenform sein — während Beethovens Verfahren jede zeitgenössische Erwartung eines Dichters weit überschritt.

Seine avancierte Methode der musikalischen Behandlung einer solchen Dichtung gründet hauptsächlich in der genauen Ausformung einzelner Worte und Phrasen, welche er derart einfühlsam vertont, daß ihr Sinn durchweg verstärkt und erweitert wird. Bei „Der Kuß“ findet dieses Verfahren im Verlauf des Liedes zunehmend Anwendung — mit dem Effekt, daß die letzte Zeile einen starken und passenderweise recht humorvollen Akzent erhält.

Für ein kurzes, achtzeiliges Gedicht bevorzugte Beethoven eine durchkomponierte Form, deren Kohärenz jedoch eher der harmonischen Organisation als der Behandlung des melodischen Materials zu verdanken ist. Statt etwa durch die Wiederholung motivischer Ideen eine Art dreiteilige Form zu schaffen, moduliert Beethoven in der Mitte des Stücks zur Dominante (E-Dur) und kehrt dann in den letzten Zeilen zur Tonika (A-Dur) zurück. Obgleich zwischen Anfang und Ende einige thematische Beziehungen existieren (vgl. zum Beispiel T. 9—11 mit T. 40—42), gibt es keine genauen oder auch variierten Wiederholungen. Die melodischen Ideen werden vielmehr — in Abhängigkeit von der Textbehandlung — kontinuierlich entwickelt.

Grundlegender für Beethovens strukturelles Konzept und zugleich von essentieller Wichtigkeit für die Interpretation des Gedichts ist die Wortwiederholung, die Beethoven ausgiebig verwendet. Nehmen wir zum Beispiel seine Behandlung der ersten beiden Textzeilen. Sie sind als eine reguläre Achttaktphrase gestaltet, und zwar vor allem durch die Wiederholung des entscheidenden Wortes „küssen“ und des damit verbundenden Satzes „küssen wollt ich sie“. Auf ähnliche Weise formt Beethoven die nächsten beiden Zeilen des Textes zu zwei sechstaktigen musikalischen Phrasen, in deren Verlauf „sie würde schrein“ statt nur einmal wie im Gedicht nun viermal erscheint, wobei die Gesangslinie beständig steigt und damit Chloes Protest veranschaulicht. Im Gegensatz dazu wird der Text „es sei vergebne Müh'“ in einer resignierenden, fallenden Phrase vertont; wiederum erscheinen die Worte im Lied viermal statt einmal. Dieser Vorgang der Ausspinnung einzelner Worte des Gedichts im Sinne einer größtmöglichen musikalischen und dramatischen Wirkung setzt sich in der zweiten Gedichthälfte fort. Vielsagend ist beispielsweise, wie grell und schrill die Worte „trotz ihrer Gegenwehr“ vertont sind.

Am wirkungsvollsten aber ist die Behandlung der beiden Schlußzeilen, die im Gedicht als Motto des gesamten Textes dienen. Chloe macht tatsächlich ihre Drohung wahr und schreit, allerdings erst lange, nachdem der Anlaß der Drohung, nämlich der Kuß, vorbei ist. Sie ist, natürlich, genauso erpicht auf den Austausch von Zärtlichkeiten wie der Dichter selbst, kann es sich aber nicht erlauben, auch so zu wirken. Diese Sprödigkeit und die Entlarvung weiblicher Kniffe enthalten ein ordentliches Quentchen Humor — und zugleich ein beträchtliches Problem für den Komponisten, der die Verse in Musik zu setzen sucht. Denn die Pointe des Gedichts wird weniger direkt durch die Worte erreicht, sondern vielmehr durch den Gedankenstrich, durch den der Dichter die vorletzte und die letzte Zeile voneinander trennt. Die Pause, die dadurch suggeriert wird und beim Vortrag des Gedichts besondere Beachtung verdient, ist musikalisch schwierig umzusetzen und wird dadurch noch problematischer, daß die letzte Zeile gesprochen mit einer ausdruckslosen, wegwerfenden Geste vorzutragen wäre. Innerhalb der rhetorischen Artikulation einer Vertonung ist solch eine Technik kaum möglich. Irgendwie muß der Komponist daher den Geist dieser beiden letzten Zeilen übertragen, ohne sich zu sehr nach ihrer poetischen Wirkungsweise zu richten.

Beethovens Lösung greift wieder einmal auf eine sorgfältig berechnete Textwiederholung zurück. Statt die letzte Zeile nebensächlich zu gestalten, entschied er sich, ihr nicht weniger als 16 der insgesamt 63 Takte zu widmen. Besonders signifikant ist dabei die häufige Wiederholung des Wortes „doch“: Aus einem Wort im Gedicht werden im Lied sieben Worte. Eine ähnlich komische Wirkung erreicht Beethoven durch die Vertonung des Wortes „lange“, das nicht weniger als dreizehnmal wiederholt und dabei einmal sehr lang ausgeführt wird.

Im Grunde kehrt Beethoven also das Vorgehen der Dichtung um. Aus der Unmöglichkeit heraus, deren lakonische Wirkung zu reproduzieren, beschloß er, sie zu ignorieren, — durch die Hervorhebung des Wortes „lange“, so lange, bis seine einfache Wiederholung schließlich zum Witz wird, erzielt er jedoch eine sehr ähnliche Wirkung. Mit diesem Kunstgriff enthüllt Beethoven sowohl seine tiefe Sensibilität für Nuancen in lyrischer Dichtung als auch seine meisterhafte Beherrschung musikalischer Effekte — eine für den Liedkomponisten unveräußerliche Kombination.

Ewan West
Übersetzung: Lydia Jeschke

Alla ingharese quasi un capriccio G-Dur für Klavier „Die Wut über den verlornen Groschen“ op. 129

Entstehungszeit: 1795—1798.
Erstaufführung: unbekannt.
Skizzen und Autograph: wahrscheinlich im Besitz von Mrs. Eugene Noble, Providence, Rhode Island.
Erstdruck: Wien 1828 (A. Diabelli & Co.).
Gesamtausgabe: Alte Gesamtausgabe: Nr. 191 = Serie 18 Nr. 9.

Beethovens Klavierstück gehört zu jenen Werken, bei denen die Popularität — es steht zu vermuten, vor allem des geläufigen, aber nicht authentischen Titels („Die Wut über den verlorenen Groschen“) wegen — in Widerspruch steht zur Bedeutung, die man ihm gemeinhin im Œuvre des Komponisten zumißt: Es gilt als ein Nebenwerk. Betrachtet man jedoch seine Rezeptionsgeschichte, so zeigt sich, daß es wie kaum ein anderes Werk Beethovens einer Umbewertung ausgesetzt war, die sowohl auf die Kriterien der Wertung als auch auf das Werk selbst ein erhellendes Licht wirft.

Erschienen ist das Klavierstück posthum, 1828 bei Anton Diabelli in Wien, der es für einen hohen Preis aus dem Nachlaß Beethovens ersteigert hatte. Die tatsächliche Entstehungszeit allerdings blieb lange Zeit im Dunkeln, was eigentlich kein Problem darstellte, trüge das Werk nicht jene hohe Opuszahl, die dazu führt, daß es von einigen der gewichtigsten Spätwerke flankiert wird. Im Kontext dieser Werke nimmt sich das *Rondo a capriccio*, wie es fälschlicherweise auch bezeichnet wird[1], doch merkwürdig aus, zumal wenn man bedenkt, daß bei Beethoven die Opuszahlen leidlich mit der Chronologie der Werkentstehung übereinstimmen. Diese Konstella-

1 So auch unverständlicherweise in G. Kinsky / H. Halm, *Das Werk Beethovens,* S. 390, obwohl dort der authentische Titel referiert wird.

tion von Werken führte dazu, daß die Frage nach der Entstehungszeit des Klavierstückes über kurz oder lang anfing, Interesse zu erwecken. Zunächst wurde im Beethoven-Schrifttum das Werk entweder ob seiner geringen Bedeutung gar nicht erwähnt[1], oder man erkannte in ihm ohne Bedenken ein Frühwerk der Bonner Zeit.[2] 1872 erschien dann eine instruktive Ausgabe der Beethovenschen Klavierwerke, die Hans von Bülow, einer der bedeutendsten Beethoven-Interpreten und -Kenner seiner Zeit, herausgab. Er stellt in seinem Kommentar entgegen der bisher gültigen Meinung fest: „aus einer Menge charakteristischer Züge [...] sind wir veranlasst, dieses *Rondo* für ein *Parergon* der letzten Schaffensperiode zu halten.“[3] Damit war eine Neudatierung vorgenommen worden, die in der Folgezeit von den meisten, sofern sie überhaupt auf dieses Werk zu sprechen kamen, geteilt wurde.[4] 1945 wurde dann das Autograph in den USA entdeckt, und dank der Überlieferungsumstände war es möglich, die Entstehungszeit des Werkes auf die Zeit von 1795 bis 1798 einzugrenzen.[5] Daneben konnten einige wichtige Erkenntnisse gewonnen werden. Erstens waren weder der Titel „Die Wut über den verlorenen Groschen“ noch „Rondo a capriccio“ authentisch, sondern das Werk war vielmehr mit „Alla ingharese quasi un capriccio“ überschrieben. Zweitens wurden beim Diabellischen Erstdruck und damit bei allen Folgeausgaben mehrere Takte weggelassen (vgl. T. 32—39).[6] Und drittens war das Werk mitnichten vollendet, da sich in der Handschrift keinerlei Angaben zur Dynamik und zur Artikulation finden und in einigen Takten gar nur einzelne Noten, ohne Begleitstimme und weitere Ausarbeitungen, gesetzt sind.

Das Rätsel der Datierung war damit gelöst. Doch es ging in diesem Falle gerade nicht um eine rein chronologische Frage, da das Etikett „Spätwerk“ ja auch eine ästhetische Wertschätzung implizierte. Auch wenn von Bülow und seine Adepten der Meinung waren, es handele sich nur um ein kleineres Nebenwerk, so verstanden sie es doch als ein Nebenwerk im Spätwerk. Zwei Aspekte sind hierbei irritierend. Wie geht das, daß man in einem Werk zuerst ein Frühwerk sieht, dann ein Spätwerk erkennt, um schließlich festzustellen, daß es sich um ein spätes Frühwerk handelt? Zudem hat man über der Frage nach der Datierung eine genauere Betrachtung des Klavierstückes selbst vernachlässigt.[7] So wurde es eher als Dokument einer stilistischen Entwicklungsstufe denn als Werk aufgefaßt. Anders gefragt: Basiert die Spätwerk-Charakterisierung nur auf einem Mythos, dem sich eben alle späteren

1 Vgl. z.B. in der Erstauflage von A. B. Marx, *Ludwig van Beethoven,* Bd. II.

2 Vgl. C. Czerny, *Die Perioden von Beethovens Kompositionen,* S. 54, W. v. Lenz, *Kritischer Katalog,* Bd. IV, S. 302 und A. B. Marx, *Ludwig van Beethoven,* Bd. II ([2]1863), S. 378.

3 L. v. Beethoven, *Sonaten,* Bd. V, bearb. von H. v. Bülow, S. 222—235, hier: S. 222.

4 Vgl. Thayer / Deiters / Riemann, *Ludwig van Beethovens Leben,* Bd. IV ([2—4]1923), S. 479, P. Bekker, *Beethoven* ([2]1912), S. 606 und 193, G. Ernest, *Beethoven,* S. 394 und W. Riezler, *Beethoven* ([2]1937), S. 234. R. Schumann, von dem der vermutlich erste Rezeptionsbeleg stammt, ging 1835 in einer Rezension der *Neuen Zeitschrift für Musik* zwar nicht ausgesprochen auf die Entstehungsproblematik ein, stellte das Werk aber indirekt in die Nähe des Spätwerkes, indem er auf die vergleichbare Einfachheit der Themen in der 9. Symphonie verwies; vgl. R. Schumann, *Gesammelte Schriften,* Bd. I ([5]1914), S. 100f.

5 Vgl. E. Hertzmann, *The Newly Discovered Autograph.*

6 Die Taktzahlen beziehen sich im folgenden auf die Ausgabe L. v. Beethoven, *Klavierstücke,* hg. von O. v. Irmer, S. 106—117.

7 Die einzigen Ausnahmen bilden E. Hertzmann, *The Newly Discovered Autograph* und J. Uhde, *Beethovens Klaviermusik,* Bd. I ([2]1980), S. 61—66.

Opera unterzuordnen haben, oder werden durch diese Charakterisierung, auch wenn sie chronologisch faktisch falsch ist, vielleicht gerade Eigenarten des Werkes selbst benannt, Eigenarten, die je nach Position eher als Qualitäten oder als Defizite erscheinen?

Es sollen daher im folgenden einzelne Momente hervorgehoben werden, die verdeutlichen, daß das Klavierstück in der Tat im Vergleich mit anderen Werken der späten 1790er Jahre — beispielsweise den Sonaten op. 2 und op. 7, ja sogar op. 10, Nr. 1—3, natürlich auch op. 49, Nr. 1 und 2 und den beiden Rondos op. 51, Nr. 1 und 2 — in kompositionstechnischer Hinsicht und im Blick auf die formale Gestaltung aus dem Rahmen fällt.

Zunächst gibt es einige Auffälligkeiten im harmonischen Bereich, Fortschreitungen und Modulationsfelder, die in der Tat kühn sind. Eine so wenig verzierte, geradezu karge und dennoch weitschweifige Progression wie in den Takten 344—378 findet man in Beethovens Œuvre dieser Zeit wohl kaum, zumal wenn man die Funktion hier berücksichtigt, nämlich die Ausschmückung der D^7-T-Kadenz vor dem letztmaligen Auftreten des Themas, die in 34 Takten mit fast taktweisen Harmoniewechseln umkreist wird. Deutlicher dagegen ist die für den mittleren, aber auch noch für den späten Beethoven kennzeichnende Technik der Motiv-Abspaltung, die gleichsam einzelne Momente des Themas verselbständigt und kompositorisch für die Zwischensätze fruchtbar macht. So werden die beiden ersten Takte des Themas in den Takten 190—211 zur harmonischen Sequenzierung verwandt (ebenso in T. 316—339); die gleiche Funktion kommt dem abgespaltenen Rhythmus aus Takt 1 in den Takten 344—377 zu. Oder es wird der Rhythmus des zweiten Thementaktes verselbständigt, um damit in den Takten 222—245 durch eine Art Engführung das Thema selbst (und die darauf folgende Überleitung) quasi in Rückführung auf das einfachste Element zu gestalten (ebenso in T. 260—275 und ähnlich in T. 411—419). Aber auch der Rhythmus aus dem ersten Thementakt wird in modifizierter Form, durch Diminution des Viertels und Schwerpunktverlagerung, kompositorisch in der Begleitung zu den Takten 25—38 nutzbar gemacht (analog in T. 65—70). Ebenso wird die Wechselnotenfigur des Themas verselbständigt und in den Takten 158—169 ihrer schließenden Funktion entledigt (ebenfalls in T. 284—291 und ähnlich in T. 432ff.). Solche Techniken sind natürlich für Beethoven nichts Besonderes oder Überraschendes, aber spezifisch ist hier doch, daß sie in geradezu lehrbuchhafter Ausprägung Anwendung finden, wie in sonst keinem der Variationenwerke und Rondosätze der gleichen Zeit, in denen die Systematik des Vorführens ganz fehlt. Wären sie nicht einfach und in einer pedantisch anmutenden Manie zur Schau getragen, könnte man sich durchaus an die *Diabelli-Variationen* erinnert fühlen, die sich ja aus einem vergleichsweise ebenso banalen Thema entwickeln.

Ein Kennzeichen der zeitgenössischen Rezeption von Beethovens Spätwerk, speziell der Streichquartette, sind die Irritationen, die von dessen Irregularitäten auf dem Hintergrund des Erwartungshorizontes ausgingen. Zeitgenossen beklagten unter anderem immer wieder die Auflösung des Zusammenhangs[1] — ein Topos, der sich auch auf das vorliegende Klavierstück übertragen läßt, wenn man die Form in den Blick nimmt:

1 Vgl. Fr. Krummacher, *Synthesis des Disparaten.*

A	B	A	C	Ü1	A^I^	D	Ü2	A^II^	Ü3
1—24	25—40	41—64	65—80	81—88	89—112	113—129	129—133	134—157	158—169
A^III^	Ü4	E	Ü5	A^IV^	Ü6	A^V^	F	A^VI^	Coda
170—185	186—189	190—212	212—221	222—245	246—259	260—283	284—377	378—401	401—446

Bis zum Takt 157 handelt es sich um eine erwartungsgemäß gestaltete Rondoform, wobei die Zwischensätze durch abgeleitete Themen- oder Motivbestandteile miteinander verknüpft und die Themenwiederholungen nur minimal variiert sind. Ab Takt 158 jedoch läßt sich nur noch schwer entscheiden, was man eigentlich vor sich hat: das Thema selbst, Variationen des Themas oder durchführungsartige Abschnitte. Das Zusammenhang stiftende Prinzip eines Rondos, die regelmäßige Wiederkehr nach kontrastierenden Zwischensätzen, wird auf mehrfache Weise durchbrochen, indem auf Zwischensätze zugunsten längerer Überleitungsabschnitte verzichtet wird (nach A^{II} und A^{IV}) und indem die bisherige regelmäßige achttaktige Gliederung (bis dahin bildet nur $Ü_2$ eine Ausnahme) aufgebrochen wird. Umschlagspunkt ist der Abschnitt A^{III}—$Ü_4$, in dem zunächst die vollständige Wiederholung des Themenachttakters suggeriert wird, diese dann aber nur vier Takte dauert (T. 186—189), um unmittelbar in einen großen Durchführungsabschnitt überzugehen. Danach überwiegen die Überleitungen und die immer deutlicher Durchführungscharakter annehmenden Zwischensätze die Themenrefrains bei weitem, und diese selbst zeichnen sich durch stärkere Variierung und Modifikation aus. Von einer regelmäßigen Wiederkehr des Themas kann damit eigentlich nicht mehr gesprochen werden; es ist vielmehr scheinbar allgegenwärtig.

Wie die Überlegungen zur Form zeigen, ist das Werk letztlich mit keinem vorgegebenen Modell vergleichbar; dies muß im übrigen nur für denjenigen ein Mangel sein, der sich erst zufrieden gibt, wenn das Individuelle aufs Allgemeine zurückgeführt ist. Es vermengen sich ganz offensichtlich Momente der Rondo- und der Variationsform mit Durchführungsabschnitten aus der Sonatenhauptsatzform. In diesem Zusammenhang läßt sich auch die Frage nach dem Gattungsbezug aufwerfen. Denn es ist sicher kein Zufall, daß Beethoven den Bezug zu einer vorgegebenen Gattung nicht in den Titel aufgenommen hat, sondern mit seinem „quasi un capriccio“ den entscheidenden Hinweis gibt auf die Freiheit der Formgestaltung, wie sie sonst nur in Capriccios und Fantasien möglich war.[1] Damit steht das Werk indirekt eher in einer Tradition mit Haydns *Capriccio* G-Dur (Hob. XVII:1) und Mozarts *Capriccio* C-Dur (KV 395) als mit anderen Rondo- oder Variationenwerken.

Es gibt also durchaus Momente in op. 129, die auf dem Hintergrund seiner Entstehungszeit auffallen und über das Erwartete hinausgehen. Einige dieser Momente wurden hier bewußt pointiert. Natürlich sind sie in der Art offenkundig und deutlich, daß man doch stark an eine kompositorische Übung, einen Versuch denken muß, zumal es sich nicht um ein abgeschlossenes Werk handelt.[2] Die Unterschiede

1 Unklar ist die Bedeutung von *Alla ingharese,* da sich keine Momente finden lassen, die idiomatisch in Richtung sogenannter Zigeunermusik (zingharese) oder „ungarisch“ (ongharese) weisen.

2 E. Hertzmann interpretiert das Autograph als eine weit ausgearbeitete Skizze zu einer Improvisation.

in der Datierung und damit in der Bewertung scheinen nun aber genau die innere Ambivalenz des Werkes zu treffen, sie sind mitnichten zufällig und, trotz der Klärung der wirklichen Entstehungzeit, nach wie vor aussagekräftig. Denn was für die einen, die Vertreter der frühen Datierung, Unbeholfenheit und Disproportioniertheit von Thema und kompositorischer Ausarbeitung war — der jüngere Komponist, der sich versucht —, macht für die anderen, die Anhänger der späten Datierung, gerade den originellen Reiz des Werkes aus: Einfachheit und Lehrbuchhaftigkeit werden zur Abgeklärtheit des Spätwerks uminterpretiert, die es sich leisten kann, Monotonie und Normerfüllung (bis zum Umschlagspunkt in Takt 170—189) und Prozessualität einfach nebeneinander zu stellen. Und gerade in dieser Ambivalenz ist das Werk für Beethoven einzigartig.

Andreas Ballstaedt

Streichquartett B-Dur op. 130[1]

Entstehungszeit: 1. Fassung (mit Fugenfinale): zwischen Mai 1825 und November/Dezember 1825; 2. Fassung (mit nachkomponiertem Finale): Oktober/November 1826.
Erstaufführung: 1. Fassung: am 21. März 1826; 2. Fassung: am 22. April 1827 (das nachkomponierte Finale wurde bereits im Dezember 1826 aufgeführt).
Skizzen: Staatsbibliothek Preußischer Kulturbesitz Berlin, Artaria 209 und Artaria 210, aut. 9 und aut. 24, Skizzenbuch Kullak; Deutsche Staatsbibliothek Berlin, aut. 44; Beethoven-Haus Bonn, BH 113, NE 47, Skizzenbuch de Roda, und Mh 104; British Library London, Egerton 2795; Bibliothèque Nationale Paris, Ms 35 und Ms 66; Gesellschaft der Musikfreunde Wien, A 52, A 53 und A 54; Skizzenblätter in der Fürstlich Fürstenbergischen Hofbibliothek Donaueschingen, in Koblenz, Sammlung Wegeler, und im Staatlichen M. I. Glinka-Zentralmuseum für Musikkultur Moskau, Moskauer Skizzenbuch.
Autograph: 1. Satz: Biblioteka Jagiellońska Krakau; 2. Satz: Library of Congress Washington; 3. Satz: Bibliothèque Nationale Paris; 4. Satz: Mährisches Museum, Musikhistorisches Institut Brno; 5. und 6. Satz: Staatsbibliothek Preußischer Kulturbesitz Berlin.
Erstdruck und Widmung: 1. Fassung: erster Partiturdruck Wien o.J., (erster Stich Mitte August 1826 beendet, aber nicht erschienen); 2. Fassung (Partitur und Stimmen): Wien 1827 (M. Artaria), 2. Fassung (Stimmen): Paris 1827 (M. Schlesinger); dem Fürsten Nikolaus v. Galitzin gewidmet.
Gesamtausgabe: Alte Gesamtausgabe (2. Fassung): Nr. 49 = Serie 6 Nr. 13.

Beethovens großes B-Dur-Streichquartett ist sechssätzig. Es gehört mit dem a-Moll-Quartett (op. 132) und dem cis-Moll-Quartett (op. 131) zu den, die klassische Viersätzigkeit sprengenden Werken unter Beethovens späten Quartetten. Mit dem Anwachsen der Satzzahl aber wird die zyklische Gestaltung des „Ganzen“ zum Problem. Die zwei Schlußsätze — und damit zwei Fassungen — des B-Dur-Quartetts sind dessen sichtbares Zeichen. Das Finalproblem ist kritischer Begriff einer Analyse, die der Frage der integralen Konzeption nachgeht.

1 Ich danke Helga von Kügelgen für die kritische Lektüre des Textes.

So unübersehbar Beethovens Wort vom „Ganzen“ der Komposition die Literatur durchzieht, so schwer ist zu bestimmen, was Beethoven unter diesem „Ganzen“ verstanden hat. Daß dieses Diktum von ihm selbst stammt und nicht eine Fiktion oder herausgeputzte Anekdote späterer Zeit ist, bezeugt der Brief an Treitschke vom April 1814[1], in dem er angesichts der letzten Revision des *Fidelio* seine Vorstellung des Ganzen als für die Ausführung seiner kompositorischen Imagination unverzichtbar erklärt: „wie ich gewohnt bin zu schreiben, auch in meiner Instrumentalmusik, habe ich immer das Ganze[2] vor Augen, hier ist aber mein Ganzes überall auf eine gewisse Weise geteilt worden, und ich muß mich neuerdings hineindenken.“[3] Der Sinn dieser Äußerung ist der, daß Beethoven die im Zusammenhang mit den Textänderungen Treitschkes vorzunehmenden Korrekturen in Relation zum Beziehungsgeflecht des bereits Bestehenden — damit aber auch dieses selbst — neu zu gewichten hatte.[4]

Die Vorstellung des „Ganzen“ steht nicht von Anfang an unveränderlich fest, sondern ist — als Inbegriff sinngebender Entfaltung musikalischer Gedanken, der Themen, Motive und ihrer Konfiguration — selbst abhängige Variable der Gedankenentwicklung. Das „Ganze“ Beethovens ist kein statischer, sondern ein dynamischer Begriff. Das schließt die Möglichkeit einer schon zu Beginn der Komposition bestehenden rudimentären Vorstellung des Ganzen nicht aus, setzt sie eher voraus. Die an die Skizzen zu richtende Frage nach der, wenn auch umrißhaften, übergreifenden Imagination zu Beginn des Kompositionsprozesses und einer daraus erwachsenden, zunehmend deutlicheren Gesamtkonzeption stellt sich von Komposition zu Komposition neu.

Beethovens Vorstellung des Ganzen überschneidet sich mit dem, was die „Intention“ des Komponisten ausmacht. Als sich im Schaffensprozeß modifizierende und komplettierende ist sie gerade gegen die Kritik zu wenden, die jüngst gegen den Versuch erhoben wurde, aus Beethovens Skizzen das Werkverständnis öffnende Rückschlüsse auf sein kompositorisches „Zielen“ zu gewinnen.[5] Es ist klar, daß die Skizzen — als Kürzel eines Entstehungsprozesses, in dem die Autorenintention zunehmend in den Bann der Werkintention gerät — lediglich eine Perspektive für die Werkanalyse vorgeben können; ihre Deutung kann nicht an deren Stelle treten. Die „Intentional Fallacy“[6], der Fehlschluß, die kausale Verbindung zwischen Autoren-

1 Auch Neate gegenüber hat sich Beethoven allgemein über das „Gemälde“ — eine Metapher für das „Ganze“ — geäußert, das ihm beim Komponieren vor Augen stehe (vgl. Thayer / Deiters / Riemann, *Ludwig van Beethovens Leben,* Bd. III, $^{3-5}$1917, S. 506).

2 Vgl. auch die Skizzennotiz: „Sich zu gewöhnen gleich das ganze — alle Stimmen wie es sich zeigt im Kopfe, zu entwerfen“ (zit. nach Thayer / Deiters / Riemann, *Ludwig van Beethovens Leben,* Bd. III, $^{3-5}$1917, S. 246, Anm. 1).

3 E. Kastner / J. Kapp, *Ludwig van Beethovens sämtliche Briefe,* S. 268 (Nr. 427).

4 Die hier angesprochene Vernetzungsbalance wird in Kandinskys Formulierung auf den Punkt gebracht: „Jede Form ist so empfindlich wie ein Rauchwölkchen: das unmerklich geringste Verrücken jeder ihrer Teile verändert sie *wesentlich*“ (W. Kandinsky, *Über das Geistige in der Kunst,* S. 77).

5 Vgl. R. Kramer, *Between Cavatina and Overture,* S. 165—189, insbes. S. 187, und seinen Vorbehalt gegenüber der angeblichen Ineinssetzung von Skizzenanalyse und Werkdeutung; vgl. Kl. Kropfinger, *Das gespaltene Werk.* — Ich danke Christopher Reynolds, der mir die Druckfahnen des Aufsatzes von Richard Kramer zugänglich gemacht hat.

6 Die Problematik der von M. Beardsley und W. K. Wimsatt jr. (*The Verbal Icon,* Lexington 1954) thematisierten „Intentional Fallacy“ ist noch längst nicht ausdiskutiert.

intention und Werk bedeute dessen Erschließung, ist zudem gerade hier unmöglich, wo es darum geht, erst einmal den Rahmen und das Gerüst der ursprünglichen Konzeption als Beethovens Zielvorstellung herauszuarbeiten, um von hier aus das „Quartett, wie es ist" strukturell und formal zu durchleuchten. Beispiel einer Gesamtvorstellung als Kontur erster Einfälle und ihrer ganzheitlichen Perspektivierung sind die ersten „Gedanken" für das Streichquartett in B-Dur op. 130.

„Gedanke" meint hier indes — und im Anschluß an die vorangehenden Überlegungen — eine Skizzennotierung mit Tragweite („Idee"), über die bloßen Anlauf-Notierungen in C-Dur, wie sie in Verbindung mit dem Moskauer Skizzenbuch und Artaria 205, Nr. 7 vorgestellt wurden[1], entschieden hinausgehend. Die Tatsache der Notierung von C-Dur-Einfällen zum „3ten quartett"[2] ist für die eigentliche kompositorische Perspektive, in die op. 130 einrückte und damit eigentlich begonnen und weitergeführt wurde, insofern zweitrangig, als a) nicht eindeutig feststeht, worauf diese Notierungen kompositorisch zielten, b) sie sehr bald aus dem kompositorisch relevanten Material ausgeschieden wurden, damit aber c) Beethovens Entscheidung für die Tonart B-Dur als Tonart des „3ten quartetts" zu verbinden ist und schließlich d) andere, nur wenig später anzusetzende Skizzennotierungen, die nicht in „pocket-sketchbooks", sondern im „desk-sketchbook" niedergelegt sind, in Beziehung zu diesem Umschlag nach B-Dur zu sehen sind, Notierungen, die für die gesamte Komposition gewichtig waren.

Es ist wohl kaum ein Zufall, daß die erste in diesem Sinne tragfähige Notierung zu op. 130 nicht eine Skizzierung in Noten, sondern in Worten darstellt, der Begriff des musikalischen „Gedankens" demnach als „reine Form" einer kompositorischen Intention hervortritt: „letztes Quartett mit einer ernsthaften und schwergängigen Einleitung".[3] Verbale Eintragungen finden sich in Beethovens Skizzen immer wieder.[4] Sie sind unterschiedlichen Ranges. In bestimmten Fällen sind sie deswegen von weitreichendem Interesse, weil aus ihnen Hinweise auf Beethovens kompositorische Absicht wie auf damit verbundene ästhetische Rahmenvorstellungen zu gewinnen sind, wie etwa auch bei der ersten Ankündigung der Klaviersonate op. 110 im Kontext zu Credo-Skizzen der *Missa solemnis*: „nächste Sonate / Adagio molto sentimento moltissimo [sic] espressivo".[5]

Beethovens wenn nicht erste, so doch ganz am Anfang der Komposition stehende verbale Notierung zu op. 130 kann in ihrer Tragweite gar nicht hoch genug eingeschätzt werden; zeigt sie doch, daß Beethoven mit dem als „letztes" der drei Galitzinquartette apostrophierten eine äußerst gewichtige Komposition anvisierte. „Ernsthaft und schwergängig" — diese Intention tritt sicherlich mit dem „Kurswechsel" der Skizzen von C-Dur nach B-Dur deutlich hervor; steht doch die kor-

---

1 Vgl. J. Wjaskowa, *Das Anfangsstadium des schöpferischen Prozesses bei Beethoven.*

2 Vgl. ebenda, S. 63 und 65.

3 De Roda-Skizzenbuch, fol. 6^r. Folgt man der von S. Brandenburg angenommenen, ungefähren Datierung der Skizzen zum dritten Satz von op. 132 auf fol. 6^r, dann wäre diese erste, verbale Notiz zu op. 130 etwa nach Mitte Mai 1825 anzusetzen (vgl. S. Brandenburg, *The Historical Background to the „Heiliger Dankgesang"*, S. 169).

4 Vgl. hierzu unter anderem G. Nottebohm, *Zweite Beethoveniana,* S. 32, 35, 351.

5 Vgl. K. M. Komma, *Die Klaviersonate As-Dur Opus 110,* S. 5. Nottebohms Annahme, daß diese Notiz op. 109 zuzuordnen sei (vgl. *Zweite Beethoveniana,* S. 463), ist nicht überzeugend (vgl. auch Johnson / Tyson / Winter, *The Beethoven Sketchbooks,* S. 266f.).

respondierende, ebenfalls verbale Notierung im Moskauer Skizzenbuch — „3tes quartett / mit adagio vor“ — genau an der Stelle, wo die ursprüngliche C-Dur-Notierung im Moskauer Skizzenbuch S. 8, Zeile 1 nun in B-Dur auftritt (S. 25, Zeile 6).[1] „Ernsthaft und schwergängig“ — diese Notierung ist vor dem Hintergrund der beiden vorangehenden Quartette zu werten, die ja auch nicht gerade leichtfüßig daherkommen. Das Es-Dur- (op. 127) wie auch das a-Moll-Quartett (op. 132), beide sollten zumindest erreicht, wenn nicht übertroffen werden an Gewicht („ernsthaft“), an Tiefgang („schwergängig“) — und an Tragweite. Die kompositorische Tragweite eines „schwergängigen“ Anfangs mußte bei Beethoven um das Jahr 1825, und nicht erst zu diesem Zeitpunkt, im Sinne zyklischer Folgerichtigkeit auch auf die folgenden Sätze, vor allem aber auf das Finale gerichtet sein[2], auf ein Finale zumal, dessen „Überforderung“[3] aus den Forderungen des kompositorischen Kontextes erwuchs.

Beethovens verbale Skizzennotiz war bereits in sich kontrastträchtig. Erst aus dem Kontrast — im B-Dur-Quartett aufs äußerste geschärft — gewinnt das Moment des Ernsten und Schwergängigen sein volles Profil. Wenn Kerman hervorhebt, daß „the first movement of the Quartet in B_b is Beethoven's *most* contrasty and enigmatic“[4], dann hat das seine Wurzel in der Adagio-Allegro-Konstellation, der Konfrontation der Tempi und Charaktere. Diese baut sich aus dem einleitenden Adagio heraus auf, das beim ersten Anlauf die Programmierung der frühen verbalen Notierung eher zurückzunehmen scheint[5], dann aber im Kontrast an Tiefgang gewinnt. Durch den Kontrast wächst dem Adagio-Charakter erst seine eigentliche Qualität zu, vertieft er sich zu der von Beethoven intendierten Schwergängigkeit. Daraus gewinnt auch die Interpretation zusätzlichen Impetus, nicht zuletzt die unbedingte Verpflichtung, die von Beethoven vorgeschriebene Expositionswiederholung ernst zu nehmen; wächst doch das Kontrastbewußtsein von Interpret und Hörer mit der Wiederholung. Dem korrespondiert die Notwendigkeit eher forcierender als dämpfender Temporelationen. Der die Charaktere angemessen vertiefenden Kontrastschärfung dürfte eine Wiedergabe am ehesten genügen, die Adagio-Viertel und Allegro-Viertel etwa ins Verhältnis 1:4 bringt.[6] Leider gibt Kolisch für den Adagio-Gedanken kein Tempo an, geht also auch auf die Temporelation nicht ein.[7]

1 Vgl. die Abbildungen bei J. Wjaskowa, *Das Anfangsstadium des schöpferischen Prozesses bei Beethoven,* S. 65f.

2 H. Riemann (*Große Kompositionslehre,* Bd. I, S. 513) zur perspektivierenden Funktion des Kopfsatzes: „Da die Sätze eines cyklischen Werkes zum Vortrag nach einander bestimmt sind, so ist natürlich die Wahl des ersten Satzes von entscheidender Bedeutung für die Wahl der Folgesätze.“

3 P. Gülke, *Zum Verhältnis von Intention und Realisierung,* S. 36.

4 J. Kerman, *The Beethoven Quartets,* S. 320.

5 Kerman spricht zugespitzt von einem „rather mild example“ einer „like a traditional slow introduction“ (ebenda, S. 307) ins musikalische Geschehen führenden Eröffnung.

6 Vgl. hierzu D. Gr. Mason, *The Quartets of Beethoven,* S. 212f.

7 Auch die zweite Auflage von Kolischs Schrift bringt in der so schwierigen Frage solcher Temporelationen im Beethovenschen Spätwerk nicht die erhoffte Klärung. Kolisch weist im Zusammenhang mit der Ähnlichkeit zwischen dem Allegro-Kopfstück in op. 78, 132 und 130 lediglich darauf hin, daß es neben dem „Dualismus von gesanglicher Formation und Sechzehntel-Motiven“ im Allegro-Beginn selbst eine weitere Beziehung durch „die langsame Einleitung“ gebe (R. Kolisch, *Tempo und Charakter in Beethovens Musik,* S. 37). Auch der Kommentar (S. 149) geht auf die Frage der Temporelationen nicht ein.

Geht man für das Adagio von ca. ♪ = 72 aus[1], so erscheint die in Kolischs wegweisendem Aufsatz *Tempo and Character in Beethoven's Music* für das Allegro vorgeschlagene Metronomzahl ♩ = 126 eher zu langsam; die Tempokategorie der deutschen, revidierten Version dagegen erweitert den Temporahmen (♩ = 120—138).[2] Die den Allegro-Charakter in der Tat in „frantic speed“[3] präsentierende, den Tempokontrast zentrierende Aufnahme des Quartetto Italiano verdeutlicht die Kontrastschärfung besonders überzeugend.[4] Klanglich profiliert wird auf diese Weise auch, daß, ausgehend von dem Kontrast des Beginns und im Satz mehrfach wiederkehrend, das Allegro-Tempo auf das Adagio-Tempo bezogen, strukturell integriert ist. Es ist angesichts der — auf außergewöhnlich dimensionierte Ecksätze hinweisenden — Konstellation verwunderlich, daß Cooper die Abmessungen der Fuge als überraschend, vom Komponisten selbst zu Beginn der Fugenausarbeitung nicht beabsichtigt darstellt.[5] So, als ob Beethoven nicht spätestens zu dem Zeitpunkt, da er diesen kontrastbestimmten ersten Satz mit seiner als „most disruptive contrast“ gestalteten Durchführung geschaffen hatte[6], auf einen Schlußsatz sinnen mußte, der dieser gewichtigen „Kopflast“ die Waage zu halten imstande sein würde. Diese Fehleinschätzung erklärt sich indes wohl daraus, daß dort, wo über *Planning the Later movements: String Quartet in B flat, Op. 130* gehandelt wird, von dieser ersten — verbalen — und ins Große weisenden Skizzen-Notiz zum Streichquartett op. 130 mit keiner Silbe die Rede ist.[7]

Doch lag nicht die Entscheidung zur Fuge als Schlußsatz lange Zeit völlig außerhalb des kompositorischen Kalküls? Fehlte nicht eine vorausweisende, der verbalen Notiz zur langsamen Einleitung des Kopfsatzes entsprechende Vorgabe? In der Tat könnte die zum kompositorischen Weg gehörende beachtliche Zahl von ca. 12 Skizzen (ohne klare Fugenmerkmale) zum Finalsatz des Quartetts[8] zu der Vermutung verleiten, Beethoven sei von Anfang an und bis weit in die Ausarbeitung der Komposition hinein ohne jedwede, auch noch so vage Zielvorstellung über dessen Zuschnitt gewesen. In Wirklichkeit gibt es jedoch — acht Folioblätter nach der verba-

---

1

	Adagio (ca.)	Allegro (ca.)
LaSalle Quartet:	♪ = 72—80	♩ = 126
Ungarisches Streichquartett:	♪ = 84—92	♩ = 132
Quartetto Italiano:	♪ = 69—72	♩ = 144

2 Vgl. R. Kolisch, *Tempo and Character in Beethoven's Music,* S. 186 und *Tempo und Charakter in Beethovens Musik,* S. 37 und 161.

3 J. Kerman, *The Beethoven Quartets,* S. 308.

4 Vgl. die Angaben Anm. 1. — Überlegungen, die Relation der Tondauern von Adagio und Allegro dogmatisch festzuschreiben, erscheinen überzogen. Kolisch hat dazu das Korrektiv vorgegeben: „Geringe Abweichungen wirken im allgemeinen nicht sinnstörend“ (*Tempo und Charakter in Beethovens Musik,* S. 11). Auch Walter Levin konzediert expressis verbis Toleranzwerte (Vortrag am 3. März 1992 im Wissenschaftskolleg zu Berlin).

5 Vgl. B. Cooper, *Beethoven and the Creative Process,* S. 211f. und 214 (vgl. dazu auch W. Kindermans Rezension von Coopers Buch in: *Die Musikforschung* 45, 1992, S. 414).

6 J. Kerman, *The Beethoven Quartets,* S. 312. Radcliffes Diktum von „the most relaxed music“ in der Durchführung des ersten Satzes schließt den Hinweis auf diesen Gegensatz ein (Ph. Radcliffe, *Beethoven's String Quartets,* S. 125).

7 Vgl. B. Cooper, *Beethoven and the Creative Process,* S. 197ff. Auch Wjaskowa geht auf die verbale Skizze mit keinem Wort ein.

8 So B. Cooper, *Beethoven and the Creative Process,* S. 104.

len Notierung, in unmittelbarer Nachbarschaft der ersten Skizzierung des Einleitungsthemas zur langsamen Einleitung des ersten Satzes (fol. 13[v]) und all dies im Kontext von Skizzen zum Finalsatz von op. 132 — eine Eintragung, die unzweifelhaft, nur umrißhaft, aber akzentuiert durch ein Wort — „Fugha" —, auf den Schlußsatz vorausweist[1]:

Beide Eintragungen — die zur „schwergängigen [langsamen] Einleitung" und die als „Fugha" gekennzeichnete — sind sicherlich, auch angesichts des nicht allzugroßen zeitlichen Abstandes im Skizzenbuch[2], aufeinander zu beziehen. Sie lassen eine werkübergreifende zyklische Rahmenkonzeption, eine Vorform des bereits aufs Ganze zielenden „Gedanken" erkennen.[3] Sie umfaßte die beiden, die gesamte Komposition tragenden „Eckpfeiler", und sie wurde — trotz aller Alternativsondierungen, weil im Sinne der sich verdeutlichenden Werkintention — doch verwirklicht. Mit dem Fugenfinale realisierte Beethoven schließlich, was ihm, wie umrißhaft auch immer, zu Beginn vor Augen gestanden hatte. Das bedeutet indes nicht, daß Romain Rollands Auffassung zu folgen wäre, die *Große Fuge* sei für Beethovens Konzeption von Anfang an zentral gewesen.[4] Vielmehr wurde aus der Ursprungsintention Schlußsatz = „Fugha" schließlich die bestätigende Entscheidung für die Fuge = Fugenfinale (= *Große Fuge*) im Sinne der Gesamtkonzeption.

Die Bestätigung der Fuge als Schlußsatz ist von Bedeutung, gerade weil die Skizzen eine beträchtliche Zahl kompositorischer Ausfallversuche, ein außerordentlich reichhaltiges Möglichkeitsfeld kompositorischer Verzweigung erkennen lassen, das für eine Schritt für Schritt suchend, findend, wägend, ändernd, bestätigend und verwerfend zu sondierende Komplexität des Entscheidungspotentials steht. Sie war umso schwieriger zu meistern, als die kompositorische Konzeption auf einen ganzheit-

---

1 Cooper zitiert zwar die Notierung „letztes Stück des Quartett in B" samt Notentext, nicht aber das Wichtigste, den Zusatz „Fugha" (vgl. dagegen de Roda-Skizzenbuch, fol. 14[r] und C. de Roda, *Un quaderno,* S. 757). (Danken möchte ich Sieghard Brandenburg, der die Lesung dieses Wortes als „Fugha" schriftlich bestätigt hat.)

2 Sieht man diese Skizze mit der verbalen zur langsamen Einleitung des Kopfsatzes zusammen und geht man vom Umfeld aus — Notierungen zum Finale von op. 132, eine Seite vorher erste Skizzen zum Thema der langsamen Einleitung von op. 130 —, korreliert man ferner diese ersten Skizzen mit denen im Moskauer Skizzenbuch, dann wäre die Skizze zum Finale einige Wochen nach der verbalen Notierung, also etwa Mitte Juni 1825, anzusetzen.

3 Solch vorausweisend-übergreifenden — freilich punktuell-ausschnitthaften — Vorstellungen im Frühstadium der Komposition sind kein Einzelfall. Die Skizzen zu op. 131 unterstreichen die „Fuge" als Kopfsatz, wie sie die Bedeutung erkennen lassen, die Beethoven, „before any of the six remaining movements had been fixed in the overall scheme", bereits auch dem Schlußsatz beimaß (vgl. R. Winter, *Compositional Origins of Beethoven's Opus 131,* S. 115 und 138).

4 Vgl. hierzu auch die Kritik bei J. Kerman, *Beethoven Sketchbooks in the British Museum,* S. 83.

lich-sinngebenden musikalischen Prozeß und auf das Finale als Ziel dieses Prozesses zielte.[1]

Diese Überlegungen haben auch für die schwierige Frage der Satzzahl Gewicht. War es wirklich so unwahrscheinlich, daß Beethoven noch während einer beachtlichen Strecke der Arbeit an op. 130 ein mehr als viersätziges Werk komponieren würde?[2] Wenn Beethoven allein vom Formgefühl her einen gleichgewichtigen Schlußsatz bereits zu Beginn der eigentlichen Komposition intendieren mußte, so war sicherlich auch der konzeptionelle Rahmen — zumal im Kontext des gerade komponierten fünf-(bzw. sechs-)sätzigen a-Moll-Quartetts — bereits zu Beginn der Komposition offen für mehr als nur vier Sätze.

In diese Richtung deuten auch die Skizzen zur zyklischen Gesamtkonzeption. Die im Skizzenbuch Berlin aut. 9, Nr. 5 wie auch im de Roda-Skizzenbuch auf Skizzen zum dritten Satz in Des-Dur folgenden Notierungen zum Schlußsatz[3] sind tastende Versuche, die zudem im de Roda-Skizzenbuch, fol. 35^{r} bereits das Thema des Fugenfinales erkennen lassen. Außerdem findet sich bereits auf fol. 35^{r} eine Skizze zum Alla danza tedesca-Satz mit dem Zusatz: „vierte[s Stück?] andante g dur". Es ist eine Skizzenkonstellation, die neben unterschiedlichen Ansätzen zum Schlußsatz mit der Notierung zum Alla danza tedesca als viertem Satz die Überschreitung der klassischen viersätzigen Konzeption bereithält.

Im Zusammenhang mit aut. 9, Nr. 5 wird diese „Grenzüberschreitung" bestätigt. Cooper liest die Folge: Skizzen zum [endgültigen] Fugenthema (fol. 9^{r}) — „Allemande All°" in B-Dur (fol. 10^{r}) — „kurzes Adagio" (fol. 10^{r}) — weitere Skizzen zum Fugenthema zwar noch als bloße Möglichkeits-Notierung.[4] Er begründet dies mit der bei weitem überwiegenden Arbeit am Fugensubjekt. Viel näher liegt hier indes ein „Experimentieren" mit den Möglichkeiten des Fugenthemas: ein erster, gleichsam improvisierend-skizzierender Impetus, nachdem das Fugenthema endlich gefunden war. Parallel hierzu aber sondiert Beethoven die Überschreitung der zyklischen Vierzahl. Allein die Übernahme des Alla danza tedesca-Themas aus dem Bereich von op. 132, transponiert von A- nach B-Dur, ist eine Option für den Zuwachs im Zyklus.

„[...] auch sechs Stücke" — die übereinstimmende Formulierung der Briefe vom 24. August 1825 an den Neffen und Karl Holz ist sicherlich nicht im Sinne von „nun doch [...]", sondern von: „natürlich auch sechs Stücke" zu lesen. Als mittlere einer Gruppe von Kompositionen, die alle die Viersätzigkeit sprengen, übernimmt das B-Dur-Quartett einerseits den zyklischen Zahlenschlüssel des a-Moll-Quartetts, andererseits reichert es die daraus erwachsende Zyklusproblematik so weit an, daß sie im cis-Moll-Quartett in eine neue Qualität des Zyklischen selbst umschlug. Das cis-Moll-Quartett mit dem Fugenprinzip im Kopfsatz, nicht die spätere Abtrennung des Fugenfinales im B-Dur-Quartett, ist die eigentliche kompositorische Antwort

---

1 Diese Problematik erinnert an die in der organischen Chemie bekannte Komplexität der Zwischenstrukturen auf dem Weg „Startverbindung" — „Zielverbindung", wie er von „retrosynthetischer Planung" für die „organische Synthese" erkundet wird (vgl. *Frankfurter Allgemeine Zeitung* vom 14. Oktober 1990, „Natur und Wissenschaft", S. N2).

2 Dies die Annahme von B. Cooper, *Beethoven and the Creative Process,* S. 208.

3 Vgl. de Roda-Skizzenbuch, fol. 34^{v} und 35^{r}.

4 Vgl. B. Cooper, *Beethoven and the Creative Process.* S. 208.

auf dessen übersteigernde Finallösung. War das Fugenfinale der zweite Eckpfeiler eines mit der Kontrastkonstellation des Kopfsatzes bereits anvisierten großen Bogens, so gewann Beethoven nun aus der „Rochade“ der Fugenidee bereits im Anfangsstadium des cis-Moll-Quartetts eine Verbindung von Anfangs-„Fuge“ und Schlußsatz, die über die Initialkonzeption von op. 130 hinausging; war sie doch „cyclistic“, das heißt auf die modifizierende Wiederkehr des Fugenthemas im Schlußsatz angelegt.[1] Nicht etwa einem vor oder mit dem B-Dur-Quartett gefaßten Plan dürfte diese Gruppenbildung zuzuschreiben sein, sondern vielmehr jener aus immanenter Kompositionskritik im Schaffensprozeß erwachsenden Kohäsionskraft, wie sie in op. 59 so deutlich zutage tritt. War es hier die alle drei Quartette prägende Abweichung von der Orthodoxie viersätziger Streichquartettzyklen[2], so sprengt in den späten Quartetten die Zuspitzung der Kontraste den Zyklus.[3] Diese aber korrespondiert wiederum mit einer außerordentlichen Spreizung des harmonischen Fächers.

Beethovens kritisches Bewußtsein zyklischer Gestaltung war an einen Prozeß gebunden, in dem die Herausforderung mit dem kompositorischen „weiter gehen“ wuchs.[4] Spätestens in dem Augenblick, da er aus der herkömmlichen Vier- oder Dreisätzigkeit ausbricht und — wie in op. 26 und in den „Phantasiesonaten“ op. 27 — mit der „Idee“ der Sonate selbst zu komponieren beginnt, werden Satzgestaltung, Satzfolge und -zahl zur stets neuen kompositorischen Aufgabe, zeichnet sich eine Gewißheit zyklischer Problematik ab, die eben die formwirkende „Besonnenheit“ herausforderte, die E. Th. A. Hoffmann bei Beethoven beschwor.[5] Sicherlich sind Bezeichnungen von Einzelsätzen — etwa als „2tes Stück“ wie für das Scherzo in op. 59, Nr. 1[6] und op. 110[7] oder gar einer ganzen Satzfolge und mit dem dritten Satz einsetzend, wie in der Stimmabschrift von op. 130 für den Fürsten Galitzin[8] — eben doch Hinweise darauf, daß Beethoven die jeweilige Besonderheit zyklischer Zählung anzeigen wollte. Ganz so, wie er es dann mit dem cis-Moll-Quartett wiederholte — ein Aspekt, den Kerman zu Recht herausgestellt hat.[9] Win-

1 Vgl. R. Winter, *Compositional Origins of Beethoven's Opus 131,* S. 138.

2 Vgl. L. Finscher, *Beethovens Streichquartett op. 59, 3.*

3 Zum systematisch-historischen Aspekt zyklischer Gestaltung vgl. W. Seidel, *Schnell — Langsam — Schnell;* ders., *Die Ältere Zyklustheorie.*

4 Vgl. Beethovens Brief an den Erzherzog Rudolf vom 28. Juli 1819. Dazu u.a. K. v. Fischer, *Versuch über das Neue bei Beethoven,* S. 3.

5 Zur Korrespondenz von „Besonnenheit“ und „Struktur“ vgl. Kl. Kropfinger, *Der musikalische Strukturbegriff bei E. T. A. Hoffmann,* S. 480—482.

6 Vgl. die von A. Tyson besorgte Faksimile-Edition in der Scholar-Edition.

7 Vgl. K. M. Komma, *Die Klaviersonate As-Dur Opus 110,* Faksimile-Band, S. 17.

8 Vgl. die im Beethovenarchiv Bonn liegende Abschrift. Die Satzüberschriften lauten: „3tes Stück / poco scherzando andte con moto / ma non troppo“; „4tes Stück / Alla danza tedesca“; „5tes Stück / Cavatine / adagio molto espressivo“; „6tes Stück / Ouverture / Allegro / meno mosso e modto / All° / Fuga“. Auch die autographen Partituren einzelner Sätze von op. 130 weisen solche Zusätze auf. So der vierte Satz (vgl. K. Dorfmüller, *Beiträge zur Beethoven-Bibliographie,* S. 149) und der fünfte Satz (vgl. G. Kinsky / H. Halm, *Das Werk Beethovens,* S. 393).

9 Vgl. J. Kerman, *The Beethoven Quartets,* S. 326. Eine besondere Aufgabe wäre es, die Skizzen auf solche speziellen Angaben hin zu untersuchen. Zu op. 101 etwa ist die Angabe „2tes Stück Allegro marcia“ und „3tes Stück poco Allegretto“ bereits in den Skizzen zu finden (vgl. G. Nottebohm, *Zweite Beethoveniana,* S. 340 und 343). Daß es falsch wäre, von Beethoven hier Konsequenz zu erwarten, versteht sich von selbst.

ters Kritik an dieser Sicht[1] dürfte, sieht man die erwähnten Beispiele angesichts ihres spezifisch akzentuierenden Charakters zusammen, nicht haltbar sein.

Gilt der Kontrast der Satzcharaktere als wichtiges Mittel zyklischer Werkgestaltung[2], so hat Beethoven dieses Moment ganz entschieden und weit über seine Zeit hinausweisend entfaltet. Das gilt in besonderem Maße für die späten Quartette. Die innerhalb des Satzes wirksamen Kontraste werden zu werkübergreifenden. Zugleich wächst dem Prinzip des Gegensatzes eine vermittelnde Funktion zu: Mit Gegensätzen komponieren bedeutete für Beethoven nicht bloße Kontrastsetzung. Er verwirklichte Kontrastgestaltung durch Entwicklung und Vermittlung.

Verglichen mit den beiden ersten Galitzinquartetten — op. 127 und op. 132 — ist in op. 130 das Kontrastverhältnis am profiliertesten, zugleich aber auch besonders facettenreich strukturiert. Adagio ma non troppo und Allegro bilden, wie die konzentrierte Gegenüberstellung sogleich nach der langsamen Einleitung und im weiteren Verlauf des Kopfsatzes zeigt, nicht nur ein Beispiel des unvermittelten Kontrasts, sondern zugleich eine „abgemessene" Konfiguration strukturell-formal aufeinander bezogener Teile: einen thematischen Kontrastkomplex.[3] Ein vom Unisono zur Vierstimmigkeit ausgefächerter Adagio-„Gedanke" steht gegen eine zweischichtige, kontrapunktische Allegro-Geste; die kantable, motivisch gebaute Adagio-Phrase steht gegen die scharf konturierte, gereiht auf- und absteigende Sechzehntelbewegung des Allegros samt aufwärtsgerichtetem, auftaktgebundenem Quartmotiv; die „weibliche („trochäische") Endung" des langsamen Thementeils steht gegen die mit dem Quartsprungmotiv verbundene männliche des schnellen. Damit war Beethoven zu einer strukturellen Idee gelangt, die es mehr denn je ausschließt, einfach vom „Hauptthema" des Allegrosatzes zu sprechen[4], ebensowenig von einer bloßen „Reihung" — aber auch nicht von einer bis zur absoluten Distanz getriebenen „Negation" zwischen „Adagio"- und „Allegro"-Material im Ausarbeitungsprozeß.[5] Vielmehr haben wir eine thematische Konfiguration vor uns, die der seit der *Eroica* und den Streichquartetten op. 59 deutlich auszumachenden Absage an den herkömmlichen statischen Themenbegriff[6] eine weitere Gestaltungsvariante hinzufügt.

Welche Bedeutung der Kontrastgestaltung im Streichquartett op. 130 zukommt, geht aus den, die ersten C-Dur-Notierungen überholenden Skizzen hervor. Dem Allegrogedanken der jetzt in B-Dur notierten (C-Dur-)Skizze (Alla breve) geht die nunmehr musikalisch artikulierte, durch die Notierung in Tinte hervorstechende „ernste und schwergängige Einleitung" (3/4-Takt) als Gegensatz voran. Parallel zu

---

1 Vgl. R. Winter, *Compositional Origins of Beethoven's Opus 131,* S. 109.

2 Vgl. W. Seidel, *Schnell — Langsam — Schnell,* S. 207, sowie J. Kerman, *The Beethoven Quartets,* S. 185 und passim.

3 Vgl. hierzu detaillierter Kl. Kropfinger, *Zur thematischen Funktion der langsamen Einleitung bei Beethoven,* S. 199ff.

4 So bei D. W. MacArdle, *Beethoven's Quartet in B flat, Op. 130,* S. 11, wie bei J. v. Hecker, *Untersuchungen an den Skizzen,* S. 38, der aber die Kontrastbildung nachdrücklich herausstellt.

5 So bei J. Wjaskowa, *Das Anfangsstadium des schöpferischen Prozesses bei Beethoven,* S. 73 und 77. Auch fehlt die Differenzierung nach Simultan- und Sukzessivkontrast, wenn es (S. 69) heißt, anders als in op. 132 seien die Themen hier „aneinandergereiht".

6 Vgl. hierzu C. Dahlhaus, *Beethovens „Neuer Weg",* unter weitgehender Eliminierung des den Forschungshintergrund präsentierenden Anmerkungsapparates übernommen in C. Dahlhaus, *Ludwig van Beethoven und seine Zeit,* S. 207—222.

dieser de Roda-Notierung ist die ebenfalls in B-Dur stehende Notierung des (C-Dur-) Allegro-Gedankens im Moskauer Skizzenbuch zu lesen. Sie enthält den Zusatz: „drittes Quartett mit Adagio vor ... [?]“.[1] Diese Notenskizzen bestätigen den einleitenden Adagio-Gedanken als „strukturellen Grundstein“ des Quartetts. Sie legen auch den Schluß nahe, daß die Tonart B-Dur mit der langsamen Einleitung in die Konzeption Eingang fand. Erst nach dieser Frühform des Kontrastkomplexes wurde — signalisiert durch „Vi“—„de“, wie fol. 13^{v} des de Roda-Skizzenbuches zeigt — auf den Systemen 5 und 6 eine Erweiterung der ersten vier Takte des „Andante“ überschriebenen Adagio-Gedankens festgehalten: ein früher Hinweis auf die Ausweitung des Adagio-Teils im Sinne der langsamen Einleitung, die sogleich auch thematische Funktion erhält.[2]

Die mit dem Kontrast ins Spiel kommende Strukturierung kehrt an den formalen Knotenpunkten in veränderter Form wieder; sie erweist sich als Movens der satzprägenden Entwicklung. In der Durchführung (T. 94—133) wachsen — nach dreimaligen, sukzessiven Adagio/Allegro-Phasen — Motivsplitter aus dem Adagio-Allegro-Komplex zu einem Spannungsfeld zusammen, das rhythmisch-motivisch von der nun auf 4/4-Takt „gepolten“ trochäischen Endung (Adagio-Derivate) durchpulst wird; ein Spannungsfeld der mosaizierten Elemente[3], in das Quartmotiv und Viersechzehntelmotiv (Allegro-Derivate), verhaltenen Signalen gleich, ebenso wie ein in die Oktave ausschwingender, der Adagiosphäre entklingender knapper Melodiebogen eingebunden sind.

Ein weiterer Einstichpunkt des kontrastsetzenden Zirkelschlags ist der Codabeginn. Wie in der Durchführung ist auch hier mit der Verkürzung der Kontrastsegmente von Adagio und Allegro eine kontinuierliche partielle Motivumformung verbunden. So schrumpft das auftaktgebundene Quartsprungmotiv in der Coda (T. 214—223) auf jeweils zwei gegen die Taktakzente stehende Achtel, die sich mit der, nun nach oben „umgelenkten“ „trochäischen Endung“ verbinden. Daraus resultiert ein in der Coda weiterwirkender Impuls. Zugleich erhält die Reduktion des Quartmotivs  (T. 220 und 222: 2. Vl. und Va., T. 224: 2. Vl., Va., Vcl.) Signalwirkung; sie ist möglicherweise zu lesen als Vorstufe der vieldiskutierten Notierungsform des Fugenthemas: 

Neben der satzgenerierenden Funktion ist die Verbindung des Kontrastkomplexes zum Seitensatz (T. 53ff.) von Gewicht. Sie steht für den „abgeleiteten Kontrast“, die andere Modalität der Gegensatzgestaltung. Der Konnex ist doppelt vermittelt: Einerseits ergibt er sich über die nach unten abrollenden Viersechzehntel-

1 Vgl. J. Wjaskowa, *Das Anfangsstadium des schöpferischen Prozesses bei Beethoven,* S. 66.

2 Vgl. Kl. Kropfinger, *Zur thematischen Funktion der langsamen Einleitung bei Beethoven,* S. 197—216. Kerman hat diese Doppelfunktion auf der Folie des „La Malinconia“-Satzes op. 18, Nr. 6 — „after all a slow introduction“ und „the aggregation of *Adagio* and *Allegro* sections (compare Op. 130!)“ — seinerseits herausgestellt (vgl. J. Kerman, *The Beethoven Quartets,* S. 80 und 82, auch S. 305ff.).

3 Radcliffe nennt die Durchführung überzeichnend „most relaxed“ (Ph. Radcliffe, *Beethoven's String Quartets,* S. 125). Gerade deswegen kann sie im Zusammenhang des Kopfsatzes als „most disruptive contrast“ (J. Kerman, *The Beethoven Quartets,* S. 312) aufgefaßt werden. Auf die „erstaunliche Polyphonie“ dieser Durchführung ist bereits Th. Helm (*Beethoven's Streichquartette,* S. 206f.) eingegangen.

gruppen zum Allegro-Thementeil, andererseits knüpft der sextsprunggebundene, getragene Tonfall als partieller Umkehrungskrebs an den Adagio-Beginn an.

Wirken die für den Kopfsatz konstitutiven Momente und Elemente auch in anderen Sätzen weiter? Vor allem aber: Sind sie für die Konfiguration des gesamten Werkzyklus bestimmend? Von besonderem Gewicht ist, daß der Adagio-Allegro-Kontrast des Kopfsatzes im dritten Satz und im Fugenfinale — wenn auch notwendig in ganz eigener Form — wiederkehrt. Im dritten Satz unterstreicht die Skizzennotiz „Preludio“[1] zu den ersten beiden Takten die einleitende Funktion der Tonfolge b'—b_b' (a') [—as''], deren Dehnung und chromatische „Fallhöhe“ mit dem Beginn der langsamen Einleitung korrespondiert. Von diesem „Verhalten“ auf dem Ton B hebt sich die freie Gangart des mit Takt 3 einsetzenden Themas deutlich ab. In der Fuge wiederum ist die Overtura mehr als nur ein „table of contents“.[2] Sie bringt mit dem Kontrast der Tempi und Taktarten eine Gegenüberstellung unterschiedlicher Themenprofile, harmonisch vermittelt durch den in Quinten verlaufenden, auf den Einsatz des Fugenthemas gerichteten „Abstieg“ von G nach B. Es ist zugleich der Weg von der „Vergrößerung“ des Themas zur schließlichen Formulierung der Takte 26—30, vom Fortissimo hin zum Pianissimo.

Mit dem Kontrastprinzip werden aber weitere, ihm einbeschriebene, für das B-Dur-Quartett bestimmende Stilprinzipien satzübergreifend wirksam.[3] Die Zweischichtigkeit der Themenstruktur im Kopfsatz (Allegro-Kontrast und -Seitenthema) ist auch für den dritten und fünften Satz bestimmend. In gewaltiger Steigerung prägt sie aber vor allem die Doppelfuge, das ursprüngliche Finale. Mit ihm wird auch die Kontrapunktik des Allegro-Kontrastthemas ebenso wie die für den einleitenden Kontrastkomplex zusätzlich charakteristische Gegenüberstellung von chromatischer und diatonischer Tonfolge in eine neue Qualität überführt. Schließlich wird auch die Abhebung der Oktavlagen zyklisch wirksam. Die Versetzung der zweiten „Themen“-Phrase in die nächsthöhere Oktave findet sich wie im Adagio-Thema des Kopfsatzes so auch im dritten und vierten Satz, im nachkomponierten Finale, ebenso im Seitenthema der Kopfsatzes. Die Fuge aber überträgt die Oktavversetzung in den ausgreifenden Ambitus ihres Themas. Zur Struktur des die Komposition einleitenden Adagio-Allegro-Kontrastes gehört endlich auch die gliedernde Funktion der Dynamik, speziell die Verbindung: piano—crescendo—(subito) piano und forte—(subito) piano. Sie prägt nicht nur die klangliche Erscheinungsform des Adagio-[4] und Allegro-Gedankens[5], sondern auch die des Seitenthemas im Kopfsatz. Darüber hinaus verbindet sie die Thematik des Kopfsatzes mit der der Alla danza tedesca. Entsprechungen bestehen auch zwischen der partiell wellenförmig an- und abschwellenden Dynamik des zweiten, dritten, vierten und fünften Satzes.

---

1 Vgl. J. Kerman, *The Beethoven Quartets,* S. 314.

2 Ebenda, S. 277.

3 Die Korrespondenz mit L. Mischs Untersuchung zur Werkeinheit, die für einzelne der hier aufgeführten Kriterien sowohl auf der Ebene der Stilelemente als auch der Stilprinzipe gilt, kann hier nicht im einzelnen verfolgt werden (vgl. L. Misch, *Die Faktoren der Einheit*). Besonders hervorzuheben ist indes, daß Misch den Kontrast zu den prägenden Stilprinzipien zählt (vgl. S. 42). D. Coren hat Mischs Ansatz bestätigend aufgegriffen (D. Coren, *Structural Relations Between Op. 28 and Op. 36,* insbes. S. 79—83).

4 Vgl. T. 1f. und 3f.; 94f. und 97—99; 214f. und 216f.

5 Vgl. T. 15f. und 17f.; 220f., 222f. und 224f.

Diese Aspekte zyklischer Vernetzung[1] wären unvollständig ohne die bereits für den ersten Satz hervorgehobenen Endungen. So verweist der unverwechselbare Gegensatz von männlicher und weiblicher (♪♩ = jambischer) Endung im vierten Satz[2] auf den der Kontrastkonfiguration mit weiblicher (♩♪ = trochäischer) + männlicher Endung im Kopfsatz. Steht dieser für den Entwicklung bedingenden Kontrastkomplex von Adagio und Allegro, so jener für tänzerische Beschwingtheit in der Alla danza tedesca. Nicht zufällig ist dort Takt 28 und 36 die jambische Endung mit dem Quartsprungmotiv des Allegro-Beginns verbunden.

In der Cavatina gewinnt die Melodie das Espressivo des ausgreifenden Bogens wesentlich daraus, daß die Endungen hier nicht periodisch gegenübergestellt werden, sondern die mit der Alla danza-Wendung korrespondierende Tonfolge ♩. ♪♫|♫. der dreitaktigen ersten Phrase in der folgenden fünftaktigen, über die — im Verhältnis zu Takt 3 vergrößerte — jambische Endung (T. 8) hinaus, bis zum folgenden Taktschwerpunkt gedehnt wird.

Die im zweiten Teil des Zyklus[3] zu erkennende Häufung ausdruckstragender Kontrastelemente ist Funktion einer sich steigernden Finaltendenz. Die besondere Dimension der Schlußfuge liegt gerade auch darin begründet, daß sie diese Finaltendenz noch einmal aus sich selbst entwickelt. Das geht nicht nur aus der Kontraststufung der Overtura, sondern auch aus der Auftaktstruktur des Fugenthemas hervor.

Beethoven hat die in den Konversationsheften zweimal an ihn gerichtete Frage[4] wegen dessen auffallender Notierung offenbar dahingehend beantwortet, daß nichts geändert werden sollte. Das stellt die Annahme in Frage, es handle sich hier nur um eine die Plazierung und Verstrebung des Fugenthemas verdeutlichende notationstechnische Finesse. Nicht auszuschließen ist, daß es sich vielmehr um einen (verkappten) Achtelpuls handelt, der durch die Ausführung ebenso unaufdringlich wie unüberhörbar artikuliert werden soll, etwa im Sinne des der Eintragung hinzugefügten Diminuendo-Zeichens[5]: ein Thema, das neu da anhebt, wo die „anapaest idea" des Kopfsatzes (♫♩)[6], im folgenden Presto — rhythmisch unterschiedlich vergrößert — weiterwirkend, verharrt.[7]

Die aus der Kontrastkonfiguration des Kopfsatzes sich entfaltende Vernetzung der Elemente und Verdichtung der Satzkonstellationen wird durch eine zyklische Gruppierung ergänzt, die auf der harmonischen Disposition der Sätze beruht, wie sie Ludwig Misch dargelegt hat.[8] Sie überträgt das Tonartenspektrum des Kopfsatzes ins Zyklische:

---

1 Der Begriff der „Vernetzung" meint nicht nur die abgeleiteten und / oder ableitbaren Elemente und Prinzipien, sondern auch die ohne nachvollziehbare Zwischenstufen bestehende Korrespondenz der sogenannten „Assoziations-Motive" (L. Misch, *Die Faktoren der Einheit,* S. 91).

2 Vgl. T. 1—4 und 5—8, 25—28 und 29—32, sowie 33—36 und 37—40.

3 Ab dem vierten Satz, aber bereits im zweiten und dritten vorbereitet.

4 Vgl. Gr. Herre, *Ludwig van Beethovens Konversationshefte,* Bd. IX, S. 193 und K.-H. Köhler / Gr. Herre, *Ludwig van Beethovens Konversationshefte,* Bd. VIII, S. 243.

5 Vgl. E. Platen, *Zeitgenössische Hinweise,* S. 105.

6 J. Kerman, *The Beethoven Quartets,* S. 307.

7 Dieser Gesichtspunkt streift den umfassenden Bereich einer Vernetzung auf der Ebene des unterschiedlich gebundenen Zweisechzehntel- (Zweiachtel- / Zweiviertel-) Elements. Er kann hier ebensowenig weiterverfolgt werden wie die besondere Verbindung zwischen erstem und zweitem Satz, die von dem rhythmischen Muster der Schlußwendung des ersten ausgeht.

8 Vgl. L. Misch, *Zwei B-Dur-Themen,* insbes. S. 29ff.

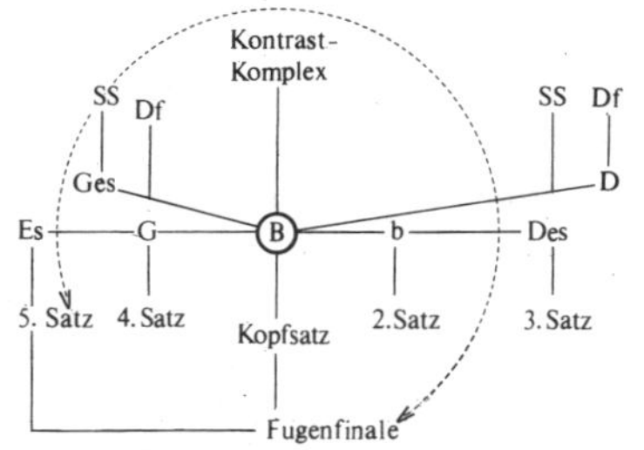

Die an dieser harmonischen Auffächerung bemerkenswerte und bekannte Dominanz der Terzbeziehungen stellt sogleich Des-Dur und G-Dur[1] als Ober- und Untermediante von B-Dur zueinander in eine Kontrastbeziehung, an der Tempocharakter, Taktart und melodischer Gestus teilhaben. Diesem Kontrastpaar geht das der Variantenrelation B-Dur / b-Moll von Satz eins und zwei voran, während fünfter und sechster Satz über die Beziehung Subdominante—Tonika zusammengehören. Die drei Kontrastpaare der Sätze[2] sind indes nicht beliebig gereiht. Vielmehr ist die Schrittfolge der durch b-Moll vermittelten, im Zick-Zack verlaufenden Terzen (B—[b]—Des—G)[3] zugleich stringent, indem sie über Variante und Medianten dreischrittig schließlich nach Es-Dur hinlenkt und damit die Rückwendung nach B-Dur einleitet.

Beethoven wäre indes nicht der Meister einer auch dort zielgerichteten Vernetzung, wo die Oberfläche kontrastdurchfurcht scheint, hätte er nicht an Es-Dur insofern eine besondere Erwartungsspannung gebunden, als diese Tonart im gesamten vorangehenden Verlauf, speziell im Rahmen des Adagio-Allegro-Kontrastes im Kopfsatz, weitgehend ausgespart wird. Nicht nur diese Es-Dur-„Ausdünnung" spannt die Erwartung vom Kopfsatz aus hin zum Ende des Zyklus. Die Cavatina artikuliert zugleich das Es-Dur in der aufwärtsgerichteten Sexte b—g' als eindringlichen melodischen Anlaut; und so erhält die zwischen der zurückgenommenen kleinen Sext der langsamen Einleitung und der melodisch öffnenden großen der Cavatina sich einstellende Korrespondenz die Bedeutung eines vertiefenden Brückenschlags. Vertiefend ist diese, zyklische Gegensätze überbrückende Verbindung aber darüber hinaus, weil sie zugleich den Eingangskontrast von Adagio und Allegro in eine völlig andere Dimension überführt: Der erste, wieder „Adagio" (molto espressivo) überschriebene Gedanke nach der langsamen Einleitung des Kopfsatzes transformiert deren schwergängigen Tonfall in die „Schmerzzone" des Kantablen, expressiv gesteigert bis zur Ces-Dur-„Beklemmung", harmonisch aus der Subdominante auf ein B-Dur gerichtet, dem Profilierung im thematischen Kontrast aufgegeben ist. Wenn gesagt wird, daß Cavatina und Fugenfinale (*Große Fuge*) auf beson-

1 In der Exposition steht der Seitensatz in Ges-Dur und korrespondiert als große Unterterz mit der großen Oberterz, D-Dur, die zu Beginn der Durchführung eintritt.

2 Der Kontext zweisätziger Werke wie op. 78, 90 und 111, aber auch die auf eine übergeordnete Zweiteiligkeit angelegte zyklische Gestaltung wie im Falle von op. 110, macht diese zyklische Gruppierung des B-Dur-Quartetts zusätzlich plausibel.

3 Oder aber drei Quinten ab- und aufwärts gerichtet.

dere Weise zusammengehören[1], dann im Sinne dieser ins Zyklische geweiteten und ins Außerordentliche gesteigerten Kontrastkonfiguration des Kopfsatzes.

Selbst wenn Karl Holz Anfang September 1826, im Zusammenhang mit der als Einzelveröffentlichung feststehenden Klavierbearbeitung der Fuge (als op. 134), insgeheim bereits an die separate Edition der abzutrennenden Schlußfuge als Streichquartett dachte: Daß daraus einmal das Problem zweier Fassungen mit unterschiedlichem Finale entstehen würde, lag zu dieser Zeit noch außerhalb des Gesichtskreises. Heute lenkt der Aufführungsreport, der seit Jahrzehnten in zunehmendem Maße die Geschichte eines „gespaltenen Werkes" schreibt[2], den Blick auf die werkerschließende Funktion zweier grundsätzlich verschiedener Finalsätze. Allein die unterschiedlichen Akzente der analytischen Ansätze verweisen, bei aller partiellen Einseitigkeit, auf die strukturelle und formale Mehrschichtigkeit des Fugenfinales — mögen nun Züge des Sonatensatzes[3], des Sonatenzyklus[4], dreier differenziert strukturierter und themengenerierender Fugenblöcke[5] oder einer „Darstellung der gesamten Fugentechniken" im Sinne des barocken „Kunstbuches"[6] oder aber einer von „thematic transformation" als „the main driving force"[7] bestimmten Gestaltung herausgestellt werden. Von einer Verschmelzung dieser Aspekte zu sprechen, wäre allzu pauschal. Zu fragen wäre eher, ob nicht verschiedene der hier genannten Gestaltungsqualitäten akzentuierend wirksam werden, im Sinne einer werkübergreifenden Formidee der Kontrastkonfigurationen, die — ausgehend vom Kopfsatz und über ihn hinauswirkend — auch das Verhältnis der Sätze zueinander bestimmen. Ihren Ziel- und Höhepunkt findet diese Formidee im Fugenfinale mittels einer höchst komplexen Verbindung von Fugentechnik und motivisch-thematischer Entwicklung, von Satz- und Zyklusidee. Nicht nur kehrt im Satzpaar Cavatina-Fuge das Kontrastpaar Adagio/Allegro des Anfangs gesteigert wieder, wächst das „Schwergängige" der Einleitung des Kopfsatzes ins Erhabene: Auch mit der die Overtura bestimmenden, den Satz einleitenden Folge von Allegro (6/8) — Meno mosso e moderato (2/4) — Allegro (4/4) knüpft die Fuge als Schlußsatz zugleich an den Adagio/Allegro-Kontrast des Kopfsatzes an, entwirft sie in Korrespondenz mit dem zyklischen Kontrastgefüge die strukturell und formal prägenden, gegensätzlichen Charaktere des Schlußsatzes.[8]

Der Satz ist nicht nur thematisch, sondern auch strukturell-formal mehrschichtig konzipiert. Die Folgerichtigkeit des Verfahrens liegt darin, daß die blockartigen Satzteile der Fuge[9] als über die Fuge hinausweisende motivisch-thematische Ent-

1 Vgl. Kl. Kropfinger, *Das gespaltene Werk,* S. 311f. und 324.
2 Vgl. I. Mahaim, *Beethoven,* passim.
3 Vgl. H. Scherchen, *Beethovens Große Fuge opus 133*; W. Riezler, *Beethoven* ([8]1962), S. 251f. L. Misch (*Zwei B-Dur-Themen,* S. 14) spricht — zu Recht differenzierend — von einer Verschmelzung von „Fuge und sonatenmäßiger ‚thematischer Arbeit'".
4 Vgl. L. A. Zellner in *Blätter für Musik, Theater und Kunst* (1859), wiederabgedruckt in I. Mahaim, *Beethoven,* Bd. I, S. 154f. und 161.
5 Vgl. ebenda, Bd. II, S. 325—345.
6 Vgl. W. Kirkendale, *Fuge und Fugato,* S. 295—303 (*Fugue and Fugato*, S. 258—268). Zur Kritik an dieser analytischen Konzeption vgl. J. Kerman, *The Beethoven Quartets,* S. 276—281 und 287.
7 J. Kerman, *The Beethoven Quartets,* S. 281f.
8 Vgl. die Fugentakte 1ff. und 663ff.; 11ff., 233ff. und 533ff.; 17ff., 159ff. und 493ff.; 26ff. und 30ff.
9 T. 30—158; 159—232; (233—272) 273—413; 414—492; 493—532; (533) 565—741.

wicklungsfelder fungieren, die das Themenprofil des Satzbeginns zugleich im Assoziations- oder Näherungsbereich des Sonatensatzes — im Sinne von erstem (Allegro) und zweitem Thema (meno mosso) — entfalten, die kontrastierenden Themen- und Tempobereiche aber auch Momente einer zyklischen Abfolge von Sätzen andeuten. Der Zusammenhang der Teile wird durch die Dialektik von großflächig disponierten, gegen Schluß sich verengenden Kontrasten und einer stringent sich verdichtenden Entwicklung des thematischen Materials bewirkt, vor allem letzteres ein „sonatenmäßiger" Zug.

Ein analytischer Abriß dieser Schichtung ist nur approximativ möglich, erscheint sie doch wie ein Palimpsest, dessen Lagen sich durchkreuzen und gegenseitig verwischen. Im ersten Teil, einer Doppelfuge (Allegro; 4/4, B-Dur)[1], greifen Fugentechnik und rhythmisch-diastematische Bewegungsformen beider Themen intensivierend ineinander. Triolen- (T. 58ff.) und anapästische Sechzehntel-Achtel-Folgen (T. 111ff.) treiben das Geschehen zunehmend an; schließlich wird das Subjekt durch Eliminierung der Pausen (T. 139—158) komprimiert und zu einem ersten Höhepunkt geführt. Dieser vom Simultankontrast beider Themen und deren polyphonvariierender Beschleunigung durchpulste Satzteil kann auf der Folie des Sonatensatzes auch als Bereich des ersten Gedankens verstanden, zyklisch wiederum mit der Vorstellung des in einen Satz integrierten Kopfsatzes verbunden werden. Dem schließt der zweite Fugenteil sich an (Meno mosso e moderato; 2/4; Ges-Dur), der der durchgehenden Vehemenz des ersten Teils die schwebende Gelöstheit eines aufgelockerten Doppelfugato entgegenstellt; verweist er doch zugleich auf den zweiten Gedanken des Sonatensatzes wie auf den langsamen Satz im Werkzyklus. In zunehmende Schwierigkeiten gerät die parallelisierende „stratigraphische" Analyse indes mit dem folgenden musikalischen Geschehen. Unsicher ist schon die Bestimmung der ersten 40 Takte (T. 233—272) des Allegro molto e con brio. Als Abschluß[2] oder als „Marscheinleitung in B-Dur"[3] aufgefaßt, trägt es Züge beider Momente und könnte sowohl auf die Funktion der Schlußgruppe im Sonatensatz als auch auf die eines Durchführungsansatzes bezogen werden; letzteres wiegt sicherlich schwerer. Als Durchführung mit Steigerungsstufen thematischer Verarbeitung und Entwicklung[4] und der des Sonatensatzes angenähert, liest sich der nachfolgende Fugenblock (As-Dur; T. 273—413); unterscheidet er sich doch in seiner Verarbeitungstechnik entscheidend von der B-Dur-Fuge, verbindet er doch Themenvergrößerung mit -absplitterung und Umkehrung, aber auch mit weitausholender Themenumspielung. Erscheinen hier bereits die zyklischen Umrisse, die des „Scherzos", nur rudimentär, so trifft dies umfassender noch für die folgenden Satzabschnitte zu. Riezler betont, daß die Takte 414 (417)—492 „als ‚Reprise' kaum noch zu erkennen" seien.[5] Geht man indes von den intensiven und durchgehenden thematischen Veränderungen aus, denen „Subjekt" und „Kontrasubjekt" im Verlauf des Satzes unterworfen sind, so kann über die Takte 414—492 hinaus auch für das nachfolgende, modifizierte Meno mosso und die Takte 533—564 von den „Abdrücken" einer Re-

---

1 I: T. 30—57; II: T. 57f.—110; III: T. 111—138; IV: T. 139—158.
2 Vgl. W. Riezler, *Beethoven* (^{8}1962), S. 251.
3 H. Scherchen, *Beethovens Große Fuge opus 133* (1974), S. 167.
4 I: T. 273—308; II: T. 308—350; III: T. 350—378; IV: T. 378—413.
5 W. Riezler, *Beethoven* (^{8}1962), S. 251.

prise gesprochen werden, an die sich die erste Stufe der Coda anschließt. Doch lassen sich diese Teile auch als Spuren eines Schlußsatzes lesen? Sicherlich nicht im herkömmlichen Sinne. Bedenkt man freilich die Kontraststruktur, die im vierten Teil zunehmend stärker hervortritt, dann korrespondieren der vierte Teil und seine Untergliederung[1] mit den über die klassische Vierzahl hinausreichenden zyklischen Kontrasten des B-Dur-Quartetts, ohne daß eine ins einzelne gehende Zuordnung möglich und erheblich wäre. Vor allem aber besteht eine Beziehung zu den fragmentierten Kontrasten der Coda des Kopfsatzes: Mit der letzten Gegenüberstellung von Allegro und Meno mosso (T. 657—662) rundet sich der Bogen: In der Schlußsteigerung des folgenden Allegro molto e con brio sind die Kontrastspannungen des Kopfsatzes wie die des Zyklus „aufgehoben". Hier klärt sich auch das „Rätsel" der Overtura. So unverständlich die Bezeichnung, die vorbereitende Aufreihung der Themenformen und die kryptischen Fermaten[2] vom Anfang her erscheinen mögen: Von den sich verdichtenden Kontrastkonstellationen des Fugenschlusses, namentlich den Takten 657—662 aus betrachtet, erscheint die Overtura als „Schleuse" mit verschiedenen Stau- und Modifikationsstufen, als Tor zu einer Entwicklung, die den Kontrast nun zum Ende hin — ein letztes Mal — aufbaut, um mit seiner Überhöhung das Spannungs- und Antriebsmoment des Ganzen aufzulösen.

Angesichts der für Beethovens op. 130 zentralen Kontrastgestaltung wirkt das nachkomponierte Finale wie eine Konsequenz des Prinzips: als Gegenentwurf. Über die bloße Feststellung, mit dieser Entscheidung habe sich Beethoven — die Problematik der ursprünglichen Konzeption schließlich erkennend — Artarias Vorschlag angeschlossen, ist man indes bisher kaum hinausgelangt.[3] Ist dies die einzig mögliche Deutung? Ist dieses neue Finale nicht möglicherweise auch ein kompositorischer Kommentar, der die Tatsache des Austauschs mehr, weniger das ersetzte Fugenfinale kommentiert? Nicht, daß Beethoven sich, indem er den neuen Schlußsatz komponierte, gleichzeitig gegen diesen selbst wandte. Zu kunstvoll und konsistent ist diese Rondosonate.[4] Zu eng auch schließt sie mit dem Bewegungsimpuls des Murkybasses auf G an die Cavatina an, — ein Bewegungsimpuls, der im Kopfthema zudem durch dieselben Quintschritte wie in der Overtura des Fugenfinales (G—C—F—B) auch harmonisch wirksam wird.[5] Und auch am „treibenden Prinzip", dem unmittelbaren Kontrast, orientiert sich dieses Finale. Die tanzartige Abgeschlossenheit der Formeinheiten und Perioden, vor allem aber die Einblendtechnik der Rondostruktur stellt Gegensätzliches unmittelbar nebeneinander, besonders deutlich am coupletartigen As-Dur-Zwischensatz der Takte 109ff. (T. 358ff. in der Grundtonart), der sowohl gegen die vorangehende Schlußgruppe als auch gegen die folgenden Durchführungstakte kontrastiert. Es sind die einleitenden Murkybässe, die sofort den Tanzcharakter des Satzes intonieren. So deutlich gerade damit das nachkomponier-

---

1 Vgl. die Takte 414—492; 493—532; (533) 565—656; 657—659 / 660—662; 662—741.

2 So J. Kerman, *The Beethoven Quartets,* S. 277.

3 Vgl. indes I. Mahaim, *Beethoven,* Bd. II, S. 427, und J. Kermans Kommentar (*The Beethoven Quartets,* S. 369f.).

4 Vgl. zum Formaufbau und dessen positiver ästhetischer Gewichtung R. Stephan, *Zu Beethovens letzten Quartetten* sowie Kl. Kropfinger, *Das gespaltene Werk,* S. 323 — ein Moment, das A. Riethmüller in seiner Kritik an letzterem übersieht (*Im Bann der Urfassung,* S. 204).

5 Vgl. J. Kerman, *The Beethoven Quartets,* S. 372 und L. Misch, *Zwei B-Dur-Themen,* S. 32f.

te Finale als Widerpart der Fuge auftritt, so unüberhörbar ist die werkstilistische Verbindung zum zweiten und vierten Satz. In allen drei Sätzen ist der zweitaktig gegliederte Impetus kurzer, wellenförmig verlaufender Motivwendungen bestimmend[1], im vierten und sechsten Satz zudem verbunden mit dem variabel eingepaßten (im Kopfsatz anapästisch geprägten) Zweisechzehntel- (oder Zweiachtel-) Element.

Diese Nähe dürfte kaum zufällig sein. Presto und Alla danza tedesca waren die — zu Beethovens großem Verdruß — bei der Uraufführung am 26. März 1826 einzig da capo verlangten Sätze. Wenn etwas den Verdacht wecken kann, Beethoven habe die Fuge dem Hang zur Leichtgängigkeit „geopfert", dieses „Opfer" aber gekonnt in einen Anflug kompositorischen Humors gekleidet, der den Blick auf die Fuge als Finale freihalten sollte, dann diese Tatsache. Die Annahme läßt sich auch mit der Beobachtung verbinden, daß Beethovens nachkomponiertes Finale zur Klasse alternativer, verworfener Einfälle des Arbeitsprozesses gehört. Wenigstens ein äußerst schlichter Einfall (4/4-Takt) — im de Roda-Skizzenbuch fol. 32^r mit der Beischrift „Finale" festgehalten[2] — wäre hier zu nennen. Er beginnt mit einem als „Faulenzer" und Wiederholungszeichen notierten Tremolo, an das sich eine wellenförmig und vorwiegend als Dreiklangsbrechung in Viertelnoten verlaufende melodische Wendung anschließt. Nach der tonhöhenversetzten, leicht modifizierten Wiederholung dieser Viertaktphrase folgt ein weiterer — „humoristisch" überschriebener — Viertakter. Humor, doppelbödiger, also auch im nachkomponierten Schlußsatz?

Diese Skizze ist jedenfalls interessant, weil sie die von Nottebohm angeführte[3] zum zweiten Finale wenigstens berührt, die einen tremoloartigen, zweitaktigen Vorspann, gefolgt von einer Folge noch unterschiedlich geformter, kurzer Wendungen bringt. Der Feststellung Nottebohms, dieses Thema zeige „gar keine Ähnlichkeit mit dem uns bekannten", ist nicht zuzustimmen. Vorspann, achtelgebundenes Zweisechzehntelmotiv im vierten Takt wie auch dessen Kontext von Viersechzehntelwendungen sind Spurenelemente der späteren Konfiguration.

Eine weitere Beobachtung vermag den Befund der kompositorisch triftigen Einbettung der Rondosonate in den Kontext der vorangehenden Sätze zu unterstreichen: die Beziehung zwischen der erstmals Takt 2f. erklingenden  -Wendung der 1. Violine in der Cavatina und der Folge  in Takt 5f. des nachkomponierten Finales. Es ist der Nachdruck auf dem abgesetzten „tenuto", die „Überwindung" der unmittelbar vorangehenden weiblichen Endung, die diese Wendung als Gegensatz zu der des expressiven Tiefgangs in der Cavatina „sprechend" macht.

Erweist sich allein mit diesen Beobachtungen die Fassung des Quartetts mit der Rondosonate als eigenständig und schlüssig, so enthüllt die rückwirkend erschließende Kraft auch des Rondosonaten-Finales eine Anzahl weiterer Elemente und Aspekte, die für die sinnvolle Eigenart einer zweiten Version des B-Dur-Streich-

1 Dieses Moment wird unterstrichen durch die Skizzen aus Ms 66 (vgl. B. Cooper, *Beethoven and the Creative Process,* S. 213). Sie stehen wie die Alla danza tedesca im 3/8-Takt.
2 De Roda-Skizzenbuch, fol. 32^r (vgl. C. de Roda, *Un quaderno,* S. 607).
3 Vgl. G. Nottebohm, *Zweite Beethoveniana,* S. 524f.

quartetts einstehen. Hierzu gehört, daß sich das neue Finale nicht allein durch seine von G nach B führenden Einleitungstakte der zyklischen Tonartendisposition anschließt. Die Rondosonate korrespondiert vielmehr in einem besonderen Punkt ebenso mit dem Des-Dur-Mittelsatz wie mit dem Fugenfinale. Durch das As-Dur (Doppelsubdominante) des ersten Rondozwischensatzes wie auch des dritten Fugenabschnittes sind beide Schlußsätze auf das zweite Thema im ersten Teil des Des-Dur-Satzes und zugleich aufeinander bezogen. Im Andante con moto allerdings fungiert As-Dur — im Subdominantzirkel — als Dominante, bestätigt also mit Des-Dur die geweitete Subdominantperspektive. Was vorwärtsgehend als Terzrelation erscheint, stellt sich aus der Sicht des Schlusses, des Ziels, als weit ausholende Quintrelation dar. Durch die Tatsache der zyklischen Tonartendisposition findet freilich die zuweilen bemühte Parallelisierung der Vielsätzigkeit in Beethovens letzten Quartetten mit der Suite ihre Grenze. Während diese — bis auf Ausnahmen[1] — grundsätzlich an der Einheit der Tonart festhält, zeigen jene[2], zeigt eben gerade auch op. 130 in beiden Fassungen eine Vernetzung der Tonarten, die nicht nur den Werkzyklus verstrebt, sondern diese harmonische Verstrebung zudem aus der des Kopfsatzes gewinnt. Wenn es einen Hinweis auf die noch zu entdeckende „new idea of order or coherence in the cyclic composition"[3] gerade für dieses „problematische" Quartett gibt, dann die einer, aus dem und durch den Kontrast sich entwickelnden — von stilistischer, struktureller und harmonischer Vernetzung bestimmten —, Satz und Zyklus verbindenden Konzeption.

In den Modalitäten und im Grad der Verwirklichung dieser Konzeption indes scheiden sich die Versionen. Im Sog des Fugenschlußsatzes (1. Version) wird das gesamte musikalische Geschehen nicht nur zusammengefaßt, es erscheint vielmehr auch, ausgehend von der Kontrastgestaltung und -entfaltung, als auf den Schlußsatz und einen stringenten, überhöhenden Schluß gerichtet. Aus der Perspektive der Rondosonate hingegen (2. Version) stellt sich das Gegeneinander der Charaktere weniger als gerichtetes, schließlich integriertes Gefüge von Kontrasten denn als Wechsel dar, der sich auch im Gefüge der Rondosonate selbst spiegelt. Erscheint die 1. Fassung als konzentriert und erhaben, so die 2. als locker und gefällig. Ist erstere auf Schwergängigkeit verpflichtet, so letztere auf Eingängigkeit.

Hat Beethoven offensichtlich beide Fassungen, wenn auch mit unterschiedlicher Gewichtung gebilligt, und lassen sich aufgrund der Analyse und ästhetischen Betrachtung zahlreiche Gründe für die Existenz beider Versionen anführen, so ist es doch heute nach wie vor das Vorurteil des Rezipienten, das Argumente wie Höreinstellung gewöhnlich zugunsten der einen oder anderen Fassung lenkt. In der Aufführungspraxis indes sei den Fassungen endgültig gleiches Recht zugebilligt, mit der hoffentlich bald zu hörenden Darbietung beider an einem Abend.

Klaus Kropfinger

---

1 Vgl. u.a. M. Bukofzer, *Music in the Baroque Era,* S. 167 und 257. Ein Komponist wie Simon Simon bestätigte diese Praxis nur, indem er sich expressis verbis von ihr freihielt (vgl. *New Grove,* Bd. XVII, S. 325 und Bd. XVIII, S. 346).
2 So versteht V. d'Indy den Tonartenzyklus in op. 131 als verschleierte Kadenz.
3 J. Kerman, *The Beethoven Quartets,* S. 322.

Streichquartett cis-Moll op. 131

ENTSTEHUNGSZEIT: 1825—1826.
ERSTAUFFÜHRUNG: 1828 in Halberstadt (Müller-Quartett).
SKIZZEN: Berlin, Bonn, Coburg, Petersburg, London, Los Angeles, Paris, Washington, Wien (24 Handschriften).
AUTOGRAPH: verteilt auf Deutsche Staatsbibliothek Berlin (Nr. 4) und Biblioteka Jagiellońska Krakau (Nr. 1—3 und 5—7).
ERSTDRUCK: Partitur: Mainz 1827 (Schott); Stimmen: Mainz, nach Juni 1827 (Schott).
GESAMTAUSGABE: Alte Gesamtausgabe: Nr. 50 = Serie 6 Nr. 14.

„Solange die musikalische Welt dieses cis-moll-Quartett kennt, hat sie es unter die höchsten Offenbarungen des Beethovenschen Genies gezählt."[1] Bis heute gilt es als Krone der klassischen Kammermusik, freilich mit den über 600 Seiten erhaltener Skizzen auch als ein Werk, das wie kaum ein anderes Rätsel aufgibt.

Auf ein neues Formkonzept verweist die eigenwillige Art der Numerierung, die sieben Teile unterschiedlicher Ausdehnung zählt. Im Autograph stehen die Nummern nicht. Sie erscheinen erstmals als Fremdzusätze in der von Beethoven korrigierten Kopistenpartitur, die dem Verlag Schott für den Stich der Erstausgabe diente.[2] Da die Nummern nicht zwischen Binnen- und Hauptzäsuren unterscheiden, verbergen sie die zugrundeliegende traditionelle Anlage.[3] Bei der viersätzigen Standardform waren Erweiterungen nicht unüblich. Einleitungen, von Beethoven schon im Quartett op. 18, Nr. 6 auch auf das Finale übertragen und in der 1. Symphonie für beide Ecksätze vorgeschrieben, gehören zum gängigen Formenkanon. Selbst zu Mittelsätzen fehlt es seit Haydns op. 1, Nr. 1 nicht an Vorbildern für eine Introduktion, wenn ariose Sphäre einen Auftritt geschaffen haben möchte; die Idee einer vokalen Szene hatte Beethoven selbst zuletzt in der Klaviersonate op. 110 gestaltet.

Werden die Einleitungen von op. 131 auf ihre Folgeteile bezogen, lassen sich die sieben Nummern auf vier Sätze zurückführen (römische Ziffern kennzeichnen die traditionellen Satztypen, arabische die Gliederung von Stichvorlage und Gesamtausgabe).

---

1 A. Schering, *Beethoven in neuer Deutung,* S. 53.

2 Im Erstdruck tauchen die Nummern jedoch nur sporadisch auf (in der Partiturausgabe bei Nr. 1 und 3, in der Stimmenausgabe gar nicht). Eine Unsicherheit bei der Zählung zeigt sich an der Stichvorlage selbst, wo Nr. 5 und 6 irrtümlich die gleiche Ziffer „5" erhielten, was nur beim letzten Teil korrigiert wurde, zu dessen ursprünglicher „6" eine alternative „7" hinzutrat. Endgültig sanktioniert wurden die Nummern erst durch die alte Gesamtausgabe. Zu den Skizzen Beethovens siehe J. v. Hecker, *Untersuchungen an den Skizzen,* und R. Winter, *Plans for the structure.*

3 Aus den sieben Nummern wurden bei Th. Helm 1885 „fünf Sätze, oder auch sechs" (*Beethoven's Streichquartette,* [2]1910, S. 234), bei V. d'Indy 1933 „six mouvements" (*Cours de composition musicale,* Bd. II/2, S. 247), bei H. Riemann 1910 „die vier üblichen Hauptsätze" (*Beethoven's Streichquartette,* S. 140; ebenso bei P. Bekker, *Beethoven,* [2]1912, S. 550 und E. Jokl, *Die letzten fünf Streichquartette,* S. 159), bei E. Kreft 1969 „sieben Sätze", von denen aber nur fünf als geschlossene Teile behandelt werden (*Die späten Quartette,* S. 85—125). W. Altmann verzichtete 1911 im Vorwort der Eulenburg-Taschenpartitur auf eine Satzzählung und berief sich auf den „Eindruck einer Improvisation".

	1.	Adagio	cis
I	2.	Allegro	D
	3.	Moderato/Adagio	
II	4.	Andante	A
III	5.	Presto	E
	6.	Adagio	
IV	7.	Allegro	cis

Die Mittelsätze 2 und 3 entsprechen den vertrauten Typen Andante und Scherzo, sowohl im Satzcharakter als auch in der Form. Das Andante bildet mit gesanglichem Thema eine Variationenreihe aus, das Presto folgt dem zweiteiligen Menuettmuster mit repetiertem Trio, vergleichbar Beethovens Allegretto aus op. 59, Nr. 2. Der 4. Satz gleicht in seiner komplexen Anlage einem Finale nach der Tradition des Viersatzzyklus. Anders als in den Quartetten op. 130 und 132, die selbständige Einschübe kennen, wirkt also im cis-Moll-Quartett eine übliche Viersatzfolge weiter. Die Einleitungen binden sich jeweils eng an einen größeren Abschnitt. Sie verzichten auf den eigenen Schluß und münden direkt in die jeweiligen Hauptsätze. Sowohl die Nummern 3/4 als auch 6/7 sind mit dem Kadenzschritt nach Art von Rezitativ und Arie direkt miteinander verknüpft. Dem entspricht im Autograph ein Beginn mitten auf der Seite oder sogar mitten in der Akkolade.

Doch die Reduktion von sieben Nummern auf vier Sätze geht keineswegs restlos auf und verbirgt ihrerseits wesentliche Momente der Gesamtform. Denn auch die Hauptsätze erreichen mit Ausnahme des Finale keinen stabilen Schluß. Das Allegro Nr. 2 bringt die Tonika weder auf Taktbeginn noch im Forte, sondern nachhängend im Piano und einer auffälligen Terzlage, deren fis' harmonisch umgedeutet den Anfangston des nächsten Satzes bildet. Mit der gleichen Terzbetonung hebt das Presto Nr. 5 seinen ersten Schluß auf — und wieder tritt eine harmonische Verwandlung am Terzton ein, mit dem die Bratsche die Melodie des folgenden Adagio Nr. 6 beginnt. Der Variationensatz Nr. 4 schließlich kommt am Schluß ins Stocken und wiederholt mehrfach den Kadenzeinstieg, doch ohne in der Melodie die Tonika erreichen zu können; sie geht eher fragend als bestätigend erst aus einer wie hingehauchten plagalen Mollwendung hervor. Die sieben Nummern schließen sich so zu einem Ganzen zusammen. Von einer „ununterbrochenen Kettenreihe" hatte bereits 1828 Ignaz von Seyfried gesprochen und für Aufführungen empfohlen, „einige Abschnitte bey vollkommenen Kadenzen anzubringen"[1], doch zu erwähnen vergessen, daß es eben solch zäsurbildende Satzkadenzen nicht gibt.

In der Kette hat die Siebenzahl gegenüber der Vierzahl den Vorzug, eine Mitte zu bilden. Sie wird von Beethoven harmonisch flächig herausgehoben. Im Andante Nr. 4 herrscht 277 Takte lang ein nahezu ungestörtes A-Dur, das im Kreis der Stationen Tonika, Dominante, Wechseldominante und Subdominante eingeschlossen bleibt, die vom Thema vorgegeben sind. Erst gegen Ende Takt 229ff. fallen die eng gesteckten Grenzen und geben einem wieder geweiteten Tonartbewußtsein Raum, in dem A-Dur lediglich ein fernliegender, idyllischer Ruheplatz gewesen war. Die letzte, unvollständige Variation Takt 243ff. hat schon Züge von Zitat und Rückblick; ihr Thema zerfällt im achten Takt.

1 Rezension in *Cäcilia* 9 (1828), S. 217—243, zit. nach St. Kunze, *Gesammelte Konzertberichte*, S. 576.

In der harmonischen Anlage des Quartetts spiegelt sich die Idee eines dynamischen Prozesses, dem die viersätzige Anlage unterworfen wird. Das Scherzo müßte die Grundtonart wiederbringen. Auf sie verweist zwar ein eigensinniger Gis-Dur-Halbschluß im Hauptthema Takt 9f. und 17f., der Satz insgesamt steht aber in der Durparallele E-Dur. Im „Trio" Takt 110 greift er mit einer ausgedehnten Melodie („Ritmo di quattro battute") sogar auf das A-Dur des Variationensatzes zurück. Seinerseits hat dieser Satz einen Rückbezug zum Allegro Nr. 2. Im Variationenthema signalisiert die Subdominante D-Dur jeweils den Kadenz anstrebenden Wendepunkt, der ein Crescendo auslöst, in einigen Variationen auch den Höhepunkt an Stimmdichte und Ausdehnung bedeutet (T. 61, 68 bzw. 94, 129). Die Tonarten D—A—E der Nummern 2, 4 und 5 schließen sich zu einer verhakten steigenden Quintenreihe zusammen, umrahmt von den beiden Sätzen mit der tragenden Grundtonart cis-Moll. In ihr haben die Klänge D und A wiederum eine auffallende Sonderstellung — der Fremdklang des „Neapolitaners" durchzieht wie ein Signum das Quartett —, so daß man von einer komplexen, verschiedene Teilmomente integrierenden Tonart im Großen sprechen möchte.[1]

Daß harmonische Disposition und ein verändertes Formkonzept die alte Viersatzanlage umbilden, zeigt unmißverständlich gleich der Anfang mit den ersten beiden Nummern. Der Entstehungsgeschichte nach ist nämlich der schnelle Satz dem langsamen untergeordnet und nicht umgekehrt. Das bedeutet auch, daß nicht das Allegro in der Grundtonart steht, sondern allein das erste Adagio. Als Fuge ausgeführt muß es den Rahmen bloßer Satzeröffnung sprengen. Mit dem folgenden Allegro verbindet es sich zwar über die motivische Brücke des versetzten Oktavsprungs, in der Versetzung wird aber deutlich, daß der Allegro-Satz dem Anfangs-Adagio tonartlich ausweicht und seine Last nicht tragen möchte. Dazu wäre das Allegro mit seiner leichtgewichtigen 6/8-Melodie nach Rondoart auch nicht fähig. Es fehlen ohne zweites Thema und ohne Durchführung alle Momente der Auseinandersetzung und Konfliktlösung, die ein abgeschlossenes Ganzes herstellen könnten, das eine Einleitung auf sich beziehend rechtfertigt. Das Adagio zielt von vornherein über den Folgesatz hinaus. Es ist, wie die Tonart erkennen läßt, auf das Finale hin ausgerichtet. Gerade das Aussparen der Tonika cis in den Nummern 2—6 stärkt den Schlußbezug und läßt einen Bogen entstehen, der von Anfang bis Ende reicht.

In dieser neuen, zielgerichteten und zyklischen Form verwandelt sich das gängige Satzmuster der Instrumentalmusik. Die Viersatzfolge kennt feste Satzcharaktere. Das verbindet sie lose mit der Oper und ihren Arien in wechselnden Affekten. Träger dieser Affekte sind hier verschiedene Personen. Die Folge abgetrennter und nur in sich geschlossener Einzelstücke wird vom cis-Moll-Quartett jedoch zugunsten einer Verflechtung und gemeinsamen Orientierung auf das Finale hin überwunden. Im Vergleich zur Oper geblieben: Gestaltet wird ein Einpersonen-Drama. Wohl wechseln Szenen, aber nicht ihr Protagonist. Die Ereignisse bewahren eine einheitliche Perspektive: Richard Wagner hat, ohne ein Wort über Kompositionstechnik zu

---

1 R. Winter hat an den Skizzen zu op. 131 gezeigt, daß Tonartdisposition und Gesamtform zur Anfangsplanung Beethovens gehörten (*Plans for the structure,* S. 115). Eine vorzügliche Darstellung der tonartlichen Entwicklung gab 1927 D. Fr. Tovey (*Some Aspects of Beethoven's Art Forms*). Die Sonderrolle des Neapolitaners hat besonders eingehend J. Kerman beschrieben (*The Beethoven Quartets,* S. 328, 339, 343 und 347—349).

verlieren, eben dies hellsichtig angesprochen. Er drückt die zyklische Form des cis-Moll-Quartetts im Bild eines Tageslaufs des Helden Beethoven aus. Die Beschreibung beginnt mit dem „Erwachen am Morgen“ und schließt mit dem Passus „So winkt ihm die Nacht. Sein Tag ist vollbracht“.[1]

Beim Eröffnungssatz entscheidet sich Beethoven für eine Fuge. Die altertümliche Form bringt auch ein altertümliches Thema mit sich. Es ist traditionell zweiteilig; dem markanten Kopf folgt eine rhythmisch geglättete und bewegtere Fortspinnung. In der englinigen Intervallkonstellation von Sekunden und Terzen sticht das indirekt chromatische Intervall his—a heraus. Es schuf eine spezifische Innendynamik, die sich im Streben nach zwei verschiedenen Richtungen äußert. Dabei entstammen die Töne einem barocken Thementypus, dessen Wirkung bis ins 19. Jahrhundert reicht.[2]

Bach, *Musikalisches Opfer* (c-Moll)

Haydn, Streichquartett op. 20, Nr. 5 (f-Moll)

Spohr, Doppelquartett op. 65 (d-Moll)

Beethoven, op. 131, 1. Satz

Beethoven, op. 131, Finale

Die zitierten Beispiele (jeweils nach cis-Moll transponiert) waren Beethoven wohl bekannt. Das von Haydn wird 1825 in einem der Konversationshefte mit Hinweis auf die Kyriefuge aus Mozarts *Requiem* notiert, wenig später erscheint auch dasjenige Spohrs.[3] Gemeinsam ist den Themen die Tonart-Quint samt Halbtoneinfassung. Aus diesen vier Strukturtönen gewinnen sie ihre Symmetrie und Stabilität. In der paarweisen Anordnung sind verschiedene Möglichkeiten gegeben, weil die Rahmentöne (1 und 2) mit den erweiternden Nebentönen (3 und 4) frei kombinierbar sind: 1+2 : 3+4 bzw. 2...1+3...4 oder 1+3 : 4+2. Nur in einem Punkt ist die Reihenfolge verbindlich. Der Leitton muß nach der oberen Nebennote eintreten (4 später als 3). Denn seine Aufgabe ist, nach dem Hinausstreben aus dem engeren Tonartraum wieder für Rückzentrierung zu sorgen. Dadurch entsteht jene Septime

1 R. Wagner, *Beethoven* ([4]1898), S. 96f., dort auch die im folgenden noch zitierten Textpassagen.

2 Einen „Stammbaum“ des Themas mit seinen Ablegern hat W. Graeser im Bach-Jahrbuch 1924 entworfen.

3 Vgl K.-H Köhler / Gr. Herre, *Ludwig van Beethovens Konversationshefte,* Bd. VIII, S. 19 und 150, siehe dazu E. Platen (*Über Bach, Kuhlau und die thematisch-motivische Einheit*, S. 154 und 156), der in einer Motivtabelle „gemeinsame thematische Substanz“ für op. 131 bis 135 nachweist; vgl. schon P. Bekker, *Beethoven* ([2]1912), S. 533f.; W. Riezler, *Beethoven* ([5]1942), S. 250; J. Kerman, *The Beethoven Quartets*, S. 225; C. Dahlhaus, *Ludwig van Beethoven und seine Zeit,* S. 273—275. Am weitesten geht hier in einer von der Reihentechnik inspirierten Analyse D. Cooke, *The Unity of Beethoven's Late Quartets,* S. 30—49.

a—his, die dem Thema das Signum gibt. In ihrer verminderten Gestalt offenbart sich nach barockem Verständnis ein unharmonischer Zustand, der Schmerz ausdrücken kann.[1]

Beethoven formt das Thema aus den gleichen vier Tönen. Durch Umlegung des Leit- und Grundtons in die höhere Oktave verwandelt er die verminderte Septime jedoch in eine übermäßige Sekunde und macht aus dem Sprungmotiv ein Skalenmotiv, in dem keine Paarbildung mehr Ordnung stiftet. Das Gleichgewicht der Bewegung ist verloren. Vom Crescendo unterstützt kommt dafür eine intensivierte Strebekraft zur Wirkung. Doch ihr Drang bleibt unerfüllt. Er hat kein erkennbares Ziel. Denn durch die umgestellte Folge der Töne a und his ist die Rückzentrierung aufgegeben. Der Themenkopf endet orientierungslos am fremdartigen a, bei dem die Bewegung wie gebannt verharrt. Auch rhythmisch scheint a von seinem Bezugspunkt gis wie abgelöst. Der mit Sforzato scharf akzentuierte Ton ist schließlich der einzige im Verlauf der Exposition, der von Bindebögen ausgespart wird, die ansonsten dem ganzen Satz einen Charakter schweifender Bewegung verleihen.

Mit wenigen Eingriffen hat Beethoven das alte Thema in seinem Ausdruck unerhört gesteigert. Das „molto espressivo“ der Satzüberschrift und die hinzugekommenen dynamischen Angaben sind äußerer Hinweis auf die innere Struktur. Durch Verzicht auf die stabilisierende Quint und das Rückkehrmoment sind alle vier Töne unter die Spannung des übermäßigen Intervalls gesetzt, dessen Schmerzmotiv riesenhaft vergrößert ist. Der isolierte Schlußton bringt stechend die Ziellosigkeit zum Bewußtsein. Was für die Form galt, gilt auch für die Themenbildung. Beethoven geht von Traditionen aus, um ihnen umgestaltend eine neue Dimension abzugewinnen. Aus dem allgemeinen Topos Schmerz wird der individuelle Ausdruck von Leid. Wieder ist es Wagner, der das mit einem Zitat aus Goethes *Faust* zur Sprache bringt: „Das einleitende längere Adagio, wohl das Schwermüthigste, was je in Tönen ausgesagt worden ist, möchte ich mit dem Erwachen am Morgen des Tages bezeichnen, ‚der in seinem langen Lauf nicht einen Wunsch erfüllen soll, nicht einen!‘ Doch zugleich ist es ein Bußgebet, eine Berathung mit Gott im Glauben an das ewig Gute.“

Die Eigenheit des Themas, nämlich daß es ziellos bleibt und so zum Ausdruck unerfüllbaren Hoffens wird, strahlt auf den gesamten Satz aus. So wird im mehrstimmigen Verbund die Sonderstellung des Schlußtons im Themenkopf noch schärfer deutlich. Wenn zum Bratscheneinsatz Takt 9f. die 2. Geige mit dem his' einer angedeuteten Engführung endlich ausweicht, beharrt die 1. Geige beim tritonusbildenden dis''. Das a des Themas erreicht keinen Augenblick konsonanter Harmonie. Ohne sie bleibt der ganze Satz seltsam haltlos. Es gibt keinerlei Kadenzen. Die Fuge gleitet durch verschiedene Tonarten, findet jedoch nirgendwo einen Ruhepunkt. Wo sich eine sammelnde Dominante bilden kann, ist die Tonika in die Ferne gerückt und zurückgenommen (T. 31) oder überhaupt vermieden (T. 90). Der Satzschluß selbst geht aus keinem harmonischen Kadenzschritt hervor, sondern dem Versuch einer Versöhnung der beiden, vom übermäßigen Themenintervall diktierten linearen Streberichtungen. Beim letzten und enggeführten Einsatz von Violoncello und 1. Geige ab Takt 111 wird das d''' zum abwärts gerichteten Gleitton, der in Takt 114 gleichzeitig mit dem aufwärtsgerichteten Leitton His in den Grundton führt. Die

1 W. Kirkendale sprach deshalb von „Pathotyp“ (*Fuge und Fugato*, S. 137).

Aufwärtsstrebung des Dux ist mit der Abwärtsstrebung des Comes kontrapunktiert und darüberhinaus in den Mittelstimmen mit dem Motiv der Themenfortspinnung kombiniert.

Die Entwicklung des Intervallmotivs wird im Finale fortgesetzt und zu Ende geführt. Das ständig wiederkehrende Motto des Schlußsatzes benutzt die Töne des Fugenthemas.[1] In Oktavlage und Reihenfolge ist jetzt die Ordnung des barocken Ausgangstypus hergestellt. Derart zurechtgerückt meldet sich im Motto eine kämpferische Entschlossenheit, die dem ganzen Satz den Charakter gibt. Daß für die Satzentwicklung weiter die Konstellation der vier Strukturtöne maßgeblich ist, zeigen abgewandelte Folgemotive. Ihnen bleibt immer eines gemeinsam. Der Zustand des Fugenthemas ist überwunden. Das vorher isolierte a findet und behält im Verband mit dem stützenden Nachbarton gis seinen Platz in einer geschlossenen Gruppierung. Der Bogen als Zeichen der Gemeinschaft reicht bei der ersten motivischen Ableitung Takt 22 über alle vier Töne.

Mit dem markanten Motto verbindet sich auch eine klar konturierte Form von neun etwa gleich langen, je ca. 40 Takte umfassenden Abteilungen, an deren Anfang sieben Mal das Motto selbst steht. So klar die Abgrenzungen sind, so kompliziert erscheinen ihre übergeordneten Korrespondenzen. Die ältere Literatur ging einhellig vom Sonatensatz aus.[2] Das mag zutreffend sein, ist aber unzureichend. Der Sonatensatz wird in einer Art komplexer Formbildung, die Beethoven möglicherweise an den Finalsätzen der beiden letzten Streichquintette Mozarts KV 593 und 614 studiert hat, von einer zweiten Form überlagert, dem Rondo, und zudem durch kontrapunktische Techniken konterkariert.

RONDO:	Ritornell	Couplet	Ritornell	Couplet		Ritornell	Couplet	Ritornell		Coda
Takt	1	52	78	117		160	216	264	302	349
Tonart	cis	E	fis	h/D	→	cis/fis	D/Cis	cis	cis	cis
Teil	1	2	3	4		5	6	7	8	9
	1. Thema	2. Thema				1. Thema	2. Thema	Coda		
SONATE:	Exposition		Durchführung			Reprise				

Gegen alleinigen Sonatensatz muß sprechen, daß in der Exposition eine Schlußgruppe fehlt und die Reprise viel zu früh — noch vor der Satzmitte — liegt, zudem in ihren vier Tonarten die einigende tonale Konzentration als wichtigstes Kriterium vermissen läßt. Die Durchführung bringt in Teil 4 außerplanmäßig ein neues Motiv und hält zu Beginn, statt den Themenblock aufzulösen, über 16 Takte hinweg unverändert an der geschlossenen Form fest: Die Reprise wird mehr Verarbeitungsele-

1 Der motivische Zusammenhang ist seit den Hinweisen von W. v. Lenz allgemein bekannt (*Kritischer Katalog*, Bd. IV, S. 262).

2 Vgl. V. d'Indy, *Cours de composition musicale*, Bd. II/2, S. 249f.; W. Riezler, *Beethoven* (^{5}1942), S. 258; P. Radcliffe, *Beethoven's String Quartets*, S. 160f.; J. Kerman, *The Beethoven Quartets*, S. 341ff.; E. Kreft, *Die späten Quartette*, S. 114ff. H. Riemann enthielt sich interessanterweise einer Formangabe. Als erster spricht C. Dahlhaus, *Ludwig van Beethoven und seine Zeit*, S. 277f. von „Sonatenrondo".

mente enthalten als die ganze Durchführung, deren harmonisches Ausgreifen Takt 94—137 in einem leitereigenen und deshalb nicht wirklich öffnenden Quintenzirkel an die Tonika cis gebunden bleibt. Andererseits geht auch die Rondoform nicht problemlos auf. Die Ritornelle entfernen sich immer weiter vom ursprünglichen Ausgangspunkt. Der stabilisierende Wiederholungseffekt gilt eher für die thematisch aufeinander bezogenen Rahmencouplets, während die Ritornelle einem dynamischen Prinzip unterworfen und so der Durchführungstechnik des Sonatensatzes anverwandelt sind.

Ein Punkt aber ist weder aus dem Rondo noch dem Sonatensatz erklärbar: die Subdominante in Takt 78. Sie steht einer Ritornellwiederkehr ebenso im Weg wie einem Durchführungsbeginn. Die überraschende Subdominante, wiederkehrend in der Reprise und der Coda, ist nur aus der motivischen Entwicklung zu verstehen, die ihrerseits auf die Anfangsfuge rückbezogen ist. Im Finale des cis-Moll-Quartetts durchdringen sich drei Formaspekte. Themendualismus und Konfliktzuspitzung prägen den Satzcharakter im Sinne des Sonatenprinzips, die Reihungsanlage mit einem beherrschenden, nicht abschüttelbaren Thema stammt hingegen aus dem Rondo, die harmonische Disposition aus der Fuge.

Die Töne des Mottos prägen auch das Hauptthema Takt 5—21. Zusammengesetzt ist es aus sechs gleichlangen Zweitaktpartikeln. Deren Endungen sind jeweils durch einen Wechsel in der Bewegungsrichtung scharf akzentuiert. Erstes und letztes Partikel ergeben in ihren Wendestellen die Töne a—gis...his—cis: Das Thema ist in den Rahmen der übergreifenden Formel gestellt. In der Fuge war der Kreis der Töne durch die Technik der Imitation erweitert worden, eine ungewöhnliche Unterquintbeantwortung hatte die ergänzende Transpositionsform entstehen lassen. Diese Konstellation soll auch das Finale bestimmen. Bei der ersten Wiederholung des Anfangsblocks in „Ritornell 2“ Takt 78 sind Motto und Hauptthema in die Unterquint versetzt. Dadurch werden analog die Töne der Comes-Gestalt exponiert. Allein aus ihnen erklärt sich die im Ritornell- wie Sonatensatz gleichermaßen irreguläre Subdominante.

Gegenüberstellung und Ausgleich von Dux und Comes werden für den weiteren Satz wesentlich. Die Folgeabschnitte verbinden beide Viertongruppen immer enger. In „Ritornell 3“ bringen Motto und verkürztes Hauptthema die Dux-Form (T. 169f. 1. Geige: a—gis; T. 175f. 2. Geige: his—cis), der im Themenanhang, gegenüber Takt 22 in die Unterquint transponiert, die Comes-Form antwortet (T. 184ff.). In „Ritornell 4“ wird dieser Themenanhang verdichtend so sequenziert, daß beide Versetzungsvarianten innerhalb von drei Takten an einem Fortissimo-Höhepunkt kombiniert erscheinen (T. 290—292).

Die Steigerungsanlage wird zudem durch dichter werdende Kontrapunktik unterstützt, die ausschließlich den Ritornellen mit ihrer Verarbeitung der Kerntöne vorbehalten bleibt, was das Rondo stärkt, aber auch in seinem Charakter ändert: hin zu einer Art „dramatischem Durchführungsrondo“. Die neuen Gegenmotive enthalten in ihrer klobigen Ganznotengestalt und kontrapunktischen Führung in chorisch-orchestraler Lautstärke abermals Momente der Fuge. Sie treiben aber auch die Motiventwicklung voran. Der erste Einsatz Takt 94—97 greift in freier Weise auf die Kerntöne zurück (eis—fis: Comes; gis—a: Dux). Im nächsten Ritornell zitiert der Kontrapunkt dann unmißverständlich die komplette motivische Keimzelle. Die Folge his—cis—a—gis Takt 169—172 stellt gleichzeitig einen vergrößerten Krebs des kurz zuvor erklungenen Mottos im Violoncello Takt 162f. dar.

Beiden Kontrapunkten ist gemeinsam, daß ihre Beantwortung den Kreis der Strukturtöne wieder verläßt. Dafür wird eine neue Zielrichtung erkennbar, die auf das tragende Motto ausstrahlt: Herstellung eines größeren linearen Zusammenhangs. Was Takt 102—116 für den Kontrapunkt gilt, nämlich eine Zusammenkopplung zu einem durchgehenden Skalenzug, wird im letzten Ritornell auf das Motto übertragen. Nachdem Takt 264 im Piano erst ein kontinuierlicher Rhythmus hergestellt ist, wird im Forte der letzte Motivton nach oben gewendet (dis' statt his T. 273), um eine sich beschleunigende Skalenbewegung an den Taktschwerpunkten in Gang zu setzen, die über mehr als eine Oktav reicht. In sich trägt sie am Ende die unvermeidliche Folge gis—a—his—cis, der mit dem Themenanhang direkt die Krebsform antwortet (T. 275—279). Im zweiten Teil des Schlußritornells werden bei Takt 307—309 die kritischen Töne nochmals umgestellt, auf a—gis—his—cis. Damit hat das Motto den Stachel des übermäßigen Intervalls umgangen, dafür die konsequente Tonleiterfolge aufgegeben. Im Gegenzug versucht der nächste Abschnitt ab Takt 313, wenn Kontrapunkt und Hauptthema sich in reinen Skalenzügen durchkreuzen, ein Ausweichen auf die melodische Mollskala. Doch der erstrebte Schluß läßt sich so nicht erreichen. An der Kadenzstelle Takt 328 zerfällt die Bewegung.

Wenn über das in Skalenform gebrachte Viertonmotiv ein Schluß herbeigeführt werden soll, muß das divergierende Auseinanderstreben in zwei Richtungen gis ← a: his → cis überwunden werden. Beethoven konzipiert einen doppelten Schluß. Das letzte Ritornell steht im Zeichen einer vitalen Aufwärtsskala, an der sich der Schritt his—cis in einer Kadenz erfüllen soll. Doch im entscheidenden Moment gehen sich klangliche und lineare Fortschreitung aus dem Weg. Die Tonika von Takt 313 spart in der 1. Geige das cis''' aus, der Kadenzenlauf in Takt 347 stockt bei der Dominante und bricht mit dem Leitton his ab. Eine Generalpause signalisiert den Umschwung. In der Coda erhält der andere Halbtonschritt a—gis Raum, mit ihm linear die Abwärtsbewegung und klanglich die Subdominante.

Die Coda ab Takt 349 führt auf engstem Raum vier Motive des Satzes zusammen: Motto, Hauptthema, Themenanhang und Kontrapunkt 2. Alle werden sie auf die entscheidenden Strukturtöne hin ausgerichtet. Den Anfang macht der oktavierte Themenanhang mit den vier Dux-Tönen. Zusätzliche Oktavierung im Baß über die Viertelnoten des Mottofragments im Violoncello Takt 350f. verleiht der entscheidenden Schlußstelle a—gis als dem neuen Orientierungspunkt eigenes Gewicht. Wie vorher der Aufwärtsschritt so schafft sich jetzt auch der Abwärtszug einen größeren Zusammenhang. Nach zwei Quartgängen führt Sequenzierung zu einem erweiterten Melodie-Bogen, der von der steuernden Folge a—gis eingeleitet wird, fünf Takte aneinanderbindet (T. 354—358) und in sich die Comes-Form fis—eis—d—cis birgt. Klangliches Ziel im beruhigenden Einpendeln von nur zwei Akkorden über dem verharrenden Grundton ist die Subdominante beim Schlußton fis Takt 358. Die Wiederholung des Skalenzugs setzt aber unerwartete Akzente, unterschwellig beklemmende. Hervorgerufen werden sie vom Ton a, dem „Leidenston" des Fugenthemas. An ihm verharrt die Skala wie gelähmt. Nachdem die zum a gehörige Subdominante in Takt 361 gegenüber Takt 357 nach vorn gerückt ist, erklingt nun fremdartig erst der alte Neapolitaner, der im Schlußritornell schon Takt 329 gespenstisch aufgetaucht war, schließlich im Crescendo aufglühend der Klang des verminderten Intervalls schlechthin, der verminderte Septakkord. Im Baß gemahnt das fast wieder zusammengesetzte Motto an den Krisenpunkt des vergeblichen Abbrechens von Takt

347, die zweifache Halbtoneinfassung des Grundtons mit D und His Takt 362—364 an den Schluß der Eingangsfuge. Hauptmoment im Rückblick auf Vergangenes ist aber das Nacherleben der Isolierung des schmerzhaft festgehaltenen Tons a; zwar geht er letztlich wie immer im Finale zu gis weiter, doch ohne die bisherige Oktavierung, die in der Bratsche vorher endet. Der Klang greift kraftlos in allen Stimmen einen Halbton nach unten. Quasi unvermerkt und auf schwacher Zählzeit findet er sich zuletzt doch bei der einmal intendierten Subdominante ein.

In der Coda verspricht ein vereinfachter und regelmäßiger Ablauf, der danach strebt, melodische und klangliche Bewegung in Kongruenz zu bringen, einen ausklingenden und sein Ziel findenden Schluß. Dieser Ablauf wird jedoch unvermittelt unterbrochen. Die vorwärtstreibende Zeit steht mit einem Mal still. Der Achtelpuls setzt zwei Takte lang (T. 364 und 366) völlig aus: Ein Augenblick der Bewußtlosigkeit erlaubt in einem imaginär-subjektiven Zeiterleben das hellsichtige Bewußtwerden von Früherem und Gegenwärtigem in einem — eine Brechung und ein Wechsel der musikalischen „Perspektive", wie sie geheimnisvoller auch den neuen Meisterwerken der Romantik nicht gelingen.[1] Mit der Einsetzung des Hauptthemas Takt 367 in der Unterquintvariante ist die harmonische Progression wieder ins Geleise gesetzt. Sie folgt den Comes-Tönen des Themas — alle vier Töne versammeln sich beim Wechsel von Takt 369 auf Takt 370 (1. Geige und Bratsche) —, die sich mit einem Mal auf eigenartige Weise mit dem a—gis des Dux verbinden, da sie harmonisch die gleiche Formel Subdominante—Tonika zulassen, die Takt 350 zu Beginn der Coda erstmals angeklungen war. Zwölf Takte lang (T. 371—382) pendelt der Klang taktweise zwischen den beiden Akkorden. Der Ganznotenkontrapunkt wiederholt von unten nach oben durch alle Stimmen wandernd die Comes-Töne cis—fis—eis. Nur das zugehörige Partikel aus dem Hauptthema bleibt zunächst unvollständig. Es bricht immer an der Schlußnote ab, um auf den Kontrapunkt zu wechseln. Erst im Poco Adagio wird der letzte Ton als Schlußstein der Konstruktion eingesetzt: Es ist das gis, das aus jenem zweifach an den Schwerpunkten des Vortakts akzentuierten a hervorgeht, zu dem in der 2. Geige, später in der Bratsche, ein direkter Linienzusammenhang mit a—gis hergestellt ist. Parallel dazu tritt im Kontrapunkt das eis ein. Der Durschluß, der so erreicht ist, folgt demnach nicht nur gängiger Praxis in Mollwerken; er ist konstruktiv in den Comes-Tönen fis—eis verankert.

Wie die Fuge so schließt auch das Finale mit einer Simultankombination von Dux- und Comes-Tönen.

Fuge

comes dux

fis—eis—d—cis—his—a—gis

Finale

Gerade die Töne aber, die in der Fuge führend sind, werden im Finale eliminiert, mit ihnen in beiden Quarträumen das übermäßige Intervall. Die Tonika ist von der zweifach auf sie wirkenden Spannung befreit.

1 Dazu M. H. Schmid, *Musik als Abbild,* Kapitel „Erinnerungshaltung", S. 71—102.

Beethoven operiert mit Tönen. Ihrer Logik läßt sich in satztechnischen Kategorien nachspüren. Der planvoll-freie Umgang mit allen Formkonventionen zwingt aber gleichzeitig zur Erkenntnis, daß sich das Werk, zur Zeit seiner Veröffentlichung als phantastisch und bizarr angesehen[1], in diesen Kategorien nicht erschöpft. Insofern sind Versuche poetischer Beschreibung keineswegs unangebracht. Wagner hat es sich beim Finale leicht gemacht. Gemäß seiner These, daß Instrumentalmusik bestenfalls stilisierte Tanzmusik sein kann, sieht er ein „Tanzaufspiel" in höchster Idealität: „Das ist der Tanz der Welt selbst". Immerhin fängt das Stichwort etwas von der rhythmischen Vitalität des Satzes ein, wenig allerdings von seinem dramatisch-kämpferischen Charakter und dem Zug ins Resignative beim Plagalschluß der Coda. „Eins der herrlichsten *Sturm-* und *Drangfinale* der Gesammtliteratur, wohl das Großherrlichste", hatte 1860, zehn Jahre früher, Wilhelm von Lenz geschrieben und über den Schluß in seinem enthusiastischen Telegrammstil vermerkt: *„Ankerauswerfen* im Zeit-, Raum- und Sorgenlosen Jenseits, Cis-Dur! —."[2] Auf Kampf kam es Arnold Schering an, der als literarische Vorlage die Fechtszene im 5. Akt von Shakespeares *Hamlet* nachweisen wollte.[3] Solch konkrete Entschlüsselungsabsicht lebt freilich ungewollt mit der Gefahr, das Werk in seiner klingenden Gestalt zugunsten einer Aussage, die sich im Medium der Sprache viel besser mitteilen läßt, zum Verschwinden zu bringen. Beethovens Musik „spricht". Aber sie spricht *in* Ereignissen, nicht *von* Ereignissen. Als „Bericht" wäre sie mißverstanden. Die Ereignisse konstituieren sich in Tönen. Diese weisen jedoch wieder über sich hinaus, wenn sie als Reflexe menschlichen Handelns begriffen werden.

Manfred Hermann Schmid[4]

Streichquartett a-Moll op. 132

ENTSTEHUNGSZEIT: 1824—1825.
ERSTAUFFÜHRUNG: privat: am 9. und 11. September 1825 in Wien; öffentlich: am 6. November 1825 in Wien (jeweils Schuppanzigh-Quartett).
SKIZZEN: Berlin, Bonn, Koblenz, London, Moskau, Stockholm, Wien (16 Handschriften).
AUTOGRAPH: Staatsbibliothek Preußischer Kulturbesitz Berlin.
ERSTDRUCK UND WIDMUNG: Partitur: Berlin und Paris 1827 (A. M. und M. Schlesinger); Stimmen: Berlin und Paris 1827 (A. M. und M. Schlesinger); Fürst Nikolaus v. Galitzin gewidmet.
GESAMTAUSGABE: Alte Gesamtausgabe: Nr. 51 = Serie 6 Nr. 15.

---

1 Frühe Besprechungen schrieben Friedrich Rochlitz (1827/1828), Herr von Weiler (1828), Ignaz von Seyfried (1881) und François-Joseph Fétis (1830). Neu ediert sind die Texte bei St. Kunze, *Gesammelte Konzertberichte,* S. 560—589. Zur Aufführungsgeschichte des Werks im 19. Jahrhundert siehe I. Maheim, *Beethoven. Naissance et Renaissance des derniers Quatuors.*

2 W. v. Lenz, *Kritischer Katalog,* Bd. IV, S. 261 und 263.

3 Vgl. A. Schering, *Beethoven in neuer Deutung,* S. 53—62.

4 Dieser Text (wie auch der folgende zu op. 132) ist meinem Lehrer Rudolf Koeckert gewidmet, dessen Beethoven-Interpretationen in Konzerten, Rundfunkaufnahmen und Schallplatteneinspielungen mich mit den Quartetten vertraut gemacht haben.

Das a-Moll-Quartett gilt als „Zwillingsbruder" des cis-Moll-Quartetts.[1] Mit ihm ist es durch die gemeinsame, jeweils am Anfang exponierte Viertonformel verbunden: Im 2. Satz ist Takt 218—221 sogar inselhaft mit eigener Taktvorzeichnung wie ankündigend die cis-Moll-Transposition im Unisono zitiert. Die Formel hat jedoch im früher entstandenen a-Moll-Quartett eine andere Rolle. Sie wird zwar ebenfalls umgeformt — schon im dritten Takt ist sie durch ihre eigene Inversion kontrapunktiert, die gleichzeitig eine Vertauschung der beiden Hälften bedeutet[2]—, bleibt aber in der zweiteilig symmetrischen Ordnung so stabil, daß sie keinem Prozeß unterworfen wird, der bis ans Ende des Werks reichen müßte. Sie dringt nicht einmal recht an die thematische Oberfläche, sondern verbirgt sich im Hintergrund der Begleitung. Als Baßfigur allerdings ist sie zumindest im 1. Satz nahezu omnipräsent. Ihre Halbtonschritte bilden die harmonische Stütze für alle Formen des Hauptthemas und lassen sich in Takt 43f. sogar noch in den Anfang des Seitensatzes (f—e im Violoncello) hinein verfolgen.

In der Kombination von Melodie und Formelbaß zeigt gleich der erste Themenviertakter charakteristische und den Satz prägende Eigenheiten.

Die paarweise Ordnung der Baßtöne führt zu addierten Zweitaktgruppen. Sie haben ihre Betonung jeweils im zweiten Takt, weil der Baß hier den Widerstand für einen melodischen Vorhalt gibt (im Notenbeispiel mit Sternchen gekennzeichnet; obwohl sich im Lösungsschritt melodisch die Töne a—gis und f—e wiederfinden, ist der Hinweis auf Intervallmotivik wegen der gegebenen Skala zunächst nicht zwingend). Harmonisch korrespondieren die Zweitakter im Pendel von Dominante und Tonika. Vorder- und Nachsatz schließen sich aber dennoch zu keiner stabilen Kleinstperiode zusammen. Deutlich gezogen erscheint nur die Mittelzäsur, bei der sich die eröffnende Nachsatz-Dominante mit der hinzukommenden Septime von der schließenden Vordersatz-Dominante absetzt. Anfang und Ende der Periode sind dagegen

1 H. Riemann, *Beethoven's Streichquartette,* S. 154.
2 Vgl. U. Siegele, *Beethoven. Formale Strategien,* S. 5.

seltsam unscharf. Es fehlt eine eröffnende Tonika. Das f des Basses läßt nur die Subdominante und ihre Steigerung über die alterierte Sext in Richtung Dominante zu. Ähnlich der Einleitung und dem Allegro, die mit dem suchenden Leitton bzw. der Dominante einsetzen, beginnt auch der eigentliche Themenblock tastend. Um überhaupt eine Verankerung in der Tonika zu geben, ist ein zusätzlicher Vordersatz vorangestellt. Ihm entspricht eine Schlußwiederholung beim Nachsatz. Dessen Tonika ist in Takt 16 nämlich durch das zusätzlich eingeflochtene Themenmotiv verstellt; wenn h in der Bratsche endlich nachgibt, hat das Violoncello jedoch den Grundton verlassen, so daß der Tonikadreiklang in keinem Moment ungestört konsonant sein kann, was sich auch an der eigentümlich „atmenden“ Dynamik äußert, deren Crescendo der Vorhaltsgeste in der 1. Geige widerspricht. Der deshalb ansetzende zweite Versuch zur Gewinnung der Tonika in Takt 17 bleibt aber ebenfalls vergeblich. Dem Ausweichen der Harmonien wird erst vier Takte später Einhalt geboten, jedoch nicht von der Tonika, sondern dem sammelnden Quartsextakkord der Dominante.

Vorder- und Nachsatz sind und bleiben im Ungleichgewicht. Die Steuerung durch den Baß bevorzugt den Vordersatz. Denn die Folge f—e kann den Fundamentschritt für eine Klangverbindung abgeben, die sich zu einem regulären Halbschluß ausbauen läßt. Die Folge gis—a als Kadenzformel einer Oberstimme hat hingegen nicht die gleiche Gliederungskraft für den Baß. Im Verlauf gewinnen die Vordersätze daher das Übergewicht. Bei Wiederholung des Themenkomplexes Takt 23ff. folgen nach Verlassen des engen Tonartkreises nur noch Vordersätze (T. 30f., 31f.). Die Komposition wird entschieden dominantlastig. Sie ist ständig auf der Suche nach einer Tonika, die sich entzieht. Ganzschlüsse kommen nicht zustande. Wo eine gewichtige Tonika der Dominante folgt, ist der Bewegungskontext unterbrochen. Die Takte 47—48 bilden keine zusammenhängende Zweitaktgruppe, sondern gehören verschiedenen Gliederungseinheiten an: Solches Zurückweichen der Tonika ist die satztechnische Voraussetzung für den vielbeschworenen Eindruck des Rastlosen, den Theodor Helm schon 1885 mit dem Bild „der ewig ins Sieb schöpfenden Danaiden oder des den Stein fruchtlos emporwälzenden Sysiphus [recte: Sisyphus]“ treffend umschrieben hat.[1]

Der Seitensatz ab Takt 48 nähert sich eher einer geschlossenen Form. Ausgehend vom größeren viertaktigen Entwurf erreicht er Takt 52 einen endlich vorhaltsfreien Dominantschluß als Mittelkadenz. Die zweite Themenhälfte, in die Unterquinte versetzt und deshalb einen echten Tonikaschluß versprechend, kommt über ihren vorletzten Takt, als gäbe es eine Berührungsangst vor dieser Tonika, jedoch nicht hinaus. Die Melodie wandert wiederholend in das Violoncello. Wenn die Tonika schließlich Takt 57 eintritt, eröffnet sie einen neuen 16taktigen Abschnitt. Wieder sind Dominante und Tonika durch einen Gliederungsschnitt getrennt. Das gilt selbst noch für den Schluß der Exposition. Dem Crescendo der ritardierenden Dominante in Takt 72 folgt eine unsicher stockende, aber eigenwillig Tempo gewinnende Tonika im Piano. Die Wiederholung der Kadenzfortschreitung tritt ins Leere: in die Pause auf Eins von Takt 74. Der schließlich verzögert eintretende Klang hat mit zusätzlicher Septime jeden Tonikacharakter abgelegt. Das überraschende es’ der 2. Geige

1 Th. Helm, *Beethoven’s Streichquartette* ([2]1910), S. 278.

ersetzt gleichzeitig den Doppelstrich. Als dis' verstanden deutet es einen Rückverweis auf jenes f—e des Basses beim Themenbeginn von Takt 13f. an.[1] Der Richtungswechsel zum oberen Halbton im Violoncello Takt 75f. signalisiert die Alternative, nämlich den Eintritt in die Durchführung, die den Zusatzton der 2. Geige im Sinne ihres g-Moll wie notiert als es' interpretiert.

In der Form folgt der 1. Satz dem Sonatenmodell, allerdings mit ungewöhnlichen Freiheiten im Modulationsplan.

Exposition	T. 1	Vorspann	
	T. 11	1. Thema	a-Moll
	T. 48	2. Thema	F-Dur
	T. 57	Schlußgruppe	
Durchführung	T. 75		
Reprise	T. 103	Vorspann	
	T. 121	1. Thema	e-Moll
	T. 159	2. Thema	C-Dur
	T. 167	Schlußgruppe	
Coda	T. 193	1. Thema	a-Moll
	T. 223	2. Thema	A-Dur

Daß der Seitensatz in F-Dur statt der Durparallele C-Dur steht, die dann verspätet und deshalb unpassend in der Reprise erscheint, mag als exzentrisch noch angehen. Ein Umgehen der Tonika in der gesamten Reprise stellt jedoch den Formkanon schlechthin in Frage. Man kann zweifeln, ob dann von einer Reprise überhaupt noch gesprochen werden darf[2], zumal die Binnenrelation zwischen 1. und 2. Thema nach der Unterterz unverändert bleibt. Das läßt den ganzen Abschnitt eher als Nachklang der unterbliebenen Wiederholung der Exposition auf neuer Stufe erscheinen.[3] Die eigentlichen Reprisenaufgaben werden der Coda übertragen, in der gegen alle Gewohnheit das Seitenthema auftritt.

Unverkennbar am Formkonzept ist die Absicht, den Lösungspunkt möglichst weit nach hinten zu legen. Die Möglichkeiten dafür gewinnt Beethoven aus dem Hauptthema selbst. Insofern ist die Form eine Folge des Themas. Ihm fehlt als Wesensmerkmal eine impulsgebende Tonika im Anfangstakt des Vordersatzes. Damit ist ein signalhafter Reprisenpunkt von vornherein unmöglich. Ein Ausweichen auf den Seitensatz verbietet sich; er beginnt an der Dominante und erhält seine Tonika nur durch vorausgehende Begleitung. Also verzichtet Beethoven zugunsten des Schlusses auf einen vitalen Repriseneffekt. Was auf Takt 102 folgt, muß in Analogie zu Takt 92 als neuer Abschnitt der noch gar nicht recht in Gang gekommenen Durchführung verstanden werden. Wenn aber ein Bewußtsein von der Rückkehr in die Exposition nur allmählich eintreten soll[4], kann zur Ambivalenz auch tonartliche Versetzung beitragen. Das Thema wird in die V. Stufe versetzt.

---

1 Vgl. E. Ratz, *Einführung in die musikalische Formenlehre* ([3]1973), S. 204.

2 So J. Kerman, *The Beethoven Quartets* („to stretch terminology hard", S. 247); U. Siegele postulierte hingegen den fiktiven Begriff einer „formalen Reprise" (*Beethoven. Formale Strategien,* S. 29ff.).

3 V. d'Indy sprach wirklich von einer „Exposition II" (*Cours de composition musicale,* Bd. II/2, S. 251); zum Formplan siehe auch M. Rosenmann (*Studien zum Gestaltungsproblem,* S. 12).

4 Vgl. Fr. Krummacher, *Synthesis des Disparaten,* S. 124.

Damit ließ sich ein weiter Tonartkreis schließen. Im Hauptsatz selbst war die Modulationsentwicklung durch neue Vordersätze bestimmt worden. Immer der Halbtonschritt des Basses hatte nach E die erweiternden Dominanten C und A (T. 31, 40) herbeigeführt. Die zweite Version aus der Pseudoreprise ergänzt die Reihe mit H, G und E (T. 106, 142, 151). Die letzte Dominante ist wieder die erste und eigentliche, so daß der entsprechende Halbschluß sogar in der Coda wiederkehren kann (T. 151 in T. 214). Durch die zweifache Terzenkette der Dominanten sind als relative Tonikapositionen fünf Stufen markiert. Zum vollständigen Kreis fehlt allein die VII. Stufe. Mit ihr beginnt die Durchführung.

	I	VII	VI	V	IV	III
Exposition	a		(f) ← F		(d)	
Durchführung		g			↑	c
Reprise	(a)			e	d	(c) ← C

Auf diese Weise sind sämtliche traditionell möglichen Kadenzstufen der Moll-Tonart eingesetzt, bei der generell wegen der verminderten Quint die zweite fehlen muß. Einige der Stufen sind zunächst nur angekündigt (im Schema in Klammer gesetzt, die Tonika von Seitensätzen ist unterstrichen), aber nicht thematisch bzw. ohne Nachsatz ausgeführt. Im Verlauf des Satzes werden aber alle Versprechungen eingehalten (Pfeile). Jede nur angedeutete Stufe bekommt noch ihren Auftritt, wenn sie ihn nicht schon hatte. Damit erklärt sich speziell die eingeschobene d-Moll-Passage Takt 134—140, die ihre Legitimation nicht aus den Formteilen der Exposition, sondern allein aus dem verweisenden Halbschluß von Takt 40 hat.

Im Plan der konsequenten Stufenausführung kommt den Seitensätzen eine Sonderrolle zu. Da im Hauptthema die Dominanten ausnahmslos durch den motivischen Halbtonschritt des Basses eingeführt werden, sind alle entsprechenden Tonikastufen nach Moll eingefärbt. An diesem Punkt verläßt Beethoven die leitereigene Tonartbindung des 18. Jahrhunderts.[1] Der Eindruck von Moll wird quasi potenziert. Das hat früh und bis heute allein der hellhörige Wilhelm von Lenz vermerkt, als er 1860 bei op. 132 von der „weichen Tonart par excellence, gewissermaßen Moll—Moll" sprach.[2] Nur die Seitensätze stehen wie durch einen Szenenwechsel in Dur. Sie verwandeln die Stufen III und VI in ihre Ursprungsform zurück. Dabei beziehen sie sich jeweils auf eine vorausgehende Dominantandeutung in ihrem eigenen Formabschnitt. Das F-Dur von Takt 48 reagiert auf die f-Moll-Dominante von Takt 31 und verwirklicht die zunächst nur vorgemerkte Stufe. Ähnlich ist es mit dem C-Dur von Takt 159, das zudem eine Rückbindung an die Durchführung mit ihrem Moll/Dur-Umschlag von Takt 91f. hat. Die Tonart der Seitensätze ist also in der Modulationsentwicklung des zugehörigen Hauptsatzes angelegt.

Der Coda sind durch den Formplan besondere Möglichkeiten geschaffen. Sie hat zunächst alle Merkmale einer Reprise, die Viertonmotiv und Thema, in Takt 193—196 gleich mit der Konstellation von Takt 6 und 13f. beginnend, dichter als

1 Als Nebenergebnis fügen sich die motivischen Baß-Halbtonschritte in der Summe zu einer chromatischen Skala von f bis g zusammen.
2 W. v. Lenz, *Kritischer Katalog,* Bd. IV, S. 244.

zuvor zusammenschließt. In der Entfaltung des Hauptthemas zeichnet sich ein weiteres neues Bestreben ab: den Vorhalt auszuschalten und zielstrebig einen Schluß anzusteuern. Die fallende Sekund in der 1. Geige wird ab Takt 210 nicht weitersequenziert, sondern festgehalten und beschleunigt, bis ein Skalengang der Unterstimmen über die komplette Oktave, an deren Anfang und Ende das regierende f—e steht, den dezidierten Halbschluß auf der Takt-Eins herbeiführt. Die stumpfe Endung ist eigentlich ein Merkmal des Seitensatzes. Sein Thema wird nun — die auffälligste neue Weichenstellung in der Coda überhaupt — mit dem Hauptthema verbunden. Der Paenultimatakt kippt in seiner Wiederholung Takt 231 nach Moll um. An die Stelle der Schlußgruppe tritt eine zweite Phase des Hauptthemas, begleitet von jenen ungeduldigen Sechzehnteln, die im Crescendo der 1. Geige gerade Takt 212f. entstanden waren.

Nach verhaltenem Beginn, bei dem die Töne des Gegenmotivs in Stimmverteilung und Oktavlage bruchstückhaft vereinzelt werden, gewinnt das Hauptthema rasch an Zugkraft. Wie mit Gewalt will es sich an der Tonika festsetzen. Doch nicht das Insistieren am zweifachen Schlußtakt Takt 239f. löst die bekannte „unwiderstehliche Steigerung" aus[1], sondern erst das Aufbrechen des alten Gliederungsprinzips. In einem weitgespannten Melodiebogen, der sich mit vergrößertem Rhythmus dem Seitensatz angleicht, werden alle Binnenschlüsse *innerhalb* der Zweitaktgruppen eliminiert. Die Bauglieder ab Takt 241 sind harmonisch so disponiert, daß ihre Dominantspannung immer den Anschluß an das Folgeglied erzwingt, ohne in ihm aufzugehen, da ein Neuausholen vom Subdominantklang oder seiner Zwischendominante her unbeirrbar von vorne beginnend selbst das Kadenzziel verfolgt. Drei parallele Steigerungsanläufe bauen ein Crescendo auf, an dessen Ende eruptiv das f—e-Motiv herausgeschleudert wird. Dem Hauptthema ist mit diesem Rückfall in die Ausgangskonstellation von Takt 23 aber kein eigentlich neuer Weg gewiesen. Ohne weiteren Antrieb verfällt die Bewegung wieder in alter Weise an der Dominante gebremst durch den a—gis-Vorhalt, der von der 1. Geige eine Oktav tiefer in die 2. wandert (T. 250 und 253).

Der Tonikaschluß verlangt nach einer zweiten Steigerungspartie. Mit den rumorenden Sechzehnteln meldet sich Takt 254 der unterbrochene Bewegungsimpuls wieder. Die gleichen Töne wie in Takt 250, Halbtonschritte aus dem Grundmotiv der langsamen Einleitung, bauen andrängend über vier Takte die Dominante auf. Danach kehren die drei zweitaktigen Spannungsglieder zurück. Mit ihnen nimmt das Hauptthema eine völlig neue Gestalt an. Es ist sich erstmals seines Anfangs sicher. Ein hämmernder Beginn, gewonnen aus der Miniaturfanfare von Takt 40—43, gibt dem melodischen Anstieg der 2. Geige eine echte Verankerung. Die Rhythmusformel wird um ein Viertel nach vorne verschoben, so daß die Punktierung federnd auf den Taktschwerpunkt trifft. Das Motiv zieht sich nicht in sich zurück, sondern setzt weiterführende Kraft frei, die auch den Baß erfaßt. Sein erneuter Skalengang hin zu f—e gibt sich nicht wie zuvor (T. 20f., 213f.) mit einem Halt bei der Dominante zufrieden, sondern sucht ausgreifend den Anschluß an die Tonika, bis nach einer Beschleunigung nur noch diese beiden Klänge einander gegenüberstehen. In der neuen Rolle immer zu Beginn einer Gliederungseinheit entwickelt die Tonika eine

1 Th. Helm, *Beethoven's Streichquartette* ([2]1910), S. 278.

im ganzen Satz nicht gekannte flächige Schlußwirkung, die noch die Pause in ihren Bann schlägt: Erst wenn der Gegenschlag der Dominante ausbleibt, läßt die Spannung nach.

Die Endgültigkeit des Schlusses im 1. Satz bedeutet eine Entscheidung über die Gesamtform. Dem Finale ist keine zurückverweisende Lösung aufgegeben. Dann stehen auch die Mittelsätze nicht im Zeichen eines gerichteten Ablaufs. Sie bilden Nummern für sich. Demgemäß ist die Tonartfolge a—A—F—A—a/C—a in den „sechs Stücken", wie Beethoven sie nennt[1], von Gegensätzen in latenter Chromatik bestimmt. Der Dur-Kontrast erlaubt ein Vorziehen des Scherzo an die zweite Stelle. In ihm ist das abgetrennt Episodenhafte besonders spürbar. Im Trioteil, traditionell dem Platz für populäre Zitate, werden verschachtelt zwei „Fremdkörper" eingebaut: ein Stück bordunierender Volksmusik in Drehleiermanier, die an Mozarts Quintett KV 614 und seine Oktavierungen bei der Wiederholung erinnert, und ein Tänzchen in fortlaufender Achtelbewegung, das Beethoven schon in den 1790er Jahren für eine Sammlung von „12 Deutschen" bzw. eine einzelne „Allemande" benutzt hatte[2], hier natürlich in Kongruenz von Harmonie und Takt, gegen die der Quartettsatz opponiert.

Bei aller Selbständigkeit der Einzelsätze bleibt doch ein gewisser Zusammenhang mit dem Anfang des Quartetts gewahrt, dessen Viertonformel mehr oder weniger deutlich weiterwirkt. Der Anfangsschritt gis—a des Scherzo ist auf ihre Töne beziehbar, zumal auch bei diesem Satzbeginn der Kontrapunkt erst allein erklingt, bevor er mit dem Thema verbunden wird. Das andere Paar f—e meldet sich im Choral des Adagio wieder, wo es den Anfangs- und Schlußschritt der Melodie bildet, es erscheint betont am Ende des Rezitativs und formt melodisch die Begleitung des Finale, dessen Thema auch noch an die Vorhaltsgeste des Hauptmotivs im 1. Satz gemahnt (dort war f—e übrigens Takt 92f. vorübergehend im Kontext von Mozarts „Devise" c—d—f—e aufgetaucht). Im Finale lassen sich die Formeltöne ferner kombiniert wie in Takt 42 oder vollständig sukzessiv wie in Takt 82—84 und 263—265 nachweisen. Dem Aufspüren der vier Töne sind aber Grenzen gesetzt. „Unsinn!" vermerkte lapidar der Tübinger Universitätsmusikdirektor Emil Kauffmann (1836—1909) zur Behauptung, gis—a im Violoncello beim 2. Takt des „Alla marcia" müsse als „Intervall-Motiv aus dem Anfang des Quartetts" verstanden werden, in seinem Exemplar des 1860 erschienenen Buches von Wilhelm von Lenz. Jedem Leitton thematische Bedeutung zuerkennen zu wollen, ist in der Tat unergiebig. Das a-Moll-Quartett kennt zwar Zitate und Motivanspielungen, aber keinen „Monothematismus".[3] Die Motivtöne werden nicht wie in op. 131 zu Trägern der Formkonstruktion. Bezeichnenderweise ist das Finalthema keineswegs im Blick auf den 1. Satz entstanden, sondern den Skizzen nach im Kontext der 9. Symphonie für einen alternativ geplanten instrumentalen Schlußsatz, wie umgekehrt ein zunächst für das a-Moll-Quartett gedachter Satz dort doch keine Verwendung fand und als

---

1 Brief vom 24. August 1825, vgl. Thayer / Deiters / Riemann, *Ludwig van Beethovens Leben,* Bd. V ([4]1923), S. 231.

2 WoO 13 und 81, in: L. v. Beethoven, *Werke,* GA, Bd. 25, S. 368 und Supplemente Bd. 8, S. 37; vgl. Thayer / Deiters / Riemann, *Ludwig van Beethovens Leben,* Bd. V ([4]1923), S. 231.

3 W. v. Lenz, *Kritischer Katalog,* Bd. IV, S. 238 und 243.

„Alla danza tedesca“ nach op. 130 verlegt wurde.[1] Gegen eine übergeordnete motivische Konstruktion spricht vor allem der Schluß. Die breit ausgeführte Dur-Coda im Finale verweist in einer unterbrechenden Moll-Reminiszenz zwar auf das frühere f—e und gis—a (T. 340f. und 389f.), in der Anlage ist sie vom Viertonmotiv aber völlig unabhängig und gibt als Stretta dem Rondo, bei dem nur die drei Couplets (T. 51, 124, 208) als 2. Thema und Durchführung dem Sonateneinfluß ausgesetzt sind, seine Schlußsteigerung.

Was das a-Moll-Quartett mehr zusammenhält als das Motivelement, ist der Charakter des Vokalen, der sich schon im 1. Satz an der ständigen Vorhaltsgestik und den rezitativisch wirkenden Tempowechseln äußert. Rezitativ und Arie bilden unverkennbar das Grundgerüst für den Finalsatz und seine dramatische Eröffnung, der eine weitschwingende Melodie in liedhafter Achttaktperiodik folgt.[2] Offen ausgesprochen wird der vokale Bezug mit dem Wort „Gesang“ in der Überschrift des langsamen Satzes. Dieser „Heilige Dankgesang eines Genesenen an die Gottheit, in der lidischen Tonart“[3] ist das Herzstück der Komposition. Als Quartettsatz steht er außerhalb aller Gattungsnormen. Dennoch entsteht er nicht ohne äußere Anregungen.

Zunächst reagiert Beethoven mit dem Satz auf den idealisierenden Historismus der Frühromantik und des ihm anfangs eng verbundenen Caecilianismus, die gemeinsam „Wahrhaftigkeit“ und „würdige Einfachheit“ der alten Italiener preisen — so E. Th. A. Hoffmann in seiner Studie *Alte und neue Kirchenmusik* und seiner Rezension von Beethovens C-Dur-Messe für die *Allgemeine musikalische Zeitung* 1813 und 1814.[4] Anton Friedrich Justus Thibaut, zu dessen Heidelberger Kreis Beethoven in loser Verbindung über Gottlieb Tucher stand, der ihm eine 1827 von Diabelli in Wien gedruckte Sammlung an „Kirchengesängen der berühmtesten älteren italiänischen Meistern“ widmen sollte, hatte in seinem 1824 erschienenen Hauptwerk über die *Reinheit der Tonkunst* die Magnificatsammlung Palestrinas als vergessenes Meisterwerk „unendlicher Kunst“ zum Studium empfohlen.[5] Eben daraus hat Beethoven sich ein Stück notiert, nämlich die Kleine Doxologie zum Magnificat im 3. Ton, möglicherweise jenes Stück, das bei Raphael Georg Kiesewetter um 1820 in einem der „Historischen Hauskonzerte“ aufgeführt worden war.[6] Die Aufzeichnung verrät ein spezielles Interesse an dem eher ausgefallenen Satztyp

1 Vgl. G. Nottebohm, *Zweite Beethoveniana,* S. 180; ders., *Beethoveniana,* S. 53.

2 Zur Verwandlung des Vokalen ins Instrumentale siehe: A. Gerstmeier, *Das Rezitativ in der späten Instrumentalmusik Ludwig van Beethovens,* S. 273.

3 In den Konversationsheften gibt es zwei Vorstadien für die Überschrift: „Dank Himne eines Kranken an Gott bey seiner Genesung“ (Mai 1825) und „Heiliger Dankgesang eines widergenesenen“ (Juli/August 1825, siehe K.-H Köhler / Gr. Herre, *Ludwig van Beethovens Konversationshefte,* Bd. VII, S. 291 und Bd. VIII, S. 26). In der autographen Partitur war zunächst neben der separaten Notiz „in der lidischen Tonart“ als Titel nur die Kurzfassung „Heiliger Gesang“ geplant. Die Texterweiterungen „Dank-“, „an die Gottheit“ und „eines Genesenen“ sind nachgetragen.

4 Die Texte sind neu herausgegeben in: E. Th. A. Hoffmann, *Schriften zur Musik,* S. 156—174 und 219—247.

5 A. Fr. J. Thibaut, *Über Reinheit der Tonkunst* ([2]1826), S. 20; Thibauts Werk erschien 1824 mit der Titelangabe 1825 (MGG, Bd. XIII, 1966, Sp. 334).

6 Das Skizzenblatt Beethovens ist erst 1964 durch N. Fischman beschrieben und faksimiliert worden (*Beiträge zur Beethoveniana,* S. 323 und Tafel VII; vgl. dazu Palestrina GA Bd. XVII, S. 11—15). Zu einer möglichen Aufführung in Wien siehe H. Kier, *Kiesewetters historische Hauskonzerte,* S. 105 („Magnificat a 4 v.“).

Note gegen Note, für den schon E. Th. A. Hoffmann mit Palestrinas „Tristis est anima mea“ ein Beispiel gegeben hatte und der im schlichten Kontrapunkt des „Dankgesangs“ zum Ausdruck „heiligster Tiefe“[1] als dem romantischen Ideal schlechthin beschworen wird. Der literarische Einfluß ist an einer bezeichnenden Kleinigkeit ablesbar: In der italienischen Verlagsfassung von Beethovens Satzüberschrift muß „heilig“ als Wort der deutschen Romantiker entfallen.

Für die Formgestaltung des Satzes bedient sich Beethoven noch anderer historischer Vorbilder. Die Vorstellung von alt und ehrwürdig in Verbindung mit contrapunctus simplex und Kirchenton verbindet sich bei Beethoven mit einer lebendigen Erfahrung: der von Choral. Trotz seines katholischen Umfeldes ist ihm das evangelische Kirchenlied offenbar wohl geläufig. In Studien zur Instrumentalbehandlung benutzt er zwei bekannte Melodien[2], und um 1817 herum beschäftigt ihn sogar der Plan zu einem kirchentonalen Symphoniesatz mit Luthers Verdeutschung des Te Deum[3], als hätte ihn der Ausruf Kirnbergers beeindruckt: „Man höre blos einen simplen Choral! welche Kraft! welche der Kirche und der Religion anständige Würde! welche Hoheit des Ausdrucks!“[4]

Im a-Moll-Quartett kommt der alte Plan zur Ausführung. Die Partien in gleichmäßigen halben Noten zu Beginn des Dankgesangs gemahnen für sich genommen an Choral. Ohne den letzten Abschnitt Takt 26—30, der bei geänderter Dynamik und Harmonie im Hinblick auf das D-Dur-Andante den vorausgegangenen Schluß wiederholt, lassen sich vier getrennte Melodiepartikel gleicher Länge unterscheiden. Zusammengenommen bilden sie den vierzeiligen Achtsilber, ein Standard-Strophenmodell im protestantischen Choral[5], für das Beethoven sich auch in Erinnerung an bekannte lateinische Hymnen entschieden haben konnte.[6]

Die einzelnen Zeilen zeigen eine zunehmend weiter ausgreifende Melodiebildung, in der die Kadenzen nach Choralmanier korrespondieren, die ersten beiden über die gleichen Töne bei umgekehrter Richtung, die letzten beiden durch gleiche Richtung im unterschiedenen Tonraum. Die Anlehnung an Choral geht so weit, daß ganze

1 E. Th. A. Hoffmann, *Schriften zur Musik,* S. 223.

2 Überschrieben mit „Choral o Haupt voll Blut und Wunden“ bzw. „Choral nun sich der Tag geendet hat“, siehe G. Schünemann, *Beethovens Studien zur Instrumentation,* S. 149.

3 „Adagio cantique — Frommer Gesang in einer Sinfonie in den alten Tonarten — Herr Gott dich loben wir — alleluja“, siehe G. Nottebohm, *Zweite Beethoveniana,* S. 163.

4 J. Ph. Kirnberger, *Die Kunst des reinen Satzes,* Bd. II, S. 66.

5 Vgl. „Vom Himmel hoch“. J. Zahn klassifizierte das Modell als „Vierzeilig, jambisch 8.8.8.8.“ und wies ihm über 400 Melodien zu (*Die Melodien der deutschen evangelischen Kirchenlieder,* Bd. I, S. 80—190).

6 Dazu zählen „A solis ortus cardine“ und „Conditor alme siderum“. Die Gleichbehandlung von deutschem Kirchenlied und lateinischem Hymnus durch die Organisten beider Konfessionen betont J. H. Knecht ausdrücklich in seiner *Orgelschule* von 1795—98 (dazu S. 335, Anm. 4).

Bauelemente aus ihm stammen könnten. Die zweite Zeile Beethovens (T. 8—12) stimmt nahezu notengetreu mit der Anfangszeile eines Chorals von Vulpius überein, die dritte (T. 14—18) mit einem fiktiven Choralbeispiel Heinrich Christoph Kochs in Anlehnung an „Meinen Jesum laß ich nicht“.[1] Mit dem Sextsprung zu Beginn der 3. Zeile und ihrer Kadenz an der Ambitusgrenze, aber schließlich auch mit dem doppelten Quintfall der Schlußzeile steht die Melodie, die den Skizzen nach schrittweise entstanden ist[2], andererseits außerhalb der Regeln, ohne freilich den Choralcharakter preiszugeben, der noch die Sprache der Überschrift bestimmt. Der verschwiegene Text des Dankgesangs ist deutsch.

Die beiden unterschiedlichen historischen Voraussetzungen, Choral und Palestrina-Kontrapunkt, durchkreuzen sich im Streichquartett auf merkwürdige Weise. Schon beim Notieren von Palestrinas Doxologie denkt Beethoven an Kantionalsatz. Er schreibt Ziffern unter den Baß. Sie sind aber keine Akkordkürzel, die in einem dreiklangsbetonten Satz wenig Sinn hätten, sondern fast ausschließlich Intervallangaben, die den Verlauf der Oberstimme spiegeln.[3] Beethoven liest Palestrinas Komposition wie einen Kantionalsatz nach den Außenstimmen. Dieses übergeordnete zweistimmige Gerüst legt er dann auch im „Dankgesang“ zugrunde. Violine 1 und Violoncello sind streng in Gegenbewegung geführt. Beim Ausfüllen der Mittelstimmen gelten dann wiederum die Generalbaßregeln des 18. Jahrhunderts, nach denen ein Durchgangsquartsextakkord und sogar ein Dominantseptakkord zulässig sind (T. 10, 11, 21).

Der Choral als leitende Idee wirkt aber noch weiter in die Komposition hinein. Er bestimmt auch die Binnengliederung und die Großform. Die doppelte Variationstechnik in zwei verschiedenen, aber ineinandergeschobenen Komplexen A B A' B' A'' (A = Choralteile, B = Instrumentalteile) läßt zunächst an einen Rückgriff auf das Adagio der 9. Symphonie denken. Ihren Sinn bekommt die Anordnung aber auch aus der alltäglichen Choralpraxis, mit der Beethoven seit seiner Bonner Organistenzeit und seinen Wiener Satzstudien vertraut gewesen sein dürfte. Die Generalbaßschule von Daniel Gottlob Türk, die Beethoven besessen und benutzt hat, enthält ein eigenes Kapitel „Vom Choralspielen“. Sein Hauptparagraph gilt den Zwischenspielen: „Zwischen jeder Zeile des Textes wird, wie bekannt, ein wenig eingehalten. Während dieses Verweilens bringt der Begleiter, aus eigener Erfindung, ein so genanntes Zwischenspiel.“[4] Die organistische Improvisation kann auch in Kom-

---

1 Die Melodie bei Vulpius (Zahn Nr. 499, *Die Melodien der deutschen evangelischen Kirchenlieder,* Bd. I, S. 142) ist ohne Unterbrechung bis ins 19. Jahrhundert hinein in den Gesangbüchern überliefert. Das Melodiebeispiel von Koch dient im 2. Teil des *Versuch einer Anleitung zur Composition* (S. 276; vgl. Zahn Nr. 3455) zur Darstellung von Choralrhythmus. Der Versuch, Gregorianik im „Dankgesang“ nachzuweisen (W. Kirkendale, *Gregorianischer Stil*), erwies sich dagegen als vergleichsweise unergiebig.

2 Die Skizzen in ihren verschiedenen Fassungen hat 1905 C. de Roda (*Un quaderno,* S. 69—86) veröffentlicht.

3 A. Klimowitskij (*Ein „Gloria“ von Palestrina,* S. 514) hält die Ziffern für Markierungen von Akkorden. Im übrigen beschreibt er Palestrinas Vertonung der sechs ungeraden Magnificat-Verse im phrygischen Ton fälschlich als lydisch und fünfstrophig.

4 D. G. Türk, *Kurze Anweisung zum Generalbaßspiel,* 1791, [2]1800; Beethoven benutzte die erste Auflage, wie G. Nottebohm nachgewiesen hat (*Beethoveniana,* S. 162f.). Türks Angaben werden sehr genau und mit Beispielen auch von J. H. Knecht in seiner *Vollständigen Orgelschule* (3 Teile, bes. Teil 3, S. 153ff.) bestätigt, die Beethoven ebenfalls besessen hat (siehe dazu W. Kirkendale, *Fugue and Fugato,* S. 210).

position umgesetzt sein; in Bachs Motette „Singet dem Herrn“ BWV 225 trennt der Favoritchor die Choralzeilen der Cappella. Beethoven hat das Werk im Breitkopfschen Erstdruck von 1802 aufbewahrt und studiert.[1] Konnten die Schlußverse „Wir Sterblichen vergehen, stets ist der Tod uns nah“ und die beständige Dankesbitte „Gott nimm dich ferner unser an“ eine Anregung für den „Dankgesang eines Genesenen“ gewesen sein? Jedenfalls hat Beethoven das Organistenmodell von Choralzeile und Zwischenspiel im Streichquartett aufgegriffen.[2] Die kleinen Partien in Viertelbewegung und Imitation bilden einen eigenen Bereich, der in seiner fließenden Legatobewegung nach Orgelart von den artikulierenden Einzelnoten des Chorals deutlich abgesetzt ist. Und wie im Kleinen die Zeilen mit diesen kurzen Einwürfen geschieden sind, so im Großen die Strophen A, A' und A'' durch die erweiterten instrumentalen Zwischenspiele B und B'. Die ganze Form läßt sich gemäß der Überschrift Beethovens, die nicht nur für das Thema gilt, als großer feierlicher Choral begreifen.

Auch für die Wahl der Tonart gibt die Chorallehre Aufschlüsse. Türk macht in seiner Schrift *Von den wichtigsten Pflichten eines Organisten* keinen Unterschied mehr zwischen authentischen und plagalen Formen. Darin folgt ihm Beethoven mit seiner im Ambitus hypolydischen, der d-Kadenz nach hingegen irregulär lydischen Melodie. Zur Tonart selbst schreibt Türk, im Lydischen hätte man leider keine Choräle mehr, „weil sie nach und nach ins Jonische (mit der reinen Quart) *ausgeartet* sind.“[3] Für Beethoven mußte das im Streben nach dem Alten ein Anstoß sein, das Ursprüngliche und Verlorene neu zu suchen, um so mehr, als er bei Zarlino, für den er sich 1820 während der Arbeit an der *Missa solemnis* interessiert hatte, lesen konnte, Lydisch hätte einigen alten Autoren als die älteste Tonart gegolten und sei in der Spätantike als Heilmittel gegen Ermattungen von Geist und Körper angesehen worden.[4]

Der Einfluß der Organistenpraxis regelt noch andere Details an Beethovens Komposition.[5] Türk nennt als wichtigste Aufgabe des Zwischenspiels die Vorbereitung in den „folgenden Ton der Melodie“. Demgemäß läßt Beethoven alle Imitationsabschnitte in der 1. Geige mit der Anfangsnote der anschließenden Choralzeile enden. Die Zwischenspiele sollen möglichst „in Absicht der Länge immer gleich“ sein. Sie beanspruchen bei Beethoven stetig ihre acht Viertel. Akzidentien in der Melodie sind zu vermeiden. Wollte man die Tonart genau einhalten, „so dürfte nicht einmal in der Harmonie gis, cis b, etc. vorkommen“; heute sei das unüblich, doch „Sebastian Bach hat verschiedene Choräle ganz streng behandelt“. Weniger „streng“ will

---

1 Vgl. E. Fr. Schmid, *Beethovens Bachkenntnis,* S. 76; ders., *Zu Mozarts Leipziger Bacherlebnis,* S. 298f.

2 Von diesem Gattungsbezug hat bereits 1905 C. de Roda wie selbstverständlich gesprochen (*Un quaderno,* S. 76 und 78: „un corale, alternato con interludi in stile fugato di organo“), doch erst 1982 ist ihm S. Brandenburg durch Prüfung der Theoretiker-Aussagen im Detail nachgegangen (*The Historical Background to the „Heiliger Dankgesang“*).

3 D. G. Türk, *Von den wichtigsten Pflichten eines Organisten,* S. 70 und 74; Auszeichnung im Zitat nicht original.

4 „Remedio contra le fatiche dell'animo, e similmente contra quelle del corpo“ — freilich nur eine der unterschiedlichen und von G. Zarlino ohne Wertung kompilierten Aussagen (*Istitutioni harmoniche,* S. 369, 371 und im Register: „Lidio modo chiamato da Boetio semplice & principe degli altri Modi“); dazu W. Kirkendale, *Fuge und Fugato,* S. 288; ders., *Beethovens Missa solemnis und die rhetorische Tradition,* S. 132. Für die Orientierung an Zarlino kann die italienische Form „lidisch“ statt des üblichen deutschen „lydisch“ in Beethovens Autograph sprechen (vgl. oben S. 333 Anm. 3).

5 Auf diese Einzelheiten hat bereits S. Brandenburg 1982 hingewiesen (siehe oben Anm. 2).

Beethoven nicht sein. Das Palestrina-Ideal, die Autorität von Bach und eine archaische Tonartvorstellung bewegen ihn dazu, ausschließlich leitereigene Akkorde zu verwenden und deshalb auf die IV. Stufe ganz zu verzichten. Für die Strophen empfiehlt Türk eine Abwechslung in der Begleitung, bei der „kleine kontrapunktische Sätze eingewebt“ werden können. Eben das führt Beethoven durch, wenn er im A'-Teil ab Takt 84 das Zwischenspielmotiv kontrapunktisch in den Choral eindringen läßt. Bedingung sei aber, sagt Türk, daß die Melodie „schlechterdings ungestört ihren simplen Gang fortgeht und mit allen Zusätzen verschont“ wird; sie kann zur Variierung aber „auf einem andern Klavier gespielt werden“. Beethoven legt sie quasi vierfüßig in ein neues hohes Violinregister, doch wie vorgeschrieben ohne „den geringsten melismatischen Schmuck“.[1]

Der Schlußteil A'' ab Takt 168 hingegen hebt die Trennung von Choralstimme und Begleitung auf. Die Melodie wandert durch alle Stimmen. Sie wird fragmentiert, versetzt und enggeführt. Beethoven schreibt keine neue Strophe mehr, sondern ein Nachspiel „in freyer Fantasie, welche an vielen Orten beym Ende des Gottesdienstes gewöhnlich“ ist und in welcher „der Organist seine ganze Fertigkeit zeigen, ein Pedalsolo einweben, und alles, was ihm die Kunst darbietet, anwenden könnte“. Der Violoncello-Einsatz im Forte mit Verstärkung der leeren C-Saite wirkt in der Tat wie ein sechzehnfüßiges „Pedalsolo“. Zum Typus des Nachspiels paßt es auch, daß nicht mehr der ganze Choral, sondern nur noch „eine Zeile“ aus ihm Verwendung findet.[2]

Der Dankgesang gilt als das merkwürdigste Stück Musik, das Beethoven je geschrieben hat.[3] Um so erstaunlicher ist dabei die Anlehnung an Traditionen. Das radikal Neue liegt in der Rückbesinnung auf Altes. Doch das Alte wird neu gestaltet. In der expressiven Dynamik der einzelnen Choralzeilen, die den Schlußton erst abrupt, dann vermittelt ins Piano zurücknehmen, um ihn einmal doch frei im Forte erklingen zu lassen, entfernt Beethoven sich schon in der ersten Strophe von einer nur mechanischen Imitation.[4] Sein Freund Johann Wolfmayer soll bei der ersten Probe des Quartetts geweint haben wie ein Kind: „Dieses feyerliche, andächtige hat ihn sehr ergriffen.“[5] Religiöse Haltung, die den Satz bestimmt, läßt sich nicht ‚erfinden‘; sie verlangt aus sich heraus nach einer Bindung an Liturgie, die den Ausdruck des Persönlichsten im Gemeindeerleben aufhebt. In der Form des Dankgesangs spiegelt sich unausgesprochen die Idee einer idealen Gemeinschaft. Darin ist das Streichquartett entfernt der 9. Symphonie verwandt.

Manfred Hermann Schmid

---

1 Die Textzitate entstammen Türks *Generalbaßlehre* 1791 (S. 276) und den *Organistenpflichten* 1787 (S. 6 und 14, 18, 80f., 103f., 43); beide Schriften fehlen im Verzeichnis der ästhetisch-theoretischen Literatur bei M. Zenck (*Die Bach-Rezeption des späten Beethoven,* S. 301—305), obwohl sie in der Bach-Tradition stehen und von J. S. Bach sogar Beispiele bringen bzw. ihn erwähnen (*Kurze Anweisung zum Generalbaßspiel,* [2]1800, S. 309).

2 D. G. Türk, *Von den wichtigsten Pflichten eines Organisten,* S. 139 und 130.

3 „The strangest piece of music that Beethoven ever wrote“, P. Radcliffe, *Beethoven's String Quartets,* S. 115.

4 Vgl. auch den Hinweis von W. Osthoff auf die verbalen Vortragsanweisungen „Mit innigster Empfindung“ (*Das „Sprechende“ in Beethovens Instrumentalmusik,* S. 31—33).

5 K.-H. Köhler / Gr. Herre, *Ludwig van Beethovens Konversationshefte,* Bd. VIII, S. 109 und 160; vgl. Thayer / Deiters / Riemann, *Ludwig van Beethovens Leben,* Bd. V ([4]1923), S. 239.

Fuge B-Dur für Streichquartett „Große Fuge" op. 133

ENTSTEHUNGSZEIT: etwa von September bis November/Dezember 1825, als Finalsatz von op. 130.
ERSTAUFFÜHRUNG: als Finale von op. 130 am 21. März 1826.
SKIZZEN: ehemals in der Staatsbibliothek Preußischer Kulturbesitz Berlin, Artaria 214; Staatsbibliothek Preußischer Kulturbesitz Berlin, aut. 9, aut. 11 und aut. 24, Skizzenbuch Kullak; Beethoven-Haus Bonn, Mh 101 und NE 47, Skizzenbuch de Roda.
AUTOGRAPH: Biblioteka Jagiellońska Krakau (als Finale von op. 130).
ERSTDRUCK UND WIDMUNG: als op. 133: Wien 1827 (M. Artaria); Partitur und Stimmen: Paris 1827 (M. Schlesinger); dem Kardinal Erzherzog Rudolph von Österreich gewidmet.
GESAMTAUSGABE: Alte Gesamtausgabe: Nr. 53 = Serie 6 Nr. 17.

Auch heute noch steht die Quartettfuge aus op. 130, seit ihrer Abtrennung und separaten Veröffentlichung als *Große Fuge* bezeichnet und mit der Opuszahl 133 versehen, exterritorial zur gängigen Kammermusikware. Dem „unverbildeten" Hörer zumal erscheint sie exotisch, als „neue Musik"; so manchem Musiker ist sie immer noch unbequem, unangenehm exzessiv. Den Mitgliedern des Schuppanzigh-Quartetts wurde der außergewöhnliche Zuschnitt dieses Schlußsatzes schon während der Proben bewußt: „Die Fuge ist so schwer. [...] Die Triolen sind in allen Stimmen sehr schwer; weil es vorzüglich auf Deutlichkeit im haarscharfen Zusammentreffen ankommt. [...] Das ist schwer, im geschwinden Tempo mit dem Bogen auszukommen [...] die Sprünge über eine Saite."[1] Diese Bemerkungen stehen nicht allein. Man wußte vor der ersten Aufführung am 21. März 1826 sehr wohl: „Es wird alles leicht gehen, die Fuge ausgenommen."[2] Fürchteten die Musiker die Schwierigkeiten der Ausführung, so war die Reaktion des Publikums mehrfach gespalten: „Der erste, dritte und fünfte Satz sind ernst, düster, mystisch, wohl auch mitunter bizarr, schroff und capriziös; der zweyte und vierte voll von Muthwillen, Frohsinn und Schalkhaftigkeit [...]. Mit stürmischem Beyfall wurde die Wiederholung beyder Sätze verlangt. Aber den Sinn des fugirten Finale wagt Ref. nicht zu deuten: für ihn war es unverständlich, wie Chinesisch."[3] Nicht nur die Fuge bestimmte also den Eindruck der ersten Aufführung. Diese Rezension vermittelt den Eindruck eines in sich zerklüfteten, kontrastreichen, vorwiegend düsteren und schwierigen Werkes, von dem die beiden tanzartigen Sätze sich deutlich abheben. Doch selbst die Reaktion auf die Fuge war offenbar nicht durchweg negativ: „von deinem letzten Quartett ist die ganze Stadt voll, alles ist entzückt darüber, die billigen sagen das letzte Stück müßte man öfters hören, um es zu verstehen, die anderen wünschen daß es ausbliebe, indem [es] zu schwer zu verstehen wäre."[4]

---

1 K.-H. Köhler / Gr. Herre, *Ludwig van Beethovens Konversationshefte,* Bd. VIII, S. 247 und 250.
2 Ebenda, S. 243.
3 *AmZ* 28 (1826), Sp. 310.
4 Gesprächsnotiz von Beethovens Bruder Johann vom 1. April 1826 (Gr. Herre, *Ludwig van Beethovens Konversationshefte,* Bd. IX, S. 137).

Verdeutlicht die letzte Äußerung die ganze Schwierigkeit, die Fuge zu verstehen, so kommt hier zugleich unüberhörbar der wirklich vorwärtsblickende, dem Komponisten Rezeptionskredit zubilligende Teil der Hörerschaft zu Wort. Die Hörer offenen Geistes vermochten indes zu Beethovens Zeiten das Schicksal des Fugenfinales nicht zu beeinflussen. Recht behielten — auf Zeit — diejenigen, die wünschten, „daß es ausbliebe". Die Abtrennung der Fuge war das Geschäft Artarias, die Unternehmung lag bei Holz. Sein Bericht über seinen entscheidenden, wenn auch nicht unvorbereiteten Vorstoß bei Beethoven liegt in zwei unterschiedlich akzentuierenden Versionen vor. Anders als im Brief an Lenz, demzufolge Holz die schwierige Aufgabe, Beethoven zur Drangabe des Fugenfinales zu bewegen, derart brillant löste, daß Beethoven schon am folgenden Tage sich zur Abtrennung und Neukomposition bereit erklärte[1], betont er an anderer Stelle: „Er hielt viel darauf und war mit Mühe zu bewegen, sie [die Fuge] davon zu trennen."[2]

Man hat bei der Beurteilung der sicherlich ein Dutzend Entwürfe, die auf einen alternativen Schlußsatz zielen, nie die Frage berücksichtigt, ob damit sogleich der thematische Kern fixiert sein sollte, ob nicht vielmehr vorgeschaltete, hinführende Takte gemeint waren, etwa rudimentäre Elemente einer Art „Overtura"-Funktion, die zugleich auf der Fährte eines Einfalls sind. Gerade im fortgeschrittenen Stadium der Komposition schürfte Beethoven offenbar nach einem zündenden Gedanken, dem er sich — gleichsam skizzierend-improvisierend — zu nähern suchte. Dies ist jedenfalls der aus den Sechzehntelketten und der kargen Baßandeutung im Berliner Skizzenbuch aut. 9, Nr. 5 zu gewinnende Eindruck. Sind diese Skizzen

Finale

1 „[...] Artaria [...] stellte nun an mich die äußerst schwierige Aufgabe, Beethoven dahin zu bringen, anstatt der schwer faßlichen Fuge ein anderes, den Ausführenden wie dem Fassungsvermögen des Publikums, zugänglicheres, letztes Stück zu schreiben. Ich stellte nun Beethoven vor, daß diese Fuge, ein außer dem Bereich der gewöhnlichen, ja selbst seiner neuesten ungewöhnlichen Quartettmusik, liegendes Kunstwerk sei, daß es für sich allein abgesondert dastehen müsse, auch allerdings eine eigene *opus*-Zahl verdiene. Artaria sei gern bereit, ein neues Finale besonders zu honorieren. Beethoven wollte Bedenkzeit, doch schon am folgenden Tage erhielt ich einen Brief, worin er sich bereit erklärte, den Wünschen zu entsprechen; für das neue Finale sollte ich 12 Dukaten verlangen" (W. v. Lenz, *Kritischer Katalog,* Bd. IV, S. 219).

2 Fr. Kerst, *Die Erinnerungen an Beethoven,* Bd. II, S. 182. Diese „zähneknirschende" Einwilligung Beethovens ist einmal mehr zu betonen angesichts der Tatsache, daß die falsche Auffassung, Beethoven habe „ganz ohne Widerspruch" in die Komposition eines neuen Finales eingewilligt, „das heute meist als Finale gespielt wird [!]", auch in die musikpädagogische Literatur Eingang gefunden hat (so bei P. Schleuning, *Psychischer Kontrapunkt,* S. 179).

Anfang

wirklich nicht schon für das Fugenthema des Schlußsatzes offen?[1] Spricht nicht der Wechsel der Überschrift von „Finale“ in „Anfang“ für das Ineins von Suchend-Vorbereitendem und Hinführendem?[2]

Bemerkenswert ist jedenfalls, daß Beethoven, nachdem er den Keim des Fugenthemas schließlich aus einer früheren Skizze (aut. 11, Nr. 2) übernommen hat, diesen sofort in kontrapunktischen Kombinationen erprobt, in die an zweiter Stelle auch sogleich die zuvor noch thematisch konturlos verlaufende Sechzehntelkette verwickelt wird. Die verwunderte Feststellung, daß das Fugenthema nicht als Eröffnungsthema, sondern vorerst im Kontext anderer Tonfolgen einherlaufe[3], findet Antwort in eben dieser Verschränkung von schöpferischer und strukturell-formaler Genese. Beethovens Verfahren war somit sicherlich nicht beliebig. So breit auch das „Zielfeld“ war, so bewußt waren doch Gewicht und Tragweite dessen, was, schemenhaft noch, anvisiert wurde. Es scheint, als habe Beethoven — auf der Suche nach einem angemessenen Ansatz zum Finale und schließlich geleitet durch den Sechzehntelgedanken in aut. 9, Nr. 5 (fol. 8ᵛ und 9ʳ), wie auch durch chromatische Elemente im Feld der Finalversuche des de Roda-Skizzenbuchs — die Achtelfolge aus aut. 11 (fol. 26ᵛ) übernommen, um eine chromatisch konturierte, zugleich aber auch thematisch profilierte und in den Intervallen ausgreifende kontrapunktische Gegenstimme zu dem Sechzehntelgedanken zu gewinnen: eine Gegenstimme, die schon in aut. 11, Nr. 2 als „Thema“ notiert worden war und die nun zum Fugenthema avancierte. Im Verlaufe dieser Entwicklung wurde dann zunehmend das präzisiert, was sich in der frühen Skizze des de Roda-Skizzenbuches (fol. 14ʳ) möglicherweise bereits vage angedeutet findet: eine Einleitung zum eigentlichen Fugeneinsatz unter Einbeziehung des Fugenthemas selbst[4]:

All[egr]o
„Finale“

1 Cooper betont das Fehlen des Fugenthemas, ohne die genetische und strukturelle Vermittlungsfunktion dieser Takte zu reflektieren (vgl. B. Cooper, *Beethoven and the Creative Process,* S. 211).

2 Beethoven hatte diesen Prozeß eines sich Schritt für Schritt präzisierenden und bewußt artikulierenden schöpferischen Suchens ja im „rechtfertigenden“ Übergang zum Finale der 9. Symphonie durchlaufen; dort allerdings bezeichnen die Worte einen Weg (vgl. G. Nottebohm, *Zweite Beethoveniana,* S. 189ff.), der in op. 130 allein durch die Skizzenkonstellation signalisiert wird.

3 Vgl. B. Cooper, *Beethoven and the Creative Process,* S. 211.

4 Vgl. Kl. Kropfinger, *Das gespaltene Werk,* S. 307ff.

Daß Beethoven gerade dieses Finale hochhielt, erklärt sich nicht nur aus der Dichte seiner Satzstruktur in der Verbindung von Phantasie und Ordnung — „tantôt libre, tantôt recherchée" —, sondern auch aus der Schlüssigkeit der über alle Beliebigkeit hinausgewachsenen zyklischen Konzeption. Mit gutem Grund war Beethovens Einwilligung in die Abtrennung der Fuge ein widerwillig gefaßter Entschluß. Es war ein Entschluß, der etwa ein halbes Jahr nach der Uraufführung zustandekam, eine Tatsache, die nur allzugern überspielt wird.[1] Bis zu diesem Zeitpunkt — Anfang September — gehörte die Fuge zum B-Dur-Quartett. Zahlreiche Eintragungen in den Konversationsheften lassen keinen Zweifel daran, daß Artaria den Stich von Stimmen und Partitur in diesem Sinne weiter betrieb. Der Mitte August 1826 beendete Partiturstich enthielt noch die Fuge als Schlußsatz.[2]

Artaria hatte entgegen Beethovens früherer Absicht den Zuschlag erhalten, ursprünglich stand Beethoven wegen des B-Dur-Quartetts bei dem Verleger Maurice Schlesinger im Wort.[3] Grund für die Sinnesänderung waren einmal Zahlungsschwierigkeiten wegen des a-Moll-Quartetts[4], das Schlesinger bereits erhalten hatte.[5] Dann aber war sicherlich auch Holzens antijüdische Einstellung von Gewicht.[6] Dabei wäre von Maurice Schlesinger das Ansinnen, die Fuge abzutrennen, nicht zu erwarten gewesen. Für sein bei allem Geschäftssinn unverkennbares Interesse an geschlossenen, dem Œuvre dienlichen verlegerischen Projekten spricht, daß er, interessiert an einer „Gesamtausgabe", an einer Sammlung Beethovenscher Quartette, mit der Edition des a-Moll-Quartetts op. 132 bis ins Jahr 1827 wartete, bis zu der Zeit, da er die Rechte der Edition von mehr als nur einem Quartett erwerben konnte.[7] Schlesinger war zudem zweifellos an Beethoven, an seinem gestaltenden Denken, ungleich mehr interessiert als Artaria. Anregungen und Überlegungen wie die folgende sucht man unter Artarias Gesprächsnotizen vergeblich: „Schlesinger: Es wäre höchst *interessant* H[err] v *Beethoven* wenn Sie einmahl einen Aufsatz schreiben wollten unter dem Titel: was soll eine *Sinfonie* was eine *Ouverture* sein? / ——— / besonders rücksichtlich der *Rossinischen Ouverturen* die er von einer Oper zur andern nimmt, als ob ein Kopf auf jeden Rumpf paßte"[8] / [...] / „Solch ein Werk sollte ein *Beethoven* schreiben, die *wahre Kunst* der *Fuge* [sic!] kennt nur *er jetzt*."[9]

Es liegt nahe, die letzte Bemerkung auf die damals bereits begonnene Schlußfuge des B-Dur-Quartetts op. 130 zu beziehen, das Maurice Schlesinger bei seinem Besuch am 4. September 1825 nebst einem anderen Quartett vertraglich zugesichert

1 Vgl. E. Forbes, *Thayer's Life of Beethoven,* S. 970.
2 Vgl. E. Kastner / J. Kapp, *Ludwig van Beethovens sämtliche Briefe,* S. 394.
3 „It seems clear that when Maurice Schlesinger left Vienna in September 1825 he believed that he would receive the B_b quartet as soon as it had been completed" (A. Tyson, *Maurice Schlesinger as a Publisher of Beethoven,* S. 188).
4 Vgl. K.-H. Köhler / Gr. Herre, *Ludwig van Beethovens Konversationshefte,* Bd. VIII, S. 251, 253 und 256.
5 Vgl. A. Tyson, *Maurice Schlesinger as a Publisher of Beethoven,* S. 187.
6 Holz: „Schlesinger ist Judas der Erzschelm — Ich habe es gleich gesagt, der Jude verläugnet sich wohl in Worten, nie aber in Handlungen — Einen solchen Antrag kann nur ein Jude machen" (K.-H. Köhler / Gr. Herre, *Ludwig van Beethovens Konversationshefte,* Bd. VIII, S. 143, 148 und 254).
7 Vgl. A. Tyson, *Maurice Schlesinger as a Publisher of Beethoven,* S. 187.
8 4.—8. September 1825; K.-H. Köhler / Gr. Herre, *Ludwig van Beethovens Konversationshefte,* Bd. VIII, S. 93.
9 4.—8. September 1825, ebenda, S. 108.

worden war.[1] Schlesingers Bemerkung, sein Hinweis auf Beethoven als den zeitgenössischen Meister der „Kunst der Fuge", stellt die *Große Fuge* in die einzig angemessene geschichtliche Perspektive. Angesichts der integralen zyklischen Funktion der Schlußfuge — und im Kontext anderer Finallösungen des späten Beethoven — wird Schlesingers Gesprächsheft-Notiz rückblickend zum Stichwort eines unterirdisch weiterwirkenden, geschichtlichen Gedächtnisses, das mit den Finallösungen des 19. Jahrhunderts bei Bruckner, Brahms, Draeseke und Mahler wieder hervortrat, eine neue kompositorische Realität prägte. Schönberg hat die Bedeutung Beethovens für das „Zeitalter der groß angelegten Formen" nachdrücklich unterstrichen, in Kompositionen wie dem Streichquartett op. 7 und der Kammersymphonie op. 9 das kompositorische Bewußtsein solcher Bedeutung dokumentiert. Diese kompositorische Rezeption strahlte aus auf die Interpretation. Sie stellt auch den Rang der integralen Lösung gegen die Versuche, der *Großen Fuge* als Orchesterstück Gerechtigkeit widerfahren zu lassen.

Die *Große Fuge* als Einzelstück, zumal in Orchesterfassung — oder als Schlußsatz? Die Antwort hierauf hat nicht nur Weingartner gegeben, der zur Überzeugung fand, daß dies eine Komposition für Streichquartett und nicht für Orchester sei.[2] Seit der integralen Aufführung durch das Heckmann-Quartett am 26. September 1887[3] bis zu den Aufführungen unsere Tage — des LaSalle Quartets, des Quartetto Italiano, des Alban Berg Quartetts und des Emerson Quartets — hat sich eine Tradition ausgebildet, die das aufgreift und weiterträgt, was nach der ersten Aufführung des Jahres 1826 abriß.

Klaus Kropfinger

Bearbeitung der „Großen Fuge" op. 133 für Klavier zu 4 Händen op. 134

ENTSTEHUNGSZEIT: etwa Mitte August bis Anfang September 1826.
ERSTAUFFÜHRUNG: unbekannt.
SKIZZEN: nicht bekannt.
AUTOGRAPH: ein Bruchstück im Beethoven-Haus Bonn.
ERSTDRUCK UND WIDMUNG: Wien 1827 (M. Artaria); Paris 1827 (M. Schlesinger); dem Kardinal Erzherzog Rudolph von Österreich gewidmet.
GESAMTAUSGABEN: Supplemente zur Alten Gesamtausgabe, Bd. 8, Nr. 13; Neue Gesamtausgabe: Abt. VII, Bd. 1.

---

1 Vgl. ebenda, S. 356f., Anm. 269. Vgl. auch A. Tyson, *Maurice Schlesinger as a Publisher of Beethoven,* S. 187f.
2 Vgl. I. Mahaim, *Beethoven*, Bd. I, S. 101f.
3 Vgl. ebenda, Bd. II, S. 414f.

Die erste Notiz zu einer Klavierbearbeitung des Fugenfinales von op. 130/133 findet sich im Konversationsheft Nr. 108 (106) und ist zwischen 11. und 16. April 1826 anzusetzen, knapp einen Monat nach der Erstaufführung vom 21. März. Der Verleger Mathias Artaria, den Beethoven mit Karl Holz im Kontor aufgesucht hatte, notiert: „Es ist schon viel Nachfrage um die *Fuge* zu 4 Hände für *Piano forte arrangirt* erlauben Sie mir, daß ich sie so herausgebe?“[1] Beethoven wird auf diese Auskunft mit der naheliegenden Frage nach den Editionsmodalitäten reagiert haben; lautet doch Artarias nächste Eintragung: „*Partitur* / in Stimmen / die *fuge* à 4 *Mains* von Ihnen *arrangirt* auf einmahl / herauszugeben“.[2] Beethoven ging freilich zu diesem Zeitpunkt nicht auf Artarias Plan ein, selbst die Klavierbearbeitung der Finalfuge zu übernehmen. Möglicherweise verband er mit seiner Weigerung einen Gegenvorschlag, dem Artaria zugestimmt haben muß und den Holz unverzüglich umzusetzen sich anschickte.[3] Der geplante Besuch des als Bearbeiter ausersehenen jungen Komponisten Anton Halm, den Beethoven durch Vermittlung Franz von Brunswicks etwa 1815 kennengelernt hatte[4], fand am 16. April 1826 statt.[5] Aus den Gesprächen gehen die vielfältigen Schwierigkeiten hervor, die es bei einer Klavierübertragung dieser äußerst komplexen Partitur zu überwinden galt: „Holz: Er wird sich die Kreutzer'sche Sonate zum Muster nehmen, wie sie Czerny arrangirte. / [...] / ——— / Wie können z.B. hier die Stimmen aus einander getheilt werden / ——— / Ob vielleicht die 2te Stimme in die Höhe kann / ——— / Wegen der 1. und 4. Stimme. / ——— / Müssen diese Sprünge im *Comes* durchaus beybehalten werden? / [.....] / Ob die Noten  in eine solche dürfen / zusamengezogen werden  [6]/ [.....] / Halm: Ich finde alles leichter nur die erste Abtheilung ist sehr schwer [...].“[7]

1 Gr. Herre, *Ludwig van Beethovens Konversationshefte,* Bd. IX, S. 184f. Ende Mai 1826 war es Holz, der notierte: „War Halm bey Ihnen? Artaria bittet Sie, eine Stunde zu bestimmen, wenn es Ihnen gelegen ist, mit ihm zu sprechen; die Herausgabe der Fuge zu 4 Händen macht er sehr dringend“ (ebenda, S. 254). Ich danke Dagmar Beck und Grita Herre für den Zugang zu den noch nicht edierten letzten Konversationsheften.

2 Ebenda, S. 185. Die Lesart bei Thayer (Thayer / Deiters / Riemann, *Ludwig van Beethovens Leben,* Bd. V, S. 298, Anm. 2) „Es ist schon viel Nachfrage um die Fuge zu 4 Händen für Pianoforte arrangirt, erlauben Sie, daß ich sie so herausgebe? — Partitur, in Stimmen, die Fuge à 4 Mains von Ihnen arrangirt, auf einmahl herauszugeben“ vermittelt den falschen Eindruck, als werde nur von der Fuge gesprochen. Die hier wiedergegebene, der Notierung im Konversationsheft folgende Zeilenaufteilung sowie die Tatsache, daß die Fugenbearbeitung am Schluß und abgehoben von „Partitur“- und „Stimmen“-Edition aufgeführt wird, deutet indes — abgesehen davon, daß in späteren Eintragungen immer wieder von der Edition des gesamten Quartetts mit Fuge die Rede ist — darauf hin, daß zu diesem Zeitpunkt von einer Lösung der Fuge aus dem Quartettzyklus noch keine Rede war. Zu weiteren Notierungen wegen der bis Ende August 1926 sich hinziehenden Korrekturen der Fassung mit der Fuge vgl. Gr. Herre, *Ludwig van Beethovens Konversationshefte,* Bd. IX, S. 207; ferner die bald erscheinenden Hefte 115: 11^r, 15^r, 20^rf., 32^v; 116: 9^v, 10^r, 26^r, 27^v; 117: 18^v, 19^r, 23^r, 28^v; 118: 38^r.

3 Vgl. die Notiz Holzens zu seinem Besuch in Artarias Kontor im Zusammenhang mit der Beauftragung Halms und der Honorierung (Gr. Herre, *Ludwig van Beethovens Konversationshefte,* Bd. IX, S. 187). Wie die Eintragung von Holz auf Blatt 26^v (S. 194) zeigt, bot Artaria „mit größter Bereitwilligkeit 100 f WW dafür“.

4 Vgl. ebenda, S. 372, Anm. 315.

5 Vgl. ebenda, S. 400, Anm. 597.

6 Dazu ebenda, S. 400, Anm. 601 die Erläuterung: „In Beethovens eigener vierhändiger Klavierfassung der Großen Fuge, op. 134, sind die gebundenen Achtelnoten beibehalten.“

7 Ebenda, S. 194.

Carl Czernys Ende Mai 1825 bei Diabelli & Comp. als *Grand Duo brillant* erschienene Übertragung der Sonate op. 47 für Klavier zu vier Händen[1] mag Halm als Orientierungspunkt und Gewähr dafür erschienen sein, Beethoven eine angemessene Übertragung der Finalfuge zu liefern — eine Hoffnung, die sich als trügerisch erweisen sollte. Zu unterschiedlich war das ebenso komplexe wie ausgreifende Tongeflecht der Fuge, als daß die Czernysche Transkription der *Kreutzersonate* die zu überwindenden Schwierigkeiten hätte meistern helfen können — Schwierigkeiten, die im Gespräch sogleich hervortreten: Die klaviergerechte Entflechtung (und Verteilung) der Stimmen wie die unumgängliche Auffächerung der Oktavlagen — besonders im B-Dur-Teil der Fuge —, aber auch die schwierigen Sprünge im intervallisch ausgreifenden Gegenthema, hier ausdrücklich als „Comes" bezeichnet, die Behandlung von akkordmäßigen Klangballungen und last but not least die unmittelbar nach Beendigung des Quartetts von Holz gestellte Frage wegen der Notierung des Fugenthemas in übergebundenen Achteln, die für die Klavierübertragung in besonderem Maße triftig erscheint, prägen die Unterhaltung.

Halm übersandte seine Bearbeitung Beethoven am 24. April 1826 mit einem Brief, in dem er hervorhebt: „Was meine Umarbeitung betrifft, war es leider nicht möglich, daß die Suges [Sujets] immer in ihrer Gestalt geblieben, sondern öfters zerrissen werden mußten."[2] Halms Bedauern zeigt, wie sehr er sich im Grunde über Beethovens Intention im klaren war. Als er Beethoven besuchte, mußte er denn auch prompt erfahren, er habe „diese Stimmen zu viel zertheilt in prim und Second". Halm hatte seinem eigenen Bericht zufolge, um das „Überspringen der Hände" zu vermeiden, „mehreres in die rechte Hand gegeben, was die linke spielen sollte"[3], wozu er sich berechtigt glaubte, weil der Effekt, wenn auch nicht für das Auge, so doch klanglich, derselbe war. Daß Beethoven endlich die ursprüngliche, wenn auch schwer praktikable Stimmschicht restituierte, zeigt, wie sehr für ihn im optischen Bild das strukturell-geistige Moment des Tonsatzes zutage trat. Das gilt gleichermaßen für die knifflige Frage der Zweiachtelnotierung des Fugenthemas. Auch sie behielt Beethoven bei. Steht dahinter nicht die Tatsache, daß in diese Formulierung des Fugenthemas thematische Substanz aus dem auftaktgebundenen Quartsprungmotiv des Kopfsatz-Allegros eingegangen war?

Als Beethoven sich schließlich nach vielen Vorüberlegungen und langem Zögern in der zweiten Augusthälfte 1826[4] in die Notwendigkeit einer eigenhändigen Klavierübertragung schickte, waren mit der Halmschen Version Abstoßungspunkte für den nun zu gehenden Weg umrissen.

Die Annahme, Beethoven habe, ausgehend von seiner Kritik an Halms Bearbeitung, nun seinerseits die Streichquartettpartitur „punktgenau" aufs Klavier übertragen, erweist sich bei näherem Hinsehen als unzutreffend. Dabei hat die Frage, in welchem Maße Beethoven „genauer" als Halm verfuhr, weniger Gewicht als die,

1 Vgl. ebenda, S. 400, Anm. 600.

2 Thayer / Deiters / Riemann, *Ludwig van Beethovens Leben,* Bd. V, S. 298f.

3 Ebenda, S. 299.

4 Noch zu dieser Zeit (2. Hälfte August; vgl. *Ludwig van Beethovens Konversationshefte,* Nr. 120, fol. 34^v und 36^v) bemerkt Schuppanzigh: „Aber es ist ja nicht seine Schuldigkeit, daß er selbst übersetzen soll." Und Holz bemerkt: „Das Allegro im 6/8 scheint doch leicht zu übersetzen zu seyn." Bezahlt wurde Beethovens Übertragung laut Artarias Spesenbuch am 5. September (vgl. G. Kinsky / H. Halm, *Das Werk Beethovens,* S. 406).

wo Beethoven anders als Halm von der Streicherfassung abweicht. Sie wäre detailgerecht nur zu beantworten durch einen Vergleich mit der Halmschen Bearbeitung, die — wenn sie nicht, wie Holz sarkastisch bemerkte, von Artaria im „Feuer verguldet" wurde[1] — heute für eine doppelte Gegenüberstellung Interesse verdiente: mit dem Czernyschen *Grand Duo brillant* und mit der Beethovenschen Version. Halms Bearbeitung ist verschollen; doch auch ohne sie ist zu erkennen, daß Beethoven bei der Bearbeitung nicht stereotyp „parallelisierte". Dabei ist sein Bemühen, die strukturellen Konturen der Fuge übers Akustische und auch über den simplen optischen Eindruck hinaus, nämlich als Realisierung des musikalischen „Gedankens" möglichst deutlich hervortreten zu lassen, nicht nur trotz, sondern auch wegen bestimmter Abweichungen unverkennbar. Ein bemerkenswertes Detail der Übertragung ist in Takt 30 der Klavierübertragung (Quartettfassung T. 28) die Änderung der übernbundenen zwei Achtel h in h—c'. Das Thema wird damit bereits bei seinem ersten Erscheinen als Fugenthema — aber noch vor der Fuge selbst — in der Version vorgestellt, in der es in der Quartettversion dann spätestens Takt 37 (Vc.) erklingt.[2]

Nicht zu übersehen ist indes auch, daß eine Übertragung Note für Note schon aus objektiven Gründen gar nicht gegeben war. Mit der „Projektion" auf die Klaviatur wurden die Streichquartettstimmen aus dem „geistigen Aktionsraum" ihrer klanglichen Erscheinung gelöst; ihre Durchdringung wurde gleichsam „materialisiert". Es ging um partielle Entflechtung der Stimmen, um die Gewinnung eines anderen, klavieradäquaten Klangraumes. Das aber bedeutete im Sinne der schöpferischen Umsetzung, die Beethoven sich auch hier, wo es um die Realisierung eines recht prosaischen Vorhabens ging, im Rahmen des Möglichen abverlangte: Änderungen der stimmlichen Linienführung durch Aussparung oder Verengung wie auch durch Einfügung von Sprüngen und Spreizung des Oktavrahmens; darüber hinaus aber ging es um eine Transformation bestimmter Partien in dem Klavier gemäße Tongruppierungen, Tonbewegungskurven und -folgen.[3]

Beethovens bearbeitungsorientierte kompositorische Intention modifiziert die Konturen des Streichquartettsatzes, wenn auch nicht durchweg und gleichermaßen. So ändert er etwa die Linienführung partiell in den Primo-Takten 61—64 [59—62] und 367—380 [365—378].[4] Umfassend klangraum-weitend greift er dort ein, wo er das Gefüge der Stimmen zugleich „entflicht" und ausfächert (vgl. T. 113—118 [111—116]), wo er im Dienste der Klangsteigerung und oft mit der Spreizung des Oktavrahmens verbunden die Höhen, aber auch die Tiefenregister einsetzt und intensiviert, letzteres in Verbindung mit thematischer Oktavkoppelung (wie in T. 52—59 [50—57], 80 [78], 455—462 [453—459], 479—490 [477—488], 663—675 [661—673]). Unüberhörbar tritt die Absicht des Komponisten sofort zu Beginn hervor, wenn er mit dem auftaktigen Tremolo die Taktzahl um zwei erhöht. Werden

---

1 *Ludwig van Beethovens Konversationshefte,* Nr. 119 (1. Hälfte September), fol. 21^{v}.

2 In der Einspielung des LaSalle Quartet spielt die Bratsche (bereits) in Takt 33 h—c'.

3 Es ist im Rahmen dieses Textes nicht möglich, eine detaillierte Aufstellung der Besonderheiten der Klavierübertragung — das, was der (bisher) nicht erschienene kritische Bericht der Gesamtausgabe zweifellos geboten hätte — zu geben. Allein die zweite Takthälfte von Takt 40 (T. 38) zeigt eine Zusammenfassung von 1. Violine und Violoncello bei gleichzeitiger Aussparung der Tonfolge g'—c'—c''.

4 Dies sind nur exemplarische, keine umfassenden Vergleiche. Die in eckige Klammern gesetzten Taktzahlen sind die der Streichquartettpartitur.

auf diese Weise die arpeggierten Oktaven der 1. Violine nicht nur im Rahmen der klavieristischen Möglichkeiten klangräumlich neu „formatiert“, sondern auch zeitlich gedehnt, so ist zugleich zu fragen, wie diese Potenzierung des „Overtura“-Beginns zu deuten ist. Macht diese die Perspektive des Zukünftigen aufreißende dynamische „Hüllkurve“ nicht auch den Anschluß ans Vergangene vorstellbar: an die klangliche „Hohlform“ der ins Nicht-Mehr-Klingen sich weitenden Es-Dur-Fermate, ans Ende der Cavatina? So gesehen kennzeichnete der Beginn der Beethovenschen Klavierübertragung das Trauma der Abtrennung im Sinne der Empfindung, „that the opening [...] loses point when it is not preceded by the E_b major chord with which the Cavatina ends“.[1] Dieses Zitat wäre dahingehend zu modifizieren, daß es die mit der Cavatina vertieft wiederkehrende, schließlich in die Fermate des Schlusses mündende Kontrastspannung des Werkbeginns ist, zu der sich diese Hüllkurve mit der dynamischen Eruption des Fugenbeginns verbindet. Haben die auf die Abtrennung der Fuge Sinnenden, etwa Holz und Artaria, haben sie etwas von diesem problematischen Aspekt eines operativen Eingriffs gespürt, der nicht nur eine kompositorische „Okulation“ für das Ganze, sondern auch eine musikalische Isolation für den verbleibenden Rest bedeutete — die „Große Fuge“? Nicht auszuschließen ist, daß der lange, bis jetzt immer noch verschleierte Weg bis zur Abtrennung[2] auch mit dieser Problematik zusammenhängt. Auffallend ist, wie viel Zeit nach der kritischen Distanzierung Beethovens von Halms Bearbeitung — insgesamt etwa viereinhalb Monate — noch verging, bis Beethoven sich in der zweiten Augusthälfte an die Arbeit machte, um die Klavierbearbeitung herzustellen — ein spät gefaßter Entschluß. In der Zwischenzeit hatte nicht nur Artaria (1. Maihälfte) gemahnt[3], hatte im ersten Julidrittel zusätzlich nicht nur Holz die in der Luft hängende Fugenübertragung angesprochen[4]; Artaria hatte vor allem auch nach einem anderen — kompetenten — Bearbeiter gesucht und war schließlich in der ersten Augusthälfte auf Carl Czerny verfallen.[5]

War Beethoven vor allem gegen eine nur auf die Fuge beschränkte Klavierübertragung? Auffallen muß, daß Czerny plötzlich im August ein weiterreichendes Projekt verwirklichen helfen sollte, auf das eine Bemerkung von Holz verweist: „Artaria will auch jedes Stück einzeln herausgeben.“[6] Es ging um eine Klavierbearbeitung aller Sätze des B-Dur-Quartetts (von op. 130) mit der Fuge als Schlußsatz. Holz unterstreicht dies Anfang August 1826 im Zusammenhang mit der Schwierigkeit eines solchen Unternehmens: „Er will auch von den andern Stücken den Clavierauszug

1 Ph. Radcliffe, *Beethoven's String Quartets,* S. 139.

2 Nicht nur die Lektüre der entsprechenden Passagen in Thayers Beethoven-Biographie (Thayer / Deiters / Riemann, *Ludwig van Beethovens Leben,* Bd. V) und E. Forbes, *Thayer's Life of Beethoven,* S. 975, sondern auch andere Veröffentlichungen vermitteln nach wie vor den Eindruck, Beethoven sei recht umgehend bereit gewesen, die Fuge zu ersetzen.

3 Siehe S. 343, Anm. 2.

4 Holz: „Von der Fuge ist jetzt keine Rede mehr. Wird Halm sie machen? Oder läßt es Artaria ganz fahren?“ (1. Drittel Juli 1826, *Ludwig van Beethovens Konversationshefte,* Nr. 114, fol. 6^r).

5 Vgl. ebenda, Nr. 117, fol. 19^r, 31^v, 32^r. Dieser Gedanke lag nicht nur in Verbindung mit der erwähnten Klavierbearbeitung von Beethovens op. 47 nahe. Czernys Versiertheit als Bearbeiter unterschiedlichster Kompositionen der verschiedensten Komponisten war unbezweifelt. Und er dürfte Beethovens Vorstellungen am besten gekannt haben.

6 1. Hälfte August 1826 (*Ludwig van Beethovens Konversationshefte,* Nr. 117, fol. 19^r).

machen lassen; doch weiß er nicht, an wen er sich wenden soll."[1] Wenig später bemerkt er: „Darum glaube ich auch, daß der Clavierauszug der Cavatine in Es am schwierigsten zu machen sey."[2] Wie verschlungen die Erwägungen waren, geht aus einer anderen Notiz Holzens, ebenfalls aus der 1. Augusthälfte, hervor. Aus ihr ist zu schließen, daß Beethoven zu dieser Zeit vorübergehend mit dem Gedanken einer Übertragung für zwei Klaviere spielte: „Doch wird es weniger Absatz finden; wer hat zwey Claviere?"[3] Beethovens Zögern und seine Überlegungen deuten an, daß ihm an einer getrennten Übertragung der Schlußfuge tatsächlich wenig lag, daß er aber für den Fall einer Übertragung auf einer die intrikate Struktur des Quartetts möglichst getreu wiedergebenden Klavierfassung bestand. Als er sich dieser schwierigen Aufgabe schließlich in der zweiten Augusthälfte selbst stellte, war über die Bearbeitung entschieden, noch nicht indes über die Abtrennung der Fuge. Holzens die Abtrennung der Fuge aus dem Quartett bestätigende Bemerkung: „Artaria ist entzückt, daß Sie seinen Vorschlag so annehmen; er gewinnt sehr viel dabey; daß beyde Werke einzeln mehr gesucht werden"[4] fällt in die erste Septemberhälfte und damit in die Zeit nach den Äußerungen, die der Fugenbearbeitung gelten. Die bereits hervorgehobene Tatsache, daß Artaria bis in den August hinein noch eine „integrale", die Fuge als Finale einschließende Veröffentlichung von Stimmen und Partitur des Quartetts plante, korrespondiert mit dem Vorhaben einer alle Sätze umfassenden Klavierübertragung von op. 130.[5] Erst als dieser Plan zerstob, entschied sich Artaria offensichtlich, mit der Fugenbearbeitung die Abtrennung des Fugenfinales zu kombinieren.

Die Abtrennung des Finales ist Resultat einer verlegerischen Alternative. Mit dem steigenden Risiko schrumpfte die ästhetische Hemmschwelle des Verlegers. Die innere Schlüssigkeit der ursprünglichen kompositorischen Konzeption des Streichquartetts op. 130 blieb davon unberührt.

Klaus Kropfinger

Streichquartett F-Dur
op. 135

Entstehungszeit: Sommer 1826.
Erstaufführung: am 23. März 1828 im Musikvereinssaal Wien.
Skizzen: Deutsche Staatsbibliothek Berlin, Artaria 205; Staatsbibliothek Preußischer Kulturbesitz Berlin, Artaria 216 und aut. 24, Skizzenbuch Kullak; Bibliothèque Nationale Paris, Ms 62 und Ms 66.
Autograph: Partitur: 1. Satz: Beethoven-Haus Bonn; 2. Satz: laut Thayers und Nottebohms Verzeichnissen ehemals (in den 1860er Jahren) bei dem Musikhändler Ascher in Wien (vgl. 4. Satz), daher vielleicht aus Wolfmayers Besitz, dessen Beethoven-Manuskripte nach A. Schindler um 1850 meistbietend verkauft wurden; 3. Satz: Chateau (Musée) de Mariemont (Belgien); 4. Satz: Staatsbibliothek Preußischer Kulturbesitz Berlin; Stimmen: Beethoven-Haus Bonn.

---

1 Anfang August 1826 (ebenda, Nr. 116, fol. 27^v).
2 1. Hälfte August 1826 (ebenda, Nr. 117, fol. 3^v).
3 1. Hälfte August 1826 (ebenda, Nr. 117, fol. 32^v).
4 1. Hälfte September 1826 (ebenda, Nr. 119, fol. $31^v/32^r$).
5 Vgl. hierzu auch Kl. Kropfinger, *Das gespaltene Werk,* insbes. S. 300—304.

ERSTDRUCK UND WIDMUNG: Wien und Paris 1827 (A. M. Schlesinger und M. Schlesinger); Johann Wolfmayer gewidmet.
GESAMTAUSGABE: Alte Gesamtausgabe: Nr. 52 = Serie 6 Nr. 16.

Das Quartett, „welches von allen Beethoven'schen am wenigsten bekannt ist", sah Hermann Hirschbach 1839 „in seinem letzten, in F-Dur". Dieser Befund, der seine Geltung nicht ganz verloren haben dürfte, war in der Überzeugung begründet, das Werk sei „ein Bild lebensgrünen Scherzes" und bekunde jenen „gesunden Humor", den sich „der Meister innerlich, auch bis in seine späteste Zeit" bewahrt habe.[1] Während die geringe Kenntnis des Werks bedauert wird, finden zugleich Qualitäten Hervorhebung, die das Verständnis eigentlich erleichtern müßten. Die Feststellung aber, ein eher zugängliches Werk bleibe dennoch wenig beachtet, benennt einen Zwiespalt, der nicht folgenlos blieb. Gespalten war schon 1829 das Urteil von Adolf Bernhard Marx in seiner ersten Rezension.[2] Alle „seltsamen, scheinbar oft widersprechenden" Züge müßten „barock, ja widrig erscheinen", falls man nicht „eine höhere Idee" erkenne, die ihnen erst „Bedeutung und Zusammenhang" gebe. Eine Zuflucht bot der Versuch, die „Idee" durch eine Deutung der Musik als Spiegel der „Seele des Tondichters" zu entschlüsseln, und so wären die vier Sätze als „wehmüthige Erinnerung", „erzwungene Lustigkeit", „zarteste Klage" und schmerzliches „Entsagen" aufzufassen.

Marx vermochte immerhin einzuräumen, daß „zwischen vollkommnem Verstehen und oberflächlichem Ueberhinfahren auch noch die Möglichkeit eines vollkommenen Missverstehens" bestehe. Im Schatten der komplexen Werke, die vorangingen, fand op. 135 freilich eine spezielle Aufmerksamkeit primär durch das Finale und sein Motto („muß es sein..."). Jenseits der Anekdoten, die Holz und Schindler überlieferten, prägte diese „räthselhafte Frage" die Interpretation von Theodor Helm[3], und der Suggestion dieser „Ueberschrift" konnte sich auch ein nüchterner Analytiker wie Hugo Riemann nicht ganz entziehen.[4] Zwar galt das Lento assai seit jeher als Muster der variativen Kunst in den langsamen Sätzen, und das Vivace erschien als ein Modell der rhythmisch intrikaten Kombinatorik im Spätwerk. Anders verhält es sich mit dem Kopfsatz, in dem Hirschbach „sogar was nettes" sah, während er das Fehlen der „nothwendigen Melodiekraft" bemängelte.[5] Erst Ulrich Siegele hat unlängst die „formale Strategie" des Satzes minutiös beschrieben, doch sah noch Helm in ihm eine — wenn auch „meisterlich" — „leichte Quartettarbeit", während Riemann von „auffallend einfacher Struktur" sprach.[6] Im Kontext der späten Quartette wirken solche Urteile prekär genug. Denn bei rigoroser Zuspitzung

1 H. Hirschbach, *Ueber Beethoven's letzte Streichquartette,* S. 13f.
2 A. B. Marx in: *BAMZ* 6 (1829), S. 169f.; vgl. auch St. Kunze, *Gesammelte Konzertberichte,* S. 594f. Zuvor schon äußerte sich Marx in der *BAMZ* 5 (1828), S. 467f. Vgl. ferner St. Kunze, *Beethovens Spätwerk,* S. 59—78; Fr. Krummacher, *Synthesis des Disparaten,* S. 99—134.
3 Th. Helm, *Beethoven's Streichquartette,* S. 298ff.; A. Schindler, *Biographie* (1973), S. 393 und 405f.; dazu vgl. A. B. Marx, *Ludwig van Beethoven,* Bd. II (⁶1902), S. 266.
4 H. Riemann, *Beethoven's Streichquartette,* S. 170—188, besonders S. 184f.
5 H. Hirschbach, *Ueber Beethoven's letzte Streichquartette,* S. 14.
6 U. Siegele, *Beethoven. Formale Strategien der späten Quartette,* S. 114—171; H. Riemann, *Beethoven's Streichquartette,* S. 172; Th. Helm, *Beethoven's Streichquartette,* S. 282.

können sie geradezu auf eine Abwertung hinauslaufen. Gemessen am cis-Moll-Quartett op. 131 oder am a-Moll-Quartett op. 132 mag das Werk in F-Dur, das auf eine langsame Einleitung verzichtet, schon in seinem knappen Format als „das kleinste der letzten Quartette“ erscheinen.[1]

Zweifelhaft könnte es also sein, in welchem Maß die Radikalisierung der Verfahren im Spätwerk auch für op. 135 Gültigkeit bewahrt. Und gerade der Kopfsatz läßt die Frage aufkommen, wie weit die Problematik der späten Quartette reicht, wenn noch ein solcher Schein des Leichten möglich war. Wie also ist dieser Satz — so ist zunächst zu fragen — im Verhältnis seiner Substanz zu seinem Verlauf zu verstehen, wie verhält er sich weiter zu den im Zyklus folgenden Sätzen, und wie fügt er sich schließlich in das Spätwerk insgesamt ein? Anders gesagt: Zu überlegen wäre zugleich, ob nicht auch dieser Satz auf seine Weise ähnlich radikal verfahre wie andere späte Werke Beethovens.

Die Gliederung des Verlaufs dürfte keine Schwierigkeit bereiten, solange man sich auf die Abgrenzung und Bezeichnung der Formteile einigen kann. Mit der markanten Zäsur in Takt 62 wäre demnach die Abgrenzung zwischen Exposition und Durchführung anzusetzen, der mit Takt 101 und weiter in Takt 163 analog der Beginn der Reprise und der Coda entspricht. Schon bei flüchtiger Durchsicht erweist sich die hochgradige Thematisierung des ganzen Satzes, in dem kaum eine Taktgruppe motivisch ungestützt bleibt. Daß auch die Durchführung und weiter die Coda derart motivisch gearbeitet sind, ist keineswegs so selbstverständlich, wie es dann zu sein scheint, wenn man sich an der zentralen Funktion dieser Partien in früheren Werken Beethovens orientiert. Denn gerade in den höchst komplexen Kopfsätzen etwa aus op. 127 oder op. 132 ist die Tendenz nicht zu verkennen, die Durchführung und partiell auch die Coda von jener angestrengten Arbeit zu entlasten, die vielmehr in der Exposition und auch in der Reprise ausgetragen wird. Und schon zuvor war in der letzten Violinsonate G-Dur op. 95 ein eröffnender Sonatensatz möglich, dessen mittlerer Teil auf den ersten Blick soweit ohne motivische Sicherung auskommt, daß seine Bezeichnung als Durchführung zweifelhaft erscheinen kann. So unleugbar dagegen die motivische Arbeit in op. 135 ist, so auffällig bleibt doch die knappe Anlage der Durchführung wie der Coda, die mit 38 bzw. 32 Takten weit hinter dem Umfang von Exposition und Reprise mit jeweils 62 Takten zurückbleiben.

Eher strittig als die Abgrenzung der Teile mag die Frage sein, wo innerhalb der Exposition der Seitensatz anzunehmen wäre. Geht man vom thematischen Kontrast aus, wie ihn die Konvention der Formtheorie postuliert, so hebt sich keine Phase so deutlich ab wie die Gruppe ab Takt 46, die durch akkordischen Satz und homorhythmische Faktur ausgezeichnet wird. Da sie zudem auf der Dominante C-Dur ansetzt, entspricht sie auch tonal den herkömmlichen Kriterien. Als Seitensatz freilich erscheint sie gleichsam zu spät, denn nach nur zwölf Takten löst sie sich auf in jene Kadenzierung, die das Ende der Exposition markiert. Wäre sie also eher als Schlußgruppe zu beanspruchen, so wäre zugleich zu fragen, ob nicht ein Seitensatz weit früher bei dem ersten internen Wechsel der Satzstruktur ab Takt 25 (mit Auftakt) beginnen könnte. Im Wechsel zweitaktiger Gruppen zwischen beiden Violinen zu akkordischen Tonrepetitionen der Unterstimmen zeichnet sich in der Tat ein

1 Th. Helm, *Beethoven's Streichquartette,* S. 282; vgl. J. Kerman, *The Beethoven Quartets.*

markanter Kontrast der Struktur zu den vorangehenden Taktgruppen ab, doch verbleibt der Satz zunächst noch in der Grundtonart F-Dur, um erst in der modifizierten Wiederholung ab Takt 29 durch stufenweise Sequenzierung über die Doppeldominante G-Dur zur Dominante C-Dur zu führen. Demnach verbliebe als weitere Möglichkeit noch der Einschnitt mit Takt 38ff., mit dem die Unterstimmen zu Sechzehnteltriolen übergehen, während sich zwischen beiden Violinen markierte Dreiklangsbrechungen in Achtel ablösen, bevor die Viertaktgruppe im Tausch zwischen Unter- und Oberstimmen wiederholt wird. Zwar ist hier einerseits die Ebene der Dominante erreicht, doch zeichnet sich andererseits kein kantabler Kontrast zum Hauptsatz ab, vielmehr erscheinen eher splitterhafte Formen, die sich ab Takt 44 rasch verflüchtigen. Im Vergleich mit der Reprise bestätigt sich dieser ambivalente Sachverhalt. Die Taktgruppe ab Takt 25 der Exposition setzt auch in der Reprise ab Takt 125 von der Tonika aus an. Die in der Exposition auf der Dominante eingeführte Gruppe ab Takt 38 findet hier auch in der Reprise ihr Gegenstück ab Takt 135 wiederum auf der Tonika. Der Wechsel ihrer tonalen Position könnte sie also als Seitensatz auszeichnen, während der Struktur gemäß eher die beiden anderen Taktgruppen der Funktion eines Seitensatzes zu entsprechen scheinen.

Faßt man also den Satzbeginn zunächst als komplexen Hauptsatz auf, so treten ihm in der weiteren Exposition drei andersartige Phasen gegenüber. Sie jedoch vermögen kaum jeweils für sich die Funktion eines Seitensatzes ungeschmälert zu repräsentieren. Vielmehr drängt sich der Eindruck auf, als würden die Kontraste der Struktur und der Tonart, die als konstitutive Faktoren eines Seitensatzes gelten können, getrennt eingesetzt und auf unterschiedliche Stationen des Verlaufs aufgeteilt. Demnach wäre es verfrüht, eine einzige Satzgruppe als Seitensatz zu beanspruchen. Statt einer einseitigen Festlegung, die einer dogmatischen Norm des Sonatensatzes folgte, wäre die Entscheidung also offen zu halten. Denn offenbar liegt kein geschlossener Seitensatz von gewohnter Prägnanz vor. Eher hat es den Anschein, als seien die Funktionen des — vorsichtig formuliert — ebenso konträren wie komplementären Materials auf drei Satzstationen unter wechselnden Aspekten verteilt. Blickt man nun aber auf jenen Satzbeginn, der als Hauptthema aufzufassen ist, so wird der Sachverhalt nur noch komplexer.

Jenen drei Phasen, die vorläufig als getrennte Stationen in Vertretung eines kontrastierenden Seitensatzes gekennzeichnet wurden, stehen gleich am Beginn des Satzes drei sehr andere Bildungen gegenüber, die vorerst als a, b und c benannt seien.

Sie begegnen dem Hörer zunächst als scheinbar beziehungslose Abfolge konträrer Glieder. Schwierigkeiten macht kaum die periodische Gliederung in 4, 4 + 2, 4 Takte. Weit schwerer zu erfassen ist aber die substantielle Relation. Anders gesagt: Wie verhalten sich diese knappen Bildungen zueinander? Nimmt man sie mit der Aufgliederung des Seitensatzes auf drei latente Positionen zusammen, so ergibt sich insgesamt das Bild einer überkompletten Exposition. Ein überreiches Angebot von

Gedanken erscheint in loser Abfolge — und das innerhalb von etwas mehr als 60 Takten. Wie aber paßt das zur geläufigen Vorstellung vom prozessualen Sonatensatz Beethovens, und wie nimmt sich dieser Sachverhalt gegenüber der strukturellen Dichte aus, die sonst das Spätwerk Beethovens bestimmt? Eine Antwort läßt sich nur durch eine genauere Analyse des komplexen Materials im Hauptsatz gewinnen.

Die ersten vier Takte (a) gehören zwar in der durchbrochenen Faktur des Satzes zusammen, und die Takte 3—4 erweisen sich bald als variierte Wiederholung der vorangegangenen zwei Takte, dennoch wird weder eine geschlossene Melodielinie noch eine feste motivische Struktur präsentiert. Nicht einmal die Tonart steht gleich zweifelsfrei fest: Die Rahmentöne der Bratsche (b und e) lassen sich zwar auf die Dominante C-Dur beziehen, deren Grundton aber wird im Cello gleichsam getrübt erst in Takt 2 eingeführt (Des vor C). Verwirrend wirkt daher in Takt 2 der isolierte Ton b' in der ersten Violine, die als dritte Stimme eintritt. Der erste Zweitakter, der im Kern zweistimmig bleibt, wird erst in der variierten Wiederholung Takt 3—4 durch Hinzutreten der zweiten Violine aufgefüllt, wobei der isolierte Ton nun im zweistimmigen Satz der Oberstimmen akzentuiert wird. In den ersten Takten treffen also — scheinbar beziehungsarm — konträre Splitter aufeinander, die durch ihre Knappheit und Abfolge voneinander abgehoben werden. Befremdlich mutet danach die Fortführung ab Takt 5 an, in der über eine Achtelkette im Cello (pizzicato) die Stimmen wieder isoliert einsetzen (b). Zwar bilden diese Einsätze, die erstmals Tonika und Dominante der Grundtonart markieren, insgesamt eine Sequenzkette, deren Glieder aber jeweils nur in einer Stimme erscheinen. Die folgenden Takte 6—7 umschreiben sodann eine Kadenz, und diese Zweitaktgruppe erfährt wieder in Takt 8—9 eine variierte Wiederholung, die in Takt 10 die Tonika als Ziel erreicht. Im Rückblick ergeben sich zwei wiederholte Zweitakter, zwischen denen jedoch Takt 5 als Einschub wirkt. Und wird in der Kadenz (T. 9—10) erstmals der vierstimmige Satz erreicht, so finden die Stimmen doch nur zusammen, um statt prägnanter Motivik eine Kadenzformel vorzuführen. Rätselvoller noch nimmt sich der Anschluß aus, wenn sich mit Auftakt zu Takt 11 die Struktur erneut ändert (c). In vollkommener rhythmischer Homogenität verbleiben ausschließlich Viertelnoten, alle Stimmen werden in faktischem Unisono zusammengefaßt, und aus dem Wechsel von fallenden Septimen und Sekunden formiert sich eine stufenweise Sequenz (wobei die zweite Violine zu den Septsprüngen pausiert, um nur die Sekundschritte zu markieren). Wo sich dann der Satz zu akkordischer Fülle weitet (T. 15—16), da hebt sich vom akkordischen Satz der Unterstimmmen auf der Doppeldominante eine figurative Girlande der ersten Violine ab, die zur Kadenz in C-Dur Takt 17 führt.

In raschem Wechsel lösen sich — nahezu abrupt — höchst unterschiedliche Gebilde ab, die durch Formelhaftigkeit und Kontrast eher ausgezeichnet sind als durch inneren Zusammenhang und stringente Entwicklung. Offen ist nicht nur, wie weit von einem Hauptsatz gewohnter Art zu reden ist. Vielmehr fragt es sich, welche Funktion eine so seltsam gefügte Periode für den weiteren Satzverlauf übernehmen kann. Gerade die Isolierung der Ereignisse zu Beginn nötigt freilich zu genauer Wahrnehmung ihrer Beziehungen und Varianten.

Setzt in Takt 1 die Bratsche volltaktig ein, so zielt ihre doppelt punktierte Formel jedoch zusammen mit dem fallenden Halbton im Cello quasi auftaktig auf die Dominante in Takt 2 hin. In die Pausen der übrigen Stimmen tritt der isolierte Ton der ersten Violine hinein, er bezieht sich aber auf den Einsatz der Bratsche mit dem ornamentalen Schleifer, der in der variierten Wiederholung Takt 4 in beiden Violinen erscheint. Das Ornament stiftet also Analogien zwischen den Oberstimmen, in denen dann auch der punktierte Impuls in auftaktiger Funktion aus Takt 1 nachwirkt. Auftaktig nämlich fungieren die folgenden Einsätze seit der Sequenzkette Takt 5 mit jeweils drei Sechzehnteln, deren erste nach punktierter Pause zur Zweiunddreißigstel verkürzt wird. Mit Ausnahme der Glättung zu gleichmäßigen Sechzehnteln in Takt 6—7 bleibt dies Modell bis zur vollstimmigen Kadenz Takt 9 wirksam, und der erstmalige Zusammentritt der Stimmen macht die Kadenz desto nachdrücklicher zum Ziel des Prozesses, der sich durch schrittweise Koordinierung der Splitter zu wachsender Homogenität bestimmt. Harmonisches Signum der Instabilität des Anfangs ist zunächst der Tritonus als Rahmenintervall der Bratsche in Takt 1, wozu der Sekundschritt abwärts im Cello tritt, während der isolierte Ton der Oberstimme in Takt 2 die Septimen zum Baßton markiert. Gerade auf diese Elemente aber wird zurückgegriffen, wenn nach dem zersplitterten Beginn der Zusammenschluß zum Kadenzziel Takt 10 erreicht ist. Die rhythmisch wie harmonisch konträren Impulse und Motive sind nun im Unisono gleichmäßiger Viertel aufgehoben, während zugleich die abstrakten Strukturintervalle der Septsprünge und Sekundschritte isoliert zur Sequenzkette entfaltet werden. Auch wenn der Vorgang nicht unvermittelt hörbar wird, bedeutet er keine analytische Konstruktion, sofern man sich der isolierten Präsentation der Elemente am Anfang erinnert. Stellt sich gleichwohl kein kontinuierlicher Zusammenhang her, so bleibt dieser Hauptsatz eine Frage — nicht unähnlich dem Motto, das dem Finale vorangestellt ist.

Auf ähnliche Weise wäre der Fortgang der Exposition zu analysieren, doch bleiben elementare Sachverhalte wie punktierte Rhythmik, auftaktige Gruppen oder Sept- und Sekundintervalle zu allgemein, um für eine Argumentation zu taugen, auch wenn sie immer wieder zu belegen sind. Maßgeblich aber bleibt auch weiterhin auf der einen Seite ein Verfahren, in dem gleichsam getrennte Sektionen und Schichten disponiert werden, wogegen sich auf der anderen Seite die Strukturelemente ständig verändern und wechselseitig nähern. Das wird freilich erst deutlich, wenn man an die anfängliche Isolierung der Stimmen, Rhythmen und Formeln zurückdenkt. Nachdem kadenzierend — wie beschrieben — in Takt 17 die Dominante erreicht ist, bilden sich erstmals feste Satzgruppen aus. Die auftaktigen Terzsprünge greifen auf die punktierte Rhythmik zurück, während die absteigende Sequenz der Oberstimme zur Tonika zurückführt (T. 17—21). Letztmals wird sodann an die punktierte Formel erinnert (T. 22—23), zugleich erscheinen auftaktige Viertel, die abfallend als Quinte, Tritonus und verminderte Septimen formuliert sind. Sie vermitteln also zwischen der Unisonogruppe ab Takt 11 und der erstmaligen Kontrastgruppe ab Takt 25. Fortan gewinnt der Satz kontinuierlich seine Homogenität in komplementärer Rhythmik, die durch auftaktige Impulse in Sechzehnteln bestimmt wird. Hinzu tritt die Imitationskette zwischen beiden Violinen (T. 25 mit Auftakt —30), die danach Gegenstand der motivischen Arbeit wird (T. 30ff.). In der klanglichen Steigerung zum Zusammentritt aller vier Stimmen (T. 35ff.) werden wiederum zunehmend die ab Takt 31 eingeführten punktierten Formeln wirksam. Zum Seitensatz jedoch ab Takt 38 stellt sich erstmals eine feste Struktur her, in der thematisch freie Stimmen in triolierten Sechzehnteln die jeweils führenden Stimmen begleiten. Freilich beschränkt sich das motivische Material — genau besehen — auf formelhafte Dreiklangsbrechungen in gleichmäßigen Achteln, während in das Zentrum die akkordische Verdichtung des Satzes rückt. Nach nur sechs Takten jedoch kulminiert der Satz im Umschlag zum Pianissimo, und aus diffusen Triolen aller Stimmen löst sich ab Takt 46 auf der Dominante die Schlußgruppe ab. In ihr erst wird im akkordischen Satz unter Führung der Oberstimmen ein Maximum an Koordinierung erreicht, die indessen nach vier Takten wiederum in Sechzehntel und weiter in Sechzehnteltriolen aufgelöst wird (T. 50—53). Scheint die Exposition sodann auf der Dominante auszuschwingen (T. 54—57), so dringen in die folgenden Schlußtakte erneut die Züge der Dissoziation ein. In isolierten Splittern, auftaktigen Gesten und punktierter Rhythmik sind die Relikte des Hauptsatzes unverkennbar, die nach Stillstand auf der relativen Dominante G-Dur (T. 61—62) zur Durchführung leiten.

Der Plan des Satzes geht offenbar von einer Umkehr der gewohnten Relationen aus, die von der Formtheorie seit Adolf Bernhard Marx an früheren Sonatensätzen von Beethoven deduziert wurden.[1] Zu diesen Formprinzipien, die als Schema des Sonatensatzes kodifiziert wurden, gehört die Vorstellung von einem geschlossenen Hauptsatz, der durch motivische Arbeit in der Überleitung zerlegt werde, um damit zu einem kontrastierenden Seitensatz zu vermitteln. Statt dessen werden hier anfangs nur Splitter exponiert, die eher an die Auflösung eines Themas am Ende seiner Verarbeitung gemahnen als an das geläufige Bild eines festen Hauptsatzes. Das Verfahren steigert sich noch im jähen Kontrast knapper Taktgruppen, die zunächst nur durch ihre Sukzession, kaum aber in ihrer Substanz miteinander verbunden zu sein scheinen. Was sie dennoch verkettet, sind höchst verdeckte Bezüge, die nur unterschwellig wirksam werden. Denn sie beziehen sich mit punktierten Formeln, ornamentalen Schleifern und rahmenden Intervallen auf quasi abstrakte Zellen der Struktur. An die Stelle motivischer Zergliederung, die einen prägnanten Hauptsatz zur Voraussetzung hätte, tritt umgekehrt die Idee einer schrittweisen Verdichtung der Struktur, die von isolierten Elementen ausgeht und an der wachsenden Verbindung der Stimmen zu rhythmischer und harmonischer Kontinuität abzulesen ist. Ein Indiz dieses Prozesses, der sich in der graduellen Koordinierung der Parameter verfolgen läßt, ist die Aufteilung der Funktionen eines Seitensatzes auf getrennte Stationen, die zunächst den melodischen Kontrast und danach erst die dominantische Position einführen. Gerade dort aber, wo es gewissermaßen zu spät ist, gewinnt der Satz höchste Homogenität: in der Schlußgruppe nämlich vor dem Abbruch der Exposition. Dies Verfahren aber muß für die Durchführung und den weiteren Verlauf Folgen haben.

Die Analyse der Durchführungsarbeit im Spätwerk Beethovens bereitet vielfach Schwierigkeiten, die nicht nur in der Komplexität der Struktur begründet sind. Denn andererseits kann sich schon die Exposition durch eine Vielfalt auszeichnen, die der Durchführung vorgreifen und ihre zentrale Stellung abschwächen kann. Dazwischen hält der Kopfsatz aus op. 135 die Mitte, sofern seine Durchführung mit nicht einmal 40 Takten auffällig knapp ausfällt, während die kombinatorische Arbeit höchste Konzentration bekundet. Dem thematischen Material, von dem der Satz ausging, entspricht es nur, daß die Verarbeitung weniger zur Zerlegung in motivische Bestandteile führen kann. Denn mit der Präsentation isolierter Formeln begann der Satz, um in der Exposition die graduelle Verdichtung zu erreichen. So zielt

1 Vgl. A. B. Marx, *Die Lehre von der musikalischen Komposition,* Bd. III (^{2}1848), S. 201—300.

die Durchführung darauf ab, planvoll die Möglichkeiten der wechselseitigen Kombination der Motivik zu prüfen.

Gleich zu Beginn werden aus dem Hauptsatz die als a und c bezeichneten Elemente herausgelöst und miteinander gepaart. Die simultane Darbietung betrifft also gerade jene Formeln, die als Außenglieder des Hauptsatzes erschienen und zueinander am meisten kontrastierten. Daß aus der sequenzierten Sept-Sekund-Kette (c) mit der auftaktig wirkenden punktierten Formel des Kopfmotivs jeweils die Sekundschritte verbunden werden, verweist auf die Konstellation der ersten Takte, anders gesagt: Der dort im Cello postierte Sekundschritt (a) erweist in der Durchführung seine Affinität zu den Sekundschritten der Sequenzkette (c). Auch in der Durchführung wird die sequenzierende Anordnung von c in zweitaktigen Gruppen bewahrt (Cello T. 62—66, 1. Violine T. 66—70, Bratsche T. 70—73, 2. Violine T. 74—77). Dazu tritt zum einen ein zusätzlicher Einsatz mit freier Umkehrung (2. Violine T. 72—74), der den Abstand zwischen den beiden letzten regulären Einsätzen ausfüllt. Zum anderen wird die motivische Kombination durch aufsteigende Dreiklangsbrechungen in triolierten Sechzehnteln ausgefüllt (Cello T. 68, 2. und 1. Violine T. 70 und 72, Bratsche T. 74). Sie deuten auf Material aus der dominantischen Sektion des Seitensatzes zurück (so auf die Mittelstimmen Takt 39 und 41). Die harmonische Disposition der motivischen Synthese wird zugleich von einer großräumigen Quintprogression getragen (G-Dur, c-Moll, f-Moll, B-Dur). Wo sie Takt 77 ihr Ziel erreicht, tritt die Sequenzkette (c) zurück, während das Kopfmotiv — kombiniert mit den Sechzehnteltriolen — alle Stimmen durchzieht, dabei aber seinerseits einer Sequenzordnung unterworfen wird (T. 78—79).

In F-Dur beginnt sodann die mittlere Sektion der Durchführung (T. 80—88), die sich ganz auf das mittlere Glied des Hauptsatzes (b) konzentriert. Die Entsprechung zur Konstellation innerhalb der Exposition (T. 5ff.) reicht so weit, daß man sich für einen Augenblick (besonders T. 83—86) in einer vorzeitigen Reprise fausse wähnen kann, zumal der Satz durchweg in der Tonika F-Dur verharrt. Nach der Konsolidierung der Struktur, die zuvor in der Kombination der Außenglieder (a + c) gewonnen wurde, kann nun der Rückgriff auf das Mittelglied (b), das am Satzanfang die Koordinierung der Elemente zum Kadenzziel einleitete, beinahe umgekehrt als Phase der Auflösung erscheinen. Die Wiederholung des Kernmotivs a—b—c aus Takt 6 und 8 wird durch den Ton h (statt b) modifiziert, und damit wird der Ansatz der letzten Durchführungsphase in a-Moll ab Takt 89 vorbereitet. Fortan dominiert die Bewegung in triolierten Sechzehnteln, die aus dem Seitensatzkomplex ab Takt 38 als letzte Stufe der rhythmischen Beschleunigung innerhalb der Exposition bekannt ist. Die Triolen jedoch werden nicht nur mit Achteln im Staccato wie innerhalb des Seitensatzes ergänzt, die ihre Affinität zu den vorangegangenen Achteln im Pizzicato aus dem Mittelglied des Hauptsatzes bekunden. Vielmehr treten zunächst vereinzelt, dann immer weiter intensiviert jene isolierten Achtel ein, die durch Schleifer markiert sind und damit an das Kopfmotiv (a) des Hauptsatzes anschließen (Bratsche und Cello T. 90 und 92, 1. Violine T. 93—94, Cello T. 95—96, Bratsche und Cello T. 98 und 99). In die kontinuierliche Bewegung der triolierten Sechzehntelketten, die der dichten Koordination der Elemente am Schluß der Exposition entsprechen, werden also die befremdlich isolierten Einzeltöne des Anfangs (T. 2 und 4) vom Hauptsatz integriert. Das bedeutet nichts anderes, als daß die Durchführung in ihrer Schlußphase statt auf motivische Zerlegung in einzelne Elemente umgekehrt auf die simultane Synthese der Bausteine zielt, die in der Exposition die am weitesten entfernten Rahmenteile bildeten. So führt die Durchführung die Synthese der disparaten Elemente schrittweise fort. Dabei bleibt die Harmonik — wie nicht selten im Spätwerk — im Ambitus der Modulationsstufen sparsam (a-Moll, d-Moll, G-Dur, C-Dur). Und zugleich fällt es auf, daß in der Durchführungsarbeit gerade jene Themenglieder ausgespart werden, die in der Exposition die größte melodische und strukturelle Kohärenz erreichten (das Imitationsthema gemäß Takt 25 mit Auftakt sowie die akkordisch gefügte Schlußgruppe Takt 46ff.). Sie also hatten in der Exposition — wie sich jetzt zeigt — weniger die Funktion eigener Themen als vielmehr die Aufgabe, die Schritte der strukturellen Koordinierung sinnfällig zu demonstrieren. Dagegen konzentriert sich die Arbeit der Durchführung auf die splitterhaften Formeln aus Haupt- wie Seitensatz. Das Verfahren kulminiert am Ende, wenn die Stimmen wie Akkordflächen in führende Triolen aufgelöst werden, zugleich aber die isolierten Töne mit Schleifer konstant an den Widerpart des Anfangs erinnern.

Nach einem so konsequenten Vorgang, der bisher von den Splittern zur Koordinierung in der Exposition und dann zur motivischen Kombinatorik in der Durchführung führte, könnte eine herkömmliche Reprise als Tribut an die Konvention erscheinen. In der Tat akzeptiert Beethoven wie im Bau der Perioden und in der Disposition der Harmonik die Konvention der Form, die eine Reprise samt Coda fordert. Voraussetzung der Musik als selbständiger Kunst, die ihre „Freiheit zur letzten Spitze“ führt, wären nach Hegel gerade „ihre bestimmten Regeln und Formen“, da erst der Vergleich mit ihnen ein begründetes Verständnis ermöglicht.[1] Gegenüber der Konvention jedoch zeigt sich, daß auch die Reprise in op. 135 keineswegs konsequenzlos bleibt. Das erste Glied im Hauptsatz (a) erscheint nur einmal in zwei statt vier Takten, der Halbtonschritt im Cello wird jedoch im Anschluß an die vorige Satzphase in triolierte Sechzehntel aufgelöst und findet erst in der Mitte statt zu Anfang des zweiten Taktes sein Ziel. Dieser Verlängerung entspricht es, daß das Kopfmotiv nicht nur in der Bratsche auftritt, sondern im selben Takt noch — nun ohne Schleifer — von beiden Violinen im Unisono imitiert und damit potenziert wird, während der „isolierte Ton“ des Satzanfangs nun gänzlich ausfällt. Das mittlere Glied (b) bewahrt seinen ursprünglichen Umfang, wird aber klanglich ausgefüllt, indem die Formeln aus Takt 5—8 nicht mehr isoliert auf die Stimmen verteilt werden, sondern ein gemeinsames Band der ersten Violine und Bratsche im Unisono bilden. Als drittes Glied jedoch wird die Sequenzkette (c) signifikant verändert, indem die kontrastierenden Viertel durch Achtel ersetzt werden. Dabei werden die Kerntöne durch Nebennoten erweitert, die das intervallische Gerüst differenzieren. Gerade der schroffste Kontrast, den die Exposition im Hauptsatz bot, wird in der Reprise reduziert. Dieser Plan führt weiter zum Einschub eines Viertakters (T. 114—117), in dem das modifizierte Glied c mit dem Kopfmotiv a kombiniert wird. Nach der figurativen Kadenz, die Takt 121 gegenüber Takt 17 nach B- statt C-Dur führt, wird die Überleitungsgruppe Takt 121—125 im Vergleich mit Takt 17—24 verkürzt, wobei nun jene Einsätze gemäß Takt 21f. ausfallen, die in der Exposition vermittelnde Bedeutung hatten. Im Anschluß daran wird auch die erste Kontrastgruppe Takt 125—134 gegenüber Takt 25—37 um zwei Takte verkürzt, weil die dominantische

1 G. W. Fr. Hegel, *Ästhetik,* Bd. II, S. 266f., 301 und 323.

Bewegung (gemäß T. 29—30) entfällt. Dagegen wird die ursprünglich dominantische Phase des Seitensatzes (analog T. 38—45) nun in Takt 135—144 um drei Takte verlängert, in denen sich eine subdominantische Wendung abzeichnet (T. 140ff.). Die gesamte Schlußgruppe jedoch bleibt ebenso wie das Auflösungsfeld am Ende weithin identisch, um damit den Rahmen vor der Coda abzustecken.

Zunächst erscheint auch die Coda wie gewohnt als Entsprechung zur Durchführung, doch bietet sie weder eine bloße Wiederholung noch auch nur eine gesteigerte „Schlußdurchführung". Sie greift vielmehr die Verfahren der Durchführung auf, um sie konsequent fortzuführen. Die Kombination der Hauptsatzglieder (a + c) aus dem Beginn der Durchführung wird nun so modifiziert, daß das dritte Glied in der Achtelvariante (c') auftritt, die in der Reprise gewonnen wurde (T. 164—169). In diese Simultanpaarung jedoch wird beständig der „isolierte Ton" aus Takt 2 eingeblendet, der sich damit in den thematischen Kontext zu fügen hat. Die Ordnung der Taktgruppen wird sodann zur Wiederholung und weiter zur Sequenzierung vorangetrieben (T. 170—171 gemäß 172—173 und weiter 174—175). In diese Zweitakter werden zudem taktweise die aufsteigenden Akkordbrechungen in triolierten Sechzehnteln eingefügt, die nun das Gleichmaß der Struktur befestigen. Erstmals gewinnt die Thematik des Hauptsatzes im vollständigen Satz der Coda eine so dichte und regelmäßige Fügung, wie sie dem Herkommen gemäß eher am Satzbeginn zu erwarten gewesen wäre. Der vollständigen Ausfaltung des Themas folgt nicht zufällig Takt 176—177 die Reihung des „isolierten Tons" mit Schleifer, der nun im Unisono alle Stimmen als gebrochener Dominantseptakkord abwärts durchzieht. Die anschließende Kadenzgruppe (T. 178—181), die auf die Kadenzfigur des Hauptsatzes aus Takt 15ff. zurückgreift, könnte den Satz regulär auf der Tonika beenden. Sie mündet aber im neuerlichen Zitat des Kopfmotivs, das nun über dem Baßton Es eingeführt wird und im verminderten Septakkord (fis') abbricht (T. 182—183). Das nochmalige Zitat dieses Kopfmotivs erscheint nun — in schärfstem Gegensatz zum Satzbeginn — im Unisono, zugleich aber um eine Quint versetzt mit Rahmenintervall es—a (T. 184—185). Demgemäß führt die Motivik des mittleren Glieds (b), mit der nun der ganze Schluß bestritten wird, zunächst kadenzierend nach B- und dann erst nach F-Dur (T. 186—187, 188—193). Und in den letzten Takten wird mit diesem Kadenzmotiv gleichsam spielerisch endlich ein verbindlicher Abschluß des verwirrenden Mosaiks erreicht.

So bietet die Coda insgesamt gleichsam eine erweiterte Fassung des Hauptsatzes, dessen Elemente in ihrem Zusammenhang weiter verdichtet und gefestigt werden, während alle Elemente des Seitensatzkomplexes ausfallen können, weil sich ihre ursprüngliche Funktion in der schrittweisen Koordinierung der Parameter erschöpft hat.

Die weiteren Sätze des Werks sind zwar nicht mehr gleich eingehend zu untersuchen, doch lassen sie vergleichbare Verfahren erkennen, wenn man an ihre eigenen Voraussetzungen erinnert. Als unzutreffend erweist sich zunächst die Vorstellung, die tradierten Formen seien im Spätwerk Beethovens gefährdet. Denn so unmißverständlich der zweite Satz dem Grundriß eines Scherzos mit Trio folgt, so deutlich bildet der langsame Satz eine Variationsreihe, während das Finale als Sonatensatz Züge eines Rondos aufnimmt. Weniger die Formtypen als die internen Prozesse erfahren radikale Änderungen, sofern die Parameter des Satzes auf ihre Koordinierung hin geprüft werden.

Der als „Vivace“ überschriebene zweite Satz vertritt ein Scherzo mit Trio, Überraschungen hält jedoch schon die Formanlage bereit. Der A-Teil zeigt — wie gewohnt — binäre Gliederung; sein erster Teil (T. 1—16) bleibt ohne Wiederholungszeichen (Takt 9—16 wiederholen implizit Takt 1—8), während die Wiederholung des zweiten (T. 17—66) ausdrücklich vorgeschrieben ist. In gleicher Weise ist der ganze Kernsatz am Ende zu repetieren (T. 201—216, 217—266), wobei er eingangs durch eine knappe Überleitung (T. 192—200) und am Schluß durch eine kurze Coda (T. 266—272) ergänzt wird. Dazwischen wäre ab Takt 67 dem Herkommen nach ein Trio zu erwarten, zunächst aber wird die Tonika F-Dur ebenso beibehalten wie die skalare Bewegung in Vierteln, die schon zuvor begegnete. Den einzigen Zusatz bildet eine auftaktige Figur von vier Achteln, sie aber gewinnt zunehmend Gewicht, wenn der Satz in Sekundrückungen zunächst nach G- und dann A-Dur hochrückt, bis Takt 142—190 die Figur unverändert als Ostinato im Unisono der Unterstimmen erklingt.

Ein „Meisterstück atemversetzender Polyrhythmik“ nannte Riemann den Satzkern zu Beginn.[1] Das Cello markiert jambisch die Melodieformel mit auftaktigen Vierteln, unterbrochen von Pausen, die Bratsche füllt die Takte in punktierten Halben, gleiche Werte begegnen in beiden Violinen, sie werden jedoch in doppelter Synkopierung um jeweils eine Viertel verschoben. Erst am Ende der Taktgruppe (T. 7—8) werden die Relationen zurechtgerückt. Der zweite Achttakter wiederholt das Modell bei Stimmtausch der Oberstimmen und Oktavierung im Cello, während die gleichmäßigen Werte der Bratsche nun durch sprunghafte Viertelbewegung ersetzt werden. Am Schluß aber (T. 16) vereinen sich die Stimmen plötzlich im unerwarteten Ton es, auf ihm verharren erst die Unter- und dann auch die Oberstimmen (T. 17—22), und der befremdliche Effekt wird durch die Rhythmik pointiert, die mit Pausen auf betontem Taktteil eine Orientierung erschwert. Zwar folgt Takt 23 die Halbtonrückung zum Ton e, der sich nun als Terz der Dominante C-Dur erweist, sie aber tritt unerwartet ein und wird nicht leittönig vermittelt (wie die enharmonische Verwechslung es/dis nach Riemann suggeriert[2]). Getrennt werden also im periodischen Gerüst zuerst rhythmische und dann harmonische Irritationen eingeführt, bevor ab Takt 25 — als sei nichts geschehen — das anfängliche Satzmodell wiederkehrt. Es wird nun freilich auf die Schicht der doppelten Synkopierung komprimiert und durch chromatische Nebentöne der Mittelstimmen akzentuiert, während die melodisch führende Stimme im Cello durch Orgelpunkt auf C ersetzt wird (T. 25—32). Die anschließende Taktgruppe bietet einerseits eine Vereinfachung, indem Unter- und Oberstimmen als Stimmpaare in realer Zweistimmigkeit zusammentreten, womit die Polyrhythmik reduziert wird. Andererseits aber wird nun — gegenüber der achttaktigen Gruppierung bisher — die Periodik differenziert, sofern im achten Takt (T. 40) statt der Kadenz zur Tonika in der Oberstimme eine subdominantische Wendung eintritt (c’’’—es’’’), deren Ziel in B-Dur auf Takt 41 verschoben wird. Mit Abspaltungen dieser Formel wird die folgende Taktgruppe bestritten (T. 41—48), die erstmals eine zwischendominantische Ausweitung einbringt (D-Dur/g-Moll). Als Wiederholung mit Tausch der Außenstimmen setzt die an-

1 H. Riemann, *Beethoven's Streichquartette,* S. 178.
2 Vgl. ebenda, S. 179.

schließende Gruppe an (T. 48—57), in der aber bei analoger Harmonik die Stimmführung abgewandelt wird. Im Spiel mit Kadenzformeln, die in Zweitaktern um Dominante und Tonika pendeln, schließt der A-Teil ab (T. 48—66), fünffach begegnet eine gleiche Floskel in der Oberstimme, und die Begleitung begnügt sich mit Skalen und Tonrepetitionen in staccato. Am Ende also finden die Elemente zusammen, die rhythmische und harmonische Regulierung aber hat den Preis der Reduktion auf zweitaktige Kadenzformeln.

Im Verlauf des Satzes verschiebt sich demnach die Relation der Parameter. Anfangs bildet die strikt achttaktige Gruppierung den Rahmen für irreguläre Züge der Rhythmik und Harmonik. Je weiter sich die rhythmische und harmonische Koordinierung durchsetzt, desto mehr wird die Periodik differenziert, um sich schließlich in kurze Zweitakter aufzulösen. Wo die Kadenz in F-Dur zu erwarten wäre, schlägt aber in Takt 66 erneut der befremdliche Ton es herein, der die Wiederholung des Formteils eröffnet. An ihrem Ende wird genau dieser irritierende Ton in der seconda volta durch die auftaktige Formel von vier Achteln ersetzt, die dann zum ostinaten Fundament des Trios wird. Sie erscheint zweifach — zunächst in der Ober- und in beiden Unterstimmen (T. 66b—67). Erst wenn man sie abrechnet, ergeben die folgenden Gruppen reguläre Achttakter (T. 68—75, 76—83), die sich mit Tonrepetitionen der Begleitung und aufsteigenden Skalen der ersten Violine weithin entsprechen. Befremdlich wirkt von vornherein die Paarung des statischen Fundaments mit weiträumiger Skalenbewegung. Die auftaktige Achtelfigur, die zunächst nur als Scharnier diente, bestimmt sodann (T. 83—92) den taktweisen Wechsel zwischen Unter- und Oberstimmen, der zunächst durch stufenweise Sequenzierung verkettet wird (Zieltöne f—g—a—b—c). Die Kette mündet überraschend in einer Kadenz nach a-Moll, die ihr Ziel zunächst (T. 91) im Trugschluß nach F-Dur verfehlt und es erst im zweiten Ansatz erreicht, um sofort durch eine analoge Kadenz in G-Dur abgelöst zu werden (T. 95—96). In der neuen Tonika G-Dur verharrt das Trio mit zwei dem Anfang entsprechenden Gruppen (T. 97—111), danach pendelt der Satz um E-Dur und a-Moll, bis ab Takt 123 als Ziel A-Dur erreicht wird. Zwischen Klangflächen mit repetierten Akkorden und Skalenfiguren treten die auftaktigen Achtel hervor (T. 119—122, 129—133), die sich schließlich ab Takt 142 zum Ostinato der unisonen Unterstimmen verdichten. Über 48 Takte hin wiederholt sich unverändert diese Figur, zu der die erste Violine scheinbar regellos Skalen- und Dreiklangsausschnitte mit repetierten Borduntönen spielt. Was aber als bizarrer Effekt anmutet, erweist sich als genaues Kalkül. Zum einen wird die auftaktige Achtelfigur in die anfängliche Struktur der Klangflächen integriert, sofern sie nun selbst als Ostinato das Fundament abgibt. Zum anderen entfaltet sich in der Oberstimme eine periodische Ordnung (T. 143—150, 151—158), in zweitaktigem Abstand wird sodann der Bordunton a' von der Obersekunde h' abgelöst (T. 159—174), schließlich lösen sich beide Töne ab Takt 175 taktweise ab. In der Gruppierung zeichnen sich zunächst Viertakter ab, die ab Takt 183 durch zwei- und ab Takt 187 durch eintaktige Bildungen ersetzt werden. In der Verkürzung der Gruppen, die an der Oberstimme deutlich wird, erreicht die Konstruktion ihr Ziel, und in den beiden letzten Takten werden im Ostinato die Töne gis und fis durch g und f ersetzt, um nach F-Dur zurückzuleiten. Konträre Momente wie Statik und Bewegung oder engräumiger Ostinato und ausgreifende Figuration werden verkettet, bevor eine Überleitung im Unisono, das die notierten Synkopen unbestimmt läßt (T. 192—200), zur Wiederholung des Scherzos führt. Selbst die Coda verfährt nochmals so überraschend wie konsequent. Sie besteht aus steter Wiederholung der Tonika, die nun ungefährdet bleibt. Zugleich aber wird der Akkord so formuliert, daß die rhythmische Orientierung ungewiß bleibt. Und der verklingende Schluß trifft jäh auf den letzten Akkord im Forte. Bis zum Ende entziehen sich also die Parameter — und selbst die Dynamik — der vertrauten Regulierung.

Das „Lento assai" zeichnet sich gewiß — mit Riemann zu sprechen — durch sein „wunderschönes Thema" aus, das aber kaum von „größter Einfachheit" ist. Auch läßt sich nicht leicht von „vier Variationen" reden, deren „sehr strenge" Technik kaum „weiterer Bemerkungen" bedürfte.[1] Unstrittig ist zunächst, daß dem achttaktigen Themenkern (T. 3—10) zwei Takte vorangestellt sind, denen zwei Kadenztakte am Ende entsprechen (T. 11—12). Ebenso deutlich zeichnet sich die Wiederholung des Themas in der Tonika Des-Dur im Cello ab (T. 33—42). Und als Variation läßt sich wohl noch der Mittelteil erfassen, obwohl er in cis-Moll steht und im Notenbild stark kontrastiert (T. 23—32). Wie aber verhalten sich dazu die weiteren Taktgruppen der Rahmenteile (T. 13—22, 43—54)? Andererseits könnte die harmonische Disposition es auch nahelegen, eine A-B-A-Form mit Rahmenteilen in der Tonika und Binnenkontrast in der Mollvariante anzunehmen. Dennoch handelt es sich nicht einfach um eine Überlagerung von zwei Formprinzipien.

Seinen spezifischen Charakter erhält das Thema kaum nur durch die Melodik, die schrittweise vom Grundton zur Unterquart und aufwärts zur Oberterz führt. Eindringlich wirkt die Homogenität des tiefen Klangs in enger Lage aller Stimmen. Die klangliche Intensität mag an das Kontinuum eines romantischen Liedsatzes gemahnen, doch fehlt zugleich eine eigene Schicht der Begleitung zum Thema. Wenn sich in den zwei vorangestellten Takten der gestaffelte Tonikaklang bis zur Sechsstimmigkeit entwickelt, dann kündigt sich darin der Vorrang der harmonischen Ordnung an. Lösen sich zunächst Tonika und Dominante halbtaktig ab (T. 3—6), so mündet das Thema in der umgekehrten Folge von Dominante und Tonika (T. 9—12). Dazwischen entfaltet sich die Harmonik erstmals in einer Quintenkette (F—b, B—es, As—Des), die vom Bogen der Melodiestimme überwölkt wird. — Weniger auf der Melodik des Themas als auf seiner harmonischen Basis gründet jedoch die folgende Gruppe (T. 13—22). Zwar verweist die Oberstimme mitunter auch melodisch auf das Thema (so T. 14), das sonst aber verschleiert bleibt. Harmonisch indes basieren nicht nur die zwei ersten Takte auf dem Modell. Erfaßt man ab Takt 15 die betonten Viertel der Halbtakte als Vorhalte, so ergeben sich jeweils auf der dritten und sechsten Achtel die harmonischen Stationen des Themas. Und als dessen Variation erweist sich die Gruppe in der Fortführung, die wieder auf der Quintenkette beruht (F—b, B—es, As—Des). — Trotz kontrastierender Tonart hebt sich der Mittelteil in cis-Moll wenigstens anfangs klarer als Variation ab. Denn den ersten beiden Zweitaktern liegt das thematische Modell des halbtaktigen Wechsels von Tonika und Dominante zugrunde, das hier zunächst die relative Tonika cis-Moll und dann ihre Parallele E-Dur umschreibt. Zugleich wächst die rhythmische und melodische Distanz derart, daß das Thema selbst kaum noch durchscheint.

1 Ebenda, S. 182; vgl. ferner W. Kinderman, *Tonality and Form in the Variation Movements,* S. 135—151, besonders S. 140f.

Im homorhythmischen Satz lösen sich volltaktige Viertel und — nach Pause — auftaktige Sechzehntel ab, im jeweils zweiten Takt werden die Auftakte zu drei Sechzehnteln erweitert, und dennoch hält der magische Zusammenhang so weit, daß er auch die harmonische Variante in der mittleren Sequenzkette einschließt (Cis—Fis—Gis—Cis). Zum Zentrum des Satzes wird diese Variation in der Paarung von hörbarem Zusammenhang und größter Entfernung vom Thema.

So einfach cis-Moll durch Terztausch bei enharmonischer Verwechslung erreicht wurde, so genau wird das Verfahren in der Rückwendung nach Des-Dur in Takt 32 umgekehrt. Liegt das Thema nun in der Unterstimme, so wird es in der Oberstimme durch einen freien Kanon beantwortet, der zunächst in ein- und dann halbtaktigem Abstand einsetzt (T. 33—36, 37—39). Die Konsolidierung des Satzes durch kontrapunktische Potenzierung ergibt ein Gerüst der Außenstimmen, dazu tritt die intensive Ausfüllung durch die Mittelstimmen, die über Achtel zu synkopierten Sechzehnteln führt. Zugleich wird damit die zunehmende rhythmische Differenzierung eröffnet (T. 40—43). — Sie erfaßt in der vierten Variation nun auch die Oberstimme, in der sich die Melodik des Themas in von Pausen durchsetzte Vorhalte auflöst. Rhythmische Kontinuität wahren nun gerade die Mittelstimmen, und im Cello scheint anfangs das harmonische Themenmodell deutlich durch. Hintergründig wirkt es auch noch nach, wenn der Satz ab Takt 47 seine Auflösung erfährt. Denn zugrunde liegt wieder die Sequenzkette des Themas (F—B, Es—As, As—Des). Fällt es nach Riemann schwer, der Variationstechnik „im Detail zu folgen“[1], so stiftet weniger die Melodik als die Harmonik den Zusammenhalt. — Zu Beginn der knappen Coda erscheint nochmals der die Quintkette eröffnende B-Dur-Akkord, nun aber als verminderter Septakkord, der nach es-Moll führt. Wo dies Ziel erreicht wird, steigt die Oberstimme zum Höhepunkt auf (b''''), dem der Umschlag in tiefe Lage folgt (T. 52). Dem Auspendeln auf den Grundstufen steht in den letzten Takten die Zersplitterung des melodischen Kontinuums gegenüber, die gleichsam Abschied nehmenden Gesten der Oberstimme münden aber im sechsstimmigen Schlußakkord, der auf sein Gegenbild am Satzbeginn zurückblickt.

So fällt die Variationskette nicht einfach mit dem Schema einer dreiteiligen Liedform zusammen. Statt der Variierung einer Melodie bildet das harmonische Modell die Grundlage. Und damit entspricht der Satz wie eine Chaconne dem rhythmischen Ostinato im Zentrum des vorangegangenen Satzes.

Das Motto, das dem Finale vorangestellt ist, ist kaum leicht „semantisch“ zu entschlüsseln, doch deutet es auch nicht bloß auf einen Scherz, wie die Anekdoten seit Schindler glauben machen. In Beethovens letztem Quartettsatz — und erstmals in der Gattungsgeschichte — notiert die Partitur Musik, die nicht klingt, und würde sie gespielt, so wären doch die Worte nicht zu realisieren.[2] Jene Bedeutung, die das Motto verheißt, zieht sich also in hermetische Unbestimmtheit zurück. Die Autonomie der Instrumentalmusik aber, die durch das Motto eingeschränkt zu werden scheint, wird erst recht bestätigt. Denn das Motto präsentiert zwei konträre Zellen, die erst in der Einleitung in f-Moll zu konkretem Klang gelangen. Die Zelle gemäß „Muß es sein“, die nach Terzfall g—e die Mollterz as erreicht, erklingt in den Un-

1 H. Riemann, *Beethoven's Streichquartette,* S. 183.
2 Vgl. ebenda, S. 184.

terstimmen, sie wird von skalaren Achtelketten im Legato durch beide Violinen und Bratsche in freier Imitation beantwortet. Die transponierte und variierte Wiederholung dieses zweitaktigen Modells (T. 1—2, 3—4) stößt auf Akkordschläge aller Stimmen (T. 5—6). Und beide Momente — Mottozelle und Akkordschläge — lösen sich ab, bis der Satz in Repetition des verminderten Septakkords über Grundton C und schließlich im Unisono verrinnt (T. 7—9, 10—12).

Im Umschlag nach F-Dur beginnt das Allegro in beiden Violinen mit jener Mottoformel („Es muß sein"), die sich mit Terzsprung und Quartfall als freie Umkehrung ihres Gegenbilds erweist. Sie wird zwar noch einmal eine Sekund tiefer sequenziert, tritt aber im weiteren vorerst zurück (bis auf rhythmische Anklänge in der 2. Violine Takt 24 und 1. Violine Takt 32). Zum Motto aber erscheint in den Unterstimmen eine Viertelkette im Staccato (T. 13—16), die jedoch sofort von Legatolinien über Orgelpunkt in den Oberstimmen abgelöst wird (T. 17—24). Je mehr ihre variative Ausarbeitung den Satz bestimmt (T. 25—33), desto mehr wirkt sie als eigentlicher Hauptsatz. Denn auch nach der konträren Kette auftaktiger Akkordschläge (T. 33—42) setzt die Fortführung mit gleichem Material an. Der plötzliche Wechsel nach A-Dur (nach der Generalpause in Takt 44) könnte an ein Couplet in einem Rondo erinnern, wenn nicht der thematische Kontext gewahrt bliebe (T. 45—52). Erst wenn er sich in gleichmäßiger Dreiklangsbrechung auflöst (T. 52ff.), wird vor diesem Begleitmuster unscheinbar ein Seitenthema eingeführt (Cello T. 53—60, 1. Violine T. 61—68). Danach aber erscheint unerwartet wieder das Motto, das nun bis zum Schluß der Exposition dominiert (T. 69—81). Auch ohne nähere Analyse wird einsichtig, daß im geläufigen Grundriß der Exposition eines Sonatensatzes die Relation und Funktion der Themen offenbleibt. Denn an Profil und Prägnanz treten Haupt- wie Seitensatz zurück gegenüber dem Motto, das Beginn und Ende der Exposition markiert.

Auch die Durchführung beginnt mit unerwarteten Transpositionen des Mottos, dessen erste zwei Gestalten pausenlos aufeinander folgen, während die dritte durch Pausen abgetrennt wird (T. 82—87). Danach erst wird das Motto mit der Legatolinie des Hauptsatzes in intensiver Kombination simultan verarbeitet (T. 88—109). Und nach zwei Takten mit Akkordschlägen setzt in D-Dur das Seitenthema ein, das durch kanonische Relation der Außenstimmen modifiziert wird (T. 111—115, 116—120). Indem sich ihm nun die Begleitung akkordisch unterordnet, gewinnt es in seiner Fortspinnung (T. 120—124) eine Kontinuität, die die innere Affinität zum anschließenden Hauptsatz mit seinen gebundenen Sequenzketten zur Folge hat. Die nochmalige Verarbeitung des Hauptsatzes (T. 125—160) wird mehrfach in Pausen und durch Triller markierte Kadenzen gestaut, sichert der Phase aber die größte Kontinuität im Satz. Erneut kehren sich also die Verhältnisse um: Gegenüber der Drängung der Gestalten in der Exposition führt die Durchführung zu thematischer Kontinuität statt zur Aufspaltung des Materials. — Desto markanter drängt sich jedoch das eröffnende Grave ein, das sich nun als Zentrum und nicht als Vorspann des Satzes erweist (T. 161—173). So kenntlich das frühere Modell bleibt, so nachdrücklich wird es durch Tonrepetitionen überformt, die als Tremolo die Oberstimmen prägen. Sie steigern nicht nur den expressiven Charakter, sondern bewirken eine Kohärenz, die über den Wechsel der Motivgruppen reicht. Wo analog zur Einleitung mit dem Ausklang zu rechnen wäre, treffen erstmals beide Mottozellen direkt aufeinander (T. 170—173). Die fragende erste Gestalt wirkt nun aber auf die

Antwort der zweiten derart ein, daß sie mit der Mollfärbung auch die verminderten Quarten übernimmt. Im Dialog beider Formen des Mottos wird ihr Kontrast aufgehoben, zugleich bleibt ihre vormals eindeutige Funktion offen. Erst der vierte Takt der Gruppe führt steigernd in das Allegro der Reprise. In ihr nimmt der Hauptsatz bei aller formalen Analogie von vornherein die simultane Kombination mit der Durform des Mottos auf (T. 174—188), während der weitere Verlauf weithin dem der Exposition entspricht. Und immer noch ist am Ende der Reprise ihre gemeinsame Wiederholung mit der Durchführung vorgeschrieben, als solle damit auf den zweiteiligen Sonatensatz aus dem vorigen Jahrhundert zurückgewiesen werden.

Wie die Durchführung beginnt auch die Coda mit dreifachem Zitat der zweiten Mottoform, die nun aber pausenlos und gedehnt erscheint (T. 244—249). Liegen den beiden ersten Zitaten Sextakkorde zugrunde, die auf A- und D-Dur bezogen sind, so wird das letzte als „poco adagio" gedehnt. Es scheint zwar auf Es-Dur anzusetzen, der verminderte Quartfall der Oberstimme jedoch (b''—fis'') bewirkt bei enharmonischer Verwechslung (fis = ges) die Eintrübung zu es-Moll — denkbar weit entfernt von der Ausgangstonart. Die Durform des Mottos greift wieder die Charakteristik ihres Widerparts auf, und offen bleibt wiederum der Rang beider Gestalten. Indem sich Frage und Antwort verschränken, bleibt ihre Funktion im thematischen Prozeß fraglich, in den sie eindringen, ohne mit den Themen substantiell zu kommunizieren. Nichts anderes wird damit gesagt, als daß ein Satzverlauf fragwürdig geworden ist, der allein von seinem eigenen Material zehrt. So unentschieden die Geltung des Mottos ist, so wenig läßt die Fragestellung eine definitive Antwort zu. Muß dennoch der Schluß erreicht werden, so geht er vom Gegenpol des unscheinbaren Seitenthemas aus, das in regulärer Periodik im Pizzicato erscheint (T. 250—257), um sodann die rasche Steigerung zur Stretta zu erfahren, die im Zitat der zweiten Mottoform mündet (T. 258—277).

Die Frage, die das Motto dem Finale stellt, zielt weder auf semantische Charakteristik noch auf biographische Deutung. Eher meint sie jene Fragen des Komponierens, die in diesem Satz wie im ganzen Werk und weiter im Zyklus der späten Quartette ausgetragen werden. Eine verbindliche Antwort ist kaum möglich, wie die Verschränkung der konträren Mottogestalten anzeigt, und die vorläufige Auflösung, die als Schluß notwendig wird, ist nicht ohne Gewaltsamkeit im Annex der Stretta zu erreichen.

So unentschieden wie der externe Status des Mottos gegenüber dem internen Themenmaterial im Finale bleibt auch das Problem einer schlüssigen Lösung. Es muß in der Schwebe bleiben, wenn Beethoven am Ende seines Werks seine kompositorischen Voraussetzungen radikal bedenkt. Die Frage lautet, wie integrales Komponieren noch möglich sei, wenn die Koordinierung der Parameter so wenig selbstverständlich ist, daß jedes Element auf seine Haltbarkeit hin geprüft wird. Kann jedes einzelne Satzelement für sich Träger von Kontrast und Analogie, Entwicklung oder Beziehung werden, so ist der prozessuale Verlauf im Formgehäuse fragwürdig. „Muß es sein?" — so lautet die Frage, die schließlich im herrischen Schluß einer eher resignativen Antwort bedarf. „Es muß sein" — wenn weiter noch Musik möglich sein soll.

Hinter dem Schein des Heiteren trägt das Finale von op. 135 all die Probleme aus, die unter anderen Bedingungen in den vorangegangenen Sätzen in Erscheinung traten. So gelöst das ganze Werk dem flüchtigen Blick erscheint, so radikal sind seine Fragen und Lösungen. Und in dieser eigenartigen Balance zwischen greifbarer Konkretion und skeptischer Distanz bildet das Quartett das letzte Glied im Zusammenhang der späten Quartette.

Friedhelm Krummacher

Kantate „Der glorreiche Augenblick" *op. 136*

GEDICHTE: A. Weißenbach.
ENTSTEHUNGSZEIT: 1814.
ERSTAUFFÜHRUNG: am 29. November 1814 im Großen Redoutensaal in Wien.
SKIZZEN: Staatsbibliothek Preußischer Kulturbesitz Berlin, aut. 19e, Wagenerscher Sammelband; Deutsche Staatsbibliothek Berlin, Landsberg 5; Beethoven-Haus Bonn, BSk 15/63; British Library London, Add. Ms. 29997; Bibliothèque Nationale Paris, Ms 67; Gesellschaft der Musikfreunde Wien, A 40, Dessauer Skizzenbuch; vgl. G. Nottebohm, *Zweite Beethoveniana*, S. 307f.
AUTOGRAPH: Deutsche Staatsbibliothek Berlin.
ERSTDRUCK: Wien 1837 (T. Haslinger).
GESAMTAUSGABE: Alte Gesamtausgabe: Nr. 208 = Serie 21 Nr. 1.

Die weltbewegenden politischen Ereignisse zwischen 1813 und 1815 — die siegreichen Befreiungskriege gegen das napoleonische Frankreich, der doppelte Sturz des großen Usurpators und der Wiener Kongreß der europäischen Alliierten zur Wiederherstellung der alten Herrschaftsverhältnisse — hinterließen auch in Beethovens Leben und Schaffen tiefgreifende Spuren. Vom grassierenden Patriotismus seiner Landsleute animiert, und weil er lange den „sehnlichen Wunsch" gehegt habe, „auch eine größere Arbeit von mir auf den Altar des Vaterlandes niederlegen zu können"[1], arrangierte er 1813 nach einer Idee von Johann Nepomuk Mälzel die pompöse Battaglia *Wellingtons Sieg* op. 91. Der Erfolg war in moralischer wie finanzieller Hinsicht ungeheuer groß; Beethovens Popularität wuchs enorm, und so ließ er sich — für gekröntes Lob und gutes Geld durchaus empfänglich — leicht zu weiteren tagespolitischen Gelegenheitskompositionen bewegen. Dazu gehören die Schlußchöre aus zwei Singspielen von Treitschke — „Germania" WoO 94 anläßlich der Kapitulation von Paris am 31. März 1814 und „Es ist vollbracht" WoO 97, angeregt durch die Schlacht von Waterloo und die zweite Besetzung der französischen Hauptstadt — sowie als Tribut an die zum Wiener Kongreß versammelten Monarchen der Chor mit Orchester „Ihr weisen Gründer glücklicher Staaten" WoO 95 und die umfangreiche Kantate *Der glorreiche Augenblick* für vier Solisten, Chor und Orchester op. 136. Den schwülstigen und lobhudelnden Text der Kantate verfertigte der in Salzburg wirkende Chirurg Dr. Aloys Weißenbach. Nachdem Beethoven im Herbst 1814 zusammen mit dem Verfasser vergeblich an den unmusikalischen Versen laboriert hatte, wurde das Elaborat dem befreundeten Wiener Journa-

1 A. Schindler, *Biographie* (^{3}1860), zit. nach M. Solomon, *Beethoven. Biographie,* S. 256.

listen Carl Joseph Bernard „zu gänzlicher Überarbeitung gegeben".[1] Obwohl dem Komponisten „nur wenige Tage zum Niederschreiben vergönnt" waren und er sich daher, wie Schindler meint, „in diesem Werke nicht zu gewohnter Höhe erhoben hat"[2], gestaltete sich die Uraufführung der Kantate am 29. November 1814 in der Wiener Hofburg (neben der 7. Symphonie und der Schlachtenmusik) vor etwa 6000 Zuhörern — darunter der versammelten Prominenz — zu einem unwiederholten Triumph. Schon die zweite Aufführung aber fand vor halbleerem Saal statt — und eine geplante dritte gar mußte wegen des rasch verblassenden Interesses abgesagt werden.

Seit jenen Tagen gehören die biographische Entschuldigung, der ästhetische Zweifel, die musikalische Irritation und das kompositionstechnische Verdikt gegenüber dieser Kantate und den anderen politischen Gelegenheitswerken zu den feststehenden Vorurteilen im breiten Spektrum der Meinungen über Beethoven. Zwar gab es einzelne Verehrer seiner Musik, die sie, wie etwa Friedrich Rochlitz im Falle des *Glorreichen Augenblicks* durch eine spätere Neutextierung, zu retten versuchten, aber die Zahl derer, die an ihnen Anstoß nahm, war schon unter den Zeitgenossen nicht klein. So schrieb der Komponist Tomaschek über *Wellingtons Sieg*, ihn habe „sehr schmerzlich berührt, einen Beethoven [...] unter den gröbsten Materialisten zu finden".[3] Nach Schindler habe der Komponist selbst die Fragwürdigkeit dieses Werkes zugegeben und auch dem *Glorreichen Augenblick* keinen Wert beigemessen. Ob dies so stimmt, bleibe mangels authentischer Aussagen dahingestellt, aber zu denken gibt, daß der Komponist ein Jahrzehnt nach der Aufführung der Kantate daran dachte, für sie noch eine Ouvertüre zu schreiben.[4] Gewiß enthält dieses Werk — wie zu zeigen sein wird — durchaus nicht nur flüchtig konzipierte Musik, sondern auch gelungene, hochwertige Partien und sogar einzelne geniale Momente. Aber grosso modo wird wohl auch verständnisvollste Analyse den Geruch der künstlerischen Minderwertigkeit nicht beseitigen können (wenn sie an den von Beethoven anderweitig gesetzten Maßstäben für höchstes Gelingen festhält), und man wird Maynard Solomons genereller Einschätzung zustimmen dürfen, daß zwar diese zeitgebundenen Produkte „noch seine Beliebtheit" steigerten, „aber kaum seinen Ruf als Komponist" mehrten. „Diese Kompositionen mit ihrer bombastischen Rhetorik und ihrem ‚patriotischen' Überschwang bilden den Tiefpunkt in Beethovens künstlerischer Laufbahn. In ihnen lebt der heroische Stil zwar auf, aber parodistisch und farcenhaft. Statt in Richtung seines Spätstils vorwärts zu schreiten, fällt er hier in ein Pasticcio seiner heroischen Manier zurück. Aus Zweifeln, Auflehnung und Trotz geschmiedet, endete der heroische Stil im Konformismus."[5]

Die Kantate ist auf propagandistischen Effekt ebenso durch den Inhalt des Textes wie den Einsatz der musikalischen Mittel berechnet. Zwar verlangt Beethoven den üblichen oratorischen Apparat mit vier Solisten, großem gemischtem Chor und vollem symphonischem Orchester (durch drei Posaunen verstärkt), aber mit Rück-

---

1 A. Schindler, *Biographie* (1977), S. 222.
2 Ebenda, S. 223.
3 Zit. nach Thayer / Deiters / Riemann, *Ludwig van Beethovens Leben,* Bd. III ([5]1923), S. 391.
4 Vgl. M. Solomon, *Beethoven. Biographie,* S. 257.
5 Ebenda, S. 255.

sicht sowohl auf den Mangel an Probenzeit für die Interpreten als auch auf ein überwiegend nicht metierspezifisches Publikum spart er kompositorische Feinheiten überwiegend aus und hält die interpretatorischen Anforderungen an Chor und Orchester in den Grenzen des praktisch schnell Machbaren. Demgegenüber wird von den Gesangssolisten professionelles Niveau verlangt, und ausnahmsweise tritt in einer Nummer auch eine Solovioline virtuos konzertierend hervor. Um eine organische Durchbildung der thematischen Substanz hat sich der Komponist offenbar ebenso wenig gesorgt wie um tonale Geschlossenheit, denn jede der insgesamt sechs Nummern steht in einer individuellen Tonart, und das Ganze, in A-Dur beginnend, führt über D-Dur/F-Dur (Nr. 2), B-Dur (Nr. 3), H-Dur/G-Dur (Nr. 4) und wieder A-Dur (Nr. 5) zum großen Schlußteil in C-Dur. Anfang und Ende sind reine Chorteile, während die Nummern 2—5 — auch jeweils unter Anteilnahme des Chores — die Vokalsolisten in rezitativischen und ariosen Monologen oder Dialogen dominieren lassen. Die Solisten sind nicht nur Protagonisten ihrer Gesangsfächer, sondern Rollentypen, die als teils allegorische, teils symbolische Figuren in einem imaginären szenischen Ambiente agieren. Zu Beginn begrüßt der Chor eine „lichtumflossene Gestalt“: Es ist, wie in Nr. 2 ein „Genius“ (Tenor) und ein „Führer des Volks“ (Baß) zu erkennen geben, „Vienna“ (Sopran), die Schutzgöttin der habsburgischen Metropole. Sie begrüßt nun ihrerseits die monarchischen Häupter der hier zum Kongreß versammelten Siegermächte und beglückwünscht die Stadt zu diesem ihrem weltgeschichtlich einmaligen „glorreichen Augenblick“ (Nr. 3). Nun tritt eine „Seherin“ (Sopran oder Mezzosopran) hervor, die vor Beginn des „Weltgerichts“ ein Dankgebet an den überirdischen Schicksalslenker zelebriert (Nr. 4). Danach vereinigen sich die vier Solisten zur Bitte an die weltlichen Herrscher um eine friedliche, glückliche Neuordnung der Welt, damit „die alten Zeiten werden endlich wieder sein auf Erden“ (Nr. 5). In diese Bitte stimmt schließlich das Volk ein — chorisch geteilt in „Frauen, Kinder und Männer“ („Mannen der Heere“), um die Fürsten zu schauen, vaterländische Wonnen zu empfinden und sich und die Welt nochmals zu dem „großen Augenblick“ zu beglückwünschen (Nr. 6).

Der Einleitungschor (Nr. 1, „Allegro ma non troppo“, A-Dur, 4/4 alla breve) beginnt in homophoner Klangpracht, in massiven Akkordsäulen von Europas Standfestigkeit zu singen. Ebenso im antiphonischen Wechsel zwischen organalem Tutti und plötzlich leisen Repliken a cappella wie in den kräftigen harmonischen Rückungen und Ausweichungen (nach G-Dur einerseits, über H-Dur nach Cis-Dur andererseits) glänzt ein wenig die Aura des archaischen Kirchenstils auf, und die psalmodierende Beharrlichkeit der Stimmführung evoziert jene rituelle Ehrfurcht, mit der „die alten Jahrhundert“ auf die gegenwärtigen Ereignisse „verwundert“ emporschauen. Sanft pochende Streicher führen in zwielichtiges a-Moll und den Blick des Chors auf jene noch entfernte, undeutliche Gestalt, nach der er zuerst in imitatorischer Auffächerung, dann mit kompaktem Nachdruck zu fragen anhebt: „Wer muß die Hehre sein?“ Statt einer Antwort ruft er sie näher heran, lockend mit sanften Pendelmotiven der Flöte, des Fagotts und der Violinen (wieder in A-Dur) — in einer weiteren fugierten Partie Entzücken bekundend angesichts ihrer immer deutlicher sichtbaren, herrschaftlichen Insignien. Im erneuten Wechsel von herrisch fordernden und melodiös flehenden Gebärden, teils blockhaft gebunden, teils polyphon dialogisierend, wiederholt der Chor abschließend mehrmals seine Aufforderung, die Göttin möge bei der „großen Völkerrunde“ verweilen und auf deren „Anruf Red und Kunde" geben. Das volle Orchester sekundiert, indem es die lapidar kadenzierenden Gesangsfloskeln durch martialischen Pomp akzentuiert. Ob man angesichts solch aufdröhnender Erstarrung eines heroischen Tons noch an Beethovens malerische Naivität, seine durchaus im weiteren praktizierte Neigung zu szenischem Detail-Realismus glauben soll, oder ob mit einem Moment kritischer Distanzierung, einer Technik der ironischen Camouflage zu rechnen ist, muß allerdings offenbleiben, weil im Falle dieser ganzen Kantate der reflektierte Umgang mit dem Material nicht sehr entwickelt ist und auch kompositorischer Zeitdruck gerade bei solchen schablonenhaften Episoden vordergründig spürbar wird.

Die Nummer 2 („Andante", D-Dur, 4/4 alla breve) ist keineswegs nur, wie es die Überschrift in der Gesamtausgabe suggeriert, ein „Recitativ", sondern, wie auch die anschließenden Stücke, ein mehrteiliges Formgebilde aus rezitativischen, ariosen und chorischen Bestandteilen. Eine weich geschwungene, zart ausgezierte Kantilene des Solocellos, von den übrigen Streichern begleitet, scheint das Entzücken auszudrücken, das den nun redenden „Führer des Volks" bei der näheren Beschreibung der Schutzgöttin überkommt. Beethoven verfährt nach der geläufigen dramatischen Technik, derzufolge ein instrumentaler Komplex expressiv, gelegentlich auch bloß malend, das nachfolgende Sprachbild vordeutet. So beschreiben ein nach Es-Dur entrücktes Arpeggio des Cellos, ein akkordisches Tremolo und aufsteigende Dreiklangsbrechungen, wie sich die Gestalt aus ihrer „Glanzflut" erhebt. Punktierte Marschfloskeln signalisieren ihren detailliert beschriebenen „Kaisermantel". Wenn Beethoven kein direktes akustisches Pendant dazu einfällt, umgibt er den pastosen Sermon mit ausgehaltenen und modulierenden Streicherklängen. Sie führen nach zwei kurzen Abschlägen und dem minimalen Fragment eines Geschwindmarschs („Allegro vivace") zu einer ariosen Replik des Tenors („Andante sostenuto", F-Dur, 2/4), der nun feierlich, von Hornquinten animiert, Einzelheiten des habsburgischen Waffenschildes preisgibt, wobei Beethoven es sich nicht entgehen läßt, der „Lerchenschaar", des „gothischen Turms", des stürmisch fliegenden „Doppelaars" mit einer vokalen Fioritur, einem markanten Rhythmus und einem mächtig aufbrausendem Dominantseptimakkord zu gedenken. Nach so minutiöser Unterweisung dämmert es nun endlich dem Volke, wer ihm da naht, und folgerichtig bricht es, von den Bässen bis zum Sopran taktweise gestaffelt, in hemmungslosen Jubel aus: „Vienna, Vienna! Kronengeschmückte, Götterbeglückte, Herrscherbewirthende Bürgerin!" („Allegro", F-Dur, 6/8). Auch diese chorische Apotheose endet Beethoven mit tänzerisch drängenden Akzenten im simplen Kadenzgefüge eines lärmenden Orchestertuttis.

Die Nummer 3 („Allegro", B-Dur, 4/4) wird in der Gesamtausgabe als „Arie mit Chor" bezeichnet, obwohl auch diesem geschlossenen Teil ein großes, akkompagniertes Rezitativ vorausgeht. Jetzt tritt als personifizierte „Vienna" der erste Sopran zum Kreis der Solisten hinzu und huldigt voller Ehrfurcht den gekrönten Häuptern, die sich in ihrer Stadt versammelt haben. Sie tut es — laut Text — entzückt, aber auch mit erregt pochendem Busen und stammelnder Zunge, wie das aufspringende und tremolierend begleitete Trillermotiv der Violinen sogleich andeutet. Unter martialischen Kommentaren des Orchesters („Maestoso", „Alla marcia", C-Dur) findet sie die schmeichelhaftesten Phrasen für die wichtigsten Monarchen in hymnisch simplen Floskeln: für den russischen Zaren, den preußischen König, dann die dänischen, wittelsbachischen und babenbergischen Herrscherhäuser. Sie alle begrüßt auch das Orchester einzeln mit mehr oder weniger markigem Tusch, nicht ohne beim Bayern auf dessen „Güte" mit einem extra sanften Melisma zu reagieren. Danach erst setzt die eigentliche Begrüßungs-Arie des Soprans ein („Allegro ma non troppo", B-Dur, 4/4), dem der Chor mit lapidaren Einwürfen ebenso obligat sekundiert wie eine konzertant hinzutretende Soloviolinе, die, wenn man sie nicht als die beredt-beseligende, sanft harmonisierende Stimme der Liebe deuten will, auch die Funktion des fein ziselierten, schillernd dekorativen Rankenwerks eindrucksvoll erfüllt. Der Gesang zelebriert hier endlich einmal nicht den banalen Text, sondern er saugt ihn bis zur Bedeutungslosigkeit in sich auf — in einer formal sehr freizügigen, immer wieder neuen, zunehmend koloraturenreichen Motivik, der auch die chorische Behandlung in variablen Relationen, von der kurzen Replik bis zur kontrapunktisch entfalteten Struktur entspricht. Durch diese ihre klangliche Mehrschichtigkeit und dialogische Lebendigkeit, aber auch aufgrund der angespannten Kontraste zwischen spielerischen, lyrischen und appellativen Diskursen (die sich nicht zuletzt in einer subtil differenzierten Instrumentierung offenbaren), gehört das Stück zum Besten der Partitur — den hier ansonsten raren Dokumenten echter musikalischer Inspiration, die durch eine gewisse Ausgefeiltheit der handwerklichen Arbeit spürbar bleibt.

Die Nummer 4 (ohne Tempo, H-Dur, 4/4) wird in der Gesamtausgabe wiederum bloß mit „Recitativ" gekennzeichnet, während sie zur Hauptsache aus einer großen, responsorisch zweigeteilten „Cavatine" für den zweiten Sopran — die „Seherin" — und Chor besteht. Sie bildet den meditativen Ruhepunkt der Kantate, und ihre anfängliche Tonart H-Dur, durch den Dreiklang in weiter Lage der Holzbläser und Streicher breit liegend exponiert, markiert im Anschluß an das B-Dur des vorangegangenen Stücks eine davon scharf abgegrenzte, außergewöhnliche Gemütslage. Die „Seherin" erblickt Gottes Auge, das in allwissender Ruhe die auf- und niedergehenden „Sonnen" und „Sterne" der Völker betrachtet. Diese kreisende Bewegtheit ist im rezitativischen Vortrag ebenso auskomponiert wie die Reglosigkeit der himmlischen Allmacht in den kadenzierenden Klangsäulen des instrumentalen Horizonts. Dann aber ergreift die „Seherin" Schauder ob des majestätisch richtenden Auges, was die Musik durch harmonische Verrückungen, bebende Tremoli und grelle Fanfarenstöße symbolisiert. Und schließlich wendet sie sich — durch ein paar „Presto"-Takte vermittelt und von demutsvoll einander imitierenden Gesten der Streicherstimmen eingestimmt — mit eindringlicher Bitte an die Welt: „O kniet, Völker, hin und betet erst zu dem, der euch gerettet." Hier schließt sich in breit strömendem, expressiv gebundenem Melos jene „Cavatine" als erweiterte Aufforderung zum Gebet an, deren ebenso keusche Herzlichkeit wie schlicht-frömmige Innigkeit des Tons kein anderer als Beethoven so hätte komponieren können und die in der Tat den Adagio-Charakteren in manchen seiner bedeutsamsten Werke ähnelt. Das Stück ist ganz auf den weich pulsierenden Streicherklang (mit echohaften Repliken der Holzbläser) gestellt, der auch dann noch dominiert, wenn das volle Orchester — ohne Posaunen und Pauken allerdings — den Chor bei seiner variierenden Wiederholung des solistischen Teils umspielt.

Die „Seherin" formuliert in der Nummer 5, „Rezitativ und Quartett" („Allegro", A-Dur, 4/4) die einleitende Vision eines gottgefälligen, friedlichen Staatenbundes, der allen Stürmen trotzen wird. Ihr stimmen in kurzen Repliken, von akkordisch tremolierenden Streichern gestützt, die anderen Solisten zu („Vivace",

C-Dur), und sie tragen im anschließenden großen „Quartett“ („Allegretto“, A-Dur, 3/8) zu diesem idyllischen Entwurf ihre Facetten bei. Das instrumentale Vorspiel stimmt sanft wiegend, mit einem einschmeichelnd ausgeterzten Thema in Klarinetten und Fagotten, auf diesen pastoralen Ton ein. „Vienna“ und „Genius“ nehmen nacheinander, durch ein glanzvoll auftrumpfendes Ritornell getrennt, dieses Thema auf, ehe sich beide Stimmen zum frohlockenden Duett vereinen. Für das andere Gesangspaar, „Führer des Volks“ und „Seherin“, wechselt Beethoven mit neuer Motivik zur Subdominantregion, wobei er dramatischen Spannungsmomenten und heroischen Stimmungen Raum schafft, wenn der Baß an die überstandenen Leiden des Volks, der Sopran wieder einmal an die Inkommensurabilität „des Ewigen“ erinnert. Schließlich treten die Solisten in wechselnden Konstellationen zum Quartett zusammen, um mit wachsender Begeisterung und stimmlicher Kraftentfaltung, bei mächtig aufrauschendem Orchesterklang, vom unzerstörbaren Bund zwischen den Völkern und ihren Herrschern (namentlich zwischen den Wienern und ihrem Kaiser Franz) zu künden. Eine knappe Überleitung führt ohne Pause zum chorischen Finalsatz („Poco Allegro“, C-Dur, 2/4), den ein munteres, rondohaftes Thema eröffnet. Wie in einem imaginären Defilee huldigen (mit je eigener musikalischer Charakteristik) erst enthusiasmierte Frauen, dann naiv trällernde Kinder, des weiteren auch kriegerisch entschlossene Männer und endlich alle gemeinsam ihren Fürsten. So zur Jubelmasse formiert, intonieren sie eine veritable Chorfuge („Presto“, C-Dur, 4/4 alla breve), die abschließend noch einmal das allgemeine Glück über den „großen Augenblick“ verkündet. Die dreimaligen Ansätze zu kontrapunktischen Expositionen lösen sich jedoch immer wieder rasch in hymnisch homophonen Exklamationen auf und verquicken sich mit jenen endlosen, heroisch aufgerüsteten Elementarformeln des Orchesters, die — sollten sie auch zum letzten Mal nicht andere Intentionen verbergen — Beethovens bedingungsloses ästhetisches Einverständnis mit den politischen Ritualen pompöser Macht zu signalisieren scheinen.

Frank Schneider

Fuge D-Dur für Streichquintett op. 137

Entstehungszeit: 1817.
Erstaufführung: unbekannt.
Skizzen: Deutsche Staatsbibliothek Berlin, Grasnick 20b, vgl. Johnson / Tyson / Winter, *The Beethoven Sketchbooks*, S. 250; Skizzenbuch Boldrini (verschollen), vgl. ebenda, S. 347—350 und G. Nottebohm, *Zweite Beethoveniana*, S. 349—355.
Autograph: Bibliothèque Nationale Paris, Gesellschaft der Musikfreunde Wien.
Erstdruck: Wien 1827 (T. Haslinger).
Gesamtausgaben: Alte Gesamtausgabe: Nr. 35 = Serie 5 Nr. 4; Neue Gesamtausgabe: Abt. VI, Bd. 2.

Für Beethoven bedeutete die Fuge ein Konzept, das er nach seinen eigenen Vorstellungen erneuerte und das er in dialektische Extreme führte. Angefangen bei seinen frühesten Kompositionen und bis hin zu den letzten Quartetten läßt sich dies durch sein gesamtes Œuvre hindurch verfolgen. Das eine kompositorische Extrem bilden Fugen, denen eine didaktische Intention zugrundeliegt — sie sind hauptsächlich danach komponiert, was man die Begrenztheiten der Verfahrensweise des 18. Jahrhunderts nennen könnte, nachempfunden den ehrwürdigen historischen Modellen und kodifiziert in Werken wie Marpurgs *Abhandlung von der Fuge* (Berlin 1753—1754) und Albrechtsbergers *Anweisung zur Composition* (Leipzig 1790), welche Beethoven als theoretische Grundlage für seine eigenen formalen Studien und privaten Untersuchungen nutzte. Auf der anderen Seite finden sich Fugen, denen so etwas wie eine poetische Aufgabe zukommt — sie sind im Dienst einer größeren künstlerischen Vision sozusagen gegen die Regeln komponiert. Diejenigen Fugen, die unter Albrechtsbergers Anleitung in den mittleren 1790er Jahren entstanden, gehören weitestgehend zur ersten Gruppe, die eigenwilligen Exemplare aus den späten Streichquartetten dagegen zur letzteren. Auch in den extremen Beispielen der Beethovenschen Fugenkomposition aber kommen — auf der einen oder anderen Ebene — jene widersprüchlichen Ansätze zum Tragen.

Ganz gewiß finden sich Antinomien dieser Art in der ungewöhnlichen D-Dur-Fuge für Streichquintett op. 137 — einem Werk, das Beethoven 1817 Tobias Haslinger übergab, wohl in der Absicht, mit diesem Geschenk die Pläne zu einer Gesamtausgabe seiner Werke voranzutreiben.[1] Ob Beethoven das Stück auch zu diesem Zweck komponierte, wissen wir nicht. Hingegen können wir mit Sicherheit sagen, daß es zu einer Zeit entstand, als Beethoven sich wieder einmal intensiv mit frühen Theorien und allgemeinen Fragen der Fugenkomposition beschäftigte. Die vier Schlußtakte unserer Fuge gingen in vollständiger Niederschrift auf fünf Systemen in ein kleinformatiges (Taschen-) Skizzenbuch aus dem Spätherbst 1817 — das sogenannte Boldrini-Skizzenbuch — ein, umgeben von einigen Auszügen aus Marpurgs *Abhandlung* (II, Tab. XVI, figs. 1—6), zwei Passagen aus Bachs *Kunst der Fuge* und zwei Passagen aus der b-Moll-Fuge des *Wohltemperierten Klavier* I.[2] Außerdem gibt es den Anfang eines Fugenthemas in d-Moll, welcher in verschiedenen Zusammenhängen innerhalb früher Arbeiten zur 9. Symphonie wiederaufgenommen wurde, zusammen mit dem Incipit einer Art Präludium, ebenfalls in d-Moll.[3] Der Fugenbeginn erscheint zudem — und zwar genauso wie bei Boldrini und im Autographfragment (Hess 40) — auch auf der verso-Seite eines Blattes, das Beethovens Bearbeitung der h-Moll-Fuge aus dem *Wohltemperierten Klavier* I für Streichquartett enthält.[4] Die einzigen weiteren bekannten Skizzen zu op. 137 finden sich auf

1 Zur sogenannten „Haslinger-Rudolphinischen Abschrift" siehe insbesondere S. Brandenburg, *Die Beethovenhandschriften in der Musikaliensammlung des Erzherzogs Rudolph,* S. 170f.

2 Nicht die Fuge in h-Moll aus dem ersten Band, wie es fälschlicherweise in Johnson / Tyson / Winter, *The Beethoven Sketchbooks,* S. 350 und 598 angegeben ist. G. Nottebohms wertvolle Beschreibung des Skizzenbuchs und seiner Inhalte erschien als *Ein Skizzenbuch aus dem Jahre 1817.*

3 Das Präludium erscheint verbunden mit dem Fugenbeginn in d-Moll in einem fragmentarischen Autograph, aufbewahrt in der Deutschen Staatsbibliothek im früheren Ost-Berlin: Mus. ms. autogr. Beethoven Artaria 185a. Unter Hess 40 ist das Autograph veröffentlicht in *Beethoven. Supplemente zur Gesamtausgabe,* Bd. VI, S. 147—149 und 157 sowie in L. v. Beethoven, *Werke,* NGA, Abt. VI, Bd. 2, S. 117f.

4 Das Manuskript befindet sich in Wien im Archiv der Gesellschaft der Musikfreunde, Beethoven Autogr. 81. Es wird beschrieben in W. Hess, *Eine Bach- und Händelbearbeitung Beethovens*; ein Faksimile der ersten Seite zeigt R. Bory, *Ludwig van Beethoven: His Life and his Work in Pictures,*

einem Blatt der heutigen Skizzensammlung der Deutschen Staatsbibliothek Berlin, Grasnick 20b, fol. 13ʳ. Wieder erscheinen die Schlußtakte — die hier dreimal aufgenommen sind — isoliert und jeweils in vollständig ausgeschriebener Partitur: Den stark revidierten letzten sieben Takten folgen auf einem zweiten System die letzten vier Takte, die zweimal ausgeschrieben sind.[1]

Und tatsächlich scheinen diese arbeitsintensiven Schlußtakte jene Antinomien zu exponieren, von denen oben die Rede war. Denn während die Eröffnungstakte der Fuge Thema und Beantwortung entwickeln, welche einem Bachschen Prototyp nachempfunden sind, beziehen sich die Schlußtakte auf die harmonischen und sogar auf die rhythmischen Implikationen des Themas — wohl verborgene Implikationen allerdings, wie hier bemerkt werden muß — und auf deren spätere Ausarbeitung.

Welches sind nun diese Implikationen? Man erinnere sich an die ersten einzelnen Einsätze der Fugenexposition. Die gebrochenen Oktaven im Anfangstakt des Themas deuten eine klangliche Verstärkung an, eine simple Verdopplung der Stimme. Indem diese Oktavpaarung aber nicht bis zum Ende des Themas durchgeführt wird und die verdoppelnde Stimme in diesem Fall die untere Stimme ist, erhält der plötzliche Abbruch dieses Registers geradezu strukturelle Signifikanz. Diese Implikation wird fast nebensächlich in Takt 10 fortgeführt, wo die Beantwortung in der 2. Bratsche, welche das erforderliche A nicht spielen kann, dieses durch Cis ersetzen muß und folglich ein Paar der „signifikanten" Intervalle hervortreten läßt — die verdoppelnde Stimme wird hier in das Intervallgewebe des Themas selbst miteinbezogen. In dem Augenblick, da das Thema in der 1. Violine in Umkehrung erscheint (T. 71), werden die Echo-Töne — die jetzt in der oberen Oktave erklingen — zur Hauptstimme. Die Umkehrung ist dabei keineswegs wörtlich, sondern hat eher den Charakter einer freien Permutation der Themenmotive (man fühlt sich an die Schlußtakte des „Alla danza tedesca" aus op. 130 erinnert) und deutet sogar eine ungefähre Krebsumkehrung an.

Im Zentrum der Fuge — sehr nahe ihrer mathematischen Mitte — kommt es zu einer groben Verletzung des ordnungsgemäßen Themenverlaufs. Mittels der fortissimo gespielten leeren C-Saite des Cellos, dem klanglichen Fundament des Quintetts also, entsteht ein Tritonus, dessen gedachte Auflösung nach H unspielbar ist. Dementgegen spielen Violine 1 und Viola 1 angestrengt in höchster Lage. Ein einziger verminderter Septakkord erklingt über volle fünf Takte. Dis wird zu Es, und die Passage löst sich nicht nach e-Moll auf, sondern in die Dominante von G-Dur.

Der Tritonus ist schon im Thema enthalten, allerdings nur dort, wo es — beginnend in Takt 30 — in h-Moll auftritt. Und genau hier scheint sich die Quartettbearbeitung von Bachs h-Moll-Fuge — die, wie wir uns erinnern, unmittelbar zur gleichen Zeit entstand wie op. 137 — in den Text, in den Diskurs einzureihen.[2]

S. 63. Das Wasserzeichen des Manuskripts — Johnson / Tyson / Winter, *The Beethoven Sketchbooks:* Papier-Typ 33 (S. 555) und J. Schmidt-Görg, *Die Wasserzeichen in Beethovens Notenpapieren:* Wasserzeichen 57 (S. 183) — stimmt mit demjenigen des Skizzenbuchs Staatsbibliothek Preußischer Kulturbesitz Berlin, aut. 11/1 überein, ebenso mit denen anderer Blätter, die Beethoven um 1817 verwandte.

1 Vgl. Johnson / Tyson / Winter, *The Beethoven Sketchbooks,* S. 250.

2 Die h-Moll-Fuge hatte J. A. P. Schulz einer erschöpfenden harmonischen Analyse unterzogen, welche in J. Ph. Kirnberger, *Die wahren Grundsätze zum Gebrauch der Harmonie* (1773) als eine Art Höhepunkt erschien — eine Schrift, die Beethoven bereits 1790 studierte.

Dies führt uns zu den Schlußtakten zurück. Das aufgelöste C tritt hier wiederum hervor und provoziert eine Folge von chromatisch absteigenden Tönen sowie harmonische Verläufe, die zuvor angedeutet, aber nicht ausgeführt wurden. Zwischen den Takten 77 und 78 wird Es auf Dis zurückgeführt (und somit die Enharmonik aus Takt 36—42 zurückgenommen): Auf schwerem Taktteil erscheint in Takt 78 zugleich ein dreifaches C — eine dreifache None über H —, welches zu einem Dominantklang auf H führt. Dis ist jetzt markant genug, sich selbst in die Schlußbehauptung des Themas einzufügen (T. 80). Der Tonika-Dreiklang, mit dem das Thema beginnt, wird nunmehr zu einer momentanen Dissonanz transformiert; sein anfängliches A klingt als Septe wieder und wird über ein imaginäres G auf das abschließende Fis herabgeführt, mit dem das Thema endet. Es ist die harmonische Implikation des Themas, die hier realisiert wird und die die Fuge zuvor durch ihre radikalsten Abschnitte führte. Der Schluß des Themas antwortet jetzt in direkter und sparsamer linearer Bewegung auf die seinem Anfang eigene Dissonanz.

Richard Kramer
Übersetzung: Lydia Jeschke

Ouvertüre Leonore I
op. 138 (→ op. 72a/b)

Musik zu einem Ritterballett
WoO 1

ENTSTEHUNGSZEIT: Winter 1790/1791.
ERSTAUFFÜHRUNG: am 6. März 1791 im Redoutensaal in Bonn.
SKIZZEN: unbekannt.
AUTOGRAPH: Partitur: Deutsche Staatsbibliothek Berlin; Klavierauszug: Photokopie im Beethoven-Haus Bonn.
ERSTDRUCK: 1888 in der Alten Gesamtausgabe.
GESAMTAUSGABEN: Alte Gesamtausgabe: Nr. 286 = Serie 25 Nr. 23; Neue Gesamtausgabe: Abt. II, Bd. 2.

Die *Musik zu einem Ritterballett*, bestehend aus acht Nummern, schrieb Beethoven für eine tänzerisch-pantomimische Fastnachtsveranstaltung am 6. März 1791 im Redoutensaal des Bonner Schlosses. Das choreographische Arrangement besorgte Ferdinand Graf von Waldstein; hierbei soll er von einem Aachener Tanzmeister namens Habich unterstützt worden sein.

Anlaß und Umstände von Beethovens Komposition sind in einem zeitgenössischen Theaterjahrbuch angesprochen: „Am Fastnachtssonntage führte der hiesige Adel auf dem Redoutensaale ein karakteristisches Ballet in altdeutscher Tracht auf. Der Erfinder desselben, [...] Graf von Waldstein, dem Komposition des Tanzes und der Musik zur Ehre gereichen, hatte darinn auf die Hauptneigungen unsrer Urväter, zu Krieg, Jagd, Liebe und Zechen Rücksicht genommen."[1] Warum Beethoven nicht als Schöpfer der Musik aufgeführt ist, kann nicht plausibel begründet werden. Eine Vermutung geht dahin, daß Beethoven aus Gefälligkeit für Waldstein, seinen Fürsprecher am kurfürstlichen Hof, nicht genannt sein wollte. Ob der musikinteressierte Graf tatsächlich gar einen Teil der Themen vorgegeben hatte — was Ludwig Schiedermair als Möglichkeit in Betracht gezogen hat[2] —, läßt sich nicht verifizieren. Gleichwohl ist Beethovens Autorschaft heute unbestritten; ihre erste Erwähnung in der Literatur findet sie in der Biographie von Franz Gerhard Wegeler und Ferdinand Ries.[3]

Die Formulierung „karakteristisches Ballet" darf nicht dahin gehend mißverstanden werden, daß der Adel eine Tanztheatervorstellung — also auf einer Bühne vor Publikum — präsentiert hätte; der Begriff „Ballett" ist hier in seiner alten Bedeutung als „ballo", als gesellschaftlicher Tanz, der pantomimisch vermittelte Inhalte aufweisen kann, gebraucht. Jedoch ist die adlige Gesellschaftsveranstaltung eher als theatralisierte Maskerade aufzufassen, in der der Tanz als selbstverständlicher Bestandteil der höfischen Festkultur eingegliedert war. Solche in der Karnevalszeit veranstalteten Maskeraden besaßen in Bonn eine gewisse Tradition; zu Beginn des 18. Jahrhunderts fanden sie regelmäßig, später sporadisch statt, „standen unter einem bestimmten Motto und zeigten in ihrer Erscheinungsweise theatralischen Charakter".[4] Hinsichtlich des „altdeutschen Themas" des Jahres 1791 dürfte

---

1 *Theater-Kalender* 1792, S. 340.
2 Vgl. L. Schiedermair, *Der junge Beethoven*, S. 221.
3 Vgl. Fr. G. Wegeler / F. Ries, *Biographische Notizen*, S. 16.
4 H. E. Pfeiffer, *Theater in Bonn 1600—1814*, S. 38.

es zu weit gehen, dieses in Zusammenhang mit der Französischen Revolution zu sehen und zu interpretieren.

Die Titel der acht Nummern der *Ritterballett*-Musik bezeichnen, in Verbindung mit der skizzierten Thematik der Fastnachtsveranstaltung, nicht nur den musikalischen Charakter der Stücke, sondern deuten zugleich auch deren choreographische Ausgestaltung an:

1. Marsch
2. Deutscher Gesang
3. Jagdlied
4. Minnelied (Romanze)
5. Kriegslied
6. Trinklied
7. Deutscher Tanz (Walzer)
8. Coda

Die Abfolge ist dergestalt, daß der „Deutsche Gesang", vergleichbar einem Refrain, viermal wiederholt wird, jeweils nach den folgenden vier Nummern; sein Fehlen vor der „Coda" hängt fraglos damit zusammen, daß er in dieser eingebaut ist. Ob zu einigen Nummern auch gesungen wurde — die ältere Literatur nennt in diesem Zusammenhang den „Deutschen Gesang", das „Minnelied" und vor allem das „Trinklied" wegen seiner melodischen Verwandtschaft mit dem Gassenhauer „Mihi est propositum, in taberna mori" —, steht nicht zweifelsfrei fest.[1]

Die *Ritterballett*-Musik stellt eine Gelegenheitskomposition Beethovens dar, deren Zweckbestimmung ihre Wesensmerkmale vorgegeben hat. Denn die Verwendung als Begleitmusik einer tänzerischen Maskerade erforderte zwangsläufig eine einfache, übersichtliche Strukturierung und klar faßliche melodische Formeln. Bis auf das „Trinklied" und die „Coda" sind die in der Mehrzahl sehr kurzen Nummern zweigeteilt. Das „Trinklied" weist eine ABA-Form auf, wobei der Mittelteil ein Trio ist, und in der „Coda" wird als eine Art Mittelteil der erste Teil des „Deutschen Gesangs" aufgegriffen und motivisch verarbeitet.

Die Binnenstruktur besteht überwiegend aus achttaktigen Perioden. Innerhalb dieser erscheinen eingängige, tänzerische Motive. Auffallend ist eine häufige Wiederholung des thematischen Einfalls; dies hängt mit der Zweckbestimmung der Komposition zusammen, denn die vielmalige Repetition einer — grundsätzlich vier- oder achttaktigen — Einheit erleichtert dem Tänzer die Ausführung. Eine umfangreiche kompositorische, quasi „symphonische" Arbeit mit dem Material würde dem Charakter einer Tanzmusik entgegenstehen.

Die einzelnen Nummern der *Ritterballett*-Musik können in der Tat als Suitensätze bezeichnet werden[2], wobei die zusammenfassende Klammer die Tonart D-Dur darstellt. Sie wurde für alle Nummern bis auf die „Romanze" gewählt, die in der Paralleltonart h-Moll steht.

Im Vergleich zu anderer Ballett- oder Tanzmusik aus der zweiten Hälfte des 18. Jahrhunderts mutet die kleine Orchesterbesetzung eigenartig an: 1 Pikkoloflöte, 2 Klarinetten, 2 Hörner, 2 Trompeten, 2 Pauken und Streicher. Ausschlaggebend

---

1 Vgl. G. E. Meyer, *Untersuchungen zur Sonatensatzform,* S. 202—204.
2 Vgl. L. Schiedermair, *Der junge Beethoven,* S. 387.

für diese geringe Zahl von Instrumenten, die zudem nur für den „Marsch“, das „Trinklied“ und die „Coda“ vollständig eingesetzt werden, war aller Wahrscheinlichkeit nach die Verfügbarkeit einzelner Instrumente; vielleicht spielten auch eingeschränkte räumliche Möglichkeiten im Bonner Redoutensaal eine Rolle.

Gleichwohl sind die einzelnen Nummern der *Ritterballett*-Musik keineswegs schablonenhaft gehalten; zu erkennen ist in jedem Fall Beethovens Bemühen um eine innerhalb des vorgegebenen Rahmens vertretbare kompositorische Dichte. Dies gilt vordringlich für die Stücke mit voller Orchesterbesetzung. Von allen Nummern fällt das „Jagdlied“ wegen seiner allzu häufigen Wiederholung der beiden thematischen Perioden, die zudem noch stark durch zeitgenössische Jagdmusik-Versatzstücke gekennzeichnet sind, ab; eine auf Steigerung bedachte Instrumentierung kann dies nur bedingt ausgleichen. Klanglich originell ist die „Romanze“, wenngleich sie sich in Charakter und melodischem Duktus unverkennbar auf die Romanze des Pedrillo (Nr. 18) aus Wolfgang Amadeus Mozarts Singspiel *Die Entführung aus dem Serail* (1782) bezieht. Hier sorgt der Abschluß der ansonsten identischen Perioden 3 und 4 zuerst in Moll, schließlich in Dur — das Changieren von Dur und Moll findet sich noch andernorts — für einen Überraschungseffekt; dies hängt bestimmt mit dem choreographischen Arrangement zusammen, naheliegenderweise dergestalt, daß ein Liebeswerben zunächst erfolglos bleibt, dann aber doch zu einem guten Ende kommt. Dieses Beispiel exemplifiziert, wie das tänzerisch-choreographische Geschehen in der Komposition seinen unmittelbaren Niederschlag gefunden hat.

Klaus Kieser

Klavierkonzert Es-Dur
WoO 4

Entstehungszeit: Bonn 1784.
Erstaufführung: am 20. Juni 1943, nach der Rekonstruktion von Willy Hess im Rahmen der „Potsdamer Musiktage 1943“; nur 3. Satz: am 6. November 1934, nach der Rekonstruktion von Willy Hess im Rahmen eines Orchesterkonzerts im Norwegischen Rundfunk.
Skizzen: Entwürfe zum 3. Satz in der Sammlung Julius Wegeler, Koblenz, Blatt 10, II. Ein Doppelblatt Notenpapier in Querformat. Dritte Seite: Rondo zum Concert in Es-Dur mit Triolen (nach S. Ley, *Beethoven als Freund der Familie Wegeler-von Breuning*, S. 103).
Autograph: verschollen; überprüfte Abschrift in der Staatsbibliothek Preußischer Kulturbesitz Berlin.
Erstdruck: 1890 in der Alten Gesamtausgabe.
Gesamtausgaben: Alte Gesamtausgabe: Nr. 310 = Serie 25 Nr. 47; Neue Gesamtausgabe: Abt. III, Bd. 5.

Auf eindrucksvolle Weise spiegelt das Klavierkonzert in Es-Dur aus dem Jahr 1784 die pianistischen Fähigkeiten des jungen Beethoven wider. Innerhalb einer Gattung, die für eine größere Zuhörerschaft konstituiert ist, entfaltete er Virtuosität und Brillanz. Zwar gibt es keine konkreten Belege dafür, daß Beethoven das Ergebnis seiner ersten Auseinandersetzung mit dem Konzerttypus auch in der Öffentlichkeit präsentiert hat, doch enthält das Verzeichnis der „kurfürstlich-kölnischen Kabinetts-

Kapell- und Hofmusik“ von 1791 einen allgemeinen Hinweis, der dies vermuten läßt: „Klavierkonzerte spielt Herr Ludwig v. Beethoven und Neefe akkompagnirt bei Hofe, im Theater und in Konzerten.“

Das Werk umfaßt drei in sich abgeschlossene Sätze. Der mit Allegro moderato bezeichnete Kopfsatz im C-Takt und das abschließende Rondo im 2/4-Takt sind lebhaft bewegt. Reiche Ornamentik prägt den Mittelsatz in B-Dur, ein Larghetto im 3/4-Takt. Die einzige Quelle, die das Jugendwerk überliefert, besteht allerdings lediglich in einer Abschrift der Solostimme. Der Titel „un Concert / pour le Clavecin ou Forte-Piano / Composé par / Louis Van Beethoven / agé de douze ans“ stammt vom Komponisten selbst. Wie auf den frühen Drucken so gab Beethoven auch hier sein Alter um zwei Jahre jünger an, als er war. Ob er dabei schlicht einem Irrtum unterlag oder sich als Wunderkind darstellen wollte, ist nicht mehr auszumachen. Der Notentext enthält Kürzungen, Korrekturen und Ergänzungen von Beethovens Hand. Aufkommenden Zweifeln an deren Echtheit traten Hans-Günter Klein und Douglas Johnson entgegen.[1] Nach Guido Adler, der mit dem 1890 publizierten Supplementband der alten Gesamtausgabe die Erstausgabe der Abschrift vorlegte, erfolgte die Revision des Klavierparts zu einer späteren Zeit als die Aufschrift auf dem Titelblatt.[2] Der Komponist distanzierte sich demnach nicht sogleich von seinem Jugendwerk, sondern versuchte zumindest, es nachträglich zu verbessern. Eine genaue Quellenbeschreibung, in der auch die Beethovensche Revision detailliert zur Darstellung gelangt, wird die Edition enthalten, die im Rahmen der Neuen Gesamtausgabe erscheint.[3]

Die philologische Bestandsaufnahme macht die Balance sämtlicher Aufführungen des Werkes zwischen Überlieferung und Ergänzung bewußt. Bei der Quelle, die sich heute in der Staatsbibliothek Preußischer Kulturbesitz Berlin befindet, könnte es sich um eine Direktionsstimme handeln. Über den Verbleib eines zugehörigen Stimmensatzes ist jedoch nichts bekannt. Vor- und Zwischenspiele des Orchesters sind dem Solopart im Klavierauszug beigefügt und weisen auf die Generalbaßfunktion hin, die das Soloinstrument während der Tuttistellen zu übernehmen hatte. Im Klavierpart finden sich detaillierte Solo- und Tuttiangaben wie auch genaue Hinweise bezüglich der Instrumentierung. 2 Flöten und 2 Hörner treten danach zum Streicherkörper hinzu. Willy Hess rekonstruierte 1934 den dritten, 1943 die ersten beiden Sätze. Auf dieser Fassung basieren sämtliche Einspielungen und Aufnahmen des Werkes, das in den letzten beiden Jahrzehnten aus den Konzertprogrammen so gut wie verschwunden ist.[4]

Am 20. Juni 1943 führte Edwin Fischer als Solist und Dirigent in Personalunion das wiederhergestellte Beethoven-Konzert in der Reihe der „Festlichen Musiktage Potsdam“ zum ersten Mal auf. Der Eindruck einer Kritikerin, „daß sich der spätere Titan schon in dieser noch knabenhaften Arbeit erahnen läßt“[5], umreißt jedoch nicht nur den drängenden, manchmal ungeniert draufgängerischen Gestus des Wer-

1 Vgl. H.-G. Klein / D. Johnson, *Autographe Beethovens aus der Bonner Zeit,* S. 115ff.
2 Vgl. G. Adler, *Ein Satz eines unbekannten Klavierkonzertes von Beethoven,* S. 461.
3 Der geplante Band wird folgende Werke umfassen: op. 61 (Klavierfassung), WoO 4, WoO 6, Hess 14 und Hess 15. Für freundliche Auskünfte danke ich Herrn Dr. S. Brandenburg, Bonn.
4 Einspielungen sind im Handel heute schwer erhältlich.
5 D. Braeuner, *Potsdamer Tageszeitung* (21. Juni 1943).

kes, sondern sehr treffend auch die Perspektive, aus der die Rekonstruktion erfolgte. Anläßlich der Schellackaufnahme von Orazio Frugoni und Paul Paray erschien 1949 in *The Musical America* bereits ein Artikel, der die stilistischen Kriterien der Wiederherstellung eingehend erörterte. „In short, Hess' manner of horn setting conforms rather to that of Fidelio or later romantic scores, and is thus wholly out of style. His cadenza for the first movement, running to 55 bars (a fifth of the entire piece) shows the same want of historic understanding. Beethoven's range amounts to four octaves plus a fifth, but Hess demands almost six octaves."[1] René Leibowitz revidierte für seine Aufnahme des Konzerts mit dem Pianisten Paul Jacobs, die bereits auf einer Langspielplatte erschien, die Orchestrierung an verschiedenen Stellen. Zudem komponierte er eine Kadenz zum ersten Satz und komplettierte diejenige des zweiten. Leibowitz dezimierte sehr behutsam die vorgeschlagenen Ergänzungen und rückte die Solostimme dadurch stärker in den Mittelpunkt. In einem ausführlichen Begleittext führte er unter anderem dazu aus: „It does not seem necessary to give a detailed account of all the points in which our version differs from Mr. Hess' scoring, but a few words about the general spirit which guided our revision may not be superfluous. Our main concern was to give as clear and precise a picture of the work as possible. We have therefore suppressed quite a few horn passages because they seemed either to burden the musical discourse or because their extreme register tended to overpower the other instruments. Some of the horn passages were transferred to other instruments, others were dropped all together. Many unnecessary doublings of the piano part by instruments of the orchestra (mostly flutes) were dropped too. In other spots we felt it necessary to ‚fill out' the harmony which seemed too thin, whereas some of the contrapuntal figures added by Mr. Hess seemed scholastic and superfluous." Entspricht Leibowitz' Orchesterbehandlung stärker den inneren Gesetzen der Beethovenschen Musik, so verstößt die Kadenz zum ersten Satz um so unvermittelter dagegen. „It goes without saying that we used certain elements of the movement but we have tried to work on this material as if we were actually *composing* and not merely filling a gap." Hier erweiterte Leibowitz den Spielraum. Vergangenheit und Moderne miteinander konfrontierend, entwickelte er das Tradierte schöpferisch weiter.

Daß die Rekonstruktion vor allem dort ein Problem darstellt, „wo im Klavierpart Akkordfigurationen vorherrschen, mithin im Orchester thematisch Wichtiges vorhanden gewesen sein muß", formulierte 1976 Peter Gülke auf dem Cover der von ihm geleiteten Aufnahme (mit der Pianistin Eva Ander). Nach seinen Worten kann jede Wiedergabe letztlich nur als „klingende Hypothese" aufgefaßt werden. In einer Wiederaufnahme des Diskurses über die Rekonstruktionsbedingungen fänden Hess' Verdienste um die Anfänge des Beethovenschen Schaffens daher eine angemessenere und lebendigere Würdigung als in der schweigenden Übernahme des nachgeschaffenen Notentextes. Besonders die Erkenntnisse, die inzwischen durch die historische Aufführungspraxis gewonnen wurden, könnten neue Impulse bieten. Daß hiermit nicht „die authentische Aufführung" proklamiert werden soll — die ohnedies nur eine Schimäre ist[2] —, versteht sich von selbst.

---

1 H. E. Peyser, *Beethoven's „Lost" Piano Concerto.*

2 Vgl. G. Darmstadt, *Historische Aufführungspraxis,* S. 2 (Ms).

Aufschlußreich kann in diesem Kontext die Beschäftigung mit der Praxis der Bonner Hofkapelle sein, der Beethoven seit 1782 als Organist und ab 1783 als „Cembalist im Orchester“ angehörte. Am 2. März 1783 ließ sein Kompositionslehrer, Christian Gottlob Neefe, die folgende Mitteilung in Cramers *Magazin der Musik* einrücken: „Louis van Betthoven, Sohn des obenangeführten Tenoristen, ein Knabe von 11 Jahren, und von vielversprechendem Talent. Er spielt sehr fertig und mit Kraft das Clavier, ließt sehr gut vom Blatt, und um alles in einem zu sagen: Er spielt größtentheils das wohltemperirte Clavier von Sebastian Bach, welches ihm Herr Neefe unter die Hände gegeben. Wer diese Sammlung von Präludien und Fugen durch alle Töne kennt, (welche man fast das non plus ultra nennen könnte), wird wissen, was das bedeute. Herr Neefe hat ihm auch, sofern es seine übrige Geschäfte erlaubten, einige Anleitung zum Generalbaß gegeben. Jetzt übt er ihn in der Composition, und zu seiner Ermunterung hat er 9 Variationen von ihm fürs Clavier über einen Marsch in Mannheim stechen lassen. Dieses junge Genie verdiente Unterstützung, daß er reisen könnte. Er würde gewiß ein zweiter Wolfgang Amadeus Mozart werden, wenn er so fortschritte, wie er angefangen.“[1] Der Vergleich mit Mozart und der Wunsch, der Schüler möge als reisender Virtuose reüssieren, sprechen dafür, daß Neefe Beethoven dazu ermuntert haben könnte, sich ein eigenes Solistenrepertoire aufzubauen. Das angesprochene Erstlingswerk, 9 Variationen für Klavier über einen Marsch von Ernst Christoph Dressler (WoO 63), wurde bei Goetz in Mannheim gedruckt. In diesem Verlag, als dessen Commissionair der Waldhornist der Hofkapelle Nikolaus Simrock aufgeführt wird[2], erschien zwischen 1781 und 1782 auch Neefes Klavierkonzert in G-Dur. Es ist für 2 Hörner, 2 Oboen und Streicher geschrieben und trägt die Satzbezeichnungen Allegro — Andante / Cantabile — Allegretto / Rondo. Irmgard Leux wies darauf hin, daß hier „das konzertierende Klavier fast alle Tutti-Stellen mitspielt, und zwar meistens völlig gleichlautend mit dem Streichquartett“.[3] Ginge eine Aufführung des frühen Beethoven-Konzerts von dieser Prämisse und von der im 18. Jahrhundert üblichen Praxis aus, die Solostellen mit stark reduziertem Streicherkörper zu begleiten, so wäre dem virtuosen Klavierpart als dem zentralen musikalischen Ereignis im Orchester weniger hinzuzufügen als bisher.

Der erste Soloeinsatz nach einem 46 Takte langen Tuttiteil wird durch Figurationen eröffnet. Aufwärts geführte Dreiklangsbrechungen in der rechten Hand, identisch in den Takten 47 und 51, und fallende Abwärtsbewegungen, in Takt 52 modifiziert gegenüber Takt 48, prägen die erste achttaktige periodische Bildung (T. 47—54). Nach der Kadenz erscheint die Sechzehntelbewegung, bestehend aus der Es-Dur-Skala aufwärts und einer gebrochenen Akkordbewegung abwärts, auch in der linken Hand. Ab Takt 55 verteilen sich dann die Akkordbrechungen auf beide Hände. Der Einstieg des Solisten vermittelt bereits eine Vorstellung von seinem Vokabular an Läufen, Arpeggien und Sprüngen, das in der Reprise des Kopfsatzes um Terzenpassagen und Gänge in nachgeschlagenen Oktaven erweitert wird. Der virtuosen Behandlung des Instruments im ersten Satz entspricht die häufige Anwendung von Verzierungen im zweiten. Die Töne a'—c''—es''—a'' des Dominantseptakkords von B-Dur umspielt im Klavier in Takt 18 zum Beispiel jeweils ein Triller

1 Thayer / Deiters / Riemann, *Ludwig van Beethovens Leben,* Bd. I (^{3}1917), S. 150.
2 Vgl. L. Schiedermair, *Der junge Beethoven*, S. 77.
3 I. Leux, *Christian Gottlob Neefe,* S. 176.

mit ausgeschriebenen 128tel-Nachschlägen. Die Figur wird, bei c''' angelangt, rhythmisch über die gesamte Zählzeit Zwei verbreitert. In Takt 20 gestaltet sich unter anderem durch sechs ausnotierte Doppelschläge der entsprechende Aufstieg. Der gleichmäßigen 64tel-Kette folgt hier das letzte Versatzstück in 32tel-Noten. Ein gebrochener B-Dur-Dreiklang in Sechzehnteln abwärts beschließt diesen Takt. Zu den ausnotierten manierenreichen Melodiebewegungen treten improvisierte Verzierungen. Neben Praller und Triller tauchen der gewöhnliche Doppelschlag über der Note und der prallende Doppelschlag (T. 60) auf. Einen Versuch, die Passagen des Satzes wieder einzudämmen, stellt die Streichung der sechstaktigen Passage vor der Anknüpfung des Klaviers an das Thema in F-Dur (T. 38ff.) dar. Hess verwendet sie in seiner Bearbeitung später als Kadenz. Daß der häufige Gebrauch notenreicher Spielmanieren auf ein breites Tempo schließen läßt, bestätigt ein Lehrsatz aus Carl Philipp Emanuel Bachs *Versuch über die wahre Art das Klavier zu spielen*. Die richtigen Proportionen ergeben sich also, wenn das vorliegende Larghetto nicht zu fließend, sondern eher gewichtig vorgetragen und nachdrücklich deklamiert wird.

Ein heiterer Satz beschließt das Konzert. Den Minore-Teil aus dem Rondo hat Beethoven ein zweites Mal verarbeitet. Nicht nur der melodische Gedanke aus dem Jugendwerk, sondern auch seine formale Disposition und seine harmonische Funktion werden in der Violinromanze G-Dur op. 40 mit ihrer für diese Gattung typischen Maggiore-Minore-Maggiore-Gliederung konserviert.

Konzert Es-Dur WoO 4, Rondo, T. 161—164 in der rechten Hand

Romanze G-Dur für Violine und Orchester op. 40, T. 57—58 in der Violine

Der Vergleich des Abschnitts in es-Moll aus dem Rondo mit der e-Moll-Stelle aus der Romanze zeigt, daß der jeweilige Umgang mit dem melodischen Material nicht allein auf den Unterschied zwischen Saiten- und Tasteninstrument zurückzuführen ist. Die skalenmäßig aufsteigende Melodielinie im 2/4-Takt wird im Klavierkonzert wie ein Baustein behandelt, der sich beliebig multiplizieren und aneinandersetzen läßt. Die Vorschläge im Diskant des Soloparts, die von unten erfolgen und im kleinen Sekundabstand zur Hauptnote stehen, dienen dazu, den jeweiligen Taktschwerpunkt auf der Zählzeit Eins zu akzentuieren. In der Instrumentalromanze im C-Takt beschreibt die Violine hier einen abgerundeten melodischen Bogen. Der Vorschlag, der eine Oktav umfaßt, zögert den Spitzenton h'' etwas hinaus und verleiht ihm Nachdruck.

Die Auseinandersetzung mit dem Jugendwerk sollte also nicht zu dem Versuch führen, einen späteren Stand der Komposition in ein früheres Stadium zu projizieren. Der Vergleich zeigt vielmehr, wie frühere Schichten der Erfahrung den Boden für jede weitere Stufe des Komponierens bilden können.

Christa Jost

Rondo B-Dur für Klavier und Orchester
WoO 6 (→ op. 19)

Rondo Es-Dur für Bläseroktett
WoO 25

Entstehungszeit: um 1792.
Erstaufführung: unbekannt.
Skizzen: Staatsbibliothek Preußischer Kulturbesitz Berlin, aut. 28, Skizzenbuch Fischhof.
Autograph: Beethoven-Haus Bonn.
Erstdruck: Wien 1830 (A. Diabelli & Co.).
Gesamtausgabe: Alte Gesamtausgabe: Nr. 60 = Serie 8 Nr. 2.

Das Rondo in Es-Dur für je zwei Oboen, Klarinetten, Fagotte und Hörner stammt aus den 1790er Jahren, aus einer Dekade, in welcher der Komponist zahlreiche Werke für unterschiedliche Bläserensembles geschrieben hat. Der keine sechs Minuten dauernde Andante-Satz, der ein Gegenstück in dem wahrscheinlich später entstandenen und gleich besetzten Oktett op. 103 in Es-Dur hat (sich von diesem aber in der Behandlung der Bläser stark unterscheidet), ist nicht allein ein instrumentationstechnisch gelungenes und klanglich ausgewogenes Stück Bläsermusik. Das Werk gewinnt darüber hinaus an Kontur und Bedeutung, wenn es vor dem Hintergrund der um 1800 sich herausbildenden und ästhetisch fundierten Dichotomie von sogenannter reiner oder absoluter Tonkunst einerseits und Funktions- oder Gebrauchsmusik andererseits sowie der mit dieser Differenzierung verbundenen Wertung gesehen wird. Denn das Rondo ist — wie noch zu zeigen sein wird — aufgrund von Besetzung und Aufführungsort funktional gebundene Musik; zugleich aber läßt der Satz in der Behandlung des Bläserklangs Beethovens Absicht erkennen, den Zwängen dieser Einbindung zu entkommen. Anders gesagt: Das Rondo stellt den Versuch dar, zwischen den von Immanuel Kant in der *Kritik der Urtheilskraft* (Berlin 1790) herangezogenen Begriffen der (nur) „angenehmen“ und der (eigentlichen) „schönen“ Kunst zu vermitteln, und zwar nicht im Sinne einer dritten oder mittleren Instanz, sondern als intendierte Aufhebung oder Umgehung der im Musikleben der Zeit schon erkennbaren ästhetischen Klassifikation.

„Ha, das Mahl ist schon bereitet; macht Musik, ihr lieben Leute! Fürstlich will ich euch belohnen, frohe Weisen spielet mir!“ Der adlige Libertin, der just mit diesen Worten den Auftakt zu seiner eigenen Henkersmahlzeit gibt, hat von der Musik, die ihm das dergestalt aufgeforderte Bläserensemble mit je zwei Oboen, Klarinetten, Hörnern und Fagotten vorspielt, keine Ahnung. Sein Diener Leporello jedoch hört zu: „Die Musik kommt mir äußerst bekannt vor!“

Mozarts Oper *Don Giovanni* (1787), aus dessen Finale des zweiten Aktes das Zitat stammt, legt nun nicht nur von den sittlichen, sondern auch von den musikalischen Zuständen der Zeit realistisch Zeugnis ab: Das Ensemble auf der Bühne, das die Tafelmusik aufführt, spiegelt die musikalischen Usancen des ausgehenden 18. Jahrhunderts und gibt einen Hinweis auf die Verbindung von Bläserbesetzung und Funktionsgebundenheit der Musik. Carl Ludwig Junkers Beitrag *Noch etwas vom Kurköllnischen Orchester*, der in der *Musikalischen Korrespondenz der teutschen filarmonischen Gesellschaft* vom 23. November 1791 erschien, bestätigt die enge Verbundenheit zwischen der paarweise besetzten Bläserformation und ihrer höfischen Aufgabe. In seinem Bericht klingt zudem eine Hochschätzung dieses Ensembles als Klangkörper an, die sich nicht an der „dienenden" Funktion der Musik stört: „Gleich am ersten Tage hörte ich die Tafelmusik, die, so lange der Kurfürst in Mergentheim sich aufhält, alle Tage spielt. Sie ist besetzt mit 2 Oboen, 2 Klarinetten, 2 Fagotts, 2 Hörner. Man kann diese 8 Spieler mit Recht Meister in ihrer Kunst nennen. Selten wird man eine Musik von der Art finden, die so gut zusammenstimmt, so gut sich versteht, und besonders im Tragen des Tons einen so hohen Grad von Wahrheit und Vollkommenheit erreicht hätte, als diese."[1]

Die Besetzung, die Mozart zur Darbietung der Tafelmusik heranzieht und die von Junker so überschwenglich wegen der „Wahrheit und Vollkommenheit" des Zusammenklangs gelobt wird, ist zu Beethovens Zeiten unter dem bezeichnenden Namen Harmoniemusik (oder auch kurz: Harmonie) bekannt. Und es ist auffällig, daß auch noch Heinrich Christoph Koch, der 1802 erstmals lexikalisch auf Sache und Begriff der Harmoniemusik eingeht, die damit verbundene Funktionalität erwähnt. Denn bezüglich der damals üblichen Arrangementpraxis für dieses Ensemble deutet er beiläufig an, daß manche Originalkompositionen „zu einem andern Gebrauche bestimmt sind" (und erklärt nebenbei, warum Leporello die Musik „bekannt vorkommt"): „*Harmoniemusik*, nennet man diejenige, die aus lauter Blasinstrumenten, und zwar gewöhnlich aus zwey Oboen, zwey Clarinetten, zwey Hörnern und Fagotts bestehet. Man bedient sich dabey entweder besonders dazu gesetzter Tonstücke, die den Namen Parthien [vgl. Beethovens op. 103] führen [...], oder man arrangirt für diese Instrumente Opern und andere Tonstücke, die eigentlich zu einem andern Gebrauche bestimmt sind [...]."[2]

Beethoven komponierte das Rondo um 1792 für eben diese Besetzung der Harmonie (es wurde allerdings erst 1830 postum unter dem bezeichnenden Diminutiv „Rondino" veröffentlicht). Und da Beethovens damaliger Arbeitgeber in Bonn eben der von Junker erwähnte Kurfürst war, liegt der Verdacht nahe, daß der Komponist in ganz unverdächtigem Sinne Tafelmusik oder — in den Kategorien eines späteren Jahrhunderts — Unterhaltungsmusik schrieb.

Aber diesem unbefangenen und gewissermaßen noch wertneutralen Umgang mit funktionaler Musik am Hofe wurde schon von anderer Seite eine neue Musikauffassung entgegengesetzt, in der sowohl Tafelmusik als auch Harmoniebesetzung gleichbedeutend mit „schlechter" — das heißt gegenüber autonomen Werken geringwertiger — Musik waren. Es darf als sicher gelten, daß Beethoven diese neue Musikauffassung kannte.

Zwar trug noch Joseph Haydns Messe B-Dur von 1802 aufgrund der starken Bläserbesetzung den Beinamen *Harmoniemesse*, zwar wurde noch 1816 die Partitur von Beethovens 7. Symphonie zugleich mit einem Arrangement für „neunstimmige Harmonie" veröffentlicht, doch seit den napoleonischen Wirren war die Zeit der

---

1 Zit. nach L. Schiedermair, *Der junge Beethoven,* S. 85; vgl. auch den Artikel *Tafelmusik* von E. Reimer im Handwörterbuch der musikalischen Terminologie, S. 2a.
2 H. Chr. Koch, *Musikalisches Lexikon,* Sp. 737f.

höfischen „Harmonie" in mehrfacher Hinsicht endgültig dahin.[1] Das mittlerweile selbstbewußte Bürgertum grenzte sich, soweit es mit Rücksicht auf die eigene Selbstdarstellung ging, von höfischer Prunksucht ab. Zum Opfer mußte ihm dabei auch die Harmoniemusik fallen, die als Freiluft- und Tafelmusik funktionaler Bestandteil des adligen Lebens war. Nicht nur ein dem höfischen Denken bisher unbekanntes moralisch-sittliches Bewußtsein bildete sich heraus, sondern auch ein ästhetischer Purismus, der vor der reinen Bläserbesetzung nicht haltmachte, sie im weiteren Verlauf der Geschichte weitestgehend an die stilistisch niedere „Höhenlage" der Musikvereine und Posaunenchöre delegierte und sie — in unbewußter Anlehnung an die historische Entwicklung — bis ins 20. Jahrhundert nur negativ als funktionale Musik gelten lassen konnte.

Schon 1787 findet Tafelmusik als Inbegriff funktionaler höfischer Musik keine Gnade vor den Ohren des bereits zitierten Heinrich Christoph Koch, denn dieser möchte die Musik „bey den Tafeln der Großen" einzig noch „an einem ausserordentlichen feierlichen Tage, zur Vermehrung der Feierlichkeit und der Pracht" zulassen, mit der Einschränkung allerdings, „wenn dabey nur wenige, aber lauter solche Tonstücke aufgeführt werden, die den Charakter des Erhabenen oder der Pracht haben".[2] Schon bei dem „gewöhnlichen Gebrauche derselben" sieht Koch die Grenzen des Schicklichen überschritten. Und drei Jahre später schreibt Immanuel Kant im Zusammenhang einer Unterscheidung zwischen „angenehmer", das heißt „bloß zum Genusse" dienender, und „schöner" Kunst über „Tafelmusik": „ein wunderliches Ding, welches nur als ein angenehmes Geräusch die Stimmung der Gemüter zur Fröhlichkeit unterhalten soll, und, ohne daß jemand auf die Komposition derselben die mindeste Aufmerksamkeit verwendet, die freie Gesprächigkeit eines Nachbars mit dem andern begünstigt".[3] (Eduard Hanslick wird 1854 die Sache auf den Punkt bringen, wenn er zwischen dem Wert einer Komposition und der Hörhaltung unterscheidet und anläßlich der Tafelmusik schreibt: „Ein Bild, eine Kirche, ein Drama lassen sich nicht schlürfen, eine Arie sehr wohl [...] Die besten Compositionen können als Tafelmusik gespielt werden und die Verdauung der Fasane erleichtern."[4]) Nicht vergessen sei auch der — allerdings verspätet rezipierte — Wandel in der Bewertung des Bläserklangs in Gustav Schillings *Encyclopädie der gesammten musikalischen Wissenschaften*, wo 1836 im Artikel *Harmoniemusik* noch betont wird, daß „eine *gute* Harmoniemusik oft von wunderbarer Wirkung seyn kann" (S. 473), während sechs Jahre später unter dem gleichen Stichwort im Supplementband Carl Friedrich Zelters ausführlich begründetes Verdikt zitiert wird, daß die verschiedenen Blasinstrumente nicht zu einem „harmonisch wohlklingenden Musikensemble" verschmelzen können (S. 187).

1 Vgl. auch schon J. F. von Schönfeld, *Jahrbuch der Tonkunst* aus dem Jahre 1796, wo es in einem Kapitel mit der Überschrift *Herrschaftliche Hauskapellen und Harmonien* über die Wiener Verhältnisse heißt: „Es war vormals stark die Gewohnheit, daß unsere großen fürstlichen Häuser eigene Hauskapellen hielten, [...] allein, es sey nun Erkältung für Kunstliebe, oder Mangel am Geschmacke, oder Häuslichkeit, oder auch andere Ursachen, kurz, zum Schaden der Kunst hat diese löbliche Gewohnheit sich verloren, und eine Kapelle verlosch nach der andern, so, daß [...] fast gar keine existirt" (S. 77).

2 H. Chr. Koch, *Versuch einer Anleitung zur Composition,* Bd. II, S. 45, Anm.

3 I. Kant, *Kritik der Urtheilskraft,* § 44.

4 E. Hanslick, *Vom Musikalisch-Schönen* (1965), S. 73.

Beethovens Rondo läßt sich nun im Umschlagpunkt dieser verschiedenen Wertungen von Tafel-, Bläser- und Harmoniemusik orten. Nicht allein, daß innerhalb seiner Wahl von Werkgattungen den Bläserformationen einzig im Frühwerk ein Platz eingeräumt wird, was mit dem Wandel der Kammermusik am Ende des 18. Jahrhunderts einerseits und dem aufkommenden und noch heute üblichen „Modus des attentiven Hörens" (Adorno) andererseits zusammenhängt. Im Unterschied zu dem für die gleiche Besetzung komponierten op. 103 läßt das Rondo bei aller vordergründigen Anpassung an die Funktionsgebundenheit der Tafel- und Harmoniemusik zugleich erkennen, wie Beethoven der damit verbundenen Beschränkung ausweicht und seinen kompositorischen Anspruch dennoch durchsetzt.

Das Rondo ist zwar in einer der Hörsituation deutlich angepaßten formalen Kettenbildung gebaut, deren Abschnitte sich schematisch als A B A C A D A' darstellen lassen. Hinsichtlich jedoch sowohl der leichten Veränderungen der Ritornelle — der wiederkehrenden A-Teile — als auch der Gestaltung und Anordnung der drei Episodenteile (B, C und D) ist dieser Satz nicht nur mechanische Auffüllung eines Formschemas, sondern erweist sich einem Kompositionsanspruch verpflichtet, welcher sämtliche Bestandteile der formalen Gesamtkonzeption unterwirft. Denn während die drei Episodenteile sowohl affektiv als auch spieltechnisch aufeinander bezogen sind (B: c-Moll-Episode der Klarinetten mit dramatischen Sechzehntel-Repetitionen; C: es-Moll-Episode der Hörner mit sparsamer Begleitung der Fagotte; D: virtuose Zweiunddreißigstel-Figurationen von Klarinetten und Hörnern im Wechsel), verändert Beethoven die Ritornelle subtil durch weitgehende Übernahme der jeweiligen melodieführenden Instrumente aus den vorangehenden Episoden als tragende Stimmen und variiert das Ritornellthema durch Umspielungen. Zudem bilden alle sieben klar unterscheidbaren Teile (mit 16, 32, 16, 20, 16, 15 und 18 Takten) eine Großform von eigenem Verlauf, in der die zentralen affektiven Mollabschnitte (B und C) von einer gleichsam leichteren virtuosen Schlußepisode (D) gegen Ende des Rondos hin abgefangen werden.

Bei aller erkennbaren Absicht jedoch, durch Veränderung der Instrumentenkombinationen Abwechslung zu erzielen, fällt auf, daß die Oboen, herkömmlicherweise in der Harmoniemusik die Träger der Oberstimmen, gegenüber den Klarinetten und — vor allem — gegenüber den Hörnern benachteiligt werden. Und genau dieses Gewicht, welches den Hörnern im Rondo zukommt, läßt sich als Kennzeichen dafür interpretieren, daß Beethoven die nachlassende Bedeutung von höfischer Musik und die zunehmende Verbindung von Tafel- und Bläsermusik mit einer niedrigen Stilbewertung wahrgenommen hat. Denn dadurch, daß er die ventillosen Hörner, welche zu der Zeit die chromatischen Veränderungen der Tonhöhe weitestgehend nur mit Hilfe einer intrikaten Stopftechnik bewerkstelligen konnten, nicht nur als Melodieträger im ersten und letzten Ritornell einsetzt, sondern sie auch in der zentralen Episode solistisch in den Vordergrund stellt, macht er aus der intonationsspezifischen Not dieser Instrumente eine Tugend. Statt den Mängeln der Instrumentenkombination auszuweichen und die Hörner samt ihrer Intonationsschwächen in der Begleitung zu „verstecken", stellt er diese, die am stärksten mit einem außermusikalischen Bereich, der Jagd und damit auch mit Vorstellungen wie Räumlichkeit, Weite sowie der Assoziation von Bewegung verbunden waren, in den Vordergrund. Beethoven verwandelt dadurch eine beliebige, sonst rein aus funktionalen und akustischen Gründen gewählte Besetzung in eine Art semantisiertes Ensemble im Sinne einer romantischen Instrumentenbehandlung und komponiert bewußt auf den Klang und die — wie aus der Schlußgestaltung hervorgeht — damit verbundene Assoziation hin. Er schreibt das Rondo nicht für eine beliebige, austauschbare Instrumentenkombination, sondern bezieht die außermusikalische Konnotation des Hörnerklangs in die Gestaltung des Ausdrucksbereichs ein. Die gewählten Instrumente erscheinen nicht mehr als akzidentielle, sondern als integrale Bestandteile des Werks. (Die Bevorzugung und Dominanz der Hörner wird im Autograph daran erkennbar, daß die Hornstimmen entgegen der Notationskonvention als Oberstimmen notiert sind.[1]) Diese Auffassung erhärtet sich bei näherer Betrachtung des Schlußritornells, wo das Thema von beiden Hörnern „senza tempo“ und mit Echowirkung „con sordino“ vorgetragen wird. Spätestens hier, wo die restlichen sechs Ensemblemitglieder den Themenkopf nur für vier Takte kontrastierend und zusätzlich in verdoppelten Notenwerten im Piano den Hörnern gegenüberstellen, wird deutlich, daß Beethovens Rondo als Solo für zwei Hörner mit Bläserbegleitung konzipiert ist und — ersichtlich auch am zweitaktigen Tutti-Schluß im Pianissimo — die Ausdruckshaltigkeit dieser Instrumente für die Programmatik des letztendlichen Verklingens, des Echos im Sinne eines „Von weit her“ verantwortlich ist, im gleichen Maße, wie die Assoziativität der Hörner den Satz im Sinne einer romantischen „Szene“ prägt.

Markus Bandur

3 Klavierquartette Es-Dur, D-Dur und C-Dur WoO 36

ENTSTEHUNGSZEIT: 1785.
ERSTAUFFÜHRUNG: privat: vermutlich 1785 in Bonn.
SKIZZEN: British Library London, Add. Ms 29801, Kafka Sketchbook.
AUTOGRAPH: Staatsbibliothek Preußischer Kulturbesitz Berlin, Artaria-Sammlung.
ERSTDRUCK: Wien 1828 (Artaria & Co.).
GESAMTAUSGABEN: Alte Gesamtausgabe: Nr. 75—77 = Serie 10 Nr. 2—4; Neue Gesamtausgabe: Abt. IV, Bd. 1.

Möglicherweise ist dieses Werk eines der markantesten Muster des Jugendstils von Beethoven, das sowohl für einen auf starke emotionale Eindrücke wartenden Zuhörer als auch für einen das Gehörte durch das Prisma der theoretischen Probleme einschätzenden Forscher interessant ist. Falls die Meinung zutrifft, daß in den drei Bonner Klaviersonaten (WoO 47) im Keim schon der ganze, zukünftige, echte Beethoven enthalten ist, so kann man dasselbe mit größter Berechtigung über die Klavierquartette WoO 36 sagen. Die leidenschaftliche, empfindliche Natur des Komponisten voller emotionaler Widersprüche liegt hier klar auf der Hand. Beethoven schätzte die Qualität des in den Quartetten gefundenen Musikmaterials so hoch, daß

1 Vgl. den Abdruck der ersten Seite des Autographs bei M. Unger, *Beethovens Handschrift,* Tafel VI.

er es teilweise in den Klaviersonaten op. 2 nutzte. Für die Historiker ist es jedoch schon längst kein Geheimnis mehr, daß die Quartette WoO 36 trotz ihrer Frische und Auffälligkeit nicht völlig als Originalwerke gelten können. Ohne jegliche Entlehnungen wurden sie nach den Schemata von drei Violinsonaten Mozarts geschrieben (das C-Dur-Quartett nach der Sonate KV 296, das Es-Dur-Quartett nach KV 379 und das D-Dur-Quartett nach KV 380).[1] Möglicherweise hat sich Beethoven genau aus diesem Grunde der Veröffentlichung dieser Quartette zu Lebzeiten enthalten und sie als Schülerarbeiten betrachtet. Ludwig Schiedermair wies auch auf den Einfluß von drei Klavierkonzerten Mozarts (KV 413, 414, 415) sowie von Kammermusik Johann Franz Xaver Sterkels hin. Hugo Riemann erblickte in ihnen eine Ähnlichkeit mit den Werken der Komponisten der Mannheimer Schule.[2] Man kann den Kreis der Einflüsse in diesen Quartetten verbreitern und an Johann Sebastian Bach, seinen Sohn Carl Philipp Emanuel Bach, Joseph Haydn und andere erinnern. Der junge Komponist saugte gierig das Beste auf, was ihm die Epoche anbot. Die drei als Muster genommenen Sonaten von Mozart waren 1785 in der Tat „das letzte Wort" der Kompositionstechnik, und man mußte frech genug sein, sich zu bemühen, in etwa etwas Ähnliches zu schreiben.

Im 18. Jahrhundert war die Schulung oder die Selbstschulung eines Komponisten auf Grund des Modells eines anerkannten Meisters sehr gebräuchlich und wurde in einer Reihe von Traktaten beschrieben.[3] Beethoven selbst empfahl dem Erzherzog Rudolph 1823 solche Übungen.[4] Besonders interessant ist das Zeugnis des unmittelbaren Nachfahren dieser Tradition Carl Czerny, der den Anfängern „das Studium guter Muster" empfahl: „Das beste Mittel hierzu dürfte jenes sein, welches auch Joseph Haydn seinen Schülern anempfal: Der Anfänger übe sich vor Allem in Kleinen Sonatinen, welche er dergestalt nach gewählter Mustern, componirt, dass genau dieselbe Tonart, Taktart, Perioden, Form, Anzahl der Takte, ja selbst jede Modulation streng nachgeahmt werde; aber wohl verstanden, indem man sich bemüht, Ideen, Melodien und Passagen zu erfinden, welche von jenen des eben gewählten Musters möglich verschieden sind."[5]

Die hier erklärte Methode des Nachschaffens war allem Anschein nach Beethoven schon lange vor seinem Treffen mit Haydn bekannt. Die Bonner Quartette WoO 36 beleuchten nicht nur das Werden der Schaffensweise Beethovens, sondern auch die Art, wie man Ende des 18. Jahrhunderts einen Berufskomponisten in der Sonatenform und dem Sonatenzyklus unterrichtete.

In den Büchern, nach denen Beethoven studierte und nach denen er selbst später unterrichtete (die Traktate von Kirnberger, Marpurg, Fux, Türk, C. Ph. E. Bach und Albrechtsberger), wird davon überhaupt nicht oder nur ganz beiläufig gehandelt. Es kann der Eindruck entstehen, daß Beethoven nicht das lernte und lehrte, was die Komponisten heute an seinen Werken lernen. In Wirklichkeit erfolgte die Ausbildung in den höchsten Formen des klassischen Stils im Unterricht. Aller

---

1 Vgl. L. Schiedermair, *Der junge Beethoven,* S. 290; M. Solomon, *Beethoven,* S. 46f. (unter Erwähnung von D. Johnsons Meinung).

2 Vgl. H. Riemann, *L. van Beethovens sämtliche Klavier-Solosonaten,* Bd. I, S. 135f., 162f.

3 Vgl. Fr. Ritzel, *Die Entwicklung der „Sonatenform",* S. 145f.

4 Vgl. E. Kastner / J. Kapp, *Ludwig van Beethovens sämtliche Briefe,* Nr. 671.

5 C. Czerny, *Vollständiges Lehrbuch der musikalischen Komposition,* Bd. I, S. 31.

Wahrscheinlichkeit nach legte Neefe die Noten der Sonaten Mozarts in die Hände des jungen Beethoven und erklärte, welche Lehren daraus gezogen werden können. Sonst wäre es schwer, die volle methodische Übereinstimmung der Arbeitstechnik mit den Modellen in den Quartetten WoO 36 und in den oben angeführten Quartetten von Haydn zu erklären. Die Tradition bestand nicht darin, spekulativen Schemata aus dem Lehrbuch zu folgen, sondern lebendigen Mustern.

Die drei Klavierquartette erlauben ein eindeutiges „Ja" auf die Frage, ob Beethoven bei Mozart lernte. Die eindeutigsten Spuren solcher Ausbildung sind im Es-Dur-Quartett enthalten, das in allen Details der Form von Mozarts Violinsonate G-Dur KV 379 buchstäblich abgeschrieben ist. Möglicherweise verrechnete sich der Anfänger ein wenig, wenn er ausgerechnet dieses Modell wählte, weil die Form dieser Sonate keinesfalls gewöhnlich ist. Seine Adagio- und Allegrosätze (G-Dur, g-Moll) bilden darin ein Ganzes, das gemäß der Terminologie jener Epoche an „die dritte Form der Arie" erinnert, das heißt an die Arie, die aus zwei im Tempo und im Charakter entgegengesetzten Teilen besteht.[1] Bei diesem Adagio handelt es sich um keine gewöhnliche Einleitung, weil es in der Sonatenform mit Durchführung geschrieben ist; aber gleichzeitig handelt es sich wegen des offenen Schlusses um keinen selbständigen Teil. In der Vokalmusik ist diese Form üblich, in der Instrumentalmusik hingegen sehr eigenartig. Und der Komponist, der riskierte, sich an ein solches Modell zu wenden, gibt sich völlig zu erkennen; es scheint so, als habe Beethoven seine Ziele nicht verheimlicht. Der Charme der melodischen Anfangswendung von Mozarts Adagio bezauberte ihn so, daß er ihn im Es-Dur-Quartett praktisch genau zitierte. Ja, er erinnerte sich einige Jahre später daran, als er den langsamen Satz der Violinsonate op. 30, Nr. 2 schrieb.[2] Aber die Form der Hauptthemen ist bei Mozart und Beethoven verschieden. Mozarts Thema ist seiner Kompliziertheit nach ein echtes Sonatenthema, in dem der Komponist den achttaktigen regelmäßigen Bau vermeidet (es besteht aus 4 + 4 + 4 Takten mit Kadenzen auf T, D, T). Beethovens Thema ist einfacher (4 + 4); er bringt im vierten Takt eine unterbrochene Kadenz an, da dieser Takt sonst harmonisch mit dem fünften zusammenfiele. Aber die weitere Entwicklung zeigt, daß Beethoven sogar in ganz jungem Alter in anderen Maßstäben dachte als Mozart. Bei Mozart nimmt der Nebensatz des Adagios 4 Takte ein, bei Beethoven sind es 16 (T. 19—34).

Das Allegro in es-Moll ist der Ausdruckskraft nach eine echt Beethovensche Tat und unterscheidet sich wesentlich vom Modell. Schiedermair hat dies genau beschrieben: „Dieser Unterschied ist nicht allein durch Beethovens Jugend und Mozarts reife Meisterschaft bedingt, er liegt tiefer begründet im Wesen der beiden. Die seelischen Erregungen werden durch Mozart in knappster, konzentrierter Form künstlerisch gestaltet [...] Beim jungen Beethoven dagegen droht der wilde Strom alle Schranken niederzureißen."[3] Das Thema des Mozartschen Allegros ist launenhaft in seiner Struktur von 6 + 2 + 2 + 2 + 2 Takten. Entweder wollte oder konnte Beethoven einen solchen Bau nicht kopieren. Aber sein Thema ist alles andere als

1 H. Chr. Koch, *Versuch einer Anleitung zur Composition,* Bd. III, S. 262.
2 In der Skizze zum Adagio aus op. 30, Nr. 2 ist auch die Tonart (G-Dur) „mozartsch"; vgl. G. Nottebohm, *Zwei Skizzenbücher,* Bd. I, S. 27.
3 L. Schiedermair, *Der junge Beethoven,* S. 295.

einfach: ein Siebentakter mit einer Verschränkung im fünften Takt (1, 2, 3, 4, [5], 5 = 6, 6 = 7, 7 = 8). Als harmonisches Modell für dieses Thema diente möglicherweise der Anfang des Präludiums es-Moll aus Bachs *Wohltemperiertem Klavier* (I), also des Werkes, das Beethoven laut dem Zeugnis von Neefe eifrig studiert und schon im Alter von 12 Jahren geläufig gespielt hat.

Wenn man die Expositionen Beethovens und Mozarts vergleicht, dann findet man leicht, welche Themen Mozarts in Beethovens Quartett Zwillinge wurden. Funktional jedoch sind sie alle uminterpretiert: Darin läßt sich keine genaue Kopie entdecken. Das Thema, das bei Mozart ein Nebenthema war, erscheint bei Beethoven im Rahmen der Überleitungspartie. Bei Beethoven herrscht hier und auch in den anderen Quartetten WoO 36 ein Überfluß von Themen und Melodiesätzen. Man kann nur ahnen, worin der Grund eines solchen Unterschiedes gegenüber dem Modell liegt: im Materialbestand, den Beethoven wählte und der nicht in den vorgeschriebenen Rahmen paßt, oder im geheimen Wunsch, Mozart wenn nicht in der Meisterschaft, so doch an Größe zu übertreffen. In den Finalvariationen des Es-Dur-Quartetts fühlt man zugleich den Rückblick auf das Vorbild und die Auseinandersetzung mit ihm. Das Schema des Variationszyklus ist sehr genau nachgezeichnet, und zwar bis zum Zusammenfallen von Tempo- und Ausdruckbezeichnungen. Aber nachdem Beethoven die Moll- und Dur-Variationen umgestellt hatte, war er gezwungen, eine „überflüssige" Variation zu schreiben (Nr. 4). Mit ihrem finsteren Ausbruch erinnert die fünfte Variation (es-Moll) an den Sturm, der im Allegro wütete und den galanten Variationen ein rein Beethovensches Gefühl einer Idylle am Rande der Kluft verlieh. Richard Kramer schrieb über dieses Quartett: „[...] there is [...] no Mozart in evidence. The true Mozart remained elusive. The true Beethoven, one is tempted to say, was irrepressible."[1]

Das erste Quartett in C-Dur ist äußerlich traditioneller. Besondere Aufmerksamkeit fand stets sein zweiter Satz (Adagio con espressione, F-Dur), weil er dem Adagio aus der Sonate op. 2, Nr. 1 zugrunde lag. Hugo Riemann verglich beide Beethovenschen Adagios Takt für Takt.[2] Aber noch interessanter ist es, sie mit der Urquelle, dem zweiten Satz aus Mozarts Violinsonate KV 296, zu vergleichen. Vom Standpunkt der Epoche Riemanns ist dieses Adagio „in dreiteiliger Liedform" geschrieben, aber vom Standpunkt der Epoche Mozarts und Beethovens handelt es sich mehr um eine der Arie-Formen, das heißt um eine Vokalform, die in die Instrumentalmusik übertragen ist. Streng genommen kann man diese Form weder als dreiteilig mit einem Trio noch als Form mit einer Episode betrachten. Für ein Trio reicht im Mittelabsatz eine Kadenz (auf der Tonika) noch nicht, für eine Episode ist der Satz zu wenig entwickelt und nicht kontrastierend genug. In einer Arie mit pastoralem und lyrischem Inhalt ist eine solche Form ganz normal, aber ihre äußere Einfachheit enthält einige Fallen. Wahrscheinlich wußte Beethoven 1785 darüber noch nicht Bescheid und verwickelte sich etwas. Das Hauptthema kopierte er fleißig, und alles ging glatt. Die Schwierigkeiten begannen in der „Episode". Beethoven machte es sich zu eigen, daß sie bei Mozart in der Haupttonart geschrieben ist. Er begann, sie ebenfalls in F-Dur zu schreiben. Aber Mozart verschleierte die Tonika. Beethoven

---

1 R. Kramer, *Counterpoint and Syntax,* S. 123.
2 Vgl. H. Riemann, *L. van Beethovens sämtliche Klavier-Solosonaten,* Bd. I, S. 98ff.

dagegen zeigte sie ganz offen. Nachdem er wie Mozart den Übergang zur Reprise geschrieben hatte, fühlte er vermutlich, daß die Form in harmonischer Hinsicht flach war; auf Kosten der Faktur und der Dynamik gelang ihm die Kulmination vor der Reprise gewaltsam. Den Nachteil dieses Adagios überwand Beethoven dann im zweiten Satz der Sonate op. 2, Nr. 1, wo er auch von der Form des Mozartschen Modells abwich. In der Sonate op. 2, Nr. 1 liegt nicht eine Arienform, sondern ein typisches instrumentales Rondo vor (gemäß der Terminologie von Adolf Bernhard Marx).

Wir werden die Quartette WoO 36 nicht länger mit Mozarts Prototypen vergleichen, zumal da die Quartette in C-Dur und D-Dur viel weniger von den Modellen abhängen als das Quartett in Es-Dur. Für uns ist es weniger wichtig zu sehen und einzuschätzen, was Beethoven nicht ohne Neefes Hilfe bei Mozart lernte, als vielmehr das, was er selbst lernen konnte. Vom Standpunkt der Meisterschaft sind diese Quartette keine Kinderstücke. In ihnen sind nicht wenig „Künsteleyen" enthalten, die man nicht allein der genialen Intuition oder der zähen Beobachtungsgabe des jungen Komponisten zuschreiben kann. Es fällt auch in die Augen, daß alle Hauptthemen der Sonatenallegri völlig „richtig" geschaffen sind, das heißt, daß Beethoven symmetrische achttaktige Gruppen vermeidet, die nur in den Liedformen passen. Die Eigenartigkeit des Siebentakters im Allegro des Es-Dur-Quartetts wurde schon erwähnt. Aber auch beim traditionellen Thema des ersten Satzes des C-Dur-Quartetts handelt es sich um „la finta semplice". Obwohl es als Periode aus zwei Sätzen besteht, ist es nicht als ein banaler Achttakter, sondern als Zehntakter mit der Wiederholung der Funktionen einiger Takte (1, 2, 3, 3a, 4, 5, 6, 7, 7a, 8) aufgebaut. Im D-Dur-Quartett ist das Hauptthema des ersten Satzes ein Elftakter (6 + 6 Takte mit der Verschränkung, wobei jeder Sechstakter ein überdehnter metrischer Viertakter ist). Der langsame Teil des D-Dur-Quartetts, Andante con moto in fis-Moll, ist ebenfalls in der Sonatenform (die aber dem alten Typ angenähert ist) gehalten. Das ist sofort aus dem ersten Thema zu erraten, in dem ungeachtet seiner melancholischen Sanglichkeit keine Gemeinsamkeit mit einem „Lied" festzustellen ist. Eine für Beethoven ungewöhnliche Tonart[1] und einige Besonderheiten der Thematik erlauben hier die Annahme eines direkten oder indirekten Einflusses der *Abschieds-Symphonie* von Haydn.

Bedeutet es nicht, daß Neefe Beethoven von Anfang an erklärt hat, wie das Thema „des ersten Allegro" (so nannte man damals die Sonatenform) sein mußte? Wir haben gesehen, daß Beethoven nirgends den raffiniert komplizierten Bau der Themen Mozarts kopiert, aber gleichzeitig verfällt er nirgends in die Einfachheit, die durch das Genre ebenfalls angezeigt ist. Die Struktur der Hauptthemen in WoO 36 zwingt zu der Vermutung, daß Beethoven schon in Bonn auf irgendeine Weise mit der „Taktlehre" bekannt war, die im 18. Jahrhundert von Joseph Riepel und Heinrich Christoph Koch ausgearbeitet wurde.[2] Diese Theoretiker entdeckten nicht nur

1 In keinem seiner weiteren Sonaten- und Symphoniezyklen trifft man das Tonartenverhältnis D-Dur — fis-Moll — D-Dur zwischen den Sätzen.

2 Beethoven kannte und hatte in seiner Bibliothek drei Traktate Riepels über die Komposition. Man kann nur vermuten, daß er den *Versuch einer Anleitung zur Composition* H. Chr. Kochs kannte, obwohl es dokumentarisch nicht bestätigt ist. Die Liste der Beethoven bekannten theoretischen Werke nennt W. Kirkendale, *Fugue and Fugato,* S. 207—210. Zum Problem der modernen Taktlehre siehe J. Cholopow, *Die metrische Struktur der Periode,* S. 105—163.

die Natur der metrischen Symmetrie und Regelmäßigkeit, sondern lehrten die Komponisten auch, sie durch das Anwachsen oder Wegnehmen der überflüssigen Takte zu überwinden. Gleichzeitig wurde die Form nicht nach dem Schema, sondern nach dem Thema bestimmt, und von den ersten Takten an wurde es klar, ob eine Sonatenform, ein Rondo oder ein Menuett folgen werde. Diese, aber nicht nur diese Lehre wurde von Beethoven in WoO 36 glänzend begriffen.

In den musiktheoretischen und ästhetischen Traktaten des 18. Jahrhunderts schenkte man den Begriffen „Einheit", „Einförmigkeit", „das Ganze" usw. viel Aufmerksamkeit. Der Hauptsatz eines Werkes mußte so beschaffen sein, daß er „den Charakter des ganzen Stückes" enthält.[1] Aus dem Prinzip der emotionalen Einheit des Werkes folgt das Prinzip seiner Materialeinheit, das heißt das Herauswachsen des ganzen Organismus aus einer „compositional matrix".[2] Wenn dieser Prozeß im Schaffen eines reifen Meisters zu ersehen ist, dann mag es begeistern, aber nicht verwundern. Wenn aber eine beinahe mathematische Genauigkeit der musikalischen Logik bei einem Anfänger zu entdecken ist, dann ist dies überraschend. Das Es-Dur-Quartett erfaßt den Hörer stärker; daher gilt es als das reifste der drei Quartette, während das D-Dur-Quartett aus der Sicht des „Satzes" zweifellos die feinere und interessantere Meisterschaft verrät.

Das Wort „Satz" hat bis jetzt seine Vieldeutigkeit bewahrt; im 18. Jahrhundert vereinigte es Begriffe in sich, die ganz verschiedenen Ebenen angehörten. Es wurde als Synonym der Kompositionskunst (bei Kirnberger), als Synonym eines bestimmten Stils („strenger Satz" = Kirchenstil usw. bei Türk[3]) sowie als beliebiges Thema: der Fuge, der Sonate, des Menuetts, der Arie und auch als Teil der Periode (Koch[4]) benutzt. Tatsächlich bezeichnete der „Satz" jede Einheit der Musikstruktur und war sowohl eine Art der Schreibweise als auch eine Art der Form.

In allen Bedeutungen dieses Wortes kann das D-Dur-Quartett hinsichtlich der Einheit des Satzes analysiert werden. Der Hauptsatz spielt hier die Rolle sowohl des Themas, des Motivs, als auch der „compositional matrix" des ganzen Werkes. Die Tonformel des Hauptsatzes (d—h—g—e—a—d) ist auf das Prinzip der „leitereignen Modulation" gegründet.[5] Später wird diese Formel zur Grundlage der Einleitung der 2. Symphonie. Im D-Dur-Quartett durchdringt es den ganzen ersten Teil und begegnet im Finale als Erinnerung.

Hauptsatz des I. Satzes (Schema)

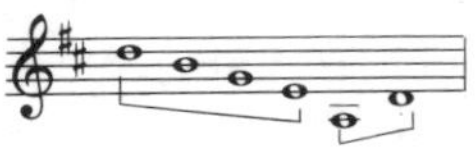

1 J. G. Sulzer, *Allgemeine Theorie der schönen Künste,* Bd. I (²1792), S. 141.
2 A. Forte, *The Compositional Matrix.*
3 D. G. Türk, *Kurze Anweisung zum Generalbaßspiel,* S. 44.
4 Vgl. H. Chr. Koch, *Versuch einer Anleitung zur Composition,* Bd. II, S. 342; vgl. auch C. Dahlhaus, *Satz und Periode,* S. 16ff.
5 G. Weber, *Versuch einer geordneten Theorie,* Bd. II (²1824), S. 93.

Schlußsatz, T. 60f.

Durchführung (Schema)

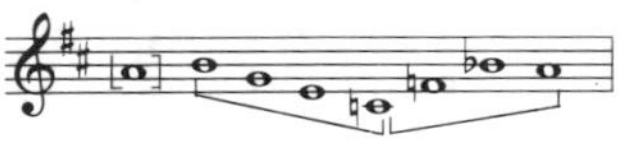

Übergang zur Reprise

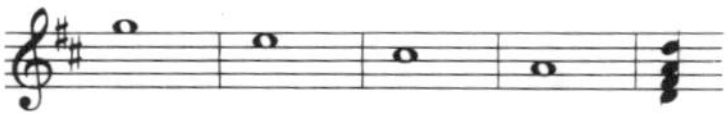

Finale, Schema der Episode

Finale, Übergang zur Reprise des Rondothemas

Finale T. 116f.

Die drei Bonner Quartette tragen keine Opuszahl; dem Wesen nach bilden sie ein typisches „Opus" des Endes des 18. Jahrhunderts, das heißt eine Gruppe selbständiger Werke, die gleichwohl durch ein ganzes System feiner Bindungen vereinigt sind — genrehafte, formelle, stilistische, fakturmäßige, manchmal sogar harmonische und motivische. Es ist kein Zufall, daß das kompositorisch ungewöhnliche Es-Dur-Quartett im Zentrum liegt und die traditionelleren in C-Dur und in D-Dur am Rande (dasselbe Prinzip ist in den Klaviersonaten WoO 47 zu beobachten). Die Bindungen bestehen sowohl zwischen den Sätzen eines Werkes als auch zwischen den verschiedenen Quartetten. So nutzen die Hauptthemen der Quartette C-Dur und Es-Dur in den Allegri die „Raketenenergie" der aufsteigenden Dreiklänge, und das Thema des D-Dur-Quartetts wiederum ist ebenfalls zielbewußt energisch nach unten gerichtet. Aber dieses nach unten zielende Thema ist im Keim auch im Rahmen des ersten Quartetts in C-Dur vorhanden. Die nach unten gerichtete Terzenkette erscheint dort in den Takten 14—16 des ersten Satzes und entwickelt sich im Schlußsatz (T. 60ff.) und im Höhepunkt der Durchführung (T. 91ff.).

Alle drei Quartette verbindet noch ein Detail der rhythmischen Faktur: die pulsierende Synkope in den Stimmen der Saiteninstrumente (Quartett C-Dur, 1. Satz, T. 1—3, 11, 37—40 und ähnlich in der Reprise; Quartett Es-Dur, Allegro, T. 116—121 und 170ff.; Quartett D-Dur, die ganze Durchführung des ersten Satzes und das Hauptthema des zweiten Satzes). Wenn man alle drei Quartette der Reihe nach als Zyklus hört, dann kann man den Eindruck gewinnen, daß der Autor dieses Lieblingsverfahren etwas mißbraucht, das er ganz offensichtlich den Partituren der älteren Meister entnommen hat. Aber gleichzeitig verleiht unter anderem dieses

Verfahren dem Opus jene innere Einheit und Einheitlichkeit, um die die damalige Musikästhetik besorgt war.

Kommen wir zurück zu dem Gedanken, mit dem wir die Untersuchung der Quartette WoO 36 begonnen haben: Der unerfahrene Zuhörer wird sie gar nicht erst dem Verdacht aussetzen, daß sie im Vergleich zu den drei Violinsonaten von Mozart sekundär sind. Der Fachmann aber, der über die Zusammenhänge im Bilde ist, entdeckt in diesen Quartetten viele interessante Abweichungen von den „Modellen“. Das zeugt davon, daß Beethoven von den ersten Schritten an sich seiner selbst als einer schöpferischen Persönlichkeit bewußt wurde und übliche Vorstellungen kritisch entgegennahm. Man kann nicht sagen, daß der junge Komponist die Autoritäten nicht achtete oder absichtlich die Regeln verletzte, aber er bemühte sich offenbar, alles auf eigene Art zu machen. In der *Allgemeinen Theorie der schönen Künste* von Sulzer, die Beethoven zweifellos bekannt war, wird von drei Arten der Nachahmung gehandelt: von der „blinden, kindischen“, „knechtischen, ängstlichen“ sowie „freien und verständigen“.[1] Ein Durchschnittsmensch geht laut Sulzer nicht weiter als bis zur „knechtischen“ Nachahmung, ein Genie aber kann und muß sich am Anfang ein anderes Genie zum Vorbild nehmen, bevor es bis zur echten Eigenartigkeit heranreift und die Natur selbst nachzuahmen lernt. Wenn man die Quartette WoO 36 von diesem Standpunkt aus ansieht, dann kann man sagen, daß sie weder zur ersten noch zur zweiten Art gehören. Das ist keine „blinde, kindische“ Nachahmung, weil das Werk auf dem bewußten Studium der Vorbilder (der Sonaten Mozarts) gegründet ist. Es ist auch keine „knechtische“ Nachahmung, bei der die Modelle ganz genau kopiert werden. Zu groß sind die stilistischen Unterschiede. Im Grunde genommen liegt die „freie und verständige“ Nachahmung vor, als fliege das Genie quasi auf fremden Flügeln in die Höhe, sehe aber die Welt mit eigenen Augen und schätze sie selbst ein. Die Eigenart des Autors zeigt sich in den Quartetten WoO 36 praktisch in allem, in erster Linie in der Behandlung der Sonatenform. Wie wir gesehen haben, kopiert Beethoven weder die feine Melodik noch die komplizierte Struktur der Themen Mozarts; vielmehr versucht er, im Rahmen der allgemeinen Regel seine eigene Variante zu schaffen. Von den ersten Schritten an sieht man bei Beethoven die Neigung zu anderen Maßstäben als bei Mozart. In den Quartetten WoO 36 begegnen viel mehr Themen als in allen Urquellen, und die Entwicklungs- und Durchführungsteile besitzen einen größeren Umfang. Dieselben Züge kann man in einigen frühen Wiener Werken Beethovens finden (z.B. in den Klaviersonaten op. 2 und den Cellosonaten op. 5).

Die Bonner Quartette stellen den Forscher vor ein weiteres Problem: das des Genres. Zu Beethovens Lebzeiten nahm das Genre des Klavierquartetts eine zweideutige Lage im hierarchischen System der Genres der Instrumentalmusik ein. Einerseits war es dem Streichtrio und Streichquartett — ganz ehrenvollen und ernsten Genres — verwandt, die für Kenner gedacht sind, obwohl sie dem Inhalt nach leichter sind als eine Symphonie. Andererseits machte die Beteiligung des Klaviers und seine führende Rolle die Klavierquartette zu einer Musik, die zugänglicher war für die Finger und die Köpfe der Dilettanten, unter denen sich mehr gute Klavierspieler als gute Streicher befanden. Davon zeugt etwa der Unterschied in der

1 J. G. Sulzer, *Allgemeine Theorie der schönen Künste*, Bd. III ([2]1793), S. 486f.

Schwierigkeit des Klavierparts und der anderen Instrumente in Beethovens Volksliederbearbeitungen und variierten Themen op. 105 und op. 107. 1822 weigerte C. F. Peters sich, ein Streichquartett von Beethoven in Empfang zu nehmen, bemühte sich aber, ihn zum Schaffen eines Klavierquartetts zu verleiten und bat darum, „es aber ja nicht *gar zu schwer* zu machen, damit sich gute Diletanten desselben erfreuen können“.[1] Beethoven aber ließ sich nicht verführen, und die Bonner Quartette blieben in seinem Schaffen das einzige, dabei keineswegs typische Beispiel dieses Genres. Soweit bekannt, bestellte niemand diese Quartette bei dem jungen Komponisten, sie entstanden aus seinem eigenen Bedürfnis zum Studieren und zur Selbstbestätigung. In den Quartetten WoO 36 setzte sich Beethoven nicht nur das Ziel, Dilettanten zu „erfreuen“, sondern er bemühte sich auch darum, alles zu zeigen, wozu er in Form, Technik und Inhalt fähig war. Wir können versuchen, uns die erste Aufführung dieser Quartette in Bonn durch den vierzehnjährigen Autor selbst und seine älteren Kollegen und Lehrer vorzustellen. Zweifellos war jemand unter ihnen, der die vulkanische Energie und freche Größe dieser Werke erfaßt hat. Diese Eigenschaften konnten auf sich aufmerksam machen, ja sogar erschrecken, wie später das Klaviertrio op. 1, Nr. 3 den alten Haydn erschreckte. Möglicherweise hat jemand dem Komponisten die Meinung übermittelt, daß es sich um keine häusliche, gemütliche und trauliche Musik handelt, daß es mehr Skizzen einer Symphonie als Quartette sind. Dem Genre der Symphonie war Beethoven in Bonn noch nicht gewachsen, aber er plauderte seinen Traum aus, als er in einem Entwurf ein c-Moll-Presto als „Sinfonia“ bezeichnete.[2]

Die Verwandtschaft dieses Entwurfes mit dem Allegro-Thema des Es-Dur-Quartetts ist offensichtlich. Aber der konzentrierteren und originalen Struktur des Quartett-Themas ist zu entnehmen, daß die Symphonie früher geplant sein könnte. Es ist schwer vorzustellen, daß Beethoven absichtlich ein gefedertes, scharf asymmetrisches Thema des Quartetts schrieb und es dann bewußt verschlechterte, indem er es schlaffer und zerstreuter machte. Folglich wurde dieses Quartett wie die beiden anderen nicht nur nach dem Vorbild der Violinsonaten und Klavierkonzerte Mozarts geschrieben, sondern auch im Gedanken an eigene Werke in den höchsten Genres der Instrumentalmusik, zu denen das Konzert und die Symphonie gehörten. Das Übertragen der Ästhetik der höheren Genres in die niedrigeren war Beethoven überhaupt eigen, insbesondere in den früheren Jahren (vgl. näher dazu bei den Sonaten op. 2). Und genau in dieser Richtung entwickelte sich die ganze musikalische Praxis und Theorie, in denen sich die Kammermusik (das heißt häusliche Musik) allmählich in Konzertmusik verwandelte und ein Musikliebhaber immer öfter nicht zu einem Interpreten, sondern zu einem Hörer wurde.

Larissa W. Kirillina

1 Thayer / Deiters / Riemann, *Ludwig van Beethovens Leben,* Bd. IV, S. 257.
2 Vgl. G. Nottebohm, *Zweite Beethoveniana,* S. 567.

Trio G-Dur für Klavier, Flöte und Fagott WoO 37

Entstehungszeit: Bonn 1786.
Erstaufführung: unbekannt.
Skizzen: zweiter Satz: L. Schiedermair, *Der junge Beethoven* ([3]1951), S. 285.
Autograph: Staatsbibliothek Preußischer Kulturbesitz Berlin.
Erstdruck: 1888 in der Alten Gesamtausgabe.
Gesamtausgaben: Alte Gesamtausgabe: Nr. 294 = Serie 25 Nr. 31; Neue Gesamtausgabe: Abt. IV, Bd. 3.

Zu den bis heute umstrittenen, Beethoven zugeschriebenen Manuskripten, die in der Berliner Staatsbibliothek Preußischer Kulturbesitz unter der Signatur „Mus. ms. autogr. Gr. 31" aufbewahrt werden und ihre späte Drucklegung durch die Aufnahme in die Gesamtausgabe erfahren haben, gehört das konzertante Trio WoO 37. Von der Bibliothek im Jahre 1879 aus den Beständen Friedrich Grasnicks erworben, war es erstmals im Auktionskatalog des Nachlasses des Komponisten unter der Nummer 179 als „Unbekanntes Trio für Pianoforte, Flöte und Fagott, frühere Arbeit noch in Bonn" erwähnt und zum Kauf angeboten worden. Seither ist das titelblattlose Manuskript mit dem handschriftlichen Vermerk auf der letzten Seite: „composta da Ludovico van Beethoven organista di S.S. [...] cologne" der Gegenstand von Authentizitäts- und Datierungsfragen und hat zu zahlreichen Mutmaßungen über den möglichen Adressaten Anlaß gegeben.[1] In den Kontext der Festlichkeiten am Bonner Hof anläßlich des Regierungsantrittes von Kurfürst Maximilian Franz im Jahre 1784 ist das Werk erst jüngst gerückt und als Ausführende offenkundig an Beethoven selbst nebst Mitgliedern der Bonner Hofmusik gedacht worden, zu der damals drei Fagottisten und der mit dem Komponisten befreundete „Flautist" Anton Reicha gehörten.[2]

Wegen der Besetzungsgleichheit wird das Trio jedoch mehrheitlich in der Nähe der Fragment gebliebenen „Romance cantabile" in e-Moll (Hess 13) mit Oboen- und Streicherbegleitung gesehen und in das Jahr 1786 datiert.[3] In diesem wie in den voraufgegangenen Jahren hatte der sechzehnjährige Beethoven regen Kontakt zum angesehenen Hause des Obrist-Stallmeisters, Exzellenz Friedrich Ludolph Anton Freiherr von Westerholt-Gysenberg, der selbst Fagott blies. Seine Familie bildete einen jener Musikzirkel, die zeitweilig das Musikleben der Residenzstadt prägend mitbestimmt haben. Dem Sohn Westerholts, Graf Wilhelm, sagte man meisterliche Fähigkeiten auf der Flöte nach, und die älteste Tochter, Maria Anna Wilhelmine, hatte der Vater durch Beethoven zu einer virtuosen Klavierspielerin ausbilden las-

1 Vgl. G. Kinsky / H. Halm, *Das Werk Beethovens,* S. 479f.; L. Schiedermair, *Der junge Beethoven* ([3]1951), S. 282f.; W. Hess, *Beethovens Werke für die Flöte;* H.-G. Klein / D. Johnson, *Autographe Beethovens aus der Bonner Zeit,* S. 115f.
2 Vgl. Bonner Hofkalender 1790, in: L. Schiedermair, *Der junge Beethoven* ([3]1951), S. 40f.
3 Vgl. W. Hess, *Beethovens Werke für die Flöte,* S. 241.

sen, zu der der Komponist laut Franz Gerhard Wegeler die „liebevollste Zuneigung" hegte. Mit dem konzertanten Trio mag also Beethoven einer Anregung aus diesem musikverständigen Kreise nachgekommen sein, dem er bekanntlich noch weitere Werke widmete. Man hatte wohl nach einem Stück mit anspruchsvoller obligater Behandlung des Fagottes verlangt, da man in der Bläserkammermusik begann, sich von der Praxis des fagottverstärkten Generalbasses zu lösen. Die nur kleine Zahl vor 1800 gedruckter Werke dieser Triobesetzung zeigt, daß eine derartige Variante nur selten aufgegriffen worden ist und besonderer Spielerkonstellationen bedurfte. Nur vereinzelt bedienten sich Beethoven-Zeitgenossen wie Amadeo Rasetti oder der Fagott- und Flötenvirtuose François Devienne dieser Besetzung und gaben ihre wenigen Trios vor allem als variabel besetzbare Werke für Pianoforte, Flöte (Violine) und Violoncello heraus.[1]

In dem dreisätzigen Werk Beethovens begegnet uns mithin ein Stück, dessen an Harmoniemusik erinnernde Instrumentation nicht nur sein Erstling im Genre des Klaviertrios ist, sondern ihn zu originellen Lösungsversuchen angeregt hat. Das technisch herausfordernde Werk ist formal den ein Jahr früher entstandenen Klavierquartetten (WoO 36) sehr nahe. Unter der deutlichen Dominanz des Klavierparts, dessen weitgriffige Faktur ein fünfoktaviges Cembalo oder einen Hammerflügel dieses Umfangs voraussetzt, lotet Beethoven auch den gesamten Ambitus von d' bis g''' der damaligen ein- bis vierklappigen Traversflöte aus, die er insbesondere in den Schlußvariationen virtuos exponiert. Das fünfklappige Fagott wird vor allem in seiner Eigenschaft als gewandtes Instrument der Bariton- und Tenorlage genutzt, was bisweilen als Indikator für die Besetzung mit einem Quintfagott gewertet wurde, wogegen jedoch die mehrfache Verwendung des tiefen D spricht.

Im ersten Satz — Allegro — muß es Beethoven darum gegangen sein, prägnante formale Konturen durch blockhafte Unisoni zu schaffen, mit denen sowohl der erste Teil mit der Exposition zweier kontrastierender Themenkomplexe als auch der durchführungsähnliche Mittelteil eröffnet werden. Dem Beginn des 2. Klavierquartetts in D-Dur vergleichbar und Mannheimer Vorbildern nachgestaltet, leitet die auftaktlose, straff synkopierte G-Dur-Akkordbrechung aufwärts geführt das erste Thema ein, das nach dem Unisonobeginn durch einen im Piano kontrastierenden Mittelteil und dessen verzierte Wiederholung gebildet wird. 3 + 4 + 3-taktig folgt es ebensowenig den damals verbindlichen Normen von Periodizität wie die Phrasenstruktur der weiteren-Themen dieses wie auch des zweiten Satzes.

1 Vgl. *Internationales Quellenlexikon der Musik* (RISM) 1972; B. Pierreuse, *Flute Repertoire Catalogue* (1982).

Dem ersten Thema folgt nach der abschließenden Kadenz ein zwei- bis viertaktiges imitatorisches Wechselspiel der drei Instrumente mit Terzgängen und sequenzierenden Passagenanläufen über einem Klavier- oder Bläseraccompagnato. Haben in diesen 24 Takten die Soloinstrumente Gelegenheit, sich virtuos zu präsentieren, so setzt Beethoven der lebhaften Spielfigurik in Takt 33 das dominantische zweite Thema entgegen. Strukturell 4 + 5-taktig auf die Soloexponierung durch das Klavier und Tuttiwiederholung verteilt, vereint es die Instrumente erstmals in Terzenparallelen. Zu einer kontrastierenden Themenerweiterung in d-Moll kommt es wenige Takte später, mit welcher Beethoven dem Affekt des Mittelteils vorausgreift. Wie bereits angedeutet, setzt er dem D-Dur-Abschluß des ersten Teils ein differenziert phrasiertes Unisono in der Molldominante entgegen, das den Ausgangspunkt bildet für einen neuen, selbständigen Gedanken, der in weitem Bogen über 29 Takte stufenweise aufwärts moduliert wird und schließlich in einer „adagio“-Verbreiterung mündet.

Auf keines der in der Exposition aufgestellten Themen rekurrierend ließ sich der Komponist offenkundig vom Dur-Moll-Kontrast etwa der Bläserdivertimenti leiten, in denen eingeschobene Teile keine Seltenheit sind. Daß Beethoven in Takt 140 jedoch die unwesentlich verkürzte Reprise mit 14-taktiger Coda nach vier ins Piano und Pianissimo zurückgenommenen Überleitungstakten anschließt, zeigt, daß er in diesem Satz zu einer eigenwilligen Variante der Sonatenhauptsatzform gefunden hat.

Das auf diesen Satz folgende Adagio in g-Moll muß ursprünglich in C-Dur geplant worden sein, wie aus einer autographen Skizze hervorgeht.[1] Mit der Wahl dieser Molltonart griff Beethoven in der Endfassung dieses Adagios auf Satzanschlüsse früherer Sonaten zurück, etwa des 1. Klavierquartetts in Es-Dur. Der breit angelegte 73-taktige Satz entwickelt sich in drei Abschnitten als dialogisierende Fortführung einer reich ausgezierten und eigenwillig dynamisierten siebentaktigen Kantilene. Sie wird zur Vorlage für eine rhythmische Studie, in der aus der affektbetonten Musizierpraxis entlehnte Seufzermotive, doppelschlagverzögerte Terzen, Vorhalte und Durchgänge einem quasi freien Fantasieren Raum geben. Mehr als im voraufgegangenen Allegro wird die motivische Entwicklung in diesem Satz den Bläsern übergeben.

Der Satz wird in Takt 65 dominantisch moduliert und bleibt nach der Tonikaparallele (mit Septime) auf Es im Fermatentakt 69 auf einem D-Dur-Akkord als neuem tonalem Zentrum stehen. Die orthographisch mehrdeutigen nächsten vier Takte sind mit zwei weiteren Fermaten von diesem Quasi-Schluß durch einen Doppelstrich getrennt. Sie stellen mit der Fortschreitung vom Terzquartakkord der Doppeldominante ($\not{D}^{7}_{5b}$) zum Dominantseptakkord die Verbindung zum attacca anschließenden G-Dur-„Andante con Variazioni" her. Mit dem 16-taktigen Thema legt Beethoven den folgenden acht Variationen einen vierzeiligen, simpel harmonisierten Liedtopos des Schemas A—a'—B—a' zugrunde, der substantiell im Verlaufe der Variationen keine Veränderung erfährt. Beethoven scheint vielmehr die figura-

---

1 Vgl. L. Schiedermair, *Der junge Beethoven* ([3]1951), S. 285.

len Umspielungen als überaus konvenablen virtuosen Abschluß mit der Mollvariation an vierter Stelle gewählt zu haben, um der gesellschaftlichen Funktion des Trios Genüge zu tun. Zum unregelmäßigen Taktschema, das diesem Werk in weiten Teilen zugrundelag, kehrt er jedoch auch in diesem Satz zurück, indem er das Wiederkehren des Themas als Variation 8 mit einer nur siebentaktigen Coda beschließt, deren drei letzte Takte affirmativ im Fortissimo vorgetragen werden sollen.

Gabriele Busch-Salmen

Klaviertrio Es-Dur
WoO 38

Entstehungszeit: angeblich 1790/1791 (vgl. G. Kinsky / H. Halm, *Das Werk Beethovens*, S. 480).
Erstaufführung: unbekannt.
Skizzen: nicht bekannt.
Autograph: nicht nachweisbar.
Erstdruck: Frankfurt 1830 (Fr. Ph. Dunst).
Gesamtausgaben: Alte Gesamtausgabe: Nr. 86 = Serie 11 Nr. 8; Neue Gesamtausgabe: Abt. IV, Bd. 3.

Von den beiden frühesten bekannten Trios für Klavier und verschiedene Instrumente erscheint das Es-Dur-Trio WoO 38 unter quellenkritischen und stilistischen Gesichtspunkten in einem weit ungünstigeren Licht als das Schwesterwerk für Klavier und Bläser in G-Dur WoO 37 und hat doch — wohl wegen der Besetzung und seiner vermeintlichen Nähe zu den großen Wiener Klaviertrios — etwas mehr Aufmerksamkeit als dieses auf sich ziehen können. Obwohl die posthume Erstausgabe von 1830 (gleichzeitig mit jener von WoO 39) bislang die einzige bekannte Quelle darstellt, sind Zweifel an der Authentizität von WoO 38 nie aufgekommen — wohl aufgrund der dem Erstdruck beigegebenen „Erklärung" von Anton Diabelli, Carl Czerny und Ferdinand Ries, „dass das Trio für Klavier, Violon und Violoncello [...] ein authentisches Werk Ludwig van Beethoven's sey, das Herr Ant. Schindler in eigener Handschrift des Autors eigenthümlich besitzt [...]", mit einer Echtheitsbeglaubigung des (heute verschollenen) Autographs durch Beethovens Bonner Jugendfreund Franz Gerhard Wegeler.[1] Immerhin müßte eigentlich die ungewöhnliche dreisätzige Folge mit einem „Scherzo" als Mittelsatz (anstelle eines in Tonart und Tempo mit den Außensätzen kontrastierenden langsamen Satzes) Zweifel zumindest an der Vollständigkeit des Werks, wenn nicht seiner Überlieferung wecken. Ebenso unbefriedigend bleibt die in der Forschung anscheinend allgemein akzeptierte frühere Datierung des G-Dur-Trios WoO 37 (angeblich zwischen 1783 und 1786), obwohl es für die Datierung des Es-Dur-Trios WoO 38 (angeblich 1790/1791) keinerlei Anhaltspunkte gibt. Insbesondere der Kopfsatz des Es-Dur-Trios hält keinen Vergleich

1 Vgl. G. Kinsky / H. Halm, *Das Werk Beethovens*, S. 481.

aus mit der — bei aller Weitschweifigkeit und Redundanz — doch souveränen Disposition und sicheren Geschmeidigkeit des ersten Allegros von WoO 37, das mit Hilfe klarer Zäsuren und wirkungsvoller Auskadenzierungen an den formalen Brennpunkten Gliederung und Zusammenhang schafft. Demgegenüber erweckt WoO 38 weit stärker den Eindruck des Experimentellen, scheint aber — bei aller Unausgegorenheit mancher „Geniestreiche“ — weit mehr zu riskieren und ist darin um vieles aufschlußreicher als die vielleicht ganz auf die (mutmaßliche) Zweckbestimmung angelegte Glätte und Geschmeidigkeit des Schwesterwerks WoO 37. Unter eben diesem Gesichtspunkt und unter den oben angedeuteten Vorbehalten gegen Überlieferung und Datierung (die aber für das Folgende nicht maßgebend sein sollen) seien drei Stellen aus dem Kopfsatz und aus dem Scherzo etwas näher betrachtet, die als form- und gattungstypische Eckpunkte im Gesamtaufbau besonders signifikant sind auch im Hinblick auf die Lösungen analoger Formprobleme in den späteren Werken Beethovens: im Kopfsatz der Übergang zum Seitensatz in Exposition und Reprise (T. 28ff. bzw. 132ff.) sowie die Einführung der Reprise (T. 102ff.), im Scherzo ebenfalls die Überleitung zum Seitensatz sowohl im A-Teil (T. 9ff.) als auch im B-Teil (T. 65ff.).

Das mit einer abwärtsführenden Rollfigur nonchalant und wie beiläufig anhebende Hauptthema des Kopfsatzes gelangt über eine auf die V. Stufe (B-Dur) transponierte, modifizierte Wiederholung der Phrase Takt 3—6 in Takt 7—10 zu einem Halt auf der Dominante B-Dur, die sich über acht volle Takte ausbreitet und sich schließlich zu der spannungsvollen Fermatenzäsur in Takt 18 aufstaut.[1] Erst mit dem neuerlichen Ansetzen des Themas in Takt 19, an dem sich nun auch die Streicher erstmals nicht mehr nur begleitend beteiligen, scheint der Satz, nach dem verfrühten Halt, richtig ins Rollen zu kommen. Der abermalige Wechsel zur Dominante (T. 27f.) endet diesmal nicht in einer Zäsur (vgl. T. 10), sondern löst, geradezu befreiend, einen längeren Abschnitt aus, der das erreichte B-Dur in insgesamt vier viertaktigen Einheiten (bis vor T. 44) bei stetigem taktweisen Pendeln zwischen B-Dur und F-Dur (mit Sept) über unaufhörlich repetierendem b im Baß festigt. Es besteht kein Zweifel, daß in Takt 44, wo die schematische Viertaktigkeit und die Baßrepetition zugunsten einer aufgelockerten Faktur preisgegeben werden, die neue Tonart des Seitensatzes, B-Dur, längst etabliert ist. Aber selbst der aufmerksamste Hörer wird sich erst im nachhinein darüber klar werden, daß der für den ganzen Satzaufbau entscheidende Wechsel von Es-Dur nach B-Dur bereits mit jener knappen Kadenz Takt 27f. vollzogen ist, die beim ersten Auftreten des Themas nur die Funktion eines einfachen Halbschlusses hatte. Mit anderen Worten: Der Wechsel in die Tonart des Seitensatzes wird nicht als das entscheidende Ereignis, das er ist, kompositorisch erfaßt; er ergibt sich aus einem dominantischen Themenschluß, dessen Zielklang B-Dur lediglich durch ein geradezu ermüdendes, bis zum Schluß der Exposition anhaltendes Pendeln zwischen B-Dur und F-Dur als neue Tonika schlechtweg behauptet wird. Wie souverän rund 20 Jahre später der reife Beethoven über das (übrigens durchaus zeitübliche) Verfahren, eine als Periodenzäsur erreichte Dominante augenblicklich als neues Tonalitätsniveau zu nutzen, verfügen wird,

1 Vgl. hierzu auch das Rondothema des C-Dur-Klavierkonzerts op. 15.

zeigt der erste Satz der Klaviersonate G-Dur op. 79 (dort T. 12ff.).[1] Ein Blick auf die Reprise unseres Triosatzes: Der in die Dominante „hinüberkippende“ Themenschluß mitsamt der anschließenden B-Dur-Fläche wird beibehalten (T. 131f. und ff.); die Tonika Es-Dur (als Tonart des Seitensatzes der Reprise) wird durch eine modulatorische Sequenz wiedererreicht, die zunächst in den dominantischen Bereich vordringt (Harmoniefolge D—g / F—B / A—d / C—F) und aus der die Zieltonart Es-Dur in Takt 160 wiederum eher wie beiläufig hervorgeht. Daß die tonalen Verhältnisse sowohl in der Exposition als auch in der Reprise so eigenartig in der Schwebe bleiben, liegt zum Teil daran, daß keine zusammenfassenden Kadenzen auftreten, die als tonale und formale Orientierungspunkte dienen können (vgl. dagegen WoO 37). Mit umso größerem Nachdruck, wie um Versäumtes nachzuholen, setzt sich daher die aus dem Pianissimo anrollende Schlußkadenz der Coda (T. 174ff.) in Szene.

Welch verblüffende formale Lösungen andererseits solche Ambivalenzen wie die eben besprochenen ermöglichen, zeigt die geschickte Einfädelung der Reprise im gleichen Satz. Sie kündigt sich bereits in Takt 86 mit einer im Fortissimo hervorgehobenen Wiederaufnahme der eröffnenden Sechzehntelfigur in As-Dur an. Auf dem im c-Moll-Klang aufsteigenden Klavierarpeggio wie die Schaumkrone auf einer Welle emporgetragen, setzt sich das im Klavier angeschnittene und von den beiden Streichern imitierend bestätigte Motiv in As-Dur fest und beginnt endlich im Klavierpart, gleichsam alle Fesseln sprengend, über vier Takte hinweg die ganze As-Dur-Skala herabzurollen. Eine im Klavierpart als Akkordtremolo ausgebreitete Es-Dur-Fläche (T. 93ff.) fängt die Kaskade auf. Obwohl sie eigentlich zunächst als Dominante auf das vorangegangene As-Dur bezogen ist (Septe des in T. 93f.), wird sie ihrerseits wieder zum Sprungbrett für das Eröffnungsmotiv (T. 100ff.), das nun schon nach dem zweiten Anlauf (vgl. dagegen T. 86ff.) den Sturz durch die Es-Dur-Skala über vier Takte hinweg wagt (T. 102ff.). Nach dem Scheinmanöver der Takte 86ff. wird man jetzt, in der vorwiegend dominantisch geprägten Situation, zunächst kaum den Repriseneintritt vermuten. Umso gelungener wirkt der „Coup“, wenn die herabrollenden Sechzehntel in Takt 106f. unversehens doch den Anschluß an die ursprüngliche Fortsetzung des Themas wiedergewinnen und in dem repetitiven Motiv aus Takt 3—6 wieder einrasten. Erst in diesem Moment wird man gewahr, daß die Repriseneinführung bereits im Gange war und in Takt 106f. schon abgeschlossen ist. In ihrer Verwandtschaft mit den anderen tonalen und formalen Ambivalenzen des Satzes scheint diese Stelle zugleich schon in nuce die Reprisenkonzeption des reifen Beethoven zu bergen, nämlich „Reprise“ nicht als einen feststehenden Ort im zeitüblichen Bauplan des Sonatensatzes, sondern als einen zentralen, das Ganze umgreifenden *Vorgang* kompositorisch zu begreifen — eine Konzeption, die dann im Spätwerk zu solch intrikaten und zugleich verinnerlichten Lösungen wie beispielsweise im Kopfsatz der A-Dur-Klaviersonate op. 101 (dort T. 212ff.) führen sollte.

Eine Art Geniestreich birgt endlich das Scherzo, das als frühester Beleg für diesen Satztypus bei Beethoven anzusprechen ist — sofern die Bezeichnung „Scherzo“ als authentisch verbürgt ist. Wir lenken das Augenmerk auf die entscheidende Ge-

---

1 Zu dem Verfahren, eine dominantische Zäsur in eine neue Tonika umzudeuten vgl., in gattungsgebundenem Kontext, R. Forster, *Die Kopfsätze der Klavierkonzerte Mozarts und Beethovens,* S. 171ff.; zu op. 79: G. Meyer, *Untersuchungen zur Sonatensatzform.*

lenkstelle, die unmittelbar auf die beiden lapidar gegenübergestellten Viertaktblöcke des Scherzothemas folgt und im A-Teil den Wechsel in die Tonart der V. Stufe herbeiführt (T. 9ff.), im B-Teil aber die Entscheidung zugunsten der Tonika Es-Dur fällt (T. 65ff.). Im A-Teil ist es die simple Sequenz einer völlig unvermittelten, wie aus der Luft gegriffenen ganztaktigen Achtelfigur, die in das B-Dur der Takte 11ff. eher wie zufällig hineingerät, als es durch Kadenz zielstrebig herbeizuführen (Sprung g—b im Baß). Ähnlich wie in der analogen Situation im Kopfsatz behauptet sich die V. Stufe nun allein durch ihr Beharrungsvermögen (Repetition des b im Klavierbaß T. 11—14) und durch stetigen taktweisen, ab Takt 23 beschleunigten Wechsel mit ihrer eigenen Dominante (F-Dur) in dem imitatorisch gearbeiteten Teil Takt 15ff. als neuer tonaler Schwerpunkt. Der hier wenig überzeugende, wie provisorisch wirkende Übergang (T. 9f.) sieht allerdings im Reprisenabschnitt des B-Teils (T. 57ff., hier T. 65f.) bedeutend anders aus. Ein emphatischer Auftakt des Klaviers holt zu einem zwei Takte überspannenden Achtelgang aus, der von zwei entschiedenen Kadenzakkorden (IV. und V. Stufe) unterstützt wird und zielsicher in der Es-Dur-Tonika in Takt 67 landet. Im Unterschied zu dem B-Dur der Takte 11ff. wird das an seine Stelle tretende Es-Dur von Takt 67ff. durch eine klare Kadenzbildung definiert, die nicht nur die „Notbrücke“ Takt 9f. ersetzt (jetzt T. 65f.), sondern sogar zusammen mit dem Scherzothema die kadenzierende Harmoniefolge I—VI—IV—V—I ergibt. Der harmonische und metrische Hiatus der unvorbereitet und unzeitig eingetretenen Dominante (T. 11) ist eingeschmolzen in einen das gesamte Scherzothema integrierenden Kadenzzusammenhang.

Die glättende Umgestaltung erfaßt aber auch den folgenden Seitenabschnitt. Die Takte 11—14 haben im B-Teil keine Entsprechung mehr, und die Violinfigur von Takt 15f. ist in das Kadenzglied Takt 65f. (das ja an die Stelle von T. 9f. tritt) vorgezogen, so daß die Reprise des Seitenabschnitts (T. 67ff.) insgesamt sechs Takte des A-Teils überspringt und erst die Takte 17ff. wieder aufgreift. So greifen Kadenzfolge des Scherzothemas und Imitationsstruktur des Seitenabschnitts nahtlos ineinander.

Ein Blick auf die Herkunft des Kadenzglieds im Klavierpart Takt 65f., dessen Achtelfigur auch noch den Imitationsabschnitt Takt 67ff. als ein neues Element gegenüber dem A-Teil belebt, rundet vollends das Bild: Es erscheint zum ersten Mal in der durchführungsartigen ersten Hälfte des B-Teils als kadenzierende Antwort auf das gleichsam fragende Scherzothema (T. 34f., dann nochmals T. 43f.) — keineswegs zufällig auch dort zuerst nach Es-Dur kadenzierend. Die reprisentypischen Veränderungen gegenüber dem A-Teil stellen somit auch die Konsequenz aus dem Durchführungsteil dar, der durch den sinnfälligen Zusammenschluß von Scherzothema und neueingeführtem Kadenzglied die Glättung und Integration disparater Elemente des A-Teils im Reprisenabschnitt vorbereitet.

Schon diese wenigen Beobachtungen vermitteln einen Eindruck von der Inhomogenität dieses Frühwerks, von seinem experimentellen Wagemut und seiner unreifen Genialität, in der Gelungenes und Mißlungenes nicht nur nahe beieinander liegen, sondern noch gar nicht eindeutig geschieden werden können. Aus der Sicht des späteren Beethoven und vor dem Hintergrund reifen Wiener Klassischen Komponierens erscheinen grundlegende Kompositionsprinzipien einerseits wie in einem Zerrspiegel, andererseits gerade dadurch schon in ihrem Eigentlichen begriffen. Die leise unfreiwillige Komik, die selbst noch in den überzeugendsten kompositorischen Lösungen (etwa des Scherzos) steckt, weckt Assoziationen zu Mozarts *Musikalischem Spaß* KV 522, dessen Hintergründigkeit und boshafte Ironie ja keineswegs etwa nur auf den falschen Hörnernoten im Menuett oder auf den katastrophal entgleisten Schlußakkorden des Finales beruht. Zu zeigen, worin die meisterhaft gelungene Darstellung des Mißlungenen in Mozarts *Musikalischem Spaß* eigentlich besteht, setzt die Darstellung der Prinzipien Wiener Klassischer Komposition voraus. Das will sagen: Die Frage, was denn nun unser Trio als ein „Frühwerk" kennzeichnet und von einem späteren Meisterwerk Beethovens unterscheidet, reicht über die bloße Kategorie des „Personalstils" weit hinaus; sie fällt letztlich zusammen mit der Frage nach Eigenart und innerer Organisation Wiener Klassischer Musiksprache.

Robert Forster

Klaviertrio B-Dur (einsätzig)
WoO 39

ENTSTEHUNGSZEIT: 26. Juni 1812 laut eigenhändiger Datierung des Autographs.
ERSTAUFFÜHRUNG: unbekannt.
SKIZZEN: nicht bekannt.
AUTOGRAPH: Beethoven-Haus Bonn.
ERSTDRUCK UND WIDMUNG: Frankfurt 1830 (Fr. Ph. Dunst); Maximiliane Brentano gewidmet.
GESAMTAUSGABEN: Alte Gesamtausgabe: Nr. 85 = Serie 11 Nr. 7; Neue Gesamtausgabe: Abt. IV, Bd. 3.

Der Triosatz WoO 39 ist Beethovens letzte vollendete Komposition in einer Gattung und Besetzungsform, mit der er 1795, immerhin fast drei Jahre nach seiner Übersiedlung nach Wien, dezidiert eine neue Zählung seiner publizierten Werke begonnen hatte (op. 1). Es erschiene gewiß vermessen, die kleine, zum privaten Gebrauch bestimmte Gelegenheitskomposition als Beethovens letztmalige zu einem abgeschlossenen Werk führende Hinwendung zur Gattung Klaviertrio apostrophieren zu wollen. Immerhin ist Beethovens letzter öffentlicher Auftritt als Pianist im Mai 1814 im Zusammenhang mit der Aufführung eines Klaviertrios (des *Erzherzogtrios* op. 97) bezeugt. Die nach dem *Erzherzogtrio* und WoO 39 fertiggestellten Sonaten, die Violinsonate G-Dur op. 96 und die beiden Cellosonaten op. 102, verkörpern (ungeachtet der gattungsgeschichtlichen Verwandtschaft zwischen der streicherbegleiteten Klaviersonate und dem Klaviertrio im 18. Jahrhundert) eine grundlegend andere kammermusikalisch-satztechnische Konstellation, so daß man sagen kann: Außer in der Form des Arrangements (in den zahlreichen, 1810 bis etwa 1820 für George Thomson hergestellten Volksliederbearbeitungen für Singstimme[n], Klavier, Violine und Violoncello) kam es bei Beethoven nach op. 97 und WoO 39 zu keiner tiefergehenden Auseinandersetzung mehr mit der Besetzungsform des Klaviertrios oder mit einer anderen zentralen Gattung, in der das Klavier satztragender, konzertanter Part eines Ensembles ist. (Auch ein 1815 begonnenes D-Dur-Klavierkonzert, Hess 15, blieb Fragment.) Gerade unter diesem Aspekt verdient der nur scheinbar leichtgewichtige und unbedeutende Triosatz in B-Dur nähere Betrachtung.

Beethovens rührende Widmung an ein zehnjähriges Mädchen, die im Hause ihrer Großeltern in Wien lebende Maximiliane Brentano, nennt die Zweckbestimmung: „[...] für meine kleine Freundin Maxe Brentano zu ihrer Aufmunterung im Klavierspielen [...]“. Sie lenkt die Aufmerksamkeit nicht nur auf die spieltechnische Gestaltung des Klavierparts, die den Fertigkeiten eines (allerdings hochbegabten) Kindes angemessen zu sein scheint (das Autograph enthält im Klavierpart Fingersatzbezeichnungen von der Hand Beethovens), sondern auch auf die besondere Rolle des Klaviers im Ensemble, die zwar auch einem reifen Spieler einiges an Umsicht und Geistesgegenwart abverlangt, für die Beethovenschen Klaviertrios aber doch eher ungewöhnlich und ein besonderes Kennzeichen des vorliegenden Werkes ist. Mit anderen Worten: Die bloße klavierpädagogische Absicht wäre wohl auch mit einem Klavierstück oder einer Klaviersonate zu erreichen gewesen, wenn nicht offensichtlich gerade das äußerst reizvolle und sinnreiche „Rollenspiel“ des Klavierparts in der kammermusikalischen Gemeinschaft die beabsichtigte „Aufmunterung im Klavierspielen“ bewirken sollte.

Die vergleichsweise knappen Ausmaße der als Sonatenhauptsatz angelegten Komposition umfassen eine Exposition (T. 1—35a) mit Hauptsatz (T. 1—8), Überleitung (T. 9—18) und Seitensatz (T. 19—35a), eine Durchführung (T. 35b—54), eine Reprise (T. 55—86), wiederum mit Hauptsatz (T. 55—62) und Seitensatz (T. 70—86), sowie eine längere Coda (T. 88 bis Schluß).

Der Klavierpart eröffnet den Satz mit dem Hauptthema, dessen melodischer Duktus in fast naiv anmutender Einfachheit von der auftaktig erreichten Quinte f’’ durch den stufenweise ausgeschrittenen B-Dur-Dreiklang zum Grundton b’ herabsteigt (T. 1f.) und aus einer Wiederholung dieses Quintfalls eine Stufe tiefer, über der Dominante, den ersten viertaktigen Halbsatz gewinnt. Der Eindruck einer den Hörer schon im ersten Takt in Empfang nehmenden Wärme und Offenheit ergibt sich daraus, daß die Quinte f nicht nur in der rechten Hand des Klavierparts die melodische Eröffnung bestimmt, sondern auch als Baßton in den Akkordrepetitionen der linken Hand erscheint. Nimmt man den Klavierpart für sich, so beginnt das Thema mit einer Quart-Sext-Harmonie, die sich zwar beim Übergang in die Dominante Takt 3f. regulär auflöst, in Takt 5 aber wiederkehrt und auffallenderweise selbst durch die Kadenzbildung von Takt 7f., in der sich die Themenperiode abrundet, nicht aufgehoben wird. Satztechnisch gesehen sind die Quart-Sext-Harmonien stets durch die vom Violoncello geführte eigentliche Baßstimme gedeckt. Dennoch bleibt es erstaunlich, daß der das Hauptthema präsentierende Klavierpart nicht zugleich auch satztragende Funktion übernimmt, sondern auf das „Geleit“ der die Grundharmonien andeutenden Streicher angewiesen ist. Erst der erneute, nun von den Streichern in imitierender Folge übernommene Ansatz des Themas in Takt 9 bereinigt durch die entschieden gesetzten Tonika-Akkorde des Klaviers diese eigentümlich schwebende harmonische Situation und vermittelt dem Hörer die Gewißheit, nach der erwartungsvoll gespannten Eröffnung die Themenprämisse bestätigt zu bekommen. Er führt jedoch nicht zu einer Themenwiederholung mit vertauschten Rollen, wie sie an dieser Stelle durchaus üblich und häufig ist (vgl. etwa op. 1, Nr. 2, op. 70, Nr. 2 und op. 97 jeweils die Eröffnungen der Kopfsätze), sondern nimmt die endlich gefestigte Tonika sogleich zum Ausgangspunkt für die rasch sich vollziehende Modulation in die Tonart des Seitensatzes.

Diese eigentümliche Sonderrolle des Klavierparts als eines konzertierenden und sogar führenden, aber nicht eigentlich satztragenden Ensemblemitglieds ist im Hauptthema der Komposition wie ein Motto vorangestellt, denn sie läßt sich als ein beinahe durchgängiges Prinzip an zahlreichen weiteren Stellen des Satzes beobachten (T. 13ff., 19ff., 27ff. und die jeweiligen Parallelstellen in der Reprise). Eine für die Formanlage des ganzen Satzes entscheidende Wendung führt jedoch gerade unter diesem Aspekt die Reprise (T. 55ff.) herbei, deren Stellung im Satzaufbau besondere Aufmerksamkeit verdient.

Wie der erste Durchgang der Exposition mündet auch die Expositionswiederholung in das vom Klavier vorgetragene und von den Streichern gestützte Hauptthema (T. 35bff.), das sich nun ohne die zweitaktige Rückleitung nach B-Dur (T. 35a—36a) direkt an den Expositionsschluß in F-Dur anschließt, also nunmehr die Tonart der V. Stufe als Ausgangsbasis für die weitere Entwicklung bestätigt. Es wechselt unerwartet im vierten Takt (T. 38) infolge chromatischer Rückung der Dominante c nach cis und eines daraufhin „untergeschobenen" a geradezu nonchalant in die Mediante D-Dur hinüber und beginnt dort noch einmal (T. 39ff.). Obwohl der Wechsel sich wie von selbst aus einer sequenzartigen Fortsetzung des in Quinten fallenden Themenduktus ergibt, verursacht er doch im harmonisch-tonalen Gesamtgefüge des Satzes einen Bruch, der allerdings durch die weitere Entwicklung der Durchführung aufgefangen wird und sich als ein harmonisch-tonaler Angelpunkt im gesamten Satzablauf erweist. Von dem mediantischen („zwischen" B und F liegenden) D-Dur bewegt sich die Musik über g-Moll (T. 49), den B-Dur-Septakkord (T. 52), Es-Dur (T. 53) und den F-Dur-Septakkord (T. 54) geradewegs auf den Repriseneinsatz in B-Dur (T. 55) zu. Die harmonische Zielstrebigkeit des Ganges D—G—Es—B—F, der im Grunde eine erweiterte B-Dur-Kadenz beschreibt, wird in der mit einem Crescendo einhergehenden Beschleunigung und Verdichtung des Satzgefüges sinnfällig. Zunächst verhindert die blanke Wiederholung der Zweitaktphrase von Takt 43f. in Geige und Cello (T. 45f.), daß das Thema mit der dezidierten Kadenzformel von Takt 7f. abschließen kann. Dann beginnen die beiden Komponenten dieser kurzen Phrase (Sechzehntelmotiv und weibliche Endung) ab dem Cello-Einwurf Takt 47, sich voneinander zu trennen und sich zu verselbständigen. Gleichzeitig wechselt die charakteristische Akkordrepetition im Klavierpart von der linken in die rechte Hand, um sich damit auch von ihrer angestammten Funktion im Satzgefüge zu lösen: Im Dialog mit den Streichern beginnt sich in der linken Hand des Klavierparts eine eigenständige Baßstimme zu bilden, die gerade in dem Moment die Motivendung (vgl. die Streicher) fallen läßt und sich nur noch in Sechzehnteln fortbewegt, in dem auch der Dialog zwischen Violine und Cello sich dichter schließt und der harmonische Verlauf sich unter Crescendo auf die B-Dur-Hauptkadenz auszurichten beginnt (T. 51ff.). Es scheint, als wachse der Klavierpart in diesen vier letzten entscheidenden Takten der Durchführung in eine neue Rolle hinein, denn am Ende kommt auf der wiedererreichten Tonika B-Dur in plötzlichem Piano das Hauptthema völlig verwandelt wieder zum Vorschein: Erstmals auf einen stabilen Klavierbaß in der Tonika gegründet (in dem die Kraft der aus den vorigen vier Takten anrollenden Sechzehntel noch nachbebt), aber gleichzeitig in eine höhere Oktavlage „entrückt", ist es nicht mehr von der (für den Satzbeginn kennzeichnenden) harmonisch offenen Erwartungshaltung geprägt, sondern verkörpert, als Resultat des Durchführungsgeschehens, harmonisch-tonale Erfüllung und Stabilität, die zu einem wesentlichen Teil auf der gegenüber der Satzeröffnung veränderten satztechnischen Funktion des Klavierparts als Oberstimme und Baß beruht. Indem die Reprise das Hauptthema aus der eigentümlich schwebenden Eröffnungssituation an das Ende einer zielgerichteten Entwicklung (Durchführung) „versetzt" und (was den Klavierpart betrifft) gleichsam auf die eigenen Füße stellt, ja überhaupt erstmals eine stabile, durch Kadenz begründete B-Dur-Tonika etabliert, erweist sie sich unter vielerlei Aspekten (formal, harmonisch und tonal, satztechnisch) als ein entscheidender Wendepunkt des gesamten Satzverlaufs. Wohl nicht zufällig verkörpert der hier als besonders auffällige Zäsur ausgeprägte Themenschluß (T. 62; vgl. T. 8) zugleich exakt die Satzmitte. Begreift man die Verwandlung des Eröffnungsthemas in einen die gesamte Komposition einfassenden Schlußgedanken (nämlich in der Coda, T. 88ff., 96ff. und schließlich 114ff.) als eine zentrale Pointe der Konzeption des ganzen Satzes — was wiederum Gegenstand einer eigenen Betrachtung sein könnte —, so bildet die Reprise eine wichtige Etappe im Zuge dieser Verwandlung.

Die kurze Betrachtung der satztechnischen (nicht spieltechnischen) Gestaltung des ganz für die zehnjährige „Maxe" Brentano eingerichteten Klavierparts hat das kompositionelle Ganze als einen Konvergenzpunkt ganz unterschiedlicher Sinnzusammenhänge wenigstens schemenhaft ins Blickfeld treten lassen. Was hätte aus Beethovens Sicht eine sinnreichere und edlere „Aufmunterung im Klavierspielen" sein können als die im interpretatorischen Vollzug aufgehende Erfahrung der kleinen Klavierspielerin, eingebettet in eine Ensemblegemeinschaft an der Darstellung eines vollendeten kleinen Kunstwerks teilzuhaben?

Robert Forster

12 Variationen über Mozarts „Se vuol ballare" F-Dur für Klavier und Violine WoO 40

Entstehungszeit: 1792/1793.
Erstaufführung: unbekannt.
Skizzen: Gesellschaft der Musikfreunde Wien, A 61; Staatsbibliothek Preußischer Kulturbesitz Berlin, aut. 28, Skizzenbuch Fischhof.
Autograph: verschollen.
Erstdruck und Widmung: Wien 1793 (Artaria & Co.); Eleonore v. Breuning gewidmet.
Gesamtausgaben: Alte Gesamtausgabe: Nr. 103 = Serie 12 Nr. 12; Neue Gesamtausgabe: Abt. V, Bd. 2.

Die zwölf Variationen über „Se vuol ballare" aus Mozarts *Le nozze di Figaro* erschienen im Juli 1793 als Beethovens erste Wiener Publikation. Sie sind Eleonore von Breuning gewidmet. In einem Schreiben vom 2. November 1793 an die „theuerste Freundin" seiner Bonner Jahre erwähnt Beethoven einen „fatalen Zwist" vor seiner Abreise im November 1792 und deutet die Widmung als Ausdruck seines Wunsches nach Versöhnung.[1] Zu dieser Zeit war mindestens ein Jahr seit dem „fatalen Zwist“ vergangen, und der Beginn seiner Arbeit an der Komposition lag vermutlich noch länger zurück. Skizzen zum Thema und zu sechs Variationen sind auf einem Papiertyp erhalten, den Beethoven in Bonn benutzte. Die Coda wurde — abgesehen von ihren ersten acht Takten — auf einem in Wien erworbenen Papier entworfen.[2] Wahrscheinlich war das Werk fast fertig, als Beethoven Bonn verließ, und es ist kaum anzunehmen, daß es ursprünglich durch Eleonore angeregt wurde. (Im selben Brief erklärt Beethoven: „man plagte mich hier um die herausgabe dieses Werkchens, und ich benutzte diese Gelegenheit, um ihnen [...] einen Beweiß meiner Hochachtung und Freundschaft gegen sie zugeben.“) Genausowenig wurde die Komposition aber durch eine aktuelle Inszenierung angeregt; am kurfürstlichen Hoftheater gab man den *Figaro* zwei Jahre zuvor. Vielleicht bereitete sich Beethoven auf Wien vor, indem er Variationen über ein Thema eines der angesehensten Komponisten der Stadt komponierte. Jedenfalls legt die Wahl des Themas die Möglichkeit einer hintergründigen Motivation nahe.

Die obligate Violine stellt einen direkten Bezug zum Text aus Figaros Cavatina her; sie ist des Tanzmeisters Geige und, im Thema, das chitarrino, wenn sie die Melodie zu folgenden Versen zupft:

> „Se vuol ballare,
> signor Contino,
> il chitarrino
> le suonerò.“

Im vorausgegangenen Jahr hatte Beethoven die Musik zu einem höfischen Tanz in alten germanischen Kostümen, einem von Graf Waldstein erfundenen *Ritterballett*, komponiert. In Reichardts *Theater-Kalender auf das Jahr 1792* wurde Waldstein daraufhin nicht nur die Autorschaft und Choreographie des Tanzes, sondern auch die musikalische Komposition zugeschrieben.[3] Nachdem Waldstein einmal als Urheber der Musik im Druck genannt war, wollte Beethoven dem Grafen offenbar die Peinlichkeit einer öffentlichen Korrektur ersparen. Stattdessen borgte er von Waldsteins Lieblingskomponisten eine Partiturseite, um seinen eigenen „signor Contino“ sanft daran zu erinnern, wer die Melodie eigentlich angestimmt hatte. Das Thema bricht ab, bevor der Text der Cavatina unverschämter wird: „Se vuol venire nella mia scola, la capriola le insegnerò.“ An seiner Stelle werden die letzten acht Takte, das Wesentliche unterstreichend, wiederholt („il chitarrino le suonerò“).

Daß in den Variationen WoO 40 ausschmückende melodische Paraphrasen fehlen, ist schon früh bemerkt worden.[4] Tatsächlich präsentiert die 1. Variation eigentlich eine neue Melodie, die nur gelegentlich auf die Cavatina Bezug nimmt (etwa in

1 Vgl. A. Chr. Kalischer, *Beethovens sämtliche Briefe,* Bd. I (²1909), S. 13f. Im folgenden wird nach der orthographisch getreueren Wiedergabe des Briefes in L. Schiedermair, *Der junge Beethoven,* S. 200—204, zitiert.
2 Vgl. D. Johnson, *Beethoven's Early Sketches,* Bd. I, S. 414f.
3 Vgl. Thayer / Deiters / Riemann, *Ludwig van Beethovens Leben,* Bd. I (³1917), S. 255; Fr. G. Wegeler / F. Ries, *Biographische Notizen,* S. 16.
4 Vgl. Thayer / Deiters / Riemann, *Ludwig van Beethovens Leben,* Bd. I (³1917), S. 322.

T. 3 und 7, genau dort, wo Figaro „signor Contino“ gesungen haben würde). Die Parallele zu den *Dressler-* und *Righini-Variationen* (WoO 63 und 65) ist auffällig: In allen drei Zyklen ist der erste Schritt der Variation gewissermaßen die Neukomposition des Themas. Beethoven erfindet auch in den folgenden Variationen neue Melodien auf der harmonischen Basis des Themas. Das Motiv jeder Variation geht selten direkt auf das Thema zurück; häufiger ist es von melodischem Material der jeweils vorangegangenen Variationen abgeleitet. So ergeben die Anfangstöne der 1. Variation (einschließlich Doppelschlag) in vereinfachter und synkopierter Form ein Polonaisen-Motiv für Variation 2 (vielleicht ein neuer Tanz für „signor Contino“?). Das Motiv folgt acht Takte lang den melodischen Konturen des Themas, dann aber verselbständigt es sich. Der chromatische Duktus (T. 2—4 und 19—20) und die Synkopierung scheinen in die aufsteigende Figur einzugehen, die in der 3. Variation imitatorisch behandelt wird. Im Laufe der Variation werden diese aufsteigenden Skalenfragmente länger und weniger chromatisch. Die nächste Variation enthält abwärts stürzende diatonische Läufe, die ebenfalls imitatorisch behandelt werden. Variation 5 scheint ihre Motivik aus dem C—F-Sprung aufwärts zu gewinnen, der in der zweiten Hälfte der 4. Variation präsent ist; der Quartsprung wird lediglich durch einen Triller und Doppelschlag verziert. Obgleich sie anfänglich der Kontur des „Se vuol ballare“ folgt, liegt das Hauptinteresse auf dem Anfangstriller, aus dessen allmählicher Verlangsamung zwei neue Motive entstehen (T. 2—4 und 12—13).

Wie die *Righini-Variationen* ist auch WoO 40 durch zwei Minores (Nr. 6 und 7) in der Mitte gegliedert. Diese Mollvariationen gliedern die Gesamtanlage nicht nur durch den Wechsel des Tongeschlechts, sondern ebenso durch Rhythmus und Textur. Die steigende polyphone Energie der Variationen 3—5 wird zugunsten einer einfachen Homophonie aufgegeben. In der 6. Variation ist Mozarts Melodie nur als Spitzenton der Begleitakkorde im Klavier vorhanden. Eine neue Violinmelodie ersetzt wirkungsvoll das Thema und schließt damit eine Gruppe von Variationen ab, die sich zunehmend von der Cavatina entfernt haben. Wie um das Ausmaß der Divergenz fühlbar werden zu lassen, zitiert Beethoven die Themenmelodie in Variation 7, während er die harmonischen Schritte der ersten Mollvariation wiederholt. Die folgenden Variationen finden den Weg zurück zum Thema, indem sie den Verlauf der ersten Zyklushälfte sozusagen umkehren.

Die 8. Variation entspricht der 5. im Charakter und durch ihre auskomponierte Wiederholung. Die fallenden Triolenskalen in Variation 9 greifen die Skalenfigur aus Variation 4 auf und intensivieren sie. Der in Oktaven aufsteigende Dreiklang im Baß (T. 1—2 und 5—6) wäre nicht weiter bemerkenswert, erschiene nicht dieselbe Figur in Variation 4 (T. 5—6) und nur dort. Es erscheint kaum als zufällig, daß die letzten Takte dieser — und nur dieser — beiden Variationen jeweils Arpeggierungen über fünf Oktaven (einmal aufsteigend, einmal fallend) aufweisen. Die 10. Variation wiederholt im Ausdruck die 3. (sempre dolce), enthält aber anstelle der Imitation eine recht konventionell figurierte Paraphrase des Themas. Variation 11 erinnert mit ihrer Staccato-Artikulation, ihrer dynamischen Vielfalt und ihren Synkopen an die 2. Variation. Ihr humorvoll-imitatorisch behandeltes Anfangsmotiv könnte vom Baß des letzten Taktes in Variation 2 abgeleitet sein. Man fragt sich zudem, ob Beethoven auch hier — weniger explizit als in der 22. Diabelli-Variation — auf „Nott' e giorno faticar“ Bezug nimmt, was zu der vermuteten versteckten

Botschaft an Waldstein passen würde: den „Herrn", für den Beethoven gearbeitet hatte. Zugleich ist die Melodie von „Se vuol ballare" hier deutlicher als in irgendeiner anderen Variation, die 7. ausgenommen. Das abschließende „rallentando calando" bereitet die Wiederkehr des Themas vor. In Variation 7 war das Thema gewissermaßen aus der Distanz herbeigerufen worden; in Variation 12 ist es wiederhergestellt. Die Violine stimmt die Melodie des Themas an — nicht in den Pizzicati von Figaros chitarrino, sondern in emphatischen Doppelgriffen, während das Klavier sie jubelnd begleitet.

Nach der ursprünglichen Idee vom Sommer 1792 scheint WoO 40 mit den ersten acht Takten der späteren Coda geendet zu haben — einer verklingenden Reminiszenz an „le suonerò", ähnlich derjenigen Figaros, als dieser in der ersten Szene des zweiten Aktes Susanna und die Gräfin verläßt. Die Wiener Coda dagegen sprengt die Bogenform, die Thema und Variationen zusammenschließt. Ihre Funktion erklärt Beethoven in einem zweiten Brief an Eleonore von Breuning, der ihr im Mai oder Juni 1794 mit der bereits gestochenen Komposition zuging. Nach einer Anweisung, wie der schwierige lange Triller der Coda zu vereinfachen sei, schreibt er: „nie würde ich so etwas gesetzt haben, aber ich hatte schon öfter bemerkt, daß hier und da einer in Wien war, welcher meistens, wenn ich des Abends fantasirt hatte, des andern Tages viele von meinen Eigenheiten aufschrieb, und sich damit brüstete; weil ich nun voraussah, daß bald solche Sachen erscheinen würden, so nahm ich mir vor ihnen zuvorzukommen." Mit einigem Vergnügen antizipiert Beethoven die Verwirrung seiner Konkurrenten (der „hiesigen Klawiermeister"), sollten diese in die Verlegenheit kommen, die Variationen a prima vista spielen zu müssen. Zugleich gibt er aber zu, daß jener technische Kraftakt ohne Verlust der musikalischen Substanz auch unterbleiben könnte.

Wie Ludwig Schiedermair bemerkt, variiert Beethoven Mozarts Thema auf eine Weise, die sich von dem „galanten Variationsstil" des Meisters entfernt.[1] Tatsächlich ist die 10. Variation die einzige in jenem weithin ausschmückenden Stil. Nach den erhaltenen Skizzen zu urteilen[2], war diese Variation auch die erste, die Beethoven ausarbeitete, und vielleicht diejenige, die den Zyklus ursprünglich eröffnen sollte. In ihrer endgültigen Position aber hat sie die für Beethoven recht typische strukturelle Funktion einer Variation auf das Thema hin (vgl. die Introduzione in op. 35). Unabhängig von irgendeiner spezifischen Variationstechnik ist es die großformale Anlage, die am weitesten von Mozarts Vorgehensweise abweicht. Anstelle eines Ablaufs von allmählich zunehmender rhythmischer Energie, der durch eine Mollvariation in der Mitte und ein Adagio als vorletzter Variation unterbrochen wird, komponiert Beethoven Variationen mit wechselndem Charakter in einer Bogenform. Im Zentrum dieses Bogens steht nicht ein Minore, sondern zwei, und deren Funktion geht über die Gliederung mittels des Dur-Moll-Kontrastes hinaus. Die Minores verdeutlichen vielmehr, wie weit die Variationen sich vom Thema entfernt haben, und geben den Weg vor, auf dem die folgenden Variationen sich ihm wieder annähern können. Von Mozarts typischem Schlußkomplex (Adagio — Allegro) ist nichts geblieben. Die noch am meisten Mozartische Komponente des Zyklus ist die

1 L. Schiedermair, *Der junge Beethoven,* S. 372.
2 Transkribiert in D. Johnson, *Beethoven's Early Sketches,* Bd. II, S. 119—123.

Wiener Coda mit ihrer kurzen harmonischen Ausweichung nach D-Dur und ihrer abschließenden Reprise mit anhaltendem Diskanttriller. Ein solcher Triller findet sich in Mozarts Klaviervariationen häufiger, allerdings niemals als Abschluß (vgl. KV 264, Nr. 3 und 8; KV 352, Nr. 4; KV 398, Nr. 5 und KV 455, Nr. 6). Beethovens „Eigenheit“, die er unbedingt gedruckt sehen wollte, bestand also hauptsächlich darin, Mozarts Einfall schwieriger zu gestalten. Während das übrige WoO 40 Beethovens Unabhängigkeit von dem Komponisten spiegelt, der auf seine vorangegangenen Variationen den stärksten Einfluß ausgeübt hatte, bedeutet die Coda eine Konzession an den Konkurrenzdruck, dem ein aufstrebender Klaviervirtuose in der kaiserlichen Hauptstadt ausgesetzt war.

Steven M. Whiting
Übersetzung: Lydia Jeschke

Rondo G-Dur für Klavier und Violine WoO 41

Entstehungszeit: 1792 (oder 1793—1794).
Erstaufführung: privat.
Skizzen: Gesellschaft der Musikfreunde Wien, A 38.
Autograph: verschollen (Urschrift wurde im Mai oder Juni 1794 Eleonore von Breuning übersandt); alte zeitgenössische Abschrift: jetzt in Privatbesitz.
Erstdruck: Bonn 1808 (N. Simrock).
Gesamtausgaben: Alte Gesamtausgabe: Nr. 102 = Serie 12 Nr. 11; Neue Gesamtausgabe: Abt. V, Bd. 2.

Der zwanzigjährige Beethoven, der zukünftige größte Formschöpfer, hat ausgebildete klassische Formkonzeptionen vorgefunden. Sein Rondo ist nicht nur von einem heiteren, lebendig beweglichen und leichten Kunstcharakter (so war es auch früher, zum Beispiel bei den französischen Clavecinisten), sondern auch ein dynamisches, entwickelndes (nicht mehr bloß sich zusammensetzendes) und einheitliches Ganzes. Auch dies fand er bei Haydn und Mozart vor, und es wurde zum Sprungbrett für sein musikalisches Denken. Das, was für Haydn eine Eroberung war, ist für Beethoven ein präkompositorischer Ausgangspunkt. So gesehen, beruhten die französischen Rondos nur auf der Liedform; sie waren raffinierte, feinst ausgeschmückte „Liedchen“. Ein Beethovensches Rondo hingegen hatte sogar schon 1792 einen symphonischen Atem. So leitet er schon in diesem anspruchslosen Musikstück den Nebengedanken aus dem Hauptgedanken ab wie in einer echten Sonatensatzform.

Die hypothetischen Themenverbindungen

Die Biegsamkeit der sich entwickelnden und nicht einfach reihenden Form beruht auf zwei gegensätzlichen Materialstrukturen: Die erste ist hart, fest, kristallartig, die zweite weich, locker, stromartig. Die erste entspricht den Zeilen und Strophen der Liedform in einer Tonart mit ihren mehrschichtigen („hohen") Symmetrien und Reimen (= Kadenzen); die Bezeichnung dieser Strukturart ist „Satz". Die zweite besteht in einer Motiv- und Phrasenverkettung bei der Modulation mit charakteristischer Vermeidung der hohen Symmetrien (4 + 4 Takte, 8 + 8) und der Verschmelzung zum Achttakter (als Periode, ein größerer Satz); die Bezeichnung hierfür ist „Gang".

So macht Beethoven es schon hier. Als Hauptgedanken findet er eine leicht klingende, naiv zwitschernde Weise mit motorischer Begleitung. Die auf schlaue Weise nachdrücklich gesetzten Notenwiederholungen (h'—h'—h', c''—c''—c'') wechseln sich mit graziösen melodischen „Tirolersprüngen" ab. Der bezaubernde Klang des schönen Themas hält die freundliche Stimmung des ganzen Stückes aufrecht, die nach kürzeren oder längeren Abweichungen immer wieder erneuert wird und zu neuer Kraft gelangt.

Alle diese aufheiternden Rückgriffe auf den Hauptgedanken sind sorgfältig berechnet: Die erste Rückkehr (T. 14) ist noch ein Glied des dreiteiligen Hauptthemas; die zweite (T. 59) besteht aus einer schlichten Wiederholung des ganzen Themas (zusammen mit seiner inneren Reprise, T. 73), also schon zum dritten Mal in diesem „Rundgesang", und eine weitere Wiederholung folgt noch einmal im Takt 117, aber hier wird etwas Besonderes vorbereitet.

Zwar erhebt sich die Weise dieses reizenden Liedchens durch die fein hinzugesetzte symphonische Entwicklung zum hohen Kunstwerk, aber eine echte Verzierung des Rondos ist das letzte Erscheinen des Themas, quasi als Dessert. Es handelt sich um einen Abschied von ihm und vom lieblichen Stück. Gegen Ende darf man ausgelassen sein und sogar Unfug treiben. Die letzte Darlegung des Themas zieht Beethoven ins Lächerliche. Der Anfang klingt, als ob nichts geschehen wäre (T. 118—125). Das Zwischenglied will scheinbar einen neuen Weg zum Schluß entdecken (T. 130—133). Aber der neue Weg bedeutet den Verlust des alten, zuverlässigen. So gehen — als Ergebnis — der Klavierspieler und der Geiger auseinander. Zuerst verliert (oder „vergißt"?) der Geiger seine Stimme und spielt irgendein abgebrochenes Halbmotiv aus drei Noten (T. 133f.). Verwirrt, beginnt der Geiger in endloser Folge nur eine Note zu wiederholen (d'' 14mal hintereinander in Takt 135—138). Indes wird auch der Pianist irre und beginnt ebenfalls, kurze Motive zu wiederholen, bis er schließlich ganz aufhört zu spielen (T. 139). Beide Spieler tragen ihre „Bruchstückchen" gleichzeitig und nicht aufeinander abgestimmt vor (T. 139—141) und gelangen endlich zur erwünschten Reprise des Themas (T. 142ff.).

Vom Standpunkt der Kompositionstechnik aus macht Beethoven in dieser „Wirrwarrepisode" (T. 134—142, also neun Takte) etwas Riskantes: Er wirft den Taktrhythmus gleich zweimal um: hin und zurück. Die erste Störung erfolgt in Takt 138f.: Der Anfang des Motivs verschiebt sich auf einen anderen Taktteil, vom vierten Achtel (so war es im ganzen Stück) zum ersten, kehrt aber in der Reprise wieder zum vierten Achtel zurück.

Die „Wirrwarrepisode" in diesem naiven frühen Stück ist eine Vorankündigung des scharfen musikalischen Spaßes im Scherzo der 9. Symphonie, wo der Paukenspieler (Timpanist) sich zuerst selbst, dann das Orchester verwirrt und zuletzt (von „Ritmo di tre battute" bis zur Reprise) das ganze Akzentsystem verschiebt. Ihrer Form nach ist die Scherzoepisode dem Aufbau des Scherzothemas verwandt. Im Unterschied zu einfachen Liedformen (deren Mittelglied und Reprise je vier Takte einnehmen) gibt es im Scherzo einen umfangreichen Mittelteil (12, 16, 20, 30 Takte). Oft erhält er einen komplizierten Aufbau, zum Beispiel: Zwischenglied (8 Takte), ein Subthema (4 Takte) und ein anderes Zwischenglied (4—6 Takte). Eine ähnliche Struktur weist das Scherzo der Sonate op. 2, Nr. 2 auf (11 + 6 + 7 Takte). Im Gegensatz zum Tanz (sobald unsere Beine fest auf dem Boden stehen) flattert das Scherzo leicht und unwägbar in der Luft; und der Mittelteil trennt sich leicht von den Tanzmetren ab. Auch hier liegt ein scherzhafter Inhalt (Verwirrung) vor, der dem Tanzthema eine scherzhafte Form beimißt.

Als Fortsetzung der Scherzhaftigkeit folgt die mehrfache Kadenzierung mit sich immer verstärkender Schlußkraft: Abweichung von der Kadenz (T. 150), unvollkommene Kadenzen (T. 154, 158); und nur im letzten Takt erfolgt der Ganzschluß.

Jurij Cholopow

12 Variationen über ein Thema aus Händels „Judas Makkabäus" G-Dur für Klavier und Cello WoO 45

ENTSTEHUNGSZEIT: vermutlich 1796.
ERSTAUFFÜHRUNG: unbekannt.
SKIZZEN: nicht bekannt.
AUTOGRAPH: Gesellschaft der Musikfreunde Wien.
ERSTDRUCK UND WIDMUNG: Wien, im Sommer oder Herbst 1797 (Artaria & Co.); der Fürstin Christiane v. Lichnowsky gewidmet.
GESAMTAUSGABEN: Alte Gesamtausgabe: Nr. 110 = Serie 13 Nr. 6; Neue Gesamtausgabe: Abt. V, Bd. 3.

Die Ausgangsfrage jeder Analyse eines Variationszyklus betrifft — das liegt in der Natur der Sache — das Verhältnis der einzelnen Variation zum Thema, und zwar aus zweierlei Perspektive: zum einen, wie das Thema in seiner jeweiligen Variierung aufscheint, zum anderen, welche Gestaltmerkmale die jeweilige Variation aus dem Thema aufgreift. Die erste Frage erweist sich im vorliegenden Fall zunächst als unproblematisch: Die Tonfolge der (vorgegebenen) Thema-Melodie läßt sich — in den Variationen 1—6 und 10—12 deutlicher hervortretend, in den Variationen 7—9 versteckter — als Gerüst der Melodiestimme oder zumindest als ihr Bestandteil wiederfinden. Die A—B—A'-Form des Themas (T. 1—8, 9—16, 17—24), die Länge der Taktgruppen sowie deren Harmonisierung (A: G-Dur, B: e-Moll, A': G-Dur) wird in den Variationen (letzteres gelegentlich mit unbedeutenden Verschiebungen) beibehalten. Nun zur zweiten Frage; hier zeigt die Analyse, daß Beethoven vor allem die folgenden Strukturelemente des Themas zur Verarbeitung reizten: die Dreiklangsbrechung (T. 1—2, 5—6 etc.), der (meist den Quartraum abschreitende) Skalenausschnitt (T. 3, 5 etc.) und die Drehfigur (T. 9, auch T. 15, auch T. 23).

Analysiert man nun das Werk unter den genannten Gesichtspunkten, so tritt ein neuer Aspekt zutage, der uns im folgenden als einziger interessieren soll. Es stellt sich heraus, daß über die Relation Thema—Variation hinaus zusätzliche Relationen, nämlich Binnenbezüge unter den einzelnen Variationen entstehen. Durch dieses in der Abfolge der Variationen geschaffene Netzwerk von internen Beziehungen kommt der Eindruck einer zwangsläufigen, auf den Schluß hin abzielenden Entwicklung innerhalb der Variationenfolge zustande, in der die Einzelvariation nicht einen beliebigen, sondern einen fest definierten formalen Ort einnimmt. Im folgenden sei der Blick darauf gerichtet, wie diese über die bloße Reihung von Einzelvariationen hinausgehende und in dieser Hinsicht ungewöhnliche Formentwicklung zustandekommt.

Die Variationen 1—3 folgen auf den ersten Blick einer üblichen Variationspraxis: Durch Diminuierung der rhythmischen Werte (Achtel, Achteltriolen, Sechzehntel) entsteht der Eindruck einer immer reicheren Ornamentierung des Themas. Gleichzeitig besitzt jede Variation einen individuellen Charakter: Mag man die 1. Variation als barockisierend bezeichnen, so ist die 2. dagegen ein Musterbeispiel homophoner Schreibweise. Die 3. Variation läßt — im Verborgenen — bereits Rückgriffe auf Früheres erkennen; als Variationsmotiv dient eine im folgenden als „Girlande" bezeichnete Spielfigur, die (neben Drehfigur und Skalenausschnitt) schon die 1. Variation prägte (T. 26, 31, 35) und unmittelbar aus dem Thema abgeleitet ist (T. 9f.). Einen Rückgriff bildet auch Takt 75 Klavier linke Hand (vgl. 2. Variation T. 52 Vcl.); doch diese Variierung trägt nicht mehr nur die Bedeutung des Rückbezugs in sich, sondern sie gewinnt eine neue Qualität: Es entsteht der Eindruck der Entferntheit vom Thema. Wie wird nun diese scheinbar nebensächliche Begleitakkordik zum Träger dieser Bedeutung? Ursache ist die Isolierung dieses Melodieausschnitts, seine Lösung aus dem melodischen Zusammenhang (und damit die Verkürzung der Themenmelodie), die den Eindruck eines Erinnerungsfragments hervorruft, des weiteren aber auch die Augmentation des Melodiefragments gegenüber seinem Vorkommen in der 2. Variation und im Thema.

Die 4. Variation, wie die 8. eine Mollvariation, führt diese Entwicklung der Entfernung vom Thema weiter. Dem ersten Anschein nach dem Thema wieder näher (siehe Vcl.), bewirkt ihre klangliche Erscheinung doch den Eindruck nicht eines Anfangs, sondern vielmehr den des Glieds einer Entwicklungskette. Hervorgerufen wird dieser Eindruck durch die Art der Klavierbegleitung, einer um (verschiedene) Orgelpunkte sich bewegenden Figuration, die die in ihr verborgenen Strukturelemente des Themas (siehe oben) verschleiert. Durch das Festhalten an Orgelpunkten entsteht der Eindruck des Unruhig-Schweifenden, einer Tendenz zum Amorphen. Einzig der erste Viertakter des B-Teils (T. 105f.) hebt sich ab: Der tonartlichen Aufhellung (der Durparallele, in Entsprechung zur Mollparallele im Thema) entspricht das episodische Hervortreten einer Gestalt (Klv., linke Hand), die sich aus dem verschleiernden Begleitunisono herauslöst — vorübergehend entsteht dreistimmiger Satz — und der Stelle etwas Geheimnisvolles verleiht. Die Klavierbegleitung weist übrigens deutliche Ähnlichkeit mit der einer Episode in der Durchführung der Cellosonate op. 5, Nr. 2 (1. Satz, T. 279) auf, auch dort ist sie also einem formalen Ort zugeordnet, dem eine bestimmte Funktion innerhalb einer zielgerichteten Entwicklung zukommt.

Die 6. Variation, die am Ende der ersten Hälfte der Variationenfolge steht, läßt den Hörer einen Prozeß der Zerfaserung des Themas erleben. Die formlos-unendliche Orgelpunkt-Figuration der 4. Variation wiederaufnehmend — jedoch nun nach Dur gewendet —, breitet sich die „Girlanden"-Figur (siehe 3. Variation) nun auch auf die Melodiestimmen aus, das Thema, dessen Töne sich in den „Girlanden" verbergen, löst sich quasi in Begleitung auf; im Ablauf der Variation wird das Thema immer weiter zugedeckt, überwuchert. Die Verwandlung von Motiv zu Figur, der Verlust des Gestalthaften, die bereits in der 4. Variation konstatierte Tendenz zum Armorphen wird hier weiter vorangetrieben. Der Eindruck des amorph Wuchernden wird durch die Art des musikalischen Satzes noch verstärkt, durch die in eintaktigem Abstand aufeinander folgenden (pseudo-kanonischen) Einsätze der Melodiestimmen (T. 145ff.), die sich überdies nach wenigen Takten verdichten: In Takt 149 erfolgen drei Einsätze in jeweils halbiertem Einsatzabstand, und die zuerst kurzatmigen Girlanden gewinnen gleichzeitig längere Ausdehnung. Der Eindruck einer Überwucherung des Thematischen wird noch dadurch verstärkt, daß im gesamten Ablauf der Variation Zäsuren (also Pausen im Tonsatz) vermieden werden; die im Thema vorhandenen Zäsuren werden zugedeckt, indem beispielsweise in Takt 152 (Zäsur A-Teil—B-Teil) dem bis dahin abtaktigen Phrasenbeginn ein Auftakt vorangestellt wird. Die zweite im Thema vorhandene Zäsur (zwischen B- und A'-Teil) wird hier durch einen vorgezogenen Einsatz des Girlanden-Motivs verwischt, dem in engem Abstand drei weitere Einsätze folgen: eine Verdichtung des Tonsatzes, die eine Steigerung der Intensität bewirkt und gleichzeitig eine ungewöhnliche Assoziation evoziert: Erinnern nicht die von immer anderen Oktavlagen ausgehenden und gleichzeitig im Wechsel der Instrumente vorgetragenen Einsätze an die Engführung, den Höhepunkt einer Fuge? Genauer gesagt, den Höhepunkt einer Chor-Fuge, denn werden durch den pseudopolyphonen Tonsatz nicht die von allen Seiten erklingenden Choreinsätze nachgeahmt? Auf diese Intention einer räumlichen Klangvorstellung verweisen übrigens auch die durch Sforzati besonders hervorzuhebenden Einsatztöne. Eine weitere Steigerung in dieser Variation wird in Takt 165f. erreicht: Die innerhalb des Ablaufs der Variation erzeugte Erwartung der Wiederholung immer desselben Einsatztons wird durchbrochen durch eine scharfe „Einsatzdissonanz", indem nach zwei Einsätzen auf h der dritte auf c folgt. Handelt es sich also hier, in der Mitte des Variations-Zyklus, um eine Erinnerung an Händel, den Komponisten wirkungsvoller Oratorienchöre und gleichzeitig den Autor des Ausgangspunktes der vorliegenden Komposition? Jedenfalls fügt sich der bereits zuvor angedeutete Eindruck der Zerfaserung oder Überwucherung des Themas mit dem der von allen Seiten erklingenden Einsätze, von denen bald nur noch der Einsatzton zu hören ist, während sich die ihm folgende „Girlande" im Hintergrund verliert.

In der Tat ist dann in der 8. Variation das Thema zunächst „verloren"; es ist quasi in Figurenwerk zerstäubt. Dieser Eindruck der größeren Themaferne entsteht durch das Fehlen jeglicher Melodie. Die Verwandlung von Gestalt in Figurenwerk war in der vorangegangenen Variation vor sich gegangen. Gleichzeitig sind aber die Figuren der 8. Variation — Dreiklangsbrechungen, Skalenauschnitte usw. — doch Bestandteile des Themas, die hier auf diese Weise in unscheinbarster Gestalt anwesend sind. Lediglich im B-Teil der Variation findet sich ein kurzes Erscheinen einer Melodie (T. 177ff.), die nur noch wie ein fernes Echo des Themas anmutet. Im Gegensatz zur vorangegangenen Variation, die Themaferne durch Verminderung der Gestalthaftigkeit erzeugte, tritt hier eine deutliche Gestalt in Erscheinung; daß dennoch der Eindruck noch größerer Entfernung vom Thema entsteht, liegt daran, daß das Thema (vgl. dort T. 9ff.) sozusagen in vergröberter Form erklingt, indem nämlich die Drehfigur zwar in vergrößerten Notenwerten, aber mit weniger Tönen zitiert wird — ähnlich eben wie ein Echo, das gerade nur noch das Wichtigste wieder zurückbringt: Nach dem Verschwimmen der Konturen in der 6. Variation ist nun zwar wieder eine deutliche Kontur wahrnehmbar, aber sie erscheint in stark vergröbertem Umriß. Wieder anders entsteht die Themaferne im folgenden Takt (T. 179); statt der erwarteten melodischen Fortsetzung,

die zusätzlich durch die Führung der linken Hand suggeriert wird, wird die melodische Linie unterbrochen (rechte Hand Viertelpause) und gegenüber Takt 178 wiederum diminuiert:

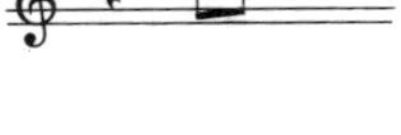

übrig bleibt ein Melodiefragment, ein Erinnerungsbruchstück, eine „Scherbe". Vergröberung und Vereinzelung des Thematischen: So ließen sich die Vorgänge der 7. Variation zusammenfassen.

Im B-Teil der 8. Variation (T. 201—208) findet man erneut Entfernung vom Thema: Durch die Neuheit nicht nur gegenüber den Außenteilen dieser Variation, sondern allem bisher Erklungenen wirkt dieser Teil wie eine Exklave, denn zu dem starken dynamischen (pianissimo) und instrumentatorischen Kontrast (Klv. solo) tritt darüber hinaus noch ein stilistischer: Das Eindringen der Satzstruktur einer nicht hierher gehörigen Gattung, des vierstimmigen Choralsatzes, wirkt fremd. Es ist das Motiv der Tonwiederholung auf daktylischem Rhythmus 𝅗𝅥 ♩ ♩, die dieser Passage ihren sprachhaften Charakter verleiht, so, als seien hier Worte vertont, die jedoch, da sie nicht von einem Chor gesungen, sondern vom Klavier gespielt werden, nicht kommuniziert werden; es wird eine stumme Nachricht überbracht. Trotz dieser Fremdheit, trotz ihres geheimnisvollen Charakters ist diese Passage gleichzeitig Erinnerungsträger, da sie die eben genannte motivische Gestalt aus der 4. Variation hier wieder aufgreift (T. 108ff.); darüber hinaus ist die melodische Linie ab Takt 202 gänzlich aus der 4. Variation übernommen, ihren neuartigen Charakter gewinnt sie hier aufgrund des Wechsels des Satzmodells. Mit dieser Passage sind auch neue interne Bezüge entstanden; das daktylische Motiv, welches hier den Charakter prägt (es steht jeweils im ersten Takt des Vorder- bzw. Nachsatzes), durchzieht bereits die 4. Variation, zwar mit der Qualität eines Motivs, aber von untergeordneter Bedeutung (in Takt 112 nur in überleitender Funktion). Doch in welchem Verhältnis steht dieses rätselhaft bedeutungsvolle Motiv eigentlich zum Thema? Betrachtet man das Thema, so springen sofort die häufigen daktylischen Begleitrhythmen der linken Hand ins Auge, die doch an dieser Stelle noch nichts anderes sind als belanglose Begleitformeln, eben keine Bedeutungsträger. Erst aus der Rückschau der 8. Variation entsteht diese Tiefenperspektive, die etwas, das nichts bedeutet, Bedeutung verleiht, eine Floskel zum Bedeutungsträger macht. Aus dieser Perspektive fällt auch plötzlich ein anderes Licht auf eine zunächst scheinbar belanglose Änderung, die Beethoven gegenüber der Händelschen Vorlage vorgenommen hat, indem er in Takt 3 des Themas einen einzigen — nebensächlichen — Ton wegließ:

wodurch daktylischer Rhythmus entsteht; auch die farblos anmutende, dem Anschein nach ziemlich beliebige Begleitung des Cellos (T. 3, 21) erscheint auf einmal nachträglich als eine der Wahrnehmung des Hörers hier noch nicht zugängliche Motivgestalt, ja das Thema insgesamt erscheint jetzt plötzlich als Ansammlung von melodischen Umschreibungen des daktylischen Motivs, denn was ist

usw.

anderes als ein mit einem Doppelschlag versehenes

 ?

Die genannte Wendung erscheint aus der Perspektive der 8. Variation also als bloße Ornamentierung von etwas noch Dahinterstehendem, während sie doch in den vorangegangenen Variationen (vgl. 3., 5., 7. Variation) als (oben so bezeichnete) „Drehfigur" für sich selbst gestanden hatte.[1] Im Zeitverlauf der Komposition ändert Beethoven also die Bedeutung von Zeichen, auch läßt er als Zeichen wahrnehmen, was zuvor kein Zeichen war (vgl. Bemerkung zu T. 3).

Mit der 9. Variation ist die weiteste Entfernung vom Thema erreicht. Hier ist der Prozeß der Partikulation, die Aufsplitterung des Themas in Motivpartikel, am weitesten getrieben; die Erinnerungsfragmente in den A-Teilen bestehen nur noch aus zweitönigen Einheiten, abtaktig rhythmisiert und daher nicht Fortsetzung erzwingend. In der Mitte der 9. Variation, nur noch vier Takte lang, findet sich eine noch fremdere Exklave als die der 8. Variation: ein chromatischer Choralsatz, der, um im Bild zu bleiben, wie eine irrtümlich hinzugekommene Scherbe aus einem fremden Stück und einer fremden Zeit anmutet; Ursache dieses Eindrucks ist vor allem der chromatische Quartgang in der Oberstimme, dessen semantische Bindung topisch ist.

Die 10. Variation hat das Thema wiedergewonnen. Es scheint, als ob Beethoven augenzwinkernd diese Rückgewinnung auch auf der Ebene des musikalischen Affekts ausdrücken wollte: in schnellerem Tempo (Allegro), gesteigerter Lautstärke (forte, dann fortissimo) erklingt das Thema nahezu wörtlich in gleich doppelter Ausführung (Vcl., Klv., linke Hand). Dadurch, daß dieser Pseudo-Kanon der Außenstimmen jedoch in halbtaktigem Abstand geführt ist, ist das metrische Gerüst der jeweils nachfolgenden Stimme verschoben, die Schwerpunkte der Themamelodie fallen also auf die „verkehrte" Takthälfte; der so entstandene Effekt des Komischen wird durch die Sforzati der nachfolgenden Stimme, die vergeblich ein um einen halben Takt verschobenes Taktsystem zu etablieren versuchen, noch verstärkt. Im Gegensatz zur Komik dieses Effekts — und diesen dadurch wiederum verstärkend — steht der die Variation prägende Affekt der Erregtheit, Leidenschaft, der vor allem durch die ununterbrochene Begleitfiguration im Klavier (rechte Hand) hervorgebracht wird. Überhaupt erweckt die 10. Variation den Eindruck, als höre man einen dramatisch bewegten Ausschnitt mitten aus dem Ablauf eines breitangelegten — Sonatensatzes. Wie berechtigt diese Assoziation ist, zeigt die Entdeckung, daß Beethoven die charakteristischen Begleitfiguren der Takte 257ff. tatsächlich in einem Sonatensatz (Cellosonate op. 5, Nr. 1, 1. Satz, T. 172ff.) verwendet, und dort sogar innerhalb des Formteils, dem ja dramatische Entwicklung obliegt, der Durchführung. Die Ähnlichkeit geht bis in die Übernahme des Satzmodells (Kanon der Außenstimmen, Begleitung im Klv., rechte Hand), sogar der Einsatz der Melodie auf dem Quartsextakkord (Vcl. T. 172) findet sich wieder. Die ab Takt 257ff. nochmals gesteigerte triumphale Wiedererlangung des Themas in der

1 Aus dieser Perspektive besitzt der Doppelschlag der 10. Variation thematische Bedeutung.

10. Variation, überhaupt die Herkunft der Tonsprache der Variation aus der Bedeutungssphäre der Sonate: All dies steht in komischem Gegensatz zur Banalität des wiedergewonnenen Themas.

Die im Laufe dieser Betrachtung zutage getretenen Vorgänge weisen spätestens jetzt auf etwas Grundsätzliches: Denn erinnert nicht der im Ablauf der Variationen zurückgelegte „Weg" der Entfernung und der „triumphalen" Rückgewinnung des Themas an den „Weg" der Sonate? Mit dem bedeutenden Unterschied allerdings, daß das hervorragendste Mittel der Sonate, Entfernung zu erreichen, die Modulation — die Mittel der Harmonik also — in diesem Variationszyklus entfällt, da am vorgegebenen harmonischen Gerüst festgehalten wird. Sämtliche Bedeutungen und Umdeutungen der musikalischen Zeichen werden also allein aufgrund anderer Mittel, eben der oben beschriebenen, hervorgebracht. So wird in der 10. Variation — die Möglichkeit der Rückkehr zur Grundtonart entfällt hier ja — der Eindruck des Wiedererlangens des Themas noch durch ein weiteres, bisher nicht genanntes Verfahren erzeugt; auffällig ist, daß die Art der Begleitfiguration (Klv., rechte Hand) im Ablauf der Variation mehrfach geändert wird, während es doch, um den gewünschten (oben beschriebenen) Effekt zu erreichen, genügt hätte, ein und dieselbe Figur durchgängig beizubehalten. Durch den ständigen Wechsel der Begleitmodelle wird eine kaleidoskopische Buntheit des Satzes erreicht. Im B-Teil der Variation entstehen durch immer neue Kombinationen der Begleitmodelle zusätzliche formale Verklammerungen, die im Verhältnis zur harmonischen Struktur verschoben sind (vgl. Sequenzbeziehung von Takt 252f. über die formale Zäsur hinweg; vgl. Wechsel der Figuration der rechten Hand in Takt 253f. im Phrasenzusammenhang der linken Hand, Takt 253 linke Hand bezieht sich sowohl auf den vorangehenden als auch auf den folgenden Takt). Zusammengenommen mit der bereits oben erwähnten pseudo-kanonischen Verschiebung der Außenstimmen entsteht der Eindruck eines vielfach Zusammengesetzten. Daß es sich hier aber in der Tat um etwas wieder Zusammengesetztes handelt, verrät die Herkunft einiger dieser Begleitmodelle: Es stammen die Skalen in Takt 247, Takt 253 etc. aus der 8. Variation, der „Sechzehnteltriller" Takt 250 rechte Hand aus der 5. Variation, die Überleitungsphrase Takt 256 linke Hand aus der 1. Variation (an der gleichen formalen Stelle), in gewisser Weise auch die Figuration Takt 249 rechte Hand aus der 7. Variation, Takt 241 rechte Hand aus der 2. Variation (jeweils als Transformationen zur Sechzehntelgruppierung). Im oben erwähnten Bild der in einzelne „Scherben" zerbrochenen 9. Variation bleibend, ist die 10. Variation ein aus einzelnen Scherben neu zusammengesetztes Ganzes. Auch auf diese Weise entsteht also der Resultatcharakter der 10. Variation.

In der 11. Variation hat sich das beschriebene Verfahren des Zusammensetzens bis in die Gestaltung der Details ausgebreitet. Begleitfigurierung und Ornamentierung des melodischen Ablaufs wechseln von Takt zu Takt, kaum etwas wird wiederholt, alles wirkt wie eine freie, weitausschweifende Improvisation über ein vorgegebenes Gerüst. Die Bestandteile, aus denen sich der Tonsatz zusammensetzt, sind vielerorts den vorangegangenen Variationen entnommen.

Die 12. Variation als umtaktierter Tanz folgt — wie die 11. Variation als reich verziertes Adagio — in dieser Gestaltung einem weitverbreiteten Usus. Die nach der Variierung folgende Coda (T. 321ff.) moduliert überraschend nach cis-Moll, der gegenüber dem G-Dur-Thema am weitesten entfernten Tonart (Modell von T. 325ff.

ist T. 309ff.); die oben angesprochene harmonische Entfernung, ein bis hierher ausgespartes Mittel, erhält also doch in der Coda einen Platz. Zum Schluß verschwindet das Thema, indem sich die Satzstruktur in beide Richtungen des Tonraums auflöst.

Martina Sichardt

7 Variationen über Mozarts „Bei Männern, welche Liebe fühlen" Es-Dur für Klavier und Cello WoO 46

Entstehungszeit: vermutlich 1801.
Erstaufführung: unbekannt.
Skizzen: nicht bekannt.
Autograph: Beethoven-Haus Bonn.
Erstdruck und Widmung: Wien 1802 (T. Mollo & Co.); dem Grafen Johann Georg v. Browne gewidmet.
Gesamtausgaben: Alte Gesamtausgabe: Nr. 111a = Serie 13 Nr. 8; Neue Gesamtausgabe: Abt. V, Bd. 3.

Beethovens drittes Variationen-Werk für Cello und Klavier erschien im Jahre 1802 — in dem Jahr also, in dem auch die beiden Variationenwerke entstanden, die einen neuen Weg in der Handhabung dieser Kompositionstechnik einschlugen, die Variationen op. 34 und op. 35 für Klavier. In dem berühmten Brief an Breitkopf & Härtel vom 18. Oktober 1802 schreibt Beethoven über diese Werke, sie seien „auf eine wirklich ganz neue Manier bearbeitet, jedes auf eine andre verschiedene Art", und hebt sie damit von seinen bis dahin komponierten Variationen — einem umfangreichen Bestandteil seines Werks bis 1802 — ab. Diese „wirklich ganz neue Manier" der Variationenkomposition sieht Carl Dahlhaus in der Behandlung des Variationenzyklus als „analytischem Prozeß", als einer „Auflösung des thematischen Komplexes — aus Baß, Melodie und Gerüst — in Teilstrukturen und der Teilstrukturen in Teilelemente" — im Gegensatz zu den tradierten Modellen der Baß- und der Figuralvariation.[1] In die Zeit der Entwicklung dieser neuen Ideen fällt aller Wahrscheinlichkeit nach auch die Entstehung der Cellovariationen WoO 46, deren Erstdruck 1802 erschien, so daß sich die Frage aufdrängt, ob sich auch hier bereits Neues ankündigt (Skizzen oder sonstige Dokumente, die über die Entstehungszeit des WoO 46 Aufschluß geben könnten, sind nicht überliefert).

---

1 Analyse der Variationen op. 35 in: C. Dahlhaus, *Ludwig van Beethoven und seine Zeit,* S. 213. Weitere Klärungsversuche zur Frage der „neuen Manier" vgl. u.a. St. Kunze, *Die „wirklich gantz neue Manier";* H.-W. Küthen, *Beethovens „wirklich ganz neue Manier".*

Betrachtet man die Variationenfolge aus diesem Blickwinkel, nämlich aus der Sicht des op. 35, so scheint zunächst nichts ferner zu liegen als die in den Einzelvariationen von op. 35 zu beobachtende Auflösung des Themas in seine konstitutiven Parameter. Im Gegenteil, kaum könnte man in der Melodieführung jeder einzelnen Variation des WoO 46 deutlicher die Mozartische Melodie hindurchklingen hören. Melodievariation liegt hier vor, also immer neue Paraphrasierung der Themenmelodie, die infolge des unterschiedlichen Charakters der einzelnen Variationen in immer neuer Beleuchtung erscheint.

Doch wird mancherorts hinter dieser gleichsam vorderen Schicht der Wahrnehmung eine zweite, verborgenere sichtbar: So scheint die 1. Variation durchsetzt vom Intervall der Quarte, das vor allem als Quartsprung nach oben, aber auch als diatonischer Quartaufstieg bzw. -abstieg die Melodieführung dieser Variation prägend gestaltet (vgl. Klv. T. 1, 2, 22). Beide Ausprägungen der Quarte sind im Thema vorzufinden: der Quartsprung im Klavier rechte Hand Takt 3, Takt 9/10, Takt 10/11 und Cello Takt 7, der die Quarte umfassende Skalenausschnitt im Klavier rechte Hand Takt 12 und Cello Takt 7—8. Nun ließe sich einwenden, daß Quartsprünge in auf Dreiklängen beruhender Musik sozusagen per definitionem zum elementaren Sprachbestand gehören und deren Auffinden somit nicht als beweiskräftig gelten kann. Daß Beethoven jedoch tatsächlich bewußt einen Zusammenhang zwischen den Quarten der 1. Variation und den im Thema vorgegebenen hergestellt hat, zeigt ein Vergleich der Mozartschen Vorlage des Duetts mit der Beethovenschen „Formulierung" des Variationenthemas; findet man die eben aufgezählten Verwendungen der Quarte noch bei Mozart und bei Beethoven, so entdeckt man in der Themaformulierung Beethovens darüber hinaus noch einige mehr. Zum einen in der von Beethoven hinzukomponierten Gegenstimme (Vcl. T. 1, Klv. rechte Hand T. 5, Vcl. T. 10); gerade der Quartschritt im Cello Takt 1, der die Themamelodie rhythmisch komplementär begleitet, ist in derselben Funktion und an derselben Stelle in der 1. Variation verwendet, übrigens des weiteren auch in der 3. Variation (Vcl. T. 47). Zusätzliche Quartsprünge finden sich zum anderen in der Baßführung, die durch Umgestaltung der Vorlage — und damit auch der dort vorgegebenen Harmonieführung — entstanden sind:

T. 3f. Beethoven

Mozart

T. 7f. Beethoven

Mozart

Gleichgültig, ob Beethoven hier bewußt umgestaltete oder ob er das Duett aus dem Gedächtnis neu gestaltete, so zeigt sich doch eine sozusagen analytische Behandlung der melodischen Substanz, sowohl hinsichtlich der Darstellung des Mozartschen Themas als auch der melodischen Gestaltung der 1. Variation hinter der Fassade der Figuralvariierung. In diesen Details mag man Neues sich ankündigen sehen.

Der Vergleich des Mozartschen Satzes mit dem Beethovens läßt noch weiteres erkennen. Es war bereits die Rede von der bei Beethoven hinzugefügten Gegenstimme, die zuerst im Cello und dann, im Stimmtausch, im Klavier rechte Hand liegt; in Takt 9—11 ist die Gegenstimme als (freie) Imitation zwischen Klavier rechte Hand und Cello komponiert. Dies mag daran erinnern, daß es sich bei der Mozartschen Vorlage um ein Duett handelt, in dem zunächst Pamina von „den Männern" singt, dann Papageno von „den Weibern", sodann beide zusammen von der Liebe. Bei Beethoven dagegen — so will es scheinen — singen sozusagen jeweils beide zusammen, Takt 1—3 und 5—7 in (freier) Umkehrung, Takt 3—4 in parallelen Dezimen und Takt 9—11 in (freier) Imitation. Die Imitation im Thema Takt 9—11 bleibt in fast allen Variationen erhalten; in einigen kommt an einer anderen Stelle noch eine weitere hinzu: Die absteigende Melodielinie im Thema Takt 3—5

wird in der 3. Variation vorimitiert (desgleichen in der 4., 5. und 6. Variation):

Der Aspekt des Duettierens — bei Mozart entweder als dualistische Gegenüberstellung oder als Simultaneität komponiert — geht bei Beethoven gleichsam in die Satzstruktur ein, die vielerorts durch offenere oder verdecktere Imitation geprägt wird.

In gewisser Weise zeigt sich auch im großformalen Ablauf eine dualistische Anlage. Erwähnt wurde bereits die untergründige Prägung durch Quartsprünge und die Quarte umgreifende Skalenausschnitte in der 1. Variation; dies findet sich gleichermaßen in der 5. Variation. Deutliche motivische Zusammenhänge mit der 1. Variation zeigte auch die 3. Variation (z.B. das rhythmische Motiv , das wie in der 1. Variation mit einer rhythmischen Komplementierung versehen wird). Die 2. Variation hingegen ist durch motivische Binnenbezüge mit der 4. Variation verbunden (vor allem die verspielte Figuration , die aus dem Thema Takt 13 abgeleitet ist). Die 4. Variation ist mit der 6. wiederum durch das gemeinsame Motiv  verbunden. Ein verborgenes Band besteht also jeweils zwischen den Variationen mit gerader und denen mit ungerader Zählung. (Diese Anlage findet sich übrigens auch in einem ganz unscheinbaren Detail wieder: In den Variationen 1, 3 und 5 ist der Auftakt des Beginns auf drei Sechzehntel, in den Variationen 2, 4 und 6 dagegen auf zwei Sechzehntel bemessen.) Tatsächlich wurde durch die eben geschilderten, eher verborgenen Zusammenhänge in einer tieferen Schicht nur das aufgefunden, was an der Oberfläche unmittelbar wahrnehmbar ist: der kontrastierende Wechsel im Charakter je von Variation zu Variation, wodurch sich die Variationen 1, 3 und 5 einerseits und die Variationen 2, 4 und 6 andererseits ähnlich sind. Auch auf dieser Ebene also zeigt sich ein dualistisches Prinzip und bildet so ab, daß hier von Mann und Weib über Weib und Mann gesprochen wird.

Martina Sichardt

3 Klaviersonaten Es-Dur, f-Moll und D-Dur „Kurfürstensonaten" WoO 47

ENTSTEHUNGSZEIT: vermutlich in Bonn 1782/1783.
ERSTAUFFÜHRUNG: unbekannt.
SKIZZEN: nicht bekannt.
AUTOGRAPH: verschollen.
ERSTDRUCK UND WIDMUNG: Speyer 1783 (H. Ph. Bossler); dem Kurfürsten von Köln, Erzbischof Maximilian Friedrich gewidmet.
GESAMTAUSGABE: Alte Gesamtausgabe: Nr. 156—158 = Serie 16 Nr. 33—35.

Die sogenannten *Kurfürstensonaten* führen im musikalischen Bewußtsein heute ein unscheinbares Dasein am Rande von Beethovens Schaffen. Dies ist beispielhaft auch für andere Bonner Werke des Komponisten, die im Blick auf ihn als einen der Repräsentanten der Wiener Klassik seit langem einer vielleicht unbewußten Vernachlässigung unterworfen sind. Schon in der frühen Beethoven-Literatur stand man ihrer angemessenen Würdigung mit Zurückhaltung gegenüber. So schrieb 1860 Wilhelm von Lenz: „Diese Embryonen enthalten nicht einmal Beethoven-Spuren."[1] Und weiter heißt es dort unter Berufung auf Adolf Bernhard Marx: „Die Sonaten stehen auf gleicher Stufe mit den Tonstücken der Sterkel-, Wanhall-, kurz, der sogenannten ‚Heiligen Römischen-Reichs-Komponisten'. Dabei sind sie aber so sicher und ebenmäßig gestaltet, wie man von keinem sich selbst überlassenen Knaben, am wenigsten von einem störrigen Feuerkopf, wie Beethoven, erwarten kann."

Die erste ausführliche Untersuchung der *Kurfürstensonaten* legte dann Alexander Wheelock Thayer in seiner zwischen 1866 und 1879 in Berlin erschienenen Beethoven-Biographie vor. Ihm folgten wesentlich später Hugo Riemann in seinem grundlegenden Aufsatz *Beethoven und die Mannheimer* (1907/1908), Jacques-Gabriel Prod'homme (*La jeunesse de Beethoven*, 1921) und Ludwig Schiedermair (*Der junge Beethoven*, 1925).

Die Entstehung der *Kurfürstensonaten* 1782/1783 fällt in die musikgeschichtlich interessanten Bonner Jahre, in denen die Hofkapelle unter dem Kölner Kurfürsten und Erzbischof Max Friedrich (1761—1784) ihre letzte Blüte erlebte, in denen die Begeisterung für das hier 1778 eröffnete Nationaltheater wuchs und in denen bereits die Anfänge eines bürgerlichen Musiklebens lagen. Beethoven gewann in dieser Zeit seine ersten musikalischen Eindrücke im Kreis der Hofkapelle, zu deren Mitgliedern er wie auch seine väterlichen Vorfahren zählte, seit 1782 als Vertreter des Organisten Christian Gottlob Neefe.[2] Dieser war auch Beethovens erster musikalischer Lehrer. Er vermittelte ihm — wie aus dem folgenden Zitat hervorgeht — nicht nur kompositorische Grundlagen, sondern setzte sich auch für die Publikation seiner ersten Werke, der Variationen WoO 63 ein. Hierzu heißt es am 2. März 1783 in Cramers *Maga-*

1 W. v. Lenz, *Kritischer Katalog*, Bd. IV, S. 338f.
2 Siehe hierzu Chr. G. Neefe, *Christian Gottlob Neefens Lebenslauf von ihm selbst beschrieben*, S. 21f.

zin der Musik[1]: „Louis van Betthoven, Sohn des obenangeführten Tenoristen, ein Knabe von 11 Jahren, und von vielversprechendem Talent. Er spielt sehr fertig und mit Kraft das Clavier, ließt sehr gut vom Blatt, und um alles in einem zu sagen: Er spielt größtentheils das wohltemperirte Clavier von Sebastian Bach, welches ihm Herr Neefe unter die Hände gegeben. Wer diese Sammlung von Präludien und Fugen durch alle Töne kennt, (welche man fast das non plus ultra nennen könnte), wird wissen, was das bedeute. Herr Neefe hat ihm auch, sofern es seine übrige Geschäfte erlaubten, einige Anleitung zum Generalbaß gegeben. Jetzt übt er ihn in der Composition, und zu seiner Ermunterung hat er 9 Variationen von ihm fürs Clavier über einen Marsch in Mannheim stechen lassen. Dieses junge Genie verdiente Unterstützung, daß er reisen könnte. Er würde gewiß ein zweiter Wolfgang Amadeus Mozart werden, wenn er so fortschritte, wie er angefangen."

Die nächsten gedruckten Klavierwerke Beethovens waren bereits die *Kurfürstensonaten.* Im Oktober 1783 kündigte der Speyerer Musikverleger Heinrich Philipp Bossler, der in seiner *Musikalischen Blumenlese* (1783) und *Neuen Blumenlese* (1784) auch zwei Lieder und zwei Rondos von Beethoven veröffentlichte, die Werke in Cramers *Magazin der Musik* als „eine vortreffliche Composition eines jungen Genies von 11 Jahren" an.[2] Der originale Titel der im gleichen Jahr gedruckten Werke lautet: „Drei / Sonaten / fürs / Klavier / dem / Hochwuerdigsten Erzbischofe / und / Kurfuersten zu Koeln / Maximilian Friedrich / meinem gnädigsten Herrn / gewidmet und verfertiget / von Ludwig van Beethoven / alt eilf Jahr. / Speier / In Rath Bosslers Verlage. / Nr. 21. Preiß 1 fl. 30 kr."[3] Auffällig ist die irrtümliche Altersangabe „eilf Jahr", die aber wohl darauf zurückzuführen ist, daß man in Beethovens Familie 1772 statt 1770 als sein Geburtsjahr annahm, wenn sie nicht vielleicht auch die Absatzchancen des Druckes verbessern sollte. Daß der Komponist den Widmungstext[4] an den Kurfürsten Max Friedrich alleine verfaßt hat, ist kaum wahrscheinlich; möglicherweise waren ihm dabei Neefe, vielleicht auch sein Vater Johann behilflich[5]:

„Erhabenster!
Seit meinem vierten Jahre begann die Musik die erste meiner jugendlichen Beschäftigungen zu werden. So frühe mit der holden Muse bekannt, die meine Seele zu reinen Harmonien stimmte, gewann ich sie, und wie mirs oft wohl däuchte, sie mich wieder lieb. Ich habe nun schon mein eilftes Jahr erreicht; und seitdem flüsterte mir oft meine Muse in den Stunden der Weihe zu! 'versuchs und schreib einmal deiner Seele Harmonien nieder!' Eilf Jahre — dacht ich — und wie würde mir da die Autormiene lassen? und was würden dazu die Männer in der Kunst wohl sagen? Fast ward ich schüchtern. Doch meine Muse wollt's — ich gehorchte, und schrieb.

Und darf ich's nun Erlauchtester! wohl wagen, die Erstlinge meiner jugendlichen Arbeiten zu Deines Thrones Stufe zu legen? und darf ich hoffen, daß Du ihnen Deines ermunternden Beifalles milden Vater-

1 C. Fr. Cramer, *Magazin der Musik* 1, S. 394. Hier zit. nach Thayer / Deiters / Riemann, *Ludwig van Beethovens Leben,* Bd. I (^{3}1917), S. 150.

2 Ebenda, S. 160.

3 Bibliographische Einzelheiten zu einer späteren Ausgabe bei Haslinger in Wien siehe O. E. Deutsch, *Beethovens gesammelte Werke,* S. 60—79, besonders S. 71 und 73, Anm. 1.

4 Zitiert nach der Bosslerschen Ausgabe. Abgedruckt auch bei Thayer / Deiters / Riemann, *Ludwig van Beethovens Leben,* Bd. I (^{3}1917), S. 160.

5 Siehe hierzu die Ausführungen Thayers, ebenda sowie den Hinweis auf Johann van Beethoven bei J.-G. Prod'homme, *Die Klaviersonaten Beethovens,* S. 25.

blik wohl schenken werdest? — O, ja! fanden doch von jeher, Wissenschafften und Künste in Dir ihren weisen Schüzzer, grosmüthigen Beförderer, und aufsprießendes Talent, unter Deiner holden Vaterpflege Gedeihn. — Voll dieser ermunternden Zuversicht wag' ich es mit diesen jugendlichen Versuchen mich Dir zu nahen. Nimm sie als ein reines Opfer kindlicher Ehrfurcht auf und sieh' mit Huld
Erhabenster!
auf sie herab und ihren jungen Verfasser
Ludwig van Beethoven."

Seit der schon genannten Studie Riemanns besteht kein Zweifel über die Vorbilder des jungen Beethoven. Es sind in erster Linie die Komponisten der Mannheimer Schule. Ihre Instrumentalmusik muß Beethoven in Bonn früh kennengelernt haben. Jedenfalls sind in einem Inventar des Musikalienbestands der Bonner Hofkapelle vom 8. Mai 1784 neun Sinfonien (*Concertanti*) von Stamitz und eine Sinfonie von Ignaz Holzbauer verzeichnet.[1] Andererseits kam Beethoven in Bonn auch auf dem Gebiet der Musik für Tasteninstrumente mit dem norddeutschen Erbe Carl Philipp Emanuel Bachs in Berührung, was Gustav Nottebohm zu der zusammenfassenden Beurteilung führte: „Die allerfrühesten, vor 1784 geschriebenen Compositionen Beethoven's (die Variationen über den Marsch, einige Lieder, ein Rondo für Clavier in A-dur, die drei Claviersonaten u. a. m.) gehören derjenigen Richtung an, welche damals in C. Ph. E. Bach culminirte."[2] Gleichsam das Verbindungsglied sind hier die zwölf Bach gewidmeten Klaviersonaten (Leipzig 1773) von Neefe[3], die Beethoven im Musikunterricht bei ihm sicherlich kennengelernt hat.[4]

Generell zeigt sich Beethovens Berührung mit den beiden zuletzt genannten Komponisten im großformalen Bereich in der Übernahme der von Bach entwickelten dreisätzigen Sonatenform (schnell—langsam—schnell). Im einzelnen sind die Tempo bezeichnungen, Tonarten, Taktarten und Umfänge der drei Sonaten die folgenden:

Nr. 1			
Allegro cantabile	Es	C	75 Takte
Andante	B	2/4	61 Takte
Rondo vivace	Es	6/8	109 Takte
Nr. 2			
Larghetto maestoso — Allegro assai	f	₵-C	83 Takte
Andante	As	2/4	85 Takte
Presto	f	2/4	126 Takte
Nr. 3			
Allegro	D	C	111 Takte
Menuetto. Sostenuto	A	3/4	119 Takte
Scherzando. Allegro, ma non troppo	D	2/4	159 Takte

Daraus gehen bereits einige zwar mehr äußerliche, aber wichtige Sachverhalte hervor:

1 Siehe A. Sandberger, *Die Inventare der Bonner Hofmusik,* besonders S. 114ff.
2 G. Nottebohm, *Beethoven's Studien,* Bd. I: *Beethoven's Unterricht bei J. Haydn, Albrechtsberger und Salieri* (1971), S. 13.
3 Neuausgabe von W. Thoene, 2 Bände, Düsseldorf 1961, 1964 (= *Denkmäler rheinischer Musik,* Bd. Xf.).
4 Einzelheiten ebenda, Bd. I, Nachwort, S. 40f.

1. Der Umfang der einzelnen Sätze und Werke übertrifft bei weitem den der beiden zweifelhaften und noch aus der Bonner Zeit stammenden Sonatinen Anh. 5, den der beiden Sonatinensätze WoO 50 und den der in den frühen Wiener Jahren entstandenen sogenannten *Eleonorensonate* WoO 51, erreicht aber noch nicht das Ausmaß der Joseph Haydn gewidmeten Klaviersonaten op. 2;
2. von den genannten Werken sind die *Kurfürstensonaten* als einzige dreisätzig;
3. gleich der erste Satz der ersten *Kurfürstensonate* trägt in der Tempoangabe die Bezeichnung „cantabile", die für Beethovens gesamte Klaviermusik bis hin zu der letzten Klaviersonate op. 111 wesentlich, an dieser Stelle aber in der Verbindung mit „Allegro" einzigartig ist[1];
4. die Satzbezeichnung „Scherzando" für das Finale der dritten Sonate verweist auf die große Bedeutung des Scherzos als Satztyp in Beethovens späterer Klaviermusik[2];
5. nicht zuletzt scheint die Wahl der Tonarten bestimmte Vorlieben des späteren Beethoven anzukündigen.

Das innere musikalische Wesen der drei Sonaten kommt am deutlichsten in den formalen und satztechnischen Gemeinsamkeiten und jeweiligen Besonderheiten der Kopfsätze zum Ausdruck.[3] Was zunächst die Expositionen und ihre auffallendsten Gemeinsamkeiten angeht: In allen drei Sätzen — unterschiedslos im C-Takt — sind erstes und zweites Thema und Schlußgruppe klar durch Pausen bzw. Zäsuren gegeneinander abgegrenzt. Die ersten Themen werden jeweils durch die kontrastierende Gegenüberstellung zweier prägnanter musikalischer Gedanken gebildet, die Überleitungen zum zweiten Thema enden alle im Unisono, und die Überleitungen zur Schlußgruppe enthalten virtuose Spielfiguren. Ein verbindendes klangliches Element ist ferner die häufige Melodieführung in parallelen Terzen und (seltener) Sexten, so auch an der einzigen Stelle in einer Exposition (zweites Thema der Sonate Nr. 3), wo Beethoven eine polyphone Stimmführung andeutet. Gemeinsam ist schließlich in allen drei Sätzen die Diskontinuität der rhythmischen Bewegung und das Vermeiden einer strikt symmetrischen Taktordnung. Wenn man den Larghetto-Anfang der Sonate Nr. 2 mit in die Betrachtung einbezieht, so fällt auf, daß Beethoven am Beginn aller drei Sätze und in den ersten Themen starken Gebrauch von der Mannheimer Manier des schnellen Wechsels von piano und forte macht.[4] Eine nur partielle Gemeinsamkeit in den Expositionen stellt der modulationslose Beginn des zweiten Themas in den Sonaten Nr. 1 und 2 dar, während in Nr. 3 eine Modulation stattfindet. Eine wichtige Besonderheit in der Exposition der Sonate Nr. 1 ist zum einen die Ähnlichkeit beider Themen (siehe Notenbeispiel 1), zum anderen sind es im ersten Thema typisch Mannheimer Stilelemente mit sequenzierenden Motiven innerhalb des Es-Dur-Dreiklangs und sogenannte Seufzerfiguren an den Schlüssen des Vorder- und Nachsatzes.[5]

1 Vgl. G. Massenkeil, *Cantabile bei Beethoven.* Dort auch der Hinweis auf die Rolle Neefes als Vermittler eines bestimmten „kantablen" Klavierstils nach Art C. Ph. E. Bachs.

2 Einzelheiten bei G. Becking, *Studien zu Beethovens Personalstil,* S. 7f.

3 Für Anregungen und wichtige Hinweise in dieser Beziehung danke ich Günther Massenkeil.

4 Siehe hierzu A. Heuß, *Über die Dynamik der Mannheimer Schule,* besonders S. 454; ders., *Die Dynamik der Mannheimer Schule,* Bd. II: *Die Detail-Dynamik.*

5 Siehe H. Riemann, *L. van Beethovens sämtliche Klavier-Solosonaten,* Bd. I (^{2}1919), S. 28f.

1

Außerhalb der Exposition stimmen die drei Kopfsätze vor allem darin überein, daß ihnen eine Durchführung im Sinne von Beethovens späterer so charakteristischer Verarbeitung von Themen und Motiven fehlt. Übereinstimmend ist nach dem Wiederholungszeichen lediglich das Erscheinen des Beginns des ersten Themas in der Dominante bzw. Durparallele und damit die Nähe zum Prinzip der zweiteiligen Suitensatzform. Ansonsten verfährt Beethoven in dem Teil bis zum Eintritt der Reprise je unterschiedlich. In der Sonate Nr. 1 erklingt gleich nach dem Wiederholungszeichen das ganze erste Thema samt Überleitung auf der Dominante (B-Dur). Ihm folgt ein völlig neuer sechzehntaktiger Abschnitt in c-Moll, in dem in den ersten acht Takten ein prägnanter musikalischer Gedanke kontrapunktisch verarbeitet wird, und dann eine Überleitung, die aus der entsprechenden Überleitung in der Exposition nur den Unisono-Schlußtakt übernimmt. Eine eigentliche Reprise des ersten Themas in der Tonika fehlt. In der Sonate Nr. 2 ist die Wiederkehr der Larghetto-Einleitung auf der Subdominante charakteristisch, in Nr. 3 der Einsatz neuer Spielfiguren.

Von den Mittelsätzen zeigen die beiden Andante der Sonaten Nr. 1 und 2 durch den gemeinsamen 2/4-Takt mit kontinuierlicher Bewegung und durch den Einsatz von Figuration und Verzierungen Übereinstimmung. Die individuellen Gestaltungsmerkmale: In der Sonate Nr. 1 ist die stets führende Oberstimme fast durchweg einstimmig gehalten, dazu erklingt meist eine Sechzehntelbegleitung mit Akkordbrechungen. Typisch in diesem Satz sind auch die rhythmisch gleich beginnenden Abschnitte und die vielen Seufzerfiguren an den Phrasenenden, die eine enge motivische Verbindung zum ersten Satz der gleichen Sonate herstellen (vgl. Notenbeispiel 2).

2

In der Sonate Nr. 2 ist die Grundbewegung tatsächlich „gehend“. Dabei sind in der Oberstimme oft Terz- oder Sextparallelen zu beobachten. Eigentümlich sind hier auch Wiederholungen gleicher Melodieabschnitte mit veränderten Oktavlagen und mit vertauschten Oberstimmen.

Der Mittelsatz der Sonate Nr. 3 ist ein Thema mit Variationen in der italienischen Tradition des 18. Jahrhunderts und in der Nähe der frühen Variationswerke Beethovens (sog. Figuralvariationen). Als Thema wählt Beethoven ein eigenes Menuett mit dem einfachen Bau ||: A_1 A_2:||:B_1 B_2 A_2 :||, wobei A jeweils vier, B jeweils zwei Takte umfaßt. Die ersten vier Variationen sind nach dem Prinzip der rhythmischen Beschleunigung angeordnet: Sechzehntel (1 und 2), Sechzehnteltriolen (3), Zweiunddreißigstel (4); Variation 5 steht in Moll, Variation 6 wieder in Dur mit Achteltriolen (vielleicht ist hier ein schnelleres Tempo implizit geboten).

Die Finalsätze: Nur einer von ihnen — von Sonate Nr. 1 — ist als Rondo bezeichnet, läßt sich aber in keine der formgeschichtlich bekannten Rondotypen einordnen. Er gliedert sich, durch Fermaten auf der Dominante gegeneinander abgesetzt, in drei etwa gleich lange Teile, die mit einem tänzerischen Thema in Achtelbewegung mit Vorder- und Nachsatz (jeweils vier Takte) beginnen. Das Thema erscheint dann noch einmal am Ende des Satzes mit einer dreitaktigen Schlußgruppe verschränkt. Dem Thema folgen jeweils mehrere meist paarig geordnete, aber sonst nicht korrespondierende Abschnitte mit immer neuer Sechzehntelfiguration, aber ohne einen ausgeprägten Coupletcharakter. Das Vorhandensein eines — hier zweimal viertaktigen — Themas in Achtelbewegung mit Vorder- und Nachsatz und die im übrigen Verlauf dominierende Sechzehntelbewegung haben die beiden anderen Finali mit Nr. 1 gemeinsam. Ansonsten sind beide Sätze zweiteilig mit Wiederholungszeichen, aber nur Nr. 2 weist bestimmte Elemente des Sonatensatzprinzips auf. So läßt sich im ersten Teil ein prägnantes zweites Thema in der Dominante ausmachen, und der zweite Teil ist eine Art Reprise, die mit dem modifizierten (ersten) Thema beginnt und sich mit jenem zweiten Thema in der Tonika fortsetzt. In Nr. 3 erscheinen außerhalb des rondomäßigen Themas, das im zweiten Teil zweimal erklingt, an einigen Stellen coupletartige Abschnitte, einmal auch als Variante des Themas.

Ein eigener Aspekt in allen drei *Kurfürstensonaten* sind die reichhaltigen und bei Parallelstellen oft voneinander abweichenden Artikulationsbezeichnungen und dynamischen Angaben.[1] Anders als in der *Eleonorensonate* verzichtet Beethoven hier noch ganz auf Crescendo- und Diminuendo-Übergänge und stellt auch außerhalb der Themen oft schroffe Forte-Piano-Wechsel unmittelbar nebeneinander. Von eigenem Reiz ist aber auch die Vielfalt der Spielfiguren, die bis in die Themenbildung hinein vor allem das Wesen der Sonate Nr. 3 ausmacht.

Insgesamt stehen die *Kurfürstensonaten* — was nicht verwundert — in der Nähe anderer kammermusikalischer Werke von Beethoven, die — wie die drei Klavierquartette WoO 36 und die beiden Klaviertrios WoO 37 und WoO 38 — um dieselbe Zeit oder wenige Jahre später in Bonn entstanden sind. Zusammen mit den übrigen genannten Bonner Klavierwerken gehören sie damit zum Bestand höfischer und gesellschaftlicher Musik in Bonn in der Übergangszeit vom ausgehenden Kurfürstentum zu den Anfängen eines bürgerlichen Musiklebens. Wenn Thayer die Sonaten als „ein bemerkenswertes Zeugnis nicht nur für die früh entwickelte Erfindungsgabe und den sicheren Formensinn, welcher schon den Knaben kennzeichnet, sondern auch für den Ernst in Verfolgung seiner künstlerischen Aufgabe" bezeichnet[2], so bezieht sich dies auch auf einige gestalterische Merkmale, die schon hier auf das spätere Schaffen Beethovens vorausweisen.

Dies gilt vor allem für die Sonate Nr. 2 und hier nicht nur für die langsame Einleitung, die wie in der *Sonate pathétique* op. 13 im Verlauf des ersten Satzes noch einmal wiederkehrt, sondern auch und ganz offenkundig für die musikalische Verwandtschaft der beiden Allegrothemen (siehe Notenbeispiel 3).

---

1 In dieser Hinsicht stimmen der Erstdruck und die Veröffentlichung in der alten Gesamtausgabe nicht überein. Stichproben ergeben, daß hier manche Parallelstellen angeglichen sind.

2 Thayer / Deiters / Riemann, *Ludwig van Beethovens Leben,* Bd. I ([3]1917), S. 163.

3

Andererseits verwendet Beethoven später in der Klaviersonate op. 2, Nr. 1 ähnliche Dreiklangsthemen und läßt in dem Allegretto der Klaviersonate op. 10, Nr. 2 noch einmal ein Unisono-Thema in f-Moll erklingen.[1]

Darüber hinaus aber bestehen die eigentlichen gattungsgeschichtlichen Besonderheiten der *Kurfürstensonaten* in der Reihung von verschiedenen Satztypen zur hier dreisätzigen Sonate, und sie zeigen eine überraschende Vielfalt der Lösungsmöglichkeiten in der Bewältigung der Formprobleme auf engstem Raum in den Ecksätzen.

All dies zusammen mit der unter den Bonner Werken einzigartigen Widmung an den Kurfürsten akzentuiert in besonderer Weise die kompositorischen Anfänge des späteren Wiener Beethoven und setzt ein bleibendes Zeichen für das kurfürstliche Bonn, dem der Komponist zeit seines Lebens verbunden blieb.

Inge Forst

Klavierrondos C-Dur und A-Dur
WoO 48 und WoO 49

ENTSTEHUNGSZEIT: 1783.
ERSTAUFFÜHRUNG: unbekannt.
SKIZZEN: nicht bekannt.
AUTOGRAPH: verschollen.
ERSTDRUCK: WoO 48: Speyer 1783 (*Blumenlese für Klavierliebhaber*, 18. Woche, hg. von H. Ph. Bossler); WoO 49: Speyer 1784 (*Neue Blumenlese für Klavierliebhaber*, 5. Lieferung, hg. von H. Ph. Bossler).
GESAMTAUSGABEN: WoO 48: Supplemente zur Alten Gesamtausgabe, Bd. 9, Nr. 1; WoO 49: Alte Gesamtausgabe: Nr. 196 = Serie 18 Nr. 14.

Die vier Miniaturen, die Beethoven im Alter von 13 Jahren komponierte und wohl auf Geheiß seines Lehrers Christian Gottlob Neefe zum Druck gab, bilden ein Musiksträußchen, wie es nicht besser in Heinrich Philipp Bosslers *Blumenlese für Klavierliebhaber* hätte passen können. Dem Usus der Wochenschrift folgend, sowohl ein Vokal- als auch ein Instrumentalstück eines Komponisten zu veröffentlichen, bot auch Beethoven zwei Probenpaare seines Könnens in den verschiedenen Genres an: Auf die „Schilderung eines Mädchens" WoO 107 und das C-Dur-Rondo WoO 48 folgten das Arioso „An einen Säugling" WoO 108 sowie das A-Dur-Rondo WoO 49. Anders als im Falle der Lieder betrat der Komponist mit den beiden Ron-

1 Zu diesen in der Literatur häufig genannten Einzelheiten siehe zuletzt W. S. Newman, *The Sonata in the Classic Era,* S. 511.

dos das Gebiet einer „Modegattung der Kunst", deren geringen „wahren innern Werth" wenige Jahre zuvor Johann Nikolaus Forkel bemängelt und für deren „Behandlung und Bearbeitung" er — sozusagen zum Zwecke einer Anhebung des Niveaus — einen „erfahrnen und gelehrten Musiker" ersehnt und in Carl Philipp Emanuel Bach gefunden hatte.[1] Beethoven, obwohl ja noch recht unerfahren, weiß doch schon auf interessante und variantenreiche Art die Grenzen einer Form zu füllen, deren Witz in dem Wechsel von Refrain und Couplet, in dem Spiel von wiederkehrend Bekanntem und abwechslungsreich Neuem besteht.

Bereits das 3/8-Thema des C-Dur-Rondos, das in seiner fröhlich-unbeschwerten Einfachheit wie ein Kinderlied anmutet und (nach anfänglich vorsichtigem Piano) mit foppenden Vorhalten laut daherkommt, ist ganz eines Refrains würdig, der einerseits eingängig und andererseits interessant genug sein muß, um seine mehrmalige Wiederkehr innerhalb des Stücks zu rechtfertigen. Ein erstes Zwischenspiel, die dynamische Abfolge piano-forte im Kleinen aufgreifend, wendet sich zur Dominante G und schließlich zur Doppeldominante D. Die hier nach einigen Überleitungsfloskeln innehaltende Fermate (T. 55) und auch noch das begleitungslos repetierte d (T. 56) lassen die Wiederholung des Refrains in G-Dur als gewiß erscheinen, stattdessen aber erklingt sein Kopf in g-Moll, dann — dramatisch oktaviert — in c-Moll, und erst die anschließenden Kadenzierungen mit Dominantöffnung nach C-Dur leiten die Wiederkehr des vollständigen Rondothemas in der Grundtonart ein, in das man über vier, in die Piano- und Pianissimo-Skala eingeschobene Fortissimo-Zweiunddreißigstel (T. 80) quasi hineinstolpert. Ein weiteres Zwischenspiel, das einerseits — in c-Moll — Passagenwerk und andererseits — in Es-Dur — den Ansatz eines Motivs bietet, öffnet wiederum nach ausgedehnten Kadenzfloskeln mit Fermate auf der Dominante G den Blick überdeutlich auf das Rondothema, — und diesmal ist es die Umweglosigkeit und Promptheit der Wiederkehr, die überraschen mag, bevor wenige Codatakte das Stück beschließen.

Das C-Dur-Rondo baut nicht so sehr auf die Kontrastfülle der wechselnden Formteile, sondern spielt vielmehr mit der Erwartung des Refrains, von dessen Charakter auch die Couplets sich nur wenig entfernen. Die harmonische Disposition ist einfach und überschaubar: Beethoven läuft kaum Gefahr, sich in Labyrinthe zu verwickeln, aus denen er sich „zum Hauptsatze hinauf oder herunter heulen" müßte.[2] Als außergewöhnlich wird man höchstens die Häufung dynamischer Kontraste auf engem Raum ansehen — doch steht dahin, ob dies als bereits „typisch Beethovensche" Eigenwilligkeit zu interpretieren ist (Max Friedlaender bemerkt als „sehr charakteristisch für Beethoven" das „bizarre Schwelgen in dynamischen Gegensätzen"[3]) oder eher auf das Konto der Form geht, die eben überraschende Effekte verschiedenster Art erforderlich macht.

Das A-Dur-Rondo WoO 49 erscheint im Vergleich mit dem Schwesterwerk klarer proportioniert und mehr auf Charaktergegensätze innerhalb der Formteile angelegt,

1 J. N. Forkel, *Zu C. Ph. E. Bachs Claviersonaten,* S. 282.
2 Ebenda, S. 289.
3 M. Friedlaender, *Ein unbekanntes Jugendwerk Beethovens,* S. 69. Der 1899 entstandene Text sucht nach „Eigentümlichkeiten des Stils" und vergleicht das C-Dur-Rondo mit anderen frühen Werken Beethovens, weil — offenbar durch ein Versehen — über dem Erstdruck der Name des Komponisten fehlte.

die (ohne vermittelnden Witz) schlicht nebeneinandergestellt sind. Das tänzerische Thema, das — obgleich „Allegretto" überschrieben — geradewegs dem Andante einer Haydnschen Symphonie entstammen könnte, besteht aus einer achttaktigen Periode, die eine 6 + 6-taktige, im Charakter ähnliche, allerdings etwas bewegtere und sich zur Dominante wendende Fortsetzung erfährt, bevor das Rondothema wiederholt wird. Der anschließende Abschnitt (T. 29—52), ebenfalls in sich nach dem Muster ABA gebaut, greift den bewegteren Ton auf und führt ihn (in den Eckteilen in a-Moll, im Mittelteil in C-Dur) mit durchgehenden Sechzehntelfiguren, dynamisch gesteigert im Forte- und Fortissimobereich durch. Nur eine kurze Rekapitulation (T. 53—60) ruft das nahezu unveränderte Rondothema in Erinnerung, dessen Schlichtheit an dieser Stelle umso deutlicher wird, da auch im folgenden Abschnitt (T. 61—83, Eckteile D-Dur, Mittelteil A-Dur) mit vorherrschenden Triolensechzehnteln Tempo und Bewegung beschleunigt erscheinen. Der Mittelteil bringt sogar ein chromatisch frei phantasierendes Element ins Spiel, — ein Moment, das denkbar weit von der gemessenen, melodisch, harmonisch und rhythmisch-metrisch strikt regulierten Eleganz des Themas entfernt ist. Dieses kehrt zum Abschluß wieder. Ein Nachhall der bewegteren Mittelteile wird noch einmal laut (T. 91—98), aber der Nachsatz des Themas, piano, seiner klangfüllenden Baßoktavierung und schließlich sogar der Mittelstimme beraubt, heiter und unbeeindruckt von allen „Ausbrüchen" zuvor, beendet das Stück.

Obwohl das A-Dur-Rondo einerseits in manchen Zügen an ältere Musik erinnert und andererseits eine derart zeitgemäße Norm zu erfüllen scheint, daß es sich — insbesondere in seiner harmonischen Disposition — wie eine direkte Vorlage zu Heinrich Christoph Kochs *Rondo*-Artikel von 1802[1] lesen läßt: Selbst Johann Nikolaus Forkel hätte weder bei diesem noch bei dem C-Dur-Rondo über mangelnden „innern Werth" zu klagen gehabt. Nicht zuletzt die Artikulations-Nuancen, die einiges pianistische Differenzierungsgeschick verlangen, sind beachtlich. „Jugendliche Ungeschicklichkeiten"[2] und eine gewisse Vorsicht werden in beiden Rondos sicher zu bemerken sein, doch nimmt dies bei Erstlingswerken ja nicht wunder. Und gegenüber dem Versuch etwa Friedlaenders, schon diese kleinen Klavierstücke gegen die parallel gefertigten Lieder auszuspielen und so bereits den jungen Künstler zum genuinen Instrumentalkomponisten zu verklären[3], bleibt festzuhalten, daß Beethoven mit den beiden in Charakter und Formgestaltung durchaus unterschiedlichen, gleichermaßen hübschen Rondos (sowie den komplementären Liedern) bestens die Aufgabe löst, einen vielversprechenden Querschnitt durch sein kompositorisches Können zusammenzustellen.

Amrei Schmitt

1 Vgl. H. Chr. Koch, *Musikalisches Lexikon,* S. 1272ff.
2 M. Friedlaender, *Ein unbekanntes Jugendwerk Beethovens,* S. 69.
3 Vgl. ebenda.

Klavierstücke c-Moll
WoO 52 und WoO 53 (→ op. 10)

Klavierstück C-Dur/c-Moll
„Lustig — traurig"
WoO 54

ENTSTEHUNGSZEIT: wahrscheinlich 1798 oder 1802.
ERSTAUFFÜHRUNG: unbekannt.
SKIZZEN: nicht bekannt.
AUTOGRAPH: Deutsche Staatsbibliothek Berlin.
ERSTDRUCK: 1888 in der Alten Gesamtausgabe.
GESAMTAUSGABE: Alte Gesamtausgabe: Nr. 300 = Serie 25 Nr. 37.

Unter Beethovens kleinen Nebenwerken für Klavier gibt es einzelne Stücke, die weder als bekannt gelten können noch von der Forschung sonderlich beachtet wurden. Gleichwohl begegnet in ihnen ein ähnlich luzider und kritischer Geist wie in den großen Schöpfungen des Komponisten. Besondere Aufmerksamkeit verdient ein Klavierstück in C-Dur, das in der ersten Edition Beethovenscher Klavierstücke aus dem Jahre 1874 (von Louis Köhler bei Peters in Leipzig) noch nicht enthalten war und erstmals im Supplementband der Gesamtausgabe von 1888 zugänglich wurde. In seiner neuen zweibändigen Ausgabe nach dem Urtext bei der Leipziger Edition Peters aus dem Jahr 1961 fügt es Hermann Keller zu einer Gruppe von „Vier Klavierstücken", die unabhängig voneinander entstanden sein dürften und auch keinen inneren Zusammenhang erkennen lassen. Allerdings wird zu Recht vermutet, daß die ersten beiden Stücke in c-Moll, ein „Allegretto" WoO 53 und ein „Presto" WoO 52 jeweils mit einem Trio in C-Dur, aus dem Jahr 1797 stammen und als Vorstudien zur c-Moll-Sonate op. 10, Nr. 1 gelten können, wo sie dann aber in dem dreisätzigen Werk ohne Menuett bzw. Scherzo keinen Platz fanden. Das dritte Stück, ein „Allegretto" in C-Dur WoO 56, in der Gesamtausgabe wie WoO 52 als „Bagatelle" bezeichnet, hat Beethoven 1803 oder 1804 komponiert und vielleicht im Hinblick auf eine weitere „Bagatellen"-Sammlung nach op. 33 (gedruckt 1803) aufbewahrt. Das vierte Stück, das uns hier näher interessiert, konnte bislang weder zeitlich noch funktional exakt eingeordnet werden. Nach Kinsky / Halm gehört es in die Zeit um 1798, während Keller im Revisionsbericht seiner Peters-Ausgabe für ein früheres Datum plädiert und andererseits Douglas Johnson in seiner Werkliste zum Beethoven-Artikel in *The New Grove Dictionary of Music and Musicians* (Bd. II, S. 400) das angebliche Enstehungsjahr 1802 ebenso mit einem Fragezeichen versieht wie den nicht authentischen Titelbegriff „Bagatelle".

Das Stück ist in einfacher dreiteiliger Liedform gebaut und entspricht eher dem Scherzo- als dem Menuett-Typus, weil es nicht im Dreiviertel-, sondern im Dreiachteltakt notiert ist. Der Hauptsatz in C-Dur besteht aus einem achttaktigen Vordersatz und einem gleichlangen Nachsatz, die jeweils wiederholt werden sollen. Sie addieren sich, ohne zu modulieren, aus zweitaktigen melodischen Phrasen, die im spannungsvollen Wechsel von Tonika- und Dominantdurchgängen in strengen Sequenzen oder freien Umkehrungen pendelnd miteinander korrespondieren und dadurch gleichwohl — auf motivischer Ebene — eine Reprisenform en miniature auskristallisieren. Ähnliche formelle Verhältnisse weist der Seitensatz in c-Moll auf, ein Trio-Gebilde, dessen Vordersatz abermals acht Takte umfaßt, der aber sein motivisches Material kontrastierend und gegenläufig entfaltet und zur Dominante voll auskadenziert. Der Nachsatz jedoch, nach vier überleitenden Takten von der Subdominant-Region her, baut in die Reprise retardierende Sequenzen ein, so daß er insgesamt 14 Takte umfaßt. Diese regelmäßige Ausformung, das relativ simple, schon zu Beethovens Zeit konventionelle Material und seine eingeschränkte Entfaltbarkeit in den vorgedachten engen Grenzen sind einer weiteren minutiösen Analyse eigentlich nicht wert; und in der Tat würden wir die aphoristische Pièce kaum intensiver betrachten, wenn es da nicht noch eine besondere Information gäbe. Beethoven hat das Stück ohne Titel gelassen, aber für die beiden Teile in Dur und Moll — wie seine autographe Reinschrift im Besitz der Deutschen Staatsbibliothek zu Berlin dies eindeutig ausweist — statt der üblichen italienischen Tempo- bzw. Ausdrucksbezeichnungen die deutschen Überschriften „Lustig“ und „Traurig“ notiert. Der expressive Sinn des Ganzen scheint also authentisch bezeugt und damit vorab geklärt zu sein, denn was könnte, nach ästhetisch hartnäckiger Schulweisheit unserer Opinio communis, die Musik wohl besser und präziser, als solche allgemeinen Grundaffekte darzustellen oder auszudrücken. Dazu stimmt ohrenfällig, daß der Hauptteil in „hellem“, „klarem“ Dur, das Trio hingegen in „düsterem“, „trübem“, tonikalem Moll steht, und wahrscheinlich haben ungezählte Klavierspieler das anspruchslose Stücklein so hingenommen, ohne gründlicher hinzusehen und weiter darüber nachzudenken.

Abgesehen von dem generellen ästhetischen Problem (das hier nicht diskutiert werden kann), unter welchen Bedingungen des historischen Wissens und Hörens eine bestimmte Musik rechtens als entweder „lustig“ oder „traurig“ aufgefaßt werden kann, haben wir Beethovens Vorschriften zunächst einmal als konstitutiven Teil des Notentextes ernst zu nehmen und in bezug auf ihn zu bedenken. Dabei aber enthüllt sich schon dem flüchtigen Blick das musikalisch-verbale Junktim als ein arger Stein des Anstoßes, weil Unstimmigkeiten zwischen Ausdrucksvorschrift und strukturellem Gehalt ihm unabweisbar deutlich werden müssen. Der Hauptteil enthält nämlich gar keine „lustigen“, sondern im Gegenteil alle nötigen Komponenten für einen eher bedächtigen, ja elegischen Charakter: die engschrittige und sanftbögig kantable Melodik, das geforderte expressive Legatospiel, den vierstimmig homophonen, gleichsam choralischen Akkordsatz. Das Trio hingegen nötigt von der Struktur her zu einem toccatischen, capricenhaften Gestus. Darauf verweisen ebenso die heftig geklüftete, figurative Motivik aus Dreiklangsbrechungen und Skalensegmenten wie die motorisch-ostinaten, fast „barock“ anmutenden Kippbewegungen der Begleitung in der linken Hand. Je mehr man nun — als genrespezifische Eigenheit ein prinzipiell einheitliches Grundtempo für beide Teile allerdings vorausgesetzt — an den Geschwindigkeiten laboriert, um wenigstens von dieser Seite her den Vorschriften gerecht zu werden, desto nachdrücklicher tritt ein Widerspruch hervor: Will man für den Hauptsatz unbedingt einen „lustigen“ Eindruck erzwingen, muß das Tempo ungebührlich angezogen werden, wodurch jedoch das „traurige“ Trio zur spielerisch brillanten, euphorischen Galoppade gerät. Verlangsamt man hingegen das Trio derart, daß es der Ausdrucksvorschrift „traurig“ schließlich einigermaßen entspricht, dann gerät andererseits der Hauptsatz zum mühselig sich dahinschleppenden Grabgesang und traurigen Kondukt.

Man kann also bei homogenem Tempo entweder den strukturellen Gegebenheiten folgen — dann erweisen sich Beethovens Charakterisierungen als höchst inadäquat, wenn nicht gar unsinnig; oder man kann die verbalen Forderungen mit Gewalt zu realisieren versuchen — dann verzerrt sich die komponierte Struktur bis zur Unkenntlichkeit ihres immanent musikalischen Sinns. Eine Angleichung beider Komponenten erweist sich demnach als undurchführbar, und dies dem wachen musikalischen Verstand kenntlich zu machen, lag möglicherweise in Beethovens hintergründig didaktischer Absicht. Hat er irgend jemand, sogar uns noch, ein ästhetisches Lehrstück geben wollen? Möchte er sagen, der entscheidende Sinn dieser Musik — seiner Musik, aller Musik — sei es keineswegs, in erster Linie lustig oder traurig zu sein oder zu wirken oder zu stimmen? Das wäre, so könnte er signalisieren, von ihr zu wenig verlangt und auf sie zu kurz geschlossen. Sie ist vielmehr offen für mancherlei Sinn, und wie oder wo immer man ihn entdeckt — in ihren Strukturen, vermittels der sinnlichen Gestalt oder jenseits ihres Gepräges —: Er muß jederzeit wieder neu gesucht und er sollte geprüft werden, möglichst hautnah an der vorgegebenen Sache und mit dem nachdenklichen Engagement, das sie als Kunst noch in ihren kleinsten und nebensächlichsten Gebilden erfordert.

Frank Schneider

Präludium f-Moll für Klavier WoO 55

ENTSTEHUNGSZEIT: vielleicht um 1787 oder später (1803).
ERSTAUFFÜHRUNG: privat.
SKIZZEN: verschollen.
AUTOGRAPH: unbekannt.
ERSTDRUCK: Wien 1805 (Bureau des Arts et d'Industrie).
GESAMTAUSGABE: Alte Gesamtausgabe: Nr. 195 = Serie 18 Nr. 13.

Das Wesen dieses Werkes hat mit der Lösung der Frage seiner unsicheren Datierung zu tun: Es ist noch kein Beethoven. Jedenfalls gibt es keine Angaben, die erklären könnten, warum er sich als Komponist auf dem Höhepunkt seines Schaffens mit Barockmusik beschäftigte (wenn wir das Jahr 1803 für das Entstehungsjahr halten — zwischen der Violinsonate op. 47 und der 3. Symphonie). Vor uns liegt wohl eine Ausarbeitung von 1803 oder 1805 eines aus den Jahren 1785—1787 stammenden Stückes. Das Präludium ist von den Lehrjahren bei Neefe beeinflußt sowie vom ernsthaften Studieren des *Wohltemperierten Klaviers*.

Beethoven läßt uns hier aufrichtig an einer eigenen Konzeption im ganz fremden Typ des barocken Präludiums teilnehmen. Erstens nutzt er jeweils dasselbe Prinzip des Umlaufs der Hauptharmonien der Tonart dort, wo die Tonika mit der Modulation in die nächste, verwandteste Stufe den ersten Teil des Stückes, der darauffolgende Stufengang dementsprechend den zweiten und die Reprise (schon ohne Modulationen) den dritten Teil zusammenfaßt:

```
Takt 1 — 4, 5 — 12, 12—23, 23—28, 28—33, 34—37, 38—44, 44—48
     f — V, f → As   →  C,   →  Es,  → fV, f — V,  →  f,   f—f
     └──────────────┘ └──────────────────────┘ └──────────────────
         I = 12 T.           II = 21 T.             III = 15 T.
```

Zweitens zeigt das Tongewebe des Präludiums allerlei Imitationen, die für den polyphonen Barockstil kennzeichnend sind (T. 3—4, 5—6, 12, 13—16, 38—41 und andere), einschließlich des doppelten Kontrapunkts. Als Vorbilder dienten ihm in Form und Technik selbstverständlich die Werke von Johann Sebastian Bach. Manche Prototypen lassen sich mühelos erkennen, wie es oft in einem Schulaufsatz vorkommt. Das Gemeinsame mit dem Präludium F-Dur des zweiten Teiles des *Wohltemperierten Klaviers* ist folgendes: dasselbe Taktmetrum 3/2, ununterbrochene Bewegung der ununterbrochenen Achtel, die in ähnliche „Vierer" gruppiert sind, der Anfang der linken Hand im Baß und der rechten Hand mit der Figur  , davonfließende Achtel, die manchmal in andere Stimmen sickern bei Erstarren der bisherigen Stimmen, drei große Teile der Form ungefähr in denselben Proportionen (bei Bach im 1. Teil 16 Takte von 72, im 2. Teil 40, im 3. Teil [wie am Anfang] 16 Takte). Die Formel der Baßstimme, der Passus duriusculus, hat eine unverkennbare Ähnlichkeit mit der dreistimmigen Sinfonie (Invention) f-Moll — in derselben Tonart, mit denselben Noten (beginnendem aufsteigenden Oktavsprung). Die Melodiebiegungen enthalten ebenfalls etwas von Bach (vgl. die Allemande aus der c-Moll-Partita für Klavier).

Zwei Präludien von Beethoven — dieses und op. 39 — offenbaren zwei verschiedene Arten des Herangehens an das traditionelle polyphone Tongewebe. In WoO 55 ist es die meisterhafte Ausführung der Konzeption, die doch außerhalb der Welt Beethovens bleibt. In op. 39 „drückt" er die traditionelle Kompositionstechnik „nieder" (teilweise erschien dies den Zeitgenossen als Ungeschicklichkeit, sogar als Ungeschlachtheit und Grobheit), verwandelt er das Tongewebe in einen typischen „klassischen" (nicht barockartigen) Kontrapunkt, der als Homophonie bekannt ist; als Kontrapunkt erweist sich in op. 39 die feinste thematische und linear-rhythmische Arbeit an den Tonmikrozellen in allen Stimmen.

Auch im f-Moll-Präludium fügt Beethoven sich nicht völlig in die traditionelle Schreibweise. So wird das zweite Sätzchen (T. 5—12) von ihm als Nachsatz der klassischen Periode ausgelegt. Im übrigen ist die Bedeutung der traditionellen Schreibweise nicht zu hoch zu veranschlagen: Der für das Formdenken Beethovens so typische Achttakter der hohen Symmetrien (vgl. dazu die Erläuterungen zu op. 51, op. 14 und zu WoO 41) wird hier nicht einmal in der beginnenden Expositionsabteilung (T. 1—12) gebildet. Die metrische „Weichheit" dieser Struktur wiederum ist typisch barock.

Jurij Cholopow

Klavierstück C-Dur
WoO 56

Entstehungszeit: 1803—1804, wahrscheinlich 1804.
Erstaufführung: unbekannt.
Skizzen: Biblioteka Jagiellońska Krakau, Landsberg 6, Eroica-Skizzenbuch, vgl. G. Nottebohm, *Zwei Skizzenbücher*, S. 66.
Autograph: Bibliothèque Nationale Paris.
Erstdruck: 1888 in der Alten Gesamtausgabe.
Gesamtausgabe: Alte Gesamtausgabe: Nr. 297 (Unterziffer 2) = Serie 25 Nr. 34 (II).

Wie in den meisten Bagatellen op. 33 und op. 119 erscheint auch hier nach einem Hauptteil ein kontrastierender Mittelteil, dem die Wiederholung des Hauptteils folgt, der durch eine Coda abgerundet wird. Hier ist der Mittelteil mit Trio betitelt, und es wäre durchaus denkbar, das ganze Stück Scherzo zu nennen, vor allem auch, weil es im Dreivierteltakt gehalten ist. Doch gerade die Rhythmen, die sich innerhalb des Taktschemas entfalten, sind außergewöhnlich und verlangen ein genaues Studium.

Die ersten vier Takte gehen von der Tonika in die Dominante, indem Hemiolen auftreten (T. 3—4), die den wiegenden Rhythmus von Vierteln und Halben (T. 1—2) ins Wanken bringen. Denn nach dem gebrochenen C-Dur-Akkord bildet der Wechsel von Septen, die sich in Sexten auflösen, einen Ausbruch aus dem kaum begonnenen Gleichmaß; die Septen wirken als Betonungen und machen aus zwei Dreivierteltakten einen Dreihalbetakt. Diese Situation wiederholt sich in den drei folgenden Viertaktern (T. 5—16) dergestalt, daß sich die Taktschwerpunkte immer verlagern, aber ohne daß eine weiter wirkende dynamische Entwicklung entstünde. Vielmehr schließen die einzelnen Viertakter immer wieder mit einem Ganzschluß: der erste, wie erwähnt, in G-Dur (T. 4), der zweite in C-Dur (T. 8), der dritte in a-Moll (T. 12) und der vierte wieder in C-Dur (T. 16).

Die Hemiolen bewirken, daß die Dominante immer auf das erste Viertel des jeweils letzten Taktes des Abschnittes fällt, was außergewöhnlich ist für die Wiener Klassik vor Beethoven, wo die Dominante fast immer auftaktig erscheint, wenn sie sich abschließend vor die Tonika stellt. Es wäre natürlich falsch, allgemein verbindliche Normen für die Kadenzrhythmik aufzustellen; denn die Funktionen der Tonika, Subdominante und Dominante bleiben auch gültig, wenn diese Akkorde im Takt verschoben werden. Doch ist es das Sinnfälligste, wenn sie in der Art erscheinen wie im Klavierstück WoO 61 (T. 22—23 und T. 26—27), wo sich die Spannung in der auf dem Taktschwerpunkt stehenden Tonika löst. Daß sich Beethoven seines „Verstoßes" gegen diese Norm bewußt war, zeigt die Coda dieser Bagatelle: Nach einer Wiederholung von Takt 13—16 mit vertauschten Stimmen (T. 41—44) verstärken die Sforzati (T. 44 und 45) die rhythmische Ambiguität. Darauf folgt wieder die Dominante mit dem leicht archaisierenden Quartvorhalt (T. 46—47), was die banale Hörerwartung in ihrer Annahme bestärkt, daß mit dem nächsten Takt unmittelbar die Tonika folge. Doch bringen die letzten drei Takte des Stückes noch einmal eine Andeutung der Hemiole; im Abstand von zwei Vierteln erscheinen Dominante und Tonika, um erst nach einer Viertelpause die gewöhnliche, auftaktige Formel dieser beiden Akkorde im Pianissimo zu bekräftigen.

Das Trio bringt keine Hemiolen außer in der Rückleitung zum Hauptteil (T. 36—39), während sonst die Dominante stets auftaktig erscheint (T. 18—19 und T. 19—20 sowie Parallelstellen). Nicht nur durch die andern Satztypen — Bässe in Achteln gegen Akkorde der rechten Hand (T. 17—24 und T. 29—36) und Oktaven in verschiedenen Lagen (T. 25—28) —, sondern gerade auch durch den Rhythmus setzen sich die beiden Teile des Stückes voneinander ab.

Als Beethoven diese Bagatelle schrieb, arbeitete er an der *Eroica*. Es ist vielleicht nicht ganz abwegig, hier Einflüsse des ersten Satzes aus der 3. Symphonie zu sehen: Der Dreivierteltakt wird auch dort von Hemiolen aufgebrochen und die Dreiklangsbrechung des Anfangs durch Chromatik bereichert, dort durch den Baßgang es—d—cis, hier durch gis—a (T. 2).

Theo Hirsbrunner

Andante favori F-Dur
WoO 57 (→ op. 53)

Kadenzen zu Mozarts Klavierkonzert d-Moll KV 466
WoO 58

Entstehungszeit: vermutlich 1802—1805 oder 1808/1809 (für Beethovens Schüler Ferdinand Ries).
Erstaufführung: unbekannt.
Skizzen: British Library London, Add. Ms. 29997, Bl. 7 (fraglich).
Autograph: Kadenz zum 1. Satz: Beethoven-Haus Bonn; Kadenz zum 3. Satz: British Library London, Add. Ms. 29803.
Erstdruck: Kadenz zum 1. Satz: Beilage zu Nr. 10 der *Wiener Zeitschrift für Kunst, Literatur und Mode*, 23. Januar 1836; Kadenz zum 3. Satz: 1864 in der Alten Gesamtausgabe.
Gesamtausgaben: Alte Gesamtausgabe: Nr. 70a/11 und 12 = Serie 9 Nr. 7; Neue Gesamtausgabe: Abt. VII, Bd. 7.

Komponierte Kadenzen, noch dazu für ein Instrumentalkonzert eines anderen Autors, scheinen von vornherein eine zwiespältige Sache zu sein. Widersprechen sie nicht der auf Improvisation gerichteten Erwartung, und führen sie nicht notwendig zu Stilbrüchen und Irritationen der Form innerhalb einer Werkgestalt? Ein rigides Urteil ginge unrealistisch an unseren Rezeptionsgewohnheiten und an der Eigenart einer Konzertkadenz vorbei. Denn das Verhältnis zwischen Kadenz und Konzert, zwischen Teil und Ganzem, ist in gewisser Weise vergleichbar mit dem zwischen einem Zitat und dessen neuer musikalischer Umgebung. Assimilation und Dissimilation stehen gegeneinander, spielen auch ineinander, machen jedenfalls den Reiz des Phänomens aus. Dabei findet allerdings das Spannungsverhältnis zwischen Komposition und Improvisation im musikalischen Zitat kein Pendant. Außerdem sind Kadenzen erwiesenermaßen viel kritikanfälliger als Zitate.

Um allzu willkürliche Geschmacksurteile zu vermeiden, läßt sich bei der Suche nach der „richtigen“ Gewichtung von Assimilation und Dissimilation bis zu einem gewissen Grade historisch argumentieren. Wenn Mozart und der junge Beethoven Kadenzen niederschrieben, dann meist für didaktische Zwecke. Sie wollten geeignete Lösungen anbieten, aber keineswegs den Pianisten daran hindern, die eigene Phantasie spielen zu lassen. Allerdings kam es zu einer „Krise der Konzertkadenz bei Beethoven“.[1] Beethoven notierte bekanntlich im G-Dur-Konzert op. 58 den Hinweis „Non si fa una Cadenza...“; im Es-Dur-Konzert op. 73 treten keine Kadenzen mehr auf.[2] Wohl aber erhielt ein komponiertes Abbild des Improvisatorischen eine festgelegte Funktion für die individuelle Werkgestalt; frei improvisierte Kadenzen hätten deren Geschlossenheit gestört.

Die Situation in Mozarts etwa 20 Jahre vor Beethovens WoO 58 entstandenem d-Moll-Konzert KV 466 ist aber entschieden anders.[3] Der Ereignischarakter dominiert hier noch den Werkcharakter. So sehr dies in Hinblick auf Mozarts situationsbezogene Komponier- und Spielpraxis historisch einleuchtet, sind doch aus heutiger Sicht Einschränkungen zu machen. Zum einen sind wir gewohnt, Konzerte Mozarts architektonisch geschlossener zu hören, als dies vor 200 Jahren üblich war. Zum anderen weist schon die Tatsache, daß Beethovens Kadenzen zum d-Moll-Konzert als „Werk“ in Werkverzeichnissen geführt werden, auf einen hohen Grad an Festlegung und Eigenwert hin. Die Überraschung des Ereignishaften erzielt ein Pianist heute vor einem Kennerpublikum erst dann, wenn er aus dem Kanon der Kadenzen von Beethoven, Brahms, Busoni usw. ausbricht und möglichst spontan Eigenes versucht.

Wie „kongenial“[4] zu Mozart Beethoven seine Kadenzen komponierte, ist nach all dem weniger eine Frage nach erreichter Übereinstimmung mit dem Stil Mozarts als die nach einer Irritation der im Ablauf des Konzerts aufgebauten Stil- und Formerwartung — einer Irritation freilich, die sich doch im Rahmen der Gattungsforderungen bewegen soll. Nur insofern — und nicht in Hinblick auf die heutige Rezeption — kann ein Historiker Stellung nehmen.

Die Krise der Konzertkadenz bei Beethoven war nicht nur eine des improvisatorischen, sondern auch eine des virtuosen Elementes überhaupt. Besonders deutlich wird dies in Kopfsätzen. In seinen komponierten Kadenzen zu ersten Sätzen meidet Mozart in der Regel Hauptthemen, greift eher zuvor Peripheres auf und konzentriert sich auf das athematisch Virtuose. Anders Beethoven. Bei ihm gewinnt das Thematische immer mehr an Bedeutung. Auch in WoO 58, Nr. 1 beginnt er mit Partikeln aus dem ersten Tuttithema, bringt dann in Takt 18ff. der Kadenz das Thema Takt 127ff. und nach einer weiteren Paraphrase des Anfangs (T. 37ff.) ab Takt 43 das erste Solothema; erst ab Takt 49 gewinnt das athematisch Virtuose zum Abschluß der Kadenz die Oberhand. Die Auswahl und Abfolge der drei Themen läßt eine Neigung zur Spiegelsymmetrie des Reprisenverlaufs vor dem Kadenzeintritt erkennen (Bezüge auf T. 356ff., 302ff., 254ff.).

---

1 P. Mies, *Die Krise der Konzertkadenz bei Beethoven.*
2 Vgl. L. Misch, *„Non si fa una Cadenza...“.*
3 Vgl. P. Mies, *Die Krise der Konzertkadenz bei Beethoven,* S. 54ff.
4 L. Misch, *„Non si fa una Cadenza...“,* S. 141.

Auch in anderer Weise ist Beethoven um einen klaren Spannungsbogen bemüht. Im tonalen Verlauf entfernt er sich sehr rasch und weit von der Dominante in d-Moll, bringt das F-Dur-Thema von Takt 127ff. in H-Dur und führt nur langsam zur d-Moll-Sphäre zurück, die erst mit Eintritt des Solothemas in Takt 43 erreicht ist. Die Vorgehensweise Beethovens unterscheidet sich dabei sehr von der Mozarts: Die Kühnheit der Harmonik mag von Passagen vor Eintritt der Kadenz, etwa Takt 344—350, angeregt worden sein; doch bleibt bei Mozart alles in einem klaren d-Moll-Rahmen von Takt 338 zu Takt 356 gebunden, während Beethoven besonders den Weg von g-Moll (T. 11) nach H-Dur (T. 15) durch einen forcierten Einsatz von Chromatik und Enharmonik erzwingt. Dem raschen Aufbau von Spannung dienen auch extreme Kontraste in Motorik, Tonlage und Dynamik. Thematisches und Virtuoses geraten in WoO 58, Nr. 1 noch nicht in Konflikt, sondern fungieren in einem übergeordneten zielgerichteten Verlauf. Beethovens Kadenz nähert sich damit dem Charakter seiner Sonatensatz-Durchführungen. Da er vor allem mit Themen arbeitet, die auch Mozart zuvor schon durchführungsartig behandelte, ist seine Kadenz so gesehen gut ins Werk eingefügt. Der Unterschied zu Mozart läßt sich so pointieren: Das Überraschungsmoment liegt nicht in einem Ausblenden der Hauptthemen, sondern in einem extremen Spannungsaufbau, der seine Lösung schließlich doch im Hervortreten des Virtuosen findet — doch dann ist die Kadenz schon fast vorbei, die insgesamt ohnehin um etwa die Hälfte länger ist, als dies bei Mozart üblich war.[1] Kadenzen in Rondo-Schlußsätzen sind bei Mozart sehr knapp gehalten. Auch Beethovens Rondo-Kadenz WoO 58, Nr. 2 ist wesentlich kürzer als die im ersten Satz. Überhaupt nähert sich Beethoven hier dem Mozartschen Usus mehr an. Oder anders gesagt: Auch Mozart hatte in Rondo-Kadenzen das Thematische und speziell das Rondothema stärker betont. Beethoven wiederum verzichtet auf einen weiten Spannungsbogen und große Kontraste. Im tonalen Verlauf bleibt die Grundtonart d-Moll stets präsent. Insgesamt ist diese Kadenz viel lockerer gefügt als die im ersten Satz.

Zwischen erstem und drittem Satz hat Mozart, wie in vielen anderen zyklischen Werken, motivische Fäden gesponnen, die relativ deutlich zu hören sind. Das im Rondo mehrmals wiederkehrende (und auch in der Kadenz ab Takt 25 auftretende) Soloklavierthema Takt 63ff. erscheint als eine Kombination aus der Tonfolge des ersten Solothemas Takt 77ff. und des rhythmischen Gestus des Oboeneinsatzes Takt 33 aus dem ersten Satz. Darauf geht Beethoven nicht ein, aber er verbindet seine beiden Kadenzen durch markante harmonische Kadenzschritte (mit neapolitanischer zweiter Stufe) jeweils gegen Schluß (WoO 58, Nr. 1, T. 57ff. und WoO 58, Nr. 2, T. 30).

Wirklich herausfordernd ist nur die Kadenz im ersten Satz, auch jenseits von stilgeschichtlichen Überlegungen. Die Art, in der Beethoven improvisatorische Kühnheit letztlich werkhaft bindet, fasziniert: Dadurch erhält die Kadenz ein Gewicht im Satzverlauf, das Mozarts Intention unüberhörbar stört. Aber gerade jene, paradox gesagt, zur Dissimilation gesteigerte werkhafte Assimilation macht die Eigenart ihres Kadenzcharakters aus.

Gernot Gruber

---

1 Vgl. P. Mies, *Die Krise der Konzertkadenz bei Beethoven,* S. 74.

Für Elise
WoO 59

ENTSTEHUNGSZEIT: 1810 (1808?).
ERSTAUFFÜHRUNG: unbekannt.
SKIZZEN: Staatsbibliothek Preußischer Kulturbesitz Berlin, Landsberg 10, Pastoralsymphonie-Skizzenbuch; Beethoven-Haus Bonn, BH 116.
AUTOGRAPH: verschollen.
ERSTDRUCK UND WIDMUNG: *Neue Briefe Beethovens. Nebst einigen ungedruckten Gelegenheitscompositionen*, hg. von L. Nohl, Stuttgart 1867 (J. G. Cotta), S. 28—33, erstmals selbständig als „Leichtes Clavierstück" Leipzig 1870 (C. F. Kahnt); „Für Elise am 27. April zur Erinnerung von L. v. Bthvn" laut L. Nohl, laut M. Unger „Für Therese" (Therese v. Drosdick geb. Malfatti).
GESAMTAUSGABE: Alte Gesamtausgabe: Nr. 298 = Serie 25 Nr. 35.

Nirgends bei Beethoven steht, soweit wir wissen können, klipp und klar „Für Elise". Ludwig Nohl hat die Zueignung bei seiner Abschrift des Autographs so gelesen; seither ist dieses wieder verschollen. Er hat falsch gelesen, argwöhnt Max Unger[1] und empfiehlt das Stück „Für Therese", mithin für Therese Malfatti, die 22 Jahre jünger als Beethoven war und 18 Lenze zählte, wenn Beethoven ihr das Stück 1810 gegeben haben sollte. Denkt man an die kuriose Geschichte des Titels der *Eroica*, so ist es nicht verwunderlich, daß auch hier — im Kleinen und eher Privaten — Beethovens Zuneigungen und ihre möglichen Umschwünge Neugier wecken. Doch nicht genug mit dem Dunkel, das über der Titelfigur liegt: Die erhaltenen Skizzen weisen natürlich Abweichungen von der uns vertrauten Gestalt des Stückes auf; der Ausfall von Quellen — des Autographs — ist schmerzlich und gibt Anlaß zu Spekulationen. Wie verbürgt ist der Notentext dieser — wenigstens im populären Genre — inzwischen womöglich bekanntesten Beethovenschen Klavierkomposition?

Immerhin vier Jahrzehnte über Beethovens Tod hinaus hat es gedauert, bis das opusculum öffentlich bekannt gemacht wurde; das Vorhandensein von Skizzen läßt darauf schließen, daß es tatsächlich von ihm stammt. Die philologische Tendenz, mit den Skizzen in der Hand die Zuverlässigkeit des Erstdrucks gering zu veranschlagen, hat zwei Seiten: Sie setzt entweder den Abschreiber Nohl ins Zwielicht oder nährt Zweifel an der Authentizität des Endprodukts. Manchen, so will es scheinen, wäre es am liebsten, wenn das Kinderstück, zu dem *Für Elise* durch massenhaften Gebrauch im Klavierunterricht geworden ist, am Ende doch nicht von Beethoven selbst ausgearbeitet worden wäre. Zumal heute versieht man, aus Pedanterie oder Gelehrsamkeit, eine Kennzeichnung wie „Albumblatt" und einen Namen oder Beinamen wie „Für Elise" mit Fragezeichen und hält sich möglichst bedeckt, indem neutraler gesagt wird „Bagatelle" oder, noch blasser, „Klavierstück a-Moll". Natürlich handelt es sich um eine Bagatelle (in deren so gewöhnlicher Form [A] A B A C A), und fraglos ist *Für Elise* ein Muster für die Tonart a-Moll. Solche Muster gibt es ja für alle gängigen Tonarten, so widersprüchlich die Bestimmungsversuche für ein und dieselbe Tonart sein mögen, weshalb man versucht ist, ihren Aus-

1 Vgl. M. Unger, *Beethovens Klavierstück „Für Elise"*, S. 334ff.; vgl. ders., *Beethovens Handschrift*, S. 28ff.

druckscharakter, der stets Mehrdeutigkeiten aufweist, am liebsten uncharakterisiert sein zu lassen. Die eigentümlich gedämpfte, eher kühle, leicht melancholische oder, wenn das literarische Wort nicht seinerseits eine zu große Bandbreite besäße: elegische Stimmung von a-Moll, wie *Für Elise* sie uns vorführt, umreißt Christian Friedrich Daniel Schubart mit den Worten „fromme Weiblichkeit und Weichheit des Charakters“. Für einen Anhänger der Tonartencharakteristik, der Beethoven noch mehr als andere Komponisten seiner Zeit war, könnte dies ein Fingerzeig gewesen sein. Es handelt sich um ein Indiz, nicht mehr.

Am auffälligsten an dieser — meist viel zu langsam und damit betulich vorgetragenen — Melodie (in den Ausgaben: con moto, in einer der Skizzierungen: molto grazioso) ist ihr chromatischer Anfang, der kreisende Halbtonschritt e—dis, dessen kadenzielle Funktion (Grundton der Dominante und Terz der Doppeldominante) zunächst, da einstimmig, dem Ohr noch nicht faßbar ist und der sich dennoch sogleich als Ohrwurm im Gehör festsetzt und gleichzeitig eine kleine Etüde bietet, um ein akkurates Wechselspiel des dritten, vierten und fünften Fingers samt richtiger Akzentuierung zu erzielen.

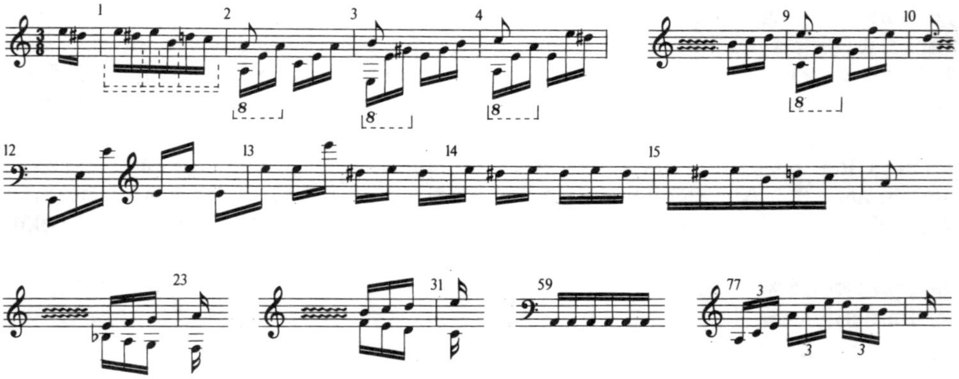

Am Beginn sind selbst die metrischen Verhältnisse unklar. Man könnte sogar versucht sein, die ersten Takte nicht im 3/8-Takt, sondern als 6/16-Takte aufzufassen; die Akkordbrechungen in Takt 2f. suggerieren es sogar. Zwar braucht die Gruppierung der Noten durch Balken weder auf die Betonung noch auf die Phrasierung Einfluß zu nehmen, aber es gibt Takt 2f. auch keinen Grund, die gebrochenen Akkorde nach Achteln zu betonen. Die Skizzen helfen hier nicht weiter; sie enthalten keine Taktvorschriften. Zu den Unklarheiten des Themas (T. 1—22 bzw., da Wiederholungen vorgeschrieben sind, das Doppelte) trägt ferner bei, daß die ersten vier Takte sich nicht in 2 + 2 unterteilen lassen, sondern nur die ersten acht in 4 + 4; dies mag daher kommen, daß im kurzen 3/8-Takt, wenn das Tempo nur einigermaßen bewegt ist, die Tendenz besteht, zwei Takte als Takteinheit zu empfinden. Auch das Mittelglied (T. 9—14) mit seinen 4 + 2 Takten trägt dazu bei, die irregulären Momente des Themas zu stärken.

Das latent Hemiolische in der Zeiteinteilung samt den (von dem 2/16-Auftakt zu T. 1 an) keineswegs unzweideutigen 3/16-Auftaktbildungen als rhythmische Impulse einerseits und der penetrant kreisende Halbtonschritt als diastematische Erkennungsmarke andererseits sind für das Stück konstitutiv. Besonders an den verschieden komponierten Wiedereintritten des Melodiebeginns kostet Beethoven dies aus (T. 13f. sowie an den späteren Parallelstellen): Man kann es demonstrativ nennen oder — genüßlich.

Hat das Stück deshalb seine unverhältnismäßig große Popularität gewonnen? An den beiden kontrastierenden Mittelteilen kann es kaum liegen; denn sowohl das eher belanglose erste Zwischenspiel (T. 23ff.) als auch das spieltechnisch schwierigere zweite (T. 59ff.) dürften selbst für diejenigen, denen der Hauptteil nicht aus dem Sinn kommt, eher in die Rubrik „unbekannter Beethoven" fallen, obwohl sie auf vielfältige Weise mit dem ersten Teil — dem Thema — verknüpft sind. Dazu gehört schon der Beginn des ersten Zwischenspiels: Der 3/16-Auftakt zu Takt 23 ist diastematisch an den Auftakt zu Takt 9 angelehnt, die Unterstimme zusätzlich in Umkehrung.[1] Auch beispielsweise die Begleitfigur am Beginn des zweiten Zwischenspiels (T. 59f.) läßt sich auf den Anfang des Stückes beziehen: Die durchgehende, aber akkordisch gebrochene Sechzehntelbegleitung (T. 2), selbst schon eine Modifikation der von dem kreisenden Halbton beherrschten durchgehenden Sechzehntelbewegung von Takt 1, wird Takt 59f. als Tonrepetitionen auf ein und derselben Tonhöhe festgehalten (melodische Modifikation), während bald danach (T. 77f.) jene gebrochenen Akkorde von Takt 2 modifiziert in der rechten Hand erscheinen, nun jedoch zu Sechzehnteltriolen verkürzt (rhythmische Modifikation). Die Variationsbreite der Sechzehntelbewegung ist bemerkenswert: hämmernd auf dem Einklang (T. 59f.); aufwärts springend in Oktaven (T. 12f.), also äußerst entgegengesetzt und doch eben so nahe verwandt, wie Einklang und Oktave verwandt sind; gleich anschließend als Wechsel im Halbton (T. 14f.), einem Intervall, das vom Einklang oder von der Oktave nicht weiter entfernt stehen könnte; in umgekehrter Reihenfolge — zuerst der Halbtonwechsel, dann die gebrochenen Akkorde — am Anfang (T. 1f.). Dieses auf knappem Raum ausgebreitete Spiel mag dreist und scherzhaft wirken, oder es mag, soweit Töne zu dieser Kategorie geschickt sind, komisch sein. Womöglich ließe sich mit dem Erklärungsraster der „romantischen Ironie" operieren, wenn man das Stück ernster nehmen möchte, als es bei einer Bagatelle für Kinder erforderlich ist.

Es fällt nicht schwer, die kompositorische Handschrift dessen zu erkennen, den man „mittlerer Beethoven" genannt hat und bei dem generell (nicht nur in den ersten Sätzen der 5. und 6. Symphonie) ein fast manisch gewordener Hang zu verschiedensten Repetitionsmustern zu erkennen ist. Um zu sehen, wie Beethoven bestrebt ist, kompositorische Komplexität aus Wiederholungsmustern zu gewinnen, braucht man nur die genannten Elemente — Partikelchen — über die ersten acht Takte und dann durch den Rest des Stückes zu verfolgen. Redundanz ist wohl das geeignetste strukturelle wie rhetorische Merkmal, um einer Melodie zu besonderer Eingängigkeit zu verhelfen. Darauf ist das Stückchen für Elise von Anfang an angelegt, wobei das Thema genuin instrumental erfunden ist; Oberstimme (Melodie) und Begleitung sind schon Takt 2f. kaum voneinander zu trennen.

1 Vgl. Auftakt zu T. 23, T. 31 und T. 33. Das in Bonn verwahrte Skizzenblatt zeigt vor Takt 23 vier in der Druckfassung nicht enthaltene Takte; ein Übertragungsversuch bei M. Unger, *Beethovens Handschrift,* S. 30.

Gibt es mit dem Thema des Finales der 9. Symphonie nicht ein vokal empfundenes Gegenstück, ganz und gar einstimmig, zuerst freilich von den Celli vorgetragen und noch populärer geworden? Die „Ode to Joy", die es spät, aber mit einiger Konsequenz nun bis zur Hymne der Europäischen Union gebracht hat, ist nicht weniger redundant dank der wenigen Partikel, aus denen sie sich kunstvoll wiederholt (oder wenn man lieber will: sparsam variiert) zusammensetzt. Schon weil sie so sehr regelmäßig gebaut ist, zehrt sie noch mehr von der Schlagkraft der raffinierten Monotonie. (Das gängige Grundschema a—a—b—a—b—a ist dasselbe wie im Hauptteil von *Für Elise*, nur daß in dem Klavierstück die Wiederholungen nicht ausgeschrieben sind.) Unabhängig von dem gewaltigen architektonischen Kontext, in den das Finalthema genommen wird, dürfte es kein Irrtum über die Sache sein, das Thema der „Ode an die Freude" — als eines Liedes, das darauf zugeschnitten ist, die Runde zu machen — auch isoliert zu sehen. Weder determiniert die höchst ohrenfällig in sich selbst kreisende Melodie den Kontext — dies zu behaupten wäre eine Übertreibung —, noch entscheidet das, was darauf folgt, über die Melodie so, wie sie ist. Warum Beethoven die Instrumentalkomposition für Elise ganz anders als sein Lied „Freude, schöner Götterfunken" in der Schublade behalten hat, das wissen wir nicht.

Der Erfolg, nichts sonst, ist das Rätsel des Stückes für Elise. Warum war er ausgerechnet ihm, nicht einem anderen der zahlreichen kleineren Klavierstücke Beethovens zuteil? Darüber, über den Nerv der Sache, schweigt die Literatur auffällig. Sie trägt zur Erkenntnis dieses Tonstückes, wenn überhaupt, dann neben der immerwährenden Suche nach dem exakten Entstehungsdatum die Suche nach dem wahren Namen bei, — bisher ohne schlüssiges Resultat. Aber so, wie der Musik Beethovens nicht geholfen ist, wenn den Spekulationen über die „unsterbliche Geliebte" der letzte Prozeß gemacht ist, so wird auch aus dem zweifelsfreien Aufweis der Person, der die Noten zugedacht gewesen sein mögen, nichts für das Stück und vor allem nichts für seine eminente Wirkung zu gewinnen sein. Diese aber ist es, auf die es musikalisch und musikgeschichtlich ankommt. Selbst wenn wir eines Tages unter verschwenderischem Aufbieten von Kräften herausfänden, daß es nicht für Therese oder Elise, sondern für Amalie oder Bärbel, für Cathérine oder für gar keine geschrieben worden ist: Was hätten wir gewonnen? Shakespeares Juliet sagt in der Balkonszene zu Romeo: „O be some other name. / What's in a name? That which we call a rose / By any other name would smell as sweet."

Albrecht Riethmüller

Klavierstück B-Dur
WoO 60

ENTSTEHUNGSZEIT: 24. Januar 1816.
ERSTAUFFÜHRUNG: unbekannt.
SKIZZEN: Taschenskizzenheft zu op. 106 (vgl. G. Nottebohm, *Zweite Beethoveniana*, S. 137), Gesellschaft der Musikfreunde Wien, A 45.
AUTOGRAPH: Royal College of Music London, MS 2174.
ERSTDRUCK: 8. Dezember 1824, Beilage zur *Berliner Allgemeinen Musikalischen Zeitung* 1, Nr. 49.
GESAMTAUSGABE: Alte Gesamtausgabe: Nr. 301 = Serie 25 Nr. 38.

Gemessen an seiner Kürze ist dieses Klavierstück etwas vom Außerordentlichsten, was Beethoven geschrieben hat. Das läßt sich schon an der Disposition der Tonarten ablesen. Die Haupttonart B-Dur wird außer ganz am Schluß nirgends durch deutliche Kadenzformeln bekräftigt, und die Modulationen führen nicht in die am nächsten verwandten Tonarten wie F-Dur und g-Moll, sondern zuerst nach Des-Dur (T. 5—9), wo die Musik mit einem deutlichen Schluß die entfernte Tonika bekräftigt (T. 14—17). Darauf erscheinen vier Takte, die enharmonisch nach D-Dur leiten. Enharmonische Modulationen sind bei Beethoven recht selten anzutreffen. Doch sie tauchen gerade auch in der *Hammerklaviersonate* op. 106 auf, in deren Skizzen Andeutungen zu diesem Klavierstück zu finden sind. Erstaunlich ist hier nur der bis zur Zweistimmigkeit verdünnte Satz, der eine prekäre Brücke zur Zieltonart bildet. Man würde eher eine komplexe Harmonik erwarten, die diesen Übergang plausibel machen könnte. Statt dessen vertraut Beethoven hier auf rein melodische Qualitäten der sich im Abstand eines Taktes imitierenden Zweitakter.

Die Fortsetzung (T. 22—25) entspricht in der Oberstimme dem vorangegangenen Des-Dur (T. 14—17), wobei aber die unteren Stimmen anders, weniger chromatisch gestaltet sind. Die Rückkehr nach B-Dur (T. 25) geschieht auf die denkbar einfachste Weise: Aus D-Dur wird d-Moll, die III. Stufe der Haupttonart. Darauf folgt eine um belebtere Unterstimmen bereicherte Wiederholung der ersten vier Takte (T. 26—29); die Pausen zwischen den Zweitaktern werden durch ein „Echo" der Oberstimme im Baß ausgefüllt. Daß es sich dabei um einen vorerst noch zögernden Versuch zu Imitationen, zum Kontrapunkt, handelt, wird sofort klar, wenn sich nun die Stimmen in punktierten Rhythmen, quasi altmeisterlich, überlagern (T. 30—33). Ohne nach Des-Dur zu modulieren, entsprechen diese Takte dem zweiten Abschnitt (T. 5—9), in dem aber kein Kontrapunkt, sondern ein Unisono den Anfang machte.

Die Coda (T. 35—39) besteht zur Gänze aus dem Motiv des Anfangs. Anfang und Schluß entsprechen sich auch in ihrer rhythmischen Ambiguität. Die Taktschwerpunkte bleiben ungewiß. Zur tonalen Unbestimmtheit gesellt sich eine rhythmische. Das Stück beginnt ganz ähnlich wie die Nummer 6 aus den Bagatellen op. 119 mit der II. Stufe; hier wie dort könnte es sich um einen Auftakt handeln, da die Oberstimme allein beginnt und erst vom zweiten Viertel an durch eine Begleitung bekräftigt wird. Die Coda aber könnte auch hemiolisch aufgefaßt werden; vier Dreivierteltakte würden zwanglos zwei Dreivierteltakte ergeben, worauf im letzten Takt die Fermate mit Sforzato die rhythmische Ungewißheit noch erhöht.

Sowohl rhythmisch als auch harmonisch bleibt das Stück in der Schwebe; es wirkt ganz wie aus dem Augenblick geboren, eine Laune der spielerischen Improvisation, ein zögerndes Suchen und am Schluß ein glückliches Finden einer gewissen Geschlossenheit, deren Gefüge aber zerbrechlich bleibt. Nicht nur die erwähnte enharmonische Modulation, bei der ausdrücklich die Anmerkung teneramente steht, um die Gefährdung dieser Stelle mit Zartgefühl zu umgeben, zeugt ganz deutlich davon, sondern auch die erste Stelle, wo sich Des-Dur entfaltet (T. 10—13); sie wird später nicht wieder aufgenommen, sie fällt aus dem Rahmen und wird „vergessen". Eine kurze Zeit lang scheint die Inspiration auszusetzen; der Pianist wartet auf einen hilfreichen Einfall, der sich dann auch bald einstellt. Man glaubt hier den Komponisten beim Arbeiten überraschen zu können; das macht dieses Klavierstück so faszinierehd.

Theo Hirsbrunner

Klavierstück h-Moll
WoO 61

Entstehungszeit: 18. Februar 1821 ins Stammbuch von Ferdinand Piringer geschrieben.
Erstaufführung: unbekannt.
Skizzen: unbekannt.
Autograph: Wien um 1905 im Besitz des Oberrechnungsrats Victor v. Marquet.
Erstdruck: 15. März 1893, *Deutsche Kunst- und Musikzeitung*, hg. von Adolf Robitschek.
Gesamtausgabe: Supplemente zur Alten Gesamtausgabe, Bd. 9, Nr. 21.

Wie die Nummer 4 aus den Bagatellen op. 126 arbeitet dieses Klavierstück mit sehr lapidaren thematischen Elementen, die kontrapunktisch entwickelt werden. Der Hauptteil wirkt wie eine Übung im gelehrten Stil Johann Sebastian Bachs, der eine gewisse Gleichförmigkeit und Trockenheit eigen ist. Nur der Mittelteil hebt sich in homophonem Satz ganz entschieden davon ab, geht aber nicht über eine rudimentäre Zeichenhaftigkeit hinaus, die sich auch in der kurz angebundenen Rückleitung zum Hauptteil manifestiert.

Alles scheint wie vorläufig und nicht endgültig fixiert, einer späteren Ausarbeitung bedürftig. Und doch sind Kühnheiten der Stimmführung zu finden, die auf andere, wichtigere Werke verweisen, wie zum Beispiel die Halben dis'—g'—ais—h (T. 11—12). Die verminderte Septime g'—ais oder ihre Umkehrung, die übermäßige Sekunde, durchziehen die Streichquartette op. 131 und 132 wie auch die *Große Fuge* op. 133, und die verminderte Quarte dis'—g' zusammen mit der verminderten Septime prägen das Hauptthema des ersten Satzes der Klaviersonate op. 111. Die verminderte Quarte in ihrer Ungewöhnlichkeit erscheint auch im Streichquartett op. 135 bei der Frage: „Muß es sein?" Die mit großer Emphase exponierte verminderte Septime, die den Grundton und die Quinte der Molltonart einrahmt, geht zurück auf den Barock — erwähnt sei hier nur das thema regium aus Bachs *Musikalischem Opfer* — und findet sich bei Mozart wieder, in der Fuge für zwei Klaviere KV 426 und der Kyrie-Fuge aus dem *Requiem*. Beethoven schöpft in seinem Klavierstück aus dem Fundus der Erfahrungen mit alter Musik, die für ihn im Laufe der Jahre immer wichtiger wurden. Was hier nur grob skizziert wird, sollte in andern Werken mit subtilerer Verarbeitung wieder an die Oberfläche kommen.

Theo Hirsbrunner

9 Variationen über einen Marsch von Dressler c-Moll für Klavier WoO 63

Entstehungszeit: 1782.
Erstaufführung: unbekannt.
Skizzen: nicht bekannt.
Autograph: verschollen.
Erstdruck und Widmung: Mannheim 1782 (J. M. Götz); der Gräfin Felice v. Wolf-Metternich gewidmet.
Gesamtausgaben: Alte Gesamtausgabe: Nr. 166 = Serie 17 Nr. 5; Neue Gesamtausgabe: Abt. VII, Bd. 5.

In einer Notiz über das Musikleben in Bonn, die 1783 Cramers *Magazin der Musik* zuging, stellt Christian Gottlob Neefe seinen verheißungsvollsten Schüler der musikalischen Öffentlichkeit vor. Nach vorausgegangenen Unterweisungen in Bachs *Wohltemperiertem Klavier* und den Grundlagen des Generalbasses gab Neefe ihm nun Kompositionsunterricht. Er hatte sogar — zur „Ermunterung" seines Schülers — dessen erste jugendliche Leistung zum Druck gegeben: die neun Variationen über einen Marsch von Ernst Christoph Dressler. Neefe mag dabei auch die Wahl des Widmungsträgers getroffen haben; die Gräfin Felice von Wolf-Metternich gehörte zu seinen adligen Bonner Schülern.[1]

Die Wahl des Genres für Beethovens opus primum wurde häufig symbolisch gedeutet. „Mit Variationen beginnt Beethoven", schrieb vor vielen Jahren Paul Bekker.[2] Für einen Jungen, der seit frühester Jugend darauf getrimmt worden war, Virtuose zu werden, war es aber ein durchaus naheliegender Beginn. Variationen gehörten sowohl im Klavier- als auch im Kompositionsunterricht zur Standardausbildung. Im Hinblick auf Beethovens spätere Vorliebe für Variationen war es dennoch ein bedeutungsträchtiger Anfang, umso mehr, als es sich beim Thema nicht um eine populäre Arietta oder ein graziöses Menuett handelte, sondern um einen düsteren Marsch in c-Moll. Tonart und Charakter des Themas lassen an einen Trauermarsch denken, seine genaue Herkunft ist jedoch unbekannt.

---

1 Vgl. I. Leux, *Christian Gottlob Neefe,* S. 90, 105. Die Tatsache, daß der Name der Gräfin auch im Subskribentenverzeichnis der Klaviertrios op. 1 erscheint, läßt vermuten, daß sie Beethovens Entwicklung weiterhin mit Interesse verfolgte.

2 P. Bekker, *Beethoven,* S. 95. Siehe auch Thayer / Deiters / Riemann, *Ludwig van Beethovens Leben,* Bd. I ([3]1917), S. 155f. und L. Schiedermair, *Der junge Beethoven,* S. 262f.

Es mag überraschen, daß Neefe einem Jungen, dessen Alter er auf zehn Jahre schätzte („agé de dix ans"), ein derart finsteres Stück vorlegte. Vielleicht wollte er an die Ernsthaftigkeit seines Schülers appellieren, vielleicht jeder Versuchung vorbeugen, die oberflächlichen Konventionen in Variationen über modische Themen nachzuahmen. Was auch immer der Grund gewesen sein mag, Beethoven antwortete mit einer kunstfertigen (wenngleich einfachen) Variationenfolge mit deutlichem Anfang (Nr. 1), Mittelteil (Nr. 5) und Schluß (Nr. 9).

Wenn Beethovens erstes Variationsthema auch kein „einfaches Arioso" war[1], so verwandelt die 1. Variation es doch beinahe in eines. Die vollstimmigen, martialischen Akkorde werden zu einer sanft wiegenden Begleitung, die der weitgehend unveränderten Melodie den Charakter eines Klageliedes verleiht — abgesehen davon, daß jede Viertaktphrase mit dem punktierten Marschrhythmus endet. Dem Marsch wird damit ein zweites, in gewisser Weise konventionelleres Thema hinzugefügt, woraufhin die Variationen ähnlich fortgeführt werden wie in vergleichbaren Werken Mozarts: Ausschmückende Figurationen erscheinen zuerst in der rechten (Nr. 2), dann in der linken Hand (Nr. 3). Darüber hinaus kehrt die wiegende Begleitung aus Variation 1 in Nr. 2, 4, 7 und 8 wieder, so daß diese wie Variationen über ein Alternativthema erscheinen. Das Verfahren, verschiedene melodische Diminuierungen über einen gleichbleibenden Baß zu setzen, war unter den deutschen Komponisten um die Mitte des 18. Jahrhunderts sehr beliebt.[2] Ungewöhnlich ist, daß in WoO 63 die Variationen mit gleichbleibendem Baß zur großformalen Anlage beitragen — vor allem, indem die Variationen 1—2 und die Variationen 8—9 einander korrespondierend gegenüberstehen. Charakteristisch ist, daß sogar den kleinen, offensichtlich ornamentalen Veränderungen der Melodie in der 1. Variation eine motivische Rolle zukommt: Beethoven fügt den wiederholten Tönen der Melodie in den Takten 6 und 14 Vorschläge hinzu und läßt das neue Ornament hervortreten, indem er die Doppelschläge, welche die Takte 5—6 und 13—14 des Themas ausschmückten, vermeidet. Diese Veränderungen scheinen belanglos, bis in der 2. Variation die melodische Gestaltung ganz von Vorschlägen durchsetzt ist. Ob nun aus einer natürlichen Veranlagung heraus oder im Gefolge einer Anweisung Neefes: Beethoven dachte schon in dieser Komposition an logische Verbindungen zwischen den Variationen.

Die Variationen im Zentrum und am Schluß stehen in deutlichem Kontrast zu den übrigen. Ihre Struktur läßt an den Stil Carl Philipp Emanuel Bachs denken, eines Komponisten also, den Neefe sehr bewunderte. (Neefe hat selbst Bachs *Versuch* studiert und widmete ihm 1774 zwölf Klaviersonaten.[3]) Die 5. Variation hebt sich nicht nur durch ihre Textur von den übrigen ab, sondern auch aufgrund ihrer inneren Vielgestaltigkeit. Indem er die Konturen und, mit Ausnahme des phrasenbeschließenden Marschrhythmus, den Rhythmus des Themas verläßt, wechselt Beethoven zwischen drei verschiedenen Figurationsmustern. Die ersten beiden verwenden synkopierte Figuren, die zwischen den Händen aufgeteilt werden, und die dritte ist ein Wirbel von Zweiunddreißigsteln jeweils an den Phrasenenden. Diese Prozedur wird etwas schematisch durchgeführt, aber ihr Ergebnis ist, daß Takte, die im Thema wörtlich wiederholt werden, hier unterschiedlich behandelt werden können.

---

1 L. Schiedermair, *Der junge Beethoven,* S. 263.
2 Vgl. K. v. Fischer, *C. Ph. E. Bachs Variationenwerke,* S. 199.
3 Vgl. I. Leux, *Christian Gottlob Neefe,* S. 8 und 24f.

Zudem wird das vorherrschende Muster in den Takten 14—15 verändert: Die schnellere der beiden Synkopenfiguren weicht nach oben aus und wird um einen zusätzlichen Takt gedehnt, was zu einem Höhepunkt der rhythmischen Energie in dieser Phrase führt.

Bezeichnenderweise reichen die Konsequenzen dieses formgliedernden Gegensatzes über die Variation hinaus. Die 6. Variation wirkt wie eine Reprise des Themas, scheint aber auch Charakteristika der Variation 5 aufzunehmen: Die Melodie des Themas kehrt in leicht ausgeschmückter Form wieder, wird aber zwischen den Händen aufgeteilt wie die Synkopenfigur in Variation 5, und die Zweiunddreißigstel-Wirbel aus der 5. Variation werden hier zu sporadischen Skalenläufen (T. 7, 9, 15), was schon auf die Schlußvariation vorausdeutet. Während die 7. und 8. Variation die Pendelbegleitung der 1. und 2. aufgreifen, treibt die fortschreitende melodische Diminution die Komposition ihrem Höhepunkt zu: der 9. Variation.

Anders als Mozart in vergleichbarem Alter läßt Beethoven keine Da capo-Wiederholung des Themas das Werk abrunden. Eher strebt er ein Finale im Stile Carl Philipp Emanuel Bachs als Höhepunkt an[1], indem er die leuchtende parallele Durtonart zur Steigerung des brausenden Passagenwerks verwendet, das beinahe alle melodischen Charakteristika des Themas hinter sich läßt. Nur der punktierte Marschrhythmus bleibt am Ende jedes Teils, jedoch weniger als Reminiszenz denn als Bestandteil einer triumphalen Schlußwirkung.

Die *Dressler-Variationen* gehen über die durch Bekker so bezeichnete „Aneinanderreihung der gebräuchlichsten Spielfiguren" hinaus.[2] Die „Spielfiguren" werden derart verwendet, daß deutlich Anfang, Mitte und Schluß gesetzt, ein überzeugendes Gleichgewicht der Teile erreicht (vgl. Nr. 1—2 mit 7—8) und ein starker Vorwärtsdrang bewirkt wird (Nr. 6—9). Bemerkenswert ist vor allem, daß Beethoven seit dem Beginn seiner kompositorischen Laufbahn einer Variation Einfluß auf die nachfolgenden zugesteht. In WoO 63 läßt sich das Aufkeimen eines Formverständnisses beobachten, das bald darauf Beethovens Variationen von der Norm des 18. Jahrhunderts unterscheiden sollte.

Steven M. Whiting
Übersetzung: Lydia Jeschke

1 Siehe die 12. (ebenso die 9.) der *Variationen über die Folie d'Espagne* (1778) in: C. Ph. E. Bach, *Collected Works for Solo Keyboard,* Bd. V, S. 82f.

2 P. Bekker, *Beethoven,* S. 95.

6 leichte Variationen über ein Schweizer Lied F-Dur für Klavier/Harfe WoO 64

Entstehungszeit: wahrscheinlich um 1790.
Erstaufführung: unbekannt.
Skizzen: nicht bekannt.
Autograph: Beethoven-Haus Bonn.
Erstdruck: Bonn um 1798 (N. Simrock).
Gesamtausgaben: Alte Gesamtausgabe: Nr. 177 = Serie 17 Nr. 16; Neue Gesamtausgabe: Abt. VII, Bd. 5.

Das Schweizer Lied „Es hätt e Buur e Töchterli", von Herder in den *Stimmen der Völker* (1779) gepriesen, erschien zusammen mit seiner Melodie zuerst in Johann Friedrich Reichardts *Frohe Lieder für deutsche Männer* (Berlin 1781), einer Sammlung von unbegleiteten „Liedern im Volkston". In einer „Vorrede", die durch Rousseaus Gedanken über den Vorrang der Melodie im allgemeinen und des Volkslieds im besonderen inspiriert ist, führt Reichardt das anspruchslose Schweizer Lied als Modell ein, dem sich anzunähern für Liedkomponisten erstrebenswert sein sollte: „Nur solche sind wahre ursprüngliche Volksmelodien, und die regen und rühren auch gleich die ganze fühlende Welt."[1] In der ersten Ausgabe seines *Musikalischen Kunstmagazins* druckt Reichardt das Lied erneut ab — als besonderes Beispiel für „junge Künstler". Ob Beethoven nun tatsächlich so „erregt und gerührt" war oder nicht, jedenfalls harmonisierte und variierte er die Melodie mit einer Einfachheit, die dem „jungen Künstler" zukam. Unter Berücksichtigung der Daten, die für die Entstehung des Werks angegeben werden — ca. 1790 (M. Unger), „in the period 1790—92" (D. Johnson) —, ist zu vermuten, daß Beethoven die Variationen für einen Bonner Schüler oder eine Schülerin komponierte. Die Bezeichnung „variations faciles" im Erstdruck macht zudem eine pädagogische Absicht Beethovens wahrscheinlich.

Stilistisch entspricht das Werk dem, was man von einem Lehrstück erwartet. Das Thema ist einfach und eingängig. Die wenigen Variationen sind leicht zu spielen und halten sich eng an die melodischen Konturen des Themas. So wiederholen die mittleren Variationen (Nr. 2—4) die Melodie ohne jede Ausschmückung, während die Begleitung verändert wird. Sie werden umrahmt von Variationen, die transparente Figurationsmuster aufweisen (Nr. 1 und 5). Die letzte Variation faßt beide Verfahren zusammen. Die Bedeutung der Komposition liegt weniger in ihrer Variationstechnik als in der architektonischen Raffinesse.

Anders als die meisten Variationsthemen jener Zeit widerstrebt diese elftaktige Melodie einer Unterteilung in zwei gleichgewichtige Hälften. Vielleicht übte, wie Jürgen Uhde meint, die ungewöhnliche Phrasenaufteilung (3 + 3 + 2 + 3) tatsächlich eine besondere Faszination auf Beethoven aus — er unternimmt jedenfalls nichts, um sie zu regulieren. Ganz im Gegenteil wird die seltsame Zweitakt-Phrase

1 Zit. nach M. Friedlaender, *Das deutsche Lied im 18. Jahrhundert,* Bd. I, S. 196f.

in drei Variationen (Nr. 2, 5 und 6) durch imitatorische Behandlung noch hervorgehoben. In der 6. Variation wird die Phrase durch plötzliche Wechsel in der Dynamik akzentuiert. Die Binnenwiederholung in Variation 3 — dem Minore — umschließt nicht die letzten fünf, sondern die letzten acht Takte und unterstreicht damit die Asymmetrie der Melodie.

Die ganze Variationenfolge aber weist eine Art dynamische Symmetrie auf. Die ersten beiden Variationen führen die rechte und linke Hand des Pianisten auf recht konventionelle Weise vor. Dann aber markiert die Mollvariation einen deutlichen Bruch: Sie kehrt die fortschreitende rhythmische Belebung der vorausgegangenen Variationen um, sie trägt als erste Variation eine dynamische Anweisung (sempre piano e legato), und sie ist die einzige Variation mit einer Binnenwiederholung. Die Wiederholung unterstreicht vor allem eine auffällige harmonische Abweichung. (In einem so bescheidenen und einfachen Werk erlangen derartige Details strukturelle Bedeutung.) Das Thema und alle übrigen Variationen haben in Takt 4 die Dominante und kehren in Takt 7 zur Tonika zurück. Das Minore aber wechselt in Takt 4 in die Mollsubdominante und erreicht die Tonika erst in Takt 9 wieder. Im vierten Takt — dem Ausgangspunkt der Abweichung — setzt die Wiederholung ein.

Daß eine Mollvariation den stärksten Kontrast zum Thema enthielt, war durchaus nichts Ungewöhnliches, vor allem nicht in einer kurzen Variationenfolge. Unkonventionell ist hingegen, daß die folgenden Variationen spezifische Eigenschaften des Minore mit solchen des Themas und der ersten beiden Variationen verbinden, als wollten sie die strukturelle Lücke schließen.

Die 4. Variation mit der Bezeichnung Maggiore ist eine deutliche Reprise des Themas. Die Melodie erscheint forte in Oktaven. Sogar der melodische Sprung über eine große None zwischen der dritten und vierten Phrase, den Beethoven in jeder anderen Variation verschleiert, tritt hier mit all seiner Unbeholfenheit hervor. Die energische Begleitung ist bordunartig und ruft den ländlichen Ursprung des Themas in Erinnerung. Dennoch scheint die relative Komplexität der Harmonik in der Mollvariation hier — etwa in den chromatischen Alterationen der Takte 3, 9 und 10 — noch nachzuwirken.

Die 5. Variation beginnt, als wolle sie die 1. variieren. Schon die ausschmückende Figuration stellt diesen Bezug her, aber auch die Parallelen in der melodischen Kontur und satztechnische Ähnlichkeiten (siehe T. 1—3) tragen dazu bei. Zugleich ist die Angabe sempre dolce dem sempre piano e legato des Minore vergleichbar, während ein Anflug von Imitation an die 2. Variation erinnert. Der Wechsel von Achtel- und Sechzehntelnoten verbindet den Rhythmus der Mollvariation mit dem der Schlußvariation.

Variation 6, der Höhepunkt in Rhythmik und Dynamik, ist die einzige Variation, die interne Kontraste aufweist: Fortissimo steht gegen piano, Viertelnoten stehen gegen Sechzehntel, gewissermaßen steht sogar Thema gegen Variation. Die kontrastierenden Elemente sind so miteinander verbunden, daß die Opposition Themenzitat versus ausschmückende Figuration breitere strukturelle Bedeutung erlangt. Die partiellen Themenzitate in schmucklosen Oktaven erinnern nicht nur an Variation 4, sondern lassen sich auch verstehen als eine zusammenfassende Bezugnahme auf alle drei Variationen, die die Themenmelodie ohne Verzierung präsentieren. In diesem Sinne rekurrieren die figurierten Passagen auf die figurierenden Variationen (Nr. 1 und 5). Die Imitation in Takt 7—8 ist gleichfalls betont (Fortissimo-Dynamik, Staccato-Artikulation, Oktaven im Baß) und erinnert an die kontrapunktische Behandlung derselben Passage in den Variationen 2 und 5. Nachdem die linke Hand in Takt 7 die Hauptstimme übernommen hat, behält sie sie in der letzten Phrase bei — wie schon in Variation 5, Takt 9—11. Die Schlußvariation assoziiert so, direkt oder indirekt, das Thema und jede der Variationen. Ihr folgt eine kurze, aber wirkungsvolle Coda: Die Schlußphrase verläuft in rhythmisch diminuierter Form und zu einer vollständigen Skala erweitert nacheinander durch Sopran, Tenor und Baß.

Es scheint, als wären die Variationen in Bögen über die zentrale Mollvariation hinweg miteinander verbunden: Nr. 2 und 4 präsentieren die Themenmelodie schmucklos über einem energischen Baß. Nr. 1 und 5 teilen sowohl die Idee einer figurierenden Variation als auch melodische und strukturelle Details. Entscheidend in der gesamtformalen Anlage ist aber nicht die Symmetrie, sondern der dieser zugrundeliegende Prozeß: Nach zwei konventionellen Variationen setzt das Minore einen Schnitt, Variationen 4 und 5 überbrücken die entstandene Diskrepanz, und die Schlußvariation resümiert das Ganze. Auch indem er „variations faciles" für seine Schüler schrieb, dachte Beethoven also im Sinne einer zielorientierten strukturellen Entwicklung.

Steven M. Whiting
Übersetzung: Lydia Jeschke

24 Variationen über Righinis „Venni, Amore" D-Dur für Klavier WoO 65

ENTSTEHUNGSZEIT: zwischen 1788 und 1791.
ERSTAUFFÜHRUNG: unbekannt.
SKIZZEN: British Library London, Add. Ms 29801, Kafka Sketchbook.
AUTOGRAPH: verschollen.
ERSTDRUCK UND WIDMUNG: Mainz 1791 (Schott); der Gräfin Maria Anna Hortensia v. Hatzfeld gewidmet.
GESAMTAUSGABEN: Alte Gesamtausgabe: Nr. 178 = Serie 17 Nr. 17; Neue Gesamtausgabe: Abt. VII, Bd. 5.

Im Spätsommer des Jahres 1791 reiste Beethoven mit der kurfürstlichen Kapelle auf dem Wasserweg nach Mergentheim, wo Kurfürst Maximilian Franz eine Versammlung des Deutschordens leitete. Als sie in Aschaffenburg am Main angekommen waren, besuchte Beethoven in Begleitung einiger älterer Kollegen den Abbé Sterkel, einen der besten Pianisten des Landes und Komponist einiger Klavierwerke, die Burney als „admirable in point of taste [...] though not very learned or consonant to harmonic rules" beurteilte.[1] Wie Wegeler berichtet, bedeutete das Spiel des Abbé für Beethoven, der nie zuvor einen „wirklichen" Virtuosen gehört hatte, eine Offen-

1 Ch. Burney, *A General History of Music* (1957), Bd. II, S. 946 und 960.

barung. Er nahm jedes Detail des Sterkelschen Vortrags auf und zögerte dann — verständlicherweise —, sich selbst ans Klavier zu setzen. Der Abbé jedoch lenkte das Gespräch geschickt auf die kurz zuvor erschienenen Variationen des jungen Mannes über die Arietta „Venni, Amore" von Vincenzo Righini. Indem er zugab, daß sie für ihn zu schwierig seien, wollte er wissen, ob sie auch die Kräfte ihres eigenen Autors überstiegen. Derart herausgefordert setzte sich Beethoven nieder und spielte nicht nur die Variationen auswendig (da Sterkel sein Exemplar nicht finden konnte), sondern improvisierte „gleich noch eine Anzahl anderer, nicht weniger schwieriger und dies, zur größten Überraschung der Zuhörer, vollkommen und durchaus in der nämlichen gefälligen Manier, die ihm an Sterkel aufgefallen war".[1]

Sowohl die alte als auch die neue kritische Ausgabe der Werke Beethovens stützen sich auf die spätere Wiener Ausgabe der *Righini-Variationen* durch Traeg aus dem Jahr 1802. Der Druck von 1791 war nicht mehr auffindbar, und da er fehlte, wurde (nach G. de Saint Foix) allgemein angenommen, daß Beethoven die Komposition für die Veröffentlichung von 1802 grundlegend überarbeitet und erweitert habe; schließlich schien das Werk den *Prometheus-Variationen* stilistisch näher zu sein als irgendeine der in Bonn entstandenen Variationenfolgen.[2] 1985 jedoch gaben S. Brandenburg und M. Staehelin bekannt, daß ein Exemplar der Ausgabe von 1791 aufgetaucht sei und daß dessen Inhalt im wesentlichen mit dem des Drucks von 1802 übereinstimme. — Bei den uns mehr oder weniger vertrauten Variationen handelt es sich tatsächlich um das Werk des 19—20jährigen Beethoven.

Es ist leicht nachvollziehbar, wie die Annahme zweier Fassungen zustandekam. Die 24 Variationen über „Venni, Amore" bilden die längste, schwierigste und im Ausdruck differenzierteste Folge von Klaviervariationen, die Beethoven vor op. 35 komponierte. Allein die strukturellen Orientierungspunkte deuten schon auf eine kühne Konzeption hin. In der Mitte der Folge stehen zwei Mollvariationen (12 und 13) mit völlig unterschiedlichem Charakter — die eine langsam und schmachtend, die andere wild. Das folgende Maggiore ist eigentlich nicht eine Variation, sondern es sind zwei — jede mit eigenem Tempo und Taktart und beide Phrase um Phrase miteinander verflochten. Die letzten beiden Variationen bilden gleichfalls ein Gegensatzpaar: ein ausgeschmücktes Adagio und einen Kontratanz im Allegro. Letzterem schließt sich eine ausgedehnte Coda an, wie sie Beethoven bis dahin noch zu keiner Variationenfolge komponiert hatte. Zwischen diesen strukturellen Eckpfeilern finden sich Variationen von haarsträubender Schwierigkeit (Nr. 5, 9, 15 und 19), abenteuerlicher Harmonik (Nr. 7, 17 und 21) und überraschender Textur (Nr. 4, 7 und 16).

Besonders charakteristisch im Sinne der späteren Entwicklung Beethovens als Variationenkomponist ist die Konzeption des Themas und seiner inhärenten Möglichkeiten. Das Thema, abgeleitet von der 12. aus Vincenzo Righinis *Ariette Italiane* (Mainz 1788), ist ein sehr einfaches, sechzehntaktiges Gebilde. Die 1. Variation scheint zunächst wenig mehr zu sein als eine appoggiaturenreiche Paraphrase. Bei

1 Fr. G. Wegeler / F. Ries, *Biographische Notizen,* S. 17. Nikolaus Simrocks Bericht des Zusammentreffens ist nachzulesen in: Thayer / Deiters / Riemann, *Ludwig van Beethovens Leben,* Bd. I (^{3}1917), S. 266, Anm. 1.

2 Zur Hypothese der zwei Versionen vgl. S. Brandenburg / M. Staehelin, *Die „erste Fassung" von Beethovens Righini-Variationen,* sowie die dort zitierte Literatur.

näherem Hinsehen aber wird ihr komplexer Bezug zum Thema deutlich. Das Thema endet fünfstimmig und mit chromatischer Färbung; genauso beginnt die Variation. Die zweite Hälfte des Themas erklingt über einem Orgelpunkt; die Variation beginnt mit einem Orgelpunkt. In der zweiten Hälfte der Variation erhalten Elemente der ersten Themenhälfte stärkeres Gewicht. Zum Beispiel nimmt der stufenweise Abstieg von e'' nach a' in den Takten 10—12 und 14—16 der Variation, obgleich melodisch auf den entsprechenden Takten basierend, doch eher auf den Tonleiterausschnitt von fis'' nach a' aus dem Anfangsgestus des Themas Bezug. Die Artikulation des Themas ist, mit Ausnahme der beiden letzten Takte, weitgehend staccato. Die Variation ist legato zu spielen, abgesehen von den beiden letzten Takten, welche den luftigen Satz des Themas aufnehmen. Bezeichnenderweise endet die Variation nicht — wie das Thema — mit einer Viertelnote, sondern mit einer Achtelnote und einer Achtelpause: so, wie das Thema beginnt. Zusammenfassend läßt sich festhalten, daß das Thema nicht einfach eine Basis für melodische Ausschmückungen darstellt, sondern vielmehr einen Grundstock verschiedener Satzweisen, Klangfarben und Artikulationen, welche alle, indem die Variation sie unabhängig von ihrem melodischen und harmonischen Kontext im Thema behandelt, motivische Eigenständigkeit erlangen. Das Thema und die 1. Variation (die man somit auch als eine Art „Gegenthema“ auffassen könnte) bilden tatsächlich ein komplementäres Paar.

Die Variationen 2 und 3 schreiten fort, wie Mozarts Klaviervariationen typischerweise beginnen: Zuerst wird die rechte, dann die linke Hand vorgeführt. Die 2. Variation nimmt von Beginn an den transparenten Satz auf, der am Ende der 1. erreicht ist. Derartige Zusammenhänge lassen sich jeweils zwischen zwei aufeinanderfolgenden Variationen feststellen, und sie gehen über die übliche gemeinsame Basis hinsichtlich Melodik und Harmonik hinaus. Eher könnte man von einem formalen Prozeß sprechen, in dem potentiell jeder musikalische Parameter — sei es die Dynamik, die Artikulation, der Tonraum oder die Textur — ein zu entwickelndes „Motiv“ werden kann.

Die strukturelle Funktion des ungewöhnlichen Maggiore (Nr. 14) erhellt aus dem Verständnis von Variation als einem Entwicklungsvorgang (und weniger einem Ausschmückungsprozeß). Die eine Variation des ineinander verflochtenen Paars präsentiert das Thema auf einfache, diatonische Weise. Die andere konstituiert in nahezu jeder Hinsicht einen Gegensatz: im Tempo (Adagio), im Takt (3/8), im Register (hoch) und in der Artikulation (Bindungen über den Taktstrich). Sie versieht jede Phrase der Themenmelodie mit größerer rhythmischer Vielfalt und chromatischen Abweichungen. Nach den beiden aufeinanderfolgenden Mollvariationen verleiht diese einzigartige „Doppelvariation“ dem Wiedereinsetzen des Dur angemessenes Gewicht. Und da die Minore-Variationen im Charakter sehr gegensätzlich sind, ist es durchaus logisch, daß das Maggiore ebenfalls ein Geflecht von Kontrasten aufweist. Die Ähnlichkeit geht aber noch weiter: Variation 13, das zweite Minore, wird von staccato zu spielenden Skalenläufen bestimmt. Diese Bewegung kehrt im Baß des Maggiore (T. 1—4 und 9—12) wieder. Die Adagio-Phrasen des Maggiore korrespondieren andererseits der getragenen Stimmung und relativen harmonischen Komplexität der 12. Variation und, hinsichtlich der Artikulation, deren rezitativischem Schluß. Das Maggiore vereinigt also charakteristische Eigenschaften der gegensätzlichen Mollvariationen mit dem Modus und der melodischen Kontur des Themas. Da es zudem die letzten beiden Variationen der Reihe — ein Adagio im

Dreiertakt und ein Allegro im Zweiertakt — antizipiert, kann das Maggiore als strukturelle Achse des ganzen Werks betrachtet werden.

Die Verbindung komplementärer Ausdruckscharaktere läßt sich auch andernorts in der Komposition beobachten. Zum Beispiel enthält die 6. Variation stilisierte Hornrufe, die an eine Chasse erinnern. Die 7. Variation ist im Gegensatz dazu vornehm gekünstelt, mit durchgängig punktierten Rhythmen in kontrapunktischem Satz. Dennoch beginnen beide mit einer absteigenden verminderten Quarte, gefolgt von einem aufsteigenden Halbtonschritt. Die zweite Hälfte beginnt jeweils mit einem Stufengang aufwärts. Übrigens sind die Kopfmotive nicht von der Melodie des Themas, sondern von seinem Baß abgeleitet — ein weiterer Hinweis darauf, daß Beethoven schon 1791 das Thema eher als ein Kompendium von Möglichkeiten betrachtete denn als auszuschmückende Melodie. Ein weiteres Beispiel für eine solche Paarung von Gegensätzen sind die Variationen 17 und 18 — zwei Dolce-Variationen, die mit einem wörtlichen Zitat der Righini-Melodie im selben Tonraum beginnen, aber in der Harmonik, der Artikulation und der Satztechnik Kontraste setzen. Derartige strukturelle Verbindungen lassen vermuten, daß die grundsätzliche Einheit der Komposition durch logische (wenn auch unvorhersehbare) Kontinuität von einer Variation zur nächsten entsteht. Drei komplementäre Paare markieren Anfang (Thema / Variation 1), Mitte (die beiden Minore-Variationen und das „doppelte“ Maggiore) und Schluß des Werkes (Adagio und Allegro). Zwei weitere unterteilen die erste und zweite „Hälfte“ der Komposition.

Trotz dieser symmetrischen Anordnung der formalen Orientierungspunkte kritisieren die meisten aktuellen Kommentare den angeblichen Mangel an übergreifender Struktur bzw., in Brandenburgs Worten, an „rhetorisch planvollem Aufbau“.[1] Die sorgfältige Anlage wird am deutlichsten, wenn man die Komposition vor dem Hintergrund der allgemein in theoretischen Anleitungen des 18. Jahrhunderts zu findenden Ansicht betrachtet, die Themenmelodie müsse in den Variationen erkennbar bleiben. Rousseau bemerkt: „il faut toujours qu'à travers [les] broderies on reconnoisse le fond de l'air.“ Heinrich Christoph Koch schreibt in seiner Kompositionslehre: „in den Veränderungen selbst sollte man eigentlich die Hauptmelodie nie verkennen können.“ Während mancher Instrumentalist von der „Hauptmelodie“ im Sinne einer virtuosen Präsentation seines technischen Könnens abwich, blieb doch die Erkennbarkeit der Melodie nicht nur die Basis des Vergnügens, sondern auch die Grundlage des Verständnisses. Sollte die Themenmelodie nicht klar wahrnehmbar sein, so warnt Koch, verlören die Zuhörer das Interesse und hörten die Variationen als kapriziöse Folge zusammenhangsloser Stücke, deren Abfolge oder gar Existenzberechtigung nicht mehr zu verstehen sei.[2]

Unter diesen Bedingungen zeugt Beethovens Verarbeitung der Righini-Arietta von einer bewußten, wenngleich unkonventionellen Formkonzeption. Über das Werk verteilt gibt es Variationen, die Righinis Melodie zu zitieren scheinen, indem sie mindestens deren erste Phrase (häufiger die erste Hälfte des Themas) mit wenigen oder völlig ohne Ausschmückungen präsentieren (Nr. 3, 10, 14, 17, 18, 20 und

1 Ebenda, S. 66. Auch Apologeten des Werks wie zum Beispiel Keller und Uhde stimmen mit diesem Urteil überein.

2 Vgl. J.-J. Rousseau, *Dictionnaire de musique,* Stichwort *Variations*; H. Chr. Koch, *Versuch einer Anleitung zur Composition,* Bd. III, S. 53; ders., *Musikalisches Lexikon,* Stichwort *Variazionen, Variazioni.*

24). Diese Rekurse auf das Thema treten in der zweiten Hälfte der Variationenfolge in kürzeren Abständen auf — als hätte Beethoven es für notwendig erachtet, in einem langen Variationenwerk durch häufigere Bezugspunkte das Interesse aufrecht zu erhalten. Indessen führen bestimmte Variationen quasi neue Melodien über dem harmonischen Gerüst des Themas ein (Nr. 6, 7, 12, 13, 15, 19, 22 und 23). Diese Abweichungen erscheinen ebenfalls hauptsächlich in der zweiten Hälfte der Komposition — wie um die häufige Wiederkehr des Themas auszugleichen. Der Komposition liegt damit eine strukturelle Dynamik zugrunde, welche eher in Kurven verläuft, als daß sie in einer symmetrischen Anordnung einzelner Teile bestünde. WoO 65 ist vielleicht das frühste Beispiel für die „psychologisch bedingte Formkonzeption", die Kurt von Fischer als für Beethovens Instrumentalwerke bestimmend ansah.[1]

Allerdings geht der Komponist hier eher evolutionär als revolutionär vor. Das Grundmuster der Komposition könnte einem Werk wie Carl Philipp Emanuel Bachs 12 *Variationen über die Folie d'Espagne* von 1778 entlehnt sein. Nach fünf Variationen im 3/4-Takt wechselt Bach mit jeder Variation das Metrum, und drei Variationen tragen eigene Tempobezeichnungen.[2] Wie Bach konzentriert Beethoven Ausdruckskontraste in der zweiten Hälfte seiner Variationenfolge. Im Unterschied zu Bach komponiert er einen beschleunigten Prozeß von Abweichung und Wiederkehr — statt einer Ansammlung wechselnder Charaktere. Aber noch ein anderer Meister scheint Beethoven in diesem Falle über die Schulter geschaut zu haben.

In den 1780er Jahren schrieb Beethoven zwei Variationssätze nach dem Modell des Finales aus Mozarts G-Dur-Sonate KV 379. Vor WoO 65 hatte er allerdings nie die für Mozart charakteristische Verfahrensweise übernommen, die vorletzte Variation als verziertes Adagio und die letzte als lebhaften Tanz in kontrastierendem Metrum zu komponieren. Es stellt sich also die Frage, welcher der Mozartschen Variationszyklen Bonn erreicht und einen solchen Eindruck auf Beethoven gemacht haben könnte, daß dieser seine *Righini-Variationen* in Mozarts Manier beendete. Eine mögliche Erklärung legt der Spielplan des Bonner kurfürstlichen Theaters für die Saison 1789/1790 nahe: Man gab unter anderem *Die Pilger von Mekka*, die Singspielfassung von Glucks opéra comique *La Rencontre imprévue*. 1783 hatte Mozart eine Variationenfolge über eine Melodie aus dem ersten Akt der Oper, „Unser dummer Pöbel meint", improvisiert. 1786 erschienen die Variationen im Druck (KV 455), und vermutlich erreichten sie Bonn zu der Zeit, als das kurfürstliche Theater *Die Pilger von Mekka* aufführte, da im vorausgegangenen Jahr durch Bossler in Speyer ein Neudruck erschienen war. Der direkte Vergleich läßt darauf schließen, daß Beethoven mehr als nur ein paar Anhaltspunkte daraus übernahm.

Es bietet sich an, den Vergleich beider Kompositionen mit den Adagios zu beginnen; schließlich war die Adagio-Variation eine Spezialität Mozarts und offenbar seine „Erfindung". Grundsätzliche Parallelen: Beide Adagios umfassen einen Tonraum von nahezu fünf Oktaven; beide zeichnen sich durch eine verschwenderische Figuration und durch plötzlichen Wechsel des Motivs oder Tonraums aus; beide stellen in ihren ersten Phrasen majestätische und innige Charaktere einander gegenüber; beide nutzen die Klangräume des Klaviers, um den Eindruck eines Dialogs zu

1 K. v. Fischer, *Die Beziehungen von Form und Motiv*, S. 267.
2 Zu diesem bedeutenden Werk vgl. K. v. Fischer, *C. Ph. E. Bachs Variationenwerke*, S. 206f.

erzeugen; und beide enden leise in der unteren Lage des Klaviers, mit fragmentiertem Vortrag. Bei genauerem Hinsehen lassen sich Divergenzen feststellen, in deren Kontext die Parallelen nicht mehr zufällig erscheinen. Zum Beispiel beginnt Mozart mit großartiger Geste und fährt dann, nach einem Sprung über zwei Oktaven in Takt 3, lyrisch fort. Beethoven beginnt lyrisch, und ab Takt 3 wird die Musik prachtvoll, mit doppelt punktierten Akkorden, deren Echo zwei Oktaven höher erklingt. Es scheint, als hätte Beethoven genau untersucht, wie Mozart es gemacht hatte, um dann mit quasi demselben musikalischen Material etwas anderes zu probieren.[1]

Aufschlußreich ist der Vergleich zwischen Mozarts 6. und Beethovens 4. Variation. Jeweils liegt die Melodie unter einem Triller. Während Mozart den Triller immer über zwei Takte führt, verfährt Beethoven flexibler, ja theatralisch. Das Tempo des Trilleraufgangs wird allmählich gesteigert, so daß sich der Tonraum dramatisch erweitert. Die zweite Hälfte der Variation beginnt mit einem Stimmtausch in extremen Lagen. Die Stimmen nähern sich allmählich einander an, überkreuzen sich und laufen umgekehrt wieder auseinander, wobei ihr Wechsel durch anschwellende und verschobene Dynamik verstärkt wird. Von Mozart stammt der Satz, von Beethoven die Leidenschaftlichkeit des Ausdrucks.

Eine der „originellsten" Variationen in WoO 65 ist Nr. 21, die ex abrupto von einem harmonisch entlegenen Akkord (V/vi) aus beginnt. Auch hier könnte Mozarts Musik Modell gestanden haben. Die 7. der *Gluck-Variationen* beginnt mit dem Akkord auf der VI. Stufe. Von hier aus erreicht Mozart die Tonika durch vier Takte chromatisch modulierenden Kontrapunkt unter einem wörtlichen Zitat von Glucks Melodie. Einmal auf der Tonika angelangt, leitet er vom Kopfmotiv des Themas eine absteigende Skalenfigur ab und verarbeitet diese imitatorisch (T. 9—12). In Beethovens Variation verfolgt die Oberstimme ähnlich deutlich das Thema, während die Mittelstimmen durch Chromatik bestimmt sind. Später führt Beethoven ein diatonisches Skalenmotiv ein (T. 5—7), das in seiner Umkehrung Auslöser der Imitation in der zweiten Hälfte der Variation wird. Der Zusammenhang erstreckt sich sogar auf die Motive: Mozart gleicht eine absteigende Skala mit einem Oktavsprung aus; Beethoven setzt erst den Sprung und läßt dann den Skalenabstieg folgen. Auch hier legen die Divergenzen die bewußte Abwandlung eines Vorbilds nahe.

Die letzte Variation ist in beiden Werken ein „Kehraus" im Allegro, erweitert um eine längere Coda mit folgender Anlage: (1) kadenzierende Ausdehnung der Schlußvariation, (2) harmonische Ausweichung in die B-Tonarten, wobei die erste Phrase des Themas weiterentwickelt wird, und (3) Rückkehr zur Tonika und Schluß, wieder unter Rekurs auf die erste Themenphrase. Dennoch gibt es bezeichnende Unterschiede. Mozarts Coda beginnt, bevor die Allegro-Variation eine Schlußkadenz erreicht, und die Tonika steht aus, bis der dritte Abschnitt im tempo primo zum Thema zurückkehrt. Beethovens Coda ist eher episodisch. Jeder Abschnitt schließt in der Tonika, und jeder hat ein anderes Tempo. Beethoven komponiert zudem theatralischer, er verwendet abrupte Pausen, plötzliche harmonische Wechsel und eine gleichsam opernhafte stretta di finale, in welcher die Themenmelodie zunächst forte in der linken Hand erklingt und dann allmählich verebbt, als

1 Für einen ausführlichen Vergleich beider Werke vgl. St. M. Whiting, *To the „New Manner" Born*, S. 87—98.

würde sie von einem abtretenden Chor gesungen, der das „Orchester“ mit letzten Nachklängen vor leerer Bühne zurückläßt. Die gesamte Wirkung dieses erstaunlichen Schlusses erinnerte mehrere Autoren (Keller, Uhde, Truscott) an das Ende von Schumanns *Papillons*.

Die allmähliche Augmentation des Kopfmotivs und seiner Begleitung, zusammen mit der schwächer werdenden Dynamik und dem sich ausweitenden Tonraum lösen effektvoll das Thema und den Prozeß seiner Variation auf. Mozarts Schluß ist ganz anders, aber ein Detail fällt auf: Die Schlußfigur, die vier Takte vor dem Ende eingeführt wird, enthält eine überraschende Verwandtschaft zum Kopfmotiv, mit dem Beethoven schließt (vgl. Notenbeispiel 1a, T. 130f.).

1a Mozart, KV 455, T. 123—125, 130—Schluß

1b Beethoven, WoO 65, T. 106—131

So weit hergeholt es auch scheinen mag, Mozart via Vincenzo Righini mit Beethoven zu assoziieren — eine derartige Verbindung wird immerhin durch eine Person plausibler: die Widmungsträgerin des WoO 65, „Madame la Comtesse Hatzfeld née Comtesse de Girodin". Hortensia Gräfin Hatzfeld (geb. Gräfin Zierotin, 1750—1813) gehörte zu den begeistertsten und geübtesten musikalischen Amateuren Bonns und war Gönnerin Beethovens und Neefes.[1] Sie hatte ihre Jugend in Wien verbracht, wo sie von den besten Lehrern in Gesang und Klavierspiel unterrichtet worden war. Auch nachdem sie sich in Bonn niedergelassen hatte, kehrte sie oft in die habsburgische Hauptstadt zurück. 1782, als Righini die Italienische Oper in Wien leitete, sang sie die Titelrolle in seiner *Armida* am privaten Theater des Prinzen Karl Auersperg. Sie kehrte im Februar 1786 auf Auerspergs Bühne zurück, um unter Glucks Leitung die Titelrolle in *Alceste* zu singen, und einen Monat später sang sie die Elettra in Mozarts *Idomeneo*. Die Gräfin hatte also Kontakt zu allen Beteiligten und kannte Mozart durch Verbindungen zum Hause Jacquin persönlich. Es gab demnach Grund genug für Beethoven, seine Widmungsträgerin mit eben dem großen Meister in Verbindung zu bringen, dessen Unterricht er 1787 bei seiner (erfolglosen) Reise nach Wien erhofft hatte. Es könnte in der Tat die Gräfin gewesen sein, die ihn auf KV 455 aufmerksam machte — was sie umso mehr zur angemessenen Empfängerin einer Variationenfolge werden ließe, die, zumindest implizit, eine „hommage à Mozart" ist.

1788, im selben Jahr, als KV 455 in Speyer erschien, wurden Righinis *Ariette Italiane* in Mainz verlegt und Righini dort zum Kapellmeister ernannt. In jenem Sommer besuchte er auch Bonn, wo er sicherlich seine *Ariette* der begabten Adligen überreichte, die seine *Armide* gesungen hatte. Wahrscheinlich wurde er auch den kurfürstlichen Musikern vorgestellt. Es wäre daraufhin an Beethoven gewesen, die Ähnlichkeit zwischen dem Schluß der Mozartschen *Gluck-Variationen* und dem Anfang der 12. Arietta Righinis zu bemerken und demgemäß die letztere als Grundlage einer Variationenfolge zu wählen, die ersteren nacheifern sollte. In diesem Fall könnte er darauf vertraut haben, daß die Gräfin die Hinweise am Ende des Werks verstehen würde. Das Presto assai enthält eine fast wörtliche Umkehrung des entsprechenden Abschnitts in KV 455, einschließlich der taktübergreifenden Artikulation der Melodie und der Umkehrung von Mozarts Begleitfigur (vgl. Notenbeispiel 1). Wie um den Fall über jeden Zweifel zu erheben, isolierte und augmentierte Beethoven das Kopfmotiv bis zu einem Punkt, wo seine grundsätzliche Identität mit Mozarts Schlußfigur von seiner Gönnerin als ein verschleiertes Bekenntnis verstanden werden konnte. Inzwischen hat die konventionelle Begleitfigur selbst den Status eines Motivs erlangt, als sollte Beethovens unabhängige Leistung in WoO 65 symbolisiert werden: In einem Genre, das durch die Ausschmückung einer Melodie typisiert wurde, unterwarf er alle Aspekte des Themas einer tatsächlichen Entwicklung.

Steven M. Whiting
Übersetzung: Lydia Jeschke

1 Zur Gräfin und dem Verhältnis der Familie Hatzfeld zu Mozart und Beethoven vgl. E. Fr. Schmid, *August Clemens Graf Hatzfeld*.

13 Variationen über Dittersdorfs „Es war einmal ein alter Mann" A-Dur für Klavier WoO 66

ENTSTEHUNGSZEIT: 1792.
ERSTAUFFÜHRUNG: unbekannt.
SKIZZEN: British Library London, Add. Ms 29801, Kafka Sketchbook.
AUTOGRAPH: Bibliothèque Nationale Paris.
ERSTDRUCK: Bonn 1793 (N. Simrock).
GESAMTAUSGABEN: Alte Gesamtausgabe: Nr. 175 = Serie 17 Nr. 14; Neue Gesamtausgabe: Abt. VII, Bd. 5.

Im Februar 1792 wurde Karl Ditters von Dittersdorfs Singspiel *Das rote Käppchen* erfolgreich in Bonn inszeniert. Beethovens Lehrer Neefe dirigierte, und Beethoven spielte Viola im Orchester. Vermutlich kurz darauf wählten Lehrer und Schüler jeweils eine Nummer aus diesem Werk — Neefe das Quartett „Das Frühstück schmeckt viel besser hier" und Beethoven die Arietta „Es war einmal ein alter Mann" — als Thema für 13 Variationen. Beide Folgen wurden im Herbst 1793 durch Nikolaus Simrocks neu gegründetes Unternehmen veröffentlicht. Bei Kinsky/Halm wird behauptet (S. 514), Neefes Werk habe als Modell für Beethovens erste Variationenreihe über eine Opernmelodie gedient. Andererseits hatte Neefe seit beinahe 20 Jahren keine Varationenfolge mehr komponiert. Es scheint daher ebenso plausibel, daß er im Sinne eines freundschaftlichen Wettstreits mit seinem Schüler zu diesem Genre zurückkehrte.

Beide Variationenfolgen nach Dittersdorf enthalten eine ungewöhnlich breite Spanne an Ausdruckscharakteren. In Beethovens Stück tragen 8 der 13 Variationen Aufführungsanweisungen, die von derjenigen des Themas abweichen, und 7 Variationen ändern das Metrum.

Thema. Allegretto, 2/4
3. Commodetto
5. Risoluto — Arioso. Andante con moto, 6/8 — Tempo I, 2/4
6. Espressivo [Minore]
7. Allegro non molto, 6/8
9. Con spirito — Andantino, 2/2 [Alla breve] — Tempo I, 2/4
11. Allegro, 6/8
12. Allegro non tanto, con grazia, C
Capriccio. Andante, 6/8
13. Marcia vivace, C

Neefes Variationen weisen eine vergleichbare Mannigfaltigkeit in Technik und Ausdruck auf.[1]

1 Neefes Variationen sind ausführlich beschrieben in: I. Leux, *Christian Gottlob Neefe,* S. 161—163.

Thema. Andante, 2/4 (B-Dur)
7. Adagio molto col espressione — Tempo risoluto — Tempo I [Minore]
8. Andante più Allegretto, H-Dur
9. Allegro, 6/8
12. Allegro.
13. [Choralartig, die Melodie in Augmentation]

Die unterschiedlichen Angaben zu Tempo, Ausdruck und Takt häufen sich in der zweiten Hälfte des jeweiligen Werkes, wo eine größere Vertrautheit des Hörers mit dem Thema eine freiere Behandlung zuläßt. Neefe scheint sogar noch kühner zu verfahren als Beethoven. Eine Variation (Nr. 8) in der Tonart der erniedrigten Subdominantparallele zu setzen, war — vorsichtig ausgedrückt — ungewöhnlich für jene Zeit, und dieses umso mehr, da die Variation einem Minore folgt, das typischerweise so etwas wie eine Themenreprise erwarten ließ. Vor und nach dieser Variation fügt Neefe kurze modulierende Überleitungen ein, und in anderen Variationen verändern weitere Einschübe die periodische Struktur des Themas (Nr. 6, 7, 9 und 12). Variation 7, das Minore, geht in dieser Hinsicht am weitesten. Eine durch keine Taktart fixierte Kadenz in Oktaven (tempo risoluto) und ein kurzes Instrumentalrezitativ in langsamem Tempo erscheinen vor der Wiederkehr der ersten Phrase. Solche Mittel, die in Neefes früheren Variationen ebenso fehlen wie in denjenigen Beethovens, deuten erneut darauf hin, daß Lehrer und Schüler im Geiste wechselseitiger Herausforderung komponierten.

„Es war einmal ein alter Mann“ ist eine humorvolle Geschichte in fünf Strophen, die von einem eifersüchtigen älteren Ehemann erzählt, der seine junge hübsche Frau so streng bewacht, daß sie vor Gram vergeht, bis ein hübscher Arzt und Magnetiseur sie auf wunderbare Weise „kuriert“. Die Melodie besteht aus einer Verkettung sich wiederholender Phrasen, deren Anhäufung den Überraschungseffekt der großen Fermate in der zweiten Hälfte der Arietta noch steigert. Die Fermate, die Dittersdorfs Bühnenfigur oft mitten im Wort unterbricht, kündigt den einzigen kleinen Kontrast an, den die Melodie enthält: eine sequenzierende Episode, die zur verkürzten Wiederholung der Anfangsphrase und zum Schluß führt. In den Variationen wird der Kontrast zunehmend verstärkt, bis die Episode im Grunde zu einem eigenständigen Thema innerhalb eines Themas wird.

Den Grundstock dazu legt die 1. Variation. Der Akkord nach der Fermate löst sich in einen Oktavsprung in Achtelnoten auf. Der Rest der Variation, einschließlich der sequenzierenden Episode, ist eine fließende Sechzehntel-Paraphrase der Melodie. In der 2. Variation werden aus der ersten Phrase des Themas zwei eigenständige Motive, die einander vom Baß zur Oberstimme durch den größten Teil der Variation verfolgen. Nur die sequenzierende Episode weicht davon ab. Der Oktavsprung aus der 1. Variation ist ihr Grundmotiv. Die Satzweise, die zuvor einen Dialog zwischen zwei Melodie-Instrumenten suggerierte, wird pianistisch. Überdies wird dieser Kontrast durch ein plötzliches Pianissimo unterstrichen. In der 3. Variation betrifft der Gegensatz nicht nur Textur und Dynamik, sondern auch den Rhythmus. Der größte Teil der Variation bewegt sich in Sechzehnteltriolen, die Episode in einfachen Sechzehnteln. Während die Energie der übrigen Phrasen von Variation zu Variation wächst, ist die Episode von diesem Prozeß ausgenommen. Bis Variation 4 ist sie bloßes melodisches Skelett, einfacher noch als ihr Gegenstück im Thema. In Nr. 5 wird ihre Eigenständigkeit zu einem auffällig unterschiedlichen Charakter, indem der

Episode ein eigenes Tempo und ein eigenes Metrum zukommen. Die Variation beginnt „risoluto" — eine Angabe, die (nach H. Chr. Koch) „einen raschen, aber dabey sehr männlichen Vortrag" fordert. Dies bedeutet also eine Steigerung in Tempo und Energie im Vergleich zu Variation 4 und zum Commodetto (bequem, gemächlich) der 3. Variation. Die Episode ist im Gegensatz dazu nun ein Arioso, Andante con moto im 6/8-Takt (vgl. Neefes Variation 7, in der das markante Risoluto eine Kontrastphrase innerhalb des Adagio molto der Mollvariation bildet). Die Bezeichnung Arioso war zweifellos in ihrer wörtlichen Bedeutung von „sangbar" gemeint, vielleicht aber auch in bezug auf den Kontext. Genau wie ein vokales Arioso häufig ein lyrisches Zwischenspiel innerhalb eines Rezitativs bildet, ist dieses instrumentale Arioso ein lyrisches Zwischenspiel innerhalb einer ziemlich martialischen Variation. Nach Koch erfordert die Angabe „arioso" außerdem „einen Satz von langsamer Bewegung dessen Melodie so ausdrucksvoll ist, daß er keiner Verzierungen [...] bedarf". Das Andante-Tempo und der einfache, quartettartige Satz passen genau zu dieser Beschreibung.

Verlangsamte das Arioso den rhythmischen Schwung der Variationen, so bricht ihn das Minore völlig, indem es das Thema derart vereinfacht, daß es wie eine neue Melodie erscheint. Die kontrastierende Episode hingegen erreicht, in Fortführung ihrer besonderen Entwicklung in den vorangegangenen Variationen, geradezu einen rhythmischen Stillstand und scheint überhaupt keine Melodie zu haben. Sie besteht aus einer Akkordfolge in halben Noten und bildet das ruhige Zentrum des ganzen Werks. Die Passage vor der Fermate trägt die Angaben rallentando und calando und wird um zwei Takte über ihre übliche Länge hinaus erweitert, um die anschließende Statik innerhalb der Episode vorzubereiten.

Nach dieser strukturell bedeutsamen Gliederung kehrt die 7. Variation (Allegro non molto, 6/8) in einer etwas mechanischen Paraphrase zum Thema zurück. Die sequenzierende Episode aber hält in Dynamik und Rhythmus noch zurück; durch sie ist wiederum eine eigene Verbindungslinie gezogen, indem sie auf das Arioso in Variation 5 anspielt. Die 8. Variation kleidet das Thema sempre dolce in ein fließendes komplementärrhythmisches Muster; die sequenzierende Episode aber ist noch weicher (wieder pianissimo) und übernimmt die quartettartige Textur der Variation 5 und die Chromatik aus Nr. 3. Während die Episode also eigene Wege geht, verläuft ihre Melodie jedoch, wie der Rest von Variation 9, in punktierten Rhythmen, als sollte eine bevorstehende Annäherung angedeutet werden.

Während die 9. Variation wie die 5. an der Fermate einen deutlichen Wechsel des Charakters — vom Con spirito zum Andantino, 2/2 [Alla breve] — vollzieht, unterstreicht das neue Tempo ein Zitat der entsprechenden Passage aus dem Thema. In Variation 10 steht die sequenzierende Episode nicht länger im Widerspruch zu ihrer Umgebung; sie teilt das Doppelschlagmotiv mit den anderen Phrasen und setzt keine dynamischen oder strukturellen Kontraste. Folglich erwartet man als nächstes Stück fast schon die Schlußvariation. Tempo und Metrum sind tanzartig (Allegro, 6/8) und rufen tatsächlich den Effekt eines „Kehraus" hervor, während die Baßlinie wie eine Reprise des Themas klingt. Trotzdem bleibt die sequenzierende Episode in Textur, Dynamik und Rhythmik eigenständig, obwohl die Melodie im Baß weiterläuft. Die erwartete Assimilation steht noch aus.

Die 12. Variation ist in Tempo und Takt breiter (Allegro non tanto, con grazia, C). Die Melodie ist voller Doppelschläge und Seufzer-Vorhalte. Aufeinanderfolgende Phrasen nutzen jede Gelegenheit zur Binnenvariation, die das repetitive Thema bietet, und steigern die rhythmische Energie und dynamische Emphase bis zur großen Fermate. Unter diesen Umständen übernimmt die kontrastierende Episode eine neue Funktion: Sie stellt den ursprünglichen Ausdruckscharakter der Variation wieder her, ihre grazia und ihre Seufzer. Doch die Variation bricht ab, und anstelle eines Schlußtaktes setzt Beethoven eine weitere große Fermate.

Das folgende Stück mit dem Titel „Capriccio“ wechselt wiederum Tempo und Takt (Andante, 6/8) und klingt weitgehend wie eine Coda.[1] Die Schlußphrase des Themas wird zweimal wiederholt, bevor sie allmählich in ein ausgedehntes Perdendo mündet. Es hat zunächst den Anschein, als wolle Beethoven wie am Schluß der *Righini-Variationen* (WoO 65) mit der Auflösung des Themas enden. Doch die letzten fünf Takte, besonders ihre Doppelschlagfiguren, zeigen an, daß das Capriccio nur den Abschluß der 12. Variation und nicht den des gesamten Werks bildet.

Dann wird, ziemlich unerwartet, das Thema in einen lebhaften Marsch verwandelt, dessen Schwung von der großen Fermate kaum zu bremsen ist. Der Akkord zu Beginn von Takt 23, der zuerst im Thema erklungen war, seitdem aber sorgfältig in allen Variationen vermieden wurde, ertönt nun im achtstimmigen Fortissimo. Die sequenzierende Episode wird vollständig und triumphierend in die übrige Variation integriert. Eine Coda ist nicht nötig. Die formale Logik des codaartigen Capriccios wird so im nachhinein verständlich: In seiner Position und in der Art, wie es vorbereitet wird (große Fermate auf einem dominantischen Akkord), entspricht das Capriccio der kontrastierenden Episode, die in den Variationen so durchweg von allem übrigen abgesetzt wird. Der Aufbau des Themas impliziert somit den Aufbau des ganzen Werks.

Es war nicht ganz neu, eine besondere Phrase des Themas zur speziellen Verarbeitung innerhalb der Variationen herauszugreifen (vgl. Mozarts 8 Variationen über „Ein Weib ist das herrlichste Ding“, KV 613). Diese Verarbeitung allerdings als kontinuierlichen Vorgang von Variation zu Variation zu gestalten und dabei eine ungewöhnlich breite Spanne an Ausdruckscharakteren in ein kohärentes Ganzes einzubinden, war in einem Genre, in dem die Aneinanderreihung übliches Konstruktionsprinzip war, bemerkenswert. Schon bevor er Bonn verließ, hatte Beethoven eine eher analytische als primär dekorative Auffassung der musikalischen Variation.

Steven M. Whiting
Übersetzung: Lydia Jeschke

1 Vgl. J. Uhde, *Beethovens Klaviermusik,* Bd. I (^{2}1980), S. 265f.

8 Variationen über ein Thema von Graf Waldstein C-Dur für Klavier zu 4 Händen WoO 67

ENTSTEHUNGSZEIT: nach Johnson / Tyson / Winter, *The Beethoven Sketchbooks*: 1790; nach G. Kinsky / H. Halm, *Das Werk Beethovens*: 1791—1792.
ERSTAUFFÜHRUNG: unbekannt.
SKIZZEN: British Library London, Add. Ms 29801, Kafka Sketchbook.
AUTOGRAPH: Bibliothèque Nationale Paris.
ERSTDRUCK: Bonn 1794 (N. Simrock).
GESAMTAUSGABEN: Alte Gesamtausgabe: Nr. 122 = Serie 15 Nr. 3; Neue Gesamtausgabe: Abt. VII, Bd. 1.

„[...] es dürfen nicht lauter schwärmende oder brillante Veränderungen unmittelbar auf einander folgen, sondern zwischen zwey oder mehrere brillante muß immer wieder eine von sanfterm Charakter eingeschoben werden." So schrieb Heinrich Christoph Koch in seinem *Musikalischen Lexikon* (1802, zum Stichwort *Variazionen*). Genauso verfährt Beethoven in WoO 67: Die Variationen 2, 4 und 6 sind brillant, die Variationen 3, 5 und 7 sanfter im Ausdruck. Ungewöhnlicherweise ist die Schlußvariation beinahe ebenso lang wie die ihr vorausgegangenen sieben Variationen zusammen, und sie vereinigt in sich die Funktionen des Minore und des Maggiore, des Adagios als vorletzter Variation und des tanzartigen Finales mit Coda.

Bezeichnend ist, daß die wenigen erhaltenen Skizzen auch das (angeblich) entliehene Thema enthalten, was die Vermutung nahelegt, daß es — ähnlich wie das *Ritterballett* (WoO 1) — eher Beethovens Erfindung war als Waldsteins.[1] (Das mag erklären, warum auf der Titelseite des Autographs der Bezug zu Waldstein als Komponist des Themas „dick ausgestrichen und ausradiert" ist.[2]) Jedenfalls aber ist es das erste unter Beethovens Variationsthemen, das eher instrumental als vokal konzipiert ist. Die Melodie entwickelt sich durch ständige Abwandlung eines einzigen motivischen Kerns, bestehend aus einem auftaktigen E mit nachfolgendem abtaktigem D, wie folgende Tabelle skizzenhaft darstellt:

Phrase:	a1	a2		a3	b	b	a1	a3'
Takte:	(1+1)	(1+1)		2	(1+1)	(1+1)	(1+1)	2
Kern	E—D	E—F	D—E	E—D—C	Es—D	Es—D	E—D	E—D—C
	(C-Dur)				(c-Moll)		(C-Dur)	

Zusätzlich enthalten die Phrasen a1 und b verzierte Wiederholungen des Kernmotivs. Der Variationsprozeß beginnt folglich mit dem ersten Takt; er ist Grundlage des Themas. Die einfache chromatische Abweichung von E—D nach Es—D setzt einen intervallischen und modalen Konflikt, der das gesamte Werk bestimmt. Durch

1 Vgl. J. Kerman, *Ludwig van Beethoven. Autograph Miscellany,* Bd. I, fol. 100^{v}. Kerman interpretiert die Skizze anders; seiner Meinung nach war Beethoven „ready to tinker with Waldstein's theme" („bereit, an Waldsteins Thema herumzubasteln"; ebenda, Bd. II, S. 283).

2 M. Unger, *Die Beethovenhandschriften der Pariser Konservatoriumsbibliothek,* S. 94f.

Kontraste in Motivik, Tonraum, Satztechnik und Dynamik wird durchgängig eine Abgrenzung der inneren Phrasen (b) von der übrigen Variation geschaffen. Während die a-Phrasen die von Koch vorgeschriebenen „abwechselnden" Charaktere enthalten, unterliegen die b-Phrasen einer „logischen" motivischen Entwicklung und spinnen damit den roten Faden von einer Variation zur nächsten.

Die ersten beiden Variationen mögen dazu dienen, Beethovens Vorgehensweise zu verdeutlichen. In Variation 1 wird in den äußeren Phrasen das Thema durch Staccato-Triolen ausgeschmückt. Im Gegensatz dazu fehlt in den Mollepisoden jede Verzierung, und es erscheint ein neues Gegenmotiv, bestehend aus einem Halbtonschritt mit nachfolgender Terz. In Variation 2 setzen die äußeren Phrasen die fortschreitende Diminution des Themas fort, die Mollepisode hingegen erweitert ihre Vorlage aus Variation 1, indem sie eine auftaktige Moll-Sexte hinzufügt und das Gegenmotiv intervallisch und rhythmisch ausdehnt. Mit anderen Worten: Die Episode durchläuft einen unabhängigen Entwicklungsprozeß, der sie von den äußeren Phrasen absetzt.

Am deutlichsten ist der Kontrast zwischen den a- und b-Phrasen in der 6. Variation. Die a-Phrasen bringen rauschendes Figurenwerk in Sechzehnteltriolen (sempre fortissimo), die sich über die im Thema charakteristischen Binnenwiederholungen hinwegsetzen. Demgegenüber bleiben die b-Phrasen piano, in Achtelnoten, und behalten die Wiederholungsstruktur bei. Eine neue Variante des Gegenmotivs aus Variation 2 (Oktave mit chromatisch angrenzenden Tönen) erscheint im Baß, während ein neues Motiv in der rechten Hand des Primo-Parts den intervallischen Konflikt E—D versus Es—D in den dominantischen Bereich (G—)A—G und (G—)As—G überträgt.

Zeigten die ersten sechs Variationen die Mollepisode in einem Entwicklungsprozeß von Variation zu Variation, nahezu unabhängig von den äußeren Phrasen, so ändert sich dieses in Variation 7. Hier klingt die Episode eher wie eine nach Moll abweichende Fortsetzung der Phrase a3, ohne jeden Kontrast in Tonraum oder Textur. Dieses eine Mal ist das Kernmotiv Es—D an das auf E—D basierende Motiv angeglichen. Die Variation bricht mitten im Fluß ab, und die Dur-Gestalt E—D wird mit ungewöhnlichen Mitteln wiederhergestellt: Eine duettierende Kadenz im Adagio, die auf der Triolenfigur in Takt 1—2 beruht, „biegt" in Takt 12 Es (notiert als Dis) zu E zurück und führt in Takt 15 E—D wieder ein. Die Variation geht weiter, und a3 erhält bei seinem Wiedereintritt ein neues Figurationsmuster, das sich von dem in der Mollepisode übernommenen unterscheidet. Die Lösung des zugrundeliegenden Konflikts zwischen E—D und Es—D wird damit bis zum „Finale" aufgeschoben.

Die 8. Variation spiegelt das Idiom einer Klavierfantasie wider, vor allem in der Abfolge der Tempobezeichnungen: Adagio — Capriccio — Allegro — Adagio — Allegro — Adagio — Allegretto — Allegro — Presto. Zugleich aber ist jede Episode durch eine zwingende strukturelle Logik motiviert.

Die Variation beginnt als ein Minore und dehnt, wenig überraschend, die intervallischen Charakteristika der Mollepisode auf die anderen Phrasen aus. Die Melodie wird ohne Verzierungen vorgeführt, die Aufmerksamkeit zugleich auf die (fast Schubertsche) Harmonik gelenkt. Die mittleren b-Phrasen werden harmonisch und dynamisch intensiviert (pp wird zu rf gesteigert) und anders (über den Taktstrich gebunden) artikuliert. Die Akkordfolge führt tatsächlich harmonisch so weit fort, daß die Wiederkehr von a1 auf der Dominante statt wie zuvor auf der Tonika beginnen muß. Der wiederkehrende a-Teil klingt nun wie eine Fortsetzung des b-Teils, indem er dessen Dynamik und seinen harmonischen Rhythmus übernimmt.

Das folgende Capriccio ist eine direkte Erweiterung der Mollvariation. Es fehlt ein abgrenzender Doppelstrich, und die Begleitung fährt im Triolenrhythmus (vgl. im Capriccio von WoO 66) fort. Während die Mollvariation schon die Überlegenheit von Es—D über E—D etablierte, feiert das Capriccio dessen vorübergehenden Triumph — eine Interpretation, die durch die Skizzen, in denen das Capriccio direkt unter der Mollepisode des Themas notiert ist, bestätigt wird.[1] Die Phrase a1 erklingt in Des und übernimmt nicht nur die taktübergreifende Artikulation des vorangegangenen b-Teils, sondern ist auch in der gesamten metrischen Syntax verändert. Das Kernmotiv beginnt voll- statt auftaktig. Dennoch gibt es einen Auftakt: nämlich die aufsteigende Sexte, die die Mollepisode in den Variationen 2—4 einleitete. (Daß die Sexte jetzt als große Sexte erscheint, könnte ebenso als Ironie wie auch als Konsequenz des Tonarten-Kontextes verstanden werden.) Die Melodie (immer noch a1) moduliert mit großem Aufwand nach As, dann in einen dominantischen Halbschluß, wobei der Vorschlag (T. 23) keineswegs bloße Verzierung ist, sondern vielmehr das Kernmotiv Es—D hervorhebt. Wie in Variation 7 geht der Rückkehr zur Tonika eine (hier in keiner Taktart fixierte) Kadenz voran, die Es zu E zurückbiegt und dann auf E—D insistiert — was das in Dur stehende Allegro vorbereitet. Schon in dieser frühen Schaffensphase Beethovens kommt es vor, daß scheinbar ornamentale Gesten das Wesentliche eines motivischen Konflikts aufgreifen.

Mit seinem tanzartigen Tempo und Takt wäre das Allegro in einer konventionelleren Variationenfolge sicherlich das Finale gewesen oder hätte zumindest direkt auf dieses hingeführt. Hier aber wird es zu einem neuerlichen „Kampfplatz" der Motive und Tongeschlechter. In der Mollepisode (T. 29—33) wird die Begleitung deutlich beschleunigt, und Es—D erklingt in Oktaven, dann forte in Tripeloktaven. Die wiederkehrende Phrase a1 schließt sich in sogar noch stärkerer Dynamik an und behält die drängende Begleitung bei. Das Allegro hat den Konflikt nicht gelöst, sondern ihn lediglich wiederaufleben lassen — das Ende ist offen.

Das folgende ausgeschmückte Adagio (T. 40—47) nimmt die sequenzierende Phrase a2 auf und verleiht ihr eine flehende Gestik. In dem Moment aber, da die Melodie fortschreiten will, bricht der Konflikt zwischen E und Es wieder auf, die jeweils durch Akzente hervortreten. In Takt 46 scheint E (nun sf) die Oberhand zu behalten, doch die Tripeltriller-Kadenz bricht ab, und das Allegro endet wiederum ohne Lösung. Die flehende Gestik des Adagios wird im Secondo-Part (T. 52—58) wieder aufgenommen, und diesmal tritt Es nicht auf. Die Kadenz wird vervollständigt. Und trotzdem kehrt die Mollepisode in der volltaktigen metrischen Syntax des Capriccios ein letztes Mal wieder (Allegretto, T. 59—62), — wie ein Urahne des c-Moll-Gespenstes, das durch das Finale der 5. Symphonie geistert. Doch der Spuk verschwindet letztlich von selbst (perdendosi). Das Allegro wird vorsichtig im Secondo-Part wiederaufgegriffen, und ab Takt 68, bei der Fortissimo-Wiederholung von a2, scheint das Ergebnis des Streits sicher. Statt der Mollepisode erscheint, auf den Phrasen a2 und a3 beruhend und presto, eine stretta di finale. Der allgemei-

---

1 Vgl. J. Kerman, *Ludwig van Beethoven. Autograph Miscellany,* Bd. I, fol. 100^{v}, erstes System.

ne Jubel wird allerdings abrupt durch piano calando auf der Schlußtonika unterbrochen — wie in der plötzlichen Erkenntnis, daß ein langwieriges motivisches Drama in einem so gemäßigten Genre wie den Variationen für Klavier zu vier Händen doch eher einen Sturm im Wasserglas vorstellt.

WoO 67 hat in der Beethoven-Literatur selten, wenn überhaupt jemals, ernsthafte Beachtung gefunden. Wilhelm von Lenz zum Beispiel fällt sein Urteil über das Werk in zwei Worten: „ohne Interesse".[1] Hans Schmidt, Herausgeber der Werke für vier Hände in der Neuausgabe des Beethoven-Archivs (Bd. VII/1, S. iii), bewertet WoO 67 zusammen mit den übrigen Kompositionen für Klavier zu vier Händen als „Gelegenheitsarbeiten [...], in denen man weniger die bewußte Ausprägung eines besonderen Stils erblicken sollte als vielmehr Beethovens Beitrag zu einer beliebten Mode der Zeit". Trotzdem repräsentieren die *Waldstein-Variationen* — komponiert vermutlich für den Gönner, der Beethoven bald darauf nach Wien schicken sollte, um dort „Mozarts Geist aus Haydns Händen" zu empfangen — das Variationengenre auf einem Niveau der tonalen und motivischen Dramatik, welches einer Sonate würdig gewesen wäre. Ein instrumental gedachtes Thema mit seinen scharfen Kontrasten wird nicht bloß in annehmlichen Figurationen herausgeputzt, sondern vielmehr einem gerichteten strukturellen Prozeß unterworfen, der in einem weitläufigen und als Höhepunkt konzipierten Finale kulminiert. Franz Wegeler drückt etwas Entscheidendes aus, wenn er schreibt: „Durch ihn [Waldstein] entwickelte sich in dem jungen Künstler das Talent, ein Thema aus dem Stegreife zu variieren und *auszuführen.*"[2]

Beethoven selbst hatte diesem Werk gegenüber offenbar gemischte Gefühle. WoO 40 und WoO 66 wurden 1793 (in Wien bzw. Bonn) veröffentlicht; die *Waldstein-Variationen* hingegen hielt der Komponist zurück und war durchaus verärgert, als ihm zu Ohren kam, daß Simrock im Begriff war, sie nach einer unautorisierten Kopie zu drucken. In einem Brief vom 18. Juni 1794 beklagt sich Beethoven zunächst, daß seine späteren Revisionen nicht aufgenommen seien, und kommt dann auf den zentralen Punkt zu sprechen: „Sonst war ich nicht willens jetzt Variationen herauszugeben, da ich erst warten wollte, bis einige wichtigere Werke von mir in der Welt wären, die nun bald herauskommen werden."[3] Die „wichtigeren Werke" waren die Klaviertrios op. 1, und natürlich setzte Beethoven deren ästhetischen Status höher an als denjenigen aller Variationen für Klavier zu vier Händen. Allerdings könnte seine Äußerung auch noch einen weiteren Grund gehabt haben: Im Andante-Satz des c-Moll-Klaviertrios op. 1, Nr. 3 führt Beethoven die neuartigen Variationsverfahren weiter, die sich in WoO 67 ahnen lassen. Auch dort entfaltet sich ein instrumental konzipiertes Thema von einem einzigen intervallischen Kernmotiv aus; die Variationen entwickeln sich ebenso kontinuierlich, indem jede der nächsten eigene motivische und harmonische Ideen zur weiteren Entwicklung überläßt (und das besonders im kontrastierenden b-Teil); und eine Coda vervollständigt und resümiert den strukturellen Prozeß, der das Ganze zusammenhält. Man könnte vermuten, daß Beethoven die Variationen für Klavier zu vier Händen

---

1 W. v. Lenz, *Kritischer Katalog,* Bd. IV, S. 226.
2 Hervorhebung des letzten Wortes nicht im Original.
3 Zit. nach G. Kinsky / H. Halm, *Das Werk Beethovens,* S. 516.

als ein Werk pro studiis suis zurückhielt — mit der Absicht, ähnliche Variationen in einem höher angesehenen Genre zu schreiben.

Steven M. Whiting
Übersetzung: Lydia Jeschke

12 Variationen über einen russischen Tanz von Wranitzky A-Dur für Klavier WoO 71

ENTSTEHUNGSZEIT: September 1796—März 1797.
ERSTAUFFÜHRUNG: unbekannt.
SKIZZEN: nicht bekannt.
AUTOGRAPH: Verbleib unbekannt.
ERSTDRUCK UND WIDMUNG: Wien 1797 (Artaria & Co.); der Gräfin Anna Margarete v. Browne gewidmet.
GESAMTAUSGABEN: Alte Gesamtausgabe: Nr. 170 = Serie 17 Nr. 9; Neue Gesamtausgabe: Abt. VII, Bd. 5.

Ausgangspunkt der Komposition bildet die am 23. September 1796 im Wiener Kärntnertortheater erfolgte Uraufführung des Ballettes *Das Waldmädchen (La Selvaggia)*, Choreographie von Traffieri, Musik von Paul Wranitzky, dessen „Russischer Tanz“ sich Presseberichten zufolge als „Hit“ des ganzen Stückes erwies. Dieser stellt keine Originalkomposition Wranitzkys dar, vielmehr verwendet er darin eine russische Tanzweise, die durch den italienisch-kroatischen Geiger Ivan Jarnovic (1740—1804) in Wien verbreitet wurde und bei der es sich um eine Frühform jener Kamarinskaja-Melodie handelt, die 1848 auch Michael Glinka zu seinem gleichnamigen Orchesterwerk (ebenfalls einem Variationszyklus) anregte. Die plötzliche Popularität dieser Melodie in Wien gestattete es Beethoven, der auch später (5. und 6. Symphonie) einen Hang zur Schaffung von Komplementärwerken zeigt, seinen 1796 veröffentlichten *12 Variationen über das „Menuett à la Viganò“* WoO 68 ein gleichsam exotisches Pendant folgen zu lassen, indem er einem Menuett, Inbegriff höfisch-artifizieller Tanzkunst, die russische Volkstanzweise antithetisch gegenüberstellte; eine Parallelität, die durch die formale Anlage beider Variationszyklen (Thema, Variationen 1—12, Coda) noch unterstrichen wird. Entscheidend für Beethovens Entschluß zu dieser Komposition dürfte jedoch die musikalische Substanz der Melodie bzw. deren variatives Potential gewesen sein, wobei dieses recht eigentlich erst durch Beethovens Redaktion der Melodie freigesetzt wird. Ob die Vorstellung, daß es sich bei der Vorlage um folkloristisches Material handelt, zu diesem Eingriff ermutigt hat, mag dahingestellt bleiben; in der Sache ist der Vorgang bedeutsam, sofern er eine Verbindung darstellt zwischen den herkömmlichen Fantasien über fremde Themen und der Variation eigener Themen, die Beethoven in seinen späteren Werken bevorzugt.

Die Art der Aufbereitung des melodischen Materials erweist sich dabei als entscheidend für die spätere Anlage der Variationen:

Daß das Interesse Beethovens zunächst der originalen russischen Tanzmelodie galt, zeigt sich daran, daß er einerseits die eindeutig als Fortspinnung Wranitzkys erkennbaren Folgetakte aus der Vorlage streicht, andererseits die in der Ballettvorlage kaschierte Auftaktigkeit der Originalmelodie wiederherstellt. Eine rein notationstechnische Änderung stellt die Übertragung der Vorlage vom Zweihalbe- in den Zweivierteltakt bei gleichzeitiger Halbierung der Notenwerte dar. Bedeutsam hingegen ist die Streichung von auszierenden Noten in Takt 1 und 5 bzw. die Hinzufügung einer solchen Note in Takt 4. Diese scheinbar winzige Veränderung verleiht der Melodie im Verbund mit der neuen Phrasierung eine in der Vorlage nur latent spürbare klare Periodizität: Takt 1—10 bilden den Vordersatz von zehn Takten, Takt 11—19 den Nachsatz mit neun Takten. Der Vordersatz besteht seinerseits aus zwei fünftaktigen Perioden, wobei, von der Schlußwendung nach a' (statt der Dominante e') abgesehen, die zweite Periode eine Wiederholung der ersten fünf Takte darstellt. Mithin ergibt sich die Abfolge a—a', wobei eine weitere Unterteilung dieser Perioden in jeweils 3 + 2 Takte (a^1 + a^2) gegeben ist. Der Nachsatz ist gleichfalls zweigeteilt in einen viertaktigen Mittelteil b und die genaue Wiederholung der zweiten Periode a' des Vordersatzes. Auch der Mittelteil b ist wieder in 2 + 2 Takte unterteilt, wobei das zweite Unterglied lediglich die Wiederholung des ersten darstellt (b^1 + b^1). Damit ergibt sich, genau wie im Falle des „Menuetts à la Viganò", der geradezu klassische Themenaufbau a—a'—b—a'; freilich mit der bedeutsamen Abweichung, daß im vorliegenden Fall eine ganz und gar asymmetrische Binnengliederung (3 + 2)—(3 + 2)—(2 + 2)—(3 + 2) anstelle von (2 + 2)—(2 + 2)—(2 + 2)—(2 + 2) vorliegt, die gerade durch das Vorhandensein des „regulären" Mittelteils besonders spürbar wird. Ja, die Asymmetrie der Binnengliederung erscheint als das eigentlich Charakteristische der Melodie, der gegenüber die melodischen Qualitäten des Themas in den Hintergrund treten, und dies schon deshalb, weil der Mittelteil b motivisch nicht eigentlich neues Material darbietet, insofern Motiv b^1 (von der Ausweichung a'' [statt e'] auf der dritten Viertelnote abgesehen) identisch ist mit den ersten beiden Takten von Motiv a^1. Die motivische Substanz des Themas reduziert sich damit genau besehen auf die Motive a^1 und a^2, mithin auf die absteigende Quinte e'—d'—cis'—h'—a' bzw. die absteigende Tonfolge (a')—d'—cis'—h'. Wenn diese Tonfolgen gleichwohl nicht melodischer Qualitäten entbehren, so ist dieses ein Resultat der Durchsetzung dieser Tonfolgen mit Vor- bzw. Nachschlagsnoten, wodurch insgesamt melodische Wendungen entstehen, die für sich genommen eigentlich ins Repertoire klaviertypischer Begleitfiguren gehören (und die eben durch diese Ambivalenz von melodischem Substrat und bloßer Begleitfloskel das Thema in besonderer Weise zum Variieren geeignet machen).

Beethoven folgt im Thema selbst hinsichtlich der Harmonik genau der Vorlage, obgleich er deren akkordische Begleitung weitestgehend auf eine einstimmige Baßlinie reduziert, die damit selbst thematische Bedeutung gewinnt sowie die erörterte Periodizität der Tanzweise nachhaltig unterstreicht. Denn auch in der Baßlinie findet sich die Gliederung des Vordersatzes wieder, wobei der a-Teil, der dann wiederholt wird, aus einer in zehn Viertelnoten absteigenden Linie a—E gebildet wird, die ihrerseits in 3 + 2 Takte gegliedert ist. Tatsächlich bilden die letzten vier Noten eine Wiederholung der ersten vier, die in der Abfolge a—gis—a—e einen stark motivischen Charakter ausprägen und überdies als abwärtsgerichtete Umkehrung des Drehmotives der Oberstimme verstanden werden können. Die gleiche Floskel dient auch als Baß des Mittelteiles b, hier allerdings überlagert durch das orgelpunktartige Verharren der Mittelstimme auf dem Dominantton e, dem gleichfalls motivische Bedeutung anhaftet und das recht eigentlich auch schon im ersten Takt des Themas angelegt ist. Alles in allem ergibt sich so ein thematisches Gebilde von erstaunlicher Homogenität, das einerseits in der mehrfachen Ambivalenz seiner Bausteine — dem latenten Schwanken zwischen Melodie und Akkord, zwischen Motiv und Begleitfloskel, zwischen „Melodie und Begleitakkord" und realer Zweistimmigkeit — variative Umdeutungen geradezu herausfordert, andererseits aber vermöge seiner motivischen Homogenität auch in variierter Gestalt die musikalische Wahrnehmung auf die Grundgestalt zurückverweist.

Dem Thema folgen zwölf Variationen nebst angehängter Coda. Variation 1—11 behalten dabei den Zweivierteltakt und das Grundtempo Allegretto bei; die 12. Variation wechselt in den Sechsachteltakt und das raschere Allegrotempo. Auffällig an diesen Variationen ist die für Beethoven sonst ungewöhnliche Anzahl von drei Mollvariationen (Variation 3, 7 und 11), die damit immerhin ein Drittel der Gesamtvariationen ausmachen (während sie in dem einzigen Parallelfalle, den *Diabelli-Variationen* op. 120, als drei von 33 Variationen prozentual kaum ins Gewicht fallen). Zählt man, was legitim erscheint, das Thema mit, so ergibt sich eine klare Ordnung — auf jeweils drei Durabschnitte folgt eine Mollvariation —, die damit den Gesamtablauf deutlich gliedert, ohne doch zugleich tiefere Zäsuren zu erzeugen, sofern, und auch dies ist auffällig, Beethoven den Einschnitt, den das Auftreten der Molltonart erzeugt, sorgsam konterkariert, indem gerade die Mollvariationen durch schnelles Passagenwerk über eine ausgeprägte rhythmische Energie verfügen. Eine Besonderheit stellt schließlich die abschließende 12. Variation nebst der ihr zugehörigen durchführungsartigen Coda dar: Entgegen der mit der Verwendung des Terminus „Coda" verbundenen Erwartung einiger rascher Schlußtakte erhält im vorliegenden Falle die Coda ungeahnte Größe und Gewicht. Recht eigentlich bilden Variation 12 und Coda einen eigenen Formteil, so daß sich eine zweiteilige Großform einstellt, in der einem Allegrettoteil (Thema, Variation 1—11) ein Allegroteil (Variation 12, Coda) gleichwertig gegenübersteht. Damit nähert sich dieser Variationszyklus, was heutzutage vielleicht nicht mehr unmittelbar verständlich ist, einem zweisätzigen Formtypus (mit der Satzfolge Langsam-Schnell) an, wie er gerade in den 1790er Jahren in der Klaviermusik in Mode kam und für den sich etwa im Spätwerk Haydns zahlreiche Beispiele finden.

Wenn sich gerade dieser Variationszyklus von seinen Schwesterwerken abhebt, so hängt dies mit der erwähnten asymmetrischen Grundstruktur ([5 + 5] + [4 + 5] Takte) des Themas zusammen. Diese wird als eigentlich charakteristisches Element des Themas in allen Variationen beibehalten, allerdings vergnügt sich Beethoven damit, die oben aufgewiesene Binnengliederung dieses Grundschemas mehr oder weniger deutlich hervorzukehren oder bewußt zu verunklaren. Dies geschieht auf höchst einfache Weise, indem nicht eine einzige Variationsidee über eine ganze Variation hinweg durchgeführt wird (was gerade das Charakteristikum der *Variationen über das „Menuett à la Viganò"* ausmachte), sondern die Variationsidee entsprechend der Abschnittsgliederung des Themas wechselt.

Dieses Prinzip läßt sich bereits an der 1. Variation klar erkennen: Die Baßlinie von Motiv a^1 bleibt unverändert, während in der Oberstimme lediglich der Ton e' der Achtelkette um eine Oktave zu e'' transponiert wird. Durch die gleichzeitige Verkürzung des jeweils ersten Achtels zu einem Sechzehntel und die Punktierung des jeweils zweiten Achtels entsteht automatisch die Synkopenreihung, die sich auf raffinierte Art mit der Vorschlagwirkung des verkürzten Achtels verbindet. Takt 3 bringt eine Zweiunddreißigstelkette, die den Quartsprung a—d' des Themas ebenfalls oktavversetzt als a—d'' ausziert, wobei der Bewegungsimpuls dieser Bewegung durch die nachfolgenden Sechzehntel bzw. Achtel aufgefangen wird, welche der Sache nach freilich nichts anderes darstellen denn eine neue Auszierung der melodischen Substanz von Motiv a^2, nämlich die Tonfolge d'—cis'—h'. Die Baßtöne bleiben die gleichen wie im Thema: a—gis—a—e, freilich zu Achteln verkürzt und um die Ziernoten e und cis' erweitert, wodurch zugleich ein Anklang an die Drehfigur von Motiv a^1 hergestellt wird. Die gleiche Bildung liegt auch der Variation von Motiv a' zugrunde. Ganz anders hingegen die Variationsidee von Teil b: Die dort neu auftauchende regelmäßige Sechzehntelkette erstreckt sich über volle vier Takte, ohne eine Binnenzäsur gemäß der Vorlage (b = 2 + 2 Takte) erkennen zu lassen. Dieser Eindruck wird überdies durch die durchgängige Bindung wie auch die an- und abschwellende Dynamik unterstrichen. Überhaupt läßt diese Sechzehntelkette keine Verbindung zur entsprechenden Stelle des Themas erkennen. Diese ergibt sich erst durch die Baßlinie, die in ihrem chromatischen Abwärtsgang a—E nichts anderes darstellt als eine von zwei auf vier Takte gespreizte Ausfüllung der Baßfigur a—cis—a—e. Der ganze Mittelteil erweist sich damit als eine harmonische Variante des entsprechenden Thementeiles, sofern er als raffinierte harmonische Ausweitung der orgelpunktartigen Bildung auf e angesehen werden kann (und der als solcher auch noch in Variation 6 in Erscheinung tritt). Insgesamt sind in dieser Variation also drei verschiedene Variationsideen wirksam, die mit den Teilen a^1, a^2 und b korrespondieren und die Gliederung in (3 + 2) + (3 + 2) + 4 + (3 + 2) Takte womöglich deutlicher hervortreten lassen als das Thema selbst.

Die Umkehrung der 1. Variation folgt sogleich in Gestalt von Variation 2, die die 2 + 2-Gliederung des b-Teiles wieder hervortreten läßt, dafür aber die Binnengliederung von Motiv a verwischt. Der Anfang von Variation 2 ist dabei eine direkte Ableitung des Anfanges von Variation 1, sofern nunmehr unter Beibehaltung der synkopischen Verschiebung Motiv a^1 auf seinen Kern, die Tonfolge e—d—cis—h—a, reduziert und als Oktavgang vorgetragen wird, an den sich das gleichfalls in Oktavakkorde gesetzte, nahezu unveränderte Motiv a^2 bruchlos anfügt. Es ergibt sich somit in der Oberstimme für den Vordersatz eine Gliederung in 5 + 5 Takte, der freilich in der Unterstimme, die in Anlehnung an den Mittelteil von Variation 1 die ursprüngliche Kette von Viertelnoten durch eine reguläre Kette von Sechzehnteln ersetzt, eine zehntaktige Periode gegenübersteht. Mit der Ableitung des Anfanges von Variation 2 aus dem Anfang von Variation 1 ist zugleich ein weiteres, wesentliches Charakteristikum dieses Variationszyklus benannt. Beethoven verwendet keineswegs für jeden Variationsabschnitt jeder einzelnen Variation eine je eigene Variationsidee, vielmehr beschränkt er sich in diesen Variationen auf einige wenige Variationstechniken, die in leicht abgewandelter Form in verschiedenen Variationen wieder auftauchen, dann aber mit jeweils anderen Variationsideen kombiniert werden. Dieses Verfahren könnte man in Anlehnung an Techniken der neuen Musik vielleicht als Permutationsverfahren ansprechen. Zum Beispiel erscheint die Oberstimme des Vordersatzes von Variation 4 mit dem synkopischen Beharren auf dem Ton e und dessen Auflösung in eine die Motive a^1 und a^2 überbrückende Zweiunddreißigstelkette als Variante von Variation 1. Freilich haben diese Elemente sich insofern verselbständigt, als sie nicht mehr bloß als Variante der Oberstimme erscheinen, sondern als neue Oberstimme selbständig zum Original hinzutreten, das als cantus firmus in unterer Oktavlage in der linken Hand erscheint. Allerdings kann man nur bedingt von einer Ober*stimme* sprechen, sofern es sich dabei genau besehen eigentlich nur um eine fünftaktig über zwei Oktaven sich erstreckende Auszierung des Tones e handelt, mithin um eine Möglichkeit, die in dem Beharren der Mittelstimmen des Themenanfanges auf e bereits angelegt ist. Das gleiche Prinzip wird wirksam in Variation 9, wo eine über vier Oktaven aufsteigende Trillerfigur auf e die nahezu unveränderte Grundgestalt von Motiv a^1 begleitet, um dann mit einer Variation von Motiv a^2 kombiniert zu werden, das nahezu wörtlich aus Variation 6 übernommen ist, worauf die gleiche Trillerfigur auf a den Mittelteil b umspielt, der harmonisch gesehen wiederum eine Ableitung des Mittelteiles von Variation 4 darstellt. Damit aber ist die Brauchbarkeit des Gedankens noch nicht erschöpft: Er findet sich gleichfalls in der Unterstimme zu Anfang von Variation 10, nun aber mit einer Oberstimme kombiniert, welche, durchweg in Sechzehnteltriolen verlaufend, den ursprünglichen Verlauf der Oberstimme nurmehr vage nachzeichnet. Dieser Triolenrhythmus selbst hat gleichfalls eine Geschichte: Er taucht erstmals im Mittelteil von Variation 2 auf, wird dann für die ganze Variation 7 bestimmend, aber erst in Variation 9 enthüllt er durch die spezifische Art der Tonbrechungen seine Ableitbarkeit aus der Pendelbewegung des Themas. (Eine sehr viel konkretere Verbindung zum Thema ist in dieser Variation freilich durch die Unterstimme des Mittelteiles b gegeben, der praktisch mit dem Thema identisch ist.)

Durch diese Beispiele wird erklärlich, daß gerade die Variationen WoO 71 formal einen sehr viel geschlosseneren, organischeren Höreindruck hinterlassen als etwa die *Variationen über das „Menuett à la Viganò"*, die in ihrem eher integrativen Verfahren, das heißt dem Bestreben, die einzelnen Variationen jeweils auf eine einzige Variationsidee aufzubauen, zwangsläufig den Reihungscharakter des Variationszyklus betonen. Dieser kompositorisch durchaus intendierte Eindruck formaler Verknüpfung der Variationenfolge erklärt nun aber auch die oben erwähnte Besonderheit der latent zweisätzigen großformalen Anlage. Die Ausdehnung wie auch die besondere formale Geschlossenheit der vorausgehenden elf Variationen verhindern, daß eine kurze 12. Variation für sich genommen schon eine überzeugende Finalwirkung erzeugen könnte; ein wesentlich ausgedehnterer Schlußabschnitt scheint, schon aus Gründen formaler Ausgewogenheit, zwingend geboten. Beethoven macht darum die 12. Variation selbst zum Ausgangspunkt kompositorischer Ausgestaltung, indem sie als Thema eines ausgedehnten, durchführungsartigen Abschnittes (T. 19—109) fungiert, der seinerseits in zwei Abschnitte (T. 19—63 und 64—109) zerfällt. Im ersten Teil wird die russische Melodie (in ihrer in Variation 12 gewonnenen Gestalt) zunächst mit einem zweitaktigen, aus Achtel- und Sechzehntelnoten zusammengesetzten Motiv konfrontiert, das als Ableitung aus dem ursprünglichen Thema gelten kann; ab Takt 40 treten dann Sechzehntelketten an dessen Stelle, die sich wohl auf Variation 10 zurückbeziehen. Im zweiten Teil wird die melodische Gestalt mehr und mehr verkürzt, bis nur noch eine Folge Achtel-Viertel übrigbleibt, die, in hoher bzw. tiefer Lage gesetzt, über einer durchgängigen Sechzehntelkette dialogisieren. Freilich ist damit nur erst die Oberflächenstruktur dieses Teiles beschrieben. Wirklich zusammengehalten wird er durch ein großangelegtes Modulationsschema, in dessen Verlauf zunächst ein kurzer Modulationsweg von der Grundtonart A-Dur (T. 1—19) über fis-Moll (T. 19—24) und cis-Moll (T. 27—29) zurück nach A-Dur (T. 30—36) beschritten wird. Dem folgt ein großer modulatorischer Gang, der über fis-Moll (T. 36—38), D-Dur (T. 38—44), h-moll (T. 44—48), G-Dur (T. 48—52) nach Cis-Dur (T. 58—65) führt, also zur Dominante von fis-Moll, der Moll-Parallele von A-Dur. Das Erreichen des harmonischen Höhepunktes Cis-Dur fällt zusammen mit der Einführung der für den zweiten Teil der „Durchführung" beherrschenden Sechzehntelkette, die sodann, dies ist ihr eigentlicher musikalischer Sinn, die Modulationen vorantreibt, wobei vermittels einer enharmonischen Umdeutung über die Tonarten As-Dur (T. 68), Es-Dur (T. 76), G-Dur (T. 80) und schließlich ab Takt 96 wieder E-Dur die Dominante zur Grundtonart A-Dur erreicht wird, wobei dann das Feststehen auf eben dieser Dominante ab Takt 96 ganz im Sinne einer Durchführungsschlußformel den Eintritt der Reprise vorbereitet, die

Takt 110 ganz regulär in Gestalt einer modifizierten Wiederholung des „Themas" (von Variation 12 und nicht etwa der Grundgestalt des Themas) erfolgt. Auch dieses letzte Auftreten des „Themas" läßt noch einmal dessen asymmetrische Bildung erkennen, die jedoch bei der letzten Wiederholung von a' (T. 125—134) in ein reguläres, klassisches Schema von (2 + 2 + 2 + 2) Takten einmündet, womit das Stück pianissimo nicht nur endet, sondern auch gemäß seiner inneren Logik zum Schluß kommt.

Damit ergibt sich freilich auch eine etwas andere Deutung der großformalen Anlage: Sonate und Variation sind für das musikalische Denken der 1790er Jahre zwei ganz verschiedene Bereiche, und die Einführung eines durchführungsartigen Abschnittes in die Schlußvariation eines Variationszyklus stellt recht eigentlich ein formales Experiment dar, das im vorliegenden Fall durch die Notwendigkeit, eine Balance zwischen Finale und vorausgehenden Variationen zu finden, zwar ermöglicht wird, dessen Bedeutung sich aber darin nicht erschöpft. Vielmehr bietet sich eine andere Interpretation des Sachverhaltes an: Nachdem Beethoven das Thema in zwölf Variationen kunst- und phantasievoll variiert hat, nutzt er die Coda, die damit auch im übertragenen Sinne zum Anhang wird, um ganz en passant noch aufscheinen zu lassen, welche weitergehenden Möglichkeiten in dem Thema stecken würden, wenn es in die Hände eines Komponisten fallen würde, der es regelrecht und regelgerecht durchführen würde. Es scheint demnach, als ob Beethoven bereits hier mit dem Gedanken der Erweiterung (und Aufwertung) der Gattung „Klaviervariation" bzw. des Variationsprinzips schlechthin (in doppeltem Sinne) „spielt", wie er ihn in der Folgezeit mit den großen und „auf ganz neue Art" gestalteten Variationen op. 34 und den *Eroica-Variationen* op. 35 ja tatsächlich auch verwirklicht hat. So gesehen erscheint die Kombination „Variation und Durchführung" tatsächlich als zentrale Formidee der *Variationen über den russischen Tanz* WoO 71, welche zugleich eine wichtige Etappe auf einem Weg markiert, der mit den *Eroica-Variationen*, in denen die einfache Form der Durchführung durch die speziellere Durchführungsart „Fuge" ersetzt wird, zu der für das ganze 19. Jahrhundert zukunftsweisenden Form der „Variationen mit Fuge" führt.

Beethoven hat die vorliegenden Variationen der von ihm sehr geschätzten Gräfin von Browne zugeeignet, der er später auch noch die 3 Klaviersonaten op. 10 und die *8 Variationen über „Tändeln und Scherzen" von Fr. X. Süssmayr* WoO 76 widmete. Tändeln und Scherzen (unterbrochen von gelegentlichen Temperamentsausbrüchen und Anflügen von Melancholie) bezeichnet aber auch ganz gut den Stimmungsgehalt des vorliegenden Werkes. So gesehen stellt es immerhin eine hübsche Spekulation dar, sich die Frage vorzulegen, ob nicht für Beethoven die Gestalt des „Waldmädchens" die Züge der Gräfin von Browne getragen haben könnte. Sollte diese Vermutung zutreffen, so dürfte, ausweislich der Musik, sich sowohl der Komponist als auch die Widmungsträgerin über die geistreiche Art, wie eine Angehörige des Wiener Hochadels mit dem Epitheton einer „Wilden" (La Selvaggia) versehen wurde, köstlich amüsiert haben.

Michael Wittmann

10 Variationen über Salieris „La stessa, la stessissima" B-Dur für Klavier WoO 73

ENTSTEHUNGSZEIT: Januar—März 1799.
ERSTAUFFÜHRUNG: unbekannt.
SKIZZEN: Deutsche Staatsbibliothek Berlin, Grasnick 1, fol. 30^r—36^v.
AUTOGRAPH: Verbleib unbekannt.
ERSTDRUCK UND WIDMUNG: Wien 1799 (Artaria & Co.); der Gräfin Barbara v. Keglevics gewidmet.
GESAMTAUSGABEN: Alte Gesamtausgabe: Nr. 172 = Serie 17 Nr. 11; Neue Gesamtausgabe: Abt. VII, Bd. 5.

Die 10 Variationen über „La stessa, la stessissima" aus Antonio Salieris *Falstaff* wurden im März 1799, nur zwei Monate nach der Premiere dieser Oper am 3. Januar 1799 im Wiener Kärntnertortheater, veröffentlicht. Ausgangspunkt Beethovens bildet in gleicher Weise Salieris Musik wie die dieser Musik zugrundeliegende Bühnensituation: Mrs. Ford und Mrs. Slender haben soeben entdeckt, daß Falstaff ihnen jeweils einen bis auf die Namen identischen „Liebesbrief" hat zukommen lassen. Die Reaktion auf diese Entdeckung wird in einem Duettino eingefangen, dessen Text wie folgt lautet:

La stessa, la stessissima	(1)	Derselbe, der allerselbigste [Brief]
Infino ad una virgola	(2)	Bis hin zum letzten Komma!
I nomi soli variano —	(3)	Allein die Namen ändern sich —
Malgrado la mia collera,	(4)	Trotz meiner Wut,
Mi vien quasi da ridere —	(5)	Kommt mir's doch grad' zum Lachen —
Bizarra é in verità!	(6)	Wahrlich, 's ist bizarr!

Was Salieri aus dieser Vorlage gemacht hat, darf mit Recht als Kabinettstück musikalischen Humors gelten, dessen Meisterschaft sich noch in Beethovens Klavierauszug (Thema) klar erkennen läßt, und dieses umso mehr, als die Komik — nach Kant eine Erwartung, die sich in ein Nichts aufgelöst hat — in einem rein musikalischen Spiel mit der (scheinbaren) Periodizität des Themas begründet liegt:

Indem der Vordersatz A zunächst eine reguläre Achttaktperiode (2 + 2 + 4 Takte) auszubilden scheint, diese jedoch ihren Spannungshöhepunkt nicht wie üblich in der Mitte, sondern erst durch die Staccato-Akkorde in Takt 7 am Ende erreicht, wird eine (musikalische) Erwartung erzeugt (und in der Wiederholung durch die Ausdehnung auf 2 + 2 + 4,5 Takte noch verstärkt), die der Nachsatz B (2 + [2 + 2] + 0,5 Takte) mit seinen Staccato-Achteln zunächst auch einzulösen scheint. Allein, dieser Impuls verpufft gleichsam binnen zweier Takte, und anstelle einer eigentlich zu erwartenden weiteren Ausarbeitung und Ausdehnung zu einer Viertaktgruppe folgt eine reguläre viertaktige Schlußgruppe, die jedoch den Nachsatz gerade nicht abschließt. Dieses bleibt vielmehr dem halbtaktigen Nachschlag der Doppelschlagfigur vorbehalten, die nicht nur bewußt macht, daß der Nachsatz B mit 6,5 Takten eigentlich viel zu kurz geraten ist, sondern auch (jedenfalls für den heutigen Hörer, der mit dem *Till Eulenspiegel* eines Richard Strauss vertraut ist) das Lachen Falstaffs zu symbolisieren scheint, dessen Frechheit einmal mehr dabei ist zu siegen.

Was mag nun Beethoven bewogen haben, ein Thema wie dieses zum Ausgangspunkt von Variationen zu machen, das sich mangels melodischer Substanz der herkömmlichen Umspielung entzieht und dessen spezifische Komik sich gleichfalls nicht perpetuieren läßt? Die Antwort dürfte in der eingangs erwähnten Verbindung von Librettotext und Salieris Vertonung liegen, die für Beethoven neue Möglichkeiten der variativen Gestaltung eröffnete: Zunächst weist Salieris Thema mit seiner asymmetrischen Periodenstruktur, verbunden mit einer einfachen, nur zwischen Tonika und Dominante pendelnden Harmonik, Merkmale auf, die Beethoven bereits in den zeitlich vorhergehenden *Waldmädchen-Variationen* WoO 71 gereizt hatten. Hinzu kommt hier, daß Salieris Thema durch seinen Aufbau aus Staccato-Akkorden, Doppelschlagfiguren und chromatischem Achtelgang selbst schon motivische Grundbausteine einführt, an denen sich Beethovens Hang zu motivischer Ableitung und Fortspinnung bewähren konnte, wobei die ausgeprägte Physiognomik des Themas sich als Vorteil erweist, sofern sie — wahrnehmungspsychologisch gesehen — dazu beiträgt, die Grundgestalt auch in sehr weitgehenden Umbildungen aufscheinen zu lassen. Daß ein solches Ziel aber überhaupt anzustreben sei, läßt sich im vorliegenden Fall geradezu als musikalische Umsetzung des Operntextes ausgeben: Was Falstaff in Gestalt seiner beiden Briefe ins Werk gesetzt hat, ist recht eigentlich das Muster einer Charaktervariation, welches Beethoven aufzugreifen scheint, indem er eine musikalische Bizarrerie ins Werk setzt, die zwar nicht Mrs. Slender, wohl aber den aufmerksamen Hörer insofern zum Lachen bringen kann, als zwar in allen Variationen die asymmetrische Periodik des Themas (bzw. dessen Harmonik oder Rhythmus des Harmoniewechsels) beibehalten wird, diese jedoch mittels neuerfundener (wiewohl auf die Motivsubstanz des Themas beziehbarer) melodisch-rhythmischer Spielfiguren zum Träger gänzlich unterschiedlicher und zumeist recht launiger Ausdruckscharaktere gemacht werden.

Hinsichtlich der angewandten Variationstechniken entsprechen die Variationen Beethovens Standard der späten 1790er Jahre und bedürfen keiner weiteren Erörterung, zumal die Variationen 1—9 typologisch den *Variationen über das „Menuett à la Viganò“* WoO 68 ähneln, sofern jeweils eine Variationsidee über die volle Länge einer Variation ausgeführt wird, wohingegen die abschließende Variation 10 dem in den *Waldmädchen-Variationen* WoO 71 entwickelten Modell einer durchführungsartigen Coda (Thema, 3/8-Takt, Allegretto [T. 1—45], Durchführung mit einstimmiger Überleitung [T. 46—102], verkürzte Reprise des Themas in Ländlergestalt [T. 103—133], Coda [T. 134—194], verkürzte Reprise des Themas in Originalgestalt [T. 195—207]) folgt. — Neuartig und bedeutsam ist indessen die Ableitung der ersten drei Variationen aus der jeweils vorhergehenden Variation: Variation 1 übernimmt die Akkordik des Themas, wobei zwanglos eine später bedeutsame synkopische Bildung eingeführt wird. Variation 2 greift den chromatischen Anfang von Variation 1 auf und führt diesen als Dialog von hoher und tiefer Lage in Viertelnoten durch, welche jedoch gleichzeitig durch Sechzehntelfiguren umspielt werden. Variation 3 schließlich entsteht aus der Gegenüberstellung von akkordischem Staccato und melodischem Legato in synkopischer Verschiebung, wodurch ein Grundelement des Themas: „Staccato-Akkord“ mit den Synkopen von Variation 1 und der Chromatik von Variation 2 (durch die Tonwiederholungen der Staccato-Akkorde allerdings weit auseinandergezogen) kombiniert wird. Die Kenntnis von Variation 1 und 2 ist dabei notwendige Voraussetzung, um das Ergebnis noch als Variation des Grundthemas deuten zu können: Was sich damit anzudeuten scheint, ist nicht mehr und nicht weniger als jene „ganz neue Art“ der Variation, die Beethoven mit den Werken op. 34 und 35 erstmals explizit zu verwirklichen trachtete.

Daß die *Salieri-Variationen* sich auch sonst harmloser geben, als sie in Wahrheit sind, erhellt schließlich ein Blick in das erhaltene Skizzenmaterial, demzufolge ursprünglich eine etwas andere Großform geplant war: Die ursprüngliche Variationsfolge sah folgende Reihung 1—3, X, 4—5, Y, 7—8 vor, wobei X und Y später ausgeschiedene Variationen darstellen. Den Abschluß sollte als Variation 9 eine großangelegte Fuge bilden, an der Beethoven — nach Ausweis der Skizzen — mit einiger Verbissenheit gearbeitet hat, ohne jedoch zu einem befriedigenden Ergebnis zu kommen; vielmehr verschieben sich seine Fugenthemen mehr und mehr in Richtung der Ländlervariante der endgültigen Variation 10. Von dieser Wendung vermutlich selbst überrascht, hat Beethoven dann beschlossen, aus der Not eine Tugend zu machen und das Werk in der oben beschriebenen Art à la Waldmädchen zu beenden. (Ausweislich der Schriftzüge handelt es sich bei der Variation 10 um eine niedergeschriebene Improvisation, die Beethoven buchstäblich „aus dem Ärmel geschüttelt“ hat; hingegen stellt die veröffentlichte Variation 9 einen nachträglichen Einschub dar, der wohl den durch das neue Finale entstehenden harschen Übergang von dem lyrischen Höhepunkt der 8. Variation zum Ländlerfinale abmildern sollte.) Allein, die Idee einer Fuge hat er nicht gänzlich aufgegeben: Der Vordersatz von Variation 6 ist nichts anderes als der gescheiterte Entwurf des ursprünglichen Finales. Daß Beethoven dieses dann mit dem Klopfrhythmus verbindet („Malgrado la mia collera, mi vien quasi da ridere“), könnte darauf hindeuten, daß er sich in selbstironischer Absicht die Weisheit der Mrs. Slender zu eigen machen wollte; der Umstand allerdings, daß er diese Variation in die Veröffentlichung mit aufnahm — wobei er sich ja gut ausrechnen konnte, daß ein Hörer, der um den eigentlichen Zusammenhang nicht wissen kann, eher geneigt sein wird, das Fugato der 6. Variation für einen geistreichen Scherz zu halten als für das Eingeständnis eines kompositorischen Scheiterns, das es in Wahrheit ja ist —, stellt recht eigentlich eine Frechheit dar, die durchaus eines Falstaff würdig wäre.

Beethovens sehr eigene Art von Humor ist durch Zeitgenossen vielfach belegt. Dieses legt es nahe, auch einer letzten Beobachtung Bedeutung zuzumessen. Beethoven gab der Variation 10 ganz zuletzt noch (in Klammern) die Überschrift „alla Austriaca": Ob Fuge oder Ländler — la stessa, la stessissima, Falstaff all' Austriaca.

Michael Wittmann

7 Variationen über „God save the King"
C-Dur für Klavier
WoO 78

ENTSTEHUNGSZEIT: 1803.
ERSTAUFFÜHRUNG: unbekannt.
SKIZZEN: British Library London, Add. Ms 29801, Kafka Sketchbook, Notiz für einen Variationenzyklus (fol. 82) nicht im späteren WoO 78 verwendet.
AUTOGRAPH: nicht nachweisbar.
ERSTDRUCK: Wien 1804 (Bureau des Arts et d'Industrie).
GESAMTAUSGABEN: Alte Gesamtausgabe: Nr. 179 = Serie 17 Nr. 18; Neue Gesamtausgabe: Abt. VII, Bd. 5.

Von Beethovens besonderer Liebe zu Großbritannien[1] zeugt unter anderem seine mehrfache Beschäftigung mit der englischen Königshymne. 1813, während der Arbeit an *Wellingtons Sieg* op. 91, notierte er in sein Tagebuch, daß er doch den Engländern ein wenig zeigen wolle, welcher Segen in der Melodie des „God save the King" liege. Diese Art des kreativen, bearbeitenden Zugriffs zeigen nicht erst die *Schlacht bei Vittoria* und nicht erst die Klaviervariationen von 1803. Eine Notiz auf fol. 82 des Kafkaschen Skizzenkonvoluts, einer nachträglich zusammengebundenen Sammlung von Autographen, Skizzen und Entwürfen aus den Jahren etwa zwischen 1786 und 1799, enthält in Klaviernotation die beiden ersten Takte aus dem zweiten Teil der Melodie, geführt in Terzparallelen und begleitet von einem von Sechzehnteltriolen umspielten chromatischen Aufwärtsgang im Baß. Nach einem „usw" folgen in der rechten Hand noch einmal diese beiden Takte, wonach der zweite erst piano, dann pianissimo wiederholt wird. Ein solches Nachklingen eines Melodieabschnittes hat Beethoven erst in op. 91 verwirklicht (T. 437f., T. 505ff.). Insofern hat die frühe Skizze tatsächlich nichts mit WoO 78 zu tun.[2] Joseph Kerman ordnet

1 Vgl. Fr. Knight, *Britain in Beethoven's mind.*
2 Vgl. P. J. Willets, *Beethoven and England,* S. 6.

sie in seiner Edition des Konvoluts dennoch zu Recht (wenngleich mit Fragezeichen) diesem Werk zu.[1] Der Hinweis „mit dem Knieschieber“ beim Pianissimo deutet auf ein Klavierwerk (una corda-Verschiebung); daß dabei ein Variationenzyklus geplant war, dürfte außer Frage stehen, denn die Melodie erfreute sich als Thema überaus großer Beliebtheit. Unter den *Variationen für das Pianoforte* im *Handbuch der musikalischen Litteratur* von 1817 finden sich 14 über „God save the King“, dazu eine über „Heil dir im Siegerkranz“ (das ja auf dieselbe Melodie gesungen wurde).[2]

Auch daß sich Joseph Haydn 1797 durch die englische Hymne zur Komposition seines „Gott erhalte Franz den Kaiser“ anregen ließ, berührt die Vorgeschichte des WoO 78. Das Interesse an der ebenfalls populären Kaiserhymne (sechs Klaviervariationen bei Whistling / Hofmeister) und der englischen Königshymne scheinen einander bedingt zu haben — zumindest für Beethoven. 1802 nämlich, so berichtet Carl Czerny, improvisierte er in einem öffentlichen Konzert über Haydns Melodie.[3]

Am 24. Oktober des folgenden Jahres sandte Beethoven *Variations sur 2 thêmes anglais* mit der Bemerkung, sie seien leicht und zählten zu jenen Werken, für die er sich Erfolg verspreche, an George Thomson nach Edinburgh. Den Kontakt, aus dem später Beethovens Volksliedbearbeitungen hervorgingen, hatte Thomson im Juli 1803 angeknüpft. In den ersten Jahren des Briefwechsels bat er mehrfach (vergeblich) um Instrumentalwerke über populäre Melodien, deren technische Anforderungen den Möglichkeiten von Dilettanten angepaßt sein sollten. WoO 78 und WoO 79 entsprechen beiden Forderungen. Sollten sie tatsächlich auf direkte Anregung durch Thomson zurückgehen, müßten sie allerdings in kürzester Zeit fertiggestellt worden sein, denn Beethovens Schüler Ferdinand Ries berichtete schon am 3. August an Simrock nach Bonn: „Er hat jetzt über 2 englische Lieder Variationen geschrieben, wollten Sie vielleicht diese haben, so könnte ich deswegen mit ihm sprechen.“[4]

Immerhin ist es merkwürdig, daß Beethoven nach op. 34 und op. 35, den innovativen Variationen des Vorjahres, zwei so schlichte Werke auf den Markt zu bringen suchte. (Dies erwies sich übrigens als gar nicht so einfach: Nachdem weder Simrock noch Thomson Interesse zeigten, bot er die beiden Zyklen ebenso vergeblich Breitkopf & Härtel an, ehe sie im März bzw. Juni 1804 beim Wiener Industriekontor gedruckt wurden. Durch einen der frühesten der zahlreichen Nachdrucke, von Paine & Hopkins, fanden sie doch noch den Weg nach Großbritannien.) Wären nicht Skizzen zu den Variationen über „Rule Britannia“ für 1803 nachweisbar, könnte man versucht sein zu glauben, Beethoven habe auf zwei ältere Werke zurückgegriffen. Obwohl beide Zyklen in deutlichem Zusammenhang stehen, ist damit eine frühere Entstehung für WoO 78 nicht auszuschließen, zumal ein Anlaß dafür denkbar wäre. Eine Rezension der Variationen op. 66 und WoO 72 in der *Allgemeinen musikalischen Zeitung* vom 6. März 1799 empfahl Beethoven das Studium von Abbé Voglers Kritik der Variationen über „God save the King“ von Johann Nikolaus Forkel (*AmZ* 1, Sp. 368). Vogler bemängelt, daß sich Forkel oft zu weit vom Thema entferne, was der Rezensent auch Beethoven anlastet. Es mag sein, daß sich die be-

1 Vgl. J. Kerman, *Ludwig van Beethoven. Autograph Miscellany,* Bd. II, S. 89.
2 C. Fr. Whistling / Fr. Hofmeister, *Handbuch der musikalischen Litteratur.*
3 Vgl. C. Czerny, *Erinnerungen aus meinem Leben,* S. 16f.
4 F. Ries, *Briefe und Dokumente* (1982), S. 58.

sondere Beschaffenheit von WoO 78 und WoO 79 daraus erklärt, daß sie als „eine Antwort auf diese Empfehlung“ konzipiert worden sind.[1]

Zumindest die Variationen über „God save the King“ halten sich „mehr in der gewöhnlichen Sphäre“ (*AmZ* 6, 20. Juni 1804, Sp. 643). Mit gutem Grund sieht die Besprechung in der *Allgemeinen musikalischen Zeitung* Beethovens Geist vor allem in der ersten, vierten und siebten Variation hervortreten. Die erste schafft aus dem Thema eine neue, profiliertere Melodie, die vierte entfernt sich in der Abfolge der Harmonien am weitesten von der Vorlage, die siebte und letzte bricht mit dem Übergang zur Coda die ganze Struktur auf. Die Variationen 2 und 3 mit ihrer durchgehenden Sechzehntelbewegung, die Mollvariation 5 und Variation 6, als Marsch von vornherein einem konventionellen rhythmischen Modell unterworfen, wirken dagegen zunächst bieder. Beethovenscher Geist spricht in seinen Variationen jedoch nicht nur aus den einzelnen Teilen, sondern mehr noch aus der Gesamtkonzeption eines Zyklus.

Diese besteht hier im Nacheinander von kontinuierlicher Entwicklung und scharfem Kontrast. Außer durch allmähliche Steigerung der Bewegung vollzieht sich eine Entwicklung in der zunehmenden melodischen und harmonischen Entfernung vom Ausgangspunkt und der schrittweisen Eroberung des gesamten Klaviaturumfangs — in zwei Vorgängen, die miteinander in Zusammenhang stehen: Die reine Stufenbewegung des Themas nimmt Akkordmelodik auf und endet als weiträumige Akkordrepetition. Die Variationen 5 und 6 unterbrechen diese Entwicklungslinie und greifen wieder auf den Stufengang zurück (in dieser dramaturgisch notwendigen Reduktion hat die „gewöhnliche Sphäre“ ihren Platz). Gleichzeitig bilden sie untereinander einen Gegensatz; sie zeigen, was an Extremen in der Melodie steckt: eine elegische Mollweise und ein Marsch. Unterschwellig setzt sich im Kontrast die Kontinuität fort; in der Mollvariation dient Akkordbewegung, im Marsch Akkordrepetition als Begleitfigur.

Eine große Rolle für die zyklische Einheitlichkeit spielt ein aufsteigendes Achtelmotiv, das Beethoven bereits ins Thema als Vermittlung zwischen dem Sechs- und dem auf der V. Stufe einsetzenden Achttakter einfügt (nur hier würde es von reiner Stufenbewegung abweichen). Dieses Achtelmotiv initiiert in der ersten Variation durchgehende Achtelbewegung, als Terzenkette vermittelt es an ihrem Ende den Übergang zur nächsten und, auf einen Takt erweitert, von der sechsten zur siebten Variation. Das rhythmische Modell, mit dem in der zweiten Variation die linke Hand einsetzt, bestimmt ebenso den Beginn der dritten. Die synkopischen, stockenden Verzögerungen in der Melodik greifen dabei zugleich noch einmal ein wesentliches Gestaltungsmoment der ersten Variation auf. Nachdem der Stufengang der Sechzehntel (Variation 1) zur Akkordbewegung geworden ist (Variation 2), erscheint das Weiterschreiten zur Akkordrepetition in der nächsten Variation nur konsequent. Im Marsch ist das Überleitungsmotiv vorübergehend suspendiert: An seine Stelle tritt eine nachschlagende Sechzehntelfigur, die deutlich in die Bewegung der rechten Hand in Variation 7 weiterwirkt.

Diese Variation greift das Bewegungsmodell Sechzehntel gegen Achtel aus der zweiten Variation wieder auf, ehe die Coda die scharfen Dur-Moll-Gegensätze wie-

1 J. Müller-Blattau, *Beethoven und die Variation*, S. 113.

derholt: Was Takt 24 wie eine Solokadenz in der Art von Mozarts Klaviervariationen beginnt, mündet in eine Mollfassung des ersten Themen-Sechstakters, die umso überraschender ist, als Beethoven den Beginn jetzt als III. und nicht als Grundstufe harmonisiert und damit plötzlich in die Subdominantparallele gerät. Es ist bemerkenswert, daß bereits die erste Variation den ersten Melodieton zur Terz umdeutet, wobei dort der Ausflug in die Tonikaparallele schon im zweiten Takt ein Ende findet. Die Wendung fügt sich in den „historisierenden" Charakter dieser ersten Variation ein — vielleicht eine Verbeugung vor dem Alter der Melodie, das Beethoven bewußt gewesen sein dürfte.

Das abschließende Allegro, das mit Sechzehnteltriolen die kleinsten Notenwerte ins Spiel bringt, hätte er genauso als achte Variation (mit einer angehängten sechstaktigen Kadenzfloskel) bezeichnen können. Es bringt die Melodie vollständig — nimmt man den vorausgehenden Adagioeinschub hinzu, mit ausgeschriebener Wiederholung beider Teile. (Damit erklingt einzig in der siebten Variation, die ebenfalls — vor dem Übergang zur Coda — eine auskomponierte Wiederholung des zweiten Teils aufweist, der erste Sechstakter nur einmal.) Auch hier fällt es (wie in allen Variationen mit Ausnahme der vierten) leicht, die einzelnen Melodietöne des Themas mitzuverfolgen — nicht immer hörend, aber zumindest beim Blick auf den Notentext. Mag sein, daß Beethoven zeigen wollte, „wie hoch er über Voglers Ideal" stand.[1] Gezeigt hat er jedenfalls, was ihm auf kleinstem Raum, mit geringen spieltechnischen Anforderungen und — eher diesem Ideal nahe — bei relativ enger Bindung an die Vorlage möglich war.

Armin Raab

5 Variationen über „Rule Britannia"
D-Dur für Klavier
WoO 79

ENTSTEHUNGSZEIT: 1803.
ERSTAUFFÜHRUNG: unbekannt.
SKIZZEN: Biblioteka Jagiellońska Krakau, Landsberg 6, Eroica-Skizzenbuch.
AUTOGRAPH: Niederschrift des Themas: Deutsche Staatsbibliothek Berlin, Landsberg 12.
ERSTDRUCK: Wien 1804 (Bureau des Arts et d'Industrie).
GESAMTAUSGABEN: Alte Gesamtausgabe: Nr. 180 = Serie 17 Nr. 19; Neue Gesamtausgabe: Abt. VII, Bd. 5.

Die Variationen über „Rule Britannia" stehen in engem Zusammenhang mit jenen über „God save the King" (WoO 78). Beide sind wohl im Sommer 1803 entstanden, zumindest aber kurz nacheinander im Wiener Industriekontor erschienen. Beide Themen gemeinsam vertreten zehn Jahre später in *Wellingtons Sieg* op. 91 die englische Seite (der Beethovens Sympathie nicht nur in ihrer Eigenschaft als Siegerin in der *Schlacht bei Vittoria* galt). Außerdem richten sich beide Zyklen eher an Dilet-

1 Ebenda.

tanten als an versierte Pianisten. Vor allem aber berücksichtigen beide — mehr als jede andere Variationenreihe Beethovens — die Konnotationen der Vorlagen. WoO 78 stellt, der Zweckbestimmung einer Königshymne entsprechend, einen Marsch ins Zentrum, WoO 79, dem ein Soldaten- und Kriegslied zugrundeliegt, eine Mollvariation von programmatisch aufgeladener Dramatik, womit es geradezu als Vorstudie zur späteren Schlachtensymphonie wirkt.

Als Höhepunkt empfindet der Hörer diese, die vierte Variation, aus zwei Gründen. Zum einen ist sie Ziel einer großangelegten Steigerung der Dynamik (Pianissimo in Variation 1, Piano in Variation 2, Piano mit Crescendo zum Forte in Variation 3) und Bewegungsintensität (von Achteltriolen — als 6/8-Takt notiert — über Sechzehntel zu Sechzehnteltriolen). Zum andern wird erstmals wieder deutlich das Thema hörbar, jedoch nicht in der Originalgestalt. Durchführungsartige Momente dringen ein. Der Anstieg aus Takt 5 erweist sich jetzt als Umkehrung des stufenweisen Achtel-Abstiegs aus Takt 17 bzw. 25; durch die Verarbeitung des charakteristischen Motivs aus dem „Chorus" (zwei Achtel mit Auftakt) ab Takt 9 entsteht ein überzähliger Takt. Dadurch bleibt der Ablauf, wenn er sich ab Takt 16 gleichsam wieder gefangen hat, um einen Takt verschoben.

In nahezu allen früheren Zyklen hält sich Beethoven an die Tradition und fügt eine Variation zurückhaltenden Charakters in der Tonika-Variante ein. Mit der Wahl der Paralleltonart und dem vorherrschenden Forte gibt er der Mollvariation in WoO 79 einen völlig anderen Charakter. Dazu trägt vor allem das durchlaufende Tremolo der linken Hand in tiefster Lage bei (das motivisch seinen Ursprung am Beginn der ersten Variation hat). Gerade durch dieses tonmalerische Element wird die Versuchung groß, über eine martialische Disposition hinaus ein konkretes Programm zu vermuten. Jürgen Uhde, der den ganzen Zyklus von der Liedzeile „Britannia, rule the waves" aus interpretiert und für den schon die vorangehenden Variationen der Darstellung der Meereswellen dienen, sieht hier „ein Kriegsschiff vor sich [...], das nun auf der weiten, schwach bewegten Wasserfläche in der Ferne auftaucht".[1]

Auch wenn man die Betrachtung auf musikalische Sachverhalte reduziert, findet an diesem Punkt eine „Erscheinung" statt, ein markantes Wieder-Hervortreten des Themas. Das aber erfolgt tatsächlich eher „am Horizont", denn die vierte Variation ist ihm nicht nur tonartlich ferner als alle vorangehenden. Seine Strukturtöne nämlich waren dort stets präsent (auch durch ihre Nähe zum Thema sind WoO 78 und WoO 79 verwandt), bisweilen allerdings recht versteckt, wie zu Beginn der ersten Variation. Das Verteilen auf die beiden Hände, damit das Auseinanderziehen der Lage und die harmonischen Irritationen (c', b) verschleiern hier die Grundzüge des Themas, die Wiederholung des Grundtons, den Aufstieg zur V. Stufe, das Ende des ersten Viertakters auf der II. Stufe (die sogleich überspielt wird und in eine Begleitfigur mündet). Weitestgehend bleibt auch der harmonische Ablauf bis hin zur vierten Variation gleich. Veränderungen beschränken sich auf Pointierungen wie die Schärfung des Septakkordes zum Nonakkord (Variation 1, T. 19).

Daß Beethoven in WoO 79 schon in der Aufstellung des Themas von der Vorlage, komponiert 1740 von Thomas Augustin Arne als Schlußgesang der Masque *Alfred*, abweicht, dürfte zum Teil überlieferungsgeschichtlich bedingt sein. Man weiß

---

1 J. Uhde, *Beethovens Klaviermusik,* Bd. I, S. 392.

nicht, woher er die Melodie kannte. In England in geradezu offiziellem Status[1], muß sie auf dem Kontinent verbreitet gewesen sein, denn für op. 91 setzt Beethoven sie gewissermaßen als bekannt voraus. Maßstab für die Popularität einer Melodie ist im Variationen-Boom am Anfang des 19. Jahrhunderts stets das Ausmaß, in welchem sie in dieser Gattung ihre Spuren hinterlassen hat. Und dabei steht „Rule Britannia“ hinter „God save the King“ allerdings weit zurück: Whistling / Hofmeister führen nur eine einzige Komposition an — diejenige Beethovens.[2]

Der Vergleich mit dem Aufmarsch der Engländer in der *Schlacht bei Vittoria* zeigt, daß gewisse Abweichungen von der Vorlage, fanfarenartige Einschübe zwischen den einzelnen Melodiezeilen, auf Beethoven zurückgehen müssen, da sie sich in beiden Fassungen unterscheiden. Gegenüber dem Original wird die Melodie dadurch von 28 auf 30 Takte gestreckt. In op. 91 funktionalisiert Beethoven „Rule Britannia“ zudem durch Punktierungen und zusätzliche Tonwiederholungen; aus einem Lied wird der Marsch der aufziehenden englischen Truppen.

Der Anfang des „Rule Britannia“ in der Originalfassung[3], in op. 91 (nach Beethovens Klavierauszug) und in WoO 79

Die Einfügungen ins Thema eliminiert Beethoven zusehends, bis sie in der Mollfassung im Tremolo der linken Hand aufgehoben erscheinen. In der ersten Variation bleiben sie als Gliederungen der Melodie deutlich hörbar; aus den fanfarenartigen Tonwiederholungen werden Akkordrepetitionen. Die zweite Variation mit ihrer durchgehenden Sechzehntelbewegung verschleiert diese Zäsuren, sie schafft neue Gliederungen dort, wo die komplementäre Bewegung der beiden Hände in Gleich-

1 Vgl. E. R. Dibdin, *The Bi-Centenary of „Rule Britannia“*, S. 275ff.
2 Vgl. C. Fr. Whistling / Fr. Hofmeister, *Handbuch der musikalischen Litteratur*.
3 Nach W. Chappell, *Old English Popular Music* (1961), S. 191.

zeitigkeit übergeht. Diese Intensivierung markiert jene Stellen, bei denen das Thema stufenweise Abwärtsbewegung aufweist (T. 10, 17, 25) und die in der Mollvariation eine entscheidende Rolle spielen (im „Auftauchen" des Themas).

Den Einheitsablauf — der nach der reicher strukturierten ersten Variation sehr konventionell wirkt — wahrt auch die dritte Variation mit ihren durchgehenden Sechzehnteltriolen. Die chromatischen Wendungen im Baß rufen die Skizze im Kafkaschen Skizzenkonvolut zu „God save the King" in Erinnerung: Es ist, als habe Beethoven hier eine ältere Idee von der einen auf die ihr nahestehende andere Melodie übertragen. Die chromatische Aufwärtsbewegung kommt nicht nur in raschen Triolen, sondern auch in Achteln vor (T. 17 und T. 25) und stellt die Verbindung zwischen jener Abwärtsbewegung in Achteln, die in der vorangehenden Variation herausgehoben wurde, und ihrer Umkehrung in der nachfolgenden her.

Vorstudien zu WoO 79 finden sich an zwei Stellen. Die Notierungen Landsberg 12 enthalten eine Niederschrift des Themas, die, von wenigen Abweichungen abgesehen (es fehlen die Baßstimme Takt 1, die Mittelstimme Takt 13 und die beiden nachschlagenden Achtel am Schluß), der späteren Druckfassung entspricht. Nach Niederschrift des Themas — vielleicht erst einige Zeit danach — machte sich Beethoven an die Ausarbeitung der Variationen. Landsberg 6, das lange Zeit verschollene sogenannte Eroica-Skizzenbuch, enthält für das „im übrigen wenig anspruchsvolle Variationenwerk [...] immerhin zwei alternativ gemeinte Dispositionsentwürfe, welche in der endgültigen Ausarbeitung beide zu gewissen Teilen berücksichtigt werden".[1] Nach der Gesamtplanung begann Beethoven mit der Ausführung der Variationen; durch den Verlust von vier Blättern des Skizzenbuches bleibt unklar, ob die Ausarbeitung zwischen der (vollständig erhaltenen) ersten Variation und der Coda der endgültigen Fassung entsprach.[2]

Die Dispositionsentwürfe bestehen aus der Aneinanderreihung von ein- bis zweitaktigen Incipits der vorgesehenen Variationen. Aus ihnen geht hervor, daß Beethoven auch im ersten der beiden Entwürfe bereits an eine Variation in h-Moll gedacht hatte. Doch sah er dafür den exakten Beginn des Themas vor. Wenn er das aufsteigende Sechzehntelmotiv (T. 2) in der Endfassung der vierten Variation zurückhielt (außer in einer verspäteten und verdrehten Form T. 4), um es dafür in der Coda bald isoliert, bald mit der zugehörigen Tonrepetition in Vierteln umso ausgiebiger durch verschiedenste Tonarten zu jagen (dieser Abschnitt hat Beethoven beim Skizzieren — begreiflicherweise — erkennbar länger beschäftigt), so nicht nur, weil auch dieses Motiv zumindest rhythmisch im Tremolo der Mollvariation enthalten ist. Die motivische Abhängigkeit der fünften Variation (die die Dreiklangsbrechungen der dritten mit dem in der fünften wiedergewonnenen Achtelmotiv kombiniert und dabei das ursprüngliche Thema zunehmend deutlicher hervortreten läßt) von diesem Sechzehntelmotiv tritt durch dessen Wiederkehr (T. 30) als Ziel und logische Fortführung der aufsteigenden Sechzehntelbewegung mit überraschender Klarheit hervor.

Armin Raab

---

1 S. Brandenburg, *Beethovens „erste Entwürfe" zu Variationenzyklen,* S. 110.
2 Vgl. R. W. Wade, *Beethoven's Eroica Sketchbook.*

32 Variationen c-Moll für Klavier WoO 80

ENTSTEHUNGSZEIT: Herbst 1806.
ERSTAUFFÜHRUNG: unbekannt.
SKIZZEN: Gesellschaft der Musikfreunde Wien, A 60 (in Verbindung mit Vorarbeiten zum Schlußsatz des Streichquartetts op. 59, Nr. 3).
AUTOGRAPH: unbekannt.
ERSTDRUCK: Wien 1807 (Bureau des Arts et d'Industrie).
GESAMTAUSGABEN: Alte Gesamtausgabe: Nr. 181 = Serie 17 Nr. 20; Neue Gesamtausgabe: Abt. VII, Bd. 5.

Da Beethoven in den c-Moll-Variationen auf Techniken einer älteren Zeit zurückgriff, lag es nahe, daß Felix Mendelssohn Bartholdy dieses Werk wiederum zum Ausgangspunkt seiner eigenen produktiven Auseinandersetzung mit der musikalischen Tradition erhob. 1841 komponierte er für das „Album-Beethoven" des Wiener Verlegers Pietro Mechetti sein wichtigstes Variationenwerk, die *Variations sérieuses* in d-Moll op. 54, die auf die c-Moll-Variationen und auf einen Satz aus Georg Friedrich Händels *Suites de Pieces* (1720) anspielen. Die Traditionslinie Händel-Beethoven, in der Mendelssohn seinen Variationenzyklus sah, pointierte er auch als Pianist. Während seiner Zeit am Leipziger Gewandhaus gab er folgende Proben alter und zeitgenössischer Variationskunst: den vierten Satz der Klaviersuite Nr. 5, eine Air mit fünf Doubles aus der genannten Händelschen Sammlung, die eigenen *Variations sérieuses* und Beethovens 32 Variationen in c-Moll.[1] Eine weitere Hommage à Beethoven, die mit den c-Moll-Variationen verknüpft ist, erschien 1871 in Paris. Stephen Heller schrieb eine eigene Variationenfolge über das Beethovensche Thema. Die „33 Variations pour Piano sur un Theme de Beethoven" op. 130 gleichen an einigen Stellen durchaus witzigen Randbemerkungen.

Es entzieht sich einer genauen Kenntnis, aus welchen Gründen Beethoven dem Werk keine Opuszahl gab. Es entstand im Herbst 1806. Die Verwendung barocker Elemente beschäftigte bereits 1807 beim Erscheinen der Erstausgabe die Zeitgenossen. So schrieb die *Allgemeine musikalische Zeitung*: „und namentlich hat Händel Variat. in dieser Gattung, nur allerdings mit weit weniger frey und leicht bewegter, aber auch weniger hin- und herflatternder Phantasie, ausgearbeitet."[2] Dem Versuch des Kritikers, den gegenüber Händel erweiterten Spielraum anzudeuten, folgt ein bildhafter Vergleich zur Disposition von Beethovens Werk. „Er nimmt dies kurze, höchst einfache Thema [...] verändert dies mit grossem Reichthum harmonischer Kunst und gewaltigem Apparat an Figuren aller — zum Theil auch sehr wunderlicher Art, (z.B. in No. 32., wo die linke Hand 5tolen und die rechte 7molen dazu bekömmt!) bleibt aber im *Ganzen* immerfort dem ernsten, schwermüthigen Charakter des Thema's getreu, so dass man die wechselnden Gegensätze, die diese Variat. gegen einander meistens bilden, ansehen und geniessen kann, wie eine lange Reihe

1 Aufführungsdaten der Werke in der oben genannten Reihenfolge: 21. 1. 1841, 27. 11. 1841, 12. 2. 1846, in: A. Dörffel, *Geschichte der Gewandhauskonzerte zu Leipzig,* S. 122f.
2 Zit. nach St. Kunze, *Gesammelte Konzertberichte,* S. 599.

Bilder, dergleichen alte orientalische Dichter aufstellen, und wovon alle denselben Gegenstand, aber von verschiedenen und einander entgegenstehenden Seiten, darstellen."[1] Der Autor dieser Passage sieht also nicht im Thema selbst, sondern vielmehr in der Koordination der einzelnen Variationen das Besondere. Die Dramaturgie nahm Carl Czerny anders wahr. „Diese *Variationen* bilden in ununterbrochener Steigerung ein characteristisches Tongemälde", bemerkte er zu dem Variationswerk in einer knappen Abhandlung, die er mit der Empfehlung zum Abschluß brachte: „Da das Thema kurz ist, so eignet sich dieses Werk selbst zur öffentlichen *Production* vor einem denkenden Publikum."[2] Das kompositionstechnische Prinzip, das sich beim Hören sehr deutlich herauskristallisiert, hat eine lange Tradition.

Das Werk trägt die Züge einer Passacaglia. Ein acht Takte langer, mit „Allegretto" überschriebener Satz im Dreivierteltakt ist das Thema. Der chromatisch absteigende Quartgang als Baß bildet das Fundament der Konstruktion. Diese spezifische Koppelung von Chromatik und Abwärtsführung wurde in den Kompositionen des 17. und 18. Jahrhunderts mit dem Affekt des Jammers, des Schmerzes und der Trauer verbunden. Durch die Anwendung des Ostinato-Verfahrens gewinnt das Variationenwerk strenge Geschlossenheit. Ein harmonischer Kontrast entsteht einzig durch die Gruppe der Dur-Variationen. Umtaktierungen und Tempowechsel kommen nicht vor. In den Variationen 1—31 bleibt auch der Umfang von je acht Takten strikt gewahrt. Variation 32 wird dann zu einer Coda ausgeweitet, die den Baß des Themas neu beleuchtet. Auffallend ist die Mannigfaltigkeit der Figuren, die innerhalb des vorgegebenen Grundrisses entfaltet werden.

Im Thema erstreckt sich der chromatische Abstieg des Basses, vom Grundton ausgehend, in punktierten halben Noten über die Takte 1—6. In komplementärer Bewegung hierzu wird der Diskant aufwärts geführt. Das im Gegenzug zum Baßgang aufgerichtete Diskantgerüst besteht aus den Tönen c''—d''—e''—f''—fis''—g''—as''. Carl Dahlhaus wies bereits darauf hin, daß „die konkrete Melodik des Themas, die gleichsam den Vordergrund bildet, durch den das Gerüst hindurchscheint, keineswegs bedeutungslos" ist.[3] Kurz abgebrochene, deutlich artikulierte Segmente sind hier gegenseitig aufeinander ausgerichtet. Zäsuren und doppelte Punktierungen (T. 1 und 3) verstärken die Betonung der zweiten Zählzeiten. Der Terzsprung c''—es'' setzt über dem volltaktigen Tonikadreiklang in Takt 1 auf der Zwei ein. Eine Achtelpause durchbricht den darauf folgenden Quintsprung d''—g' (T. 2). Den Intervallraum füllt unmittelbar anschließend ein aufwärtsgerichteter Zweiunddreißigstellauf. Nach der kleinen Terz e''—g'' über dem Sekundakkord der Zwischendominante (T. 3) folgt in Takt 4 von f'' der nun zur Oktave ausgeweitete Abwärtssprung. In Takt 6 drängt der Diskant von g'' unmittelbar zum Spitzenton as''. Gleichzeitig wird dabei im Baß das System des chromatischen Quartfalls um einen Ganztonschritt erweitert. Der Gang führt also nicht von der Tonika zur Dominante. Im akzentuierten Subdominantakkord endet vielmehr die Gegenbewegung der Außenstimmen. Die punktierte Achtelpause in allen Stimmen in Takt 7 markiert einen gravierenden Einschnitt. Sie verzögert den Einsatz der Kadenz. Die Kadenzformel as'—f' mit anschließendem Quintfall kehrt das Anfangsmotiv um. Den gra-

1 Ebenda, S. 599f.
2 C. Czerny, *Über den richtigen Vortrag* (1963), S. 64.
3 C. Dahlhaus, *Ludwig van Beethoven und seine* Zeit, S. 197.

vitätischen, mit forte bezeichneten Satz beenden leere, durch Pausen unterbrochene Oktaven im Piano.

Im Verlauf des Zyklus lassen sich bestimmte Gruppierungen beobachten. Die folgende Darstellung geht von einer fünfteiligen Gliederung aus. Nicht alle Variationen eines Abschnitts werden behandelt. Anhand von Beispielen soll versucht werden, den jeweiligen Schwerpunkt, um den die Gruppe zentriert ist, hervorzuheben.

Teil 1 des Zyklus umschließt die Variationen 1—11. Die ersten vier Variationen behalten den Ostinatobaß bei. Durch die auftaktige Rhythmisierung rückt er jedoch in Variation 1 bereits in den Hintergrund. Die aus gebrochenen Akkorden und Tonwiederholungen zusammengesetzten Sechzehntelketten der rechten Hand wandern in Variation 2, die — wie schon Variation 1 — mit „leggiermente" bezeichnet ist, in die linke. Die Sechzehntelbewegung nimmt dabei die fallende Tonfolge des Basses in sich auf. Variation 3 beschließt diese erste Dreier-Gruppe durch gleichmäßige Sechzehntel in beiden Systemen, die in komplementärer Bewegung zueinander geführt sind. Parallel zum Baß bewegt sich der Diskant nun taktweise abwärts.

Eine kontrastierende Wirkung erzeugt die fortlaufende Triolenbewegung in Variation 4, die den fallenden Baßgang wieder volltaktig auffaßt. In Variation 5 erfolgt erstmalig eine Lösung von den Umkehrungsakkorden des Themas. Die Begleitfigur in der linken Hand (T. 1—5) geht nun von den Grundtönen aus. Die Harmonik wird durch die Rücknahme der Alteration in Takt 5 entschärft. Auf das hier etablierte Modell stützen sich spätere Variationen. Eine andere Variante zum fallenden Baß entwickelt überdies der Diskant. In den Spitzentönen zeichnet sich der chromatische Gang jetzt in der umgekehrten Bewegungsrichtung ab. Auf die fallende kleine Sekund es—d folgt eine Aufwärtsbewegung in Halbtonschritten von e bis as. Der mit einem abwärtsgerichteten Halbtonschritt eröffnete chromatische Aufwärtsbogen wird in Variation 23 mit dem Ostinatobaß konfrontiert. Auf C beginnend, taucht diese Aufwärtsbewegung in Variation 12 als Baßstimme auf.

Variation 12 ist die erste von fünf „Maggiore"-Variationen. Ein Charakteristikum des Themas in der gleichnamigen Durtonart ist seine Kantabilität. Zweiunddreißigstelläufe und Oktavsprünge im Diskant entfallen. Längere Notenwerte ersetzen die gliedernden Pausen. Der Baß bewegt sich hier nun parallel zur Oberstimme. Durch den Halbtonschritt f—fis in Takt 6 verändert er die Schlußgestaltung. Der mit „sforzato" bezeichnete Subdominantquintsextakkord wird hier in den Quintsextakkord der Doppeldominante geführt. Da die Sechzehntelbewegung der Variationen 13 und 14 auftaktig behandelt wird, überlappen sich die Variationen 12—14. Bisher waren die Einzelvariationen streng voneinander abgegrenzt. Das Dur-Thema, die Übernahme der sanglichen Oberstimme in die linke Hand durch Variation 13 und ihre Austerzung in Variation 14 gehen nun fließend ineinander über. Den Baß des Dur-Themas kleiden in den Variationen 15 und 16 Triolen ein. Dem gleichförmigen Triolenrhythmus in Variation 15, die „dolce" beginnt und „risoluto" endet, setzt Variation 16, die letzte in Dur, in der rechten Hand Sechzehntelnoten entgegen. Damit endet der zweite Teil.

Im dritten Teil des Zyklus lösen sich einzelne Bauelemente aus dem vertrauten Kontext. Der Kantabilisierung im „Maggiore" folgt ein Abspaltungsprozeß im „Minore". In Variation 17, mit der die Haupttonart wieder einsetzt, wird ein melodisches Teilstück des Themas, der Terzsprung aufwärts in punktiertem Rhythmus, mit einer skalenmäßigen Achtelbewegung verbunden und in freier Imitation verarbeitet. Ein anderes Element der Melodik, die stufenweise aufsteigenden Zweiunddreißigstelnoten, bildet die Substanz von Variation 18. Figurierten in Variation 10 und 11 die Zweiunddreißigstel als gleichmäßig sich drehende Begleitung, so ballen sie sich hier zu zwei Sextolen auf Zählzeit zwei zusammen. Diese Klanggebilde, die bis zum Takt 5 in einer konstanten Breite von zwei Oktaven taktweise nach oben versetzt werden, akzentuieren durch ihre jeweiligen Anfangs- und Zieltöne das komplette Diskantgerüst. Die gebrochenen Akkorde und Tonwiederholungen aus Variation 1 beschleunigt Variation 19 zu Sechzehnteltriolen. Dem Grundton auf Zählzeit eins setzt die zweite Takthälfte ein in verschiedenen Lagen aufgesplittertes Teilstück des chromatischen Quartgangs entgegen.

Die Variationen 20, 21 und 22 kreisen um den Quintraum. Füllten in Takt 2 des Themas den Intervallsprung abwärts im Anschluß die Zweiunddreißigstel aufwärts, so bewegen sich hier zuerst die aufwärts eilenden Triolen durch den Intervallraum, der durch den unmittelbar anschließenden Sprung abwärts bestätigt wird. Eine Reduktion der Triolenfigur aus den Variationen 20 und 21 wird in Variation 22 kanonisch imitiert. Die Folgestimme setzt um eine Viertelnote verzögert ein. Der mit „forte" bezeichnete kanonische Satz läuft stimmenweise aus.

Mit einem volltaktigen Beginn in beiden Systemen eröffnet Variation 23 den vierten Teil im Pianissimo. Der absteigende Baßgang wird in repetierte Achtelnoten aufgelöst. Ihm setzen die unbetonten Sechzehntel in den gebrochenen Akkorden der rechten Hand die in Variation 5 entwickelte aufwärts gerichtete Variante entgegen. Reglos wirkt der Achttakter durch das liegende g. Eine ungewöhnliche Dissonanzspannung erzeugt die Reibung des auf den unbetonten Sechzehnteln repetierten g mit der alterierten Quinte As in Takt 5. Mit Variation 30 schließt der vierte Teil im Pianissimo, in dem er begonnen hatte. Die Oberstimme ist vollständig chromatisiert. Sämtliche Töne des Satzes haben die gleiche Länge. Viertelnoten egalisieren die rhythmisch prägnante Kontur des Themas bis zur äußersten Konsequenz.

Der fünfte und letzte Teil besteht aus den Variationen 31, 32 und der Coda. Die verschiedenen Stadien der Schlußbildung sind freilich umstritten. Hugo Leichtentritt sprach in diesem Zusammenhang von 33 Variationen. Heller, dessen eigene Variationenreihe wohl kaum zufällig 33 Glieder umfaßt, hätte ihn darin wahrscheinlich unterstützt. Hanns Eisler schlug dagegen vor, Variation 32 als den Beginn der Coda zu betrachten, Variation 31 aber als eine Art „Vorkoda" in den finalen Zusammenhang miteinzubeziehen. Eisler rekapitulierte 1958 in der Form eines Gesprächs mit Musikbeispielen Arnold Schönbergs Analyse, die 1921 Gegenstand des Kompositionsunterrichtes war.[1] Die enge Beziehung der beiden letzten Variationen zueinander, die zudem unmittelbar ineinander übergehen, schließt es aus, sie verschiedenen Formteilen zuzuordnen. Die Vorstellung von 30 bzw. 33 Gliedern möchte offenbar die formale Trennung zwischen der Wiederkehr des Diskants und der des Themenbasses vermeiden.

Die Wiederkehr des Diskants erfolgt in Variation 31. Die Zeiunddreißigstelbewegungen des Basses, die in Variation 32 getreu übernommen werden, sind von dem orgelpunktartigen C gestützt. Es ist — wie Hugo Riemann die Liegestimme definierte — als „eine Art Steigerung der Obstinatheit bis zur letzten Konsequenz" aufzu-

---

1 Vgl. N. Notowicz, *Wir reden hier nicht von Napoleon,* S. 61—163.

fassen. Die rätselhafte Verdichtung der zum Teil in Quintolen und Septolen gegeneinandergesetzten Skalenfiguren (T. 2—3, 5—7) in Variation 32, die den eingangs zitierten zeitgenössischen Kritiker befremdet hatte, ist aus der Konstruktion heraus zu erklären. Vom jeweiligen Gerüstton mit einer abwärtsgerichteten Septole beginnend, durchqueren skalenmäßige Bewegungen in jedem Takt der rechten Hand unter zweifachem Richtungswechsel den Oktavraum. Auf Zählzeit drei prononcieren Zweiunddreißigstelnoten die Abwärtsbewegung. In der Reduktion des Diskants auf das Gerüst entstehen skalenmäßige Gebilde, die in ihrer Eigenbewegung erstarren. In der Faktur entspricht Variation 32 dem Schlußstück einer Variationenreihe. Das letzte Double aus dem zu Beginn erwähnten Händelschen Suitensatz in E-Dur, der in einer früheren G-Dur-Fassung mit „Chaconne“ überschrieben ist, gipfelt zum Beispiel in fallenden Zweiunddreißigstelskalen. In Variation 32 kulminiert die letzte Zweiunddreißigstelskala im Spitzenton c'''' in Takt 8. Hier endet auch der dynamische Bogen im Fortissimo, der in Variation 31 mit Pianissimo beginnt.

Das Schlußstück entwickelt Steigerungsmöglichkeiten darüber hinaus. Der letzten Wiederkehr des Themenbasses, den jeweils dreimal angeschlagenen kurzen Akkorden in der linken Hand in den Takten 19—26 (von der letzten Variation aus gezählt), ist jede Schwere genommen. Das Stehenbleiben der Kadenzformel auf as—f—g zeigt durch gleichzeitige Verknüpfung mit der Umkehrung f—as—g, daß der Schluß des Themas eine Ableitung des Anfangs darstellt. Die weitere Verarbeitung durch Imitationen enthält der Kadenz fast tändelnd den Schlußton vor (T. 29—32). Beethovens Vorstellung der Schlußgestaltung ging vor der endgültigen Disposition des Zyklus offenbar bereits bis ins Detail. Die Prägung der Takte 39—40 ist in den Skizzen zu finden, die in Verbindung mit Vorarbeiten zum letzten Satz des Streichquartetts in C-Dur op. 53, Nr. 3 entstanden. Blatt 8 im unteren System enthält ein Notat des Dreiklangs c'—es'—g', der in die abwärtsgerichtete Skalenbewegung übergeht.[1] In der endgültigen Fassung wird lediglich anstelle der Sechzehntelpause eine Punktierung der Achtelnote vorgenommen. Ein zweimaliger Terzruf, den Reminiszenzen an die Variationen 7 bzw. 8 begleiten, zögert den Schluß weiter hinaus. Aus dieser Variante wird der Oktavgang im Fortissimo entwickelt, dem im Piano die Schlußtonika folgt.

Der Orgelpunkt über dem Schlußton und die raschen rätselhaft-eigenwilligen Figuren in Variation 32 suggerieren eine abschließende Wirkung, die das anschließende Verfahren unvermutet durchkreuzt. Die letzte Wiederkehr des Themenbasses wird dabei mit einer unerwarteten Produktion neuer motivischer Prägungen konfrontiert. Das Komponieren von Variationen gipfelt in der Erfindung von Varianten.

Christa Jost

1 Für die Bereitstellung von Mikrofilmaufnahmen sei dem Archiv der Gesellschaft der Musikfreunde in Wien gedankt.

6 Ecossaisen für Klavier
WoO 83

ENTSTEHUNGSZEIT: wahrscheinlich um 1806.
ERSTAUFFÜHRUNG: unbekannt.
SKIZZEN: nicht bekannt.
AUTOGRAPH: unbekannt.
ERSTDRUCK: 1888 in den Supplementen zur Alten Gesamtausgabe.
GESAMTAUSGABE: Alte Gesamtausgabe: Nr. 302 = Serie 25 Nr. 39.

Der Ursprung der sechs Ecossaisen WoO 83 ist geheimnisumwoben. Thayer, Forbes und Kinsky / Halm haben diese kleinen Klavierstücke den Jahren 1806—1807 zugeschrieben in der Vermutung, daß sie ursprünglich zu den zwölf Ecossaisen für Orchester (WoO 16) gehörten, die 1807 von Johann Traeg in Wien veröffentlicht wurden, seither aber verschollen sind. Eine Ankündigung dieser zwölf Stücke erschien am 21. März 1807 in der *Wiener Zeitung* mit dem Vermerk, daß neben der Partitur und den Stimmen auch eine Klavierbearbeitung verfügbar sei. Im Artaria-Katalog Beethovenscher Werke finden sich diese Klaviertranskriptionen nach der Klaviersonate in B-Dur op. 106, und in Thayers *Chronologischem Verzeichnis* als Nummer 136. Die heute unter WoO 83 bekannten Klavierstücke wurden erst 1888 von Breitkopf & Härtel im Supplementeband zu Beethovens gesammelten Werken veröffentlicht.[1]

In Ermangelung eines Autographs oder früher Drucke werden wir vielleicht nie mit Sicherheit wissen, ob die sechs Stücke WoO 83 mit denen in der Zwölfergruppe von 1807 identisch sind oder nicht. Jedenfalls waren kurze, charakteristische Stücke dieser Art im frühen 19. Jahrhundert sehr beliebt, und Beethoven sah besonders zu Anfang seiner Laufbahn in solchen Kompositionen offenbar einen notwendigen Schritt, um seinen Namen in die Öffentlichkeit zu bringen.

Die Ecossaise des 19. Jahrhunderts, dem älteren englischen Kontertanz nachgebildet, war ein lebhaftes Stück in mäßig schnellem Tempo. Beethovens sechs kurze Stücke stehen ausnahmslos in Es-Dur und waren zweifellos als Gruppe geplant. Die erste Hälfte besteht jeweils aus einer achttaktigen Phrase, die notengetreu oder leicht variiert wiederholt wird, wie üblich in der Ecossaise des 19. Jahrhunderts. Die letzten 15 Takte von Nr. 1 sind am Ende der fünf folgenden Stücke zu wiederholen: Sie bilden einen Instrumentalrefrain, der die Gruppe zusammenbindet.

1 Vgl. E. Forbes, *Thayer's Life of Beethoven,* S. 410f.; G. Kinsky / H. Halm, *Das Werk Beethovens,* S. 536f.

Fast könnte man sich diese sechs kurzen Stücke als eine einzige längere Komposition mit verschiedenen gegensätzlichen Melodien denken. Diese weit verbreitete Struktur entspricht übrigens den choreographischen Eigenarten der damaligen Gesellschaftstänze.

Die sechs Ecossaisen in Es-Dur weisen etliche motivische Ähnlichkeiten sowohl rhythmischer als auch melodischer Art auf. Die ganze Gruppe wird von dem Rhythmus ♫♩ oder seiner Umkehrung ♩♫ beherrscht. Melodisch entwickeln sich die Themen alle aus dem Tonika-Dreiklang, und die Begleitung in der linken Hand ist in allen sechs Tänzen im Grunde genommen dieselbe. Gleichzeitig führt Beethoven aber kontrastierende Elemente in der Figuration und im Charakter ein, trotz der gewählten beschränkten Mittel. Nr. 2 hat zum Beispiel einen lyrischeren Charakter als die anderen. Die Dynamik ist sanfter und die Artikulation vorwiegend legato.

Nr. 6 bringt den Höhepunkt mit einer etwas kunstvolleren Figuration.

Anspruchslose kleine Stücke wie diese sechs Ecossaisen müssen, nach ihrer weiten Verbreitung und dem ertragreichen Verkauf zu urteilen, den Amateuren unter den Klavierspielern enormes Vergnügen bereitet haben. Sie machten einen wichtigen Teil des weiten Marktes für Klaviermusik aus und beanspruchten die Aufmerksamkeit sogar eines Musikers wie Beethoven, der sonst eifersüchtig über seinen Status als Komponist ernsthafter Musik wachte. Beethovens Beiträge zu diesem Repertoire, wovon WoO 83 nur ein Beispiel ist, zeichnen sich durch einen charakteristisch hohen Grad an Einheitlichkeit und unverkennbare Individualität aus.

Kathryn Bumpass
Übersetzung: Gudrun Budde

Kaiser-Kantaten
WoO 87 und WoO 88

WoO 87: Trauer-Kantate auf den Tod Kaiser Josephs II.
GEDICHT: S. A. Averdonk.
ENTSTEHUNGSZEIT: März 1790.
ERSTAUFFÜHRUNG: am 28. November 1884 in Wien.
SKIZZEN: unbekannt.
AUTOGRAPH: verschollen; eine Abschrift besitzt die Österreichische Nationalbibliothek Wien.
ERSTDRUCK: 1888 in der Alten Gesamtausgabe.
GESAMTAUSGABE: Alte Gesamtausgabe: Nr. 264 = Serie 25 Nr. 1.

WoO 88: Kantate auf die Inthronisation Kaiser Leopolds II.
GEDICHT: S. A. Averdonk.
ENTSTEHUNGSZEIT: 1790.
ERSTAUFFÜHRUNG: unbekannt.
SKIZZEN: unbekannt.
AUTOGRAPH: verschollen; eine Abschrift besitzt die Österreichische Nationalbibliothek Wien.
ERSTDRUCK: 1888 in der Alten Gesamtausgabe.
GESAMTAUSGABE: Alte Gesamtausgabe: Nr. 265 = Serie 25 Nr. 2.

Unter den in Bonn entstandenen Kompositionen Beethovens nehmen die beiden Kaiser-Kantaten als verhältnismäßig umfangreiche und aufwendig besetzte Chorwerke eine besondere Stellung ein. Sie verdanken ihre Komposition dem Wechsel auf dem Kaiserthron des deutschen Reiches, stehen also ihrem Charakter entsprechend in der Tradition der Huldigungsmusiken für regierende Persönlichkeiten — Werke, die nicht aus eigenem Antrieb der Verfasser, sondern aufgrund eines offiziellen Auftrags, wenn auch nicht grundsätzlich ohne innere Beteiligung, geschrieben wurden.

Über den Zusammenhang ihrer Entstehung hinaus sind beide Kompositionen durch ihre gemeinsame Überlieferung miteinander verbunden. Nach Jahrzehnten einer lediglich aufgrund von Indizien vermuteten Existenz wurde 1884 das Auftauchen zweier Partiturabschriften durch Eduard Hanslick in einem Feuilletonbericht bekannt gemacht. Brahms, von Hanslick um seine Meinung gebeten, fand für die gelungenen Teile hohe Worte der Anerkennung[1] und überging die weniger geglückten mit taktvollem Schweigen. Auf seine Anregung hin fand am 23. November 1884 im ersten Konzert der Gesellschaft der Musikfreunde Wien die Erstaufführung der Trauerkantate statt. 1888 wurden beide Werke in einem Ergänzungsband zur Gesamtausgabe erstmals der interessierten Allgemeinheit zugänglich. Dies führte — vor allem aufgrund der Trauerkantate — zu einer neuen, positiveren Einschätzung der frühen kompositorischen Entwicklung Beethovens.

TRAUER-KANTATE AUF DEN TOD KAISER JOSEPHS II. (WoO 87). Am 20. Februar 1790 war Kaiser Joseph II., der Bruder des Kölner Kurfürsten Maximilian Franz, gestorben. Die Mitglieder der Bonner „Lesegesellschaft", einer Nachfolgerin des aufklärerischen Bundes der „Illuminaten", beabsichtigten, des Aufklärers auf

1 Vgl. E. Hanslick, *Suite,* S. 153ff.

dem Kaiserthron würdig zu gedenken. Für den 19. März wurde eine Feier angesetzt, bei welcher der „Professor der schönen Künste" Eulogius Schneider eine Ansprache halten sollte. Auf seinen Vorschlag hin wurde beschlossen, die Gedenkfeier durch eine Komposition zu bereichern und einen „vortrefflichen Tonkünstler" mit der Vertonung des bereits vorliegenden Textes eines „hiesigen jungen Dichters" zu beauftragen. Der Verfasser war Severin Anton Averdonk, Kandidat an der kurfürstlichen Akademie zu Bonn, mit der Komposition wurde der junge Ludwig van Beethoven beauftragt. Die beabsichtigte musikalische Darbietung kam allerdings „aus mehreren Ursachen" nicht zustande; ob es sich dabei um aufführungspraktische Gründe handelte oder ob die Komposition nicht rechtzeitig fertig geworden war, ist nicht bekannt.

Bei der Besetzung der Kantate scheint Beethoven mit dem Einsatz des gesamten Personals der damaligen Bonner Hofkapelle gerechnet zu haben. Er verwendet neben dem Chor drei Solosänger (Sopran, Tenor und Baß), dazu eine Altstimme für kleinere Aufgaben im Ensemble; der Instrumentalpart umfaßt zwei Flöten, zwei Oboen, zwei Klarinetten, zwei Fagotte, zwei Hörner und Streicher. Die Mitwirkung von Cembalo oder Orgel ist dem aufführungspraktischen Brauch der Zeit entsprechend als selbstverständlich vorauszusetzen.

Das Werk hat die Satzfolge:

1.	Coro (Chor und Soli) Largo, 3/4, c — Larghetto, 2/4, c/Es — Più largo, quasi molto adagio, 4/4, Es	Todt, Todt, stöhnt es durch die öde Nacht
2.	Recitativo (Baß) Presto, 4/4, D — A	Ein Ungeheuer, sein Name Fanatismus
3.	Aria (Baß) Allegro maestoso — Allegro assai — Tempo primo — Allegro assai, 3/4, D	Da kam Joseph, mit Gottes Stärke
4.	Aria (Sopran) con Coro Andante con moto, 3/4, F	Da stiegen die Menschen ans Licht
5.	Recitativo (Sopran) Largo, 4/4, d—c	Er schläft, von den Sorgen seiner Welten entladen
6.	Aria (Sopran) Adagio con affetto, 3/4, Es	Hier schlummert seinen stillen Frieden
7.	Coro (Chor und Soli) Largo, 3/4, c — Larghetto, 2/4, c — Più largo, quasi molto adagio, 4/4, c	Todt, Todt, ... (wie Nr.1)

Der Text Averdonks enthält zahlreiche Klischees der zeitgenössischen Hoftrauer-Poesie: die Nacht des Todes, den Kampf mit den Mächten der Tiefe, den Aufstieg zum Licht und die Erlösung im stillen Frieden des Grabes. Leider ersetzt der junge Dichter die ihm verständlicherweise fehlende Routine durch Verwendung übersteigerten Ausdrucks: Er läßt die „Felsen weinen" und die „Wogen des Meeres durch die Tiefen heulen". Der neunzehnjährige Beethoven hat die vom Text vorgegebenen allgemeinen Ausdruckscharaktere wirkungsvoll in Musik gesetzt und zum Teil sogar wesentlich vertieft. Durch die abschließende Wiederaufnahme des ersten Chores, die im Libretto vermutlich nicht vorgesehen war, gab er der Komposition einen einheitlichen Rahmen, der einen zentralen Satzblock umschließt, in welchem sich wiederum zwei Rezitativ-Arien-Paare um eine liedhafte Aria mit Chor gruppieren.

Die als Einleitung — und Abschluß — eingesetzte eindringliche Totenklage des Chores ist der gewichtigste Teil der Komposition. Die Introduktion beschwört mit dem einfachen Mittel alternierender Streicher- und Bläserklänge die Grundstimmung tiefer Trauer, welche die Vertonung auch im weiteren Verlauf bestimmt. Ein Solistenquartett lockert mit emphatischen Einwürfen die akkordisch-kompakten Chorpartien auf. Die geniale Begabung des jungen Komponisten kommt in hochaffektiver Melodik mit häufiger Verwendung „harter Sprünge" in verminderten Intervallen sowie in entsprechender Harmonisierung mit ausgiebigem Einsatz verminderter oder alterierter Vierklänge zum Ausdruck. Die ein- bzw. ausleitende Funktion der thematisch gleichen, aber in der musikalischen Substanz nicht völlig identischen Ecksätze spiegelt sich auch in der harmonischen Anlage: Der Eingangschor öffnet sich modulierend von c-Moll nach Es-Dur, der Schlußchor verbleibt in c-Moll.

Das Herzstück der Kantate, die „Aria con Coro" (Nr. 4) auf den Text „Da stiegen die Menschen ans Licht" zeigt zwar einen liedhaften Gestus, erscheint aber im Ganzen als primär instrumental konzipierte Form. Der melodische Hauptgedanke des Satzes, der in der Beethoven-Rezeption als „Humanitätsmelodie" geradezu symbolische Bedeutung erhalten sollte, wird von der Oboe intoniert

und vom Solosopran teils übernommen, teils kontrapunktiert. Der Chor hat hier lediglich die Aufgabe der akkordischen Grundierung.

Die übrigen Sätze erheben sich in Einfall und Ausarbeitung nicht über den Durchschnitt der damaligen Produktion, sie verdienen allenfalls Interesse im Hinblick auf Beethovens kompositorische Entwicklung, in der sie ein Stadium der Aneignung überlieferter Kunstmittel repräsentieren. Der theatralische Text schien geradezu zwangsläufig das Vorbild der Oper nahezulegen. Das Rezitativ (Nr. 2) porträtiert mit ausgiebigem Instrumentalanteil das „Ungeheuer Fanatismus". Die durch viele Wiederholungen über Gebühr ausgeweitete zweiteilige Triumph-Arie (Nr. 3) ist weniger eine „bravura" als eine „aria di portamento" mit lang gehaltenen Tönen und großen Intervallsprüngen, sie erfordert vom Baßsolisten einen extremen Stimmumfang (vom tiefen Dis bis zum baritonalen fis'). Das Rezitativ (Nr. 5) enthält Anklänge an Glucks *Orpheus* — besonders deutlich ist die Ähnlichkeit der Episode „Still ist die Nacht" mit dem Arioso des Orphée „Quel nouveau ciel". Die Sopran-Arie (Nr. 6) stellt in affektiver Hinsicht ein Gegenbild des Baß-Solos dar. Sie besingt nicht den Kampf, sondern den Frieden und setzt den breiten Flächen des al-fresco-Stils der Baß-Arie eine farblich zarte Detailmalerei entgegen, die vor allem durch die selbständige und differenzierte Behandlung der Bläserstimmen erreicht wird. Das Kopfthema der Arie scheint nicht auf diesen Text hin erfunden zu sein, die Singstimme überläßt es bei ihrem Einsatz jedesmal den Instrumenten und weicht ihrerseits in Nebenfloskeln aus:

Möglicherweise hat der in Zeitnot geratene Komponist hier eine frühere Komposition verwendet.

Beethoven hat diese Grabmusik damals offenbar als repräsentativen Nachweis seines Könnens angesehen, denn nach einer von der Beethovenforschung allgemein als glaubhaft tradierten Anekdote aus Franz Wegelers *Erinnerungen* soll er anläßlich des Besuches von Joseph Haydn in Bonn dem berühmten Gast eine Kantate vorgelegt haben, „welche von Haydn besonders beachtet und ihr Verfasser zu fortdauerndem Studium aufgemuntert wurde".[1] Wenn es sich dabei nicht um ein anderes, uns völlig unbekanntes Werk gehandelt haben sollte, so kann als sicher gelten, daß das vielversprechende Talent damals unter seinen jüngst entstandenen Werken die gewichtige Trauermusik WoO 87 als Ausweis seiner Fähigkeiten ausgewählt hatte. Noch deutlicher läßt sich Beethovens eigene Einschätzung des Werkes daran ermessen, daß er sich rund 15 Jahre später bei der Komposition seiner Oper *Leonore* dieser Musik erinnerte. In der Introduktion zur Kerkerszene kehren die unheilkündenden, das Schwanken zwischen dumpfer Hoffnungslosigkeit und heftigem Schmerz evozierenden Einleitungsakkorde der Trauerkantate wieder und bilden hinfort für die Musik des 19. Jahrhunderts ein Vorbild für die Darstellung schicksalhafter Bedrohung. Noch deutlicher wirkt das Jugendwerk nach im emotionalen Höhepunkt des letzten Finales der Oper, dessen Sostenuto-Teil „O Gott! Welch ein Augenblick!" eine Übernahme des „Humanitätshymnus" aus der Aria (Nr. 4) „Da stiegen die Menschen ans Licht" darstellt.[2]

Gemessen an den übrigen Bonner Kompositionen Beethovens kann man diese Totenklage, die vom Stoff her mit dem Ansprechen tiefer Gefühle die gestalterische Ausdruckskraft des jungen Komponisten besonders herausforderte, durchaus als einen ersten Höhepunkt, einen „Durchbruch des Personalstils" bezeichnen.[3]

KANTATE AUF DIE INTHRONISATION KAISER LEOPOLDS II. (WoO 88). Im Wertvergleich mit der Trauerkantate kann die Krönungsmusik für Leopold II. nicht auf

1 Fr. G. Wegeler / F. Ries, *Biographische Notizen,* S. 20.
2 Dabei ist erwähnenswert, daß diese erste Fassung der Oper in bezug auf Harmonisierung, Überleitungsfloskeln und Begleitsatz gegenüber der Vorlage erhebliche Veränderungen aufweist, die in der endgültigen Version des *Fidelio* wieder zurückgenommen sind.
3 W. Korte, *Beethoven,* S. 63.

die gleiche Stufe gestellt werden. Diese zweite Kantate war offensichtlich als Komplement der Trauermusik gedacht, wenn auch nicht als Teil einer ursprünglichen Gesamtkonzeption, denn zur Zeit der Vorbereitung einer Gedächtnisfeier für den verstorbenen Monarchen war dessen Nachfolger noch gar nicht offiziell gewählt.

Beide Kantaten gehören jedenfalls inhaltlich unmittelbar zusammen: Gleich mit dem ersten Rezitativ der Krönungskantate „Er schlummert" knüpft der Textdichter — es ist wiederum Averdonk — wörtlich an die letzte Arie „Hier schlummert seinen stillen Frieden" der Trauermusik an und stellt auch im weiteren Verlauf noch viele andere Sinnbezüge zwischen beiden Kantaten her. Auch der einer selbständigen Chorkomposition kaum angemessene Beginn mit einem Rezitativ (in Text und Vertonung) deutet darauf hin, daß die Inthronisationskantate als Supplement konzipiert war.

Es bleibt allerdings unklar, wie man damals in Bonn Totenklage und Krönungsjubel, die sich von ihrer Bestimmung her einer unmittelbar aufeinanderfolgenden Präsentation eigentlich widersetzen, in einer einheitlichen Veranstaltung hätte aufführen wollen. Auch die Annahme, daß die im März 1790 nicht zustande gekommene Aufführung der Trauerkantate zum Gedächtnis des verstorbenen Kaisers nun zugleich mit der Begrüßung seines Nachfolgers nachgeholt werden sollte, bleibt reine — und wenig wahrscheinliche — Spekulation. Anscheinend ist es damals in Bonn zu keiner Aufführung gekommen, und spätestens vom folgenden Jahr an war zumindest der originale Text nicht mehr aktuell.

Diese zweite Kantate ist, obwohl etwas knapper gefaßt, dem Muster der ersten nachgebildet: zwar ohne Eingangschor, doch wie diese mit je einer virtuosen und einer kantablen Gesangsnummer versehen. Die vokale Besetzung ist die gleiche wie die der Trauerkantate, das Schwergewicht des Chores erscheint hier auf den Schlußsatz verlagert. Das Orchester ist — dem hochgestimmten Charakter entsprechend — um Trompeten und Pauken erweitert: zwei Flöten (Flauto solo in Nr. 2), zwei Oboen, zwei Klarinetten, zwei Fagotte, zwei Hörner, zwei Trompeten, Pauken, Streicher (Violoncello solo in Nr. 2).

Die Kantate hat sechs Sätze:

1.	Recitativo (Sopran mit Chor) Adagio assai — Andante — Vivace — Adagio — etc., 4/4, As — C	Er schlummert! Laßt sanft den großen Fürsten ruhen!
2.	Aria (Sopran) Allegro moderato, 4/4, G	Fließe, Wonnezähre, fließe!
3.	Recitativo (Baß) (secco), 4/4, B — F	Ihr staunt, Völker der Erde!
4.	Recitativo (Tenor) (accomp.), 4/4, D — E	Wie bebt mein Herz vor Wonne!
5.	Terzetto (Sopran, Tenor, Baß) Andante con moto, 2/4, A	Ihr, die Joseph ihren Vater nannten
6.	Coro (Chor und Soli) Un poco allegro e maestoso, 4/4, D	Heil! Stürzet nieder, Millionen

Der Text von Averdonk stellt — mehr noch als in der Trauerkantate — eine Ansammlung hohler Phrasen mit oft schiefen Vergleichen dar. Als Beispiel mag der Wortlaut der Arie (Nr. 2) dienen, ein krauses Gemisch aus alttestamentarischen, christlichen, antiken und germanisch-mythologischen Elementen:

Fließe, Wonnezähre, fließe!
Hörst du nicht der Engel Grüße
Über dir, Germania,
Süß wie Harfenlispel tönen?
Weil mit Segen dich zu krönen
Vom Olymp Jehova sah.

Auch hinsichtlich der Vertonung haben die vereinzelten genialen Begabungsproben der Trauerkantate in der Krönungsmusik keine Entsprechung. Keiner der Sätze weist über das Niveau eines Jugend- und Gelegenheitswerkes hinaus: weder der bunte Flickenteppich des einleitenden Accompagnato-Rezitativs noch das Terzett (Nr. 5), das eher eine auf drei Sänger verteilte Liedform als ein echtes Ensemble darstellt, auch nicht der aufwendig besetzte, aber konventionelle Schlußchor. Originell in der Konzeption ist die Sopran-Arie (Nr. 3) als aria concertante mit hohen technischen Anforderungen an die Gesangsstimme und die obligaten Instrumente Flöte und Violoncello. Es mag sein, daß Beethoven bei der Entscheidung für eine solistische Cellopartie an den seit kurzem zur Bonner Hofkapelle gehörenden Bernhard Romberg gedacht hat, dessen „reine Intonation und außerordentlich schneller Vortrag des Allegro“ in einem zeitgenössischen Bericht rühmend erwähnt werden.[1] Vielleicht war es dieser Satz, an dem in Mergentheim 1791 die Aufführung einer Kantate Beethovens durch die dort weilende Bonner Hofkapelle scheiterte, weil „mehrere Stellen für die Blas = Instrumente so schwierig [waren], daß einige Musiker [vielleicht nur der erste Flötist?] erklärten, solche nicht spielen zu können“.[2] Damit war die letzte aktuelle Gelegenheit zu einer Aufführung dieser Kantate verpaßt.

Im Gegensatz zur Trauerkantate kann von einer eigenen Wirkungsgeschichte der Krönungskantate nicht gesprochen werden. Sie erscheint in Konzertprogrammen kaum um ihrer selbst willen, sondern allenfalls im Gefolge ihres ausdrucksvolleren Schwesterwerks.

Emil Platen

1 L. Schiedermair, *Der junge Beethoven,* S. 87.
2 Fr. G. Wegeler / F. Ries, *Biographische Notizen,* S. 20f.

Szene und Arie „Primo amore“ für Sopran und Orchester WoO 92

GEDICHT: Autor unbekannt
ENTSTEHUNGSZEIT: Bonner Zeit.
ERSTAUFFÜHRUNG: am 17. März 1842 in Wien.
SKIZZEN: British Library London, Add. Ms 29801, Kafka Sketchbook.
AUTOGRAPH: Deutsche Staatsbibliothek Berlin.
ERSTDRUCK: 1888 in der Alten Gesamtausgabe.
GESAMTAUSGABE: Alte Gesamtausgabe: Nr. 271 = Serie 25 Nr. 8.

Entgegen früheren Vermutungen haben philologische Recherchen seit 1970 ergeben, daß die Szene und Arie für Sopran und Orchester aus Beethovens Bonner Zeit stammt. Bis heute ungeklärt ist jedoch die Herkunft des Textes. Alan Tyson hält ihn für eine Übersetzung und stützt sich dabei auf ein deutsches Textfragment im Kafka-Skizzenbuch.[1] Ob das Gedicht nun original italienisch ist oder nicht, klar erscheint sein Bezugsfeld: Inhalt, Metaphorik und sprachlicher Duktus zielen auf den Stil des Opera-seria-Librettos im 18. Jahrhundert und fordern eine Interpretation vor dem Horizont dieser Gattung. Der Text handelt von betrogener Liebe: Das lyrische Subjekt, ein Mann, beklagt, daß die Geliebte ihn nach einer glücklichen Zeit um eines anderen willen verlassen habe. In einem rezitativischen Mittelteil beschwört er das Wesen wahrer Liebe: Nach einer Trennung könne nur der Tod noch Trost bringen. Der letzte Teil greift leicht verändert die vier ersten Verse auf: Eine solche Liebe („tal amor“ statt „primo amore“), resümiert der Sänger, habe sein Herz durchdrungen, nun aber sei alles zu Ende. Erscheint die Variante im Text bei flüchtigem Hinsehen als geringfügige Abweichung, so verleiht sie den Versen doch eine andere Grundhaltung. Erster und dritter Teil der Arie verhalten sich zueinander wie ein gerührt in die Vergangenheit schweifendes „Es war einmal“ zur trotzig-resignierten Feststellung: „Ja, so war es, und nun ist es vorbei“. Die Gedanken des Anfangs werden also in einer neuen Beleuchtung, in einer anderen subjektiven Perspektive vorgeführt.

Beethovens Vertonung reagiert sensibel darauf: Wo für einen Musiker des 18. Jahrhunderts Analogien nahegelegen hätten, schafft sie Kontraste. Für die innere Logik des Zusammenspiels von Text und Musik bedeutet dies, daß die aus unerträglichem Schmerz geborene Todessehnsucht, die sich im Mittelteil artikuliert, nicht verdrängt werden muß durch eine gleichsam erinnerungslose Rückkehr zum Anfang. Sie bleibt aufgehoben in den Ausdrucksgesten eines völlig neu erfundenen Schlußteils und wirkt in ihm als latentes dramatisches Element weiter. So wird die Psychologie der imaginären Opernfigur glaubwürdig und sprengt das — für die Seria des 18. Jahrhunderts noch weitgehend verbindliche — Korsett musikalischer Dacapo-Formen. Der Anreiz, den Text zu komponieren, könnte für Beethoven eben in diesen Veränderungen des musikalisch-dramatischen Ausdruckscharakters gele-

1 Vgl. die Skizze 76^{r} im Kafka-Skizzenbuch.

gen haben, also darin, zwei nahezu identische Vierzeiler gegensätzlich zu vertonen. Der Musiker nimmt dem Librettisten hier die Dramaturgie einer Szene aus der Hand und gestaltet sie mit seinen ureigensten Mitteln. Insinuiert die Textstruktur, den Schlußteil musikalisch als Reprise des Anfangs zu inszenieren, so setzt Beethoven neben die verhalten-schmerzliche Erzählung von Liebe und Verrat einen verzweifelten Aufschrei ums für immer verlorene Glück. Der musikalische Verlauf zeichnet die Zuspitzung zur Katastrophe — nicht die Ausgewogenheit einer Bogenform. Zunächst bestimmt ein geradezu kammermusikalisch gedachter Satz den Charakter. Das erste Thema, das den Versen 1—2 entspricht, erklingt in den Streichern (T. 1—8), gefolgt von einem Nachsatz der Bläser, in dem bereits ein aus vier Achtelnoten bestehendes, dem Takt 2 entstammendes Motiv verarbeitet wird. Nach dem Dominant-Tonika-Schluß in Takt 18f. tritt eine eintaktige Figur auf, die nacheinander durch die Horn-, Flöten-, Oboen-, Fagott-, Flöten-, Oboen-, Fagott-, Flötenstimme wandert (T. 19—26) und in Takt 27f. schließlich als die Tonika bestätigendes Fragment erklingt. Wenn die Sopranstimme in Takt 32 einsetzt, bringt ihr Thema bereits eine Geschichte mit. Sorgfältig abgestimmt erscheint auch das Verhältnis der Verse 1—4 zu den Versen 4—8: Während das „Primo amore“-Thema abtaktig gebildet ist, eine Tendenz zu Sprüngen aufweist und mit Viertel-, Achtel- und Sechzehntelwerten auskommt, charakterisieren das „scherza un altro“ (T. 62—65) Auftaktigkeit, Punktierungen, stufenweise Fortschreitungen und kleinere Notenwerte (Sechzehnteltriolen, Zweiunddreißigstel). Verbindende Momente zwischen A- und B-Teil sind aber die Takte 68—70 in der Begleitung, die sich auf Takt 40—46 beziehen, und die aus Takt 8—10 bekannte Bläserfigur in Takt 71—73. Außerdem greift der Einsatz „cerca-si“ in Takt 73 jenes Sechzehntelmotiv auf, dessen Keim in Takt 2 zu finden ist und das Gegenstand einer Abhandlung durch die Bläser in den Takten 10—17 war. Nach dem vergleichsweise kurzen B-Teil setzt eine Reprise ein, die auf das instrumentale Vorspiel verzichtet, sich im übrigen jedoch eng an den Anfang hält.

Diesem in sich geschlossenen, formal abgerundeten Abschnitt folgt zunächst ein Accompagnato-Rezitativ im Allegro-moderato-Tempo (4/4-Takt), welches in D-Dur beginnt, die tonartliche Bindung jedoch rasch gegen harmonische Instabilität eintauscht. Abrupter Dur-Moll-Wechsel, lebhafte Baßführung, eintaktige Skalenmotive in der Begleitung und syllabische Deklamation verleihen dem Teil einen dramatisch-gestischen Charakter und grenzen ihn sowohl gegen den kantablen Beginn als auch gegen das folgende Larghetto (3/8-Takt, a-Moll) ab. Satz- und instrumentationstechnisch greift es auf die Atmosphäre des „Primo amore“ zurück, findet aber, sobald von Trennung die Rede ist, zu gesteigerter Expressivität durch einen punktierten Unisono-Abstieg im Fortissimo und die 64tel-Tremoli der Violinen. Der Trost, den der Tod zu spenden hat, figuriert musikalisch im folgenden als Zurücknahme der Motorik und Dynamik. Sangliche Züge setzen sich wieder durch. Vier Fermatentakte bringen die Bewegung ganz und gar zum Stillstand und hauchen die Todeshoffnung im Pianissimo aus.

Nun könnte, ganz im Einklang mit der älteren Gattungstradition, ein schlichtes Da capo folgen. Doch Beethoven sucht eine andere Lösung. Das „Tal amor“ läßt er im Allegro con brio (₵, A-Dur) anheben und wendet einen zur Gestaltung des „Primo amore“-Teils geradezu konträren Satztypus an. Motivisch-thematische und durchbrochene Arbeit weichen jetzt typischen Begleitfiguren, die einerseits das vokale Geschehen grundieren, andererseits den Klang verdichten, und einer generellen

Tendenz zum Unisono. Was vorher filigran und durchsichtig wirkte, ist nun flächiger komponiert und bedient sich, im Gegensatz zur kammermusikalischen Durchbildung des ersten Teils, entschieden orchestraler Mittel. Auf der vokalen Seite entspricht dem ein Umschwung von melancholischer Verhaltenheit zu extrovertierter Virtuosität. Das Melos wird der heroisch-pathetischen Geste geopfert. Immer wieder tangiert die Gesangsstimme ihre obere Ambitusgrenze. Sprünge (im Extremfall über eine Undezime, T. 331f.), Koloraturen und lang ausgehaltene Spitzentöne (h'' in T. 257—261; e'' in T. 309—313) dominieren. Die Gesangsphrase neigt zur Fragmentierung und nimmt einen exklamatorischen Charakter an. Häufig teilen Pausen selbst kurze Motive voneinander ab. Dabei zeigt sich übrigens, daß Beethoven noch nicht so firm in der Behandlung des italienischen Verses war, um Unebenheiten und offenkundig falsche Silbentrennungen zu vermeiden. So sind beispielsweise in dem Vers „io trovai la cara deh“ sowohl „io“ als auch „-vai“ unbedingt einsilbig aufzufassen, wenn das Metrum des Siebensilblers nicht gesprengt werden soll. Beethoven skandiert aber in Takt 315f. „tro — va 𝄽 i“, was nicht nur wegen des isolierten hellen Vokals unbeholfen klingt. Weiterhin könnte man sich den Vers „penetrava il mio cor“ mit der Elision „va‿il“ vorstellen, was eine zweisilbige Auffassung von „mio“ zur Folge hätte. Beethoven zieht jedoch „va“ und „il“ auseinander und gelangt so regelmäßig zu einem Akzent auf „il“ (T. 244, 248, 256, 298, 300, 308), der jedenfalls semantisch weniger einleuchtet als eine Hervorhebung des Wortes „mio“.

Das thematische Geschehen in den Instrumentalstimmen ist auf ein Minimum reduziert und beschränkt sich im wesentlichen auf die Bläser. So wiederholen Flöte bzw. Oboe echoartig eintaktige Motive der Gesangsstimme (Flöte: T. 225, 229; Oboe: T. 227, 231). Und dort, wo die Reprise einsetzt (die Anlage ist zweiteilig: a entspricht T. 224—280; a' T. 281—350), tragen zuerst die Oboe und dann das Fagott die erste Hälfte des „Tal amor“-Themas vor, dann folgen Flöte und Oboe. Dieses obligate Zwischenspiel ist allerdings in Takt 296 schon wieder beendet. Sonst dominiert der Vokalpart das Geschehen, das einen zunehmend finalen Zug erhält, unterstützt durch die Stakkato-Skalenbewegung im Baß ab Takt 281. Doch das Pathos, das, wie der Text vorführt, aus der Verzweiflung stammt, hält sich nicht ungebrochen durch. Ein unvermittelter Adagio-Einschub, die nahezu notengetreue Entsprechung der Takte 48f. aus dem ersten Teil, wirft eine Reminiszenz dazwischen, eine Erinnerung aus jener Zeit, in der noch zärtliche, wenn auch traurige Gefühle herrschten. Als wollte er diese beiden Stimmungen im bewußten Gegensatz noch einmal besonders hervorheben, stellt Beethoven das Adagio unmittelbar vor die große Schlußsteigerung. Dort wirkt es als Innehalten und Atemholen vor der beschleunigten und dynamisch intensivierten Coda, und zugleich ist es ein letzter, wehmütiger Blick zurück, ehe das musikalische Subjekt vom Strudel der Koloraturen mitgerissen wird.

Ohne die Interpretation des Stückes zu forcieren, kann man gerade in der Einschaltung der „Reminiszenz“ seine Originalität erkennen: Während der Text die Rückkehr zum Identischen suggeriert und damit das Bewußtsein vom Zeitverlauf tendenziell tilgt, erzählt die Musik eine Geschichte, deren Ende mit ihrem Anfang nur noch wenig gemein hat. So werden die beiden Erinnerungstakte — gerade auch in ihrer Unverbundenheit mit dem Kontext — zum Ort der Zeiterfahrung. Damit artikuliert sich Vergangenheit als Problem nicht nur auf der Ebene der verbalen Semantik, sondern zugleich auch in der kompositorischen Struktur.

Ruth E. Müller

Duett „Nei giorni tuoi felici“ für Sopran, Tenor und Orchester WoO 93

GEDICHT: P. Metastasio.
ENTSTEHUNGSZEIT: 1802—1803.
ERSTAUFFÜHRUNG: am 10. Februar 1939 in Winterthur.
SKIZZEN: Staatliches M. I. Glinka-Zentralmuseum für Musikkultur Moskau, Skizzenbuch Wielhorsky.
AUTOGRAPH: Staatsbibliothek Preußischer Kulturbesitz Berlin.
ERSTDRUCK: Leipzig 1939 (E. Eulenburg), gleichzeitig daselbst Taschenpartitur und Klavierauszug.
GESAMTAUSGABE: Supplemente zur Alten Gesamtausgabe, Bd. 2, Nr. 2 und Bd. 14, Nachträge.

Beethoven komponierte das Duett für Sopran und Tenor um 1802/1803, also im unmittelbaren Anschluß an seine Studienzeit bei Antonio Salieri in Wien. Erst 20 Jahre später bemühte er sich — vergeblich — darum, das Werk zu veröffentlichen, und aller Wahrscheinlichkeit nach ist es zu seinen Lebzeiten nicht aufgeführt worden. Salieris Unterweisung bestand im wesentlichen darin, den jüngeren Kollegen mit der Vertonung italienischer Texte vertraut zu machen. Die Korrekturen des Lehrers in den Übungsarbeiten zeigen, daß Beethoven beim Wortakzent und bei anzubringenden Elisionen noch unsicher war. Der Unterricht hatte jedoch auch einen anderen, nicht weniger bedeutsamen Aspekt: Die von Salieri vorgeschlagenen Texte stammten überwiegend aus Libretti für Opere serie, für eine Gattung also, deren musikalische Gestalt im 18. Jahrhundert weitgehend kodifiziert worden war. So sind Beethovens Studien gleichzeitig auch Etüden im kompositorischen Idiom der Opera seria. Dieser Stil allerdings war um 1800 bereits erstarrt und für Beethoven fast so etwas wie eine tote Sprache geworden. Das Problem für den Komponisten bestand also darin, einerseits den stilistischen Anschluß an die Gattungstradition zu vollziehen, andererseits aber dennoch nicht „altmodisch“ zu werden.

Pietro Metastasios *Olimpiade* erfuhr im 18. Jahrhundert etwa 60 Vertonungen. Einige davon, wie diejenige Pergolesis (1735) und Jommellis (1761) erlangten größere Berühmtheit, und es ist bezeichnend, daß die Zeitgenossen ihr Urteil in erster Linie auf bestimmte musikalische Nummern stützten, gewöhnlich auf die Arie des Megacle „Se cerca, se dice“ und auf das Duett Aristea-Megacle „Nei giorni tuoi felici“. Beethoven komponierte also eine Art Schlager des 18. Jahrhunderts. Das Stück beschließt den ersten Akt und führt eine ausweglose Situation vor: Megacle hat seinem Freund Licida versprochen, unter dessen Namen bei den Olympischen Spielen zu kämpfen. Zu spät erfährt er, daß seine Geliebte Aristea als Siegesprämie ausgesetzt ist, und stürzt in einen grausamen Gewissenskonflikt zwischen Liebe und Freundestreue. Er entscheidet sich für Licida. Nun muß er (wie er glaubt) für immer Abschied von der ahnungslosen, durch sein merkwürdiges Verhalten jedoch beunruhigten Aristea nehmen und bittet sie, ihn „in ihren glücklichen Tagen“ nicht zu vergessen. Besorgt fragt sie nach; er antwortet nicht. Aristea sieht den Geliebten leiden, ohne den Grund zu kennen, und Megacle glaubt vor Eifersucht umzukommen. Die Szene schließt mit dem gemeinsam beschworenen „grausamsten Schmerz“ (più barbaro dolor).

Verschiedene musikalische Versionen des Duetts lassen erkennen, daß es offenbar eine Art Vertonungstradition gab: Caldara (1733), Pergolesi (1735), Galuppi (1747) und Jommelli (1761) wählen die Tonart A-Dur. Ein weiteres gemeinsames Merkmal (auch bei Leonardo Leo, 1737) ist — grosso modo — das Formschema A—B—A. Die Verse 1—8 entfallen gewöhnlich auf den A-Teil, der sich im harmonischen Rahmen von Tonika und Dominante abspielt, während der die Verse 9—15 umfassende Mittelteil mit der Tonikaparallele einsetzt und einen harmonisch freieren Verlauf nimmt. Galuppi und Jommelli betonen die Zäsur zwischen Rahmen und Mittelteil zusätzlich durch einen Taktwechsel. Überdies herrschen in der Behandlung des Vokalparts Übereinstimmungen. So entsprechen sich in den fünf zitierten Vertonungen weitgehend diejenigen Partien, in denen die Gesangsstimmen homophon und häufig dann auch in parallelen Terzen und Sexten geführt werden. Dies tritt bei den Versen 7—8 sowie 13—15 auf, also jeweils gegen Ende der einzelnen Formabschnitte, nachdem zunächst — wie im Libretto vorgegeben — ein Dialog stattfand, der sich in die Rufe „taci — parla — perché“ auflöste. Hier fällt übrigens auf, daß in Vers 3—4, also bei Aristeas Frage „perché così mi dici“, stets die Wendung zur Dominante erfolgt. Und noch eine Gemeinsamkeit verbindet die verschiedenen Versionen: An der Stelle „più barbaro dolor“ (Vers 15) erklingen immer Tritonusdissonanzen, nicht selten zwischen den Vokalparten. Der Seria-Stil hatte also geradezu eine Art Vokabular ausgebildet, wie die Ähnlichkeiten und Analogien beweisen, die sich immerhin über einen Zeitraum von mehr als 30 Jahren beobachten lassen.

Beethovens Komposition ist in der Anlage zweiteilig, das heißt die Verse 1—8 werden nach dem B-Teil nicht wiederholt. Der A-Teil im 2/4-Takt und in E-Dur ist mit „Adagio“ überschrieben, während der zweite Abschnitt, welcher in e-Moll steht, mit der Taktart ₵ ein schnelles Tempo fordert. Was in den Vertonungen des 18. Jahrhunderts als „kleinster gemeinsamer Nenner“ hervortrat, findet sich auch bei Beethoven. Das betrifft die Zäsur zwischen Vers 8 und 9 durch Tonartwechsel, die harmonische Disposition (wobei die Tonikaparallele durch die Molltonika ersetzt wird), die Festlegung einzelner Verse auf einen homophon-deklamatorischen Charakter, die Organisation des „taci-parla“-Wechselgesanges, selbst das Verfahren der Imitation im Abstand eines Taktes. Auch den Tritonus setzt Beethoven dort ein, wo seine Vorgänger das tun (auf „barbaro“ in den Takten 143—147 zwischen Baß und Tenor).

Beethoven greift also eine ganze Reihe für den Seria-Stil charakteristischer Topoi auf. Sein vorrangiges Interesse scheint die Übung im italienischen Vokalstil gewesen zu sein. Davon legen auch die umfangreichen Skizzen zu WoO 93 Zeugnis ab, die Natan Fischman 1962 mit seiner Edition des Moskauer Skizzenbuches zugänglich gemacht hat. Diese Skizzen betreffen überwiegend die Gestaltung der Gesangspartien hinsichtlich ihrer Melodik, metrischen Disposition und ihres dialogischen Verhältnisses. Beethoven experimentiert mit dem Text und seiner Betonung. Dabei kann man an einigen Stellen spüren, wie der Wunsch nach einer ausgewogenen musikalisch-formalen Durchbildung in Widerstreit gerät mit den Gesetzen des Kantablen. So hält Beethoven lange an dem Entwurf

Skizze 68

fest, in dem offensichtlich Ausgleich und Parallelität zwischen der Abwärtsbewegung in Takt 2 und dem Anstieg in Takt 4 intendiert sind. Dies bringt jedoch eine betonte Halbe auf dem Vokal „e“ mit sich, eine nicht unbedingt glückliche Lösung, die ab Skizze 74 ersetzt wird durch die folgende, endgültige Version:

Skizze 74

Sie hat nicht nur den Vorteil, daß der Akzent nun auf das sanglichere „o“ fällt, sondern entzerrt auch die Textverteilung auf den beiden letzten ansteigenden Achtelnoten. Außerdem wird die allzu offensichtliche Analogie der Takte 2 und 4 durch den Vorhalt in Takt 4 abgemildert. Übrigens belehren die Skizzen auch darüber, daß Beethoven offensichtlich eine Wiederholung der Verse 1—8 in Erwägung zog: Auf den Skizzen 76 und 80 notiert er mögliche Übergänge von Vers 15 zu Vers 1. Die neue Vertonung des Anfangs (in schnellem Tempo und in C-Dur) erinnert an die Arie „Primo amore“ (WoO 92): Dort vollzieht sich bei der textlichen Wiederaufnahme ein Umschwung vom eher verhaltenen, sehnsuchtsvollen Tonfall zu energiegeladener Virtuosität.

Über den Orchestersatz verraten die Entwürfe wenig. Die kompositorischen Probleme lagen offensichtlich im Vokalpart. Doch damit erschöpft sich die musikalische Substanz des Duetts nicht. Denn in der Partitur finden sich Subtilitäten, die kammermusikalischem Geist entstammen und die Beethoven — wie ein Blick auf die Skizzen zeigt — ohne Fingerübungen niederschreiben konnte. So ergibt sich eine leise Paradoxie daraus, daß das, worum Beethoven offensichtlich gerungen hat, für eine Analyse des Werkes nicht unbedingt so interessant ist wie das, was ihm ohne Anstrengung aus der Feder geflossen ist (wenn man das Nichtvorhandensein von Skizzen so interpretieren darf). Einige Beispiele sollen dies illustrieren.

Das Orchesterritornell (T. 1—5) ist geradezu ein Muster an harmonischer wie melodischer Ausgewogenheit. Dem Quartsprung h—e der Violinen folgt der Quintsprung h—fis von Flöte und Fagott; dem Violinaufstieg h—fis der Flöten- bzw. Fagottsprung h—e. Die Baßführung ist sorgfältig darauf abgestimmt, das Widerspiel zwischen Auf- und Abwärtsbewegung in der Schwebe zu halten. Dieses Ritornell erscheint auf der Dominante H-Dur in Takt 34ff., simuliert also eine Wiederholung der Verse 1—8 auf der V. Stufe. Statt dessen wendet es sich jedoch wieder zur Tonika und leitet eine Reprise ein.

Vor allem im ersten Teil des Duetts fallen Ansätze zu motivischer Arbeit auf. So greifen die Violinen das Kopfmotiv der ersten Gesangsphrase auf, während Flöte 1 und Fagott 1 eine Art Umkehrung (von fis nach h abwärts) in Engführung dagegensetzen (T. 8f.). Der Abstieg von e über cis zu h ist gleichzeitig identisch mit dem Tenoreinsatz „ricor-" in Takt 9. Auch ein vom Gesangspart unabhängiges Thema der Violinen („espressivo dolce", T. 19—25) unterstreicht die Eigenständigkeit der Instrumentalstimmen. Im zweiten Teil nimmt sie jedoch ab. Dafür gewinnt die Musik einen dramatischen Zug. Auch der Klang verdichtet sich durch die nun hinzutretenden Oboen; das beschleunigte Tempo bewirkt eine Intensivierung.

Die Kritiker der Uraufführung sahen in dieser Steigerung ein Analogon zu Beethovens symphonischem Verfahren und damit ein typisches Merkmal seines Kompositionsstiles. In einem anderen Licht erscheint das Werk jedoch, wenn man einerseits zurückblickt auf die Seria-Tradition, um die Beethoven sich offenkundig mühte, und andererseits die feine Zeichnung der obligaten Orchesterstimmen im langsamen Anfangsteil betrachtet.

Ruth E. Müller

„Germania" für Baß, Chor und Orchester WoO 94

GEDICHT: Fr. Treitschke.
ENTSTEHUNGSZEIT: März/April 1814.
ERSTAUFFÜHRUNG: am 11. April 1814 im Kärntnertor-Theater Wien.
SKIZZEN: unbekannt.
AUTOGRAPH: Fragment Takt 38—54: Beethoven-Haus Bonn; Fragment Takt 55—61: Gesellschaft der Musikfreunde Wien.
ERSTDRUCK: Klavierauszug: Wien 1814 (Hoftheater-Musikverlag); Partitur: 1864 in der Alten Gesamtausgabe.
GESAMTAUSGABE: Alte Gesamtausgabe: Nr. 207^d = Serie 20 Nr. 6.

Als die Verbündeten am 31. März 1814 in Paris einmarschierten und damit die Niederlage Napoleons besiegelt schien, beeilten sich in Wien Komponisten und Verleger, zur Feier dieses Ereignisses auch Musikalien beizusteuern: Bereits am 15. April bot Artaria in der *Wiener-Zeitung* mittels Großanzeige ein von Ignaz Moscheles verfertigtes „karakteristisches Tongemälde für das Piano-Forte" an, den „Triumph-Einzug der verbündeten Mächte in Paris". In den nächsten Tagen folgten Steiner mit Haslingers „Deutschlands Triumpf" und „Der Kurier, oder Wiens Jubel, bey dem Eintreffen der Sieges-Nachricht Paris ist genommen!", Eder mit Friedrich Starkes „Einzug der verbündeten Mächte in Paris" und Weigl mit einem nicht näher bezeichneten „Heil dir Europa!!! oder: Die Besitznahme von Paris", sämtlich „Tongemählde für das Piano-Forte".

Am Kärntnertor-Theater beging man die Kapitulation von Paris mit der Aufführung des eigens für diesen Zweck verfertigten Singspiels *Die gute Nachricht* am 11. April 1814. Verfasser war Friedrich Treitschke, Vize-Direktor, Regisseur und Dichter der k. k. Hofoper. Mit der Abfassung des Textes, der Herstellung der Musiken und den Theaterproben ist sicher nicht erst begonnen worden, nachdem am 9. April eine außerordentliche Beilage der *Wiener-Zeitung* die Nachricht bekannt gemacht hatte. Der Einmarsch in Paris war bereits mit Ungeduld erwartet worden.

So ist anzunehmen, daß Treitschke den Einakter schon vor Ende März entworfen hat. Indem man Ouvertüre und Gesangsnummern bei verschiedenen Komponisten in Auftrag gab, konnte die Herstellung beschleunigt werden, und die letzten Proben wurden vermutlich in der Karwoche (3.—10. April) vorgenommen, während der in Wien keine Theatervorstellungen stattfanden.

Eine Abschrift des Textbuches hat Willy Hess in der Wiener Nationalbibliothek aufgefunden und 1969 veröffentlicht.[1] Treitschke hat sich nicht die Mühe gemacht — was bei einem höheren literarischen Anspruch naheliegend gewesen wäre —, die Themen Kampf und Sieg in irgendeinen mythologischen oder historischen Stoff zu übersetzen. Sondern er schildert die Begebenheiten des Frühjahrs 1814 schlicht aus der Sicht eines Dorfes „nahe am Oberrhein". Das ermöglichte es, wesentliche Inhalte der Kriegsberichterstattung und den Wortlaut der Nachricht von der Kapitulation nochmals zu referieren — teilweise in Gestalt gesungener Botschaften. Die realen Vorgänge konnten noch auf eine so lebhafte Publikums-Resonanz rechnen, daß dramatische Verdichtungen etwa durch Transposition des Geschehens in die Vergangenheit unnötig erschienen, freilich um den Preis, daß dieses Singspiel nur für wenige Wochen Anspruch auf Interesse erheben konnte. Der einzige dramaturgische Kunstgriff Treitschkes besteht darin, das Warten auf die „gute Nachricht" mit einer Liebesgeschichte zu verknüpfen: Hannchen liebt den Windmüller Robert, der im Lauf der Handlung bei ihrem Vater um ihre Hand anhält. In dem Gewürzkrämer Süßlich, durch geckenhaftes Auftreten und frankophile Redeweise zum lächerlichen Gegenspieler stilisiert, hat er allerdings einen reichen Rivalen und Mitbewerber. Hannchens Vater, der Gastwirt Bruno, der durch sein gespanntes Warten auf Neuigkeiten vom Kriegsschauplatz zur eigentlichen Zentralfigur des Singspiels wird, will denjenigen zu seinem Schwiegersohn machen, der ihm zuerst die „gute Nachricht" überbringt. Dies gelingt Robert durch den listigen Einsatz einer Brieftaube, die er gleichsam als Friedenstaube im rechten Moment eintreffen läßt.

Während Hess 1969 in bezug auf das Pasticcio noch zweifelt, ob „überhaupt diese Musik heute noch vorhanden ist"[2], konnte der Verbleib nun geklärt werden: Die Musiksammlung der Wiener Nationalbibliothek besitzt unter den Signaturen S. m. 5780/5781 nicht nur eine zeitgenössische Partiturabschrift (ohne Nr. 8 Beethoven), sondern auch einen Klavierauszug sowie unter der Signatur K. T. 308 eine Partitur, die offenbar zur Aufführung verwendet wurde. Das Singspiel enthielt neben der Ouvertüre von Johann Nepomuk Hummel acht Gesangsnummern: Hannchens Arie „Ach, wie schleichen Tag und Stunden" war mit dem Mozartlied „An Chloë" KV 524 „Wenn die Lieb aus deinen blauen, hellen, offenen Augen" unterlegt. Ein Vermerk des Textbuches läßt darauf schließen, daß von der 5. bis zur 8. Strophe außerdem noch die „Melodie eines österreichischen Volksliedes" verwendet wurde. Diese Musik fehlt in den aufgefundenen Noten. (Wie Hess schon an Textvarianten und Überklebungen nachweisen konnte, sind während der Aufführungen noch Veränderungen angebracht worden.) Brunos Arie „Ich schlich den Neuigkeiten nach" wurde von Adalbert Gyrowetz vertont, das Terzett „Eile, dich ruft die Ehre" stammte von Joseph Weigl, das Quartett „Ein Jüngling in den besten Jahren" und

1 W. Hess, *Zwei patriotische Singspiele von Friedrich Treitschke,* S. 269ff.
2 Ebenda, S. 271.

das Duett „Kehre wieder, holde Taube" von Johann Nepomuk Hummel. Friedrich August Kanne war der Komponist der gereimten Kriegsnachrichten „Heut sah man Fahnen sonder Zahl", Hummel wiederum hatte den Gesang mit Chor „Kommt, Freunde, blicket all hinauf" beigesteuert. Beethoven schließlich war die Aufgabe zugefallen, den Schlußgesang „Germania" (Bruno mit Chor) zu vertonen. Außer den Bezeichnungen der Nr. 8 (Beethoven) werden Komponistennamen in den aufgefundenen Noten nur unspezifiziert auf der Titelseite genannt. Aufgrund der im Rahmen einheitlichen Orchesterbesetzung ist zu vermuten, daß die musikalischen Einlagen in Absprache untereinander entstanden sind.

Auch der Verbleib der Beiträge Johann Nepomuk Hummels ist bisher von der Beethoven-Forschung unbemerkt geblieben. In einem „Verzeichniß der Compositionen, welche J. N. Hummel fürs Theater geschrieben hat", reklamiert er „die Ouverture und Hälfte der Oper: ‚Gute Nachricht' / auf die Einnahme von Paris" für sich. Das Verzeichnis entstand 1816 im Zusammenhang mit Hummels Bewerbung um die Stelle des Stuttgarter Hofkapellmeisters und wurde einem Empfehlungsschreiben des österreichischen Ministers Graf von Beroldingen angefügt.[1] Die Ouvertüre wurde 1815 bei Artaria in Wien veröffentlicht und 1821 und 1826 nachgedruckt. Die Autographe von Ouvertüre und den drei Gesangsnummern befinden sich im Britischen Museum in London.[2]

Die Kompositionsaufträge wurden offenbar an Musiker vergeben, die sich im Frühjahr 1814 beim Wiener Publikum besonderer Beliebtheit erfreuten. Hummel hatte sich soeben mit seinem Feenspiel *Die Eselshaut* (Erstaufführung am 10. März) wiederum als Erfolgskomponist erwiesen; Joseph Weigl und Adalbert Gyrowetz hatten mit „Der österreichische Grenadier" und „Der österreichische Offizier in Hanau" Beiträge zu patriotisch gefärbten Konzertprogrammen geliefert, und der Dichter und Komponist Friedrich August Kanne („Der Rheinübergang") galt als zwar nicht gründliches, aber vielseitig einsetzbares Talent. Beethoven befand sich also in der Gesellschaft von Komponisten, die (ausgenommen Hummel) mehr durch Tageserfolge und ihr politisches Engagement qualifiziert schienen als durch hohe kompositorische Ansprüche. Aus Briefen, die er in diesen Wochen an Friedrich Treitschke richtete, geht hervor, daß er den Auftrag trotzdem bereitwillig übernommen hat. Einerseits geschah dies aufgrund eines kompositorischen Selbstverständnisses, das die Lieferung von Gebrauchsmusiken für einen sinnvollen politischen Zweck einschloß. Bei einem historischen Ereignis, mit dem sich Hoffnungen auf Einheit, Wiederherstellung nationaler Würde und Frieden so konkret verbanden, schien es Beethoven selbstverständlich, sein Teil beizutragen, übrigens ohne ein Honorar zu erwarten.[3] Andererseits müssen wir annehmen, daß er nach den überwältigenden Erfolgen von *Wellingtons Sieg* Kompositionen dieser Art grundsätzlich einen hohen Stellenwert einräumte: „Das man gewiß schöner schreibt sobald man für das Publikum schreibt ist gewiß eben so wenn man geschwind schreibt."[4]

---

1 Vgl. D. Zimmerschied, *Die Kammermusik Johann Nepomuk Hummels,* S. 354.

2 Vgl. D. Zimmerschied, *Thematisches Verzeichnis der Werke von Johann Nepomuk Hummel,* S. 96; vgl. J. Sachs, *Checklist of the Works of Johann Nepomuk Hummel,* S. 744: op. 61 (Ouvertüre) und S (Suppl.) 103 (Gesangsnummern).

3 Brief an Treitschke vom 14. Mai 1814, zit. nach E. Kastner / J. Kapp, *Ludwig van Beethovens sämtliche Briefe,* S. 269.

4 M. Solomon, *Beethovens Tagebuch,* S. 49.

Der relativ geringe kompositorische Aufwand erklärt sich zum Teil durch die gebotene Eile, zum Teil aber auch durch die Tatsache, daß die zu erwartende Qualität der übrigen Kompositionen ihn nicht zu besonderen Anstrengungen herausforderte. Dies ist anders gewesen bei dem ansonsten vergleichbaren Schlußgesang zu den *Ehrenpforten* (WoO 97), bei dem unmittelbar vor Beethovens Beitrag Händels „Fall ward sein Los" erklingen sollte. Immerhin ist die „Germania" in Treitschkes Textbuch zugleich Höhepunkt und hymnische Zusammenfassung des vorangegangenen Geschehens. Die fünf Strophen besingen nach je gleichem Muster Deutschlands Demütigung, die Verdienste des russischen Zaren Alexanders I., des preußischen Königs Friedrich Wilhelms III., der einträchtigen deutschen „Fürsten" und des österreichischen Kaisers Franz I. Jede Strophe besteht aus drei vierhebigen jambischen Reimpaaren. In Strophe 1—4 sind jeweils drei Teile (Anrufungen „Germania", Schilderungen, Refrain) im Wechsel und schließlich im Zusammenwirken von Sologesang und Chor kompositorisch verdichtet.[1] Während der Chor stets durch das volle Orchester unterstützt wird, steigert sich die Begleitung der Soloteile vom reinen Streichersatz zur schrittweisen Auffüllung durch Holz- und Blechbläser. Die letzte Strophe, die dem österreichischen Kaiser das Verdienst zuspricht, die Befreiung insgesamt zum „Ziel gebracht" zu haben, hebt dieses Verdienst durch emphatische Ausrufe, Fermaten, ein wiederholtes „Kaiser Franz! Victoria!", eine Erweiterung des Chorteiles und ein abschließendes Unisono „Germania" hervor.

Das marschartige, sequenzierte Anfangsmotiv, auftaktige Tonrepetitionen auf b und c', hat anapästischen Charakter. Mit dieser „Eintonfanfare" hat Beethoven ein halbes Jahr später auch seine Kantate *Der glorreiche Augenblick* op. 136 eröffnet („Europa steht!"). Abgewandelt erscheint sie bereits 1803 im Kriegerchor aus *Christus am Ölberg* op. 85 und 1811 im Chor aus den *Ruinen von Athen* op. 113. Offenbar handelt es sich hier um ein Muster Beethovens für die kriegerisch-pathetische Hymne.

Textdeklamation und Melodieführung der „Germania" erinnern in vielem an zwei der berühmtesten Lieder der Befreiungskriege nach Texten des im August 1813 gefallenen Theodor Körner: „Gebet während der Schlacht" von Friedrich Heinrich Himmel, veröffentlicht im Dezember 1813, und das „Schwertlied" von Carl Maria von Weber, komponiert im September 1813.[2] Es machte Weber „mit einem Schlage zum berühmten Mann, zum Herold der von vaterländischen Empfindungen glühenden deutschen Nation".[3] Aufgrund der schnellen Verbreitung der Lieder, aber auch weil Beethoven mit Körner und Weber in Wien in Kontakt gestanden hat, ist anzunehmen, daß er diese nationalen Symbole kannte, aufgriff und in seinen patriotischen Werken anklingen ließ.

Die *Allgemeine musikalische Zeitung* verzichtete bei ihrer Besprechung des „Gelegenheitsstücks" diplomatisch auf eine Untersuchung, „welches dieser Musik-

---

1 Bei der „eingeschalteten Note", die Beethoven in einem Brief an Treitschke erwähnt (E. Kastner / J. Kapp, *Ludwig van Beethovens sämtliche Briefe*, S. 267), ist möglicherweise im Refrain der 4. Strophe „kommen" statt des unlogischen „kommt" gemeint.

2 Veröffentlicht in *Leyer und Schwert* op. 42, September 1814.

3 E. Kroll, *Carl Maria von Weber*, S. 28.

stücke mehr, welches weniger Werth habe".[1] Immerhin erwähnt Beethoven Treitschkes „Zufriedenheit mit dem Chor"[2], und der Erfolg beim Publikum scheint Grund für den schnellen Druck des Klavierauszuges gewesen zu sein. Den Theaterzettel mit der Besetzung hat Thayer wiedergegeben.[3] Die von ihm genannten und seither übernommenen Aufführungsdaten sind (nach *Wiener-Zeitung* und *Österreichischem Beobachter*) durch eine Vorstellung am 13. April zu ergänzen. Zwei weitere Aufführungen der „Germania", diesmal als Schlußgesang der *Ehrenpforten*, fanden am 3. und 4. Oktober 1815 zum Namenstag des Kaisers statt.

Freia Hoffmann

Musik zu Dunckers „Leonore Prohaska" *WoO 96*

ENTSTEHUNGSZEIT: Frühjahr 1815.
ERSTAUFFÜHRUNG: unbekannt.
SKIZZEN: Nr. 1 und 2: Deutsche Staatsbibliothek Berlin, Grasnick 20a; Library of William Scheide Princeton, Scheide-Skizzenbuch; Nr. 3 und 4: Gesellschaft der Musikfreunde Wien, A 72.
AUTOGRAPH: Nr. 1: Beethoven-Haus Bonn; Nr. 4: Bibliothèque Nationale Paris, Département de la Musique.
ERSTDRUCK: 1888 in der Alten Gesamtausgabe.
GESAMTAUSGABE: Alte Gesamtausgabe: Nr. 272 = Serie 25 Nr. 9.

Als der preußische Kabinettssekretär Johann Friedrich Leopold Duncker im September 1814 in Begleitung des Preußenkönigs zum Wiener Kongreß anreiste, brachte er ein Drama mit dem Titel *Eleonore Prohaska* mit. Über Giannatasio del Rio, in dessen Haus Duncker wohnte, kam es zu einer Freundschaft mit Beethoven, die bis in die zwanziger Jahre andauern sollte. Im Frühjahr 1815 versah Beethoven das Schauspiel mit vier Musiken: einem Kriegerchor, einer Romanze für Sopran und Harfe, einem Melodram mit Glasharmonikabegleitung und einem Trauermarsch für Orchester.

Das Drama war einer historischen Heldin der Befreiungskriege gewidmet: Neben Maria Buchholz, Lina Petersen, Friederike Krüger, Johanna Stegen, Marie Werde, Anna Unger und Anna Lühring gehörte Eleonore Prochaska zu den Frauen, deren bewaffnete Teilnahme an den Kämpfen belegt ist. Geboren am 11. März 1785[4] in Potsdam als Tochter eines Unteroffiziers und Militärmusikers, hatte sich Eleonore Prochaska in Männerkleidung und unter dem Decknamen August Renz 1813 dem

1 *AmZ* 16 (1814), Sp. 351. Weitere Besprechungen in der *Wiener Theater-Zeitung* (Bäuerle) 7 (1814), S. 167f. sowie in *Der Sammler. Ein Unterhaltungsblatt* 6 (1814), S. 243 (Gedicht) und 248.
2 Brief an Treitschke vom 14. Mai 1814, zit. nach E. Kastner / J. Kapp, *Ludwig van Beethovens sämtliche Briefe*, S. 269.
3 A. Wh. Thayer, *Chronologisches Verzeichnis der Werke Ludwig van Beethovens*, S. 119.
4 Dieses Geburtsdatum steht übereinstimmend in fast allen Quellen, im Gegensatz zu Nottebohm (*Zweite Beethoveniana*, S. 323) und darauf basierend G. Kinsky / H. Halm (*Das Werk Beethovens*).

Freikorps Lützow angeschlossen. An der Seite anderer Freiwilliger wie Theodor Körner, Friedrich Ludwig Jahn, Karl Friedrich Friesen und Friedrich Förster kämpfte sie unerkannt bis zu ihrer Verwundung am 16. September in der Schlacht an der Göhrde. Sie starb am 5. Oktober 1813 in Dannenberg und wurde mit militärischen Ehren auf dem dortigen St.-Annen-Friedhof bestattet, wo man ihr 1865 ein Denkmal setzte. Schon nach der Verwundung verbreitete sich die Nachricht von dieser tapferen Kämpferin wie ein Lauffeuer, und Eleonore Prochaska wurde in Dramen (Adolph Bäuerle, Piwald, Duncker, Elise Reindahl), Gedichten (Rückert, Förster, Pichler) und Bilddarstellungen gefeiert. In Wien fand am 23. Februar 1814 zu ihrem Gedächtnis eine musikalische Akademie (übrigens unter Mitwirkung Spohrs) statt. Dabei wurde ein Gedicht von Florian Pichler vorgetragen[1] und ein Tableau nach einer Skizze nachgestellt, die vermutlich Friedrich Tremel, Dekorationsmaler des Hofburgtheaters, angefertigt hatte.[2] Auch Friedrich Treitschke, mit dem Beethoven verschiedentlich zusammenarbeitete, feierte die Kriegerin mit einem Tableau.[3] Ein Aspekt des Stoffes, der Beethoven interessiert haben dürfte, ging übrigens im allgemeinen unter: Eleonore Prochaska war vor ihrem Eintritt in das Freikorps Musikerin gewesen, was immerhin die *Allgemeine musikalische Zeitung* bei ihrer Todesnachricht vermerkte: „Von ihrem Vater [...] unterrichtet, hatte sie sich frühzeitig eine grosse Fertigkeit auf der Flöte erworben, und gab daher auch vor einigen Jahren mit ihrem Vater Concerte hier in Berlin.“[4] Auch das Tonkünstlerlexikon von Carl Ferdinand Becker (1849) führt sie noch als „Flötenvirtuosin“ auf. Der Nachsatz der *Allgemeinen musikalischen Zeitung* weist darauf hin, daß auch die Musikpraxis der Kämpferin bereits ein markanter Verstoß gegen die bürgerliche Frauenrolle gewesen war: „Von Liebe für die Sache des deutschen Vaterlandes ergriffen, nahm sie jetzt, statt der Flöte, das Schwert, und fiel siegreich.“ Die Flöte zählte zu den „unschicklichen“ Instrumenten, und der Korrespondent deutete damit an, daß die Flöte eigentlich ebensowenig in die Hand einer Frau gehörte wie das Schwert.

Beethoven dürfte den Dramenstoff also gekannt haben, und er scheint — in der Tradition seiner patriotischen Kompositionen seit *Wellingtons Sieg* op. 91 — dem Wunsch Dunckers nach einer Schauspielmusik gern entsprochen zu haben. Dennoch fällt auf, daß diese Schauspielmusik neben vergleichbaren anderen Werken Beethovens bescheiden ausgefallen ist. Möglicherweise brach er die Arbeit nach den vorliegenden vier Stücken ab, als es sich abzeichnete, daß keine Aufführung zustandekommen würde. Die Mitteilung Sonnleithners, Beethoven habe auch eine Ouvertüre, einen Entreakt und zumindest einen weiteren Chor zu „Leonore Prohaska“ geschrieben, wurde bereits von Nottebohm in Zweifel gezogen.[5]

Da der Text des Dunckerschen Dramas verschollen ist, sind Rückschlüsse auf seinen Inhalt nur aufgrund der drei erhaltenen Gesangsnummern und entsprechend vorsichtig zu ziehen. Immerhin fällt am Kriegerchor eine freimaurerische Färbung

1 Es kommen zwei Gedichte in Frage („Der preußische Jäger August Renz“ und „Leonore Prochaska. An die deutschen Mädchen“), beide gedruckt in: Fl. Pichler, *Der deutsche Geist,* S. 97—104.

2 *AmZ* 16 (1814), Sp. 200. Ausführliche Informationen zu Eleonore Prochaska in: Fr. Hoffmann, *Instrument und Körper,* S. 380ff.

3 C. v. Wurzbach, *Biographisches Lexikon des Kaiserthums Oesterreich,* Artikel *Treitschke.*

4 *AmZ* 15 (1813), Sp. 758.

5 Vgl. G. Nottebohm, *Zweite Beethoveniana,* S. 323.

auf: „Wir bauen und sterben; aus Trümmern ersteht — ist längst unsre Asche vom Winde verweht — der Tempel der Freiheit und Liebe." Es ist bekannt, daß Friedrich Wilhelm III., Dunckers Dienstherr, die Freimaurerei in Preußen nicht nur begünstigte, sondern seit 1814 auch Mitglied einer Loge war. Julius Haarhaus hat den starken Einfluß der Freimaurer vor allem auf der preußischen Seite der Befreiungskriege nachgewiesen (Stein, Hardenberg, Scharnhorst, Blücher, Schenkendorf, C. G. Körner).[1]

Freimaurerisches Gedankengut ging nicht nur in die preußische Befreiungslyrik ein, sondern prägte in dieser Zeit auch volkstümliche Lieder in Österreich.[2] Es scheint für Beethoven, dessen freimaurerische Kontakte nachgewiesen sind, naheliegend gewesen zu sein, diesen Aspekt in der Vertonung anklingen zu lassen, beispielsweise in der Verwendung eines Männerchores ohne Instrumentalbegleitung, die sich von seinen anderen politischen Hymnen signifikant unterscheidet. Auch allgemeine Parallelen zur preußischen Befreiungslyrik werden deutlich, zum Beispiel zu Liedern Theodor Körners („Gebet während der Schlacht"), Ernst Moritz Arndts („Der Knabe Robert") und Friedrich de la Motte-Fouqués („Kriegslied für die freiwilligen Jäger 1813"). Ebenso sind musikalische Bezüge vorhanden: Wie in WoO 94 hat Beethoven „Einton-Motive" bevorzugt, die melodische Qualitäten hinter der deutlichen Textdeklamation zurücktreten lassen, vokale „Fanfaren", die seit den Kriegsliedern von 1813 prägend für den vaterländischen Gesang des 19. Jahrhunderts wurden. Beethoven hat sie möglicherweise, in Verbindung mit „schreitenden" Sekundverrückungen, den Körner-Vertonungen von Friedrich Heinrich Himmel („Gebet während der Schlacht": „Vater, ich rufe dich") und Carl Maria von Weber („Du Schwert an meiner Linken") nachempfunden. Auffallend ist seine volltaktige Vertonung in Takt 1 und 3. Aus den Skizzen (Grasnick 20a) geht hervor, daß er eine auftaktige Version erwogen hat, und Fanny del Rio teilt mit, daß es darüber zu Auseinandersetzungen mit Duncker kam: Bei Besprechungen zeigte sich Beethoven „mit dem Text des Jägerchors nicht zufrieden, auch zuletzt noch nicht ganz: das machte weil Beethoven den Nachdruck auf der ersten Silbe wünschte".[3] Der Wegfall der Auftakte, der ursprünglichen Tempobezeichnung „Vivace" und der anfangs skizzierten Punktierungen minderte den kriegerischen Charakter zugunsten eines eher priesterlichen (freimaurerischen?) Schreitens.

Schließlich ist im Zusammenhang mit dem Kriegerchor darauf hinzuweisen, daß Beethoven ihn am Beginn der *Hammerklaviersonate* op. 106 1817/1818 (ebenfalls in B-Dur) über vier Takte fast wörtlich und in den folgenden vier Takten sinngemäß (Sekund-Sequenzierungen) zitiert: ein Hinweis auf mögliche semantische Bezüge der Sonate.

An der Romanze und am Melodram fällt eine für Beethoven außergewöhnliche Instrumentenwahl auf. Die Harfe hat Beethoven ansonsten selten eingesetzt: Im *Prometheus*-Ballett op. 43 steht sie für die Lyra Euterpes, der Muse der Tonkunst und des lyrischen Gesangs, und die „Variationen über ein Schweizerlied" WoO 64

1 Vgl. J. R. Haarhaus, *Deutsche Freimaurer zur Zeit der Befreiungskriege.*
2 Vgl. Fr. M. Böhme, *Volkstümliche Lieder,* S. XI.
3 Tagebuch Fanny del Rios, zit. nach A. Leitzmann, *Ludwig van Beethoven. Berichte der Zeitgenossen,* Bd. I, S. 168.

sind wahlweise für Klavier und Harfe geschrieben. Der Einsatz der Glasharmonika zur Begleitung des Melodrams ist vollends einmalig. Diese Instrumentenwahl charakterisiert die Heldin des Dramas in einer ganz besonderen Weise. Dazu ist vorauszuschicken, daß die Kriegerinnen der Jahre 1813/1814, ungeachtet aller Heldenverehrung, die Zeitgenossen gleichzeitig verunsicherten. Schließlich war eine Frau, die mit Waffen umging und tötete, ein eklatanter Verstoß gegen die gesellschaftlichen Normen, die dem „zarten Geschlecht“ auferlegt waren. Die Tatsache, daß solche Fälle das Gedankengebäude von der „Natur der Frau“ bedenklich erschüttern konnten, war ebenso beunruhigend wie die Vermutung, daß die Frauen hier auch die Gelegenheit wahrnahmen, auf eine Weile den Rollenbeschränkungen ihres Alltags zu entkommen. Diese Verunsicherung zeigt sich in einigen literarischen Reaktionen auf Eleonore Prochaska, zum Beispiel in der Anfangs- und Schlußstrophe von Friedrich Rückerts Gedicht: „Ich müßte mich schämen, ein Mann zu heißen, wenn ich nicht könnte führen das Eisen, und wollte Weibern es gönnen, daß sie führen es können!“ Auch Beethoven fühlte sich offenbar zu einer Stellungnahme genötigt, und er hat sie vor allem in der Wahl von Leonores Stimmlage (Sopran) und in der Wahl der Begleitinstrumente abgegeben. Eine Sopranstimme rückte den Charakter nach gängiger Opernpraxis in die Nähe der Mädchenhaftigkeit, Unschuld und ethischen Reinheit. Harfe und Glasharmonika waren nicht nur „schickliche Frauenzimmer-Instrumente“, sondern in Klang und Ausdruckscharakter eindeutig mit weiblichen Konnotationen der Unkörperlichkeit, Entsexualisierung und Krankheit verknüpft.[1] Im Zusammenhang mit dem Volksliedton der Romanze[2] und der Blumen-Symbolik beider Texte wird Leonore damit in einer Weise gezähmt und verharmlost, die in auffallendem Gegensatz zu ihrer historischen Rolle steht. In der *Egmont*-Musik op. 84 ist Beethoven anders verfahren. In dem Lied „Die Trommel gerühret“ singt Klärchen „O hätt ich ein Wämslein und Hosen und Hut! Ich folgt’ ihm zum Tor ’naus mit mutigem Schritt, ging’ durch die Provinzen, ging’ überall mit. Die Feinde schon weichen, wir schießen darein. Welch’ Glück sondergleichen, ein Mannsbild zu sein!“ Beethovens marschartige Begleitung mit Pauken, Holz- und Blechblasinstrumenten trug ihm prompt den Vorwurf seines Geschlechtsgenossen Arnold Schmitz ein, er habe mit seiner Begleitmusik einen „Fehlgriff“ getan, es sei „nicht das Lied eines liebenden Mädchens [...], sondern eine wirkliche kriegerische Szene“.[3]

Ähnlich wie im *Egmont* hat Beethoven für die Sterbeszene die Gattung des Melodrams gewählt. Es leitet musikalisch zum Trauermarsch über, nicht nur durch die — freilich durch den Glasharmonikaklang modifizierte — „Eintonfanfare“, sondern auch durch seine Anfangstakte: Sie zitieren in einer (weiblich?) aufgehellten Dur-Variante den Marsch aus der 7. Symphonie op. 92, der durch Verbindungen zu *Wellingtons Sieg* (vgl. die gemeinsamen Aufführungen Dezember 1813 bis Februar 1814) bereits als Trauermarsch für gefallene Helden wahrgenommen worden sein dürfte.

---

1 Fr. Hoffmann, *Instrument und Körper,* insbes. S. 113ff. und 131.

2 Textlich und musikalisch könnte Körners „Es blinken drei freundliche Sterne“ auf Fr. H. Himmels Melodie „Es kann ja nicht immer so bleiben“ ein Muster gewesen sein. Vgl. auch Nr. 2 aus dem Liederkreis *An die ferne Geliebte* op. 98.

3 A. Schmitz, *Beethoven,* S. 119.

Eine gleichberechtigte Würdigung Leonores als Heldin erfolgt musikalisch erst mit dem abschließenden Trauermarsch. Auf ausdrücklichen Wunsch Dunckers instrumentierte Beethoven für diesen Zweck die „Marcia funebre sulla morte d'un Eroe“ aus der Klaviersonate op. 26. Es handelt sich um einen der wenigen Fälle, in denen Beethoven eigene Werke für erweiterte Besetzung bearbeitet hat.[1] Die Tonart wechselt von as-Moll nach h-Moll (im Anschluß an das D-Dur des Melodrams), der Klaviersatz wurde nahezu notengetreu übertragen (vor allem entfielen vier Takte der Coda), eine Besetzung von 2 Flöten, 2 Klarinetten, 2 Fagotten, 4 Hörnern, Pauken und Streichern gewichtete Beethoven so, daß ein harmoniemusik-ähnlicher Klang entstand. Helmut Loos hat eine detaillierte Analyse vorgelegt und auch Überlegungen zu der Frage angestellt, ob mit der Klavierfassung gleichsam der Klavierauszug eines Orchestersatzes komponiert und gehört wurde, die Orchesterfassung also „nichts weiter wäre als die Entschlüsselung einer Reduktionsfassung“.[2]

Daß eine Aufführung der *Leonore Prohaska* nicht zustandekam, wird gewöhnlich damit erklärt, daß derselbe Stoff im Frühjahr 1814 mit Piwalds *Das Mädchen von Potsdam* im Leopoldstädter Theater bereits vorweggenommen war.[3] Eine Zurückweisung durch die Zensur, die Leopold Sonnleithner mitteilte[4], gilt als weniger glaubhaft. Mehrere Gesichtspunkte spielten möglicherweise eine Rolle, und sie könnten durchaus auch für die Zensur Gewicht gehabt haben: Der Verfasser war immerhin exponiertes Mitglied der preußischen Delegation beim Wiener Kongreß. Dessen Verlauf hatte in Wien eine antipreußische Einstellung hervorgerufen. Sollte das Drama freimaurerische Bezüge in den Vordergrund gestellt haben, so stand es auch hier in Konflikt mit der repressiven Politik Österreichs. Und schließlich hatte Österreich Ansätze zu Volkserhebungen während des Krieges niedergehalten, so daß wenig Anlaß bestand, die preußischen Freikorps nach Kriegsende literarisch aufzuwerten.

Freia Hoffmann

„Es ist vollbracht“ für Baß, Chor und Orchester WoO 97

GEDICHT: Fr. Treitschke.
ENTSTEHUNGSZEIT: Juli 1815.
ERSTAUFFÜHRUNG: am 15. Juli 1815 im Kärntnertor-Theater Wien.
SKIZZEN: Staatsbibliothek Preußischer Kulturbesitz Berlin, aut. 19e, Wagenerscher Sammelband; Ge-

1 So das Trio op. 1, Nr. 3 als Streichquintett op. 104 und die Klaviersonate op. 14, Nr. 1 als Streichquartett.

2 H. Loos, *Beethovens Trauermarsch aus op. 26 und WoO 96,* S. 210; vgl. auch Fr. Munter, *Beethovens Bearbeitungen eigener Werke,* S. 168f.

3 Erstaufführung am 1. 3. 1814, nach den Ankündigungen der *Wiener-Zeitung* bis zum 14. 4. zehn weitere Vorstellungen; vgl. die Auseinandersetzungen über dieses Stück in der *Wiener Theater-Zeitung* 7 (1814), S. 102f., 109f., 183f. und *Der Sammler. Ein Unterhaltungsblatt* 6 (1814), S. 160.

4 Vgl. G. Nottebohm, *Zweite Beethoveniana*, S. 323.

sellschaft der Musikfreunde Wien, A 71; Bibliothèque Nationale Paris, Département de la Musique, Ms 54; British Library London, Add. Ms. 29997.
AUTOGRAPH: Staatsbibliothek Preußischer Kulturbesitz Berlin, Grasnick 17.
ERSTDRUCK: Klavierauszug: Wien 1815 (S. A. Steiner & Co.); Partitur: 1864 in der Alten Gesamtausgabe.
GESAMTAUSGABE: Alte Gesamtausgabe: Nr. 207^{C} = Serie 20 Nr. 5.

Mit dem Jahr 1815 erreichte Beethoven nach Schindler eine „Stufe des Ruhmes [...], die wohl als eine der erhabensten bezeichnet werden darf, die je von einem Musiker im Verlaufe seines Kunststrebens erreicht worden“.[1] Dazu hatten nicht zuletzt auch die politischen Kompositionen seit *Wellingtons Sieg* op. 91 beigetragen. „Es ist vollbracht“, ein Baßsolo mit Chor und Orchester, beschließt die Reihe dieser Werke. Die Entstehung ähnelt derjenigen von WoO 94 („Germania“ aus *Die gute Nachricht*), das den Einzug der Alliierten in Paris am 31. März 1814 gefeiert hatte. Auch hier war der Auslöser eine Siegesmeldung: die zweite Einnahme der französischen Hauptstadt am 7. Juli 1815. Auch für dieses Ereignis hatte Friedrich Treitschke in der Hofoper ein Singspiel vorbereitet, das unmittelbar nach der Bekanntmachung durch die *Wiener-Zeitung* aufgeführt werden konnte — eine Organisationsleistung, auf die Treitschke im siebten Auftritt ironisch anspielt: „Ich hoffe, daß das Fest wegen nötiger Schnelligkeit einige Nachsicht verdienen soll“.

Willy Hess hat in der Wiener Nationalbibliothek eine Abschrift des Textbuches der *Ehrenpforten* aufgefunden und 1969 veröffentlicht.[2] Ort des Einakters ist „eine reizende Berggegend“ in der Nähe Wiens, wohin sich der Gutsbesitzer Teutschmann nach den Rückschlägen der antinapoleonischen Kriege zurückgezogen hat. Den Handlungsrahmen bilden Vorbereitungen und Feier seines Geburtstages. Teutschmanns Sohn und zwei zukünftige Schwiegersöhne sind wiederum zum Militär eingezogen worden. Seine Anweisung, ihm vor dem endgültigen Friedensschluß jegliche Kriegsnachrichten vorzuenthalten, bildet das dramaturgische Mittel, um die Spannung zu erhöhen, die Rückkehrer zunächst unter falschen Namen auftreten zu lassen und am Ende deren Enthüllung, die Siegesmeldungen, den Geburtstag und eine dreifache Hochzeit zu bündeln. Mit ihren Bräuten nacheinander durch drei *Ehrenpforten* tretend, meldet einer der Schwiegersöhne den Sieg bei Neapel, der zweite denjenigen bei Belle-Alliance und Teutschmanns Sohn schließlich die Einnahme von Paris. Der Wortlaut der letzten Kriegsnachrichten wurde, wie Zusätze im Textbuch zeigen, offenbar kurz vor der Aufführung eingearbeitet.

Während Hess 1969 noch davon ausging, daß die Musiken zu den *Ehrenpforten* verschollen seien, konnte nun in der Musiksammlung der Wiener Nationalbibliothek unter der Signatur K. T. 309 eine vollständige Aufführungspartitur aufgefunden werden. Obwohl Komponistenangaben (außer Hummel und Beethoven) fehlen, können die Einlagen — mit Ausnahme eines Hornquartetts im 11. Auftritt — durch Abgleichung mit dem Theaterzettel[3] und der *Allgemeinen musikalischen Zeitung*[4] folgendermaßen zugeordnet werden: Ouvertüre von Johann Nepomuk Hummel

1 A. Schindler, *Biographie* (1970), S. 239.
2 Vgl. W. Hess, *Zwei patriotische Singspiele von Friedrich Treitschke,* S. 298ff.
3 Vgl. A. Wh. Thayer, *Chronologisches Verzeichnis der Werke Ludwig van Beethovens,* S. 124f.
4 Vgl. *AmZ* 17 (1815), Sp. 566.

(übernommen aus *Die gute Nachricht*, vgl. WoO 94); Chor „Ihr Brüder, ihr Schwestern“ von Bernhard Anselm Weber; Arie „Unaufhaltsam schnell wie Wogen“ nach einer „ungarischen Nationalmelodie“[1]; Arie „Auf Eichen schwebt des Adlers Thron“ von Joseph Weigl; Sextett „O wie schnell ist sie verschwunden“ von Ignaz von Seyfried; Arie „Ich zog mich aus der Stadt zurück“ von Adalbert Gyrowetz; Duett „Was wir fröhlich angefangen“ nach dem Alexandermarsch[2]; Chor „Auf, ziehet her mit Freudenliedern“ von Seyfried; Kaiserhymne (Haydn) als Streichersatz; Chor „Fall ward sein Los“ aus *Judas Maccabäus* von Händel; Solo mit Chor „Es ist vollbracht“ von Beethoven.

Es handelte sich also, unter Zuziehung von Bernhard Anselm Weber und Ignaz von Seyfried, um dieselben Komponisten, die schon 1814 mit der *Guten Nachricht* den „Enthusiasmus“ erzielten, an den sich die *Allgemeine musikalische Zeitung* noch ein Jahr später erinnern sollte.[3] Das abfällige Urteil Beethovens über Seyfried, das aus dem Jahr 1814 überliefert ist, mochte aber auch für andere beteiligte Kollegen gelten.[4] Ein Umstand allerdings könnte dazu geführt haben, daß Beethoven im Vergleich zu WoO 94 ein anspruchsvolleres Werk geliefert hat: Kurz vor seinem Schlußgesang wurde mit Händels „Fall ward sein Los“ das Werk eines Komponisten eingefügt, den er nach Stumpffs Zeugnis für den „größten Componisten“ hielt, „der je gelebt“ und von dem er gesagt haben soll: „Für den beuge ich meine Knie.“[5]

In eine politische Feier ein repräsentatives Werk Händels aufzunehmen, hatte im Musikleben im Umkreis des Wiener Kongresses bereits Tradition. Am 3. April 1814 erklang am Ende einer „musikalisch-declamatorischen Abendunterhaltung“, unmittelbar nach einem Tableau „Die Ankunft des Monarchen vor dem Dome von St. Stephan“, Händels „wahrhaft grosses Hallelujah“.[6] *Samson* wurde am 16. Oktober 1814 in der Reitschule aufgeführt[7]; am 20. und 23. April 1815 gab die Gesellschaft der Musikfreunde den *Messias* zur Unterstützung der zurückgebliebenen Landwehrfamilien und machte „Händels grösstes Meisterstück“ so „zu einer Gabe, die sie auf den Altar des Vaterlandes“ legte. Der von der *Allgemeinen musikalischen Zeitung* überlieferte Wunsch „aller Musikfreunde“, nun „auch den Genuss des Händelschen *Judas Maccabäus* zu erhalten“[8], war für die Autoren der *Ehrenpforten* möglicherweise ein Motiv, ebenso inhaltliche Parallelen zu dem Oratorium, in dem Judas Maccabäus ausersehen ist, sein Volk zu Widerstand und Befreiung zu führen.

---

1 Die aufgefundene Partitur vermerkt „Melodie eines kroatischen Werbertanzes“, die *Wiener Theater-Zeitung* spricht vom „sogenannten Heubauer“ (8, 1815, Nr. 60).

2 Persuis? Vgl. G. Kinsky / H. Halm, *Das Werk Beethovens,* Anhang 11.

3 Vgl. *AmZ* 17 (1815), Sp. 568.

4 Über die Oper *Moses*: „Mein Gott! Solche Compositionen muß es auch geben, was würde sonst der gemeine Haufe thun?“ Gespräch mit Wenzel Tomaschek, zit. nach G. Knepler, *Zu Beethovens Wahl von Werkgattungen,* S. 388f.; siehe auch Beethovens Brief an Treitschke 1814: „Heute sprach ich den Oberbassisten des österreichischen Kaisertums voll Begeisterung, für eine neue Oper von — Gyrowetz! Mir lachte das Herz für die neue Künstlerbahn, welche uns dieses Werk eröffnen wird“ (E. Kastner / J. Kapp, *Ludwig van Beethovens sämtliche Briefe,* S. 266).

5 Zit. nach Thayer / Deiters / Riemann, *Ludwig van Beethovens Leben,* Bd. V, S. 126.

6 *AmZ* 16 (1814), Sp. 354.

7 Vgl. I. Moscheles, *Aus Moscheles Leben,* Bd. I, S. 19.

8 *AmZ* 17 (1815), Sp. 357ff.

Mit dem Zitat aus dem Johannesevangelium „Es ist vollbracht“ hat Treitschke den Charakter einer religiösen Hymne bereits vorgegeben. In vier fünfzeiligen Strophen wird es an Beginn und Ende jeweils zweimal wiederholt, eine Hervorhebung, der Beethoven durch Prägung eines musikalischen Mottos in der Solostimme sowie im Baß des abschließenden Chorteils folgt. Vorbilder könnten der Chor „Der Herde gleich“ aus Händels *Messias* und das „Consummatum est“ aus den *Sieben letzten Worten des Erlösers am Kreuze* von Haydn gewesen sein; auch „Die Himmel rühmen“ (op. 48, Nr. 4) beginnt mit diesem Gestus der feierlichen Anrufung Gottes: ein musikalischer Hinweis darauf, daß das Erleiden von Okkupation und Krieg auch im Sinn eines religiösen, zuletzt aber siegreichen Märtyrertums empfunden wurde. Die Mittelteile der Solostimme durchschreiten stufenweise den Oktavraum, um unter Abwandlung des Mottos wieder zum Ausgangspunkt zurückzukehren. Durch alle vier Strophen hindurch bleiben die Gesangspartien gleich. Zwischenspiele und Begleitung des Orchesters werden je nach Inhalt abgewandelt und deuten in ungewöhnlich direkter Form Textworte in Art des Kirchenstils aus: „Flehen“ und „Beten“ mittels ineinandergeschlungener Imitationen (T. 9ff.), Synkopen auf „Höll'“ (T. 40ff.), „zum zweitenmal“ durch zwei Tiratafiguren (T. 47), ein Abwärtslauf in Sechzehnteln auf „weggenommen“ (T. 50), „Nacht“ durch Übergang zu Triolen[1] (T. 54), ein Mediantsprung D-Dur—B-Dur als „Wendung zur Gottheit, zum Wunderbaren“[2] (T. 63), ein chromatischer Abwärtsgang der Bässe als „schmerzlicher“ Passus duriusculus (T. 63ff.), die komplementärrhythmische Zitter-Figur[3] auf „bang“ (T. 74ff.). Eingeleitet und — mit Ausnahme des Übergangs zur 3. Strophe — verbunden werden die Teile durch eine Viertaktperiode, die die erwähnte Tiratafigur bündelt zur Geste des „Herabstürzens“ bzw. „Niederfahrens“[4], einem Symbol, das sowohl dem Sturz Napoleons als auch der himmlischen Hilfe entspricht. Diese Figur zeigt, daß Beethoven selbst in einem so schnell niedergeschriebenen Werk Kompositionsverfahren anwendet, die in seinen bedeutenderen Werken zum Grundrepertoire gehören, und zwar auch in Hinsicht auf die Vorbereitung des Schlusses. Die Tirata-Periode ist nämlich die aggressive Variante jenes Zitats aus der Kaiserhymne, mit dem Beethoven — offenbar in eigenmächtiger Ergänzung der Textvorlage[5] — den Gesang krönt: Vorbereitet durch Fermate und feierliches „poco Adagio“, erklingt der Refrain aus Haydns „Gott erhalte Franz den Kaiser“, etwas unbeholfen unterlegt mit den Worten „Gott sei Dank und unserm Kaiser! Es ist vollbracht, es ist vollbracht!“. Mit der mehrfachen Wiederholung des „Es ist vollbracht“ durch den Chor und einem Nachspiel des vollen Orchesters schließt der Satz im Presto.

Die erste Aufführung am 15. Juli 1815 wurde in der *Allgemeinen musikalischen Zeitung* ausführlich gewürdigt, wenn auch unter Hinweis auf die „Kürze der Zeit [...], in welcher dergleichen ephemere Producte entstehen müssen“. Händels „Fall

1 Vgl. M. Geck / P. Schleuning, *„Geschrieben auf Bonaparte“*, S. 158f.
2 P. Schleuning, *Beethoven in alter Deutung*, S. 183.
3 Vgl. den 4. Satz der *Eroica* op. 55, T. 420ff. vor dem „Sturm“ der Coda sowie den 4. Satz der 9. Symphonie op. 125, T. 730ff. „Ihr stürzt nieder Millionen“.
4 P. Schleuning, *Beethoven in alter Deutung*, S. 188, Fußnote 73.
5 Die entsprechenden Zeilen sind im Textbuch (W. Hess, *Zwei patriotische Singspiele von Friedrich Treitschke*) nicht enthalten.

ward sein Los" nannte der Korrespondent eine „herrliche, furchtbar kräftige Fuge", Beethovens Komposition „einfach, aber reich instrumentirt".[1] Die *Wiener Theater-Zeitung* schrieb, daß allenfalls „die patriotischen Gesinnungen, die darin vorkommen, auf Antheil und Applaus rechnen konnten", nicht aber „das Werk [...] Dieses ist äußerst flüchtig gearbeitet, hat keine Handlung und kein Interesse". Nur die Kompositionen von Weigl und Seyfried verdienten Beifall: „Die andern Musikstücke sind theils alt, theils konnten sie nicht ansprechen."[2] Weitere Aufführungsdaten waren 16. und 23. Juli 1815.

Am 3. und am 4. Oktober 1815 wurden *Die Ehrenpforten* zum Namensfest des Kaisers wiederaufgenommen, mit „passenden Abänderungen", wie die *Allgemeine musikalische Zeitung* schreibt.[3] Händels Chor wurde ausgewechselt gegen Hummels „Allmächtiger Gott" (Schlußchor von „Kommt, Freunde, blicket all hinauf" aus *Die gute Nachricht*, vgl. WoO 94), und an die Stelle von „Es ist vollbracht" trat Beethovens „Germania", ebenfalls aus *Die gute Nachricht*. Grund dafür mag der größere Erfolg des älteren Singspiels gewesen sein, aber auch, die Beethovenschen Kompositionen betreffend, der passendere Text. „Es ist vollbracht" stand noch ganz unter dem emotionalen Eindruck des (inzwischen zurückliegenden) Kampfgeschehens und bearbeitete ihn vorwiegend mit religiösen Metaphern. „Germania" zog, obwohl vor Beendigung des Krieges geschrieben, eine distanziertere Bilanz und würdigte dennoch eindrucksvoll die Hoffnung auf Freiheit, Frieden und nationale Einheit. So eignete es sich nicht nur dazu, die Verdienste des Kaisers zu verherrlichen, sondern auch zu einer Bekräftigung der Wünsche, die seine Untertanen für die Zukunft hegten.

Freia Hoffmann

Die Weihe des Hauses *WoO 98 (→ op. 113)*

1 *AmZ* 17 (1815), Sp. 567.
2 *Wiener Theater-Zeitung* 8 (1815), Nr. 60.
3 *AmZ* 17 (1815), Sp. 851.

Auswahl aus den Klavierliedern WoO 107—150

„Schilderung eines Mädchens" und „An einen Säugling" WoO 107 und WoO 108

WoO 107: „Schilderung eines Mädchens".
GEDICHT: Autor unbekannt.
ENTSTEHUNGSZEIT: 1783.
ERSTAUFFÜHRUNG: unbekannt.
SKIZZEN: nicht bekannt.
AUTOGRAPH: verschollen.
ERSTDRUCK: Speyer 1783 (*Blumenlese für Klavierliebhaber*, hg. von H. Ph. Bossler).
GESAMTAUSGABEN: Alte Gesamtausgabe: Nr. 228 = Serie 23 Nr. 14; Neue Gesamtausgabe: Abt. XII, Bd. 1.

WoO 108: „An einen Säugling".
GEDICHT: J. v. Döhring.
ENTSTEHUNGSZEIT: 1784.
ERSTAUFFÜHRUNG: unbekannt.
SKIZZEN: nicht bekannt.
AUTOGRAPH: verschollen.
ERSTDRUCK: Speyer 1784 (*Neue Blumenlese für Klavierliebhaber*, hg. von H. Ph. Bossler).
GESAMTAUSGABEN: Alte Gesamtausgabe: Nr. 229 = Serie 23 Nr. 15; Neue Gesamtausgabe: Abt. XII, Bd. 1.

Als Beethoven mit seinen zwei frühen Versuchen zum ersten (und für mehrere Jahre letzten) Mal sich der Vokalkomposition zuwandte, war das Lied eine Sache von Spezialisten, deren Ästhetik auf zweckdienliche, vielseitig brauchbare Wortübermittlung zielte.[1] Wenn Beethoven als erster Instrumentalkomponist dennoch späterhin das Lied nicht nur beiläufig, sondern in all seinen Gattungen reichhaltig bedachte, dann veränderte das den Anspruch an das Lied tiefgreifend und machte es zum autonomen und somit zum Kunstlied, das einer neuen Ästhetik genügte.

Gerade ihr aber ist es, wenigstens teilweise, anzulasten, daß trotz mehrerer Versuche einer Ehrenrettung[2] eine Interpretations- und Rezeptionsgeschichte des Beet-

1 J. A. P. Schulz, *Lieder im Volkston,* Bd. I, Vorbericht: „Endzweck des Liederkomponisten ist es, gute Liedertexte allgemein bekannt zu machen."

2 M. Friedlaender, *Das deutsche Lied im 18. Jahrhundert,* S. LV: „Beethoven schrieb, kurz nachdem er den Unterricht bei Haydn aufgegeben hatte, sein klassisches Rococo-Stück ‚Adelaide' (1795); acht Jahre später entstanden seine Compositionen der Gellert'schen Lieder [...], 1810 Mignon's ‚Kennst du das Land', 1816 der Liederkreis ‚An die ferne Geliebte' — eines wie das andere epochemachende Werke, deren hohe Bedeutung dadurch kaum geschmälert wird, daß sie hin und wieder eine gewisse Sprödigkeit in der Behandlung der Singstimme verrathen." Vgl. auch H. Boettcher, *Beethoven als Liederkomponist*.

hovenschen Liedes bis heute kaum dokumentiert ist. Da die romantische Musikästhetik eine Metaphysik der Instrumentalmusik ist, die die Überlegenheit der Musik gegenüber der Wortsprache, in ihr die Ahnung des „Unaussprechlichen“ feierte, sah Ernst Theodor Amadeus Hoffmann sich veranlaßt zu bemerken, „dass ihm [Beethoven] Vocalmusik, die unbestimmtes Sehnen nicht zuläßt [...], weniger gelingt“.[1] Beethoven galt ihm als der Komponist, der die Musik zu sich selbst kommen ließ — das aber war nur denkbar in der Instrumentalmusik, „welche, jede Hülfe, jede Beymischung einer andern Kunst verschmähend, das eigenthümliche, nur in ihr zu erkennende Wesen der Kunst rein ausspricht“.[2] Die rationalistisch ausgerichtete Ästhetik der Aufklärung hingegen hatte das Eigenrecht der Instrumentalmusik nur aufgrund und in dem Maße ihrer Sprachähnlichkeit legitimiert, ihrer Fähigkeit, auf Menschen einzuwirken und Rührung zu übertragen. In Verbindung mit dem Wort, so mußte man annehmen, konnte Musik als nützliches Vehikel für die philanthropisch-pädagogischen Anliegen und die neuen Ideale der Zeit dienstbar gemacht werden. Und im Lied hatte sich das entsprechende Genre gefunden oder, besser, war dafür erfunden worden, von einem — wenn auch musikalisch gebildeten — komponierenden Juristen[3], wie es denn auch weiterhin von den Vorstellungen musikalischer Dilettanten geprägt blieb. Das wäre allerdings nicht denkbar gewesen ohne den Einfluß der französischen Kultur und ihres Ideals der „simplicité“ und „tendresse“ in Deutschland, — eines Diktums, das aber nicht nur ein kleindimensioniertes Gegenstück zur Arie der höfischen Oper ermöglichte, sondern — viel gravierender — zugleich auch Voraussetzung für die Instrumentalmusik sui generis wurde und als oberste Kunstdoktrin einer breitangelegten bürgerlichen Musikkultur den Boden bereitete.

Die von diesem Kunstideal und konkret vom französischen Tanzsatz vermittelten Gemeinsamkeiten der klaren Gliederung und häufigen Wiederholungen und der, dem großflächig disponierten Harmonieverlauf angeschlossenen, eingängigen melodisch-thematischen Gestalten wurden von den Instrumental- und Liedkomponisten jedoch mit sehr unterschiedlicher Ausrichtung wahrgenommen. Klarheit und Einfachheit der musikalischen Diktion, die dem Esprit und der Gedankenfülle der Instrumentalmusik zu unangestrengter und faßlicher Darstellung gereichen sollten, gerieten im Lied zum Wesen der Sache selbst und damit zur Rechtfertigung oder gar Begründung für Kunstlosigkeit. Wenn gute Sangbarkeit für jedermann und Entbehrlichkeit der instrumentalen Begleitung zu Markenzeichen erhoben wurden, lag die Gefahr stets nahe, „simplicité“ zu Einfältigkeit degenerieren zu lassen und von „tendresse“ lediglich den angenehmen Beigeschmack zu bewahren. Lieder zu schreiben, die keinen Anspruch auf Werkcharakter erhoben und in der Regel keine Opuszahlen von den Komponisten erhielten, die, für den Haus-, Arbeits- und Frei-

1 E. Th. A. Hoffmann, *Rezension der 5. Symphonie von Beethoven,* zit. nach St. Kunze, *Gesammelte Konzertberichte,* S. 101.

2 Ebenda, S. 100.

3 Christian Gottfried Krause (1719—1770), Richter am Obersten Preußischen Gerichtshof und als Begründer der 1. Berliner Liederschule angesehen, hatte schon, bevor er die *Oden und Melodien* (1. Teil 1753, 2. Teil 1755) zusammenstellte, seine ästhetischen Grundsätze in der Schrift *Von der musicalischen Poesie* 1752 erscheinen lassen (1747 aber schon im Manuskript fertiggestellt).

zeitgebrauch gedacht, auch kein Gegenstand öffentlicher Reputation und Darbietung waren — es sei denn, sie waren eingebunden in das ebenfalls neue Singspiel, den Schwarz-Weiß-Abglanz der ohnehin schlichten Opéra comique —, konnte für Haydn und Mozart nur am Rande des Schaffens statthaben. Und wenn dabei noch ein großer Teil der wenigen Lieder Mozarts dennoch an der Oper orientiert blieb und die zeitgenössische Kritik Haydns Liedern absprach, ihres Schöpfers würdig zu sein[1], so beweist das zur Genüge, daß ein Instrumental- und Opernkomponist kein Liedkomponist sein konnte, ohne Zugeständnisse in die eine oder andere Richtung zu machen. Die Liedästhetik war keine Kunstästhetik.

Wenn Beethoven unter diesen Umständen überhaupt Lieder schrieb — und insgesamt mehr, als Haydn und Mozart zusammen —, dann ist das bedenkenswerter als sein immer wieder gegen seine Lieder in Anspruch genommener, ohne jeden Zusammenhang überlieferter Satz „Ich schreibe nur nicht gern Lieder".[2] Da die Anregung zu den ersten Liedern ebenso aus dem reichen Theaterleben des damaligen Bonn wie von seinem Lehrer Christian Gottlob Neefe gekommen sein dürfte, der selber zu den inspirierteren Singspielkomponisten gehörte, nimmt es nicht wunder, daß es sich dabei um kleine Arietten handelt, um Reduktionen der Arie in Singspielmanier, die der Liedästhetik verpflichtet waren. Die Entlehnungen aus dem ariosen Bereich beschränken sich auf melismatische Deklamation und gelegentliche kleine Koloraturen, der Liedcharakter dagegen ist deutlich ausgeprägt in schlichter Melodik und Vermeidung von Textwiederholungen, ist vor allem aber in der formalen Konzeption angezeigt: Im Gegensatz zur großangelegten drei- oder fünfteiligen Da-Capo-Arie ist die Ariette meist zweiteilig mit mehr oder weniger deutlich eingelagerter Dreiteiligkeit, ist, wie das Lied, am französischen Suitensatz orientiert. Deutliches Relikt in diesen ersten Versuchen des jungen Beethoven ist die auch in Neefes Liedern oft zu beobachtende Modulation in den Oberquintbereich schon im fünften Takt und die an dieser Stelle nicht periodisch wiederholende Motivik, — Merkmale, die dem Fortspinnungsteil des Tanzsatzes entstammen. Dagegen entspricht es klassischer Dreiteiligkeit, daß die zweite Liedhälfte mit einer motivisch neuen Zweitaktgruppe und ihrer Wiederholung oder Variante beginnt (statt mit der Wiederholung des Liedanfangs in der Oberquinttonart), da in melodischer Abwechslung, zudem in Quintfallharmonik und Orgelpunkt der kontrastierende Charakter von Mittelteilen begründet ist.

Von weiterreichenden Überlegungen, die sich die ausschließlichen Liederkomponisten der Zeit oft genug versagten, zeugt es, wenn im Lied „An einen Säugling" der Kontrast zu den Tonrepetitionen des Trommelbasses durch die gebrochenen Drei- und Vierklänge des Albertibasses unterstützt wird von der Sechzehntelbewegung aus Vor- und Nachspiel und wenn in der „Schilderung eines Mädchens" der anfangs abwärtsgerichtete Melodiezug in der gegenläufigen und konziseren Bewe-

1 C. Fr. Cramer, *Magazin der Musik,* Bd. I, S. 456f.: „Eines Haydn sind diese Lieder nicht ganz würdig. Vermuthlich hat er aber nicht die Absicht gehabt, seinen Ruhm dadurch zu vergrössern, sondern nur den Liebhabern und Liebhaberinnen von einer gewissen Classe ein Vergnügen damit zu machen. Niemand wird daher daran zweifeln, daß Herr H. diese Lieder hätte vollkommner machen können, wenn er gewollt hätte."

2 Fr. Rochlitz, *Für Freunde der Tonkunst,* Bd. IV, S. 319.

gung wiedererscheint (T. 9). Und obwohl in diesen Liedern der dritte Teil wegen der Nähe zum Suitensatz im ersten Teil keine „wörtliche" Reprise sein kann, so hat er durch die kadenzierende Zusammenfassung und wiederum geschickten motivischen Anspielungen doch unüberhörbar Reprisenfunktion: Im einen Fall („An einen Säugling") greift der dem Signalcharakter der Anfangswiederholung folgende Terzgang (T. 23) auf eine Figur zurück, die in mancherlei Abwandlungen und in geradezu spielerischer Freude am „Kom-ponieren" schon das Vorspiel an den ersten Liedteil knüpfte[1], und im andern Lied („Schilderung eines Mädchens") schließt sich an den genauen Reprisentakt (T. 16) die Raffung und Weiterführung des Terzgangs an, in der man — so man guten Willens ist — die bewußt gestaltete Entsprechung zur Verdichtung im Mittelteil erkennen kann.

Trotz solcher Kunstgriffe aber sind die Stücke als Lieder unspezifisch und beliebig, da die hübschen melodischen Einfälle vom Text unberührt bleiben. Die Ungeschicklichkeit zum Beispiel, mit dem höchsten Melodieton des Lieds zu beginnen („Schilderung eines Mädchens"), ist, schon für sich und erst recht in bezug auf die musikalische Darstellung einer Frage, absurd, und ein tiefalterierter Melodieton als Bestandteil eines ausdrucksstarken übermäßigen Quintsextakkords („An einen Säugling", T. 20) ist gleichfalls der musikalischen Diktion ebenso wie dem Text unangemessen. Das Mißverhältnis zwischen Musik und Text ist aber nicht ausschließlich der Unbeholfenheit des Anfängers anzulasten. Es ist vielmehr bezeichnend, daß die Stellen, an denen er offensichtlich bemüht war, einzelnen Wörtern musikalisch nachzuspüren, aus dem strukturellen Zusammenhang herausfallen: Im Lied „An einen Säugling" wird die wortbezogene Ausdruckssteigerung durch einen koloraturartigen Ausbruch bewerkstelligt, der satztechnisch und formal unangepaßt ist durch falsch plazierte (T. 23) und abrupte (T. 24), insgesamt zu viele Funktionswechsel bei ansonsten ganz- oder sogar doppeltaktigem harmonischem Rhythmus, durch schnelle Melodiebewegung auf betonter Zeit, durch die in dieser Kombination entstandene metrische Irritation und letztlich völlige Sinnentstellung eines — zumal im kleinen Lied — bestätigenden, abrundenden Teils. Und wenn auch in dem andern Lied („Schilderung eines Mädchens") das Wesen der Reprise verkannt wird, da sie hier, umgekehrt, nach dem harmonisch, melodisch und dynamisch provozierten Stilbruch der zwei eingeschobenen, den „strahlenden Sternen" reservierten Takte nur noch ernüchternd und nichtssagend wirkt, dann ist anhand solcher Beispiele, obwohl und weil sie Ansätze bewußter Gestaltung aufweisen, der Widerspruch der Liedästhetik im 18. Jahrhundert bloßgelegt: Die Forderungen nach Einfachheit und Textbezogenheit der Musik schließen sich gegenseitig aus. Wo das Moment der Einfachheit zum alles beherrschenden Prinzip wird und nicht in Wechselwirkung mit komplexen Strukturen tritt, wo Form daher nicht von innen heraus begründet wird und bei textbezogenen Weitungen zerbrechen muß, ist, zugleich mit dem Kunstcharakter, der einer „falschen Popularität" bewußt geopfert wurde[2], auch der An-

---

1 Das Motiv erscheint erstmals im Alt (T. 1, 2. Zählzeit bis T. 2, 1. Zählzeit), im Terzgang und anschließend sequenziert (T. 6f.), in Umkehrung und verlängert, sequenziert, leicht variiert und vergrößert (T. 2—4, 12—17 und 23).

2 Vgl. J. A. P. Schulz, *Lieder im Volkston,* Bd. I, Vorbericht: „In allen diesen Liedern ist mein Bestreben, mehr volksmäßig als kunstmäßig zu singen"; R. Schumann, *Gesammelte Schriften,* Bd. II ([5]1914), S. 248: „Wer für Harfenmädchen schreibt, wird zuletzt von ihnen verführt. Dies ist der Gang der Kunst und Welt und die falsche Popularität."

spruch einer je einmaligen Einheit von Melodie und Dichtung vertan. „Der Schein des Bekannten“[1] allein konnte weder für musikalisch überzeugende noch für wirklich textbezogene kompositorische Entwürfe einstehen.

Solange die Musik sich über das Wort zu verstehen gab, war sie hochartifiziell. Als sie aber (im Lauf des 18. Jahrhunderts) immer mehr für sich selbst einstand, traten an die Stelle des Wortes Formen eigenen Rechts, Formen, die aufgrund genormter Harmonik und melodischer Wiederholungen eine musikalische Syntax und tonal strukturierte Abläufe bereitstellen und somit Verständlichkeit zusichern. Und an erster Stelle gehörte die schon im zweiteiligen Suitensatz entwickelte „dreiteilige Liedform“ (A. B. Marx) dazu.

Diese Formkonzeption war entstanden, um differenzierte musikalische Gedankengänge ohne Übersetzung durch das Wort darstellbar, musikalischen Sinn per se nachvollziehbar zu machen, und zwar dezidiert für den Menschen einer neuen Zeit. Diese Popularität war auf den aufgeklärten, nicht aufzuklärenden Bürger, war auf „Kenner und Liebhaber“ der Musik, nicht auf die „langen Ohren“ (Mozart) gerichtet, da sie für Allgemeinverständlichkeit und nicht für Anbiederung, gegen den gelehrten Stil kontrapunktischer Künsteleien und nicht gegen die Kunst selber in Anspruch genommen wurde.

Für die Vokalkomposition hatten sich also erstmals in ihrer Geschichte völlig neue Möglichkeiten und Bedingungen ergeben, die das „Lied im Volkston“ nicht wahrnahm, auf die aber Mozart in seinen Opern und Beethoven nach den ersten Arbeiten in seinen Liedern reagierten: Da die Musik „selbstverständlich“ geworden war und zu ihrer Deutung des Wortes nicht mehr bedurfte, lag es nun an ihr, eine Symbiose einzugehen, in der unter wechselnden Aspekten *sie* dem Wort die Bedeutung gab. Der Kunstcharakter, den die Liedästhetik des 18. Jahrhunderts ihm vorenthielt, wuchs dem Lied durch den Autonomieanspruch der Instrumentalmusik im 19. Jahrhundert zu. Und Beethoven tat mehr, als der neuen Gattung des klavierbegleiteten Sololieds, des Lieds mit unverzichtbarem, mit wesentlichem Instrumentalpart, den Boden zu bereiten und den Weg zu weisen. Auch wenn er selbst seinen Liedern Opuszahlen weitgehend vorenthielt, so ist das ein Relikt der Tradition und besagt nichts über den Werkcharakter, den viele von ihnen als unverwechselbare originelle Schöpfungen ausprägen: als individuelle Lösungen der ständig neu sich stellenden Aufgabe, zwei heterogene Ausdrucksbereiche, Dichtung und Musik, in Beziehung zueinander zu bringen. Da ihre Musik „jede Fessel einer andern Kunst zerreißt“ und das Wort „hinaus [...] in das Reich des Unendlichen“ führt[2], sind auch sie — gegen die Intention E. Th. A. Hoffmanns und manch anderen Kritikers — „selbständige Kunst“.[3] Es spricht nichts dagegen, das neue Lied, das Kunstlied, als „absolute Musik“ zu bezeichnen oder sogar nur dann von Kunstlied zu sprechen, wenn es „in das Reich der ‚absoluten Musik‘ [eingegangen]“ ist.[4] Beethoven hat dem Lied diesen Rang gegeben.

Ingeborg Pfingsten

---

1 J. A. P. Schulz, *Lieder im Volkston,* Bd. I, Vorbericht.

2 E. Th. A. Hoffmann, *Rezension der 5. Symphonie von Beethoven,* zit. nach St. Kunze, *Gesammelte Konzertberichte,* S. 100.

3 Ebenda.

4 W. Riezler, *Beethoven* ([11]1977), S. 180.

„Seufzer eines Ungeliebten“
WoO 118 (→ op. 80)

„Abschiedsgesang an Wiens Bürger“ und „Kriegslied der Österreicher“
WoO 121 und WoO 122

WoO 121: „Abschiedsgesang an Wiens Bürger“.
GEDICHT: J. Friedelberg.
ENTSTEHUNGSZEIT: wahrscheinlich im Oktober 1796.
ERSTAUFFÜHRUNG: am 20. Oktober 1796 (Fahnenweihe und Vereidigung des Korps).
SKIZZEN: unbekannt.
AUTOGRAPH: nicht erhalten.
ERSTDRUCK UND WIDMUNG: Wien 1796 (Artaria & Co.); dem Obristwachtmeister Karl v. Kövesdy gewidmet.
GESAMTAUSGABEN: Alte Gesamtausgabe: Nr. 230 = Serie 23 Nr. 16; Neue Gesamtausgabe: Abt. XII, Bd. 1.

WoO 122: „Kriegslied der Österreicher“.
GEDICHT: J. Friedelberg.
ENTSTEHUNGSZEIT: wahrscheinlich im April 1797.
ERSTAUFFÜHRUNG: am 17. April 1797 (Fahnenweihe und Vereidigung des Korps).
SKIZZEN: unbekannt.
AUTOGRAPH: nicht erhalten.
ERSTDRUCK: Wien 1797 (Artaria & Co.).
GESAMTAUSGABEN: Alte Gesamtausgabe: Nr. 231 = Serie 23 Nr. 17; Neue Gesamtausgabe: Abt. XII, Bd. 1.

Der „Abschiedsgesang an Wiens Bürger“ und das „Kriegslied der Österreicher“ sind Kriegslieder, die Beethoven 1796 und 1797 komponierte. Als Kompositionen sind sie kaum bekannt; als Dokumente politischer Stellungnahme dagegen werden die beiden Lieder in der Beethovenbiographik eingehend diskutiert. 1796/1797 ist die Entscheidungsphase des ersten Koalitionskrieges gekommen. Die französischen Truppen siegen in Norditalien und nähern sich Wien. Im August 1796 ruft Franz II. zur Verteidigung des Vaterlandes auf. Freiwilligenheere sollen rekrutiert werden. Der Kaiser richtet seinen Aufruf an eine kriegsmüde Bevölkerung. Mittel müssen gefunden werden, um, wie Graf Saurau im Juli 1796 formuliert, „die Begeisterung des Volkes für den Krieg zu erwecken und [...] auf die ‚Gefahren des Friedens‘ aufmerksam zu machen“.[1] Nach französischem Vorbild soll nun auch in Österreich die Musik als Waffe eingesetzt werden. In dieser Absicht bringt Franz Xaver Süßmayr am 27. September 1796 mit seinem Schauspiel *Die Freiwilligen* ein „Gemälde der Zeit“ auf die Bühne des Kärntnertortheaters. Einziger Inhalt ist das Lob der Patrio-

1 Zit. nach H. Reinalter, *Aufgeklärter Absolutismus und Revolution,* S. 469.

ten. Jeder Besucher erhält ein Exemplar des Schlußchores, „damit er mit einstimmen und die fürs Volk bestimmten Verse mitsingen könne".[1] (In ähnlicher Weise erklingt am 12. Februar 1797 Joseph Haydns Hymne „Gott erhalte Franz den Kaiser".) Der Aufruf des Kaisers zeigt Erfolg. Ein „Corps der Wiener Freiwilligen" wird im Spätsommer 1796 aufgestellt; es zieht am 21. Oktober ins Feld und wird aufgerieben. „Beethoven war, als Volontär, Capellmeister dieses Corps." Anschließend an diese Notiz eines historischen Berichts hat Alfred Orel 1938 versucht, die Rolle Beethovens im „Wiener Aufgebot" aufzuhellen. Er gibt Informationen über Karl von Kövesdy, den Kommandanten des ersten Korps, dem ein Lied gewidmet ist, und über den Textdichter Joseph Friedelberg. Über Beethoven als „Capellmeister" ist indessen nur zu erfahren, daß er anscheinend, wie in dieser Funktion üblich, weder an diesem noch an dem Feldzug eines zweiten Korps teilnahm, das im April auszog.

Orel hat 1938 in Beethovens „Kriegsliedern für Österreich" Dokumente „nationalen Bewußtseins dieses Künstlers" erblickt, ohne zu sagen, ob er sich Beethoven als deutschen oder als österreichischen Patrioten vorstelle. Aber auch in neueren Biographien bleibt der politische Standort des jungen Beethoven undeutlich und umstritten. Die beiden Lieder lassen es nicht zu, Beethovens Position so eindeutig zu konstruieren, wie Schindler wollte, der — ohne auf „Nebenwerke" Rücksicht zu nehmen — feststellte: „Beethoven war seinen politischen Gesinnungen nach ein Republicaner."[2] Im Zentrum der Diskussion steht die Frage nach dem Verhältnis zwischen Beethovens Sympathien für die Ziele der Revolution und seiner Angst vor ihren konkreten Folgen. Beethoven selbst bringt diese Spannung in seinem Brief vom 2. August 1794 an den Verleger Nikolaus Simrock in Bonn zum Ausdruck. Zunächst spricht er von „demokratischen Zeiten", in denen sich „Kavaliersprache" verbiete — Simrock hatte offenbar Beethovens Ankündigung, ihm Werke zum Druck zu überlassen, als Floskel genommen, wogegen dieser sich verwahrt —, dann gibt Beethoven eine Schilderung der Situation in Wien. Dort herrsche nicht die in Bonn gewohnte Redefreiheit: „Man darf nicht zu laut sprechen hier, sonst gibt die Polizei einem Quartier." Dennoch schneidet Beethoven im folgenden die Frage einer Rückkehr nach Bonn kurz ab: „[...] — Sie müssen doch auch jetzt in Angst leben!"[3] Gemeint ist die Angst vor der Besetzung durch französische Truppen, die im Oktober 1794 tatsächlich erfolgte. Harry Goldschmidt faßt die einander widerstrebenden Motive zusammen: „Beethovens Verhältnis zum aufgeklärten Absolutismus unterliegt einem ganz realistischen Wandel. In der Zeit, da dieser uneingeschränkt herrscht, kehrt er den jungen Bürger hervor und sympathisiert sogar mit der Revolution. Als er ihn bedroht und verdrängt sieht, solidarisiert er sich mit ihm."[4] Andere Interpreten gewärtigen den Einwand, daß das Österreich Franz' des Zweiten, anders als das Kurfürstentum Köln, kein aufgeklärter Absolutismus mehr war, sondern der nachdrückliche Feind aller Ideale, für die Frankreich stand: Nachdem Bonn besetzt war, hatte Beethoven keine Gelegenheit mehr zu einer differen-

1 W. Lehner, *Franz Xaver Süßmayr als Opernkomponist,* S. 72.
2 A. Schindler, *Biographie* ([2]1845), S. 56.
3 Zit. nach E. Kastner / J. Kapp, *Ludwig van Beethovens sämtliche Briefe,* S. 21f.
4 H. Goldschmidt, *Aspekte gegenwärtiger Beethovenforschung,* S. 193.

zierten Haltung; ratlos angesichts der französischen Eroberungspolitik wie viele andere Demokraten, ließ er sich von dem Patriotismus der Wiener mitreißen; Beethoven handelte opportunistisch und versuchte, im Wien Franz' des Zweiten ebenso Fuß zu fassen, wie er dies zuvor in Berlin versucht hatte — so lauten drei neuere Erklärungsversuche.[1]

Es wirft ein deutliches Licht auf den funktionalen Charakter der beiden „Kriegslieder für Österreich", daß sie auch hinsichtlich der Musik gemeinsam betrachtet werden. Thayer beschreibt die Lieder als „einfach und kräftig". Gestützt auf die gemeinsame politische Absicht zieht er Haydns Hymne zum Vergleich heran. Er erklärt den geringen Erfolg der beiden Beethovenschen Lieder mit ihrem martialischen Charakter, durch den der Komponist den Geschmack der Wiener nicht getroffen habe, die überdies, nachdem der Waffenstillstand vom 7. April bekannt wurde, für Kriegslieder keinen Sinn mehr gehabt hätten.[2] Günter Schnitzler hat 1989 die *Politischen Lieder im Schaffen Beethovens* untersucht und die Merkmale, durch die auch diese beiden Lieder ihre Wirkung zu erzielen suchen, in die Formel „Funktionalität erzwingt Simplizität" zusammengefaßt: Leichte Ausführbarkeit werde durch Dreiklangsmelodik in einfachsten harmonischen Verhältnissen, durch symmetrische Anlage, durch Wiederholungen erreicht; zum Marschieren empfehle sich ein gerader Takt. Um Mut zu machen, habe Beethoven eine aufsteigende melodische Gebärde, Marschrhythmen in punktierten Vierteln und auffordernde Vortragsanweisungen gewählt.

Vielleicht gelingt es, diese Bestimmungen zu spezifizieren, wenn man beide Lieder vergleicht und dabei auf die Chronologie achtet. Bereits Thayer hatte Beethovens Lieder gemeinsam der Haydnschen Hymne — dem musikalisch überragenden Dokument der damaligen Ereignisse — gegenübergestellt. Aber ist das „Kriegslied der Österreicher" nicht doch subtiler komponiert als der „Abschiedsgesang"? Wie, wenn Beethovens Blick auf jener Zeile in der ersten und vierten Strophe des Friedelbergschen Gedichtes verweilt hätte, die den Refrain der Haschkaschen Hymne („Gott erhalte Franz den Kaiser, unsern guten Kaiser Franz") gleichsam nachspricht: „Denn unser Fürst ist gut / Erhaben unser Muth!" (Nur durch dieses Nachsprechen wird Friedelbergs Verfahrensweise verständlich, ein Epitheton ornans zum Prädikat zu machen und sein Gedicht mit dem prätentiös singularisierenden Titel „Kriegslied der Österreicher" zu überschreiben.) Wie, wenn Beethoven den Impuls verspürte, dieser Geste des Textdichters als Komponist zu folgen? Hatte nicht — wie Haydn für seine Hymne — auch Süßmayr für seine „Freiwilligen" eine Dose erhalten — und dies vom Kaiser höchstselbst?[3]

Im Notentext unterscheiden sich der „Abschiedsgesang" vom Herbst 1796 und das „Kriegslied" vom April 1797 am stärksten durch den jeweils durchmessenen Spannungsbogen. Im ersten Lied bescheidet sich die Melodie zunächst mit dem Quintraum der Tonika g'—d'', um im zweiten Achttakter zum Subdominantquartsextakkord g'—c''—e''—c'' aufzusteigen. Aber die „auftrumpfende Dreiklangsge-

1 Vgl. M. Solomon, *Beethoven and Bonaparte,* S. 103; J. und Br. Massin, *Beethoven. Materialbiographie,* S. 71; M. Geck / P. Schleuning, *„Geschrieben auf Bonaparte",* S. 47 und 50f.

2 Vgl. Thayer / Deiters / Riemann, *Ludwig van Beethovens Leben,* Bd. II (^{3}1922), S. 29f.

3 Vgl. H. H. Hausner, *Franz Xaver Süßmayr,* S. 86.

bärde“[1], die man in dieser Figur (und zumal in ihrer Wiederholung) erblicken mag, wird durch die folgende Tonleiter — die Melodie durchläuft die Dominantsept von c’’ zu d’ und zurück zu d’’ — weniger ausbalanciert als konterkariert. Dagegen ist das „Kriegslied“ deutlich nach Anfang, Mitte und Ende gegliedert. Die Melodie durchschreitet in aufsteigendem Tonikadreiklang die Oktave c’—c’’. Die Wiederholung dieser Figur führt bis e’’. Mit der Kadenz (zur Dominante) wird der bisher herrschende punktierte Rhythmus verlassen und eine Bewegung in ganzen Vierteln vorgestellt. Sie schließt die ersten acht Takte wie mit einem militärischen Signal ab. Es ein Stimmungswechsel: Zwei piano und legato durch den Dominantdreiklang aufsteigende kantable Takte tragen den Text „Denn unser Fürst ist gut“. Ihrer Achtelbewegung wird — „erhaben unser Muth“ — ein erneutes Signal im Forte gegenübergestellt. Nun folgt der eigentliche kompositorische Einfall: Beethoven wiederholt und sequenziert das kantable Piano-Motiv, wodurch es nach dem Dominantdreiklang nun den Dominantseptakkord durchmißt und zum Höhepunkt des Liedes auf f’’ führt. (Man wird das hier vorgeschriebene Fortissimo dramatisch verstehen.) Damit ist ein Standpunkt gewonnen, der es erlaubt, die Welt militärischer Rhythmen und Signale siegreich zu verlassen und in das Fazit des Liedes einzustimmen: „Wie kanns uns besser gehn?“ Beethoven läßt dieses Fazit durch den „Chor“ wiederholen. Der Gegensatz, den es melodisch zu dem Marschrhythmus des Anfangs bildet, legt es nahe, auch diese Angabe nicht allein wörtlich zu nehmen. Die Absicht des Liedes ist, den Kriegerhaufen in einen Chor zu verwandeln. Das wird durch den sequenzierend auf einen komponierten Doppelpunkt hinzielenden Mittelteil und den geänderten Ton des Schlußteils erreicht, durch Besonderheiten der Anlage dieses Liedes, die mit derjenigen der Haydnschen Hymne verglichen werden könnten.

Michael Maier

„Ich liebe dich“ und „La partenza“ WoO 123 und WoO 124

WoO 123: „Ich liebe dich“.
GEDICHT: K. Fr. Herrosee.
ENTSTEHUNGSZEIT: 1795.
ERSTAUFFÜHRUNG: unbekannt.
SKIZZEN: nicht bekannt.
AUTOGRAPH: Gesellschaft der Musikfreunde Wien, Archiv 13.
ERSTDRUCK: Wien 1803 (J. Traeg).
GESAMTAUSGABEN: Alte Gesamtausgabe: Nr. 249 = Serie 23 Nr. 36; Neue Gesamtausgabe: Abt. XII, Bd. 1.

1 M. Geck / P. Schleuning, *„Geschrieben auf Bonaparte“*, S. 49.

WoO 124: „La partenza“.
Gedicht: P. Metastasio.
Entstehungszeit: 1795.
Erstaufführung: unbekannt.
Skizzen: Staatsbibliothek Preußischer Kulturbesitz Berlin, Artaria 149 (Beiträge zur Geschichte des Alt-Wiener Musikverlages); eine kurze Melodieskizze zu den beiden ersten Versen der zweiten Strophe (T. 11—14) befindet sich, zusammen mit einer ebenfalls kurzen Notiz zu „Adelaide“, auf der letzten Seite des Autographs von WoO 28.
Autograph: unbekannt.
Erstdruck: Wien 1803 (J. Traeg).
Gesamtausgaben: Alte Gesamtausgabe: Nr. 251 = Serie 23 Nr. 38; Neue Gesamtausgabe: Abt. XII, Bd. 1.

Mit diesen als „2 Lieder“ gleichzeitig veröffentlichten (und wahrscheinlich acht Jahre zuvor auch im selben Zeitraum entstandenen) Kompositionen dokumentiert Beethoven in wesentlichen Zügen geradezu exemplarisch die ganze Spannbreite der so uneinheitlichen Gattung Lied. Die Unterschiede sind fundamental, und da den Liedern dasselbe formale und melodische Modell zugrundeliegt, heben sie sich umso plastischer als individuelle Gestaltung von Gegensätzen voneinander ab.

Das Schema der bewährten sogenannten „dreiteiligen Liedform“ mit (meist) achttaktigem tonal festigendem Anfangsteil, viertaktigem dazu kontrastierendem Mittelteil und (in der Regel) zu vier Takten verkürzter Reprise wird im einen Fall durchbrochen und in neuartiger Konzeption zusammengeschlossen („Ich liebe dich“), im andern bestätigt, aber ergänzt und inwendig differenziert („La partenza“); das eine macht eine solche Formerweiterung durch subjektiven Ausdruck im Bekenntnislied nötig, das andere die formale Geschlossenheit durch innere Distanz des Autors bei der Darstellung eines Affekts im Arienlied plausibel. In beiden Fällen textbezogen, wird die Form dennoch jeweils aus absolut musikalischen Prämissen heraus gestaltet.

Die Melodiesubstanz, aus der die Formen hervorgehen, war in Alpenländlern und Volksliedern (z.B. „Es waren zwei Königskinder“) ebenso präsent wie in Oper und Symphonie. Der allen Fassungen gemeinsame Bewegungszug von der Terz der Tonart zur Quarte und Quinte wird von Mozart und Beethoven meist bis zur Sexte und manchmal zur Oktav weitergeführt.

Während im ersten Lied („Ich liebe dich“) die sprungweise erreichten melodischen Hochtöne (als Terz und Quarte des Modells) den ersten und dritten Takt hervorheben, betonen die Harmoniewechsel im Klavier die geraden Takte, so daß ein Pendeln der metrischen Schwerpunkte entsteht, das beide Partien sowohl verselbständigt als auch aufeinander bezieht. Im zweiten Lied („La partenza“) dagegen fallen die Schwerpunkte beider Partien in den geraden Takten zusammen, bilden sozusagen ein metrisches Unisono, das durch ein melodisches von Klavieroberstimme und Gesang ergänzt wird und das dem Klavier lediglich begleitende Funktion zubilligt. Daß die Vorstellungen, die durch die Gedichte vermittelt werden — die Gegenüberstellung eines Ich und Du bzw. die Ein-Personen-Szene — auf diese Weise reflektiert sein könnten, ist naheliegend, zumal die Differenzierungen des Melodiemodells unverkennbare Assoziationen zum Text herstellen: Wo die Sequenz (T. 3 und 4) im ersten Lied mit der unveränderten Gestalt ihrer Ab-Auf-Bewegung der „ich-dich / du-mich“-Konfrontation ebenso entspricht wie der von „Abend—Morgen“, ist die Modifikation im zweiten Lied genauestens auf die Namenwiederholung „Nice, mia Nice“ zugeschnitten und vollzieht deren Emphase durch die unmittelbare Aufeinanderfolge des Sext- und Septsprungs mit.

Der folgenreichste Unterschied aber betrifft den chromatischen Durchgangston der Melodie im ersten Lied, der nicht nur in „La partenza“, sondern in fast allen andern Versionen dieses Modells fehlt und der schon aus diesem Grunde Aufmerksamkeit heischt. Er vermittelt zwischen dem im fünften Takt regulären Hochton d’’ und dem bereits einen Takt danach zu früh folgenden Spitzenton dieser Phrase, dem er die zuvor zu erwartende Melodiebetonung zuleitet. Indem diese dort aber durch das Fehlen der sie anfangs konstituierenden Merkmale — Sprung mit anschließender Punktierung — unterdrückt wird, kommt es hier zur Kongruenz mit dem harmonisch begründeten Taktschwerpunkt und daher zu besonders auffälliger Gewichtung (die Auftaktsechzehntel zu Takt 5 sind legitimiert durch die Vorwegnahme des Sprungs). Die engen Tonabstände der Chromatik aber heben den auch zeitlich engen Abstand der Hochtöne hervor und ersetzen mit dem Sprung, an dessen Stelle sie treten, auch die Unmittelbarkeit der anfänglichen Modelltöne (T. 1 und 3). Der Nachdruck und die Inständigkeit dieses Spitzentons werden also durch den Zusammenschluß mehrerer kompositionstechnischer Irregularitäten bewirkt. Dieser Kulminationston ist dem in „La partenza“ in nichts ähnlich: Dort, in „La partenza“, als dissonanter Vorhalt des Tonikadreiklangs (vor der Subdominante) auf an sich unbetonter Zählzeit im unbetonten fünften Takt, eingebunden in eine Kette kleiner Notenwerte, kommt er hier, in „Ich liebe dich“, als durch Punktierung vergrößerter Notenwert der klangvollen Subdominantterz auf betonter Zählzeit des gewichteten sechsten Taktes zur Geltung. Er ist der eigentliche Attraktionspunkt der ganzen Phrase. Die Verschiebung des melodischen Akzents aber wandelt das Zu-früh des Spitzentons in ein Zu-spät des emphatischen Höhepunkts, denn dessen eigentlicher Platz in solchen (achttaktigen satzartigen) Gebilden ist — sicherlich nicht zufällig — der fünfte Takt, die Region des goldenen Schnitts. Zwar fällt auch bei andern Musikstücken mit diesem Modell die Sexte — sofern sie einbezogen ist — in den sechsten Takt; hier aber wird diese Konstellation besonders auffällig durch den Leitton und in ihrer Hecklastigkeit weiterhin bestätigt und von den andern Versionen unterschieden durch die Imitation in der chromatischen Baßlinie, den beschleunigten Harmoniewechsel und das Gewicht, das die betonungstiftenden Vorhalte in beiden Partien nun gleichzeitig jedem Takt geben und das die Dynamik der metrischen Disposition immer mehr zuspitzt.

Verglichen mit der deklamatorisch sinnfälligen Gestaltung des Anfangs und des andern Lieds, in dem auch weiterhin nichts aus dem Gleichgewicht gerät, muß diese Steigerung als darüber hinausgreifender subjektiver Ausdruck erhöhten Empfindens für das solchermaßen herausgestellte „du“ erscheinen.

In „La partenza“ geht es an gleicher Stelle und im ganzen Lied um den „ben mio“ (übersetzt mit „ich Armer“), der, trotz aller Lamentationen, die Fassung (und die Form) nicht verliert. Und wenn in der Reprise (ab T. 15) die Hochtöne dennoch dem „tu“ zufallen, dann eben nicht als mit „Nach“-druck markierte Höhepunkte, sondern als kürzestmögliche, gänzlich unauffällige Töne (T. 16 und 20 für „ti“) oder als durch vorweggenommenen Sprung und gleichbleibende Harmonik nurmehr spielerische Reminiszenzen des Anfangs (T. 15 und 19). Denn mit diesem Du ist nicht der geliebte und teilnehmende Mensch angesprochen (von Liebe ist überhaupt nicht die Rede), sondern es ist der dem „ben mio“ und seinem Sentiment zugeordnete bloße Name zum Zwecke der Anrufung. Und die Verdopplung der Schlußverse, die den narzißtischen Grundzug offenlegen, ist nicht musikalisch zwingend, trägt aber zu einer Symmetrie bei, die — anders als beim Modell der „klassischen dreiteiligen Liedform" — den Mittelteil, hier also die beiden „io"-Verse (T. 11—14), ins formale Zentrum rückt. Wenn es kein Zufall ist, daß diese Verse durch zwei in sich und zueinander gegenläufige, also doppelt gespiegelte Figuren im Klavierpart umrahmt werden (T. 10 und 15), dann ist es nicht ohne Bedeutung, daß diese den Hauptbestand der wiederholten Schlußverse ausmachen. Da sie aber motivisch dem Melodiemodell entstammen, dessen Spitzentöne sie komprimieren (fis'' in Takt 5 ist als Vorhalt melodisch nicht substantiell) und nach Maßgabe der Gliederungsfloskeln (T. 2 und 4) umkehren, tragen sie ebenso zu dem einheitlichen und geschlossenen Charakter des Lieds bei wie die regelmäßige Metrik und gesicherte Harmonik (die zweimalige vollständige Schlußkadenz beantwortet den Halbschluß am Ende des ersten Teils).

Dennoch verweist die enge Verbindung von Mittel- und Schlußteil durch die Motivspiegelung sowie das Fehlen eines Zwischenspiels und harmonischer Interpunktion zu sehr auf das barocke zweiteilige Urbild und die daraus entstandene unsymmetrische Dreiteiligkeit der „klassischen Liedform", als daß durch die Schlußwiederholung eine wirkliche bogenartige Arienform im Kleinen glaubhaft würde. Bei genauerem Hinhören entlarvt sie sich als ebenso theatralisch wie der ganze „fiero istante" (übersetzt mit „Schreckensstunde") und die „come-vivrò"-Attitüde: Sie ist geformte Verstellung.

Demgegenüber reflektiert die formale Weitung des andern Lieds mit den Taktrepetitionen (T. 32—35) die Überhöhung des Ich und Du zum Wir (bzw. Uns), auf die bereits mit den Sechzehntelumspielungen (T. 7 und 27) hingewiesen worden war. In einen (nochmaligen) Aufschwung nach e'' (T. 36) mündend, interpretieren diese Wiederholungen aber — anders als in „La partenza" — die belanglose Textergänzung von „uns" zu „uns beide" durch musikalische Intensivierung, die, im Klaviernachspiel zur aufsteigenden Tonskala verdichtet und im höchsten Ton des Klavierparts gipfelnd[1], einer ökonomischen Schlußbildung widersteht und vielmehr dem formalen Gesamthabitus entspricht.

Denn auch der absolute melodische Höhepunkt des ganzen Lieds (T. 29 und 30) durchkreuzt eine Symmetrie, die in der Anordnung der Teile zwar gegeben ist (zweimal 20 Takte), in der aber der zweite Teil formal übergeordnete Qualität erhält. Die Taktdehnungen, die dieser Höhepunkt in Anspruch nimmt (T. 30, 31 und analog dazu T. 36, 37), weisen die — nun ins Große projizierte — Hecklastigkeit der ersten acht Takte ebenso auf wie der melodische Kulminationston selbst mit seiner in allen Parametern ausgeprägten Besonderheit: Er ist als höchster Ton auch tonartfremder und dissonierender Bestandteil einer zwischendominantischen Funktion und neuen Harmonie und erscheint (als nichtpunktierte Note in harmonisch unbetontem Takt) in einer metrischen und rhythmischen Situation, die im ersten Abschnitt (T. 5) den melodischen Schwerpunkt verhindert hatte und die für die metrische Ausgewogenheit der Doppeltaktigkeit im „Mittelteil" (T. 9—20) in Anspruch genommen wor-

1 Daß diese Takte für die obere Klavierstimme ganz bewußt so hoch gesetzt wurden, macht die Korrektur im Autograph deutlich: Zunächst war die Skala eine Oktave tiefer angesetzt.

den war. Aber im Septsprung erreicht und somit dennoch „ins Gewicht fallend“, als Dominant-Septime den Halbtonschritt abwärts erzwingend, stellt der Spitzenton also nicht nur das genaue Gegenteil des anfänglichen Melodiehöhepunkts dar, sondern strebt ihm als dessen oberer Leitton wiederum zu und verteilt die Klimax damit auf zwei Töne. In der Verbindung eines (durch den harmonischen Kontext) dramatischen und eines klanglichen Höhepunkts, in seiner Wiederholung und damit der des harmonischen Schwerpunkts sowie in der zeitlichen Vergrößerung (auch in der Verdichtung des Klaviersatzes) stellen diese Takte die äußerste Konsequenz aus dem leittönig angegangenen und metrisch irregulären Gipfelton des Anfangs dar.

Zwar markieren diese Kulminationstakte die Mitte der zweiten Hälfte, im Ganzen des Lieds aber fallen sie wiederum um so viel hinter den goldenen Schnittpunkt wie der Spitzenton des ersten Abschnitts in der kleineren Proportion, die damit angelegte Formdynamik intensivierend. Gerade dieser Hochton aber ist es, der in der Reprise den goldenen Schnitt des gesamten Lieds bezeichnet (26 : 40 Takte = ungefähr 2 : 3), auf den bezogen nicht nur die 2 : 3 : 5-Relation der Dreiergruppierung (8 : 12 : 20 Takte) von Belang ist, sondern sogar die durch eine Fermate hervorgehobene Zweiteilung als erste Relation der stetigen Teilung.

Die mit dem Anfang identischen Takte 21—27 sind dadurch bereits mehr als nur Reprise, und auch der Anklang an den „Mittelteil“ in Klaviersatz und Motivik (die Takte 32—35 verweisen auf die Takte 10—14, deren g—a—fis—g-Motiv wiederum der eröffnenden Baßformel entstammt) kommt nicht einer Verdopplung gleich, sondern erhält im größeren Zusammenhang neuen Stellenwert.

Während beiden Liedern die unsymmetrische „klassische dreiteilige Liedform“ zugrundeliegt, die nach Herkunft und Umfang zweiteilig ist (Mittelteil und Reprise zusammen sind ebenso lang wie der erste Teil), entstehen jeweils verschiedene Doppelformen daraus, die sich überlagern und mit ihren Symmetrien und Asymmetrien durchkreuzen. Der strophischen Anordnung gemäß betont „La partenza“ die alte Zweiteilung, ergänzt sie indes mit einer illusionistischen Gebärde zu einer gleichmäßigen geschlossenen Dreiteiligkeit, um das theatralische Pathos arienhaft zur Geltung zu bringen. Die dreistrophige Textauswahl[1] von „Ich liebe dich“ provoziert eine Konzeption, die die „dreiteilige Liedform“ umordnet, indem die Reprise ihre abrundende Funktion preisgibt, um in der Steigerung eine seelische Gespanntheit zu offenbaren, die das, was im Wort gesagt wird, überhöht. Durch das Prinzip des goldenen Schnitts, dem die Progression formal entspricht und das sie um des dramatisch gesteigerten Ausdrucks willen inhaltlich kontrapunktiert und „auf die Spitze treibt“, besteht diese Form nicht aus einer Summe von Teilen, sondern erscheint als entwickelnde, als nach vorn offene Form, die in immer größer werdenden Dimensionen sich selbst ebenso vervielfachen könnte, wie sie entstanden ist — eine unendliche Form.

So, wie die kleine Form Ausgang für die Gesamtform ist, in der sie als Teil aufgehoben und gleichzeitig vergrößert ist, so ist auch der Text Bestandteil des Lieds, in dem er eine über ihn hinausweisende, eine absolute, nur in Musik darzustellende Be-

1 Daß es sich bei diesen Strophen um die dritte, vierte und sechste Strophe eines zehnstrophigen Gedichts handelt, braucht hier nicht berücksichtigt zu werden, da es sich um eine Auswahl handelt, die in Wien kursierte und auf die die Komposition zugeschnitten ist.

deutung erfährt, die, wollte man sie dennoch in Worten zu umreißen versuchen, vielleicht so ausgedrückt werden könnte: „Mann und Weib und Weib und Mann reichen an die Gottheit an.“

Ingeborg Pfingsten

„Opferlied“
WoO 126 (→ op. 121 b)

„Neue Liebe, neues Leben“
WoO 127 (→ op. 75)

„Der Wachtelschlag“
WoO 129

GEDICHT: S. Fr. Sauter.
ENTSTEHUNGSZEIT: 1803.
ERSTAUFFÜHRUNG: unbekannt.
SKIZZEN: Kurze, „fürchte Gott“ textierte Notiz auf den Blättern Mh 71 (Beethoven-Haus Bonn) ist auf die Zeit um die erste Aufführung von op. 37 (5. April 1803) datierbar.
AUTOGRAPH: Beethoven-Haus Bonn, Mh 32.
ERSTDRUCK: Wien Ende 1803 oder Anfang 1804 (Bureau des Arts et d'Industrie).
GESAMTAUSGABEN: Alte Gesamtausgabe: Nr. 234 = Serie 23 Nr. 20; Neue Gesamtausgabe: Abt. XII, Bd. 1.

Die zeitgenössische Kritik beurteilte Gedicht und Vertonung sehr wohlwollend und verteidigte die „den Wachtelgesang nachahmende Figur“ vor den „Gegnern der musikalischen Malerey“.[1] Aber nicht erst die bedeutsamen Variationen des tonmalerischen Motivs im Lied, schon Beethovens Textänderungen verweisen auf die Akzentuierung eines Identitätsgefühls, das die Gegenüberstellung von Mensch und Natur aufhebt und Naturnachahmung nur ansatzweise zuläßt. Die Umgestaltung der dritten Strophe, durch die die Verweise auf den Vogel (fast) ausgespart werden, läßt die Stimme der Natur in menschliche Rede übergehen, den „Horcher“ (der 1. Strophe) gleichzeitig zum Sprecher werden, zum Mahner der Menschheit.[2] Anstelle des Trost-

1 *AmZ* 6 (1803/1804), Sp. 642f.
2 3. Strophe des Sauterschen Gedichts: „Schreckt mich [Beethoven: Schreckt dich] im Wetter der Herr der Natur, / Bitte Gott! / Bitte Gott! / Ruft sie, er schonet die Flur. / Machen Gefahren des Krieges mir bang [Beethoven: der Krieger dir bang], / [von Beethoven gestrichen:] Tröstet mich wieder der Wachtelgesang: / Traue Gott! / Traue Gott! / Sieh, er verziehet nicht lang.“

zuspruchs aus der Natur setzt sein subjektiv bestimmtes Ganzheitsdenken das Vertrauen in das göttliche Wesen des Menschen, das die Natur mit seiner schöpferischen Kraft durchdringt.

Obwohl die formale Analogie der Gedichtstrophen durch die Vogelrufe und die übereinstimmende Versanordnung betont ist[1], entspricht Beethoven seinem gedanklichen Entwurf musikalisch mit dem durchkomponierten Lied, das den inhaltlichen Verlauf des Textes differenziert berücksichtigt. Von den unterschiedlichen Vertonungen der ersten beiden Strophen wird die der dritten aber nochmals deutlich abgehoben. Das schroff einsetzende und kontrastreiche Rezitativ (T. 43, 2. Zählzeit ff.) vermittelt neue Taktart und Charakterbezeichnung[2], verändertes Satzbild und Formgefüge und die trotz der Beschleunigung größere zeitliche Ausdehnung, zu der es durch emphatisch wiederholte Textpartien und Umwandlungen der Wachtelschlagfigur kommt. Die Beziehungen zum Anfang, die es gleichwohl gibt, bilden keine Symmetrien, sondern führen — im Gegenteil — den wiederaufgenommenen Gedanken weiter und ergänzen ihn.

Die chromatisch versetzten Terzen unter dem Liegeton c''' zu Beginn des Allegrettos (T. 58ff.) suggerieren als Reminiszenz an das Liedvorspiel eine Reprise, die sich indes lediglich in einer abstrakten Tonkonstellation jenseits motivisch-harmonischer Faßbarkeit darstellt. Die beidemal dem chromatischen Total fehlenden Halbtöne um den Ton c werden als seine Leittöne zunächst einzeln nachgeholt (T. 6f. des', T. 15f. h)[3] und erst in der dritten Strophe in den chromatischen Zusammenhang einbezogen (T. 76—85). Dieser Vorgang des Zusammenschlusses zur umfassenden Ganzheit ist das prozeßhafte Thema des Lieds, das nicht in geformter Tongestalt vorgestellt werden kann, sondern in den latenten Umriß des gesamten Tonmaterials eingefaßt ist. Es wird folgerichtig erst in der Schlußstrophe plausibel, wenn die anfängliche Tongruppierung nur ähnlich wiedererscheint, um ihr Defizit fokussierend ins Zentrum des Abschnitts zu rücken (T. 60): Erst durch die Unterbrechung des chromatischen Ablaufs und Sprung über den Liegeton c''' gleichzeitig aufgedeckt, werden die Lücken sichtbar, die im Liedvorspiel an den Rändern der Terzfortschreitung unscharf geblieben waren. Ebenso ostentativ werden die fehlenden Töne aufgewiesen, indem sie — erstmals gemeinsam und gleichzeitig — den Ton c, Ausgangs- und Mittelpunkt des Tonsystems überhaupt, auch als *ihr* Zentrum flankieren (T. 71—75, 1. Zählzeit). Als Dominantterz (h) und Grundton (des) der im Lied höchsten und tiefsten Tonart der Quintenskala erscheinen sie in akustischer Konkretion vertauscht, eine Kreisdrehung umreißend, deren räumliche Weite sich im Satzbild auftut und die im folgenden durchschritten und gedehnt wird (T. 75—85). Der Widerspruch von Erschrecken und Bittenkönnen, der als Reflex

1 Schubert reagierte darauf, obwohl er Beethovens gekappte Textfassung vertonte, mit einem Strophenlied (op. 68).

2 In Takt 58 enthält das Autograph eine bemerkenswerte Korrektur: Die Tempoangabe zum letzten Abschnitt, beim Wechsel in den 6/8-Takt, wurde von fremder Hand geändert. Beethoven hatte zweimal, über der Gesangsstimme und zwischen den Systemen des Pianoforte, „Allegro“ notiert. Die obere Bezeichnung blieb unverändert stehen, die untere wurde durch „Allegretto“ ergänzt. Die Gesamtausgabe gibt ebenfalls „Allegretto“ an (vgl. *Kritischer Bericht* zu: L. v. Beethoven, *Werke*, NGA, Abt. XII, Bd. 1, S. 28).

3 Nicht nur die Lage der Töne des' und h, auch ihre Einbindung in die Terzfortschreitung weist auf diesen Zusammenhang hin.

der Antithese von Furcht und Liebe (1. Strophe) im Rezitativ (T. 43, 2. Zählzeit bis T. 51, 1. Zählzeit) scharf herausgestellt ist, wird durch die musikalische Zusammenfassung der Textverse ausgeglichen (T. 68—75); der gesteigerte Kontrast von Angst und Vertrauen aber, der im Allegroteil des Rezitativs (T. 51—58)[1] und zu Beginn der Liedstrophe (T. 59ff.) seinen Ausdruck findet, ist in der Steigerung zur chromatischen Vollständigkeit aufgehoben.[2]

Die horizontale Gruppierung der Töne c'—des'—h'—c'' bzw. h—c' (T. 76—79 im Klavierpart) bildet mit der unmittelbar vorhergehenden vertikalen zudem die Klammer, die die so verschiedenartigen Teile im Zentrum der Strophe (T. 71, 4. Achtel bis T. 79, 3. Achtel) zusammenhält. Die symmetrische Anordnung (13—8—13 Takte), die sich so in den andern Strophen nicht findet, wird proportional und inhaltlich bestätigt durch die taktgleichen Hälften der Liedstrophe (T. 59—75 und 76—92) mit ihren Erweiterungen in Rezitativ[3] und Coda (mit abschließendem Pausentakt[4]) und den sich öffnenden Melodiebogen zu Beginn der Strophe, der erst an ihrem Ende wieder aufgenommen und abgeschlossen wird. Coda und Reprise aber beziehen sich mit ihrem Spitzenton g'' und dem an die Tonverbindung des''—c'' geknüpften Ausruf „bitte Gott!“ nicht nur aufeinander, sondern zugleich auch auf die Vogelrufe der ersten Strophe:

Die Konfrontation der Antithesen, sprachlich nur in der zeitlichen Folge der Aufforderungen „fürchte“ und „liebe Gott!“ möglich, wird musikalisch in der einmaligen Schichtung zweier Formen des Ausrufs (T. 6—8) umso bedeutsamer, als in dieser Kopplung, in der Gleichzeitigkeit des Ungleichzeitigen, die Widersprüche des ganzen Lieds zusammengezwungen werden: Die Begleitung des Vogelrufs „fürchte Gott!“ kontrastiert als „künstlicher“ Halbtonschritt einer späteren Fassung des Rufs mit dem „Naturmotiv“ der Wachtelschlagimitation und verweist auf die Überwindung des Naturgegebenen und in weiterem Sinne Vorgeformten. Andererseits ist diese Umformung nur möglich als Konsequenz der im Liedvorspiel exponierten Gegenüberstellung von changierender Chromatik und monotoner, unverändert wiederholter Wachtelschlagfigur.[5] Ist der Kontrast hier indes sogleich dadurch gemildert, daß der Vogelruf sein rhythmisches Motiv auf die Chromatik überträgt, so hat sich das Verhältnis gegenseitiger Einwirkung bei der Wiederaufnahme dieser Situation (T. 59ff.) umgekehrt: Die rhythmisch-motivisch indifferente Chromatik raubt dem Vogelruf das präzise Modell und löst seine „Naturlaut“-Gestalt durch Dehnungen schließlich ganz auf.

---

1 Dasselbe Motiv, das hier als kriegerisches Tonsymbol die Punktierung des Vogelmotivs repetiert, erscheint im Finale (Presto con fuoco) der Klaviersonate Es-Dur op. 31, Nr. 3, die im Jahr zuvor (1802) komponiert worden war.

2 Beethovens Streichung der dazwischen liegenden Gedichtzeile, die die unmittelbare Verbindung der Wörter „bang“ und „traue“ ermöglicht, bekommt dadurch einen weiteren Aspekt.

3 Die Tempodifferenzen des Rezitativs gleichen sich aus und fallen daher in bezug auf die Dauer nicht ins Gewicht.

4 Dieser Pausentakt erklärt sich tatsächlich nur aus der symmetrischen Anlage; er ist metrisch überzählig und allenfalls herausgefordert durch den nur schwach betonten Schlußakkord.

5 In der 6. Symphonie ist der Wachtelruf (2. Satz, T. 140ff.) nur von der Imitation anderer Vogelrufe umgeben, und Schubert begleitet ihn im ganzen Lied (siehe Fußnote 3) mit der stabilen Harmoniefolge von Dominante und Tonika.

Indem aber von Anfang an jeder Ausruf auf anderer Tonstufe erklingt, reflektiert der Vogelruf nicht nur die Farbigkeit (das Chroma) der anfänglichen Begleitung, sondern darüber hinaus die der menschlichen Sprache, mit der er verbunden wird: Die Tonhöhenunterschiede entsprechen nämlich den Klangregionen der Vokale[1], die Beethoven gehörs- und affektmäßig erfaßt haben wird, wenn er den dunklen Vokalen ü und o die tiefsten im Motiv vorkommenden Töne b' und as' und dem hellen i („liebe“) den höchsten Bezirk mit g'' zuordnet. Schon der Vokal a, die mittlere Klanglage vertretend, wird aber auf zwei Tonhöhen, c'' und es'', verteilt, die — noch unverbunden — die spätere musikalische Deklination des Motivs umso sinnfälliger machen. Die Signalwirkung der rhythmischen Formel ist indes so vordringlich, daß sie den äußeren als einzigen Zusammenhalt der beiden unterschiedlichen Anfangsstrophen und ihrer heterogenen Teile vermitteln kann. In den melodisch-syntaktischen Ablauf fügt sie sich nicht ein, und indem sie ihn jeweils unterbricht, bleibt sie, eine starre Einheit, als Widerspruch im bewegten Fortgang des musikalischen Geschehens und seiner Zeit erhalten. In dieser Form entwicklungsunfähig, weisen nur die Tonhöhenunterschiede die Möglichkeit der Umgestaltung auf. Und erst nachdem das Motiv seine Monotonie und rhythmische Fixierung preisgegeben hat (Rezitativ T. 47)[2], kann der Prozeß umfassenden Zusammenschlusses in Gang gesetzt werden. Da das Motiv nun in die melodische Linie einbezogen wird („traue Gott!“), ist es an den Zeitverlauf gebunden, in dem menschliches Denken und Gestalten sich vollzieht.

Nach idealistischer Auffassung ist die Einheit der Gegensätze das stets neu zu bewerkstelligende Resultat individueller Tätigkeit, ein menschlicher Schöpfungsakt. Nie aber gelingt die Auflösung der Widersprüche restlos. Der Vollständigkeit des chromatischen Totals ist das zur bogenförmigen Melodie gewandelte Anfangsmotiv mit dem dreimaligen Ausruf „traue Gott!“ verbunden, — eine Situation größter Ereignisdichte bei größter zeitlicher Dehnung: Im ganzen Lied gibt es keinen syntaktisch ununterbrochenen Abschnitt dieses Ausmaßes. Dennoch schließen sich die im Lied einmalige Vollkommenheit des Tonmaterials und der einmalige Melodiebogen nicht zu perfekter Einheit zusammen, sie sind nicht abstrakt identisch, sondern die Durchdringung der Gegensätze geschieht als größtmögliche Annäherung in einmaligem Gelingen. Die Coda (T. 92, 4. Achtel ff.) verzichtet wieder gänzlich auf chromatische Doppelstufen (bis auf das zum letzten Mal anklingende des'' von „bitte Gott!“) und endet in der zurückgenommenen Ton- und Ausdrucksstärke des Liedvorspiels. Ihren Sinn erhält sie gleichwohl auch in der ideellen Einheit der Gegensätze als Bestandteil einer formalen Symmetrie, die die Abrundung des Tonmaterials und das Rund des melodischen Bogens spiegelt und umkreist.[3]

Das mannigfaltige Erscheinungs- und Klangbild des ganzen Lieds aber wird nicht nur durch die Buntheit der Tonarten verstärkt, sondern in deren planvoller Anordnung auch zu komplexer Ganzheit zusammengeschlossen. Das Sonatensatzkonzept,

1 Vgl. H. v. Helmholtz, *Die Lehre von den Tonempfindungen* (^{3}1870), S. 162—180, sowie G. Albersheim, *Zur Psychologie der Ton- und Klangeigenschaften,* S. 300.

2 Der punktierte Rhythmus gewinnt im Adagio eine andere Qualität.

3 Die erste und die zweite Strophe sind aus jeweils zwei syntaktisch und melodisch unterschiedlichen Teilen zusammengesetzt.

das ihr zugrundeliegt[1], beruht ja auf der gleichen Problemstellung und -bewältigung, die, da sie von der tonalen Disposition ausgeht, in der schließlich beibehaltenen Grundtonart das einheitsstiftende Moment erkennt. Im Lied bekommt die Problematik eine mögliche inhaltliche Bedeutung im Sinne eines idealistischen Humanitätsethos: Die Transformation des Vogelmotivs in melodischen Gesang wandelt Naturnachahmung in den „Ausdruck der Empfindung“ von Natur — wie in der 6. Symphonie —, macht Natur zu einem Bestandteil menschlichen Erlebens und Schaffens. Naturnachahmung und, weitergefaßt, Orientierung am tradierten Regelsystem widersprechen der Freiheit des menschlichen Geistes. Sie gehen in seine Schöpfung über, in der die Vollkommenheit des Menschen als eines mit Gott identischen Wesens sich offenbart. Die ideelle Einheit des Mannigfaltigen ist als geistige Leistung in der Totalität des Kunstwerks zu erfassen, in dem — bei Beethoven — Ausdruck die je neue und einmalige Ausprägung eines Formprinzips bewirkt und Form den je anderen Ausdruck gedanklich einbindet.

Ingeborg Pfingsten

„Gedenke mein“
WoO 130

GEDICHT: Autor unbekannt, möglicherweise ist es Beethoven selbst.
ENTSTEHUNGSZEIT: 1820.
ERSTAUFFÜHRUNG: unbekannt.
SKIZZEN: Entwurf zum Klavierpart im Skizzenkonvolut der Staatsbibliothek Preußischer Kulturbesitz Berlin, Landsberg 10, Pastoralsymphonie-Skizzenbuch; Entwürfe zur Melodie im Konvolut der Deutschen Staatsbibliothek Berlin, Grasnick 20b, teilweise textiert.
AUTOGRAPH: unbekannt.
ERSTDRUCK: Wien 1844 (T. Haslinger).
GESAMTAUSGABEN: Alte Gesamtausgabe: Nr. 281 = Serie 25 Nr. 18; Neue Gesamtausgabe: Abt. XII, Bd. 1.

Die ganz ungewöhnliche Diktion von Beethovens wohl letztem Sololied[2] beruht auf Rücksichtslosigkeiten der zeitüblichen musikalischen Sprache gegenüber, die ihr so viel an rationaler Verständlichkeit nehmen, wie sie ihr an Gefühlswerten vermitteln. So ist die Norm der metrischen „Quadratur“ (vier Viertakt-Gruppen und zweitaktige Coda) von Halb- und Ganzschlüssen gekennzeichnet, die deutliche Strukturgren-

---

1 1. Strophe: F-Dur — C-Dur, überleitungsartig dazwischen d-Moll (Sonatenexposition), 2. Strophe: As-Dur — Des-Dur — As-Dur (tiefe Tonartenregionen von Sonatendurchführungen), 3. Strophe: Rezitativ C-Dur (Stehen auf der Dominante vor der Reprise) — B-Dur (fällt aus dem Sonatenkonzept heraus, nimmt die Quintbeziehung innerhalb der ersten Strophe — ab T. 15 Oberquinttonart — vorweg) — F-Dur (Reprise).

2 Es ist vermutlich in denselben Tagen (März 1820) entstanden wie „Abendlied unterm gestirnten Himmel“ (WoO 150). Die Ariette „Der Kuß“ op. 128 ist 1822 lediglich überarbeitet und veröffentlicht worden.

zen markieren, ohne daß sie aus dem übrigen harmonischen Geschehen zwingend hervorgingen. Die Beharrlichkeit des G-Dur-Akkords (T. 4, 8, 12) kann nicht darüber hinwegtäuschen, daß er unmittelbar nur auf den jeweils vorherigen Dreiklang bezogen ist. Auch wenn die erste Phrase das Zeilenende durch eine Terzrelation anschließt, die als satztechnische Formel („Dur-Moll-Parallelismus“) mit zwei dominantisch (hier) flankierten Akkorden — Es-Dur und c-Moll (T. 3) — Tradition hatte[1], so erscheint dieses Modell doch als zäsurbildende Möglichkeit im Kontext einer dem ganzen Lied eigentümlichen harmonischen Ungerichtetheit, die an jedem Punkt ohne modulatorische Anstrengung eine Fortsetzung in andere tonale Bereiche gestattete und die die Festigung der angeblichen Grundtonart Es-Dur bis zum Schluß verschiebt. In der dritten Zeile (T. 9—12) wird dieser Wendung sogar die formelhafte Plausibilität noch verweigert durch das Aussparen des parallelen Klanges (Es-Dur vor dem c-Moll-Dreiklang in T. 11), und wenn dazu auch noch der — in seinem Schwanken zwischen Dur und Moll keineswegs stringente — Kadenzverlauf der zweiten Zeile (T. 5—8) hier fehlt, so muß das Stimmführungstechnische als zusammenhangstiftendes Moment des Tonsatzes umso plastischer in den Vordergrund treten: Der abwärtsgerichtete Baßquartgang g—f—es—d, der mit dem Halbschluß (T. 11f.) verknüpft wird, ist das phrygische Tetrachord, — ein modales Relikt, das in der Geschichte der dur-moll-tonalen Komposition als diatonischer Lamentobaß sinnfällig geblieben war. Eine satztechnische Unregelmäßigkeit des ersten Abschnitts, das Abspringen der Mittelstimme in die Terzverdopplung des dadurch unvollständigen Es-Dur-Dreiklangs (T. 2, 3. Zählzeit bis T. 3, 1. Zählzeit), erklärt sich womöglich aus der häufig zu beobachtenden Verbindung des Parallelismusmodells mit diesem Tetrachord.

Abgelöst von der harmonischen Floskel, aber ebenso unaufdringlich wie hier, wo es im Alt „versteckt“ und durch Oktavversetzung verfremdet wird, ist das Tetrachord, zumal es auch in Umkehrung (T. 2f. im Baß und T. 7f. in der punktierten Mittelstimme) und krebsgängig (T. 2f. in Singstimme und Klavierdiskant) sowie in diastematischen Varianten auftritt, allgegenwärtig im Lied. Dort nämlich, wo es dem Text in unmittelbarer Entsprechung zugeordnet ist (T. 9f.), wird es gleichzeitig seiner chromatisierten und ausdrucksintensiveren Fassung konfrontiert, die als rhetorische Figur des „Passus duriusculus“ Geschichte machte. Dessen Verdichtung in der Kopplung mit der eigenen verkürzten Umkehrung (T. 14, 3. Zählzeit bis T. 15, 3. Zählzeit in den Klavier-Außenstimmen und der Singstimme) ist letzte Konsequenz aus der motivischen Ableitung, mit der das Lied sogleich beginnt. Denn die chromatischen Stufen des Baßanfangs (T. 1) sind nicht nur mit dem in „Suspiratio“-Manier, also von Pausen durchbrochenen Melodiestück (T. 9f.) identisch, sondern auch, sogar den vorhergehenden Terzsprung einbeziehend, mit der auftaktigen Umkehrung des Baßkontrapunkts Es—C—Ces—B (T. 15 mit Auftakt). (Die mangelnde harmonische Fixierung des Satzes begründet zugleich mit dem motivischen Beziehungsreichtum die Freiheit der Motivanordnung in metrischer Hinsicht.) Tatsächlich scheint auch die im Lied einmalige und umso auffälligere Achtelpunktierung (T. 1), soll sie sich nicht als zusammenhang- und sinnlos erweisen, der Andeutung

1 Dieser Dur-Moll-Parallelismus liegt auch dem Hauptthema des ersten Satzes der im selben Jahr wie das Lied komponierten Klaviersonate E-Dur op. 109 zugrunde.

des Tetrachords zu gelten, das in der Singstimme den ersten Sekundschritt g’—f’ durch den im Baß gespiegelten Terzsprung unterbricht. Obwohl aber dessen Abspaltung und Wiederholung (T. 5f.) der zweiten Taktgruppe eine syntaktisch feste Struktur und die Wiederaufnahme der vollständigen Tetrachordvariante der Singstimme im Klavierbaß G—As—F—Es—D (ab T. 12) der vierten Phrase Reprisencharakter verleihen, bleibt der Zusammenschluß zu genormter Form vage, da die seltsame melodische Symmetrie des zweiten Wiederholungsteils mit ihrer Sequenz (T. 11 und 13) den Mittelteil und die Reprise einer „Liedform“ überwölbt und sogar die trennende Wirkung des Halbschlusses in Frage stellt.

Die formale, syntaktische und harmonische Norm einer zeittypischen musikalischen Sprache wird so weit reduziert, wie möglich, ohne die Aufmerksamkeit des Hörers zu gefährden, und wie nötig, um die Grenzen rationalen Erfassens erkennbar zu machen. Der musikalische Zusammenhang wird vorwiegend durch *ein* Motiv gewährleistet, dessen Bedeutung als rhetorischer Topos sich seinem starken Stimmungsgehalt verdankt.[1] Die Entgrenzung der musikalischen Gegenwartssprache durch das Überwiegen älterer Sprachmuster bewirkt in diesem Fall also eine Verstärkung und Erweiterung ihrer emotionalen Komponenten. Die kontrapunktische Durchdringung des Liedsatzes mit diesem Motiv gibt zu bedenken und macht von Anfang an fühlbar, daß alle Gemütsbewegungen, die das Wort benennt, von *einer* Empfindung ausgehen und durch sie bedingt sind. Die Trauer wird aber weder in affekterfüllter Klage an ein großes, noch in rührend-expressiver Attitüde an ein intimeres Publikum veräußert. Die Transformationen des Motivs, die den Widerspruch des süßen Schmerzes in gegenläufige Chromatik einbinden und den Schlußseufzer im Terzmotiv der Hoffnung nachklingen lassen, sind so subtil und differenziert aufeinander bezogen, daß die Zeitgenossen solche Musik als „poetisch“ empfanden und als „Seelensprache“ verstanden, die „nur vom Inneren und Subjektiven getragen und nur für das subjektive Innere dasein soll“.[2]

Ingeborg Pfingsten

„Als die Geliebte sich trennen wollte“
WoO 132

Gedicht: St. v. Breuning.
Entstehungszeit: zwischen Mai 1806 (Entstehungsdatum des Gedichts) und November 1809 (Erstveröffentlichung des Liedes).
Erstaufführung: unbekannt.
Skizzen: nicht bekannt.
Autograph: unbekannt.

---

1 Über das Phrygische, den bei ihm fünften und sechsten Modus, schreibt Christoph Bernhard (etwa 1648): „Er ist wehmütig und zu traurigen Sachen geneigt“ und „seine Harmonie zu kläglichen Worten sich gar wohl reimet“ (*Tractatus compositionis augmentatus,* S. 95).
2 G. W. Fr. Hegel, *Vorlesungen über die Ästhetik,* Bd. III, S. 136.

ERSTDRUCK: *AmZ* 12, Nr. 8, Beilage II, 22. November 1809.
GESAMTAUSGABEN: Alte Gesamtausgabe: Nr. 235 = Serie 23 Nr. 21; Neue Gesamtausgabe: Abt. XII, Bd. 1.

Klar gegliederte strophische Anlage, Einfachheit des Ausdrucks und schlichte Melodieführung lösen in diesem Lied die Kennzeichnung des Gedichts als „Romanze“ ein, die Stephan von Breuning, Beethovens Bonner Jugendfreund, dem modischen literarischen Trend der Zeit folgend, einer französischen Vorlage nachdichtete.[1] Dennoch „liedelt“ Beethoven auch hier „nicht gewöhnlich hin“, wie ein zeitgenössischer Kritiker mit Blick auf zwei, wenn auch spätere Lieder hervorhob.[2] Die Forderung nach textbezogener Musik, die dieser Äußerung unterstellt werden darf, bedingt in Hinblick auf das kaum variierte Strophenlied eine Melodie und Begleitung, die dem Gehalt oder der Stimmung des ganzen Gedichts gerecht werden, wozu die Berücksichtigung von einzelnen Teilen verschiedener Textstrophen beitragen kann. Zwar klang der Anfang dieses Lieds bereits in einem früheren, anders textierten an[3] und dürfte als unverbindlich gelten, stünde er nicht hier mit seinem schließenden Gestus in deutlicherer Beziehung zu Satzstruktur und -inhalt des ersten Verses. Auffälliger aber — und auch beachtlicher als der dem gesteigerten Gefühlsgehalt aller dritten Strophenverse adäquate melodische Aufschwung im Strophen-Mittelteil (T. 5, 3. Zählzeit bis T. 7, 2. Zählzeit) — ist der Zusammenschluß mit dem Anfang der vierten Zeile im eingeschobenen, alle sonstige Regularität dieses Lieds durchbrechenden überzähligen Takt (T. 7, 3. Zählzeit bis T. 8, 2. Zählzeit). Durch die zu frühe Anknüpfung des wiederholten Vorhaltmotivs entsteht eine Störung des metrischen Ablaufs, die unmittelbar und allein vom Text inspiriert und dabei nicht nur aus deklamatorischen Gründen sinnvoll ist.[4] Und das tonartfremde des’’ in Gesangs- und Klavierpart hat erst recht keine kompositorische Legitimität, da es für die Rückkehr in die Ausgangstonart nicht benötigt und auch nicht in Anspruch genommen wird und durch den Strophenschluß geradezu in Vergessenheit gerät. Vielmehr verschärft es in der als Relikt aus Fauxbourdon-Zeiten stammenden Sextakkordreihe deren Kontrast zur kadenzierenden Funktionalität der umgebenden Akkordverbindungen. Ein dem Gegensatz im Mittelteil folgender nochmaliger Kontrast widerspricht aber klassischer Ökonomie des Komponierens ebenso wie die starke Gewichtung dieses Taktes durch die zu späten, harmonisch nuancierten und dynamisch hervorgehobenen melodischen Höhepunkte des Lieds (es’’) und der durch den imitierten Vorhalt bewirkte Betonungsstau. Die ausschließliche Textorientiertheit dieser aus dem Rahmen der Liedstrophe fallenden Stelle gibt ihr wiederum die

1 St. v. Breunings Vorlage steht in der 7. Szene des Einakters *Le Secret* von François Benoît Hoffman (Text) und Jean Pierre Solié (Musik), die 1796 erschienen war.
2 In einer Besprechung der Lieder „Das Geheimnis“ WoO 145 und „An die Geliebte“ WoO 140 in der *AmZ* 19 (1817), Sp. 435f.
3 „Man strebt, die Flamme zu verhehlen“ WoO 120 (1800 oder 1801).
4 Da der Vers, wie alle andern Zeilen auch, bei Breuning als fünffüßiger Jambus gestaltet ist — „Bewußtsein, dass ich einst zu glücklich war“ —, würde bei gleicher Metrisierung der Liedphrase wie zuvor das hebungs-, aber nicht wirklich betonungsfähige Wort „daß“ zu stark gewichtet. Die Auslassung des Wortes „einst“ ist infolgedessen aus demselben Grund unumgänglich und hat nicht, wie H. Boettcher (*Beethoven als Liederkomponist,* S. 52) unterstellt, ihren Grund in Beethovens „persönlicher Besitzergreifung der Textworte“.

übergreifende Bedeutung, die dem Anspruch des strophischen Kunstlieds genügt: Als alterierter Ton führt das des'' die fundamentlose und im dur-moll-tonalen Kontext irrationale Dreiklangskette in die größte Tonart-Tiefe des Stücks, ins Bodenlose sozusagen, dem Text der ersten Strophe angemessen, — und innerhalb des Melodiezugs f—es—des—c ist er Bestandteil einer Tonreihe, die mit dem abwärtsgerichteten Halbtonschritt am Ende, bestätigt durch den phrygischen Halbschluß (T. 8), als tradierte Metapher für Trauer und Schmerz der Grundstimmung des ganzen Gedichts verpflichtet ist.

Bleibt aber diese musikalische Stilfigur innerhalb der Strophe gesondert und durch die Konsequenzlosigkeit der Reprise (T. 8, 3. Zählzeit bis T. 10, 2. Zählzeit)[1], die auch das Nachspiel lediglich zum Nachklang werden läßt, kompositorisch isoliert, so wird der Zusammenschluß der Strophen zum Ganzen des Lieds doch gerade ihr überantwortet: Sie greift am Schluß nicht nur dynamisch, mit Hochton und Textwiederholungen in die Reprise über und veranlaßt deren Erweiterungen, sondern es wird auch mit den chromatischen Gängen in Singstimme und instrumentalem Diskant (T. 41—42 und 45) und im Klavierbaß (T. 42—45), die ihren emotionalen Gehalt reflektieren und verstärken, das Tonmaterial zum chromatischen Total vervollständigt, da ihm in den Strophen zuvor der letzte Ton (ges) fehlte.

Da es aber eine wortgezeugte, eine rhetorische Figur ist, die den Zusammenhalt der Teile vermittelt und die auch in der von der Sprache der Schlußstrophe („Du“) ausgelösten emphatischen Steigerung rhetorisch begründet bleibt (vgl. Passus duriusculus), ist dieses lyrische Lied, dieses kleine Opernlied nach französischem Goût, auf besondere Weise mit dem Wort verbunden — es ist von ihm geprägt und geformt.

Ingeborg Pfingsten

„In questa tomba oscura“
WoO 133

GEDICHT: G. Carpani.
ENTSTEHUNGSZEIT: 1. Fassung: Sommer oder Herbst 1806; 2. Fassung: Ende 1807.
ERSTAUFFÜHRUNG: unbekannt.
SKIZZEN: nicht erhalten.
AUTOGRAPH: 1. Fassung: Stanford University, Memorial Library of Music Stanford, California; 2. Fassung: Pierpont Morgan Library New York, Sammlung R. O. Lehmann.
ERSTDRUCK: Wien 1808 (T. Mollo & Co.).
GESAMTAUSGABEN: Alte Gesamtausgabe: Nr. 252 = Serie 23 Nr. 39; Neue Gesamtausgabe: Abt. XII, Bd. 1, Nr. 83 (1. Fassung) und Nr. 31 (2. Fassung).

Als die Gräfin Alexandra Rosalia Rzewuska und der Dichter Giuseppe Carpani 1808 das Vorwort zu dem von ihnen veranstalteten Privatdruck einer Reihe von Vertonungen der Arietta „In questa tomba oscura“ verfaßten, da traten sie vor die Öf-

1 Die Takte 8, 3. Zählzeit bis 10, 2. Zählzeit weisen sich durch das in Klavierdiskant und -tenor kanonisch versetzte Motiv als modifizierte Reprise der Takte 3, 3. Zählzeit bis 5, 2. Zählzeit aus.

fentlichkeit nicht allein als die Komponistin und als der Textdichter der Vorlage und nicht allein als die Herausgeber der Sammlung. Als die Urheber eines einzigartigen Planes und als die Autoren der Anekdote über seine Verwirklichung stellten sie sich vor, um, solcherart legitimiert, den Lesern neben musikalischem Genuß auch Belehrung über das Wesen der Musik zu versprechen. Die Vertonungen der Arietta zeigten, wie durchaus mannigfach die Musik die menschliche Seele zu bewegen vermöge, und zeigten dies umso nachdrücklicher, als alle Vertonungen sich auf einem und demselben Grundton, dem der Klage, erhöben.[1] Die druckfrischen Exemplare ihrer Sammlung in Händen, mußten die Herausgeber zusehen, wie der Gegenstand ihrer Anekdote sich verwandelte. Wie Anton Schindler die Geschichte erzählt, bewegten nicht die feinen Modulationen der Klage das Publikum, sondern der Zorn, den die Ausstattung des Bandes bei der Mehrzahl der Mitautoren erregt hatte. Mehr als zehn Jahre später verwandelte sich, wie Schindler weiter erzählt, der Gegenstand der Anekdote noch einmal: Allein von Beethoven handelte sie nun, von seinem „Ingrimm“ bei der Erinnerung an jene Episode und von seinem Entschluß, die erlittene Demütigung nicht unbeantwortet zu lassen. So überwältigend indessen fiel Beethovens Antwort aus, so singulär, daß die kleine Anekdote darüber verblaßte.[2]

1808 berichtete also Gräfin Rzewuska ausführlich und nicht ohne Prätention, wie sie einer Gesellschaft zu Gefallen eine Melodie improvisierte, zu welcher ihr Freund Carpani sogleich den Text fand; wie man gemeinsam beschloß, diesen erneut zu vertonen und dazu (nach den Anwesenden) die berühmtesten Musiker einlud. (Selbst Joseph Haydn hatte einen Beitrag zugesagt, um dessentwillen man das Erscheinen der Sammlung um ein Jahr hinausschob, den er aber schließlich zurückhielt.[3]) Endlich habe man die Schöpfungen zu einem Bande versammelt, der dem Leser vor Augen führe, welche Mannigfaltigkeit von Gefühlen von dem Text evoziert worden waren und sich glücklich mit seinen Worten hatten verbinden lassen. So sehr vertrauten die Herausgeber auf dieses Ergebnis ihres Experiments, daß sie es nur für jedermann zu verdeutlichen glaubten, als sie beschlossen, am Ende der Sammlung noch einmal den Ton zu wechseln. Der dem Ganzen zugrundeliegende soggetto war „lamentoso possibile“ überschrieben: Hingesunken am Grab ihres gewesenen Verehrers bereut eine Spröde ihre Härte, doch ihre verspäteten Tränen werden von der Geisterstimme des Toten zurückgewiesen. Angesichts von 63 Vertonungen dieser Szene und ebensovieler Nuancen der Klage (und inspiriert vielleicht überdies von der Mode der „Spottgrabinschrift“[4]) beschlossen Rzewuska und Carpani, „tante tombe e tanti lamenti“[5] auszubalancieren durch einen parodierenden Kupferstich und ein ebensolches Menuett.[6]

Das Publikum indessen mochte in solcher „Travestie des Werks, seines tragischen Inhalts, und der dadurch eingeflössten Empfindungen“[7] nichts als eine Frivo-

1 Das Vorwort ist wiedergegeben bei E. Schmitz, *„In questa tomba oscura“*, S. 259f., Fußnote.
2 Vgl. A. Schindler, *Biographie* (^{3}1860), Bd. I, S. 159—161 und Bd. II, S. 34—36.
3 Vgl. H. C. Jacobs, *Literatur, Musik und Gesellschaft*, S. 168.
4 Vgl. U. Dickenberger, *Der Tod und die Dichter*.
5 Vgl. E. Schmitz, *„In questa tomba oscura“*, S. 260, Fußnote.
6 Kupfer und Menuett sind wiedergegeben bei H. C. Jacobs, *Literatur, Musik und Gesellschaft*, S. 190—192.
7 *AmZ* 11, Nr. 3 vom 19. Oktober 1808, Sp. 37.

lität erblicken — die sich immerhin goutieren ließ, wofern man nicht zu den beteiligten Komponisten gehörte. Der Rezensent der *Allgemeinen musikalischen Zeitung* jedenfalls entbot nicht nur die pflichtschuldige Entrüstung über den „etwas muskulösen Spaß“, sondern fühlte sich auch frei genug anzumerken, daß „die Sache zwar feiner, aber kaum lustiger ausgeführt werden konnte“.[1]

Beethoven, dessen Beitrag als letzter einging, den Abschluß der Sammlung bildete und dadurch unmittelbar vor den Beilagen zu stehen kam, zeigte sich nachhaltig irritiert: Als Diabelli ihm 1819 antrug, sich an einem kollektiven Variationenwerk über ein Thema von Diabelli zu beteiligen, da erinnerte er sich an das lang zurückliegende Ärgernis und verweigerte seine Mitarbeit an dem Projekt, um schließlich ganz allein die 33 Variationen op. 120 zu komponieren. Blickt man von diesem „Nachspiel“ her auf die (nach Schindlers Ansicht) für Beethoven so überaus „charakteristische Episode“, so scheint der Groll, der in Beethoven zusammen mit der Erinnerung aufstieg, nicht allein von dem damaligen Frevel an dem Ernst der Kunst herzurühren, gegen den zu protestieren man ihn seinerzeit (neben Salieri und Weigl) als Wortführer erkoren hatte. Nicht gleichgültig war wohl auch, daß er sich, anders als Haydn, in einen Wettkampf eingelassen hatte, aus dem er trotz aller (in den Korrekturgängen seines Beitrages dokumentierten) Mühe nicht als Erster hervorging[2]; umso schlimmer, sich am Ende zusammen mit allen anderen angeführt sehen zu müssen.[3]

Die ausführliche Rezension der *Allgemeinen musikalischen Zeitung* wählte Salieris und Sterkels Vertonungen als die gelungensten aus und druckte sie in einer Beilage ab, während sie so wenig Worte für Beethovens Beitrag fand, wie später Adolf Bernhard Marx oder Donald Francis Tovey zu Ignaz Assmayers Diabelli-Variation Worte fanden.[4] Der Beethoven gewidmete Absatz spricht lakonisch genug: „No. 63., (Luig. v. Beethoven) sehr düster, trübe und schwermüthig. Die Begleitung ist höchst einfach, der Gesang fast bis zum monotonen Erseufzen absichtlich zurückgebracht. So ist es im ersten und dritten Theile, gegen welche der zweyte — der Mittelsatz — auch bey der nöthigen diskreten Ausführung, doch zu sehr abzustechen scheint. Das Ganze ist dieses trefflichen Meisters nicht eben unwerth, wird aber dem Kranze seines Ruhms schwerlich ein neues Blättchen einflechten.“[5] Es ist der Kranz der 33 Veränderungen über einen Walzer von Anton Diabelli, an dem das Gewicht des Blättchens „In questa tomba oscura“ bemessen werden mag.

Michael Maier

1 Ebenda, Sp. 37f. In der Auswahlauflage von 1811 wurde auf beide Beilagen verzichtet (vgl. die erneute Rezension in: *AmZ* 13, Nr. 29 vom 17. Juli 1811, Sp. 495f.).

2 Eine Dokumentation der Entstehung von Beethovens Komposition gibt A. Tyson in seinem Aufsatz *„In questa tomba oscura“.*

3 Schindler berichtet, daß man die Absicht zu öffentlichem Protest aus der Befürchtung heraus habe fallen lassen, der Zug der Protestierenden könne seinerseits Gegenstand einer Persiflage werden (vgl. A. Schindler, *Biographie*, Bd. I, [3]1860, S. 160f.).

4 Vgl. A. B. Marx, *Rezension der Diabelli-Variationen,* in: *BAMZ* 7 (1830), S. 370f., nachgedruckt in: St. Kunze, *Gesammelte Konzertberichte,* S. 417f.; vgl. D. Fr. Tovey, *33 Variations In C.*

5 *AmZ* 11, Nr. 3 vom 19. Oktober 1808, Sp. 44f.

„Sehnsucht“ (4 Fassungen)
WoO 134

GEDICHT: J. W. v. Goethe.
ENTSTEHUNGSZEIT: Anfang 1808.
ERSTAUFFÜHRUNG: unbekannt.
SKIZZEN: Beethoven-Haus Bonn, Mh 75 und Mh 76; Deutsche Staatsbibliothek Berlin, Landsberg 12.
AUTOGRAPH: Beethoven-Haus Bonn, Sammlung H. C. Bodmer.
ERSTDRUCK: erste Vertonung: Wien 1808 (Beilage zu *Prometheus. Eine Zeitschrift*, hg. von L. v. Seckendorf und J. L. Stoll, 3. Heft); mit den vier Melodien in Wien und Pest 1810 (Bureau des Arts et d'Industrie).
GESAMTAUSGABEN: Alte Gesamtausgabe: Nr. 250 = Serie 23 Nr. 37; Neue Gesamtausgabe: Abt. XII, Bd. 1.

Als Goethe sich im Frühjahr 1815 bei der Arbeit an dem Gedichtband seiner Werke entschloß, zwischen die beiden Abteilungen „Vermischte Gedichte“ und „Antiker Form sich nähernd“ Gedichte Mignons, des Harfenspielers und Philines unter dem Titel „Aus Wilhelm Meister“ einzufügen, da mochten die von ihm getroffene Auswahl und Anordnung für das Publikum die Autorisierung des selbständigen Lebens bedeuten, das diese Personen und ihre Lieder schon bald nach dem Erscheinen der ersten Bände des Romanes *Wilhelm Meisters Lehrjahre* 1795 zu führen begonnen hatten. „Auch vernehmet im Gedränge jener Genien Gesänge“ lautet das Motto, durch welches Goethe diese Verwandlung seiner Romanpersonen ausdrückt.[1]

Mehr als die separate Publikation im Gedichtband mag diese Selbständigkeit der Grund dafür sein, daß die Interpreten der (Beethovenschen) Vertonungen des Liedes „Nur wer die Sehnsucht kennt“ sich in der Regel auf die knappe Angabe der Situation im Roman beschränken, in welcher das Lied erklingt, und darauf verzichten, Mignon und ihren Gesang in den Kontext der *Lehrjahre* hineinzustellen. Der Einwand, daß der Gang durch die Prosa einer Romanhandlung für das Verständnis einer unmittelbar anmutenden Poesie einen Umweg bedeute, erscheint wie abgelesen an einer Gestalt, deren Bedeutung für den Roman man in „ihrer Fremdheit in ihm“ erblickt hat.[2] Bereits der Umstand, daß Mignon das Sehnsuchtslied im Duett mit dem Harfenspieler singt, will sich mit der lyrischen Haltung des Liedes nicht vereinbaren lassen, welche Mignon allein angehört und durch welche sie sich von dem Harfenspieler und von Philine unterscheidet.[3]

Die Selbständigkeit der Gestalt der Mignon scheint herzurühren von der Anziehungskraft des Rätselhaften. Angesichts ihrer widersprüchlich-irisierenden Charakterzüge erinnern die um Mignon besorgten Interpreten an ein verzaubertes, bisweilen vernarrtes Gefolge, durch dessen Treiben Mignons Rätsel aufgehellt und zugleich verstärkt wird. Einer erkennt in Mignon den Knaben Fritz von Stein, ein an-

1 Vgl. J. W. v. Goethe, *Werke* (Sophienausgabe), Bd. II, S. 111—120. — Zur Rezeptionsgeschichte der *Lehrjahre* vgl. Kl. F. Gille, *„Wilhelm Meister“ im Urteil der Zeitgenossen.*
2 H. Schlaffer, *Wilhelm Meister,* S. 40.
3 Das im Roman von Mignon und dem Harfner gemeinsam gesungene Lied wird in der Gedichtsammlung Mignon allein zugeschrieben.

derer die Poesie, eine dritte die Psyche.[1] An dieser „höchst interessanten“, an dieser „so unendlich phantastischen Mignon“[2] findet Theodor Fontane „alles Zauber, Liebe, Wahrheit von Anfang bis zu Ende“[3], während K. R. Eissler sie distanziert betrachtet als die „problematischste Figur, die Goethe geschaffen hat“.[4] Wie immer Mignons Wesen bestimmt wird, zusammengefaßt und beschlossen erscheint es in ihrer eigentümlichen Vortragskunst. In *Wilhelm Meisters Lehrjahre* weist Goethe auf die Selbständigkeit und auf das Gewicht dieser Kunst hin, indem er unter dem Motiv der Erfahrung Mignons Sehnsuchtslied dem Lehrbrief Wilhelms gegenüberstellt.[5] Die Schwierigkeiten der Interpretation nimmt er vorweg in dem Mißverhältnis zwischen Mignons Gesängen und Wilhelms Nachschriften.[6]

Angesichts dieser Befunde erstaunt die Selbstverständlichkeit, mit der man von der Vertonung der Lieder Mignons Eindeutigkeit erwartet. Alexander W. Thayer hat 1911 in der Vierzahl der Beethovenschen Vertonungen ein Dokument von Beethovens Unentschlossenheit, fast seiner Kraftlosigkeit gegenüber dem Gedicht erblickt: „Mit einem Gefühl der Wehmut sieht man, wie hier der Meister in den ersten drei Bearbeitungen ringt, eine Melodie zu finden, die beide Strophen korrekt deklamiert.“[7] Im selben Sinne nennt Max Friedlaender 1916 die vierte von Beethovens Kompositionen die „glücklichste“, „die Beethoven dem Gedichte abrang“[8]; und 1939 stellt Ernst Bücken fest, daß Beethoven in den vier Fassungen des Liedes „mit diesem Text rang [...], um das Höchstmaß einer plastischen Melodiegestalt herauszuarbeiten“.[9] Für Jack M. Stein verfährt Beethoven angesichts des singulären Ranges der Goetheschen Lyrik nicht anders als Komponisten wie Zelter vor ihm, wie Schubert oder Hugo Wolf nach ihm, die alle sich mehrfach mit Mignons Lied auseinandersetzten.[10]

In einer zweiten Interpretationslinie wird die Besonderheit von Beethovens Blick auf Mignons Sehnsuchtslied, wird der Umstand hervorgehoben, daß die vier Fassungen des Liedes von Beethoven zugleich veröffentlicht wurden. Schon in der ersten Besprechung von 1810 zeigt sich der Rezensent von Beethovens Publikation irritiert genug, um sogleich zu versichern, „interessant und lehrreich“ sei diese „ge-

---

1 Zu den Interpretationen der Mignongestalt vgl. D. Flashar, *Bedeutung, Entwicklung und literarische Nachwirkung von Goethes Mignongestalt;* J. Lienhard, *Mignon und ihre Lieder,* S. 9—18; H. Schlaffer, *Wilhelm Meister,* S. 75—79.

2 *Neue Nürnbergische gelehrte Zeitung* vom 10. Januar 1797, sowie *Allgemeine Literatur-Zeitung* vom 1. und 2. Januar 1801, zit. nach J. W. Braun, *Goethe im Urtheile seiner Zeitgenossen,* Bd. II (1969), S. 248 und 374; vgl. D. Flashar, *Bedeutung, Entwicklung und literarische Nachwirkung von Goethes Mignongestalt,* S. 112.

3 Th. Fontane, *Goethe-Eindrücke,* in: ders., *Aus dem Nachlaß,* zit. nach E. Bahr, *Johann Wolfgang Goethe, Wilhelm Meisters Lehrjahre. Erläuterungen und Dokumente,* S. 348.

4 K. R. Eissler, *Goethe. Eine psychoanalytische Studie,* Bd. II (1987), S. 844f.

5 Wie das Lied die Erfahrung der besungenen Gemütsbewegung als Bedingung für das Verständnis nennt („Nur wer die Sehnsucht kennt, weiß was ich leide“), so heißt es von den Sentenzen des Lehrbriefs: „[...] jene allgemeinen Sprüche sind nicht aus der Luft gegriffen; freilich scheinen sie demjenigen leer und dunkel, der sich keiner Erfahrung dabei erinnert“ (J. W. v. Goethe, *Werke,* Bd. VII, [12]1989, Hamburger Ausgabe, S. 548).

6 Vgl. ebenda, S. 145f.

7 Thayer / Deiters / Riemann, *Ludwig van Beethovens Leben,* Bd. III ([2]1911), S. 114.

8 M. Friedlaender, *Gedichte von Goethe in Kompositionen,* Bd. II, S. 233.

9 E. Bücken, *Das deutsche Lied,* S. 69.

10 Vgl. J. M. Stein, *Musical Settings of the Songs from „Wilhelm Meister“.*

wiß“.[1] Aber während Paul Mies 1956 erneut auf das „überaus Lehrreiche“ der Beethovenschen Kompositionen hinweist[2], wendet sich Harry Goldschmidt 1977 heftig gegen die Ansicht, „daß es sich um eine Stilübung nach der Art des jungen Schubert gehandelt habe“. Goldschmidt sieht die Vierzahl der Vertonungen darin begründet, daß Beethoven von diesem Gedicht „nicht loskam“.[3] Für ihn liegt die Einheit der vier Vertonungen in der Person des Komponisten begründet, der in den Jahren 1805—1807 ausschließlich biographisch motivierte Lieder geschrieben habe. „Ein Lied, das nun auch mein ist.“[4] Der Titel, den Beethoven über die vier Vertonungen setzt: „Sehnsucht von Goethe und Beethoven“, unterstützt diese Lesart. Nicht minder wichtig aber erscheint der Hinweis, daß dieser Titel, der stolz Goethe und Beethoven in einem Atemzuge nennt, über „einer sorgfältig disponierten, fast korrekturlosen Reinschrift“ steht, die „so einheitlich wie ein Werk, wie ein Zyklus aussieht“.[5] Weitere philologische Beobachtungen lassen keinen Zweifel daran, daß das Werk von vorneherein als Zyklus geplant und ausgeführt wurde, obwohl 1808 nur das erste Lied in der Zeitschrift *Prometheus* erschien: Am Rande der vierten Seite des Autographs, die das dritte Lied enthält, findet sich das Imprimatur der Zensur. Es trägt die Jahreszahl 1808. Beethoven schickte damals also nicht nur das erste, tatsächlich gedruckte, sondern mindestens die drei ersten Lieder an die Herausgeber des *Prometheus*. Helga Lühning, der diese Beobachtung zu verdanken ist, weist auch darauf hin, daß zu dem Nota bene, das Beethoven an den Rand der ersten Seite seines Autographs setzte: „Ich hatte nicht genug Zeit, um *ein Gutes* hervorzubringen, daher Mehrere Versuche“, auf einem Skizzenblatt eine frühere Formulierung, gleichsam eine Textskizze, existiert. Weder handelt es sich bei den vier Vertonungen um ein „Ringen mit dem Text“ noch bei dieser Vorbemerkung um eine Verlegenheit und Ausflucht. Hier wie dort findet vielmehr Stilisierung statt. Auf die einzigartige Mignon reagiert Beethoven mit einem Werk, das als „Unikum der Liedgeschichte“[6] zur Interpretation herausfordert.

Mignons Lied lautet:

1 Nur wer die Sehnsucht kennt,
Weiß, was ich leide!
2 Allein und abgetrennt
Von aller Freude
3 Seh' ich ans Firmament
Nach jener Seite.

---

1 „Interessant und lehrreich ist es gewiß, wenn ein so seelenvoller Componist, wie Beethoven, ein so einfaches und inniges Gedicht, wie die Sehnsucht von Goethe, selbst auf mehrerlei Weise in Gesang einkleidet [...]. Die letzte [der Melodien] ist vorzüglich durchgeführt, und dürfte vielleicht am meisten gefallen, wiewol jede durch wahren und innigen Ausdruck zum Herzen spricht“ (Rezension der Simrockschen Ausgabe der Lieder in: *Zeitung für die elegante Welt* 10, Nr. 118 vom 14. Juni 1810, Sp. 935).

2 P. Mies, *„Sehnsucht von Göthe und Beethoven“*, S. 119.

3 H. Goldschmidt, *Um die Unsterbliche Geliebte*, S. 266.

4 Brief Goethes an Charlotte von Stein vom 20. Juni 1785, zit. nach J. Lienhard, *Mignon und ihre Lieder*, S. 51.

5 H. Lühning, *Nur wer die Sehnsucht kennt*, S. 12.

6 P. Mies, *„Sehnsucht von Göthe und Beethoven“*, S. 112; vgl. H. Lühning, *Nur wer die Sehnsucht kennt*, S. 13.

4 Ach! der mich liebt und kennt,
Ist in der Weite.
5 Es schwindelt mir, es brennt
Mein Eingeweide.
6 Nur wer die Sehnsucht kennt,
Weiß, was ich leide!

Der eigentümliche Ausdruck der Sehnsucht in Goethes Gedicht bildet den gemeinsamen Ausgangspunkt der vorliegenden Interpretationen. Zwei gegenläufige Motive sollen es sein, die auf eine Mehrzahl von Vertonungen hindrängen: Zum einen lege die Beschränkung auf sechs Verspaare mit nur zwei Reimen und die abschließende Rückwendung des Gedichtes auf das erste Verspaar es nahe, das Gedicht strophisch, in drei und drei Verspaare zu gliedern; zum anderen wird auf das fünfte Verspaar hingewiesen, das als Höhepunkt des Gedichtes die strophische Auffassung sprenge: Monotonie dort und Paroxysmus hier.[1]

Das erste Lied, „Andante poco agitato“ überschrieben, faßt den Begriff der Sehnsucht drängend auf, als einen die Seele fast gewaltsam ergreifenden und bewegenden Affekt. Alle Bestandteile des Liedes tragen zu diesem Eindruck bei: rhythmische Spannung durch Einsatz auf crescendierender halber Note b', von welcher nach Achtelüberbindung und Achtelanlauf eine aufsteigende Bewegung in ganzen Noten ausgeht, und Steigerung der Spannung durch Kontraktion der vier Takte des ersten Verspaares auf drei Takte für das zweite Verspaar; energischer melodischer Aufstieg zu Beginn jedes Verspaares und Steigerung des Aufstiegs bis es'' in der kontrahierten Verszeile; ausgehend vom Spitzenton es'' Nachlassen der Spannung durch chromatisches Sinken der Melodie und Verdeutlichung dieses Herabstimmens durch Aussetzen der Begleitung; abgesehen von dieser allein von der Singstimme geführten Überleitung zum dritten Verspaar massiv wirkende Klavierbegleitung durch in Halben gehenden oktavierten Baß mit nachfolgenden, in Achteln repetierten Akkorden. Diesem Lied und seiner dreimal ansteigenden Melodie gegenüber stellt die zweite Vertonung den deutlichsten Kontrast auf. Ihre Grundgebärde ist das Sinkenlassen der Stimme. Die Melodie wird auf einfachste Weise geführt: Einsatz und Deklamation auf der Tonikaquinte als dem gespanntesten Ton eines sich auf den Quintumfang beschränkenden Liedes; durch Gegenbewegung ausgeglichenes Sinken, durch Gegenbewegung ausgeglichenes Steigen und erneut ausgeglichenes Sinken; die Unterscheidung der Zeilenenden „lei-de“ und „Freu-de“ als Sinken und Steigen, c''—a' und c''—d''; Verbindung der Verspaare durch Fortführung auf dem jeweils zuvor erreichten Ton; dazu eine gleichmäßige Begleitung aus aufsteigenden Dreiklangszerlegungen. Daß dieses Lied „die eigentliche Mignon“ darstelle, daß in ihm der eine Affekt der Sehnsucht am treuesten eingefangen, darin im besonderen stimmen die Interpreten überein.

Die dritte Fassung hat als Vertonung des Textes erstaunt. Als einzige steht sie in Dur und scheint sich schon dadurch nicht recht zu der Haltung des Gedichtes zu fügen. Insbesondere die Vertonung des fünften Verspaares „Es schwindelt mir, es brennt / mein Eingeweide“ zeigt eine Art Querstand zwischen Text und Musik.

1 Zum folgenden vgl. neben den oben S. 539 genannten Aufsätzen von P. Mies und H. Lühning: Th. W. Werner, *Beethovens Kompositionen von Goethes „Nur wer die Sehnsucht kennt“*; W. Weismann, *Die vier Fassungen Beethovens von „Nur wer die Sehnsucht kennt“*, bes. S. 226f.

Schon in dem zweiten Lied muß sich diese Zeile gleichsam unvertont dem angeschlagenen verhaltenen Grundton fügen. Hier erstaunt darüber hinaus der virtuose Schmuck durch die aufsteigende Triole und durch den Quartsextakkord der Begleitung. Auch wenn man Thayers „Wehmut“ ob solch scheinbarer Ferne vom Gedicht nicht teilen mag, so läßt sich das Verhältnis dieser Vertonung zu den beiden vorausgegangenen doch einfacher bestimmen als die Auffassung des Goetheschen Textes, die ihr zugrundeliegt. Mit Blick auf die vorausgegangenen Vertonungen wird man von einer erneut kontrastierenden Position sprechen dürfen. Nach dem drängenden und nach dem elegischen folgt hier ein graziöses Lied: Die Begleitung geht mit der Melodie und geht dabei im ersten und dritten Verspaar in Terzen. Nach der kleinen Sexte g'—es'', die den Tonumfang des ersten, und nach der Quinte g'—d'', die den Tonumfang der zweiten Melodie umschreibt, greift diese Es-Dur-Melodie weiter aus. Nach dem Einsatz auf der Mollterz und der drängenden Aufwärtsbewegung im ersten und nach dem stockenden Skandieren auf der Quinte und der fallenden Melodie in dem zweiten Lied stellt diese Melodie ihren Anfangston, die Tonikaquinte b', sogleich als tragenden Ton heraus, von dem sie, wie von einer Mitte aus, die Oktave es'—es'' auf- und absteigend durchmißt. Nicht weniger wohlausgewogen erscheint der Mittelteil des Liedes, der sich zur Dominante wendet. In drei sich entsprechenden Figuren steigt die Melodie über f' und b' zu f''. Die erwähnte Triole findet sich als Schmuck in der dritten Figur. Leicht wird mit ihrer Hilfe der nach der Quarte größere Abstand der Quinte durchmessen und die Höhe des f'' gewonnen. Dieser Mittelteil erscheint als das heitere Gegenbild des rhythmischen Schematismus, des „armseligen Skandierens“ (W. Weismann) im Mittelteil des zweiten Liedes. Nach diesem Höhepunkt wendet sich die Melodie zu dem Mittelton b' zurück. An die Stelle des unbegleiteten chromatischen Herabstimmens im ersten Lied tritt hier eine naiv-zierliche, den melodischen Schlußton b' repetierende und dabei zwischen Dominante und Tonika hin und her wechselnde Rückleitung.

Die Erweiterung des Blicks hin auf die Stellung des Liedes im Zyklus anstelle seiner unverwandten Fixierung auf die Textausdeutung oder auf die Deklamation erweist sich auch bei der Betrachtung der vierten Vertonung als fruchtbar. Denn in ihr ist das Verhältnis zu den vorausgegangenen Fassungen offensichtlich, da sie aus den Gesten dieser Fassungen komponiert ist; gleichzeitig findet sich in ihr das Verhältnis zum Text intensiviert, da die verschiedenen Gesten zu nichts anderem als zur Charakterisierung der einzelnen Verspaare dienen. Der Vergleich der vierten Fassung mit den vorausgegangenen ergibt folgendes Bild: Das erste und das textlich wie musikalisch gleichlautende sechste Verspaar sind hier verwandt mit Fassung 2. Abgesehen von der geänderten Begleitung und dem Aufstieg nach es'' sind auch das zweite und dritte Verspaar mit Fassung 2 verwandt. Die Vertonung des vierten Verspaares ist in Fassung 4 verwandt mit Fassung 3; das fünfte Verspaar schließlich ist verwandt mit Fassung 1.

Dieses Bild läßt sich interpretieren: Deutlich sichtbar ist, wie die Vertonung nach einem relativ einheitlichen ersten Teil, der nur gegen Ende einiges von dem Gestus der ersten Vertonung aufnimmt, den Kontrast zwischen den Verspaaren vier, fünf und sechs akzentuiert. Zunächst wird durch diese Anordnung des durchkomponierten Liedes dem veränderten Ton des fünften Verspaares Rechnung getragen, auf dessen Besonderheit die vorausgegangenen Strophenlieder keine Rücksicht nehmen konnten. Beethoven faßt das Verspaar „Es schwindelt mir, es brennt / mein Eingeweide“ grimmig auf, geht über das Drängende der ersten Fassung noch hinaus. Weiterhin findet sich das vierte Verspaar vertont: Auf die aus der dritten Vertonung bekannte Überleitung folgend, scheint das Es-Dur der Stelle ganz von der Absicht eingegeben, die Zeilen „Ach! der mich liebt und kennt...“ auszudeuten. Von dieser Verszeile her wird die Interpretation der dritten Fassung einleuchtend, die Wilhelm Weismann gegeben hat. Er versetzt sich gleichsam in einen Beethoven hinein, der soeben den Gedanken faßt, daß in einem Mignon-Zyklus der Grundton der „Liebe“ nicht fehlen dürfe. Dieser Gedanke sei in der dritten Vertonung mit dem Gestus des „verliebten Mädchens“ realisiert, das — mit Blick auf den ernsten Text — „gar nicht weiß, was es singt“.[1] Die vierte Fassung faßt nach Lühning die vorhergehenden nicht nur wie ein Zuletztgeschaffenes zusammen, sondern bietet auch den Schlüssel zum Verständnis des Vorausgegangenen. Das gilt im nachhinein nicht nur für die dritte, sondern auch für die erste Vertonung. Ein weiteres Mal wird durch diese Betrachtungsweise die einlinige Abhängigkeit aufgehoben. Der interpretierende Blick geht vor und zurück und gibt dabei den Vertonungen ihre Eigenheit und Selbständigkeit. Diese Bewegung läßt sich an der Literatur ablesen: So zusammenfassend die „durchkomponierte“ vierte Vertonung erscheinen mochte, so wirkte sie auf manchen Interpreten doch zugleich als zu aufwendig, zu elaboriert, zu versiert auch, um dem Kinde Mignon noch zu entsprechen. Sowohl dem Rezensenten von 1810 als auch Mies in seinem Aufsatz von 1956, die beide den Zyklus auf die letzte Vertonung hingeschrieben sahen und von ihr her urteilten, war der Eindruck des „Lehrreichen“ zurückgeblieben. Demgegenüber findet sich, nahegelegt durch Anfang und Schluß der vierten Vertonung, bei manchem der Autoren ein abschließender Rückblick auf das zweite Lied, so auch bei Mies selbst. Nicht drei Vertonungen und eine Zusammenfassung, sondern vier Vertonungen hat Beethoven gegeben, nicht „ein Gutes“, sondern „mehrere Versuche“: Wie, wenn ein Weg gangbar wäre, die Mehrzahl der Beethovenschen Perspektiven fester in Goethes Roman zu begründen?

Lühning hat auf den Beginn des dritten Buches der *Lehrjahre* hingewiesen: Anschließend an das Italien-Lied werden an dieser Stelle die Versuche Wilhelms geschildert, Mignons Lieder zu notieren.[2] An der Rondeau-Form und an der Elfsilbigkeit seiner Verspaare liest Lühning auch für das Sehnsuchtslied die fingierte Übersetzung aus dem Italienischen ab. Darin liegt aber nicht nur die realistische Entsprechung zu Mignons südlicher Herkunft. Durch die fingierte Übersetzung gewinnt Goethe die Möglichkeit, auf das „Original“ des Liedes hindeuten zu können. Gespiegelt einzig in der Klage über die Verluste der Übertragung rückt es gleichsam aus dem Buch heraus. Zumal der unvergleichliche Reiz, der Mignons Melodie zugeschrieben wird, entflieht dem übertragenden und notierenden Wilhelm in eine unerreichbare Ferne. Indem Beethoven auf eine definitive Fassung des Liedes verzichtet, vertont er diese Unerreichbarkeit. Damit aber kommt er der Intention seiner Vorlage ganz nahe. Denn ein differentielles Sprechen kennzeichnet die wichtigsten Äußerungen Mignons. Nach ihrem Vortrag des Italien-Liedes richtet sie die Liedzeile „Kennst du das Land...“ in direkter Rede als Frage an Wilhelm, und sie erneuert ihre Frage, indem sie das „Italien“ aus Wilhelms Antwort „Es muß wohl Italien ge-

1 Ebenda, S. 226f.
2 Vgl. J. W. v. Goethe, *Werke,* Bd. VII ([12]1989, Hamburger Ausgabe), S. 145f.

meint sein" mit „bedeutendem" Ton nachspricht. Korff hat darauf hingewiesen, daß das Sehnsuchtslied der äußerlichen Situation Mignons im Roman nicht entspricht (der geliebte Wilhelm ist ihr ja durchaus nahe). Nicht durch die Unmittelbarkeit ihres Vortrages sei das Lied so ergreifend, sondern weil Mignon damit etwas zum Ausdruck bringe, was sie „selbst gar nicht genau versteht".[1] Das Gedicht selbst ist durchzogen von der Spannung zwischen Gesangsvortrag und besungenem Gefühl. Nach dem fünften Verspaar „Es schwindelt mir, es brennt mein Eingeweide" (und damit vor der Wiederholung des ersten Verspaares) findet sich in der früheren Fassung des Gedichts die Zeile „Ach wer die Sehnsucht kennt!"[2] Auch wer den Eindruck nicht teilt, daß durch die Streichung dieses Ausrufs jeglicher Rest von melancholischer Pose getilgt und durch ein Äußerstes an Ausdruck ersetzt worden sei, wird in dem Zurückkommen des Gedichtes auf das erste Verspaar mehr als einen Refrain erblicken. „Resignation [...] gegenüber den begrenzten Möglichkeiten des Sprechens" und den Versuch, gegenüber dem Gefühl der Verlassenheit „im Klang der eigenen vertrauten Worte Halt zu finden", hat man an der Stelle abgelesen.[3] Goldschmidts Gedanke, daß Beethoven „nicht loskam" von dem Sehnsuchtslied, sondern es immer wieder vertonte, läßt sich unter diesem Aspekt mit dem Gedanken der Darstellung eines Unerreichbaren in Einklang bringen. Eindrucksvoll hat Beethoven das Zurückkommen auf das Verspaar des Anfangs in der ersten wie in der vierten Vertonung komponiert, und diesem Zurückkommen hat er die kadenzierende Überleitung der dritten Fassung entgegengestellt.

Die Aufnahme der Abteilung „Aus Wilhelm Meister" in seine *Gedichte* war nicht Goethes letztes Wort über die Gestalt der Mignon. In *Wilhelm Meisters Wanderjahre* tritt 1821 als ein „neuer Orpheus"[4] der von Mignons Schicksal „leidenschaftlich eingenommene" Maler auf, der die Orte von Mignons vermuteter Herkunft malt und daneben ein zahlreiches Publikum singend erfreut mit einem „zart und lebhaft jodelnden allgemeinen Sehnsuchtston".[5] Den Übersetzungen, die Wilhelm nur um den Preis der Redaktion und Glättung gelingen, stellt Goethe hier in fingiertem Zitat eine wortreiche Expertise gegenüber, welche des Malers Bilder schildert. „In Umsetzung der Gestalt und ihres Gedichtes (d.h.: Mignons und ihres „Kennst du das Land") in triviale Malerei kritisiert Goethe die Rezeption seiner eigenen Romanfigur [...]."[6]

Distanz gegenüber der Gestalt der Mignon charakterisiert demgegenüber Beethovens vier Vertonungen. Es ist das Abgetrennte und Anschlußlose, das er von Mignon aufnimmt. Für sich stehend ragt Beethovens „Sehnsucht von Goethe und Beethoven" heraus aus der Reihe der Mignon-Vertonungen, die ebensowenig abriß wie die Reihe von Mignons literarischen Nachfolgerinnen.

Michael Maier

---

1 Vgl. H. A. Korff, *Goethe im Bildwandel seiner Lyrik,* Bd. I, S. 266f.
2 Vgl. J. W. v. Goethe, *Wilhelm Meisters theatralische Sendung,* 6. Buch, 7. Kapitel, in: ders., *Werke* (Sophienausgabe), Bd. LII, S. 226.
3 M. Kieß, *Poesie und Prosa: Die Lieder in „Wilhelm Meisters Lehrjahren",* S. 38f.
4 J. W. v. Goethe, *Werke,* Bd. VIII ([11]1982, Hamburger Ausgabe), S. 229.
5 Ebenda, S. 232.
6 H. Schlaffer, *Wilhelm Meister,* S. 23.

„Die laute Klage“
WoO 135
(zusammen mit „Der Gesang der Nachtigall“ WoO 141)

GEDICHTE: J. G. Herder.
ENTSTEHUNGSZEIT: WoO 135: 1814/1815; WoO 141: wahrscheinlich 1813.
ERSTAUFFÜHRUNG: WoO 135 und WoO 141: unbekannt.
SKIZZEN: WoO 135 und WoO 141: nicht bekannt.
AUTOGRAPH: WoO 135: erste Fassung in der Deutschen Staatsbibliothek Berlin, Grasnick 6; zweite Fassung in der Bibliothek der Gesellschaft der Musikfreunde Wien, A 12; WoO 141: Deutsche Staatsbibliothek Berlin, Grasnick 7.
ERSTDRUCK: WoO 135: Wien 1837 (A. Diabelli & Co.); WoO 141: 1888 in der Alten Gesamtausgabe.
GESAMTAUSGABEN: WoO 135: Alte Gesamtausgabe: Nr. 254 = Serie 23 Nr. 41; Neue Gesamtausgabe: Abt. XII, Bd. 1; WoO 141: Alte Gesamtausgabe: Nr. 277 = Serie 25 Nr. 14; Neue Gesamtausgabe: Abt. XII, Bd. 1.

1813 trug Beethoven zwei Gedichte aus Herders *Blumen, aus Morgenländischen Dichtern gesammelt* (1792) in sein Tagebuch ein; 1815 ließ er ihnen fünf weitere folgen.[1] Noch einmal fünf Stücke aus derselben Herderschen Sammlung notierte Beethoven auf einem undatierten Blatt. In Musik gesetzt hat er nur das erste der auf dem Blatt verzeichneten Gedichte, „Die laute Klage“ (WoO 135). Ein weiteres Lied nach Herder scheint Beethoven ohne den Umweg über Text-Notizen, vielleicht mit Herders Gedichtband vor Augen, vertont zu haben: „Der Gesang der Nachtigall“ (WoO 141) liegt nur in einem Notentext vor, der auf den 3. Juni 1813 datiert ist. Unter Hinweis auf diese Dokumente hat Helga Lühning die Vermutung geäußert, Beethoven habe zu jener Zeit womöglich „eine Art Herder-Zyklus“ geplant.[2] Für diese Vermutung spricht der stringente Aufbau, der sich ergibt, wenn man das datierte Lied als den Kopf des Zyklus betrachtet, der im weiteren die „Laute Klage“ und die vier folgenden Stücke umfaßt. Aus dieser Reihenfolge ergibt sich folgendes Bild:

Eingeleitet wird der Zyklus von der Mahnung der Nachtigall, den Tag zu nutzen. „Jetzt sei fröhlich und froh! er entflieht, der blühende Frühling“ beschließt sie jede der neun, aus je vier Langzeilen bestehenden Strophen ihres Liedes. Mit der „Lauten Klage“ und dem „Morgengesang der Nachtigall“ folgen zwei Gedichte von jeweils nur sechs Zeilen. Sie wirken lakonisch nach dem einleitenden, gar nicht enden wollenden Gesang. So antithetisch sie diesem gegenüberstehen, so kontrastierend sind sie untereinander und in sich angelegt: Der klagenden wie der blühenden Natur stellen sie den Menschen als stummen Betrachter gegenüber. Die beiden zuletzt auf dem Blatt notierten Gedichte handeln vom Lob des Gesanges: Das vorletzte, „Anmut des Gesanges“, beschreibt die Stimme als „der Seele Gewalt“, als das ätherische Pendant zu körperlicher Schönheit, während das Schlußlied, „Macht des Gesanges“, die Rührung beim Hören als den menschlichsten Affekt preist. In der Mitte des Zyklus aber steht das kürzeste Gedicht, „Die Perle“, das von dem Dichter,

1 Vgl. M. Solomon, *Beethovens Tagebuch,* Nr. 5 und 6 (S. 41); Nr. 55—59 (S. 61—65).
2 H. Lühning, *Kritischer Bericht* zu: L. v. Beethoven, *Werke,* NGA, Abt. XII, Bd. 1, S. 97.

von seinem Verstummen für die Menschen und, schön verrätselt in das Bild der still nur für sich erglänzenden Perle, von seiner Entrückung handelt.[1]

Nun erheben in Herders Sammlung morgenländischer Gedichte Papagei und Rabe, erheben Adler und Eule ihre Stimme, und es bedarf nicht spezieller Absicht und Auswahl, um allenthalben dem Motiv des Gesanges zu begegnen. Die Reihenfolge hingegen, in der Beethoven sich Gedichte notierte, kann zufällig sein. Zwei Indizien indessen deuten auf Auswahl und Anordnung des Ganzen. Schon bei der Abschrift hat Beethoven sich Herders „Laute Klage“ durch einen Eingriff in den Text zu eigen gemacht, den er auch in der Vertonung beibehielt. Darüber hinaus finden sich auf dem Blatt mit den Gedichtabschriften „tagebuchartige Aufzeichnungen“[2], die in dem engsten Zusammenhang mit der „Lauten Klage“ (in Beethovens Fassung), dem „Morgengesang der Nachtigall“ und dem Gedicht „Die Perle“ stehen.

Herders Fassung der „Lauten Klage“ lautet: „Turteltaube, Du klagest so laut und raubest dem Armen / Seinen einzigen Trost, süßen vergessenden Schlaf. / Turteltaub', ich jammre wie Du und berge den Jammer / Ins verwundete Herz, in die verschlossene Brust. / Ach, die hartvertheilende Liebe, sie gab Dir die laute / Jammerklage zum Trost, mir den verstummenden Gram!“ Beethoven ändert das Wort „verstummenden Gram“ in „verstummenden Sinn“. Die Änderung ist tiefgreifend. Durch das veränderte Schlußwort durchbricht Beethoven zunächst die antithetische Anlage seines Zyklus, ersetzt er den Gegensatz von Klage der Natur und Verstummen des Subjekts, auf dem das Gedicht in sich und in seinem Parallelismus zu dem Folgegedicht beruht, durch ein anderes Verhältnis. Nicht anders wendet er sich durch den empirisch-biographischen Sinn seiner Änderung von der grillenfängerischen Fabel des Gedichtes ab, die Diabelli in seiner Ausgabe von 1837 durch den Zusatz tonmalender Einleitungstakte hervorhebt: Der Schwerhörige kann ja selbst durch die laute, unüberhörbare Klage der Turteltaube nicht mehr aus dem Schlaf geweckt werden. Nicht den Trübsinn eines Griesgrams, sondern den Grund der Klage stellt Beethoven in das Zentrum der Aufmerksamkeit. Die Instanz, die das lyrische Ich kränkt, wird im Gedicht nicht als das blindverteilende Schicksal angeklagt, angeschwiegen, sondern sie wird die „hartvertheilende Liebe“ genannt. Beethoven mochte bei diesem Wort ebensowenig an einen Makel der Liebe denken, wie er an eine Unvollkommenheit der Natur dachte, als er (1817 oder 1818) in sein Tagebuch notierte: „Die Schwachheiten der Natur sind durch die Natur selbst gegeben, und die Herrscherin Vernunft soll sie durch ihre Stärke zu leiten und zu vermindern suchen.—“[3]

Beethoven macht die Auseinandersetzung mit der „hartvertheilenden Liebe“ zum Gegenstand seiner Vertonung. Laut klagende Akzente, Sforzati, die wieder zurücksinken, sind die musikalischen Kennzeichen seines Liedes. Beethoven setzt sie auf die Kernworte des Gedichtes, auf „ver*wún*detes Herz“ und „*Jám*merklage“, auf „*mír* den verstummenden Sinn“ und — zusätzlich unterstrichen durch eine aufsteigende Sechzehntelfigur des Basses — auf „*hárt*vertheilende Liebe“. Noch eindrucksvoller wirkt dieser Gesang, wenn man ihm, Lühnings Annahme folgend, den

1 Zu diesen sechs Gedichten vgl. J. G. v. Herder, *Werke. Sechster Theil: Morgenländische Literatur*, 3. und 4. Buch, S. 111 und S. 121—124.
2 H. Lühning, *Kritischer Bericht* zu: L. v. Beethoven, *Werke*, NGA, Abt. XII, Bd. 1, S. 97, Fußnote 7.
3 Vgl. M. Solomon, *Beethovens Tagebuch*, Nr. 138 (S. 109).

„Gesang der Nachtigall“ voraufgehen läßt. Das c-Moll der „Lauten Klage“ kommt dadurch gegen C-Dur zu stehen, ihr lakonisch-düsterer Anfang gegen ein ausführliches, den Schlag der Nachtigall malendes Vorspiel. Eine durch verminderte Septakkorde, Trugschlüsse und chromatische Führungen geschärfte Harmonik folgt einer Harmonik aus Tonika und Dominante; die beschriebene schmerzlich-stockende Deklamation folgt auf eine trällernde Melodie, die man in rasch ablaufenden Strophen gern wiederholt.

Beethoven macht die Auseinandersetzung mit der „hartvertheilenden Liebe“ zum Gegenstand des gesamten „Herder-Zyklus“. Sein Eingriff in den Text der „Lauten Klage“ nennt den individuellen Grund für diese Auseinandersetzung, antwortet gleichsam auf die Frage nach ihrer Berechtigung, die in dem folgenden Gedicht, dem „Morgengesang der Nachtigall“, gestellt wird: „‚Wer bist du, Mensch, daß Dich die Liebe nicht weckt? / Siehe, das Lüftchen weht, es säuseln die Blätter der Bäume; / Jegliche Blume fühlt neu sich gestärket und jung; / Jegliches Blatt der Rose wird Zunge, den Schöpfer zu preisen, / Zunge wird jegliches Laub, und Du verstummest, o Mensch?‘“ Aber der von Beethoven gegen dieses Preisen eingewandte „verstummende Sinn“ macht auch eine Wendung möglich, die über den „verstummenden Gram“ hinausführt. Wie der „Morgengesang der Nachtigall“ vom „Schöpfer“, so redet das Gedicht „Die Perle“ von dem „Gott“, der den „von den Menschen unerkannten“ Dichter auf sich selbst zurückführt. In Beethovens „tagebuchartigen Aufzeichnungen“ wird diese Wendung nachvollzogen. Der „verstummende Sinn“ wird zum erwachenden Sinn — und das Verstummen, das Liegenlassen und Aufgeben des „Herder-Projektes“, wird neu begründet: „Mein Unglückseeliges Gehör plagt mich hier nicht — ist es doch als wenn jeder Baum zu mir spräche auf dem Lande heilig! heilig! im Walde Entzücken wer kann alles ausdrücken. schlägt alles fehl so bleibt das Land selbst im Winter wie Gaden Untere Brühl etc leicht bey einem Bauern eine Wohnung gemiethet um diese Zeit gewiß wohlfeil.“[1]

Michael Maier

„Andenken“
WoO 136

GEDICHT: Fr. v. Matthisson.
ENTSTEHUNGSZEIT: 1808 (Zur Datierung vgl. *Kritischer Bericht* zu: L. v. Beethoven, *Werke*, NGA, Abt. XII, Bd. 1, S. 37).
ERSTAUFFÜHRUNG: unbekannt.
SKIZZEN: nicht bekannt.
AUTOGRAPH: Martin Bodmer (Privatsammlung), Cologny bei Genf.
ERSTDRUCK: Leipzig 1810 (Breitkopf & Härtel).
GESAMTAUSGABEN: Alte Gesamtausgabe: Nr. 248 = Serie 23 Nr. 35; Neue Gesamtausgabe: Abt. XII, Bd. 1.

1 Zit. nach H. Lühning, *Kritischer Bericht* zu: L. v. Beethoven, *Werke*, NGA, Abt. XII, Bd. 1, S. 97, Fußnote 7.

Am 26. Juli 1809 schreibt Beethoven an Breitkopf & Härtel: „Nächstens erhalten Sie das Lied ‚Ich denke dein‘ [...] — nehmen Sie es als ein kleines Geschenk.“ Die Komposition erscheint im Frühjahr 1810 im Druck, und am 15. Oktober kommt Beethoven bei Gelegenheit von op. 75 erneut auf sie zu sprechen: „Sie sollten das ‚Ich denke dein‘ zu dieser Sammlung hinzutun; ich habe es so allein gestochen gesehn und auch hierin irgendwo ein falscher Mordent angebracht [...].“[1] Beethoven läßt keine spezielle Absicht erkennen, warum er seine Vertonung von Friedrich von Matthissons Gedicht „Andenken“ beide Male nach dessen Inzipit bezeichnet. Spätere Betrachter indessen fragten sich, welches Lied er eigentlich meine: Matthissons „Andenken“ von 1792 oder Goethes „Nähe des Geliebten“ von 1795, das über Verse Friederike Bruns und über eine Melodie Zelters mit ersterem verbunden ist und das mit denselben Worten beginnt. Goethes Gedicht hat Beethoven nicht erst 1808, sondern wohl schon 1799 bearbeitet; davon erhalten ist (neben Skizzen) freilich nur das textierte Thema der Variationen für Klavier zu vier Händen WoO 74 (gedruckt 1805). In der Bemühung um die Identität des „Ich denke dein“ scheint sich die Faszination durch Goethes Gedicht zu spiegeln, das die Matthissonsche Vorlage überragt und damit die Frage nach dem Verhältnis von literarischer und musikalischer Bearbeitung akzentuiert.[2] Auch Thrasybulos Georgiades, der in seinem Buch über *Musik und Lyrik* die Qualität eines Liedes der Qualität der Vorlage entgegenstellt, als sei in letzterer, als literarischer, die Gefahr musikalischen Literatentums vorhanden, läßt aus dem Vergleich von Beethovens und Schuberts Vertonung des „Andenken“ mit Schuberts Vertonung der „Nähe des Geliebten“ das Goethe-Lied überragend hervorgehen. An Beethovens Lied, das bei diesem Vergleich die Liedkomposition der Wiener Klassiker insgesamt repräsentiert, hebt Georgiades das Gestische, Theatralische hervor, wodurch es sich vom Text emanzipiere.[3]

Beethoven selbst hat sich durch „die Poesie von Goethe“, die er bereits 1803 zu einer Ausgabe der Variationen WoO 74 hinzugesetzt wünscht[4], vielleicht sogar dazu ermutigen lassen, Matthisson zu vertonen. Betrachtet man die Unterschiede und die Gemeinsamkeiten von Goethes und Beethovens Bearbeitungen, so ersetzt Goethe die Gegenüberstellung von Ich und Du („Ich denke dein [...] / Wann [wo, wie] denkst du mein?“) durch die sich intensivierende Vorstellung des Geliebten („Ich denke dein / Ich sehe dich / Ich höre dich / Ich bin bei dir“). Beethoven übersetzt

1 E. Kastner / J. Kapp, *Ludwig van Beethovens sämtliche Briefe,* S. 143 und 182.

2 Thayer bezieht das „Ich denke dein“ auf Matthissons Gedicht, wofür ihn Kinsky und Halm kritisieren: „Diese Briefstelle bezieht sich nicht — wie Thayer-D.-R. III^3, 147, irrtümlich annehmen — auf das Lied ‚Andenken‘ von Matthisson, das ja schon im Frühjahr 1810 bei Breitkopf und Härtel erschienen war, sondern auf das Goethesche Lied, d.h. das Thema der vierhändigen Veränderungen“ (*Das Werk Beethovens,* S. 526). Alan Tyson hat den „falschen Mordent“ aufgefunden und kehrt zu der Ansicht Thayers zurück (*Beethoven Studies 2,* S. 18); zurückhaltend stimmt Dorfmüller zu: „Der Brief vom 15. Oktober bezieht sich lt. Hinweis von A. Tyson doch auf WoO 136“ (*Beiträge zur Beethoven-Bibliographie,* S. 368). — Helga Lühning folgt in ihrem *Kritischen Bericht* zu dem Liederband der NGA der Ansicht Tysons — sie macht indessen darauf aufmerksam, daß dieselbe Unklarheit in bezug auf jenes „Ich denke dein“ bestünde, dessen Abschrift Charlotte Brunsvik am 7. März 1806 von ihren Schwestern erbittet (vgl. *Kritischer Bericht* zu L. v. Beethoven, *Werke*, NGA, Abt. XII, Bd. 1, S. 37).

3 Vgl. Thr. Georgiades, *Schubert. Musik und Lyrik* (^{2}1979), S. 40—45 und 47—55.

4 Vgl. Beethovens Brief an Franz Hoffmeister vom 22. September 1803 (E. Kastner / J. Kapp, *Ludwig van Beethovens sämtliche Briefe,* S. 72).

dieselbe Gegenüberstellung zunächst, in den ersten drei Strophen, in musikalische Kontraste: Je vier Zeilen werden legato vorgetragen, als liedhafter „Vordersatz“, den ein instrumentales Echo von einem rezitativischen „Nachsatz“ trennt. In der vierten Strophe vertauscht Matthisson die Reihenfolge von Ich und Du: „O denke mein, / bis zum Verein / auf besserem Sterne! / In jeder Ferne / denk' ich nur dein!“. Weder diese Umstellung noch die Gedanken des Textes vermögen den veränderten Ton zu erklären, der Beethovens Musik zu dieser Strophe auszeichnet: An die Stelle der bisher die Strophen trennenden Floskel tritt sogleich ein auftaktiges Motiv, das von der Stimme imitierend aufgenommen, wiederholt und in einer aufsteigenden Sequenz weitergeführt wird; diesen Anstieg setzt das Sechzehntelmotiv fort, das in den Rezitativen der voraufgehenden Strophen zu einem Hochton führte und nun zu g'', dem Hochton des Liedes insgesamt, führt. So sehr belebt und erheitert sich die Musik in diesem weit ausholenden, virtuos begleiteten melodischen Bogen und in dem folgenden Duettieren von Melodie und begleitender Oberstimme, daß man sie als ein sinnlich-extensives Pendant des Goetheschen „Ich bin bei dir“, als eine anders steigernde Fortsetzung der Gedankenreihe „Ich denke dein, ich sehe dich, ich höre dich [...]“ auffassen kann. Auf dieser Wendung ins Gestische oder Theatralische beruht freilich auch der Unterschied: Goethes Gedicht endet mit dem Optativ „Oh wärst du da“, der, wie immer leise, die Imaginationskraft des Subjekts doch mit der Realität, mit dem Verlassensein, konfrontiert. Beethoven gewinnt aus den Wiederholungen der Zeile „Denk' ich nur dein!“ die Schlußdevise „Nur dein!“, mit der das Lied elegant und lächelnd schließt und sich als ein Albumblatt geschickt zeigt.

Michael Maier

„Lied aus der Ferne“
WoO 137

GEDICHT: Chr. L. Reissig.
ENTSTEHUNGSZEIT: 1809.
ERSTAUFFÜHRUNG: unbekannt.
SKIZZEN: nicht bekannt.
AUTOGRAPH: British Library London, Add. Ms 47852.
ERSTDRUCK: Leipzig 1810 (Breitkopf & Härtel).
GESAMTAUSGABEN: Alte Gesamtausgabe: Nr. 236 = Serie 23 Nr. 22; Neue Gesamtausgabe: Abt. XII, Bd. 1.

Obgleich die Entstehungsgeschichte von „Lied aus der Ferne“ mit derjenigen von „Der Jüngling in der Fremde“ eng verbunden ist[1], liegen Welten zwischen beiden Liedern, was ihre musikalische Textbehandlung angeht: „Der Jüngling in der Fremde“ gehört zu den einfachen Strophenliedern, während „Lied aus der Ferne“ sich

1 Vgl. den Kommentar zu WoO 138.

letztlich zu einem komplexeren Satz entwickelt. Dennoch liegen beiden Liedern Verse zugrunde, die einander in Charakter und Geist grundsätzlich sehr ähnlich sind: So mag das „Lied aus der Ferne“ zwar oberflächlich höher entwickelt erscheinen, aber es ist durch eine Dichtung inspiriert, die von etwa derselben Qualität ist wie diejenige des offensichtlich weniger originellen „Der Jüngling in der Fremde“. Zusammengenommen widersprechen diese beiden Lieder dem weitverbreiteten Mißverständnis, für Beethoven gälte — wie für spätere Liedkomponisten, etwa für Schubert — eine deutliche Entsprechung zwischen der Qualität der Verse und ihrer Vertonung. Große Dichtungen führen allerdings nicht unbedingt häufiger zu großen Liedern als schlechte Texte oder umgekehrt.

So wie „Der Jüngling in der Fremde“ mit der simpleren Seite der zeitgenössischen Liedkomposition verbunden ist — obgleich er diese natürlich übertrifft —, weist „Lied aus der Ferne“ eine starke Bindung an eine bestimmte Untergruppe innerhalb des Wiener Genres auf. Seit es in Wien Verbreitung gefunden hatte, war das deutsche Lied stark von spezifischen Opern-Modellen abgeleitet worden, deren wichtigstes die dreiteilige Arienform war. Im „Lied aus der Ferne“ ist es genau dieses Modell, das Beethovens Ausgangspunkt bildet; jedoch verläßt er die übliche Praxis schnell, um ein Werk von weit größerer Phantasie und Originalität zu entwickeln.

Beethoven teilt die vier Strophen des Gedichts in drei Teile: die erste Strophe, in der Erinnerungen an vergangenes Glück dominieren; die zweite und dritte Strophe, in denen die aktuelle Abwesenheit der Geliebten schmerzlich fühlbar wird; und schließlich die vierte Strophe, in der die flehentliche Bitte des Dichters an seine Geliebte, doch zu ihm zurückzukehren, zu einem überströmenden Schluß führt. Diese drei Teile korrespondieren in groben Zügen der üblichen ABA'-Arienform, doch Beethovens nähere Berücksichtigung des emotionalen Gehalts und seiner Entwicklung im Gedicht hat eine weit wirkungsvollere Textbehandlung zur Folge.

Im ersten Abschnitt greift Beethoven die erste Hälfte der ersten Strophe auf („wie glich da mein Leben dem blühenden Kranz, dem Nachtigallwäldchen voll Spiel und voll Tanz!“), indem er das Hauptgewicht auf die letzte Phrase legt: „voll Spiel und voll Tanz!“ Diese dient ihm als eine Art Motto des ganzen Abschnitts und regt ein längeres Klaviervorspiel an, dessen tanzartiger 6/8-Takt eine deutliche Vorwegnahme des nachfolgenden Textes bildet. Wie um die Wichtigkeit dieses Textabschnitts zu unterstreichen, stellt Beethoven ihn in den Mittelpunkt seiner Textwiederholung am Ende der Strophe.

Der „Mittelteil“ der Arienform umfaßt die Vertonung der zweiten und dritten Strophe. Der veränderten Stimmungslage korrespondiert hier ein Taktwechsel von dem trällernden 6/8- zu einem eher schwermütigen 2/4-Takt. Die allmählich wachsende Unruhe des Dichters — die Beethoven durch einen geschickten Wechsel der Begleitfigur wiedergibt — und sein Gefühl der Verlorenheit treten hauptsächlich in einem längeren tonalen Diskurs in Erscheinung, in dem die Tonarten Des-Dur und f-Moll hervorgehoben werden, bevor eine ausgedehnte Dominantvorbereitung und eine Vokalkadenz in den letzten Teil, die Vertonung der vierten Strophe, überleiten.

Wieder spielt hier die Begleitung eine entscheidende Rolle in der Darstellung des Stimmungswechsels. Während die Gesangslinie mit einer Reprise des Materials aus der ersten Strophe beginnt, erhält der Klavierpart eine deutlich bewegtere Gestaltung. So ist es eher die Begleitung als die Singstimme, die den notwendigen Impetus für die entscheidenden Worte „O Theure, komm eilig zum bräutlichen Tanz“ enthält. In der Vertonung dieser letzten Strophe wird den Worten „die Göttin sei du“ zu Recht die größte Bedeutung beigemessen. Ihre mehrfache Wiederholung am Ende des Liedes in Verbindung mit den rhetorischen Figuren des Klavierparts geben dem Schluß einen wahrhaft theatralischen Ton, der an die Vertonung von „Adelaide“ erinnert.

In Wien waren Operneinflüsse im deutschen Lied seit dem Erscheinen des ersten Teils von Joseph Anton Steffans *Sammlung deutscher Lieder* 1778 immer stark zu spüren gewesen; allerdings wurden opernhafte Strukturen in den frühen Jahren häufig recht grob übernommen. Einer späteren Generation — in welcher Beethoven am erfolgreichsten war — blieb es vorbehalten zu zeigen, wie sie auf feinere und elegantere Weise verarbeitet werden konnten: Sie verengten dann nicht mehr den grundsätzlichen ästhetischen Rahmen des Liedes, sondern erweiterten seine Ausdrucksmöglichkeiten. In diesem Zusammenhang erhält die Tatsache Bedeutung, daß Beethoven selbst in der Korrespondenz mit seinem Verleger sein „Lied aus der Ferne“ stets als „Arie“ bezeichnet hat — ein Begriff, der im frühen 19. Jahrhundert eben deutlich weiter gefaßt war als heute.

Ewan West
Übersetzung: Lydia Jeschke

„Der Jüngling in der Fremde“
WoO 138

GEDICHT: Chr. L. Reissig.
ENTSTEHUNGSZEIT: 1809.
ERSTAUFFÜHRUNG: unbekannt.
SKIZZEN: nicht bekannt.
AUTOGRAPH: Library of Congress Washington (Whittall Collection).
ERSTDRUCK: Wien 1810 (Artaria & Co.).
GESAMTAUSGABEN: Alte Gesamtausgabe: Nr. 237 = Serie 23 Nr. 23; Neue Gesamtausgabe: Abt. XII, Bd. 1.

In den Jahren um 1810 dienten verschiedene aufeinanderfolgende Ausgaben von Christian Ludwig Reissigs *Blümchen der Einsamkeit* manchem Wiener Liedkomponisten — unter anderem Joseph Weigl, Seyfried und Salieri — als Materialquellen. Warum diese Sammlung derart populär wurde, läßt sich nur im Vergleich mit den sentimentalen, oft geradezu süßlichen Versen der traditionellen österreichischen Lyrik des ausgehenden 18. und beginnenden 19. Jahrhunderts verstehen, die den Dichtungen eines Goethe oder Schiller mit ihrem entscheidenden Einfluß auf die breitere Entwicklung des deutschen Liedes durchaus fern stand. Österreich blieb — vor allem als Spätfolge des kulturellen wie politischen, von Maria Theresia betriebenen Isolationismus — ein Ort der literarischen Regression. Während Deutschland bereits so radikale Bewegungen wie den „Sturm und Drang“ und die „Frühromantik“

erlebt hatte, rezipierte man dort noch mit Begeisterung die altmodische anakreontische Dichtung. Wie unzulänglich Reissigs *Blümchen der Einsamkeit* uns heute also auch erscheinen mögen, zum Zeitpunkt ihrer Veröffentlichung waren sie ihrem spezifischen Leserkreis vollkommen angemessen.

Wie so viele seiner Zeitgenossen war Beethoven um 1809 von Reissigs Dichtungen angetan, die ihm zu nicht weniger als fünf Liedern — WoO 137—139 und op. 75, Nr. 5 und 6 — verhalfen, auf deren Grundlage sich seine Verfahren mit denen der im Wien der ersten Dekade des 19. Jahrhunderts vorherrschenden Liedkomposition besonders gut vergleichen lassen. Über die persönlichen Beziehungen von Komponist und Dichter ist enttäuschend wenig bekannt; sie scheinen allerdings enger gewesen zu sein als Beethovens Kontakte mit den Verfassern vieler anderer seiner Liedtexte. Den deutlichsten Hinweis gibt die Textauswahl selbst: Zwar wurde Reissigs Sammlung sofort nach ihrem Erscheinen 1809 populär, doch enthielt diese erste Ausgabe nicht die Texte zu WoO 137 und 139 — sie erschienen erst in der dritten Ausgabe von 1815. Aus Beethovens Briefwechsel mit Breitkopf, insbesondere den Briefen vom 4. Februar und 11. Oktober 1810, ist bekannt, daß er die Vertonung der *Blümchen*-Gedichte auf eine persönliche Anfrage Reissigs hin unternahm; er muß diese beiden Texte demnach im Manuskript vom Dichter selbst erhalten haben. Obwohl Beethoven seine Reissig-Vertonungen bescheiden als eine bloße „Geste freundschaftlicher Gefälligkeit" beschrieb, verraten diese doch eine gewisse Verbundenheit nicht nur mit dem kurze Zeit zuvor kriegsverwundeten Dichter, sondern vor allem auch mit dessen Versen.

In bezug auf die Chronologie der Lieder bleibt vieles ungeklärt, ein Problem, dessen Brisanz bei der Betrachtung der musikalischen Wechselbeziehungen zwischen WoO 137 und WoO 138 am deutlichsten in Erscheinung tritt. Als vernünftigste Hypothese bietet sich an, daß Beethoven, nachdem er das „Lied aus der Ferne" WoO 137 vertont hatte — ein Titel übrigens, der später in „Gesang aus der Ferne" geändert wurde —, einen nahezu unvermittelten Gesinnungswandel hatte, der ihn bewog, eine zweite, elaboriertere Version zu schreiben. Gleichzeitig verwendete er seine ursprüngliche Komposition bald darauf für „Der Jüngling in der Fremde". Natürlich sind andere Interpretationen möglich; keine wird allerdings den offensichtlichen Umstand übergehen können, daß vor dem Hintergrund einer generellen Divergenz des Beethovenschen Liedschaffens und der relativen Unverbundenheit der einzelnen Werke die fünf Reissig-Vertonungen doch deutlich mehr als nur die Textquelle gemeinsam haben — und daher vielleicht sogar als eine eigenständige „Gruppe" betrachtet werden dürfen.

Die erste dieser Familie, „Der Jüngling in der Fremde", ist zugleich die am wenigsten anspruchsvolle Komposition. Sie weist noch viele Berührungspunkte mit den einfacheren Produkten der Wiener Tradition auf und spiegelt in ihrer Strophenform aus regulären 16 Takten (mit der üblichen Unterteilung in zwei Achttaktphrasen und einer Modulation zur Dominante) sowie der Verdopplung der Singstimme im Diskant der Begleitung den konventionellen Gestus eines Gedichts wider, dessen sechs Strophen die herkömmliche Bilderfolge (einschließlich Vorstellungen von den Tageszeiten) verwenden, um die verschiedenen Facetten in der Stimmung des Dichters zu schildern. Mit einem einfachen Arpeggio zu Beginn und der kurzen Umarbeitung des Gesangslinienschlusses als Nachspiel weist die Begleitung eine schöne Einfachheit auf, welche sie direkt mit jenen vielen Werken der Wiener Tradition verbindet, die hauptsächlich für einen musikalisch anspruchslosen, häuslichen Rahmen gedacht waren.

Diese scheinbare Einfachheit ist allerdings irreführend. Wie jeder Komponist eines Strophenliedes war Beethoven außerstande, den Text direkt in Musik umzusetzen, da seine Vertonung ja für alle sechs Strophen gleichermaßen passend sein mußte. Für ausgefeilte musikalische Wortausdeutungen war hier kein Platz. Wie um dieses zu kompensieren, komponierte Beethoven eine Gesangslinie, deren vollendete Schönheit eine deutliche Anleihe an das Modell der italienischen Oper verrät, während sie strukturelle Feinheiten aufweist, die seiner besten Instrumentalmusik alle Ehre gemacht hätten. Man beachte nur in der zweiten Hälfte des Liedes, wie Beethoven nach der relativen Ruhe des Dominant-Orgelpunkts das Gewicht auf die Schlußlinie legt, indem er sie auf den höchsten Ton des gesamten Liedes führt. In solcher Detailbeherrschung demonstriert Beethoven, wie auch ein durchschnittliches Gedicht die Grundlage eines wirkungsvollen Liedes bilden kann — eine Fähigkeit, die in den anderen Reissig-Vertonungen sogar noch stärker zutage tritt.

Ewan West
Übersetzung: Lydia Jeschke

„Der Liebende“
WoO 139

GEDICHT: Chr. L. Reissig.
ENTSTEHUNGSZEIT: 1809.
ERSTAUFFÜHRUNG: unbekannt.
SKIZZEN: Beethoven-Haus Bonn, Mh 80.
AUTOGRAPH: British Library London, Add. Ms 47852; Deutsche Staatsbibliothek Berlin, Artaria 173.
ERSTDRUCK: Wien 1810 (Artaria & Co.).
GESAMTAUSGABEN: Alte Gesamtausgabe: Nr. 238 = Serie 23 Nr. 24; Neue Gesamtausgabe: Abt. XII, Bd. 1.

Betrachtet man „Der Jüngling in der Fremde“ WoO 138 als repräsentativ für die einfachere Seite des Beethovenschen Liedschaffens und demgegenüber das „Lied aus der Ferne“ WoO 137 als Beispiel für seine komplexeren Vertonungen, so ist „Der Liebende“ irgendwo zwischen diesen beiden Polen einzuordnen. Die Strophenform des Liedes verweist deutlich auf einen traditionellen und wenig anspruchsvollen Umgang mit dem Gedicht. Mindestens die bei genauerer Betrachtung sich erschließende ausgefeilte Harmonik und die Unabhängigkeit der Begleitung aber widersprechen dieser Einschätzung. Wie so viele unter Beethovens Strophenliedern ist „Der Liebende“ eine kleine Kostbarkeit; es zeigt Beethovens Detailgenauigkeit und sein Gespür dafür, wie wirkungsvoll derartige Vertonungen sein können, wenn sie sorgfältig und fein komponiert sind.

Ebenso wie der Text zu „Lied aus der Ferne“ findet sich die Vorlage für „Der Liebende“ nicht in der ersten Ausgabe von Christian Ludwig Reissigs *Blümchen der Einsamkeit*, sondern wurde dem Komponisten wahrscheinlich als Manuskript überlassen. Auf den ersten Blick scheint es sich im Ton oder Gehalt von den anderen Reissig-Gedichten, die Beethoven zu jener Zeit vertonte, kaum zu unterscheiden. Ein sorgfältiger Vergleich zwischen dem veröffentlichten Text — zuerst erschienen in der veränderten dritten Auflage der *Blümchen* von 1815 — und dem Text in Beethovens Autograph und dessen ersten Drucken jedoch erschließt eine bezeichnende Veränderung im fünften Vers der ersten Strophe, die den besonderen Reiz des Gedichts für Beethoven erklären mag.

Während Reissigs Text lautet: „Armes Herz, was soll diess Pochen?“, heißt es bei Beethoven: „Herz, mein Herz, was soll diess Pochen?“ — ein Vers, der, wie auch das Metrum des Gedichts, unvermittelt an den Beginn von Goethes „Neue Liebe, neues Leben“ erinnert. Verfolgt man diese Spur weiter, so eröffnen sich weitere Ähnlichkeiten, zum Beispiel zwischen Reissigs Anfang: „Welch ein wunderbares Leben“ und dem dritten Vers des Goethe-Gedichts: „Welch ein fremdes, neues Leben?“ Da zudem eine grundsätzliche Ähnlichkeit des emotionalen Gehalts beider Gedichte vorliegt, ist zu vermuten, daß es sich bei „Der Liebende“ um eine bewußte oder unbewußte Parodie des Goethe-Textes handelt. Entscheidender als die Haltbarkeit dieser Annahme ist allerdings die Wirkung, die solch ein merklicher Zusammenhang zwischen Goethes und Reissigs Gedichten auf Beethoven gehabt haben mag, dessen Verehrung für Goethe bereits in einer Reihe von Vertonungen — unter ihnen zwei Kompositionen nach „Neue Liebe, neues Leben“, von denen eine im selben Jahr wie „Der Liebende“ entstand — Ausdruck gefunden hatte.

Wie in allen Strophenliedern stellte es auch in dieser Reissig-Vertonung ein Hauptproblem für Beethoven dar, Gesangslinie und Begleitung so zu komponieren, daß sie zu allen drei Strophen paßten. Im ausgehenden 18. Jahrhundert, als das Strophenlied das von allen Komponisten angestrebte Ideal bildete, hatte die Musik eine Art Trägerfunktion für die Deklamation des Textes. Indem eher darstellende Vertonungen möglich wurden, änderte sich die Bedeutung der musikalischen Komposition: Es stellte sich heraus, daß das alte Ideal der Strophenform mit der neuen Form der Annäherung an den Text letztlich nicht vereinbar war.

Dieser äußerliche Widerspruch war allerdings für einen Komponisten wie Beethoven keineswegs unlösbar — und nirgends ist dies deutlicher zu sehen als in „Der Liebende“. Beethovens Lösung ist — ganz einfach — ein Strophenlied, in dem die Musik, statt direkt auf einzelne Worte und Sätze Bezug zu nehmen, als Darstellung des übergreifenden Tons und Charakters des Gedichts verstanden werden kann.

In „Der Liebende“ sind die grundsätzliche Stimmung des Dichters und die Spannungen, in die die Liebe ihn versetzt, in den Anfangsversen der ersten Strophe („Welch ein wunderbares Leben, ein Gemisch von Schmerz und Lust“) und in den letzten Versen („Oft will ich dich Teure fliehen; Tränen zittern dann im Blick, und der Liebe Geister ziehen auf der Stelle mich zurück“) am deutlichsten formuliert. Was sich als „Auf und Ab“ der Liebe beschreiben ließe, findet vollendeten musikalischen Ausdruck in den allerersten Akkorden der Einleitung, wo der erste triumphale D-Dur-Klang sofort von dem folgenden verminderten Septakkord gedämpft und damit ein angstvoller, schmerzlicher Ton eingeführt wird. Dieser sorgfältig herausgearbeitete Augenblick äußersten Gegensatzes wird an verschiedenen Stellen der Strophe wiederholt. Während er nie die grundsätzlich fröhliche Stimmung des Gedichts erdrückt, fügt er doch einen vorsichtigen Unterton hinzu: die Erkenntnis, daß die Liebe neben der Freude auch Schmerz verursacht.

Bezeichnenderweise endet das Lied durch Wiederholung des Anfangs mit dieser beharrlichen Erinnerung an die bitter-süße Natur der Liebe, wennleich die triumphierenden Fanfarenstöße in der Begleitung, die einen Grundzug des Liedes bilden, keinen Zweifel daran lassen, welcher Aspekt letztlich überwiegt.

Ewan West
Übersetzung: Lydia Jeschke

„An die Geliebte" (3 Fassungen)
WoO 140

GEDICHT: J. L. Stoll.
ENTSTEHUNGSZEIT: 1. Fassung: vermutlich vor Dezember 1811; 2. Fassung: Dezember 1811; 3. Fassung: Obwohl das Autograph wie das der zweiten Fassung mit Dezember 1811 datiert ist, scheint Beethoven das Datum jedoch erst nachträglich notiert zu haben. Das Wasserzeichen deutet dagegen darauf, daß die Handschrift erst aus dem Jahre 1814 stammt.
ERSTAUFFÜHRUNG: für alle Fassungen: unbekannt.
SKIZZEN: 1., 2. und 3. Fassung: Beethoven-Haus Bonn, Mh 59, Skizzenbuch Petter; Deutsche Staatsbibliothek Berlin, Grasnick 20a; weitere Skizzen in Berlin (Privatbesitz). Alle Entwürfe stammen offenbar vom September oder Oktober 1811.
AUTOGRAPH: 1. Fassung: unbekannt; 2. Fassung: Bibliothèque Nationale Paris; 3. Fassung: Gesellschaft der Musikfreunde Wien, A 10.
ERSTDRUCK: 1. Fassung: Augsburg 1826 (Gombart); 2. Fassung: Stuttgart 1836 (J. Scheibles Buchhandlung); 3. Fassung: als Beilage zu der Nummer vom 12. Juli 1814 der Wiener Zeitschrift *Friedensblätter. Eine Zeitschrift für Leben, Literatur und Kunst*, hg. von J. K. Chr. Fischer und F. A. Klinkowström.
GESAMTAUSGABEN: 1. Fassung: Neue Gesamtausgabe: Abt. XII, Bd. 1; 2. Fassung: Alte Gesamtausgabe: Nr. 243a = Serie 23 Nr. 30 als „Frühe Bearbeitung"; Neue Gesamtausgabe: Abt. XII, Bd. 1; 3. Fassung: Alte Gesamtausgabe: Nr. 243 = Serie 23 Nr. 29; Neue Gesamtausgabe: Abt. XII, Bd. 1.

Anders als in den verschiedenen Fassungen sonstiger Lieder hielt Beethoven in den drei überlieferten Versionen zu Joseph Ludwig Stolls Gedicht an derselben Melodie fest. Schon in den Skizzen zeigt sie ihre spätere Physiognomie, eine „wunderbar geführte Linie von größter Einfachheit".[1] Diese Einfachheit verdankt sich einer melodischen Elementarform mit Quartsprung in den Grundton und sekundweisem Hinabsinken bis zur Quint, Terz (wie hier) oder zum Grundton.[2] Auftaktig im 3/8- oder 6/8-Takt, wie sie meist erscheint, hebt sie die Aktzentsilben verlängernd, den wie-

1 W. Riezler, *Beethoven* ([11]1977), S. 182.
2 Vgl. H. W. Schwab, *Sangbarkeit, Popularität und Kunstlied,* S. 110—113. Diese Melodiegestalt findet sich in zahlreichen Liedern und Instrumentalwerken des 18. und 19. Jahrhunderts. Zum Beispiel:

A. C. Kuntzen, 1746:

Fr. Silcher, 1838:

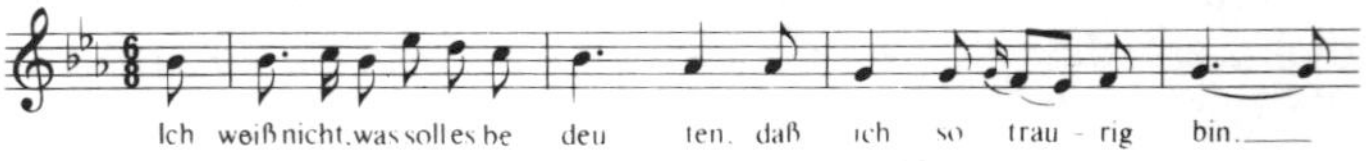

genden Charakter des Jambenverses hervor.[1] Die Voll- und Geradtaktigkeit aber, die die Melodie ihrer vertrauten Formelhaftigkeit entfremden, ohne ihr den „Schein des Bekannten“ zu nehmen[2], binden Text und Musik, gerade umgekehrt, durch die Vermeidung von Regelmäßigkeiten aneinander. Der volltaktige Beginn, der den lebendigen Sprachrhythmus des Ausrufs herausstellt, irritiert aber zugleich mit dem alternierenden Versduktus auch das Taktmetrum der Musik: Ohne Auftakt wird der Quartsprung in den Grundton selbst zum Auftakt. Dieser Widerspruch wird mannigfach bekräftigt, sprachlich durch die Hauptton- und Reimsilben („dir“, „Auge“) und melodisch durch Punktierung bzw. den melodischen Gang unterbrechende Tonrepetition und Sechzehntelfigur, nachhaltiger aber durch eine weitere Modifikation der melodischen Grundgestalt und ihre Konsequenz: Mit der Betonungsverlagerung von der Quint des Modells auf die vorhergehende Sexte (T. 5, 1. Zählzeit) wird zwangsläufig auch das ihm zugrundeliegende harmonische Ebenmaß zerstört, um durch die Reihung funktionsloser Klänge mit liegender Stimme ersetzt zu werden. Und die Quintrelation am Zeilenende (D—T bei „Auge“) wäre nebensächlich, würde nicht in der folgenden Phrase (T. 6f.) dieselbe Unstimmigkeit der vor einer Tonika gewichteten Dominante im Verhältnis zum Taktganzen nun zur harmonischen Bestätigung für das verschobene Metrum.[3]

Die lineare Variante des melodischen Quartsprungs (T. 6), die jetzt — ohne metrische Verpflichtung — möglich ist, macht die Wiederholung des rhythmischen Ablaufs in der ersten und zweiten Fassung formal zwar plausibel; der veränderten Sprachsituation gemäßer ist gleichwohl die oratorische Ausführung der dritten Fassung. Beide Modelle verbieten sich indes für die dritte Zeile, die einzige im Gedicht, die mit einem zweiten Substantiv das bedeutungsstärkste Wort an den Zeilenanfang stellt und die Taktordnung erstmals zu rechtfertigen scheint. Das verschobene Metrum aber — durch einen in klassischer Musik geläufigen satztechnischen Topos weiterhin garantiert und sogar bestärkt, da die erste Dominante der harmonischen Symmetrie (T—D—D—T) anstelle einer kadenzierenden Subdominante gewichtet ist — gerät erstmals in Konflikt mit der Textdeklamation. Auf eine subtilere Art wirkt es dennoch auf sie ein: Wenn nämlich die melodische Sequenz dieses Topos (T. 9) die Substantiva des Textes vergleicht, so ist der ihr zuwiderlaufende harmonische Chiasmus geeignet, sie zu unterscheiden und deklamatorisch abzutönen.

Doch auch in den anderen Zeilen, in denen das Gegenmetrum in gleichmäßigem Wechsel neben den Reim- auch die Haupttonsilben (*dir*, *lie*bevollen, *Er*de) gewichtet, entstehen durch den Zwiespalt mit dem Taktmetrum[4], das den lebendigen Sprachrhythmus unterstützt, derart komplexe Betonungsverhältnisse und eine so reiche Skala an sprachlich-musikalischen Zwischentönen, daß weder die Kategorien

---

1 Schubert hat zur Vertonung desselben Textes den 3/8-Takt verwendet, allerdings auch fast durchweg ohne Auftakt.

2 J. A. P. Schulz, *Lieder im Volkston,* Bd. I (^{2}1785), Vorbericht.

3 Die Analyse schließt sich dem metrischen Konzept Hugo Riemanns an, wonach in der Kadenz zweite und vierte Funktion (betonungsbildender Quintfall) und in der musikalischen Periode ebenso die jeweils zweiten Takte schwer sind (vgl. H. Riemann, *System der musikalischen Rhythmik und Metrik*).

4 Die Notation im 2/4-Takt (und nicht, mit vergrößerten Notenwerten, im 4/4-Takt) erhöht den Konflikt zwischen den metrischen Schichten, da die zweite Zählzeit regulär unbetont ist.

der Verslehre noch die der musikalischen Metrik sie angemessen zu differenzieren vermöchten.

Wenn man dazu noch eine übergeordnete metrische Dimension berücksichtigt, die durch die ganztaktig alternierende Funktionsfolge der Kadenz im Vorspiel als langsamerer Pulsschlag vorgegeben und demzufolge jeder zweite Takt stärker gewichtet ist, dann bekommen zweiter und dritter Zeilenbeginn zwar einen Impuls, den ihnen die Harmonik vorenthält — wie sie erhalten aber *alle* Phrasenanfänge einen Anstoß, der gegen die Norm musikalischer und vers- bzw. strophenmetrischer Endbetonung gerichtet ist. „Eigentliche“ Schwerpunkte und Gewichtungen können somit erst recht nicht mehr ausgemacht werden, und die musikalische Artikulation gerät in eine Schwebe, die der Unwägbarkeit der Silbenbetonungen im Gedicht gerecht wird und ihre Lebendigkeit noch steigert.

Dem metrischen Facettenreichtum entspricht die Mehrschichtigkeit des formalen Entwurfs durchaus: Die „klassische dreiteilige Liedform“, die der ersten Gedichtstrophe musikalisch zugrundeliegt, ist so heterogen definiert, daß sie im Ganzen des Lieds zum „satzartig“ strukturierten ersten Teil ihrer eigenen Vergrößerung werden kann.[1] In ihr weist sich der folgende Abschnitt (T. 13—16), zumal durch den melodischen Rückgriff auf die entsprechenden Takte des ersten Teils (T. 8f.), als Mittelteil aus. Indem er aber auch Reprisenmerkmale der kleinen Form aufnimmt (melodischer Hochton e'', melodischer Umfang der Sept als größter Zeilenambitus, stärkere Akkorddichte), stellt er zudem eine übergeordnete formale Symmetrie her, in der die vier mittleren Gedichtverse (T. 8—16: Stichwort „Tränen“) verbunden und die umrahmenden Verse verglichen werden (T. 1—7 und 17—Schluß: Ich-Du-Beziehung im „ich—dir“ des ersten und „deine—[Schmerzen]—mein“ des achten Verses). Die ins Große projizierte „Liedform“ dagegen potenziert die im Text angelegte Übertragung des äußeren engdimensionierten Bildes von „Auge“, „Wange“ und „Träne“ auf den weiten emotionalen Erlebnisbereich als seelische Qualitäten der „Treue“, „Lust“ und „Schmerzen“.

Die wesentlichen Änderungen, die Beethoven bei diesem Lied vornahm, gelten dem Klaviersatz und der metrischen Disposition des Liedschlusses (ab T. 19). Die Bedeutung, die ihnen zukommt, beruht auf der Entwicklung des Satzes von klischeehaft gitarrenartiger Ständchenbegleitung über deren „instrumentatorisch“ formgerechte Gliederung hin zu einem Klaviersatz als Medium seelischer Stimmung. Während die zweite Version die triolische Begleitung mit der lediglich am kanzonenhaften Charakter orientierten ersten Fassung teilt, weicht sie von dieser und der späteren Bearbeitung durch den Wechsel der durchgehenden Sechzehntelbewegung zwischen hoher und tiefer Lage ab, um die korrespondierenden Rahmenteile der „Liedform“ (T. 4—11 und 17—21) gegen den kontrastierenden Mittelteil und mit ihm das Vor- und Zwischenspiel sowie die Coda oder, besser, Reprisenerweiterung abzuset-

---

1 T. 4—11 als „dreiteiliges Lied“: Periodischer Anfangsteil (T. 4—7), kontrastierender Mittelteil (T. 8f.), reprisenhafter Schlußteil (T. 10f.); T. 4—11 als „Satz“: Zweitaktiger musikalischer Gedanke (T. 4f.), dessen modifizierte Wiederholung (T. 6f.), Entwicklungsteil und Kadenz (T. 8—11); T. 4—21 als „dreiteiliges Lied“: Satzartiger Anfang (T. 4—11), kontrastierender Mittelteil (T. 13—16), Reprise (T. 17—21) mit Erweiterung (ab T. 22 in der zweiten, ab T. 21 in der ersten und dritten Fassung); dazu kommen in diesem Lied ein Zwischentakt vor dem Mittelteil (T. 12) und das Vorspiel (T. 1—4, 1. Zählzeit).

zen. Wenn der dritten Vertonung eine pianistische Spielfigur zugrundeliegt, die Beethoven in seinen Liedern oft zum Ausdruck innerer Bewegung des Menschen einsetzt[1], und sie durch das ganze Lied in gleicher Weise beibehalten ist bis auf die Schlußwiederholungen, in denen sie emphatisch verdichtet wird — und wenn diese Intensivierung auch in der akkordischen Verstärkung des Mittelteils und bereits in der vibrierenden Umspielung des Zwischenspiels (T. 12) angezeigt ist, dann wird damit unmittelbar nicht die gleichwohl ausgeprägte „Liedform“, wohl aber die in ihr angelegte Erweiterung und Steigerung satztechnisch verstärkt und die Darstellung zunehmender seelischer Erregung allein dem Klavierpart überantwortet.

Das metrische Konzept ist denn auch nur in der dritten Fassung erneut in Frage gestellt und in den Steigerungsprozeß einbezogen. Die metrische Norm, die als Kontrast zur folgenden Komplexität nicht, wie im Vor- und Zwischenspiel, kadenzierend gesetzt wird, sondern die durch die einmalige Übereinstimmung von Vers- und Taktmetrum in Verbindung mit harmonischem und „Groß“-Metrum entsteht (T. 19, 2. Zählzeit bis T. 21, 1. Zählzeit), wird aber hier gleichzeitig vom — nun taktmetrisch irregulären — Sprachrhythmus („Schmerzen“) konterkariert. Seine melodische Gewichtung in der akzentuierten Vorhaltdissonanz und dem punktierten Notenwert (vgl. T. 6f.) ist stark genug, abermals das Gegenmetrum zu initiieren, das im folgenden wiederum harmonisch weitergetragen wird. So endet das Lied also metrisch offen (mit Quintfall zur leichten Taktzeit), aber nicht, wie die erste Strophe, mit der kadenziellen Sicherung des verschobenen Metrums, sondern mit seinem Zusammenbruch: Der von allen Komponenten des Satzes betonten dominantischen Spannung folgt mit der Tonika die durch nichts gewichtete Entspannung. Die Betonungsnuancen sind zu Betonungsgegensätzen geworden: „Mein“ (nunmehr ohne Seufzerfigur) ist lautstarker Jubel und stille Freude — die Außen-Innen-Relation des ganzen Lieds umreißend und die formal und satztechnisch angelegte Weite und Steigerung als Verinnerlichung der Ich—Du-Beziehung reflektierend. Auch wenn die früheren Fassungen den Schlußtakt ebenso kontrovers gestalten, ist diese Konsequenz aus dem metrischen Konzept doch nur hier als Transformation der Steigerung vom optischen Außenbereich in die emotionale Innensphäre verständlich. In der späten Vertonung ergänzen sich die Unverwechselbarkeit des Klaviersatzes und der metrischen Idee mit der „Cantus-firmus“-Melodie zum Kunstlied.

Ingeborg Pfingsten

„Der Gesang der Nachtigall“
WoO 141 (→ WoO 135)

1 Vgl. „An die ferne Geliebte“ T. 42ff., 134ff., 298ff.; „An die Hoffnung“ (2. Vertonung) T. 43, 54f., 86 u.a.

„Des Kriegers Abschied“
WoO 143

GEDICHT: Chr. L. Reissig.
ENTSTEHUNGSZEIT: 1814.
ERSTAUFFÜHRUNG: unbekannt.
SKIZZEN: Biblioteka Jagiellońska Krakau, Mendelssohn 6.
AUTOGRAPH: verschollen.
ERSTDRUCK: Wien 1815 (P. Mechetti).
GESAMTAUSGABEN: Alte Gesamtausgabe: Nr. 240 = Serie 23 Nr. 26; Neue Gesamtausgabe: Abt. XII, Bd. 1.

Im Jahr 1815, in der dritten Ausgabe von Christian Ludwig Reissigs inzwischen überall bekannter Sammlung *Blümchen der Einsamkeit*, erschien das Gedicht „Des Kriegers Abschied“ zum ersten Mal im Druck. Aus Beethovens Skizzenbüchern wissen wir allerdings, daß diese Publikation nicht die Textquelle seiner Vertonung gewesen sein kann. Im sogenannten Skizzenbuch Mendelssohn 6 finden sich verschiedene Ideen zur melodischen Linie von „Des Kriegers Abschied“ zwischen Skizzen zur Kantate *Der glorreiche Augenblick* op. 136 und Skizzen zur Vertonung von Johann Baptist Rupprechts „Merkenstein“ WoO 144. Beethovens Briefwechsel mit Rupprecht im Zusammenhang mit jenem Lied datiert diese Phase der kompositorischen Tätigkeit auf Ende 1814, also einige Monate, bevor Reissigs Gedicht der Öffentlichkeit zugänglich wurde.

Wie der Komponist zu „Des Kriegers Abschied“ kam, ist ungeklärt. Die wahrscheinlichste Erklärung, die bislang — unter anderem durch Helga Lühning in ihrer Ausgabe der Lieder — angeführt wurde, ist, daß Beethoven den Text direkt von seinem Autor erhalten hat. Nicht auszuschließen ist gleichwohl die Existenz eines heute verlorenen früheren Drucks, der Beethoven bekannt geworden sein könnte. In der Tat läßt die Beschaffenheit des Gedichts es für einen ersten Druck in einer vorläufigen Veröffentlichung besonders geeignet erscheinen — einer Publikation wie dem *Musenalmanach* etwa, jener kurzlebigen Art literarischer Sammlung, die bereits zuvor eine für Beethoven reizvolle Textquelle darstellte.

Es ist kaum möglich, „Des Kriegers Abschied“ richtig einzuschätzen, zieht man nicht jenen historischen Hintergrund in Betracht, gegen den das Lied komponiert wurde. Auf den ersten Blick ist es eine der simpelsten Kompositionen Beethovens, eine strophische Vertonung von Vierzeilern mit häufigem Einsatz von Militärfanfaren und schwülstigen Gebärden. Die Essenz seines Empfindungsgehalts ist in den beiden letzten Zeilen der zweiten, dritten und vierten Strophe enthalten:

> „Mein Arm gehört dem Vaterland,
> Mein Herz der holden Schönen!“

Diese Verbindung der Zwillingsthemen Tapferkeit auf dem Schlachtfeld und (zweifellos herzlich erwiderte) Anbetung der zu Hause wartenden Geliebten war in jenem poetischen Genre ein Gemeinplatz. Üblicherweise vertonte man diese unkomplizierten, geradlinigen, höchst ehrenhaften Gefühle auf eine Weise, die ähnlich geringen Ansprüchen genügte: Alles, was man brauchte, war eine einfache, aber mitreißende

Melodie (häufig unter Rückgriff auf Dreiklangsmuster), unterstützt durch eine anspruchslose Begleitung.

Oberflächlich betrachtet, erfüllt Beethovens Vertonung von „Des Kriegers Abschied“ diese Vorgaben recht genau. Das Lied ist keineswegs komplex oder raffiniert, und auf den ersten Blick scheint Beethoven — auf absolut alltägliche, wenn nicht gar abgedroschene Weise — einfach einer Äußerung patriotischen Gefühls zu folgen. Daß er sich für dieses Gedicht interessierte, verwundert selbst nicht: Verstreut über alle seine Lieder und anderen Vokalwerke gibt es einige Beispiele für Texte mit mehr oder weniger militärischer oder kriegerischer Thematik. Zudem waren solche Gedichte — als Literatur, aber auch in ihrer Vertonung — natürlich sehr beliebt als Träger der allgemeinen patriotischen Gefühle.

Die weitverbreitete Pflege dieser Art Dichtung erklärt allerdings keineswegs ihre besondere Relevanz für Beethoven gegen Ende des Jahres 1814. Sicherlich sind seine persönlichen Ansichten zu dieser Zeit untrennbar verbunden mit der allgemeinen Situation in Mitteleuropa unter den Nachwirkungen der napoleonischen Ära, als solche Treuegelübde durch die Künstlergemeinschaft in Mode und alltäglich waren. Es wäre jedoch naiv — und auf der Grundlage all dessen, was wir von Beethovens Reaktion auf Kriege und politische Konflikte wissen, auch völlig falsch —, diese einfach unhinterfragt mit ähnlichen literarischen oder musikalischen Loyalitätsäußerungen zu Land und Tradition zu verbinden. Obgleich unsere Einsicht in die Person Beethoven notwendig beschränkt ist, können wir sicher sein, daß er kein blinder Nationalist war. Die grellen Anfangszeilen des „Kriegslieds der Österreicher“ WoO 122 („Ein großes deutsches Volk sind wir“) mögen ihm 1797 keine Schwierigkeiten bereitet haben, doch bis 1814 waren ihm solche Gefühle zweifellos immer fremder geworden.

„Des Kriegers Abschied“ ist daher vielleicht — wie andere offenkundig patriotische Stücke dieser Periode auch — in zwei recht stark voneinander abweichende Richtungen zu interpretieren. An der Oberfläche ist es einfach ein Gegenstück zu anderen ähnlichen Liedern, die Beethoven selbst oder auch seine Zeitgenossen komponierten: ein Stück Gelegenheitspatriotismus, das keine übereifrige Analyse verlangt. Auf einer tieferen, vielleicht sogar unterbewußten Ebene müssen wir allerdings in Erwägung ziehen, daß das Lied übertragen gemeint ist — und sei es nur wegen der Frechheit und Taktlosigkeit der Komposition. Daß ein Komponist von solch feiner literarischer und philosophischer Bildung wie Beethoven ein derart stereotypes Gebilde geschaffen haben sollte, läßt sich nicht allein mit seiner generellen Sympathie für Reissigs Dichtung erklären.

Eine viel einleuchtendere Möglichkeit ist daher, daß „Des Kriegers Abschied“ als wohlüberlegter Versuch einer subtilen Parodie der üblichen Gefühlsäußerungen anzusehen ist, mit denen sich der Komponist keineswegs im aufrichtigen Einvernehmen befand. Natürlich bleibt eine solche implizite Kritik sorgfältig verdeckt und wird nur dem aufmerksamen Beobachter deutlich; objektive Zeugnisse, die diese Interpretation von „Des Kriegers Abschied“ stützen, sind sicherlich nicht leicht zu finden. Obwohl eine derartige Sicht grundsätzlich subjektiv bleiben muß, liegt sie nahe — vor allem durch jene Passagen, in denen Beethoven die Musik selbst für eine Vertonung so leichtgewichtiger Verse zu stark zu simplifizieren scheint. Ein Beispiel bietet die Begleitung in den Takten 8, 9 und 10, wo es dem Komponisten anscheinend höchsten Genuß bereitete, im Baß auf einer leeren Quinte zu verharren. Er scheint ein geradezu perverses Wohlgefallen daran zu finden, das „Motto“ des Gedichts auf allerunbeholfenste Weise zu vertonen. Die Untersuchung solch kleiner Details — und es gibt in diesem Lied einige davon — deutet sehr darauf hin, daß eine Interpretation, die sich allein auf die oberflächlichen Erscheinungen stützt, ebenso irreführend wie gefährlich ist. Beethoven hing nie einfach allgemein üblichen Äußerungen an, und diejenigen, die als solche erscheinen, bedürfen stets der sorgfältigen und detaillierten Untersuchung.

Ewan West
Übersetzung: Lydia Jeschke

„Merkenstein“ WoO 144 (→ op. 100)

„Das Geheimnis“ WoO 145

Gedicht: I. H. C. v. Wessenberg.
Entstehungszeit: 1815/1816.
Erstaufführung: unbekannt.
Skizzen: Library of William Scheide Princeton.
Autograph: unbekannt.
Erstdruck: *Wiener Moden. Zeitung und Zeitschrift für Kunst, schöne Literatur und Theater* 1 (1816), Heft 9, 29. Februar 1816.
Gesamtausgaben: Alte Gesamtausgabe: Nr. 245 = Serie 23 Nr. 32; Neue Gesamtausgabe: Abt. XII, Bd. 1.

Die Stimmen des Dichters und seiner Muse werden im kompositorischen Vergleich des nur wenig variierten Strophenlieds als ein und dieselbe, als innere Stimme des Menschen erkennbar. Frage und Antwort verweisen darauf, daß (die Begriffe von) Liebe und Wahrheit nur in der sinnlichen Erkenntnis und in der Empfindung jedes Einzelnen Bedeutung erlangen und deshalb sein Geheimnis sind, das unnennbar ist.

Künstlerische Sprachen aber verfügen durch ihre Komplexität in verstärktem Maß über Momente, die Stimmungen zu bewirken und Emotionen hervorzurufen vermögen. Die „Innigkeit“, die vom Liedvortrag erwartet wird, ist der Einfachheit der dichterischen und kompositorischen Mittel in ihrer ungewöhnlichen Anwendung angemessen. Bei der Schlichtheit der diatonisch zunächst schreitenden Melodie ist es möglich, daß mit einem einzigen Ton, der aus der Regelmäßigkeit der Wiederholung ausbricht, daß mit der Überhöhung der Sequenz in e'' (T. 4) die Gefühlsmomente freigesetzt werden, auf die die Sprache mit ihrer bildhaften Umschreibung durch „Blümchen“ und „Sternlein“ zielt. Die an sich unökonomische und daher ganz unübliche mehrfache Repetition des melodischen Hochtons nimmt ihm indes nichts von seiner Leuchtkraft und den von ihm hervorgehobenen Textwörtern nichts von ihrer Eindringlichkeit, da sie ihn nach seinem überraschenden Ausbruch und Stillehalten zuvor (Fermate) jetzt in melodischer Bewegung aktiviert und ihm dadurch gewissermaßen eine andere Beschaffenheit gibt. Ebenso ungewöhnlich wie der höchste Melodieton am Schluß eines Abschnitts und seine Wiederholungen sind die harmonische Ziellosigkeit und metrische Unbestimmtheit, die den Erfordernissen klassischer musikalischer Anfänge zuwiderlaufen und die im ersten Zugriff nur als äußerlicher Nachvollzug fragender Unsicherheit sinnvoll erscheinen. Wenn aber der folgende Abschnitt (T. 5f.) mit nur zwei Akkorden in gleichbleibender Lage dennoch größte innere Bewegung vermittelt und die harmonische Reduktion hier nicht als Verlangsamung des musikalischen Geschehens oder als Ausdrucksverarmung empfunden wird, dann wohl deshalb, weil die Knappheit der Mittel als Kontrast zur bunten Nebenordnung der Akkorde und die im Lied tiefste Region des C-Dur als deren Ziel und als Verweilenkönnen erlebt werden. Tatsächlich wird ja der C-Dur-Dreiklang zuvor (T. 3f.) im Baß sukzessiv von oben nach unten (im Sinn der Teiltonordnung) und im Arpeggio in umgekehrter Richtung ausgebreitet, bevor er, im weiteren gestützt durch die neue metrische Stabilität, in gleichsam gefestigter Form und klangvoller Terzlage hier (T. 5) zum erstenmal ertönt.

Am Ende der Strophe wird man gewahr, daß die Wiederholung des letzten Verses (T. 8, 2. Zählzeit bis T. 10, 1. Zählzeit) nicht nur dem Ausgleich der melodischen Emphase und der Bestätigung der nun erreichten takt- und versmetrischen Übereinstimmung und endlich erfolgten Kadenz galt, sondern daß sie mit der externen Erweiterung der Form (des musikalischen „Satzes“) eine auffällige Symmetrie herstellt, in der die C-Dur-Partie zum Zentrum wird. Da diese „architektonische“ Mitte erst später zur sinnlichen Erfahrung des Hörers werden kann, ist die diesbezügliche Textentsprechung auch erst für die zweite Strophe vorgesehen, und die Entscheidung für das Strophenlied wird unter diesem Aspekt nochmals bedeutungsvoll. Wenn aber das Klavier-Arpeggio Fermate und größten Ambitus im Lied ausfüllte und die eher vagen Begleitvorstellungen des Wortes „ewig“ im „Stehenbleiben“ der Zeit und in der Dehnung des Raums versinnlichte (1. Strophe) und beim zweiten Mal durch die Wiederholung der beiden letzten Verse (T. 22—25) zum goldenen Schnitt und „Innersten“ im Ganzen des Lieds wird, dann umfassen der beibehaltene Akkord und melodische Hochton am Ende (2. Strophe, T. 16f. und 22f.) Dimensionen, in denen der Empfindungsgehalt von Wörtern beider Strophen sich verbinden kann, um das „Geheimnis“ anklingen zu lassen.

Ingeborg Pfingsten

„Sehnsucht“
WoO 146

GEDICHT: Chr. L. Reissig.
ENTSTEHUNGSZEIT: 1815/1816.
ERSTAUFFÜHRUNG: unbekannt.
SKIZZEN: Library of William Scheide Princeton, Scheide-Skizzenbuch.

AUTOGRAPH: Deutsche Staatsbibliothek Berlin.
ERSTDRUCK: Wien 1816 (Artaria & Co.).
GESAMTAUSGABEN: Alte Gesamtausgabe: Nr. 239 = Serie 23 Nr. 25; Neue Gesamtausgabe: Abt. XII, Bd. 1.

Wenngleich der dilettierende Dichter Christian Ludwig Reissig in den ersten beiden Jahrzehnten des 19. Jahrhunderts eine beträchtliche Anhängerschaft hatte — nicht zuletzt wegen der mehrfach revidierten und publizierten Sammlung *Blümchen der Einsamkeit*, in deren dritter Ausgabe von 1815 das Gedicht „Sehnsucht“ erschien —, war die Qualität seiner Verse doch keineswegs einheitlich. Einige der Gedichte klingen für ein modernes Ohr durchaus naiv und emotional unreif im Ausdruck, während andere sich allzusehr mit altbackenen Empfindungen beschäftigen — ein Vorwurf, der sich in gewissem Ausmaß auch gegen das Gedicht „Sehnsucht“ vorbringen ließe.

Die geistige Sphäre, die hier eröffnet wird, indem die Schönheit der Natur als Kontrast zu den inneren Qualen einer unerfüllten Liebe erscheint, war unter den deutschen Dichtern lange Zeit beliebt. Beethoven selbst kam in seinem Liedschaffen bei mehr als einer Gelegenheit auf die Beziehung zwischen Natur und Liebe zurück, allem voran in *An die ferne Geliebte* op. 98 —, und es ist in diesem Zusammenhang interessant, daß die Skizzen zu „Sehnsucht“ im sogenannten Scheide-Skizzenbuch beinahe direkt denen zum Zyklus vorangehen. Von besonderer Bedeutung ist in „Sehnsucht“ die Zeitgestaltung. Die Nacht bricht herein und bringt die „Musiker“ der Natur zum Schweigen („Verstummt sind in den Zweigen die Sänger der Natur“); die Nacht ist aber auch die Zeit der Liebe, und in der Einsamkeit und Schönheit der Natur fleht der Dichter seine Geliebte an, zu ihm zu kommen. Trotz der physischen Ruhe seiner Umgebung kann er selbst keine Ruhe finden, solange sie nicht bei ihm ist („erscheine, ach, erscheine und lächle Hoffnung mir!“).

In dem Bestreben, den grundsätzlichen formalen Aufbau zu beschreiben, den Beethoven für „Sehnsucht“ wählt, ist das Lied von vielen Kommentatoren in die breite Kategorie der „variierten Strophenform“ eingeordnet worden. Im wesentlichen folgen solche Lieder der Strophenform; das Material wird zwar in jeder Strophe verändert und weiterentwickelt, doch nur so weit, daß die grundsätzliche musikalische Form stets wiederzuerkennen ist. In „Sehnsucht“ ist hauptsächlich die Begleitung dem Variationsprinzip unterworfen. In der ersten Strophe komponiert Beethoven eine bewußt homophone Begleitung mit klangvollen Akkorden; die Wahl einer warmen E-Dur-Tonalität, die zu jener Zeit (wie auch später bei Schubert) immer mit Träumen und nächtlichen Gedanken assoziiert ist, trägt zu der sanften Stimmung bei. Wenn der Dichter in der zweiten Strophe seine Ruhelosigkeit beschreibt, wird die Begleitung lebhafter; in der dritten Strophe ist die obere Linie der Begleitung mit einem Triolenmotiv sogar noch bewegter. Bezeichnenderweise findet sich die schnellste melodische Bewegung des gesamten Liedes in den beiden Schlußtakten der Begleitung.

Daß das Variationsprinzip immer so sehr betont worden ist, liegt vor allem an der offensichtlichen Regelmäßigkeit so vieler anderer Parameter des Stücks. Diese wiederum hat ihre Wurzeln in dem hohen Maß, in dem Beethoven der Form und Struktur der Dichtung folgt. Reissigs Gedicht besteht aus drei Doppelstrophen; die acht Zeilen jeder Strophe lassen sich jeweils in zwei vierzeilige Abschnitte gliedern:

Sieben- und sechssilbige Zeilen wechseln sich durchweg ab. Dieses Muster spiegelt sich in der regelmäßigen metrischen Struktur bei Beethoven: Jede Halbstrophe vertont er als Viertaktphrase, zwischen den Halbstrophen steht ein eintaktiges Zwischenspiel der Begleitung, und jede der drei Strophen wird durch ein zweitaktiges Klaviervorspiel eingeleitet.

Bei dieser Geradlinigkeit so vieler Aspekte des Lieds überrascht es nicht, daß gerade die Verwendung des Variationsprinzips so viel Aufmerksamkeit erregt hat. Tatsächlich erscheint es in der Begleitung derart entwickelt, daß viele Kommentatoren Parallelen ziehen zwischen diesem Lied und der größer angelegten Verwendung von Variationstechniken in Beethovens Instrumentalmusik; in diesem Zusammenhang ist eine besondere Ähnlichkeit des Liedes „Sehnsucht“ mit dem Varationensatz der Klaviersonate op. 109 zu erwähnen. Zweifellos muß zugestanden werden, daß die Klavierbegleitung das variierende Element der „variierten Strophenform“ bildet, während die Gesangslinie äußerlich eher dazu dient, die grundsätzliche Einheit zwischen den Strophen, das heißt das „strophische“ Element zu wahren. Die hier verwendete Variationstechnik — eine allmähliche Beschleunigung der Bewegung und die steigende Komplexität der Figuration — läßt sich leicht überall in Beethovens Instrumentalmusik wiederfinden.

Doch eine Betrachtung des Liedes, die nicht auch dem Variationselement innerhalb der Gesangslinie einige Aufmerksamkeit schenkt, verkennt eines der besonderen Merkmale des Stücks. In einer Komposition mit derart begrenztem harmonischem Raum — es gibt außer den üblichen Andeutungen der Dominante kaum eine Bewegung, die von der Tonika wegführt — ist die melodische Gestaltung schließlich äußerst wichtig. Folglich gewinnen jene Momente, in denen die Gesangslinie ein wenig verändert wird, an Bedeutung und lassen einzelne Worte hervortreten.

Einige dieser Momente seien hier genannt. Die feinen rhythmischen Veränderungen in Takt 27, wo die erste Hälfte der dritten Strophe zu Ende ist, provozieren einen Vergleich zwischen der Heftigkeit in „edle Lieb’ entglüht“ und der Gelassenheit der entsprechenden Zeilen in den früheren Strophen, „wallend in dem See“ und „stiller Gott der Ruh“. Ähnlich aufschlußreich ist ein Vergleich der Takte 11 und 22. Deutlicher sind die Veränderungen zwischen den Takten 9 und 30, wo die Einfügung kleiner Pausen den Worten „sehn’ ich mich nach dir“ eine atemlose Realität verleiht, und zwischen den Takten 5 und 16, wo dem entscheidenden Wort „Kummer“ eine stärkere Betonung zukommt.

Derart kleine Details mögen gegen den größeren Kontext des gesamten Liedes betrachtet zu trivial erscheinen, als daß sie der Aufmerksamkeit wert wären. Doch dürfen wir nicht vergessen, daß Beethoven — wie es der Umfang der Skizzen bezeugt[1] — an der genauen Ausformung der Anfangstakte lange und intensiv arbeitete. Kleine Abweichungen, wie sie im Lauf des Liedes auftreten, bedeuten nicht ein klares „ja“ zum Variationsprinzip, tragen aber grundlegend zu einer wirkungsvolleren Wortvertonung bei.

Ewan West
Übersetzung: Lydia Jeschke

1 Und wie es L. Lockwood, *Beethoven's Sketches for „Sehnsucht“,* so anschaulich darstellt.

„Resignation“
WoO 149

GEDICHT: P. Graf v. Haugwitz.
ENTSTEHUNGSZEIT: 1815—1818.
ERSTAUFFÜHRUNG: unbekannt.
SKIZZEN: Staatsbibliothek Preußischer Kulturbesitz Berlin, aut. 11; Skizzenbuch Boldrini (verschollen); British Library London, Add. Ms. 29997.
AUTOGRAPH: verschollen.
ERSTDRUCK: als Beilage zur *Wiener Zeitschrift für Kunst, Literatur, Theater und Mode* 3, Nr. 39 (31. März 1818).
GESAMTAUSGABEN: Alte Gesamtausgabe: Nr. 246 = Serie 23 Nr. 33; Neue Gesamtausgabe: Abt. XII, Bd. 1.

Beethovens Art und Weise der Liedkomposition ist häufig als grundsätzlich konservativ charakterisiert worden. Trotz vieler Momente in einzelnen Liedern, in denen eine innovative Technik der Wortvertonung oder besonders kühne harmonische Wendungen auffallen, bleibt Beethovens Umgang mit Form und Struktur des Lieds grundlegend bestimmt von dem allgemein üblichen Strophenmodell des ausgehenden 18. Jahrhunderts. Anders als Schubert, der schon früh in seiner Laufbahn begann, sich von diesem Ideal zu entfernen, hat Beethoven das Strophenmodell nie als wirklich überholt betrachtet. Die Liedtradition der vorangegangenen Generation ist daher bei Beethoven fast immer spürbar, auch in seinen reifsten Liedern.

Seine Vertonung von Paul von Haugwitz „Resignation“ gehört zu den wenigen Ausnahmen. Verschiedene Kommentatoren bemerkten ihre Modernität — womit wohl gemeint ist, daß das Lied in bezug auf die harmonische Organisation und die großformale Anlage neue Wege geht —, und wenn man von Beethoven überhaupt sagen kann, er habe das romantische Kunstlied antizipiert, dann sicherlich hier. Daß ihm seine Aufgabe nicht gerade leicht fiel, läßt sich aus der langen Entstehungszeit des Liedes ableiten: Die ersten Skizzen datieren von Ende 1814 / Anfang 1815, wohingegen die Endfassung erst über drei Jahre später im Druck erschien. Immerhin rechtfertigt das Resultat diese Spanne voll und ganz: Mit „Resignation“ lieferte Beethoven schließlich einen der neuartigsten Beiträge zum deutschen Repertoire.

Hauptmerkmal des Gedichts ist seine beinahe prosaische Qualität — ein Umstand, der von Beethoven direkt aufgegriffen wurde und sich in seiner Ausdrucksanweisung niederschlägt: „Mit Empfindung, jedoch entschlossen, wohl akzentuiert und sprechend vorgetragen“. Obwohl die Gesangslinie keineswegs rezitativisch komponiert ist, verrät sie doch nichts von jener melodischen Unabhängigkeit, die Beethovens frühere Lieder auszeichnet. Losgelöst von der Begleitung hat sie wenig eigene Substanz und verliert ohne die Grundlage des Klavierparts den größten Teil ihrer Wirkung.

Diese Konzentration auf freieren Ausdruck zu Lasten der eigentlichen Melodie wird bereits in den allerersten Takten deutlich; sie dienen zugleich dazu, die gegenseitige Abhängigkeit von Gesang und Begleitung herauszustreichen. Das viertaktige Klaviervorspiel mit seinem markanten Seufzermotiv ist eher eine fragmentarische

Idee als eine Melodie; es entpuppt sich aber bald als das Gerüst, auf dem die Singstimme ihre Anfangslinie entwickelt. Auf ähnliche Weise verdanken die dramatischen Momente in Takt 19—32 („Sonst hast du lustig aufgebrannt“) ihre Wirkung ebenso der beinahe monotonen Deklamation durch die Stimme wie der harmonischen Zuspitzung durch die Begleitung. Jedes für sich genommen, haben beide Elemente wenig Gewicht; zusammen aber bilden sie eine ausdrucksstarke Synthese.

Von vergleichbarer Überzeugungskraft ist Beethovens Umgang mit der poetischen Struktur. Haugwitz zwölfzeilige Strophe ist in zwei Abschnitte von je sechs Zeilen unterteilt, aus denen Beethoven eine dreiteilige Form bildet (A B A'). Es werden also die ersten sechs Zeilen als Reprise des ersten Abschnitts wiederholt (A'); deren Schluß wird aber zugleich stark modifiziert, indem die Anfangszeile „Lisch aus, mein Licht!“ wie ein Motto zum Schluß nochmals wiederholt wird. So verleiht Beethoven der Stimmung des Gedichtanfangs zusätzlich Gewicht. Zwar endet auch das Gedicht mit derselben Zeile, mit der es begonnen hat; Beethovens dreiteilige Struktur aber bündelt noch stärker jene Grundgedanken, die in den Anfangszeilen des Gedichts zum Ausdruck kommen. Man könnte von einer „poetischen Reinterpretation“ sprechen: Das Lied ist weniger eine Vertonung der Gedichtzeilen, sondern trifft vielmehr eine Aussage in Reaktion auf diese. Die Neukomposition des Textes ist dabei zweifellos ein spezifisches Merkmal des romantischen Kunstliedes und stellt Beethovens Lied klar in einen modernen Kontext.

Bezeichnend ist aber vor allem die beträchtliche Ausweitung der Harmonik in diesem Lied. Die Vertonung der ersten sechs Gedichtzeilen folgt einem üblichen Schema, indem Beethoven zur Mollparallele moduliert (von D-Dur nach h-Moll) und damit besonders wirkungsvoll die Schlußzeile dieses Abschnitts musikalisch umsetzt: „du mußt nun los dich binden“. Allerdings unterstreicht Beethoven diese harmonische Ablösung noch durch eine besonders eindrucksvolle Modulation: Über die verbindende Note h verwendet er einen G-Dur-Akkord, um C-Dur zu erreichen — eine entfernte Tonart, die er durch unbarmherzig hämmernde Klavierakkorde festigt und durch die Hinzufügung weiterer Noten allmählich immer klangvoller werden läßt. Die Rückkehr zur Tonika D-Dur in der Reprise des Anfangsteils ist ähnlich eindrucksvoll: Eine Folge von Modulationen wird in ihrer Richtung erst im allerletzten Moment vor der Wiederholung der Anfangsworte „Lisch aus, mein Licht“ klar. Die Nähe dieser Passage zu den dort vertonten Worten („die Flamme irre geht — sucht — findet nicht“) ist offensichtlich und zugleich tiefgründig. Ebenso wirkungsvoll ist die Vertonung der Zeilen „du mußt nun los dich binden“ bei ihrer Wiederholung: Bei dieser Gelegenheit wird die „Resignation“ durch die emphatische Festigung der Tonika D-Dur ausgedrückt. Der letzten Äußerung des „lisch aus“ verleiht dies einen tieferen Ausdruck von Bitterkeit, noch verstärkt durch das klangvolle Klaviernachspiel, in dem der Geist der „Resignation“ allzu präsent ist.

Zusammengenommen ist „Resignation“ ein Lied, das die Grenzen der Liedkomposition im 18. Jahrhundert endgültig und unwiderruflich überschreitet. Sowohl im Umgang mit der großformalen Anlage als auch im Detail erweitert Beethoven nicht nur die Technik der Wortvertonung, sondern auch das grundlegende Konzept des Liedes. Die Worte werden tatsächlich vertont, aber — was wichtiger ist — sie werden dabei neu definiert und erhalten zusätzliche Resonanzen, indem das Lied feine

Auslegungen anbietet, die bei einer einfachen Lektüre des Gedichts nicht vorstellbar sind. Dies aber ist die Essenz des romantischen Kunstliedes, und hier, in dem Lied „Resignation“, ist sie auf eine Weise verwirklicht, die in Beethovens Œuvre unübertroffen bleibt.

Ewan West
Übersetzung: Lydia Jeschke

„Abendlied“
WoO 150

GEDICHT: H. Goeble.
ENTSTEHUNGSZEIT: 4. März 1820.
ERSTAUFFÜHRUNG: unbekannt.
SKIZZEN: Deutsche Staatsbibliothek Berlin, Grasnick 20b.
AUTOGRAPH: Österreichische Nationalbibliothek Wien.
ERSTDRUCK UND WIDMUNG: *Wiener Zeitschrift für Kunst, Literatur, Theater und Mode*, 5. Jg., Nr. 38, 28. März 1820; Dr. Anton Braunhofer gewidmet.
GESAMTAUSGABEN: Alte Gesamtausgabe: Nr. 247 = Serie 23 Nr. 34; Neue Gesamtausgabe: Abt. XII, Bd. 1.

Das Gedicht Heinrich Goebles beschreibt in vier Stanzen (a b a b c c d d) das Hereinbrechen der Nacht und seine Wirkung auf das betrachtende Subjekt: Es schildert die Elevation, die das lyrische Ich beim Aufgang der Sterne erfährt, und gibt die Überlegungen wieder, die dieses Ich über die Seele und über sein Leben anstellt. Mit den Worten seines empfindsamen Zeitalters hat Kant 1764 solche Abendstimmung beschrieben: „Gemütsarten, die ein Gefühl vor das Erhabene besitzen, werden durch die ruhige Stille eines Sommerabendes, wenn das zitternde Licht der Sterne durch die braune Schatten der Nacht hindurch bricht und der einsame Mond im Gesichtskreise steht, allmählich in hohe Empfindungen gezogen, von Freundschaft, von Verachtung der Welt, von Ewigkeit.“[1] Heute, da in urbanen Gebieten der astronomische wie der schwärmerische Blick nach den Sternen durch Streulicht verdunkelt wird und abendliche Dunkelheit eher an einen Stromausfall denken läßt, erscheint diese Erfahrung, die Beethovens „Abendlied“ zugrundeliegt, etwas verblaßt. Das Wissen, daß Kant ihr nicht nur in diesem Text von 1764, sondern auch in seinen kritischen Schriften tragende Bedeutung eingeräumt hat, muß das unmittelbar Ergreifende ersetzen, von dem Kant stets wieder berichtet.[2] Wenn Beethoven einige Wochen vor der Komposition seines „Abendliedes“ an einem Zeitungsartikel des Astronomen Joseph Johann Littrow Anteil nimmt und in das Konversationsheft schreibt: „‚das Moralische Gesez in unß, u. der gestirnte Himmel über unß‘ Kant!!! Littrow Direktor der Sternwarte“, so wird man den Hintergrund für dieses lebhafte

1 I. Kant, *Betrachtungen über das Gefühl des Schönen und Erhabenen,* in: ders., *Werke*, Bd. II, S. 827.
2 Vgl. L. Wh. Beck, *A Commentary on Kant's Critique of Practical Reason,* S. 281, Fußnote 59. Dort auch die weiteren Stellen.

Interesse in jener von Kant so trefflich formulierten Erfahrung erblicken dürfen.[1] Beethoven wartet zu Anfang des Jahres 1820 auf die Entscheidung des Appellationsgerichtes in der Sache Karl Beethoven, und diese angespannte Situation macht ihn Betrachtungen über „Freundschaft, Verachtung der Welt, Ewigkeit“ geneigt. So widmet er das Autograph des Liedes seinem Arzt Dr. Braunhofer. Und als die Familie Giannatasio (in deren Haus Karl einige Zeit gelebt hatte) ihn besucht, schenkt er der Tochter Fanny, die die Konversation schreibt, einen Abzug. „Der Text, in welchem aus dem Eindruck der abendlichen Natur, besonders des Sternenhimmels, der ihn immer so hoch entzückte, sich die Ahnung baldiger Erlösung emporringt, mochte Beethovens damaliger Stimmung ganz entsprechen“, schreibt Thayer und fährt mit Blick auf die wesentlichen Momente der Komposition fort: „er hat dieser beruhigten, sehnsuchtsvollen Stimmung einfach schönen Ausdruck gegeben. Er behandelt das Lied strophisch, paßt aber in jeder Strophe Begleitung und Melodie dem Sinn der Worte angemessen an; dem letzteren wird er in schlichter Weise, doch mit großem Feinsinn gerecht; man beachte namentlich den schönen Aufschwung auf dem H dur.“[2]

Der „Feinsinn“ der Komposition läßt sich als Beethovens Absicht interpretieren, die Orte zu charakterisieren, die mit dem Hereinbrechen der Nacht auseinandertreten, und die Lage und Bewegung nachzuzeichnen, in die die Seele durch dieses Auseinandertreten gerät. Er bedient sich dazu der in der Auffassung der Tonhöhe mitschwingenden Raumsymbolik. So folgt die Melodie verschiedenen Bewegungsarten; die Begleitung stellt darüber hinaus verschiedene Setzweisen gegeneinander: Ausgesetzter Generalbaß wechselt mit verschiedenen Formen akkordischer Begleitung. Diese Bewegungsarten und Figuren binden strophenübergreifend Gedichtzeilen aneinander und ordnen sie gemeinsam einem der Orte zu. Die musikalische Einheit, in der diese Korrespondenzen und Umstimmungen sich vollziehen, besteht regelmäßig aus vier Takten, die zwei Gedichtzeilen entsprechen. Doch die Bewegungen der Seele sind subtil, und der Feinsinn der Komposition wird sichtbar nur im Detail.

In einem zweitaktigen Vorspiel und in dem weiteren Gang des Basses durchmißt die Begleitung der ersten Strophe den Tonumfang des Flügels, um das Niedersinken der Nacht zu beschreiben. Diesem Abwärtsbogen folgt auch die Melodie, die, in ruhigen Vierteln gehend, die ersten vier Gedichtzeilen trägt („Wenn die Sonne niedersinket / und der Tag zur Ruh sich neigt / Luna freundlich leise winket / und die Nacht herniedersteigt“). In der Gegenüberstellung von Tag und Nacht kommt dem Mond — „Luna“ — die entscheidende Bedeutung zu. Der melodische Ausgangspunkt und Spitzenton h' trägt die beiden Silben des Wortes „Sonne“; die ersten fünf Silben des zweiten Zeilenpaares „Luna freundlich leise“ werden einen Ton tiefer, auf a', vorgetragen. Dadurch und durch den anschließenden ununterbrochenen

1 Littrows *Kosmologische Betrachtungen* erschienen am 29. Januar und 1. Februar 1820 in der *Wiener Zeitschrift für Kunst, Literatur, Theater und Mode.* Sie enden mit einer Paraphrase des ersten Satzes aus dem „Beschluß“ der *Kritik der praktischen Vernunft:* „Zwei Dinge erfüllen das Gemüt mit immer neuer und zunehmender Bewunderung und Ehrfurcht, je öfter und anhaltender sich das Nachdenken damit beschäftigt: *Der bestirnte Himmel über mir, und das moralische Gesetz in mir*“ (I. Kant, *Kritik der praktischen Vernunft,* in: ders., *Werke,* Bd. VII, S. 300); vgl. K.-H. Köhler / Gr. Herre, *Beethovens Konversationshefte,* Bd. I, S. 235 und 473.

2 Thayer / Deiters / Riemann, *Ludwig van Beethovens Leben,* Bd. IV ([3]1922), S. 239.

Sextabstieg werden nicht allein die stete Abwärtsführung der Melodie und das für den Gang des Liedes insgesamt charakteristische Verweilen auf den Stufen besonders ausgeprägt. Der Raum, in dem die Seele sich „bei der allgemeinen Stille der Natur und der Ruhe der Sinne“ wiederfindet[1], ist durch die bisher angegebenen Bedingungen noch nicht vollständig beschrieben. Erst der Aufgang der Sterne bewegt die Seele, sich „groß zu fühlen“, sich „vom Staube“, von der „Erde [...] eng und klein“ “loszuwinden“. Zu dem dritten Zeilenpaar „Wenn die Sterne prächtig schimmern / tausend Sonnenstraßen flimmern“ setzt die Melodie erneut auf a' ein, das sich nun als der Grenzton erweist, von dem aus die Melodie sich umwendet und in die supralunare Welt aufsteigt. Stufenweise Führung, Stetigkeit und ruhiger Gang in Vierteln charakterisieren die absteigende Melodie: Zwischendominanten binden die aufeinanderfolgenden Stufen aneinander; Harmoniewechsel führt auf wiederholten Tönen die Bewegung weiter. Der melodische Aufstieg erscheint demgegenüber diskontinuierlich und gedehnt: A-Dur, E-Dur und H-Dur sind die im Quintabstand stehenden und jeweils einen ganzen Takt beanspruchenden harmonischen Sphären, welche die Melodie durch die Stufen cis'', e'' und fis'' mit großer Geste durchmißt. An die Stelle des schlichten Generalbasses sind pedalisierte vollstimmige Akkorde getreten, die zu den Worten „tausend Sonnenstrahlen“ oktavierend über den Tonraum der Melodie hinaussteigen, um auf H-Dur den vollen Klavierklang zu erreichen.

Mit der Bewegungsrichtung ändert die Melodie ihre Bewegungsart. Das Hohe des hier geschehenden „schönen Aufschwungs“ (Thayer) spiegelt sich in einer gewissen Distanziertheit späterer Literatur. „Trotz des Glanzes der genannten Begleitfülle [...] von kaum überbietbarer Eckigkeit“ findet Hans Joachim Moser die aufsteigende Melodie, in der er ein Dokument der kompositionsgeschichtlich anschlußlos gebliebenen „sparsamen Unsinnlichkeit [...] von Beethovens spröd-erhabenem Spätliedstil“ erblickt.[2] Leslie Orrey blickt auf die klangliche Absicht der Stelle, die er durch spätere Musik imitiert und gleichsam im nachhinein eingeebnet findet: „In stanza 1, 2 and 4 the third lines refer to stars, or to upward striving, and so in each stanza at this point the ‚exaltation‘ technique is used“ — „the ‚exaltation‘ technique of repeated chords, a technique that was to become a mannerism with the later romantic writers.“[3]

Beethoven läßt die weiblich endende Zeile mit der absteigenden Terz fis''—dis'' ausklingen. Er beschreibt damit die Unendlichkeit der „tausend Sonnenstraßen“ und führt den Blick über den Horizont auf die Erde zurück. So feierlich seine Schilderung des gestirnten Himmels, so einfach ist seine Vertonung der letzten beiden Strophenzeilen gehalten, in denen die Konsequenz dieses Eindrucks auf den Betrachter vorgestellt wird. Über einer zunächst nur dreistimmigen Generalbaßbegleitung setzt die Melodie die Rückwendung (fis''—dis'') durch h' und gis' fort, um nach einem Hin und Her — der nach dem Fallen und dem Steigen dritten und für die Seele charakteristischen Bewegungsart — den Zielton e'' zu erreichen, auf dem

1 I. Kant, *Allgemeine Naturgeschichte und Theorie des Himmels,* in: ders., *Werke,* Bd. I, S. 396.

2 H. J. Moser, *Das deutsche Lied seit Mozart,* Bd. I, S. 104f.; als repräsentative Äußerung zu diesem Lied nachgedruckt in: Th. K. Scherman / L. Biancolli, *The Beethoven Companion,* S. 1076f.

3 L. Orrey, *The Songs,* S. 433 und 426.

die Strophe endet. Das Hin und Her der Seele, im Leben (dem Abend-Gedicht Rilkes zufolge) „unsäglich zu entwirrn“, ist in Beethovens Komposition ganz präzise gefaßt. Die in den weiteren Strophen des variierten Strophenliedes begegnenden melodischen Varianten akzentuieren die wechselnden Richtungen, in die die Seele durch das abendliche Schauspiel gezogen wird.

In der zweiten Strophe wird der geänderte Zustand der Seele weiter ausgemalt. In genauer Antithese zu dem Vorspiel der Einleitungstakte steigt ein zweitaktiges Zwischenspiel über den Tonraum der Melodie hinaus auf und verleiht dem Einsatz der Stimme Emphase. Zu dem Zeilenbeginn „Schaut *so gern* nach jenen Sternen“ wird der unverändert einsetzende Auftakt der Melodie mit dem in der Elevationsepisode definierten Quintschritt E-Dur—H-Dur neu harmonisiert; emphatisch wie dort (und wie dort durch Terz, Quint und Sext des Akkords) steigt die Melodie und erreicht geradewegs den Zielton der ersten Strophe e''. Derselbe Sprung e''—fis', der am Ende der ersten Strophe („vom Stau-be los“) den Abstand der beiden Welten gezeigt hatte, führt die Melodie zur Ausgangsgestalt zurück. Ganz entsprechend geformt ist der zweite Viertakter. Auch er beginnt ansteigend, kündigt indessen ganz unscheinbar den weiteren Verlauf des Liedes dadurch an, daß der Abstieg in der zweiten Hälfte nicht durchgängig wie in der ersten Strophe, sondern (in T. 26: „vergi*ßt* der Erde Tand“) unterbrochen erscheint.

Stets mehr nämlich orientiert die Melodie sich nun „nach oben“. Selbst die dritte Strophe, die sublunare Ungerechtigkeit und Hoffnung auf den „Sternenrichter“ gegeneinanderstellt, verzichtet zugunsten dieser „Elevationstendenz“ auf „der Erde Stürme“ dramatische Schilderung. Einzig das Portament fällt in der Anfangszeile „Ob der Erde Stürme *to*ben“ fort, wodurch die betonte Silbe „to“ einige Härte erhält. Wohl wird das Zwischenspiel von dem Kontrast regiert: Nachdem die Oberstimme der Begleitung oktavierend die aufwärts gerichtete Melodie des Zeilenschlusses wiederholte, setzt zugleich mit ihrem Zielton e''' die Unterstimme der Begleitung mit einem Terzentremolo in der großen — und im nächsten Takt auch in der kleinen — Oktave ein. Aber die „stormy piano figuration“, die Orrey in den Sechzehntelfiguren erblickt, bietet zugleich die unveränderte Harmonisierung der unveränderten Melodie und erscheint dadurch weniger als eine intermittierende dramatische Episode denn als eine Intensivierung, in der die steigernde Gesamtanlage des Liedes sich deutlich zeigt. Nicht „‚fear‘ and ‚might‘“, sondern der Gedanke an die Unberührbarkeit und Leidenlosigkeit der Seele hallt in dem darauffolgenden „agitated dotted rhythm“ wider.[1] Denn die Begleitung steigt und unterstreicht damit den einheitlichen melodischen Duktus der Strophe: Der zweite Zweizeiler, auf den in dieser Strophe die „‚elevation‘ technique“ vorverschoben ist, verzichtet auf den Septsprung abwärts. Am Ende der Strophe wird zu dem Text „mit verklärtem Angesicht / schwingt sie sich zum *Him*melslicht“ der Septsprung abwärts durch eine aufsteigende Sekunde ersetzt, welchen Höhepunkt die Begleitung eine Oktave höher und erneut im Forte wiederholt.

Nach der begeisterten Schilderung der Seele und ihres Fluges erfolgt in der vierten Strophe die Rückwendung: „Eine leise Ahnung schauert / mich aus jenen Welten an; / lange, lange nicht mehr dauert / meine Erdenpilgerbahn.“ Eigentümlich

1 Ebenda, S. 433.

hin und her geht die seelische Regung, mit der das empirische Ich seiner Bedingtheit inne wird. Beethoven setzt zu ihrer Darstellung melodische Gleichheit und melodische Variation ineinander. Eingeleitet durch ein erneut absteigendes Vorspiel beginnt die vierte Strophe melodisch fallend wie die erste. Dort hatte das Portament („Wenn die Sonne nieder*sin*ket“) die Traulichkeit des Naturvorgangs und die Zutraulichkeit des Subjekts gemalt, und auf diese Übereinstimmung scheint das Lied zurückzukommen, wenn der Hochton h', statt wie zu Anfang die „Sonne“ vorzustellen, nun das „Leise“ des Vorgangs betont. Doch das Portament fällt auf „schauert“. Unmittelbar auf diese in sich kontrastierende Vertonung folgt eine letzte Variante des Septsprung-Motivs. Die Sept war am Ende der ersten Strophe in eine hoch geführte Melodie als Tiefton eingebunden, war in der zweiten Strophe an einen Aufstieg angebunden und war in der dritten Strophe durch eine aufsteigende Sekund ersetzt worden. Nun wird sie auf den vier Silben „mich *aus je-nen Wel*-ten an“ als Sext und Sekund aufwärts und wieder abwärts durchmessen. Bei den Worten „schauert / mich“ handelt es sich um das erste in diesem Gedicht begegnende Enjambement. Beethoven unterstützt es musikalisch durch den gleichbleibenden Ton f' und hebt dadurch den Sprung aufwärts noch mehr hervor.

„Bald hab ich das Ziel errungen, / bald zu euch mich aufgeschwungen, / ernte bald an Gottes Thron / meiner Leiden schönen Lohn.“ Musikalisch schließt auch die letzte Strophe auf e''. Doch als sinne er über die gehörte Botschaft nach, wiederholt Beethoven das „bald“ und danach die letzte Zeile. Dieser Abgesang endet eine Oktave tiefer. Die unterlegte Melodie durchläuft die Stufen der Elevationsepisode in absteigender Reihenfolge und Richtung. Über dem lang ausgehaltenen Schlußton und in der höheren Oktave aber wiederholt die Begleitung den letzten Melodieteil, um ihn zuletzt in Halben zu derselben Oktave gis''—gis''' aufsteigen zu lassen, von der das Lied — den Naturvorgang beschreibend — seinen Ausgang genommen.

Michael Maier

Literaturverzeichnis

Die in den Fußnoten verkürzt zitierten Titel sind vollständig verzeichnet.

Aber, Adolf: Die Musik im Schauspiel. Geschichtliches und Ästhetisches, Leipzig 1926

Abert, Hermann: Fidelio, in: Beethoven-Almanach der Deutschen Musikbücherei auf das Jahr 1927, Regensburg 1927, S. 304—319

Abraham, Gerald: Beethoven's Chamber Music, in: ders. (Hg.), The Age of Beethoven 1790—1830 (= New Oxford History of Music, Bd. VIII), London 1982, S. 255—302

—: Beethoven's Second-period Quartets, London 1942

Abraham, Lars Ulrich: Trivialität und Persiflage in Beethovens Diabelli-Variationen, in: Neue Wege der musikalischen Analyse (= Veröffentlichungen des Instituts für neue Musik und Musikerziehung Darmstadt 6), Berlin 1967, S. 7—17

Adler, Guido: Ein Satz eines unbekannten Klavierkonzertes von Beethoven, in: Vierteljahresschrift für Musikwissenschaft 4 (1888), S. 451—470

Adorno, Theodor W.: Beethoven. Philosophie der Musik (= Nachgelassene Schriften 1,1), hg. von Rolf Tiedemann, Frankfurt a.M. 1993

—: Einleitung in die Musiksoziologie. Zwölf theoretische Vorlesungen, Frankfurt a.M. 1962

—: Der getreue Korrepetitor. Lehrschriften zur musikalischen Praxis, Frankfurt a.M. 1963

—: Spätstil Beethovens, in: ders., Moments musicaux. Neu gedruckte Aufsätze 1928—1962, Frankfurt a.M. 1964, S. 13—17

—: Verfremdetes Hauptwerk. Zur Missa solemnis, in: ders., Moments musicaux. Neu gedruckte Aufsätze 1928—1962, Frankfurt a.M. 1964, S. 164—185, wiederabgedruckt in: Ludwig van Beethoven (= Wege der Forschung 428), hg. von Ludwig Finscher, Darmstadt 1983, S. 98—112

Ahlgrimm, Isolde: Barocke Tradition bei Beethoven, in: Beethoven Almanach 1970 (= Publikationen der Wiener Musikhochschule 4), Wien 1970, S. 156—168

Albersheim, Gerhard: Zur Psychologie der Ton- und Klangeigenschaften unter Berücksichtigung der „Zweikomponenten-Theorie“ und der Vokalsystematik, Straßburg 1939, [2]1975

d'Albert, Eugen (Hg.): Ausgewählte Werke (Klavierwerke) aus dem Concertprogramm von Eugen d'Alberts Klavierabenden. Mit kritisch-instructiven Anmerkungen, Vortragszeichen und sorgfältigem Fingersatz, Leipzig 1902ff.

Albini, Eugenio: Beethoven e le sue Cinque Sonate per Violoncello, in: Rivista Musicale Italiana 30 (1923), S. 203—222

Albrecht, Otto E.: Beethoven Autographs in the United States, in: Beiträge zur Beethoven-Bibliographie. Studien und Materialien zum Werkverzeichnis von Kinsky-Halm, hg. von Kurt Dorfmüller, München 1978, S. 1—11

Albrecht, Theodore: Beethoven's Leonore: A New Compositional Chronology based on May-August, 1804 Entries in Sketchbook Mendelssohn 15, in: The Journal of Musicology 7 (1989), S. 165—190

Albrechtsberger, Johann Georg: Gründliche Anweisung zur Composition, Leipzig 1790

Altmann, Wilhelm: Beethovens Streichquintett Opus 4, in: Die Musik 1, 2. Quartal (1902), S. 1097f.

—: Beethovens Umarbeitung seines Streichtrios op. 3 zu einem Klaviertrio, in: ZfMw 3 (1920/1921), S. 129—158

—: Ein vergessenes Streichquartett Beethovens, in: Die Musik 5, 1. Quartal (1905/1906), S. 250—257

—: Vorwort zur Eulenburg-Taschenpartitur der Symphonie Nr. 3, op. 55 (Nr. 405), London 1936

Ambros, August Wilhelm: Culturhistorische Bilder aus dem Musikleben der Gegenwart, Leipzig 1860

Anderson, Emily (Hg.): The Letters of Beethoven, 3 Bde., London 1961, Nachdruck 1985

Anonymus: Kurze Uebersicht des Bedeutendsten aus dem gesammten jetzigen Musikwesen in Wien, in: AmZ 3 (1800), S. 41—51, 65—69

Anonymus: Neuer Versuch einer Darstellung des gesammten Musikwesens in Wien, in: AmZ 3 (1800), S. 622—627, 638—643

Anonymus: Rez. von: Beethoven, op. 6, in: Allgemeine Musikzeitung zur Beförderung der theoretischen und praktischen Tonkunst, für Musiker und Freunde der Musik überhaupt 1 (1827/1828), Sp. 280

Antonicek, Theophil: Humanitäts-Symbolik im Eroica-Finale, in: De Ratione in Musica. Festschrift Erich Schenk zum 5. Mai 1972, hg. von Theophil Antonicek, Rudolf Flotzinger und Othmar Wessely, Kassel u.a. 1975, S. 144—155

Arnold, Denis / Fortune, Nigel (Hg.): The Beethoven Companion, London 1971

Auhagen, Wolfgang: Studien zur Tonartencharakteristik in theoretischen Schriften und Kompositionen vom späten 17. bis zum Beginn des 20. Jahrhunderts (= Europäische Hochschulschriften Reihe 36, Bd. VI), Frankfurt a.M. u.a. 1983

Bach, Carl Philipp Emanuel: The Collected Works for Solo Keyboard, hg. von Darrell Berg, 6 Bde., New York und London 1985

—: Die sechs Sammlungen von Sonaten, freien Fantasien und Rondos für Kenner und Liebhaber, Wq 55 bis 59 und 61, Leipzig 1779—1787

—: Versuch über die wahre Art das Clavier zu spielen, 2 Bde., Berlin 1753 und 1762, Nachdruck hg. von Lothar Hoffmann-Erbrecht, Wiesbaden 1958, Leipzig [4]1978

—: Vorrede zu: Herrn Professor Gellerts geistliche Oden und Lieder mit Melodien, Berlin 1758, [4]1771

Badura-Skoda, Paul: Noch einmal zur Frage Ais oder A in der Hammerklaviersonate op. 106 von Beethoven, in: Musik—Edition—Interpretation. Gedenkschrift Günter Henle, hg. von Martin Bente, München 1980, S. 53—81

—: Die Klaviersonaten Ludwig van Beethovens, Wiesbaden 1970

—: Eine wichtige Quelle zu Beethovens 4. Klavierkonzert, in: ÖMZ 13 (1958), S. 418—427

Baensch, Otto: Aufbau und Sinn des Chorfinales in Beethovens neunter Symphonie (= Schriften der Straßburger Wissenschaftlichen Gesellschaft an der Universität Frankfurt a. M., Neue Folge 11), Berlin und Leipzig 1930

Bahr, Ehrhard (Hg.): Johann Wolfgang von Goethe. Wilhelm Meisters Lehrjahre. Erläuterungen und Dokumente (= Reclams Universal-Bibliothek Nr. 8160), Stuttgart 1982

Bálint, M.: Die Bedeutung des Neapolitanischen Sextakkordes im Vokalwerk von Ludwig van Beethoven, Diplomarbeit Wien 1990

Bandmann, Guenter: Melancholie und Musik. Ikonographische Studien, Köln und Opladen 1960

Bandur, Markus: Art. Étude / Etüde (1989), in: Handwörterbuch der musikalischen Terminologie, hg. von Hans Heinrich Eggebrecht, Wiesbaden 1972ff., Stuttgart 1984ff.

Barford, Philip T.: Beethoven's Last Sonata, in: ML 35 (1954), S. 320—331; Wiederabdruck in: The Beethoven Companion, hg. von Thomas K. Scherman und Louis Biancolli, New York 1972, S. 1040—1050

Bartel, Dietrich: Handbuch der musikalischen Figurenlehre, Laaber 1985

Bartlitz, Eveline (Hg.): Die Beethoven-Sammlung in der Musikabteilung der Deutschen Staatsbibliothek. Verzeichnis. Autographe, Abschriften, Dokumente, Briefe, Berlin 1970

Bauer, Elisabeth Eleonore: Beethoven — unser musikalischer Jean Paul. Anmerkungen zu einer Analogie, in: Beethoven. Analecta varia (= Musik-Konzepte 56), hg. von Heinz-Klaus Metzger und Rainer Riehn, München 1987, S. 83—105

—: Wie Beethoven auf den Sockel kam. Die Entstehung eines musikalischen Mythos, Stuttgart und Weimar 1992

Bauer, Johannes: Rhetorik der Überschreitung. Annotationen zu Beethovens Neunter Symphonie (= Musikwissenschaftliche Studien 8), Pfaffenweiler 1992

Bauer, Moritz: Formprobleme des späten Beethoven, in: ZfMw 9 (1926/1927), S. 341—348

Bauer, Wilhelm A. / Deutsch, Otto Erich (Hg.): Mozart. Briefe und Aufzeichnungen, 7 Bde., Kassel u.a. 1962—1975

Beahrs Oakley, V.: The Immortal Beloved Riddle Reconsidered, in: The Musical Times 129 (1988), S. 64—70

Beck, Dagmar / Herre, Grita: Anton Schindlers fingierte Eintragungen in den Konversationsheften, in: Zu Beethoven. Aufsätze und Annotationen, hg. von Harry Goldschmidt, Berlin 1979, S. 11—89

—: Einige Zweifel an der Überlieferung der Konversationshefte, in: Bericht über den Internationalen Beethoven-Kongreß 20. bis 23. März 1977 in Berlin, hg. von Harry Goldschmidt, Karl-Heinz Köhler und Konrad Niemann, Leipzig 1978, S. 257—268

Beck, Lewis White: A Commentary on Kant's Critique of Practical Reason, Chicago und London 1960

Becker, Carl Ferdinand: Die Tonkünstler des 19. Jahrhunderts. Ein kalendarisches Handbuch zur Kunstgeschichte, Leipzig 1849

Becking, Gustav: Studien zu Beethovens Personalstil. Das Scherzothema, Leipzig 1921

(Beethoven, Ludwig van): Ludwig van Beethovens sämtliche Briefe, hg. von Emerich Kastner, Leipzig 1910, neu herausgegeben von Julius Kapp, Leipzig 1923, Nachdruck Tutzing 1975

—: Ludwig van Beethovens sämtliche Briefe, hg. von Alfred Christlieb Kalischer, Berlin und Leipzig 1906—1908, Bd. I—III ²1909—1911, II und III bearbeitet von Theodor v. Frimmel

—: Beethovens Werke für Piano solo von op. 53 an in kritischer und instructiver Ausgabe (= Sonaten und andere Werke für das Pianoforte von Ludwig van Beethoven, hg. von Sigmund Lebert unter Mitwirkung von Hans v. Bülow, Immanuel Faisst, Ignaz Lachner und Franz v. Liszt, Bd. V), hg. von Hans v. Bülow, Stuttgart 1871, 1894, Neuausgabe Stuttgart und Berlin 1902

—: Briefe. Eine Auswahl, hg. von Hansjürgen Schaefer, Wilhelmshaven 1969

—: Der Briefwechsel mit dem Verlag Schott, hg. vom Beethoven-Haus Bonn, München 1985

—: Klaviersonate in C-Dur Op. 53 (Waldsteinsonate). Nach Beethovens Handschrift zum ersten Mal originalgetreu und vollständig als Faksimile gedruckt (= Veröffentlichungen des Beethoven-Hauses Bonn, Neue Folge, 3. Reihe, Bd. II), (Stuttgart) o.J.

—: Klavierstücke. Nach Eigenschriften, Erst- und Frühdrucken, hg. von Otto v. Irmer, 2 Bde., München 1950, neue verbesserte Ausgabe München 1975

—: Ludwig van Beethovens Konversationshefte, hg. von Karl-Heinz Köhler, Grita Herre und Dagmar Beck u.a., Bd. I—X, Leipzig 1968—1993

—: The Thirty-two Piano Sonatas in Reprints of First and Early Editions, hg. von Brian Jeffrey, 5 Bde., London 1989

—: Pis'ma Betchovena (Briefe von Beethoven) 1787—1811, hg. von Natan Fischman, Moskau 1970, 1986

—: Ein Skizzenbuch zur Chorfantasie op. 80 und zu anderen Werken (= Veröffentlichungen des Beethoven-Hauses Bonn, Neue Folge, 1. Reihe, Bd. XV), hg. von Dagmar Weise, Bonn 1957

—: Ein Skizzenbuch zur Pastoralsymphonie op. 68 und zu den Trios op. 70, 1 und 2 (= Veröffentlichungen des Beethoven-Hauses Bonn, Neue Folge, 1. Reihe, Bd. XIII, Teil 1 und 2), hg. von Dagmar Weise, Bonn 1961

—: Ein Skizzenbuch zu den Diabelli-Variationen und zur Missa solemnis (= Veröffentlichungen des Beethoven-Hauses Bonn, Neue Folge, 1. Reihe, Bd. XXXIII), hg. von Joseph Schmidt-Görg, Bonn 1972

—: Drei Skizzenbücher zur Missa Solemnis (= Veröffentlichungen des Beethoven-Hauses Bonn, Neue Folge, 1. Reihe, Bd. XXXIV—XXXVI): I: Ein Skizzenbuch aus dem Jahr 1819/1820 (1952, Faksimile 1968), II: Ein Skizzenbuch zum Credo (1970, Faksimile 1968), III: Ein Skizzenbuch zum Benedictus und Agnus Dei (1970, Faksimile 1968), hg. von Joseph Schmidt-Görg, Bonn 1952—1970

—: Keßlersches Skizzenbuch, hg. von Sieghard Brandenburg, 2 Bde., Bonn 1976—1978

—: Sechs Bagatellen für Klavier, op. 126. Faksimile der Handschriften und der Originalausgabe mit einem Kommentar (= Veröffentlichungen des Beethoven-Hauses Bonn, Neue Folge, 3. Reihe, Bd. IV), hg. von Sieghard Brandenburg, 2 Bde., Bonn 1984

—: Sonate für Klavier und Violine G-Dur opus 96, Faksimile nach dem im Eigentum der Pierpont Morgan Library New York befindlichen Autograph, München 1977, Nachwort von Martin Staehelin

Beethoven Forum 1 und 2, hg. von Christopher Reynolds, Lewis Lockwood und James Webster, Lincoln und London 1992, 1993

Bekker, Paul: Beethoven, Berlin und Leipzig 1911, ²1912

—: Die Sinfonie von Beethoven bis Mahler, Berlin 1918

Bellermann, Heinrich: Der Contrapunkt, oder Anleitung zur Stimmführung in der musikalischen Composition, Berlin 1862
Benary, Peter: Zur Wiedergabe des Violinkonzerts von L. van Beethoven, in: NZfM 129 (1968), S. 447f.
Bergfeld, Joachim (Hg.): Richard Wagner. Das Braune Buch. Tagebuchaufzeichnungen 1865 bis 1882, Zürich 1975
Berlioz, Hector: Fidelio, Oper in drei Aufzügen von Beethoven, in: ders., Musikalische Streifzüge. Studien, Vergötterungen, Ausfälle und Kritiken (= Literarische Werke, Bd. VI), Leipzig 1912, S. 54—69
—: Kritische Betrachtungen der Beethovenschen Symphonien, in: ders., Musikalische Streifzüge. Studien, Vergötterungen, Ausfälle und Kritiken (= Literarische Werke, Bd. VI), Leipzig 1912, S. 13—49
—: Literarische Werke, Bd. I—X, Leipzig 1903ff.
—: Mémoires... comprenant ses voyages en Italie, en Allemagne, en Russie et en Angleterre 1803—1865, 2 Bde., Paris 1887
—: Musikalische Streifzüge. Studien, Vergötterungen, Ausfälle und Kritiken (= Literarische Werke, Bd. VI), Leipzig 1912
—: Voyage musical en Allemagne et en Italie, Paris 1844
Beyer, Carl: Beethovens Violinkonzert op. 61 (= Schlesingersche Musikbibliothek, Musikführer Nr. 100), Berlin 1907
Biba, Otto: Katalog zur Austellung „Franz Schubert und seine Zeit" der Gesellschaft der Musikfreunde in Wien, Wien 1978
Bischoff, Bodo: Monument für Beethoven. Die Entwicklung der Beethoven-Rezeption Robert Schumanns, Köln 1994
Bloch, Ernst: Zur Philosophie der Musik, Frankfurt a.M. 1974
Block, Geoffrey H.: The Genesis of Beethoven's Piano Concertos in C Major (op. 15) and B-flat Major (op. 19): Chronology and Compositional Process, Phil. Diss. Harvard University, 2 Bde., Cambridge, Mass. 1979, Ann Arbor 1982
Blom, Eric: Beethoven's Pianoforte Sonatas Discussed, New York 1938, Nachdruck New York 1968
Blumenberg, Hans: Arbeit am Mythos, Frankfurt a.M. [3]1984
Blumröder, Christoph v.: Art. Leitmotiv (1990), in: Handwörterbuch der musikalischen Terminologie, hg. von Hans Heinrich Eggebrecht, Wiesbaden 1972ff., Stuttgart 1984ff.
—: Art. Motivo / motif / Motiv (1987), in: Handwörterbuch der musikalischen Terminologie, hg. von Hans Heinrich Eggebrecht, Wiesbaden 1972ff., Stuttgart 1984ff.
—: Art. Thematische Arbeit, motivische Arbeit (1991), in: Handwörterbuch der musikalischen Terminologie, hg. von Hans Heinrich Eggebrecht, Wiesbaden 1972ff., Stuttgart 1984ff.
—: Vom Wandel musikalischer Aktualität. Anmerkungen zum Spätstil Beethovens, in: AfMw 40 (1983), S. 24—37
Bockholdt, Rudolf: Zum Andante Cantabile des Trios op. 97 und seiner Stellung im Werkganzen, in: Beethovens Klaviertrios. Symposion München 1990 (= Veröffentlichungen des Beethoven-Hauses Bonn, Neue Folge, 4. Reihe, Bd. XI), hg. von Rudolf Bockholdt und Petra Weber-Bockholdt, München 1992, S. 185—197
—: Freiheit und Brüderlichkeit in der Musik Ludwig van Beethovens, in: Beethoven. Zwischen Revolution und Restauration, hg. von Helga Lühning und Sieghard Brandenburg, Bonn 1989, S. 77—107
—: Ludwig van Beethoven. VI. Symphonie F-Dur op. 68. Pastorale (= Meisterwerke der Musik 23), München 1981
—: Proportion der Tempi und Metamorphose des Tempos im ersten Satz von Beethovens Vierter Symphonie, in: Capella antiqua München. Festschrift zum 25jährigen Bestehen, hg. von Thomas Drescher (= Münchner Veröffentlichungen zur Musikgeschichte 43), Tutzing 1988, S. 127—144
Bockholdt, Rudolf / Weber-Bockholdt, Petra (Hg.): Beethovens Klaviertrios. Symposion München 1990 (= Veröffentlichungen des Beethoven-Hauses Bonn, Neue Folge, 4. Reihe, Bd. XI), München 1992

Bodmer, Johann Jacob: Johann Jacob Bodmers Critische Betrachtungen über die Poetischen Gemählde der Dichter, Zürich und Leipzig 1741
Böckmann, Paul: Das Formprinzip des Witzes in der Frühzeit der deutschen Aufklärung, in: Jahrbuch des deutschen Hochstifts, Frankfurt a.M. 1932/1933, S. 52—130
Böhme, Franz Magnus: Volksthümliche Lieder der Deutschen im 18. und 19. Jahrhundert, Leipzig 1895
Boehn, Max v.: Der Tanz, Berlin 1925
Boettcher, Hans: Beethoven als Liederkomponist, Augsburg 1928, Nachdruck 1974
Bonavia, F.: A Point in Beethoven's Violin Concerto, in: MMR 71 (1941), S. 14f.
Boringhieri, Gustavo: Nota su uno Scherzo di Beethoven (dalla Sonata op. 69 per Pianoforte e Violoncello), in: Nuova Rivista Musicale Italiana 14 (1980), S. 368—377
Bory, Robert: Ludwig van Beethoven. His Life and his Work in Pictures, New York und Zürich 1960
Botstiber, Hugo: Geschichte der Ouvertüre und der freien Orchesterformen (= Kleine Handbücher der Musikgeschichte nach Gattungen 9), Leipzig 1913
Boulez, Pierre: Relevés d'apprenti, Paris 1966
Brand, Carl M.: Die Messen von Joseph Haydn, Würzburg 1941
Brand, Friedrich: Zur dialektischen Struktur und Stellung der Violoncellosonate opus 69 A-Dur im Sonatenwerk Beethovens, in: Das Orchester 27 (1979), S. 818—824
Brandenburg, Sieghard: Die Beethovenhandschriften in der Musikaliensammlung des Erzherzogs Rudolph, in: Zu Beethoven. Aufsätze und Dokumente 3, hg. von Harry Goldschmidt, Berlin 1988, S. 141—176
—: Beethovens „erste Entwürfe" zu Variationenzyklen, in: Bericht über den Internationalen Musikwissenschaftlichen Kongreß Bonn 1970, hg. von Carl Dahlhaus u.a., Kassel u.a. 1971, S. 108—111
—: Beethovens Oratorium „Christus am Ölberg". Ein unbequemes Werk, in: Beiträge zur Geschichte des Oratoriums seit Händel. Festschrift Günther Massenkeil, hg. von Rainer Cadenbach und Helmut Loos, Bonn 1986, S. 203—220
—: Beethovens Skizzen zum zweiten Satz der 7. Symphonie op. 92, in: Bericht über den Internationalen Musikwissenschaftlichen Kongreß Bonn 1970, hg. von Carl Dahlhaus u.a., Kassel u.a. 1971, S. 355—357
—: Beethovens Streichquartette op. 18, in: Beethoven und Böhmen. Beiträge zu Biographie und Wirkungsgeschichte Beethovens, hg. von Sieghard Brandenburg und Martella Gutiérrez-Denhoff, Bonn 1988, S. 259—302
—: Bemerkungen zu Beethovens op. 96, in: Beethoven-Jahrbuch 9 (1973/1977), S. 11—25
—: The First Version of Beethoven's G major String Quartet, Op. 18 No. 2, in: ML 58 (1977), S. 127—152
—: The Historical Background to the ‚Heiliger Dankgesang' in Beethoven's A-minor Quartet Op. 132, in: Beethoven Studies 3, hg. von Alan Tyson, Cambridge u.a. 1982, S. 161—191
—: Die Quellen zur Entstehungsgeschichte von Beethovens Streichquartett Es-Dur op. 127, in: Beethoven-Jahrbuch 10 (1978/1981), S. 221—276
—: Once again: On the Question of the Repeat of the Scherzo and Trio in Beethoven's Fifth Symphony, in: Beethoven Essays. Studies in Honor of Elliot Forbes, hg. von Lewis Lockwood und Phyllis Benjamin, Cambridge, Mass. 1984, S. 146—198
—: Die Skizzen zur Neunten Symphonie, in: Zu Beethoven. Aufsätze und Dokumente 2, hg. von Harry Goldschmidt, Berlin 1984, S. 88—129
—: Ein Skizzenbuch Beethovens aus dem Jahre 1812. Zur Chronologie des Petterschen Skizzenbuches, in: Zu Beethoven. Aufsätze und Annotationen, hg. von Harry Goldschmidt, Berlin 1979, S. 117—148
—: Die Stichvorlage zur Erstausgabe von Beethovens Pastoralsymphonie op. 68, eine neuaufgefundene Primärquelle, in: Festschrift Rudolf Elvers zum 60. Geburtstag, hg. von Ernst Herttrich und Hans Schneider, Tutzing 1985, S. 49—61
Brandenburg, Sieghard / Loos, Helmut (Hg): Beiträge zu Beethovens Kammermusik. Symposion Bonn 1984 (= Veröffentlichungen des Beethoven-Hauses Bonn, Neue Folge, 4. Reihe, Bd. X), München 1987

Brandenburg, Sieghard / Lühning, Helga (Hg.): Beethoven. Zwischen Revolution und Restauration, Bonn 1989

Brandenburg, Sieghard / Staehelin, Martin: Die „erste Fassung“ von Beethovens Righini-Variationen, in: Festschrift Albi Rosenthal, hg. von Rudolf Elvers, Tutzing 1984, S. 43—66

Braun, Julius W. (Hg.): Goethe im Urtheile seiner Zeitgenossen, 3 Bde., Berlin 1883—1885, Nachdruck Hildesheim 1969

Braunstein, Josef: Beethovens Leonore-Ouvertüren. Eine historisch-stilkritische Untersuchung, (= Sammlung musikwissenschaftlicher Einzeldarstellungen 5), Leipzig 1927, zugleich Phil. Diss. 1920

Brendel, Alfred: Beethoven's New Style, in: ders., Music Sounded Out. Essays, Lectures, Interviews, Afterthoughts, London 1990, S. 60—71

—: Form und Psychologie in Beethovens Klaviersonaten, in: ders., Nachdenken über Musik, München ^{6}1982, S. 44—63

—: Der neue Stil, in: ders., Nachdenken über Musik, München ^{6}1982, S. 73—85

Brenet, Michel: Histoire de la Symphonie à Orchestre, Paris 1882

Brenneis, Clemens: Beethovens „Introduzione del IIdo Atto“ und die „Leonore“ von 1805, in: BzMw 32 (1990), S. 181—203

Breuning, Gerhard v.: Aus dem Schwarzspanierhause. Erinnerungen an Ludwig van Beethoven aus meiner Jugendzeit, hg. von Alfred Christlieb Kalischer, Berlin und Leipzig 1907, Nachdruck Hildesheim 1970

Briefwechsel zwischen Wagner und Liszt, siehe Kloss, Erich

Brincker, Jens: Beethovens Fidelio, in: Musik og Forskning 6 (1980), S. 53—67

—: Leonore and Fidelio, in: Festskrift Jens Peter Larsen, Kopenhagen u.a. 1972, S. 351—368

Brinkmann, Reinhold: Kleine „Eroica“-Lese, in: ÖMZ 39 (1984), S. 634—638

—: Wirkungen Beethovens in der Kammermusik, in: Beiträge zu Beethovens Kammermusik. Symposion Bonn 1984 (= Veröffentlichungen des Beethoven-Hauses Bonn, Neue Folge, 4. Reihe, Bd. X), hg. von Sieghard Brandenburg und Helmut Loos, München 1987, S. 79—110

Brook, Barry S. (Hg.): The Symphony 1720—1840, 60 Bde., New York 1983—1986

Broyles, Michael: Beethoven. The Emergence and Evolution of Beethoven's Heroic Style, New York 1987

—: Beethoven. Symphony No. 8, in: 19th Century Music 6 (1982), S. 39—46

—: Stylistic Dualism in Early Beethoven and the Leonore Challenge, in: Journal of Musicology 5 (1987), S. 419—447

Bruce, Robert: The Lyrical Element in Schubert's Instrumental Forms, in: MR 30 (1969), S. 131—137

Büchmann, Georg: Geflügelte Worte. Der Zitatenschatz des deutschen Volkes (1864), Frankfurt a. M. ^{38}1986

Bücken, Ernst: Ludwig van Beethoven, Potsdam 1934

—: Das deutsche Lied. Probleme und Gestalten, Hamburg 1939

Bülow, Hans v. (Hg.): Beethovens Werke für Piano solo von op. 53 an ..., siehe unter Beethoven

Bukofzer, Manfred: Music in the Baroque Era. From Monteverdi to Bach, New York 1947

Bulthaupt, Heinrich: Dramaturgie der Oper, 2 Bde., Leipzig 1887, ^{2}1902

Bumpass, Kathryn L.: Beethoven's Last Quartet. A Study of op. 135 Based on Autograph Materials, 2 Bde., Phil. Diss. University of Illinois, Urbana 1982

Burnham, Scott: On the Programmatic Reception of Beethoven's Eroica Symphony, in: Beethoven Forum 1, hg. von Christopher Reynolds, Lewis Lockwood und James Webster, Lincoln und London 1992, S. 1—24

Burney, Charles: A General History of Music from the Earliest Ages to 1789 (4 Bde., 1776—1789), hg. von Frank Mercer in 2 Bdn., London 1935, New York 1957

Cahn, Peter: Aspekte der Schlußgestaltung in Beethovens Instrumentalwerken, in: AfMw 39 (1982), S. 19—31

Campe, Joachim Heinrich: Wörterbuch zur Erklärung und Verdeutschung der unserer Sprache aufgedrungenen fremden Ausdrücke. Ein Ergänzungsband zu Adelung's und Campe's Wörterbüchern, Braunschweig 1813

Canisius, Claus: Quellenstudien und satztechnische Untersuchungen zum dritten Satz aus Beethovens c-moll-Symphonie, Phil. Diss. Heidelberg 1966

Chappell, William: Old English Popular Music, bearb. von Harry E. Wooldridge, London 1893, New York [2]1961

Cholopow, Jurij N.: Garmonija. Teoretitscheskij kurs (Harmonie. Theoretischer Kursus), Moskau 1988

—: Metritscheskaja struktura perioda i pesennych form (Die metrische Struktur der Periode und der Liedformen), in: Problemy muzykal'nogo ritma (Probleme des musikalischen Rhythmus), hg. von Valentina Cholopowa, Moskau 1978

—: Modulation und Formbildung. Zur Analyse des Allegretto scherzando aus der Sinfonie Nr. 8 F-Dur von Beethoven, in: Bericht über den Internationalen Beethoven-Kongreß 20. bis 23. März 1977 in Berlin, hg. von Harry Goldschmidt, Karl-Heinz Köhler und Konrad Niemann, Leipzig 1978, S. 97—106

Chop, Max: Ludwig van Beethoven: Fidelio. Geschichtlich, szenisch und musikalisch analysiert, Leipzig 1910, [2]1923

—: Ludwig van Beethovens Symphonien, Leipzig 1910

Christoff, Dimiter: Einige Gedanken zur Fuge der Klaviersonate op. 106, in: Bericht über den Internationalen Beethoven-Kongreß 10.—12. Dezember 1970 in Berlin, hg. von Heinz Alfred Brockhaus und Konrad Niemann, Berlin 1971, S. 333—336

Churgin, Bathia: Beethoven's Sketches for His String Quintet op. 29, in: Studies in Musical Sources and Style. Essays in Honor of Jan LaRue, hg. von Edward H. Roesner und Eugene K. Wolf, Madison 1990, S. 441—479

Clarke, Rebecca: The Beethoven Quartets as a Player Sees Them, in: ML 8 (1927), S. 178—190

Claussen, Horst: Folterkammer und Idylle. Bühnenbilder zu Fidelio 1805—1986, in: Beethoven und die Nachwelt. Materialien zur Wirkungsgeschichte Beethovens, hg. von Helmut Loos, Bonn 1986, S. 157—186

Clementi, Muzio: Introduction to the Art of Playing on the Piano Forte, New York 1974

Coenen, Friedrich: Beethovens Kirchenmusik im deutschen Urteil des 19. Jahrhunderts, Phil. Diss. (mschr.), Bonn 1949

Coindreau, Pierre: Analyse des dix-sept quatuors de Beethoven; d'apres les notes prises à la Schola Cantorum de Paris, au cours de composition de M. Vincent d'Indy, Paris 1910

Cone, Edward T.: Beethoven's Orpheus — or Jander's?, in: 19th Century Music 8 (1984/1985), S. 283—286

Cooke, Deryck: The Unity of Beethoven's late Quartets, in: MR 24 (1963), S. 30—49

Cooper, Barry: Beethoven and the Creative Process, Oxford 1990

—: The Beethoven Compendium, London 1991

—: The Evolution of the First Movement of Beethoven's ‚Waldstein' Sonata, in: ML 58 (1977), S. 170—191

Cooper, Martin: Beethoven. The Last Decade 1817—1827, London u.a. 1970, Oxford und New York [2]1990

Coren, Daniel: Structural Relations Between Op. 28 and Op. 35, in: Beethoven Studies 2, hg. von Alan Tyson, New York und London 1977, S. 66—83

Cramer, Carl Friedrich (Hg.): Magazin der Musik I (1. und 2. Hälfte: 1783), II (1. Hälfte: 1784, 2. Hälfte: 1786), Nachdruck Hildesheim 1971—1974

—: Rez. von: J. Haydn, Il maestro e lo scolare, in: ders., Magazin der Musik I (1783), S. 72

Csampai, Attila / Dietmar Holland (Hg.): Ludwig van Beethoven, Fidelio. Texte, Materialien, Kommentare, Reinbek 1981

Cui, César (Hg.): Istorija literatury fortepijannoj muzyki, kurs Antona G. Rubinstejna (Geschichte der Klavier-Literatur. Kursus von Anton G. Rubinstein), St. Petersburg 1889

Cummings, Hayman William: Dr. Arne and „Rule Britannia", London 1912

Czerny, Carl: Briefe über den Unterricht auf dem Pianoforte vom Anfange bis zur Ausbildung als Anhang zu jeder Clavierschule, Wien o.J., Nachdruck Straubenhardt 1988

—: Erinnerungen aus meinem Leben (= Collection d'études musicologiques 46), hg. von Walter Kolneder, Straßburg und Baden-Baden 1968

—: Über die Formen und den Bau jedes Tonstückes (1832), in: Musiktheorie 1 (1986), S. 261—276

—: Die Perioden von Beethovens Kompositionen, in: Cock's Musical Miscellany (1852), S. 137, wiederabgedruckt in: ders., Erinnerungen aus meinem Leben (= Collection d'études musicologiques 46), hg. von Walter Kolneder, Straßburg und Baden-Baden 1968, S. 52—54
—: Vollständige theoretisch-practische Pianoforte-Schule, von dem ersten Anfange bis zur höchsten Ausbildung fortschreitend...in 4 Theilen, op. 500, Wien 1839
—: Vollständiges Lehrbuch der musikalischen Komposition, 4 Bde., Wien 1834
—: Über den richtigen Vortrag der sämtlichen Beethoven'schen Klavierwerke, Czerny's „Erinnerungen an Beethoven" sowie das 2. und 3. Kapitel des IV. Bandes der „vollständigen theoretisch-practischen Pianoforte-Schule op. 500", hg. und kommentiert von Paul Badura-Skoda, Wien 1963
Dahlhaus, Carl: Ludwig van Beethoven und seine Zeit, Laaber 1987
—: Beethoven — IV. Symphonie B-Dur op. 60 (= Meisterwerke der Musik 20), München 1979
—: Beethovens „Neuer Weg", in: Jahrbuch des Staatlichen Instituts für Musikforschung Preußischer Kulturbesitz 1974, hg. von Dagmar Droysen, Berlin 1975, S. 46—62
—: Zum Begriff des Thematischen bei Beethoven. Kommentare zu opus 95 und opus 102,1, in: Beethoven '77. Beiträge der Beethoven-Woche 1977 veranstaltet von der Musik-Akademie Basel, hg. von Friedhelm Döhl, Zürich 1979, S. 45—64
—: Bemerkungen zu Beethovens 8. Symphonie, in: SMZ 110 (1970), S. 205—209
—: Cantabile und thematischer Prozeß. Der Übergang zum Spätwerk in Beethovens Klaviersonaten, in: AfMw 37 (1980), S. 81—98
—: Über das „kontemplative Ensemble", in: Opernstudien. Festschrift für Anna Amalie Abert zum 65. Geburtstag, hg. von Klaus Hortschansky, Tutzing 1975, S. 189—195
—: Eine wenig beachtete Formidee. Zur Interpretation einiger Beethoven-Sonaten, in: Analysen. Beiträge zu einer Problemgeschichte des Komponierens. Festschrift für Hans Heinrich Eggebrecht zum 65. Geburtstag (= Beihefte zum Archiv für Musikwissenschaft 23), hg. von Werner Breig, Reinhold Brinkmann und Elmar Budde, Stuttgart 1984, S. 248—256
—: E. T. A. Hoffmanns Beethoven-Kritik und die Ästhetik des Erhabenen, in: AfMw 38 (1981), S. 79—92
—: „Von zwei Kulturen der Musik". Die Schlußfuge aus Beethovens Cellosonate opus 102, 2, in: Mf 31 (1978), S. 397—405
—: La Malinconia, in: Ludwig van Beethoven (= Wege der Forschung 428), hg. von Ludwig Finscher, Darmstadt 1983, S. 200—211
— (Hg.): Die Musik des 18. Jahrhunderts (= Neues Handbuch der Musikwissenschaft 5), Laaber 1985
—: Die Musik des 19. Jahrhunderts (= Neues Handbuch der Musikwissenschaft 6), Wiesbaden und Laaber 1980
—: Satz und Periode. Zur Theorie der musikalischen Syntax, in: Zeitschrift für Musiktheorie 9 (1978), H. 2, S. 16—26
Danuser, Hermann (Hg.): Musikalische Interpretation (= Neues Handbuch der Musikwissenschaft 11), Laaber 1992
Darmstadt, Gerhard: Über den Umgang mit Barockmusik, in: Instrumental- und Vokalpädagogik 1: Grundlagen (= Handbuch der Musikpädagogik, Bd. II), hg. von Christoph Richter, Kassel u.a. 1993, S. 268—286
Dean, Basil: The Symphonies and Overtures, in: The Beethoven Companion, hg. von Denis Arnold und Nigel Fortune, London 1971, S. 281—317
Debussy, Claude: Die Neunte Symphonie (1901), in: ders., Monsieur Croche. Sämtliche Schriften und Interviews, hg. von François Lesure, übersetzt von Josef Häusler, Stuttgart 1974, S. 34—36
Derr, Ellwood: Beethoven's Long-Term Memory of C. P. E. Bach's Rondo in E-flat, W. 61/1 (1787), Manifest in the Variations in E Flat for Piano, Opus 35 (1802), in: MQ 70 (1984), S. 45—76
Deutsch, Otto Erich: Beethovens Goethe-Kompositionen. Bibliographisch zusammengestellt, in: Jahrbuch der Sammlung Kippenberg 8 (1930), S. 102—133
—: Beethovens gesammelte Werke. Des Meisters Plan und Haslingers Ausgabe, in: ZfMw 13 (1930/1931), S. 60—79
—: Der Liederdichter Reissig. Bestimmung einer merkwürdigen Persönlichkeit, in: Neues Beethoven-Jahrbuch 6 (1935), S. 59—65

—: Mozart. Die Dokumente seines Lebens (NMA, Serie X, Supplement, Werkgruppe 24), Kassel u.a. 1961
—: Schubert. Die Erinnerungen seiner Freunde, Leipzig 1957
Dibdin, Edward R.: The Bi-Centenary of „Rule Britannia", in: ML 21 (1940), S. 275—290
Dickenberger, Udo: Der Tod und die Dichter. Scherzgedichte in den Musenalmanachen um 1800. Eine Sammlung von 220 Spottgrabinschriften, Hildesheim 1991
Diderot, Denis: Encyclopédie ou Dictionnaire raisonné des sciences, des arts et des métiers, Paris 1751—1780
—: Enzyklopädie. Philosophische und politische Texte aus der „Encyclopédie", München 1969
Dietrich, Margret: Jupiter in Wien oder Götter und Helden der Antike im Altwiener Volkstheater, Graz u.a. 1967
Dietz, Hanns-Bertold: Die Chorfuge bei G. F. Händel. Ein Beitrag zur Kompositionstechnik des Barock, Tutzing 1961
—: Relations between Rhythm and Dynamics in Works of Beethoven, in: Bericht über den Internationalen Musikwissenschaftlichen Kongreß Bonn 1970, hg. von Carl Dahlhaus u.a., Kassel u.a. 1971, S. 47—53
Dikenmann-Balmer, Lucie: Beethovens Missa solemnis und ihre geistigen Grundlagen, Zürich 1952
Dinslage, Patrick: Studien zum Verhältnis von Harmonik, Metrik und Form in den Klaviersonaten Ludwig van Beethovens (= Berliner musikwissenschaftliche Arbeiten 33), München und Salzburg 1987
Döhring, Sieghart: Die Rettungsoper. Musiktheater im Wechselspiel politischer und ästhetischer Prozesse, in: Beethoven. Zwischen Revolution und Restauration, hg. von Helga Lühning und Sieghard Brandenburg, Bonn 1989, S. 109—136
Dörffel, Alfred: Geschichte der Gewandhauskonzerte zu Leipzig, Leipzig 1884
Doflein, Erich: Art. Violinmusik, in: Riemann Musik Lexikon, Sachteil, hg. von Hans Heinrich Eggebrecht, Mainz 1967, S. 1041—1045
Dorfmüller, Kurt (Hg.): Beiträge zur Beethoven-Bibliographie. Studien und Materialien zum Werkverzeichnis von Kinsky-Halm, München 1978
—: Supplement zum thematisch-bibliographischen Verzeichnis von Kinsky-Halm, in: ders. (Hg.), Beiträge zur Beethoven-Bibliographie. Studien und Materialien zum Werkverzeichnis von Kinsky-Halm, München 1978, S. 281—403
Downs, Philip G.: Beethoven's „New Way" and the Eroica, in: MQ 56 (1970), S. 585—604
Drabkin, William: Beethoven. Missa solemnis, Cambridge u.a. 1991
—: The Sketches for Beethoven's Piano Sonata in C Minor, opus 111, 2 Bde., Phil. Diss. Princeton 1977
Ebert, Alfred: Das Autograph der Gellert-Lieder op. 48, No. 5 und 6 von Beethoven, in: Die Musik 9, 1. Quartal (1909/1910), S. 57—63
Edelmann, Bernd: Die poetische Idee des Adagio von Beethovens Quartett op. 18, 1, in: Festschrift Rudolf Bockholdt zum 60. Geburtstag, hg. von Norbert Dubowy und Sören Meyer-Eller, Pfaffenhofen 1990, S. 247—267
—: Wenzel Müllers Lied vom „Schneider Wetz" und Beethovens Trio-Variationen op. 121a, in: Beethovens Klaviertrios. Symposion München 1990 (= Veröffentlichungen des Beethoven-Hauses Bonn, Neue Folge, 4. Reihe, Bd. XI), hg. von Rudolf Bockholdt und Petra Weber-Bockholdt, München 1992, S. 76—102
Eggebrecht, Hans Heinrich: Zur Geschichte der Beethoven-Rezeption. Beethoven 1970 (= Abhandlungen der geistes- und sozialwissenschaftlichen Klasse der Akademie der Wissenschaften und der Literatur Mainz, Jg. 1972, Nr. 3), Mainz 1972, ergänzte Neuauflage Laaber 1994 (= Spektrum der Musik 2)
—: Musik im Abendland. Prozesse und Stationen vom Mittelalter bis zur Gegenwart, München 1991
Eibner, Franz: Zu Form und Satz des Finales der VIII. Sinfonie, in: Beethoven-Almanach (= Publikationen der Wiener Musikhochschule 4), Wien 1970, S. 124—150
Eichhorn, Andreas: Beethovens Neunte Symphonie. Die Geschichte ihrer Aufführung und Rezeption (= Kasseler Schriften zur Musik 3), Kassel u.a. 1993

Eichner, S.: Beethoven in Budapest. Unbekanntes über einen Aufenthalt des Tondichters in Ungarn, in: Deutsche Musiker-Zeitung 58 (1927), S. 840f.

Einstein, Alfred: Essays on Music, New York 1962

Eissler, Kurt R.: Goethe. Eine psychoanalytische Studie 1775—1786, hg. von Rüdiger Scholz, Basel und Frankfurt a.M. 1983, München 1987

Elterlein, Ernst v.: Beethovens Clavier-Sonaten, Leipzig 1856, ²1857, ³1866, ⁴1875

Engel, Carl: Beethoven's opus 3 — An „Envoi de Vienne"? in: MQ 13 (1927), S. 261— 279

Engel, Hans: Das Instrumentalkonzert, Leipzig 1932, 2 Bde., Wiesbaden 1971—1974

Engelsmann, Walter: Beethovens Kompositionspläne, dargestellt in den Sonaten für Klavier und Violine, Augsburg 1931

—: Beethovens Werkthematik, dargestellt an der „Eroica", in: AfMf 5 (1940), S. 104—113

Engländer, Richard: Paërs „Leonora" und Beethovens „Fidelio", in: Neues Beethoven-Jahrbuch 4 (1930), S. 118—132

Enß, Eberhard: Beethoven als Bearbeiter eigener Werke, Phil. Diss. Freiburg i.Br. 1987

Ernest, Gustav: Beethoven. Persönlichkeit, Leben und Schaffen, Berlin 1920, ²1922, Leipzig ³1926

Evans, Thomas / Sternfeld, F. W. / Sage, Jack / Westrup, Jack / Griffiths, Paul: Art. Incidental Music, in: The New Grove Dictionary of Music and Musicians, hg. von Stanley Sadie, Bd. IX, London 1980, S. 58—63

Fecker, Adolf: Die Entstehung von Beethovens Musik zu Goethes Trauerspiel Egmont. Eine Abhandlung über die Skizzen (= Hamburger Beiträge zur Musikwissenschaft 18), Hamburg 1978

Feil, Arnold: Zur Satztechnik in Beethovens Vierter Sinfonie, in: AfMw 16 (1959), S. 391—399

Fellerer, Karl Gustav: Beethoven und die liturgische Musik seiner Zeit, in: Beethoven-Symposium Wien 1970. Bericht (= Veröffentlichungen der Kommission für Musikforschung 12), hg. von Erich Schenk, Wien 1971, S. 61—76

—: Das deutsche Chorlied im 19. Jahrhundert, in: Gattungen der Musik in Einzeldarstellungen. Gedenkschrift Leo Schrade, hg. von Wulf Arlt u.a., 1. Folge, Bern und München 1973, S. 785—812

—: Ferdinand d'Anthoins Ästhetik der Kirchenmusik 1784, in: Colloquium Amicorum. Joseph Schmidt-Görg zum 70. Geburtstag, hg. von Siegfried Kross und Hans Schmidt, Bonn 1967, S. 82—92

Fétis, François-Joseph: Biographie universelle des musiciens et bibliographie générale de la musique, Brüssel 1835—1844, Paris ²1860—1865

Finscher, Ludwig: Beethovens Klaviersonate opus 31, 3. Versuch einer Interpretation, in: Festschrift für Walter Wiora zum 30. Dezember 1966, hg. von Ludwig Finscher und Christoph-Hellmut Mahling, Kassel u.a. 1967, S. 385—396

—: Beethovens Streichquartett op. 59, 3. Versuch einer Interpretation, in: Zur musikalischen Analyse (= Wege der Forschung 257), hg. von Gerhard Schuhmacher, Darmstadt 1974, S. 122—160

— (Hg.): Ludwig van Beethoven (= Wege der Forschung 428), Darmstadt 1983

Fischer, Edwin: Ludwig van Beethovens Klaviersonaten. Ein Begleiter für Studierende und Liebhaber, Wiesbaden 1956, Neuauflage Leipzig 1958

Fischer, Johannes: Zur „Großen Sonate für das Hammerklavier B-Dur op. 106" von Ludwig van Beethoven, in: NZfM 133 (1972), S. 186—194

Fischer, Kurt v.: C. Ph. E. Bachs Variationenwerke, in: Revue Belge de Musicologie 6 (1952), S. 190—218

—: Bemerkungen zu Beethovens Variationenwerken, in: Kongreßbericht der Internationalen Gesellschaft für Musikwissenschaft, 4. Kongreß, hg. von der Schweizerischen musikforschenden Gesellschaft, Basel 1949, S. 111—113

—: Die Beziehungen von Form und Motiv in Beethovens Instrumentalwerken (= Sammlung musikwissenschaftlicher Abhandlungen 30), Strasbourg und Zürich 1948, Baden-Baden ²1972

—: Das Dramatische in der geistlichen Musik. Ein Entwurf, in: AfMw 34 (1977), S. 38—55

—: Eroica-Variationen op. 35 und Eroica-Finale, in: SMZ 89 (1949), S. 282—286

—: „Never to be performed in public". Zu Beethovens Streichquartett op. 95, in: Beethoven-Jahrbuch 9 (1973/1977), S. 87—96

—: Zur Theorie der Variation im 18. und beginnenden 19. Jahrhundert, in: Festschrift Joseph Schmidt-Görg zum 60. Geburtstag, hg. von Dagmar Weise, Bonn 1957, S. 117—130
—: Art. Variation, in: MGG, Bd. XIII (1966), Sp. 1274—1309
—: Art. Variations, in: The New Grove Dictionary of Music and Musicians, hg. von Stanley Sadie, Bd. XIX, London 1980, S. 536—552
—: Versuch über das Neue bei Beethoven, in: Bericht über den Internationalen Musikwissenschaftlichen Kongreß Bonn 1970, hg. von Carl Dahlhaus u.a., Kassel u.a. 1971, S. 3—13
Fischman, Natan (Hg.): Betchoven, 2 Bde., Moskau 1971—1972
—: Beiträge zur Beethoveniana, in: BzMw 9 (1967), S. 317—324
—: Drei Varianten der Exposition und zwei Varianten der Durchführung des Allegros aus der Ersten Klaviersonate Joseph Haydn gewidmet, in: ders. (Hg.), Studien und Essays zur Beethoveniana, Moskau 1982, S. 100—110
—: Kniga eskizov Betchovena za 1802—1803 gody (Das Skizzenbuch Beethovens aus den Jahren 1802—1803), 3 Bde., Moskau 1962
—: Das Moskauer Skizzenbuch Beethovens aus dem Archiv von M. J. Wielhorsky, in: Beiträge zur Beethoven-Bibliographie. Studien und Materialien zum Werkverzeichnis von Kinsky-Halm, hg. von Kurt Dorfmüller, München 1978, S. 61—67
—: Das Skizzenbuch Beethovens aus den Jahren 1802—1803 aus dem Familienarchiv Wielhorsky und die ersten Skizzen zur „Eroica", in: Bericht über den Internationalen Musikwissenschaftlichen Kongreß Bonn 1970, hg. von Carl Dahlhaus u.a., Kassel u.a. 1971, S. 104—107
— (Hg.): Studien und Essays zur Beethoveniana (Etjudy i očerki po Beethoveniane), Moskau 1982
—: Die Uraufführung der Missa solemnis, in: BzMw 12 (1970), S. 274—281
Fiske, Roger: Beethoven's Last Quartets, London 1940
—: Beethoven's Missa solemnis, London 1979
Flashar, Dorothea: Bedeutung, Entwicklung und literarische Nachwirkung von Goethes Mignongestalt (Germanische Studien, Bd. LXV), Berlin 1929, Nachdruck Nendeln 1967
Fleischer, Oskar: Napoleon Bonaparte's Musikpolitik, in: ZIMG 3 (1901/1902), S. 431—440
Flesch, Carl: Die Kunst des Violinspiels, Bd. I, Berlin 1923, ²1929, Bd. II, Berlin 1928
Floros, Constantin: Beethovens Eroica und Prometheus-Musik. Sujet-Studien (= Veröffentlichungen zur Musikwissenschaft 3), Wilhelmshaven 1978
Flotzinger, Rudolf: Die barocke Doppelgerüst-Technik im Variationsschaffen Beethovens, in: Beethoven-Studien. Festgabe der Österreichischen Akademie der Wissenschaften zum 200. Geburtstag von Ludwig van Beethoven, hg. von Erich Schenk, Wien 1970, S. 159—194
Förster, Anton: Grande Sonate durch Erweiterte Tonalität. Harmonik und Form im ersten Satz der Klaviersonate op. 53 von Ludwig van Beethoven, in: Festschrift Ulrich Siegele zum 60. Geburtstag, hg. von Rudolf Faber u.a., Kassel 1991, S. 135—165
Fontane, Theodor: Aus dem Nachlaß, hg. von Josef Ettlinger, Berlin 1908
Forbes, Elliot (Hg.): Thayer's Life of Beethoven, Princeton 1964, ²1967
Forchert, Arno: Die Darstellung der Melancholie in Beethovens op. 18, 6, in: Ludwig van Beethoven (= Wege der Forschung 428), hg. von Ludwig Finscher, Darmstadt 1983, S. 212—239
Forkel, Johann Nikolaus: Zu C. Ph. E. Bachs Claviersonaten mit einer Violin und einem Violoncell zur Begleitung, in: ders., Musikalisch-Kritische Bibliothek, Bd. II, Gotha 1778, Nachdruck Hildesheim 1964, S. 275—300
—: Musikalisch-Kritische Bibliothek, 3 Bde., Gotha 1778—1779, Nachdruck in 1 Bd., Hildesheim 1964
—: Ueber eine Sonate aus Carl Phil. Emanuel Bachs dritter Sonatensammlung für Kenner und Liebhaber, in F moll, in: ders., Musikalischer Almanach für Deutschland auf das Jahr 1784, Leipzig, Nachdruck Hildesheim 1974, S. 20—38
Forster, Edward Morgan: Abinger Harvest, London 1946, Taschenbuchausgabe London 1953
Forster, Robert: Die Kopfsätze der Klavierkonzerte Mozarts und Beethovens. Gesamtaufbau, Solokadenz und Schlußbildung (= Studien zur Musik 10), München 1992
Forte, Allen: The Compositional Matrix, New York 1961
Fortune, Nigel: The Chamber Music with Piano, in: The Beethoven Companion, hg. von Denis Arnold und Nigel Fortune, London 1971, S. 197—240
Frenzel, Elisabeth: Stoffe der Weltliteratur. Ein Lexikon dichtungsgeschichtlicher Längsschnitte, Stuttgart 1962, ²1963

Friedlaender, Max: Das deutsche Lied im 18. Jahrhundert. Quellen und Studien, 2 Bde., Stuttgart und Berlin 1902
—: Engelbert Humperdinck als Beethoven-Forscher, in: Die Musik 18 (1925/1926), S. 450—454
— (Hg.): Gedichte von Goethe in Compositionen seiner Zeitgenossen (= Schriften der Goethe-Gesellschaft, Bd. XI und XXXI), Weimar 1896 und 1916, Nachdruck Hildesheim 1975
—: Ein unbekanntes Jugendwerk Beethovens, in: JbP 6 (1900), S. 68—76
Friedman, Richard M.: The Original Cadenzas on the Piano Concertos of Beethoven: An Analysis, Phil. Diss. Boston University 1989
Friedrich, Regine: Ferdinand Peter Graf Laurencin, ein Beitrag zur Wiener Musikkritik, Phil. Diss. (mschr.) Graz 1966
Friese, Ernst August: Das Leonore-Signal, in: Musica 4 (1950), S. 442
Frimmel, Theodor v.: Beethoven-Handbuch, 2 Bde., Leipzig 1926, Nachdruck Hildesheim 1968
— (Hg.): Beethoven-Jahrbuch, 2 Bde., München und Leipzig 1908/1909
Frohlich, Martha: Beethoven's „Appassionata" Sonata, Oxford 1991
Fuchs, Mechthild: „So pocht das Schicksal an die Pforte". Untersuchungen und Vorschläge zur Rezeption sinfonischer Musik des 19. Jahrhunderts (= Freiburger Schriften zur Musikwissenschaft 18), München und Salzburg 1986
Gál, Hans: Die Stil-Eigentümlichkeiten des jungen Beethoven und ihr Zusammenhang mit dem Stil seiner Reife, Phil. Diss. Wien 1913
—: Die Stileigentümlichkeiten des jungen Beethoven, in: StMw 4 (1916), S. 58—115
Geck, Martin: Johann Sebastian Bach. Johannespassion BWV 245 (= Meisterwerke der Musik 55), München 1991
—: Von Beethoven bis Mahler. Die Musik des deutschen Idealismus, Stuttgart 1993
Geck, Martin / Schleuning, Peter: „Geschrieben auf Bonaparte". Beethovens „Eroica": Revolution, Reaktion, Rezeption, Reinbek 1989
Gellert, Christian Fürchtegott: Sämtliche Werke, Bd. I—X, Karlsruhe 1818
Georgiades, Thrasybulos G.: Kleine Schriften (= Münchner Veröffentlichungen zur Musikgeschichte 26), Tutzing 1977
—: Musik und Sprache. Das Werden der abendländischen Musik dargestellt an der Vertonung der Messe, Berlin u.a. 1954, ²1974
—: Zu den Satzschlüssen der Missa solemnis, in: Bericht über den Internationalen Musikwissenschaftlichen Kongreß Bonn 1970, hg. von Carl Dahlhaus u.a., Kassel u.a. 1971, S. 37—42
—: Schubert. Musik und Lyrik, Göttingen 1967, ²1979
Gerber, Ernst Ludwig: Art. Beethoven, in: ders., Neues Historisch-Biographisches Lexikon der Tonkünstler (1812—1814), hg. von Othmar Wessely, Graz 1966, Sp. 309—317
Gerlach, Sonja / Hill, George R.: Kritischer Bericht zu Joseph Haydn, Stücke für das Laufwerk, München 1984
Gerson-Kiwi, Edith: Beethoven's Sacred Drama — A Revaluation, in: Bericht über den Internationalen Musikwissenschaftlichen Kongreß Bonn 1970, hg. von Carl Dahlhaus u.a., Kassel u.a. 1971, S. 402—405
Gerstmeier, August: Das Rezitativ in der späten Instrumentalmusik Ludwig van Beethovens, in: Festschrift Rudolf Bockholdt zum 60. Geburtstag, hg. von Norbert Dubowy und Sören Meyer-Eller, Pfaffenhofen 1990, S. 269—282
—: Der Schlußsatz aus Beethovens zweiter Symphonie. Ein Beitrag zum Formverständnis der Wiener Klassischen Musik, in: Über das Klassische, hg. von Rudolf Bockholdt, Frankfurt a.M. 1987, S. 288—298
Gille, Klaus F.: „Wilhelm Meister" im Urteil der Zeitgenossen. Ein Beitrag zur Wirkungsgeschichte Goethes, Phil. Diss. 1971, Assen o.J.
Goethe, Johann Wolfgang v.: Dichtung und Wahrheit (Hamburger Ausgabe, Bd. X), München ⁹1989
—: Wilhelm Meisters Lehrjahre (Hamburger Ausgabe, Bd. VII), München ¹²1989
—: Wilhelm Meisters theatralische Sendung (Goethes Werke, Bd. LI und LII), hg. im Auftrage der Großherzogin Sophie von Sachsen, Weimar 1911
—: Wilhelm Meisters Wanderjahre (Hamburger Ausgabe, Bd. VIII), München ¹¹1982

Goldschmidt, Harry: Aspekte gegenwärtiger Beethovenforschung. Biographie, in: ders. (Hg.), Zu Beethoven. Aufsätze und Annotationen, Berlin 1979, S. 167—242
— (Hg.): Zu Beethoven. Aufsätze und Annotationen, Berlin 1979
— (Hg.): Zu Beethoven. Aufsätze und Dokumente 2 und 3, Berlin 1984, 1988
—: Beethoven und der Fortschritt, in: ders., Die Erscheinung Beethoven (= Beethoven-Studien 1), Leipzig 1974, S. 11—24
—: Beethoven. Werkeinführungen, Leipzig 1975
—: Beethovens Anweisungen zum Spiel der 'Cramer'-Etüden, in: Bericht über den Internationalen Beethoven-Kongreß in Berlin 1970, hg. von Heinz Alfred Brockhaus und Konrad Niemann, Berlin 1971, S. 545f.
—: Begleittext zur LP der Eroica der Staatskapelle Dresden unter Herbert Blomstedt, VEB Deutsche Schallplatten, Berlin (1975)
—: Chopiniana bei Beethoven, in: Studia musicologica. Aesthetica, Theoretica, Historica. Zofia Lissa gewidmet, Krakau 1979, S. 209—222
—: Über die Einheit der vokalen und instrumentalen Sphäre in der klassischen Musik, in: Deutsches Jahrbuch der Musikwissenschaft 11 (1966), S. 35—49
—: Die Erscheinung Beethoven (= Beethoven-Studien 1), Leipzig 1974
—: Die Geschöpfe des Prometheus nebst der Musik zu einem Ritterballett, in: ders., Beethoven. Werkeinführungen, Leipzig 1975, S. 285—300
—: Kunstwerk und Biographie, in: Bericht über den Internationalen Beethoven-Kongreß 20. bis 23. März 1977 in Berlin, hg. von Harry Goldschmidt, Karl-Heinz Köhler und Konrad Niemann, Leipzig 1978, S. 437—450 (Diskussion ebenda, S. 459—465)
—: Zur Methodologie der musikalischen Analyse, in: BzMw 3 (1961), S. 3—30
—: Motivvariation und Gestaltmetamorphose. Zur musikalischen Entstehungsgeschichte von Beethovens Violinkonzert, in: Festschrift Heinrich Besseler zum sechzigsten Geburtstag, hg. vom Institut für Musikwissenschaft der Karl-Marx-Universität, Leipzig 1961, S. 389—409, auch in: ders., Die Erscheinung Beethoven (= Beethoven-Studien 1), Leipzig 1974, S. 131—158
—: Um die Sache der Musik. Reden und Aufsätze, Leipzig 1970, [2]1976
—: Um die Unsterbliche Geliebte. Eine Bestandsaufnahme (= Beethoven-Studien 2), Leipzig 1977
—: Die Ur-Leonore, in: ders., Beethoven. Werkeinführungen, Leipzig 1975, S. 253—283
Gossett, Philip: The Arias of Marzelline: Beethoven as a Composer of Opera, in: Beethoven-Jahrbuch 10 (1978/1981), S. 141—183
—: Beethoven's Sixth Symphony: Sketches for the First Movement, in: JAMS 27 (1974), S. 248—284
Grab, Walter: Ein Volk muß seine Freiheit selbst erobern. Zur Geschichte der deutschen Jakobiner, Frankfurt a.M., Olten und Wien 1984
Grässer, Franz / Czihann, Johann Jakob Heinrich: Oesterreichische National-Encyklopädie, Wien 1835ff.
Graf, Walter: Zum klanglichen Ausdruck in Beethovens „Fidelio", in: Beethoven-Studien. Festgabe der Österreichischen Akademie der Wissenschaften zum 200. Geburtstag von Ludwig van Beethoven, hg. von Erich Schenk, Wien 1970, S. 253—270
Grandaur, Franz: Die Handlung des Balletts: „Die Geschöpfe des Prometheus", in: Leipziger Allgemeine Musikalische Zeitung 2 (1867), S. 178f.
Grasberger, Franz: Die Handschriften der Meister. Sechs Ausstellungen..., Gesellschaft der Musikfreunde, Wien 1966
Greenfield, Donald T.: Sketch Studies for Three Movements of Beethoven's String Quartets, Opus 18 No. 1 and 2, Phil. Diss. Princeton University 1983
Grew, Sidney: Beethoven's „Große Fuge", in: MQ 17 (1931), S. 497—508
Griepenkerl, Wolfgang Robert: Das Musikfest oder die Beethovener, Braunschweig 1838, [2]1841
Grove, George: Beethoven and his Nine Symphonies, London [2]1896, [3]1898
—: Beethoven's Concerto for Pianoforte and Orchestra No. 5, in E flat (Op. 73), in: The Musical Times 46 (1905), S. 172—176
Gruber, Gernot (Hg.): Ludwig van Beethoven: „Was mich als Mensch betrifft". Aus seinen Briefen, Wien und Salzburg 1993

Gülke, Peter: Zum Allegretto der 8. Sinfonie, in: Bericht über den Internationalen Beethoven-Kongreß 20. bis 23. März 1977 in Berlin, hg. von Harry Goldschmidt, Karl-Heinz Köhler und Konrad Niemann, Leipzig 1978, S. 106—112

—: Zur Bestimmung des Sinfonischen bei Beethoven, in: Deutsches Jahrbuch der Musikwissenschaft 15 (1970), S. 67—95

—: Introduktion als Widerspruch im System. Zur Dialektik von Thema und Prozessualität bei Beethoven, in: Deutsches Jahrbuch der Musikwissenschaft 14 (1969), S. 5—40, wiederabgedruckt in: Ludwig van Beethoven (= Wege der Forschung 428), hg. von Ludwig Finscher, Darmstadt 1983, S. 338—387

—: Kantabilität und thematische Abhandlung. Ein Beethovensches Problem und seine Lösungen in den Jahren 1806/1808, in: BzMw 12 (1970), S. 252—273

—: Zur musikalischen Konzeption der Rasumowsky-Quartette op. 59 von Beethoven, in: Sozialistische Musikkultur. Traditionen, Probleme, Perspektiven, hg. von Jürgen Elsner und Giwi Ordshonikidse, Berlin 1977, S. 397—430

—: Zur Neuausgabe der Sinfonie Nr. 5 von Ludwig van Beethoven. Werk und Edition, Leipzig 1978

—: Rousseau und die Musik oder von der Zuständigkeit des Dilettanten (= Taschenbücher zur Musikwissenschaft 98), Wilhelmshaven 1984

—: Zum Verhältnis von Intention und Realisierung bei Beethoven, in: Beethoven. Das Problem der Interpretation (= Musik-Konzepte 8), hg. von Heinz-Klaus Metzger und Rainer Riehn, München 1979, S. 34—53

Haarhaus, Julius R.: Deutsche Freimaurer zur Zeit der Befreiungskriege, Jena 1813

Haas, Robert: Eberlins Schuldramen und Oratorien, in: StMw 8 (1921), S. 9—44

—: Zum Kanon im Fidelio, in: Beethoven-Zentenarfeier. Wien, 26. bis 31. März 1927, Wien 1927, S. 136f.

—: Zur Wiener Ballettpantomime um den Prometheus, in: Neues Beethoven-Jahrbuch 2 (1925), S. 84—103

Hadden, James Cuthbert: George Thomson, the Friend of Burns. His Life and Correspondence, London 1898

Hadow, William Henry: Beethoven's op. 18 Quartets, London 1926

Halm, August: Beethoven, Berlin 1927

—: Von Grenzen und Ländern der Musik. Gesammelte Aufsätze, München 1916

—: Von zwei Kulturen der Musik, München 1913

—: Die Symphonie Anton Bruckners, München 1914

—: Über den Wert musikalischer Analysen (1929), in: ders., Von Form und Sinn der Musik. Gesammelte Aufsätze, hg. von Siegfried Schmalzriedt, Wiesbaden 1978, S. 83—90

Hamann, Heinz Wolfgang: Zu Beethovens Pastoral-Sinfonie. Vorausnahmen eines Wiener Kleinmeisters aus dem Jahre 1791, in: Mf 14 (1961), S. 55—60

Hand, Ferdinand: Ästhetik der Tonkunst, 2 Bde., Leipzig 1837, Jena 1841

Handschin, Jacques: Musikgeschichte im Überblick, Luzern und Stuttgart ^{2}1964

Hanslick, Eduard: Concerte, Componisten und Virtuosen der letzten fünfzehn Jahre, Berlin ^{2}1886

—: Vom Musikalisch-Schönen. Ein Beitrag zur Revision der Ästhetik der Tonkunst, Leipzig 1854, Nachdruck Darmstadt 1965; historisch-kritische Ausgabe in 2 Bdn., hg. von Dietmar Strauß, Mainz u.a. 1990

—: Suite. Aufsätze über Musik und Musiker, Wien und Teschen 1884/1885

Harich, Johann: Beethoven in Eisenstadt, in: Burgenländische Heimatblätter 21 (1959), S. 168—188

Hatch, Christopher: Thematic Interdependence in two Finales by Beethoven, in: MR 45 (1984), S. 194—207

Hauschild, Peter: Melodische Tendenzen in Beethovens Eroica, in: Deutsches Jahrbuch der Musikwissenschaft 14 (1969), S. 41—75

Hauser, Richard: Das Ais in der Sonate op. 106, in: Beethoven-Jahrbuch 6 (1965/1968), S. 243—259

Hausner, Henry H.: Franz Xaver Süßmayr, Wien 1964

Hecker, Joachim v: Untersuchungen an den Skizzen zum Streichquartett cis-moll op. 131 von Beethoven, Phil. Diss. (mschr.) Freiburg i.Br. 1956

Hecker, Max (Hg.): Der Briefwechsel zwischen Goethe und Zelter, 3 Bde., Leipzig 1913—1918, Frankfurt a.M. 1987
Heer, Joseph: Zur Kirchenmusik und ihrer Praxis während der Beethovenzeit in Bonn, in: Kirchenmusikalisches Jahrbuch 28 (1933), S. 130—142
Hegel, Georg Wilhelm Friedrich: Ästhetik, hg. von Friedrich Bassenge, Berlin 1955
—: Ästhetik, nach der 2. Ausgabe Heinrich Gustav Hothos (1842), hg. von Friedrich Bassenge, 2 Bde., Frankfurt a.M. o.J. (1965)
—: Vorlesungen über die Ästhetik, Theorie Werkausgabe, Frankfurt a.M. 1970
Hehn, Viktor: Gedanken über Goethe (1887), Berlin [7-9]1909
—: Über Goethes Gedichte, hg. von Eduard v. der Hellen, Stuttgart und Berlin 1911
Heise, Walter: Bemerkungen zur Funktion und Methode der Antikenrezeption in der klassischen deutschen Literatur, in: Wissenschaftliche Zeitschrift der Friedrich Schiller-Universität Jena, Gesellschafts- und sprachwissenschaftliche Reihe 18, H. 4 (1969), S. 49—56
Hellyer, Roger: „Harmoniemusik". Music for Small Wind Band in the Late Eighteenth and Early Nineteenth Centuries, Phil. Diss. Oxford 1973
Helm, Theodor: Beethoven's Streichquartette. Versuch einer technischen Analyse dieser Werke im Zusammenhange mit ihrem geistigen Gehalt, Leipzig 1885, [2]1910, [3]1921
Helmholtz, Hermann v.: Die Lehre von den Tonempfindungen als physiologische Grundlage für die Theorie der Musik, Braunschweig 1863, [3]1870, [6]1913
Henle, Günter: Ein Fehler in Beethovens letzter Violinsonate? in: Mf 5 (1952), S. 53f.
Herbst, Kurt: Beethovens Opferliedkompositionen. Ein stilkritischer Beitrag zur Beethoven-Forschung, in: Neues Beethoven-Jahrbuch 5 (1933), S. 137—154, 255—258
Herder, Johann Gottfried v.: Werke. Nach den besten Quellen revidierte Ausgabe. Sechster Teil: Morgenländische Literatur, hg. und mit Anmerkungen begleitet von Heinrich Düntzer, Berlin o.J. [1879]
Hering, Hans: Beethovens Klaviervariationen Opus 35 und das Eroica-Finale, in: Musica 29 (1975), S. 304—306
Herre, Grita / Siegmund-Schultze, Walther (Hg.): Reichardt, Johann Friedrich: Briefe, die Musik betreffend. Berichte, Rezensionen, Essays, Leipzig 1976
Hertzmann, Erich: The Newly Discovered Autograph of Beethoven's „Rondo a capriccio", op. 129, in: MQ 32 (1946), S. 171—195
Hess, Willy: Eine Bach- und Händelbearbeitung Beethovens, in: ders., Beethoven-Studien (= Veröffentlichungen des Beethoven-Hauses Bonn, Neue Folge, 4. Reihe, Bd. VII), Bonn 1972, S. 60—63
—: Beethoven, Zürich 1956, Wiesbaden 1957, Winterthur [2]1976
—: Beethovens Bühnenwerke, Göttingen 1962
—: Beethovens Oper Fidelio und ihre drei Fassungen, Zürich 1953
—: Beethovens Werke für die Flöte, in: Tibia. Magazin für Freunde alter und neuer Bläsermusik 10 (1985), S. 241—244
—: Die Dynamik von Beethovens Großformen, in: ders., Beethoven-Studien (= Veröffentlichungen des Beethoven-Hauses Bonn, Neue Folge, 4. Reihe, Bd. VII), Bonn 1972, S. 37—47
—: Die Dynamik der musikalischen Formbildung, 2 Bde., Wien 1960—1964
—: Das Fidelio-Buch. Beethovens Oper Fidelio, ihre Geschichte und ihre drei Fassungen, Winterthur 1986
—: Fünfzig Jahre im Banne von Leonore-Fidelio, in: Beethoven-Jahrbuch 9 (1973/1977), S. 167—184
— (Hg.): Missa solemnis (= Eulenburg-Taschenpartitur Nr. 951), London 1952, 1985
—: Die Musik zur „Weihe des Hauses" und das Autograph Artaria 163, 2, in: Beiträge zur Beethoven-Bibliographie. Studien und Materialien zum Werkverzeichnis von Kinsky-Halm, hg. von Kurt Dorfmüller, München 1978, S. 110—112
—: Zwei patriotische Singspiele von Friedrich Treitschke, in: Beethoven-Jahrbuch 6 (1965/1968), S. 269—319
—: Die Uraufführung eines Beethovenschen Meisterwerkes im Jahre 1939, in: Neues Beethoven-Jahrbuch 9 (1939), S. 26—30
—: Die verschiedenen Fassungen von Beethovens Violinkonzert, in: ders., Beethoven-Studien

(= Veröffentlichungen des Beethoven-Hauses Bonn, Neue Folge, 4. Reihe, Bd. VII), Bonn 1972, S. 163—168
—: Verzeichnis der nicht in der Gesamtausgabe veröffentlichten Werke Ludwig van Beethovens, Wiesbaden 1957
—: Wie viele Fassungen der Marzellinen-Arie gibt es? in: NZfM 120 (1959), S. 514
—: Das Waldhorn bei Beethoven, in: ders., Beethoven. Studien zu seinem Werk, Winterthur 1981, S. 42f.
— (Hg.) : WoO 93. Nei giorni tuoi felici. Aus „Olimpiade" Akt 1, Szene 10 von Pietro Metastasio, hg. nach dem Autograph in der Preußischen Staatsbibliothek, Leipzig 1939
Heusler, Andreas: Kleine Schriften, 2 Bde., Berlin 1969
Heuß, Alfred: Die Dynamik der Mannheimer Schule. II. Die Detail-Dynamik, nebst einer dynamischen Analyse von Mozarts Andante aus der Mannheimer Sonate (KV 309), in: ZfMw 2 (1919/1920), S. 44—54
—: Über die Dynamik der Mannheimer Schule, in: Riemann-Festschrift. Gesammelte Studien, Leipzig 1909, S. 433—455
—: Die Humanitätsmelodien im „Fidelio", in: ZfM 91 (1924), S. 545—552
—: Zum Thema: „Mannheimer Vorhalt", in: ZIMG 9 (1907/1908), S. 273—280
—: Ein überzähliger Takt in der Pastoralsinfonie, in: ZfM 92 (1925), S. 288—290
Hiebert, Elfrieda F.: The Piano Trios of Beethoven. An Historical and Analytical Study, Phil. Diss. University of Wisconsin 1970
Hill, Cecil: Early Versions of Beethoven's Second Symphony, in: Musicology 6 (1980), S. 90—110
Hirschbach, Herrmann: Ueber Beethoven's letzte Streichquartette, in: NZfM 11 (1839), S. 5f., 9f., 13f., 49—51
Hoffmann, Ernst Theodor Amadeus: Rezension der 5. Symphonie von Beethoven, in: AmZ 12 (1810), Sp. 630—642, 652—659
—: Rezension der Ouverture de Coriolan..., in: AmZ 14 (1812), Sp. 519—526, wiederabgedruckt in: ders., Schriften zur Musik. Aufsätze und Rezensionen, hg. von Friedrich Schnapp, München 1963, S. 97—104
—: Rezension der Ouverture d'Egmont..., in: AmZ 15 (1813), Sp. 473—481, wiederabgedruckt in: Ludwig van Beethoven. Die Werke im Spiegel seiner Zeit. Gesammelte Konzertberichte und Rezensionen bis 1830, hg. von Stefan Kunze, Laaber 1987, S. 221—227
—: Schriften zur Musik. Aufsätze und Rezensionen, hg. von Friedrich Schnapp, München 1963; hg. von Hans-Joachim Kruse, Berlin 1988
Hoffmann, Freia: Instrument und Körper. Die musizierende Frau in der bürgerlichen Kultur, Frankfurt a.M. 1991
Hohenegger, Maximilian: Beethovens Sonata appassionata op. 57 im Lichte verschiedener Analysemethoden (= Europäische Hochschulschriften: Reihe 36, Musikwissenschaft, Bd. LXXIII), Frankfurt a.M. u.a. 1992
Hollander, Hans: Das Finale-Problem in Beethovens „Kreutzersonate", in: NZfM 130 (1969), S. 182—184
Holmes, Brian: Beethoven's Opus 17 on Original Instruments, in: The Beethoven Newsletter 1 (1986), S. 37f.
Holschneider, Andreas: Unbekannte Beethoven-Skizzen in Bergamo, in: Studien zur italienisch-deutschen Musikgeschichte VII (= Analecta Musicologica 9), hg. von Friedrich Lippmann, Köln und Wien 1970, S. 130—134
Hopkins, Antony: The Nine Symphonies of Beethoven, London 1980
Howell, Standley: Der Mälzelkanon — eine weitere Fälschung Schindlers? in: Zu Beethoven. Aufsätze und Dokumente 2, hg. von Harry Goldschmidt, Berlin 1984, S. 163—171
Huber, Anna Gertrud: Der Held der Eroica. Beethovens Es Dur Symphonie in ihrem Aufbau, Straßburg und Zürich 1947
Hübsch, Lini: Ludwig van Beethoven. Die Rasumowsky-Quartette op. 59, München 1983
Hull, Arthur Eaglefield: Beethoven's Lesser Known Piano Works, in: Musical Opinion and Musical Trade Review 50 (1927), S. 791ff. und S. 889ff.
Hull, Kenneth: Brahms the Allusive. Extra-compositional Reference in the Instrumental Music of Johannes Brahms, Phil. Diss. Princeton 1989

d'Indy, Vincent: Beethoven, Paris 1911, engl. London 1913
—: Cours de composition musicale, 4 Bde., Paris 1903—1950
Istvánffy, Tibor: All' Ongarese. Studien zur Rezeption ungarischer Musik bei Haydn, Mozart und Beethoven, Phil. Diss. Heidelberg 1982
Jacobi, Friedrich Heinrich: Woldemar (1796), Leipzig 1826
Jacobs, Helmut C.: Literatur, Musik und Gesellschaft in Italien und Österreich in der Epoche Napoleons und der Restauration. Studien zu Giuseppe Carpani (1751—1825) (= Bonner Romanistische Arbeiten 28), 2 Bde., Frankfurt a.M. u.a. 1988
Jadassohn, Salomon: Die Formen in den Werken der Tonkunst, Leipzig 1885, Leipzig 1889, ²1894, ⁴1910
Jahn, Otto: Leonore oder Fidelio? in: ders., Gesammelte Aufsätze über Musik, Leipzig 1866, ²1867, S. 236—259
—: W. A. Mozart, Leipzig 1856—1859, ⁴1905—1907
Jander, Owen: Beethoven's „Orpheus in Hades", in: 19th Century Music 8 (1984), S. 195—212
Jarecki, Gerschon: Beethovens Anmerkungen zu Etuden von Cramer, in: Beethoven Almanach 1970 (= Publikationen der Wiener Musikhochschule 4), Wien 1970, S. 169—176
Jeitteles, Ignaz: Aesthetisches Lexikon, 2 Bde., Wien 1839, Nachdruck Hildesheim 1978
Joachim, Joseph / Moser, Andreas: Violinschule, Bd. III: Vortragsstudien, Berlin 1905
John, Kathryn: Das Allegretto-Thema in op. 93, auf seine Skizzen befragt, in: Zu Beethoven. Aufsätze und Dokumente 2, hg. von Harry Goldschmidt, Berlin 1984, S. 172—184
Johnson, Douglas: Beethoven's Early Sketches in the „Fischhof Miscellany". Berlin Autograph 28, Phil. Diss. University of California, Berkeley 1977
—: Beethoven's Early Sketches in the „Fischhof Miscellany". Berlin Autograph 28 (= Studies in Musicology 22), 2 Bde., Ann Arbor 1980
—: Beethoven's Sketches for the Scherzo of the Quartet Op. 18, No. 6, in: JAMS 23 (1970), S. 385—404
—: 1794—1795. Decisive Years in Beethoven's Early Development, in: Beethoven Studies 3, hg. von Alan Tyson, Cambridge 1982, S. 1—28
—: Music for Prague and Berlin: Beethoven's Concert Tour of 1796, in: Beethoven, Performers, and Critics. The International Beethoven Congress Detroit 1977, hg. von Robert Winter u.a., Detroit 1980, S. 24—40
Johnson, Douglas / Tyson, Alan / Winter, Robert (Hg.): The Beethoven Sketchbooks. History, Reconstruction, Inventory, Oxford 1985
Jokl, Ernst: Die letzten Streichquartette Beethovens, Phil. Diss. (mschr.) Wien 1905
Jonas, Oswald: Das Autograph von Beethovens Violinkonzert, in: ZfMw 13 (1930/1931), S. 443—450
—: Bemerkungen zu Beethoven's op. 96, in: AcM 37 (1965), S. 87—89
—: Zur Chronologie von Beethovens „Opferlied", in: ZfMw 14 (1931/1932), S. 103f.
Judenič, Nina: Beethoven und die Volksmusik, dargestellt an seinen Streichquartetten, in: Feiern zum 200. Jahrestag der Geburt Ludwig v. Beethovens in der ČSSR. Tagungsbericht des zweiten Internationalen musikologischen Symposiums, Pieštany und Moravany 1970, Bratislava 1970, S. 191—215
Jung, Hildegard: Das geistliche Sololied im 19. Jahrhundert. Ein Beitrag zur Geschichte des deutschen Kunstliedes, Phil. Diss. (mschr.) Köln 1951
Jung-Kaiser, Ute: Ein Bänkelsang als Vorlage? Zum ideellen Programm der „Fünften" von Ludwig van Beethoven, in: Musica 45 (1991), S. 4—10
Just, Martin: Harmonischer Rhythmus, in: Mf 29 (1976), S. 7—20
—: Zum Verhältnis zwischen Textgestalt und musikalischer Form in Beethovens Liedern, in: Beiträge zu Beethovens Kammermusik. Symposion Bonn 1984 (= Veröffentlichungen des Beethoven-Hauses Bonn, Neue Folge, 4. Reihe, Bd. X), hg. von Sieghard Brandenburg und Helmut Loos, München 1987, S. 179—190
Kaden, Christian: Ludwig van Beethoven, Sinfonie Nr. 8 op. 93, zweiter Satz Allegretto scherzando. Ansätze zu einer statistischen Strukturanalyse, in: Bericht über den Internationalen Beethoven-Kongreß 20. bis 23. März 1977 in Berlin, hg. von Harry Goldschmidt, Karl-Heinz Köhler und Konrad Niemann, Leipzig 1978, S. 113—130

Kagan, Susan: Archduke Rudolph, Beethoven's Patron, Pupil, and Friend. His Life and Music, Stuyvesant 1988
Kahl, Willi: Zu Beethovens Naturauffassung, in: Beethoven und die Gegenwart. Festschrift des Beethoven-Hauses Bonn für Ludwig Schiedermair zum 60. Geburtstag, hg. von Arnold Schmitz, Berlin und Bonn 1937, S. 220—265
Kahn, Charlotte: Die Melancholie in der deutschen Lyrik des 18. Jahrhunderts, Heidelberg 1932
Kaiser, Fritz: Die authentischen Fassungen des D-dur Konzertes op. 61 von Ludwig van Beethoven, in: Bericht über den Internationalen Musikwissenschaftlichen Kongreß Kassel 1962, Kassel u.a. 1963, S. 196—198
Kaiser, Joachim: Beethovens 32 Klaviersonaten und ihre Interpreten, Frankfurt a.M. 1975
Kalischer, Alfred Christlieb (Hg.): Ludwig van Beethovens sämtliche Briefe, Berlin und Leipzig 1906—1908, Bd. I—III [2]1909—1911, II und III bearbeitet von Theodor v. Frimmel
Kamien, Roger: Subtle Enharmonic Connections, Modal Mixture, and Tonal Plan in the First Movement of Beethoven's Piano Sonata in C Major, Opus 53 („Waldstein"), in: Beethoven Forum 1, hg. von Christopher Reynolds, Lewis Lockwood und James Webster, Lincoln und London 1992, S. 93—110
Kamieński, Lucian: Neue Beiträge zur Entwicklung der Polonaise bis Beethoven, in: Beethoven-Zentenarfeier. Wien, 26. bis 31. März 1927, Wien 1927, S. 66—74
Kandinsky, Wassily: Über das Geistige in der Kunst, München 1911, Bern-Bümpliz [6]1959
Kant, Immanuel: Allgemeine Naturgeschichte und Theorie des Himmels (1755), in: ders., Werke, hg. von Wilhelm Weischedel, Bd. I, Frankfurt a.M. 1968
—: Anthropologie in pragmatischer Hinsicht (1798), in: ders., Werke, hg. von Wilhelm Weischedel, Bd. XII, Frankfurt a.M. 1968
—: Beobachtungen über das Gefühl des Schönen und Erhabenen (1764), in: ders., Werke, hg. von Wilhelm Weischedel, Bd. II, Frankfurt a.M. 1968
—: Critik der Urtheilskraft, Berlin und Libau 1790
—: Kritik der praktischen Vernunft (1788), in: ders., Werke, hg. von Wilhelm Weischedel, Bd. VII, Frankfurt a.M. 1968
—: Die Metaphysik der Sitten in zwey Theilen, Metaphysische Anfangsgründe der Tugendlehre (1797), in: ders., Werke, hg. von Wilhelm Weischedel, Bd. VIII, Frankfurt a.M. 1968
Karbusicky, Vladimir: Grundriß der musikalischen Semantik, Darmstadt 1986
Kastner, Emerich / Kapp, Julius (Hg.): Ludwig van Beethovens sämtliche Briefe, Leipzig 1923, Nachdruck Tutzing 1975
Kayser, Wolfgang: Geschichte des deutschen Verses, Bern und München 1960
—: Das sprachliche Kunstwerk. Eine Einführung in die Literaturwissenschaft (1948), Bern [20]1992
Keller, Hermann: Vieni amore..., in: NZfM 122 (1961), S. 230—232
Kelletat, Herbert: Zur musikalischen Temperatur, Bd. II: Wiener Klassik, Kassel 1982
Kerényi, Karl: Prometheus. Die menschliche Existenz in griechischer Deutung (= Rowohlts Deutsche Enzyklopädie, hg. von Ernesto Grassi), Hamburg 1959
Kerman, Joseph: The Beethoven Quartets, New York und London 1967, [2]1968, [4]1978
—: Beethoven Sketchbooks in the British Museum, in: Proceedings of the Royal Musical Association 93 (1966/1967), S. 77—96
—: „An die ferne Geliebte", in: Beethoven Studies 1, hg. von Alan Tyson, New York 1973, S. 123—157
— (Hg.): Ludwig van Beethoven. Autograph Miscellany from circa 1786 to 1799. British Museum Additional Manuscript 29801, ff. 39—162 (The „Kafka-Sketchbook"), 2 Bde., London 1970
—: Notes on Beethoven's Codas, in: Beethoven Studies 3, hg. von Alan Tyson, Cambridge 1982, S. 141—159
— / Tyson, Alan / Johnson, Douglas / Drabkin, William: Art. Beethoven, in: The New Grove Dictionary of Music and Musicians, hg. von Stanley Sadie, Bd. II, London 1980, S. 354—414, auch als Buch, New York und London 1983
Kerst, Friedrich: Die Erinnerungen an Beethoven, 2 Bde., Stuttgart 1913
Kienzl, Wilhelm: Neu aufgefundene Skizzen von Beethoven, in: Allgemeine Musik-Zeitung 22 (1895), S. 319—324

Kier, Herfrid: Kiesewetters historische Hauskonzerte. Zur Geschichte der kirchenmusikalischen Restauration in Wien, in: Kirchenmusikalisches Jahrbuch 52 (1968), S. 95—119
Kieß, Martina: Poesie und Prosa. Die Lieder in „Wilhelm Meisters Lehrjahren", Frankfurt a.M. 1987
Kilian, Eugen: Goethes Egmont auf der Bühne. Zur Inszenierung und Darstellung des Trauerspiels. Ein Handbuch der Regie, München 1925
Kinderman, William: Beethoven, in: Nineteenth-Century Piano Music, hg. von R. Larry Todd, New York 1990, S. 55—96
—: Beethoven, Oxford und Berkeley 1995
— (Hg.): Beethoven's Compositional Process (= North American Beethoven Studies 1), Lincoln und London 1991
—: Beethoven's Diabelli Variations, Oxford 1987
—: Beethoven's Symbol for Deity in the Missa solemnis and the Ninth Symphony, in: 19th Century Music 9 (1985), S. 102—118
—: Integration and Narrative Design in Beethoven's Piano Sonata in A^b Major, Opus 110, in: Beethoven Forum 1, hg. von Christopher Reynolds, Lewis Lockwood und James Webster, Lincoln und London 1992, S. 111—145
—: Thematic Contrast and Parenthetical Enclosure in the Piano Sonatas, op. 109 and 111, in: Zu Beethoven. Aufsätze und Dokumente 3, hg. von Harry Goldschmidt, Berlin 1988, S. 43—59
—: Tonality and Form in the Variation Movements of Beethoven's late Quartets, in: Beiträge zu Beethovens Kammermusik. Symposion Bonn 1984 (= Veröffentlichungen des Beethoven-Hauses Bonn, Neue Folge, 4. Reihe, Bd. X), hg. von Sieghard Brandenburg und Helmut Loos, München 1987, S. 135—151
Kinsky, Georg / Halm, Hans: Das Werk Beethovens. Thematisch-bibliographisches Verzeichnis seiner sämtlichen vollendeten Kompositionen von Georg Kinsky, nach dem Tode des Verfassers abgeschlossen und hg. von Hans Halm, München und Duisburg 1955
Kirby, Frank E.: Beethoven's Pastoral Symphony as a Sinfonia caracteristica, in: MQ 56 (1970), S. 605—623
Kirillina, Larissa W.: Sonatny cykl i sonatnaja forma v predstsavlenijach Betchovena (Der Sonatenzyklus und die Sonatenform in Beethovens Vorstellungen), in: Muzykal'nyj jazyk, Žanr, stil, Moskau 1987, S. 95—114
Kirkendale, Warren: Beethovens Missa Solemnis und die rhetorische Tradition (1971), in: Ludwig van Beethoven (= Wege der Forschung 428), hg. von Ludwig Finscher, Darmstadt 1983, S. 52—97
—: Fuge und Fugato in der Kammermusik des Rokoko und der Klassik, Tutzing 1966, engl. als Fugue and Fugato in Rococo and Classical Chamber Music, Durham 1979
—: The „Great Fuge" Op. 133. Beethoven's „Art of the Fugue", in: AcM 35 (1963), S. 14—24
—: Gregorianischer Stil in Beethovens Streichquartett op. 132, in: Bericht über den Internationalen Musikwissenschaftlichen Kongreß Berlin 1974, hg. von Hellmut Kühn und Peter Nitsche, Kassel u.a. 1980, S. 373—376
—: New Roads to Old Ideas in Beethoven's Missa Solemnis, in: MQ 56 (1970), S. 665—701
Kirnberger, Johann Philipp: Die Kunst des reinen Satzes in der Musik, 2 Bde., Berlin 1771—1779, Wien ^{2}1793, Nachdruck Hildesheim 1968, ^{2}1988
—: Die wahren Grundsätze zum Gebrauch der Harmonie, Berlin und Königsberg 1773, Nachdruck Hildesheim 1970
Kirsch, Winfried: Zur musikalischen Konzeption und dramaturgischen Stellung des Opernquartetts im 18. und 19. Jahrhundert, in: Mf 27 (1974), S. 186—199
—: Oratorium und Oper. Zu einer gattungsästhetischen Kontroverse in der Oratorientheorie des 19. Jahrhunderts (Materialien zu einer Dramaturgie des Oratoriums), in: Beiträge zur Geschichte des Oratoriums seit Händel. Festschrift Günther Massenkeil, hg. von Rainer Cadenbach und Helmut Loos, Bonn 1986, S. 221—254
Kirschbaum, Engelbert (Hg.): Lexikon der christlichen Ikonographie, Bd. I—VIII, Rom u.a. 1968ff.
Klauwell, Otto: Ludwig van Beethoven und die Variationenform, Langensalza 1901

Klein, Hans-Günter: Ludwig van Beethoven. Autographe und Abschriften. Katalog (= Staatsbibliothek Preußischer Kulturbesitz, Kataloge der Musikabteilung. 1. Reihe: Handschriften, 2), Berlin 1975

Klein, Hans-Günter / Johnson, Douglas: Autographe Beethovens aus der Bonner Zeit: Handschrift-Probleme und Echtheitsfragen, in: Beiträge zur Beethoven-Bibliographie. Studien und Materialien zum Werkverzeichnis von Kinsky-Halm, hg. von Kurt Dorfmüller, München 1978, S. 115—124

Klein, Rudolf: Beethovens „gebundener Stil" in opus 106, in: Beethoven-Jahrbuch 9 (1973/1977), S. 185—199

—: Die Struktur von Beethovens Missa solemnis, in: Festschrift Erich Valentin zum 70. Geburtstag, hg. von Günther Weiß, Regensburg 1976, S. 89—107

Klimowitzkij, Abraham: Ein „Gloria" von Palestrina als Modell des „Heiligen Dankgesanges" aus Beethovens Streichquartett op. 132, in: Bericht über den Internationalen Beethoven-Kongreß 20. bis 23. März 1977 in Berlin, hg. von Harry Goldschmidt, Karl-Heinz Köhler und Konrad Niemann, Leipzig 1978, S. 513—517 (Notenbeispiele und Anmerkungen bei der russischen Fassung ebenda, S. 225—228)

—: O glavnoj teme i zanrovoj strukture pervogo Allegro „Geroiceskoj" (Über das Hauptthema und die Genrestruktur des ersten Allegro der Eroica), in: Betchoven, hg. von Natan Fischman, 2 Bde., Moskau 1971—1972

Kloss, Erich (Hg.): Briefwechsel zwischen Wagner und Liszt, 2 Teile in einem Bd., Leipzig 1910, ³1912, ⁴1919

Knapp, J. Merrill: Beethoven's Mass in C Major, Op. 86, in: Beethoven Essays. Studies in Honor of Elliot Forbes, hg. von Lewis Lockwood und Phyllis Benjamin, Cambridge, Mass. 1984, S. 199—216

Knepler, Georg: Zu Beethovens Wahl von Werkgattungen. Ein soziologischer Aspekt eines ästhetischen Problems, in: Ludwig van Beethoven (= Wege der Forschung 428), hg. von Ludwig Finscher, Darmstadt 1983, S. 388—409

—: Musikgeschichte des 19. Jahrhunderts, 2 Bde., Berlin 1961

Knight, Frida: Britain in Beethoven's Mind, in: Bericht über den Internationalen Beethoven-Kongreß 20. bis 23. März 1977 in Berlin, hg. von Harry Goldschmidt, Karl-Heinz Köhler und Konrad Niemann, Leipzig 1978, S. 285—288

Koch, Heinrich Christoph: Kurzgefaßtes Handwörterbuch der Musik für praktische Tonkünstler und für Dilettanten, Leipzig 1807

—: Musikalisches Lexikon, Frankfurt a.M. 1802, Nachdruck Hildesheim ²1985

—: Versuch einer Anleitung zur Composition, 3 Bde., Rudolstadt 1782 und Leipzig 1787—1793, Nachdruck Hildesheim 1969

Köhler, Karl-Heinz / Herre, Grita / Beck, Dagmar u.a. (Hg.): Ludwig van Beethovens Konversationshefte, Bd. I—X, Leipzig 1968—1993

Körner, Alfred: Die Wiener Jakobiner, Stuttgart 1972

Körner, Klaus: Formen musikalischer Aussage im zweiten Satz des G-Dur-Klavierkonzertes von Beethoven, in: Beethoven-Jahrbuch 9 (1973/1977), S. 201—216

Kojima, Shin Augustinus: Probleme im Notentext der Pastoralsymphonie op. 68 von Beethoven, in: Beethoven-Jahrbuch 9 (1973/1977), S. 217—261

—: Zur Quellenkritik von Beethovens Chorfantasie op. 80, in: Musik—Edition—Interpretation. Gedenkschrift Günter Henle, hg. von Martin Bente, München 1980, S. 264—281

—: Die Solovioline-Fassungen und -Varianten von Beethovens Violinkonzert op. 61. Ihre Entstehung und Bedeutung, in: Beethoven-Jahrbuch 8 (1971/1972), S. 97—145

Kolisch, Rudolf: Tempo and Character in Beethoven's Music, in: MQ 29 (1943), S. 169—187 und 291—312

—: Tempo und Charakter in Beethovens Musik (= Musik-Konzepte 76/77), hg. von Heinz-Klaus Metzger und Rainer Riehn, München 1992

Kolisch, Rudolf / Leibowitz, René: Aufführungsprobleme im Violinkonzert von Beethoven, in: Musica 33 (1979), S. 148—155

Koller, Walter: Aus der Werkstatt der Wiener Klassiker. Bearbeitungen Haydns, Mozarts und Beethovens, Tutzing 1975

Kollmann, August Fr. Chr.: An Essay on Practical Musical Composition, London 1799
Kolneder, Walter: Evolutionismus und Schaffenschronologie: Zu Beethovens Righini-Variationen, in: Studien zur Musikgeschichte des Rheinlandes II. Karl Gustav Fellerer zum 60. Geburtstag, hg. von Herbert Drux u.a., Köln 1962, S. 119—132
Kolodin, Irving: Beethoven und die Symphonie, in: Beiheft zur Schallplatten-Einspielung der Symphonien Beethovens mit den Berliner Philharmonikern unter Herbert von Karajan, DGG 2740 172, o.O. 1977, S. 6—21
Komma, Karl Michael: Die Klaviersonate As-Dur Opus 110 von Ludwig van Beethoven (Faksimile-Ausgabe mit Beiheft), Stuttgart 1967
Konold, Wulf: Ludwig van Beethoven. Sinfonie Nr. 5 c-Moll, op. 67. Einführung und Analyse, Mainz 1979
—: Ludwig van Beethoven. Violinkonzert D-Dur op. 61. Einführung und Analyse, Mainz 1986
Kopfermann, Michael: Beiträge zur musikalischen Analyse später Werke Beethovens (= Berliner musikwissenschaftliche Arbeiten 10), München und Salzburg 1975
Korff, Hermann August: Goethe im Bildwandel seiner Lyrik, Bd. I, Leipzig 1958
Korsyn, Kevin: Integration in Works of Beethoven's Final Period, Phil. Diss. Yale University 1983
Korte, Werner: Ludwig van Beethoven, Berlin 1936
Kramer, Lawrence: Music and Poetry. The Nineteenth Century and after (= California Studies in 19th Century Music 3), Berkeley u.a. 1984
Kramer, Richard A.: Ambiguities in La Malinconia: What the Sketches Say, in: Beethoven-Studies 3, hg. von Alan Tyson, Cambridge 1982, S. 29—46
—: Between Cavatina and Ouverture: Opus 130 and the Voices of Narrative, in: Beethoven Forum 1, hg. von Christopher Reynolds, Lewis Lockwood und James Webster, Lincoln und London 1992, S. 165—189
—: Counterpoint and Syntax. On a Difficult Passage in the First Movement of Beethoven's String Quartet in C Minor, opus 18 No. 4, in: Beiträge zu Beethovens Kammermusik. Symposion Bonn 1984 (= Veröffentlichungen des Beethoven-Hauses Bonn, Neue Folge, 4. Reihe, Bd. X), hg. von Sieghard Brandenburg und Helmut Loos, München 1987, S. 111—124
—: The Sketches for Beethoven's Violin Sonatas op. 30. History, Transcription, Analysis, Phil. Diss. Princeton 1974, Ann Arbor 1975
Kreft, Ekkehard: Die späten Quartette Beethovens. Substanz und Substanzverarbeitung, Bonn 1969
Krehbiel, Henry E.: A. W. Thayer's Life of Beethoven, 3 Bde., New York 1921
Kreiner, Viktor: Ludwig van Beethoven. Ouvertüre zu Goethes „Egmont" op. 84, in: NZfM 148 (1987), H. 3, S. 30—34
Kretzschmar, Hermann: Beethoven, Violinkonzert, in: Führer durch den Konzertsaal, Bd. III (auch als Einzelausgabe), Leipzig 1908
—: Führer durch den Konzertsaal, I. Abtheilung: Sinfonie und Suite, Leipzig 1887
—: Führer durch den Konzertsaal, Bd. II: Vokalmusik. 1. Kirchliche Werke (1888), 2. Oratorien und weltliche Chorwerke (1890), Leipzig II. 1: ^{2}1895, ^{3}1905, ^{4}1916, II. 2: ^{2}1899, ^{3}1915, ^{4}1920
Kroll, Erwin: Carl Maria von Weber, Potsdam 1934
Krones, Hartmut: „... er habe ihm seine Liebesgeschichte in Musik setzen wollen". Ludwig van Beethovens e-Moll-Sonate, op. 90, in: ÖMZ 43 (1988), S. 592—601
—: Rhetorik und rhetorische Symbolik in der Musik um 1800. Vom Weiterleben eines Prinzips, in: Musiktheorie 3 (1988), S. 117—140
—: 1805—1823: Vier Opern — Ein Vokabular. Musiksprachliche Bedeutungskonstanten in „Fidelio", „Il Barbiere di Siviglia", „Der Freischütz" und „Fierrabras", in: ÖMZ 44 (1989), S. 338—345
Kropfinger, Klaus: Das gespaltene Werk. Beethovens Streichquartett Op. 130/133, in: Beiträge zu Beethovens Kammermusik. Symposion Bonn 1984 (= Veröffentlichungen des Beethoven-Hauses Bonn, Neue Folge, 4. Reihe, Bd. X), hg. von Sieghard Brandenburg und Helmut Loos, München 1987, S. 296—335
—: Der musikalische Strukturbegriff bei E. T. A. Hoffmann, in: Bericht über den Internationalen Musikwissenschaftlichen Kongreß Bonn 1970, hg. von Carl Dahlhaus u.a., Kassel u.a. 1971, S. 480—482

—: Zur thematischen Funktion der langsamen Einleitung bei Beethoven, in: Colloquium Amicorum. Joseph Schmidt-Görg zum 70. Geburtstag, hg. von Siegfried Kross und Hans Schmidt, Bonn 1967, S. 197—216
—: Überlegungen zum Werkbegriff, in: Rezeptionsästhetik und Rezeptionsgeschichte in der Musikwissenschaft (= Publikationen der Hochschule für Musik und Theater Hannover 3), hg. von Hermann Danuser und Friedhelm Krummacher, Laaber 1991, S. 115—131
Krüger, Eduard: Beiträge für Leben und Wissenschaft der Tonkunst, Leipzig 1847
Krummacher, Friedhelm: Synthesis des Disparaten. Zu Beethovens späten Quartetten und ihrer frühen Rezeption, in: AfMw 37 (1980), S. 99—134
Kühn, Clemens: Formenlehre der Musik, München und Kassel 1987
Küthen, Hans-Werner: Beethovens „wirklich ganz neue Manier" — eine Persiflage, in: Beiträge zu Beethovens Kammermusik. Symposion Bonn 1984 (= Veröffentlichungen des Beethoven-Hauses Bonn, Neue Folge, 4. Reihe, Bd. X), hg. von Sieghard Brandenburg und Helmut Loos, München 1987, S. 216—224
—: Die erste Pariser Originalausgabe Beethovens. Ermittlungen zu den Violinsonaten op. 23 und 24, in: Beethoven-Jahrbuch 10 (1978/1981), S. 121—140
—: Pragmatic instead of Enigmatic. „The Fifth-First Sonata" of Beethoven, in: The Beethoven Newsletter 7 (1992), S. 68—73
—: Probleme der Chronologie in den Skizzen und Autographen zu Beethovens Klavierkonzert op. 19, in: Beethoven-Jahrbuch 9 (1973/1977), S. 263—292
—: „Die ominöse Stelle um den Orgelpunkt herum." Text- und Quellengeschichtliches zur Fuge in Beethovens Klaviersonate op. 110, in: Divertimento für Hermann J. Abs. Beethoven-Studien, hg. von Martin Staehelin, Bonn 1981, S. 49—68
—: „Wellingtons Sieg oder die Schlacht bei Vittoria". Beethoven und das Epochenproblem Napoleon, in: Beethoven zwischen Revolution und Restauration, hg. von Helga Lühning und Sieghard Brandenburg, Bonn 1989, S. 259—273
Kunze, Stefan: Beethovens Spätwerk und seine Aufnahme bei den Zeitgenossen, in: Beiträge zu Beethovens Kammermusik. Symposion Bonn 1984 (= Veröffentlichungen des Beethoven-Hauses Bonn, Neue Folge, 4. Reihe, Bd. X), hg. von Sieghard Brandenburg und Helmut Loos, München 1987, S. 59—78
—: Figuration in Beethovens Spätwerk. Zur Krise der instrumentalen Spielformel in der Musik um 1800, in: Festschrift Arno Forchert zum 60. Geburtstag, hg. von Gerhard Allroggen und Detlef Altenburg, Kassel u.a. 1986, S. 153—168
— (Hg.): [Gesammelte Konzertberichte :] Ludwig van Beethoven. Die Werke im Spiegel seiner Zeit. Gesammelte Konzertberichte und Rezensionen bis 1830, Laaber 1987
—: Mozarts Opern, Stuttgart 1984
—: „Über Sternen muß er wohnen". Töne der Jenseitigkeit in Beethovens Neunter Symphonie, in: Festschrift Rudolf Bockholdt zum 60. Geburtstag, hg. von Norbert Dubowy und Sören Meyer-Eller, Pfaffenhofen 1990, S. 283—297
—: Die „wirklich gantz neue Manier" in Beethovens Eroica-Variationen op. 35, in: AfMw 29 (1972), S. 124—149
Lach, Robert: Zur Geschichte der Beethovenschen „Prometheus"-Ballettmusik, in: ZfMw 3 (1920/1921), S. 223—237
—: Die Vogelstimmenmotive in Beethovens Werken, in: Neues Beethoven-Jahrbuch 2 (1925), S. 7ff.
Lam, Basil: Beethoven String Quartets (= BBC Music Guides), London und Tonbridge 1975
Landon, H. C. Robbins: Beethoven. Sein Leben und seine Welt in zeitgenössischen Bildern und Texten (= Beethoven. A Documentary Study), London, Zürich 1974
Langer, Susanne: Philosophy in a New Key. A Study in the Symbolism of Reason, Rite, and Art, Cambridge, Mass. 1942, New York 1961
Larsen, Jens Peter: Sonatenform-Probleme, in: Festschrift Friedrich Blume zum 70. Geburtstag, hg. von Anna Amalie Abert und Wilhelm Pfannkuch, Kassel u.a. 1963, S. 221—230
LaRue, Jan: Harmonischer Rhythmus in Beethovens Symphonien, in: Ludwig van Beethoven (= Wege der Forschung 428), hg. von Ludwig Finscher, Darmstadt 1983, S. 181—199
Laurencin, Graf Ferdinand Peter: Zur Geschichte der Kirchenmusik bei den Italienern und den Deutschen, Leipzig 1856

Lausberg, Heinrich: Handbuch der literarischen Rhetorik, 2 Bde., München ²1960
Lehner, Walther: Franz Xaver Süßmayr als Opernkomponist, in: StMw 18 (1931), S. 66—96
Leicher-Olbrich, Anneliese: Untersuchungen zu Originalausgaben Beethovenscher Klavierwerke, Wiesbaden 1976
Leiken, Anatoly: The Dissolution of Sonata Structure in Romantic Piano Music (1820—1850), Phil. Diss. University of California, Los Angeles 1986
Leitgeb, Walburga: Studien zum italienischen Lied in Wien zur Zeit der Klassik (1750—1820), Phil. Diss. (mschr.), Wien 1980
Leitzmann, Albert: Ludwig van Beethoven. Berichte der Zeitgenossen, Briefe und persönliche Aufzeichnungen, 2 Bde., Leipzig 1921
Lenz, Wilhelm v.: Beethoven. Eine Kunststudie, 5 Bde., Kassel 1855—Hamburg 1866, hg. von Alfred Christlieb Kalischer, Berlin ⁵⁻⁸1922
—: Beethoven et ses trois styles. Analyses des sonates de piano suivies de l'essai d'un catalogue critique chronologique et anecdotique de l'œuvre de Beethoven, 2 Bde., St. Petersburg 1852
—: Kritischer Katalog sämmtlicher Werke Ludwig van Beethovens mit Analysen derselben, Bd. I, Hamburg ²1860, Bd. II—IV, Hamburg 1860 (= ders., Beethoven. Eine Kunststudie, Bd. III/1, III/2, IV und V)
Leux, Irmgard: Christian Gottlob Neefe (1748—1798), Leipzig 1925
Levin, Julius: Eine Skizze zum Es-Dur Konzert von Beethoven, in: Die Musik 3, 2. Quartal (1904), S. 401—411
Levinson, André: Le Ballet de Prométhée. Beethoven et Viganò, in: La Revue Musicale 8 (1927), S. 87—97
Levy, J. M.: Beethoven's Musical Choice. The Two Versions of Op. 18, 1, First Movement, Philadelphia 1982
Lexikon der christlichen Ikonographie, hg. von Engelbert Kirschbaum, Bd. I—VIII, Rom u.a. 1968ff.
Ley, Stephan: Beethoven als Freund der Familie Wegeler — von Breuning, Bonn 1927
Lichtenfeld, Monika: Zur Entstehungs- und Rezeptionsgeschichte der späten Beethoven-Quartette, in: Beiheft zur Schallplattenkassette: Beethoven. Die späten Streichquartette. La-Salle Quartet, Deutsche Grammophon 2740 168/2711 018, 1977
Lienhard, Johanna: Mignon und ihre Lieder, gespiegelt in den Wilhelm Meister-Romanen, Zürich und München 1978
Lissa, Zofia: Klavierpolonaise und -mazurka im 19. Jahrhundert, in: Gattungen der Musik in Einzeldarstellungen. Gedenkschrift Leo Schrade, hg. von Wulf Arlt, Ernst Lichtenhahn und Hans Oesch, Bern und München 1973, S. 813—839
Liszt, Franz: Beethovens „Fidelio", in: ders., Gesammelte Schriften, hg. von Lina Ramann, Bd. III/1, Leipzig 1881, S. 10—15
—: Briefe an die Fürstin Carolyne Sayn-Wittgenstein (= Briefe. Gesammelt und hg. von La Mara, Bd. IV—VII = Teil 1—4), Leipzig 1900—1902
Lobe, Johann Christian: Compositions-Lehre oder umfassende Theorie von der thematischen Arbeit und den modernen Instrumentalformen, Weimar 1844, Nachdruck Hildesheim 1988
Lockwood, Lewis: The Autograph of the First Movement of Beethoven's Sonata for Violoncello and Pianoforte, Opus 69, in: The Music Forum 2 (1970), S. 1—109
—: Beethoven and the Problem of Closure: Some Examples from the Middle-Period Chamber Music, in: Beiträge zu Beethovens Kammermusik. Symposion Bonn 1984 (= Veröffentlichungen des Beethoven-Hauses Bonn, Neue Folge, 4. Reihe, Bd. X), hg. von Sieghard Brandenburg und Helmut Loos, München 1987, S. 254—272
—: Beethoven. Studies in the Creative Process, Cambridge, Mass. u.a. 1992
—: Beethoven's Early Works for Violoncello and contemporary Violoncello Technique, in: Beiträge '76—'78. Beethoven-Kolloquium 1977. Dokumentation und Aufführungspraxis, hg. von der Österreichischen Gesellschaft für Musik, Kassel u.a. 1978, S. 174—182
—: Beethoven's Early Works for Violoncello and Pianoforte. Innovation in Context, in: The Beethoven Newsletter 1 (1986), S. 17—21
—: Beethoven's Sketches for „Sehnsucht" (WoO 146), in: Beethoven Studies 1, hg. von Alan Tyson, New York 1973, S. 97—122

—: On the „Cavatina“ of Beethoven's String Quartet in B-Flat Major, Opus 130, in: Liedstudien. Wolfgang Osthoff zum 60. Geburtstag, hg. von Martin Just und Reinhard Wiesend, Tutzing 1989, S. 293—305
—: „Eroica“ Perspectives. Strategy and Design in the First Movement, in: Beethoven Studies 3, hg. von Alan Tyson, Cambridge 1982, S. 85—105
Löw, Helmut Aloysius: Die Improvisation im Klavierwerk L. v. Beethovens, Phil. Diss. Saarbrücken 1962
Loos, Helmut (Hg.): Beethoven und die Nachwelt. Materialien zur Wirkungsgeschichte Beethovens, Bonn 1986
—: Beethovens Trauermarsch aus op. 26 und WoO 96, in: Beiträge zu Beethovens Kammermusik. Symposion Bonn 1984 (= Veröffentlichungen des Beethoven-Hauses Bonn, Neue Folge, 4. Reihe, Bd. X), hg. von Sieghard Brandenburg und Helmut Loos, München 1987, S. 205—215
—: Zur Klavierübertragung von Werken für und mit Orchester des 19. und 20. Jahrhunderts (= Schriften zur Musik 25), München und Salzburg 1983
—: Zur Textierung Beethovenscher Instrumentalwerke. Ein Kapitel der Beethoven-Deutung, in: ders. (Hg.), Beethoven und die Nachwelt. Materialien zur Wirkungsgeschichte Beethovens, Bonn 1986, S. 117—137
Lorenz, Alfred: Worauf beruht die bekannte Wirkung der Durchführung im 1. Eroicasatze. Eine Untersuchung, in: Neues Beethoven-Jahrbuch 1 (1924), S. 159—183
Loyonnet, Paul: Les 32 Sonates pour piano. Journal intime de Beethoven, Paris 1977
Lühning, Helga: Adelaide und die Verleger der Beethoven-Zeit, in: Augsburger Jahrbuch für Musikwissenschaft 7 (1990), S. 53—85
—: „Fidelio“ in Prag, in: Beethoven und Böhmen. Beiträge zu Biographie und Wirkungsgeschichte Beethovens, hg. von Sieghard Brandenburg und Martella Gutiérrez-Denhoff, Bonn 1988, S. 349—391
—: Florestans Kerker im Rampenlicht. Zur Tradition des Sotterraneo, in: Beethoven. Zwischen Revolution und Restauration, hg. von Helga Lühning und Sieghard Brandenburg, Bonn 1989, S. 137—204
—: Freudvoll oder leidvoll? Beethovens Weg zur endgültigen Fassung von Klärchens Lied, in: Quaestiones in musica. Festschrift für Franz Krautwurst zum 65. Geburtstag, hg. von Friedhelm Brusniak und Horst Leuchtmann, Tutzing 1989, S. 351—386
—: Gattungen des Liedes, in: Beiträge zu Beethovens Kammermusik. Symposion Bonn 1984 (= Veröffentlichungen des Beethoven-Hauses Bonn, Neue Folge, 4. Reihe, Bd. X), hg. von Sieghard Brandenburg und Helmut Loos, München 1987, S. 191—204
—: Nur wer die Sehnsucht kennt. Lied in vier Fassungen (WoO 134) nach einem Gedicht von Johann Wolfgang von Goethe von Ludwig van Beethoven. Faksimile des Autographs mit einer Studie von Helga Lühning, Bonn 1986
MacArdle, Donald W.: The Artaria Editions of Beethovens C Major Quintet, in: JAMS 16 (1963), S. 254—257
—: Beethoven, Artaria, and the C Major Quintet, in: MQ 34 (1948), S. 567—574
—: Beethoven and George Thomson, in: ML 37 (1956), S. 27—49
—: Beethoven's Quartet in B flat, Op. 130, in: MR 8 (1947), S. 11—24
MacDonald, Hugh: Fantasy and Order in Beethoven's Phantasie op. 77, in: Modern Musical Scholarship, hg. von Edward Olleson, Stocksfield 1980, S. 141—150
Macek, Jaroslav: Franz Joseph Maximilian Lobkowitz. Musikfreund und Kunstmäzen, in: Beethoven und Böhmen. Beiträge zu Biographie und Wirkungsgeschichte Beethovens, hg. von Sieghard Brandenburg und Martella Gutiérrez-Denhoff, Bonn 1988, S. 147—201
Mâche, François-Bernard: Music, Myth, and Nature, or, The Dolphins of Arion (= Contemporary Music Studies 6), o.O. [Chur] 1992
Maheim, Ivan: Beethoven, 2 Bde., Paris 1964
Mainka, Jürgen (Hg.): Christian Friedrich Daniel Schubarts Ideen zu einer Ästhetik der Tonkunst, Leipzig 1977
—: Das Weltbild des jungen Beethoven, in: BzMw 12 (1970), S. 199—251
Mann, Carl Heinz: Formale Probleme in den späten Werken Beethovens. Untersuchungen zum Stil der Kammermusik und des Klavierwerks, Phil. Diss. (mschr.) Hamburg 1955

Mann, Thomas: Doktor Faustus. Das Leben des deutschen Tonsetzers Adrian Leverkühn, erzählt von einem Freunde, Stockholm 1947

Marek, George Richard: Ludwig van Beethoven. Das Leben eines Genies, München 1970

Markevitch, Igor: Die Sinfonien von Ludwig van Beethoven. Historische, analytische und praktische Studien, Leipzig 1983

Marliave, Joseph de: Les Quatuors de Beethoven, Paris 1925

Marpurg, Friedrich Wilhelm: Abhandlung von der Fuge, 2 Bde., Berlin 1753—1754, Nachdruck Hildesheim 1970

Marston, Nicholas: Approaching the Sketches for Beethoven's „Hammerklavier" Sonata, in: JAMS 44 (1991), S. 404—450

—: Schenker and Forte Reconsidered. Beethoven's Sketches for the Piano Sonata in E, Op. 109, in: 19th Century Music 10 (1986), S. 24—42

—: The Sketches for Beethoven's Piano Sonata in E, Opus 109, Phil. Diss. University of Cambridge 1986

Martin, R. / Winter, R.: The Beethoven Quartet Compendium, Berkeley 1994

Maruyama, Keisuke: Die Sinfonie des Prometheus. Zur Dritten Sinfonie, in: Beethoven. Analecta varia (= Musik-Konzepte 56), hg. von Heinz-Klaus Metzger und Rainer Riehn, München 1987, S. 46—82

Marx, Adolf Bernhard: Anleitung zum Vortrag Beethovenscher Klavierwerke, Berlin 1863, neu hg. von Eugen Schmitz, Regensburg 1912

—: Die Lehre von der musikalischen Komposition, 4 Bde., Leipzig 1837—1847

—: Ludwig van Beethoven. Leben und Schaffen, 2 Bde., Berlin 1859, ^{2}1863, hg. von Gustav Behncke, Berlin ^{3}1875, ^{4}1884, ^{6}1908; Leipzig 1902, Nachdruck der Erstausgabe Hildesheim 1979

—: Rez. der Diabelli-Variationen, in: BAMZ 7 (1830), S. 370f., Wiederabdruck bei Stefan Kunze (Hg.): Ludwig van Beethoven. Die Werke im Spiegel seiner Zeit. Gesammelte Konzertberichte und Rezensionen bis 1830, Laaber 1987, S. 417f.

Mason, Daniel Gregory: The Quartets of Beethoven, New York 1947

Massenkeil, Günther: Über Beethovens kirchenmusikalischen Stil, in: Jahres- und Tagungsbericht der Görres-Gesellschaft 1970 (Köln 1971), S. 5—12 (Sonderdruck)

—: Cantabile bei Beethoven, in: Beiträge '76—'78. Beethoven-Kolloquium 1977. Dokumentation und Aufführungspraxis, hg. von der Österreichischen Gesellschaft für Musik, Kassel u.a. 1978, S. 154—159

—: Zur Frage der Dissonanzbehandlung in der Musik des 17. Jahrhunderts, in: Les Colloques de Wégimont IV 1957, Paris 1963, S. 161—176

Massin, Jean / Massin, Brigitte: Beethoven. Materialbiographie, Daten zum Werk und Essay, München 1970

Mattenklott, Gert: Melancholie in der Dramatik des Sturm und Drang, Stuttgart 1968, erweiterte und durchgesehene Auflage Königstein 1985

Mattheson, Johann: Der Vollkommene Capellmeister, Hamburg 1739, Nachdruck Kassel und Basel 1954, ^{2}1969

Mayer-Reinach, Albert: Beethovens Trauerkantate, in: Die Musik 6, 4. Quartal (1906/1907), S. 330—340

Meikle, Robert B.: Thematic Transformation in the First Movement of Beethoven's Eroica Symphony, in: MR 32 (1971), S. 205—218

Melkus, Eduard: Bogensetzung und Stricharten im Werk Beethovens, in: Beethoven Almanach 1970 (= Publikationen der Wiener Musikhochschule 4), Wien 1970, S. 102—123

—: Zur Interpretation des Violinkonzertes opus 61 von L. v. Beethoven, in: ÖMZ 19 (1964), S. 159—173

Mellers, Wilfrid: Beethoven and the Voice of God, London 1983

Mendel, Herrmann / Reißmann, August: Musikalisches Conversations-Lexikon, Berlin 1870—1883

Mendelssohn Bartholdy, Paul (Hg.): Reisebriefe aus den Jahren 1830 bis 1832 von Felix Mendelssohn Bartholdy, Leipzig 1861, ^{7}1865

Meredith, William: Forming the New from the Old. Beethoven's Use of Variation in the Fifth

Symphony, in: Beethoven's Compositional Process (= North American Beethoven Studies 1), hg. von William Kinderman, Lincoln und London 1991, S. 102—121
—: The Origins of Beethoven's op. 109, in: The Musical Times 126 (1985), S. 713—716
—: The Sources for Beethoven's Piano Sonata in E Major, Opus 109, Phil. Diss. University of North Carolina, 2 Bde., Chapel Hill 1985
Mersenne, Marin: Les Préludes de l'Harmonie universelle, Paris 1634
Mersmann, Hans: Die Kammermusik (= Führer durch den Konzertsaal, 3. Abt.), 4 Bde., Leipzig 1930—1933
Messiaen, Olivier: Entwicklung durch Verkürzung. Eine Rede über Beethoven, in: Musiktexte 4 (1986), S. 24f.
Metzger, Heinz-Klaus / Riehn, Rainer (Hg.): Beethoven. Das Problem der Interpretation (= Musik-Konzepte 8), München 1979
Meyer, Gabriele E.: Untersuchungen zur Sonatensatzform bei Ludwig van Beethoven. Die Kopfsätze der Klaviersonaten op. 79 und op. 110 (= Studien zur Musik 5), München 1985
Michaelis, Christian Friedrich: Etwas über sentimentale und naive Musik, in: BMZ 1 (1805), S. 149f., Wiederabdruck in: WamZ 1 (1813), Sp. 687—690
Mies, Paul: Die Bedeutung der Pauke in den Werken Ludwig van Beethovens, in: Beethoven-Jahrbuch 8 (1971/1972), S. 49—71
—: Die Bedeutung der Skizzen Beethovens zur Erkenntnis seines Stiles, Leipzig 1925
—: Zur Coriolan-Ouvertüre op. 62 (1938), in: Beethoven-Jahrbuch 6 (1965/1968), S. 260—268
—: Die Krise der Konzertkadenz bei Beethoven, Bonn 1970
—: Ludwig van Beethovens Werke über seinen Kontretanz in Es-Dur, in: Beethoven-Jahrbuch 1 (1953/1954), S. 80—102
—: Die Quellen des op. 61 von Ludwig van Beethoven, in: Bericht über den 7. Internationalen Musikwissenschaftlichen Kongreß Köln 1958, Kassel u.a. 1959, S. 193—195
—: „Sehnsucht von Göthe und Beethoven", in: Beethoven-Jahrbuch 2 (1955/1956), S. 112—119
Mikulicz, Karl Lothar: Ein Notierungsbuch (F 91) von Beethoven aus dem Besitze der Preußischen Staatsbibliothek zu Berlin, Leipzig 1927, Nachdruck Hildesheim 1973
—: Skizzen zur III. und V. Sinfonie und über die Notwendigkeit einer Gesamtausgabe der Skizzen Beethovens, in: Beethoven-Zentenarfeier. Wien, 26. bis 31. März 1927, Wien 1927, S. 95f.
Mila, Massimo: I quartetti di Beethoven, Turin 1968
Mirow, Franz: Zwischenaktmusik und Bühnenmusik des deutschen Theaters in der klassischen Zeit (= Schriften der Gesellschaft für Theatergeschichte, Bd. XXXVII), Berlin 1927
Mirscy, Jozef / Mirscy, Maria (Hg.): Maria Szymanowska 1789—1831. Album. Materialy Biograficzne, Sztambuchy, Wybor Kompzycij. Zebrali i opracowali Jozef i Maria Mirscy, mit Faksimile, Warschau 1953
Misch, Ludwig: Beethovens „Variierte Themen" op. 105 und op. 107, in: Beethoven-Jahrbuch 4 (1959/1960), S. 102—142
—: „Non si fa una Cadenca...", in: ders., Beethoven-Studien, Berlin 1950, S. 135—142
—: Die Faktoren der Einheit in der Mehrsätzigkeit der Werke Beethovens. Versuch einer Theorie der Einheit des Werkstils (= Veröffentlichungen des Beethoven-Hauses Bonn, Neue Folge, 4. Reihe, Bd. III), München und Duisburg 1958
—: „Fidelio" als ethisches Bekenntnis, in: ders., Beethoven-Studien, Berlin 1950, S. 143—149
—: Zur Frage „Ein Fehler in Beethovens letzter Violinsonate?", in: Mf 5 (1952), S. 367f.
—: Fuge und Fugato in Beethovens Variationenform, in: ders., Neue Beethoven-Studien und andere Themen (= Veröffentlichungen des Beethoven-Hauses Bonn, Neue Folge, 4. Reihe, Bd. IV), München und Duisburg 1967, S. 59—73
—: „Die Höhe der Stimmen mehr durch Instrumente". Zum Thema: Beethoven als Vokal-Komponist, in: ders., Beethoven-Studien, Berlin 1950, S. 132—135
—: Kleine Beethoveniana, in: Mf 16 (1963), S. 381—388
—: Der persönliche Stil in Beethovens Erster Symphonie. Organismus und Idee des ersten Satzes, in: Beethoven-Jahrbuch 2 (1955/1956), S. 55—101
—: Zur Thematik der Egmont-Ouvertüre. Widerlegung einer Fehldeutung und Folgerungen, in: ders., Beethoven-Studien, Berlin 1950, S. 77—104

—: Zwei B-Dur-Themen. Eine Beethoven-Schubert-Studie, in: ders., Beethoven-Studien, Berlin 1950, S. 24—35
Mitchell, William J.: Beethoven's La Malinconia from the String Quartet, Opus 18, No. 6. Techniques and Structure, in: The Music Forum 3 (1973), S. 269—280
Mohr, Wilhelm: Beethovens Klavierfassung seines Violinkonzertes op. 61, in: Bericht über den Internationalen Musikwissenschaftlichen Kongreß Bonn 1970, hg. von Carl Dahlhaus u.a., Kassel u.a. 1971, S. 509—511
—: Noch ein kleines Beethovenianum, in: Mf 17 (1964), S. 174
Monti, Vincenzo: Poesie, hg. von Alfonso Bertoldi und Bruno Maier, Florenz 1957
Morin, August: Ludwig van Beethoven. Sechste Symphonie F-Dur (Pastorale) op. 68 (= Der Meisterführer 81), Frankfurt a.M. o.J. (1896)
Morrow, Mary Sue: Concert Life in Haydn's Vienna. Aspects of a Developing Musical and Social Institution, New York 1989
(Moscheles, Ignaz): Aus Moscheles Leben, nach Briefen und Tagebüchern, hg. von Charlotte Moscheles, 2 Bde., Leipzig 1872—1873
Moser, Andreas: Geschichte des Violinspiels, Berlin 1923
Moser, Hans Joachim: Das deutsche Lied seit Mozart, 2 Bde., Berlin und Zürich 1937
—: Kleine Beiträge zu Beethovens Liedern und Bühnenwerken, in: Neues Beethoven-Jahrbuch 2 (1925), S. 43—65
Motte, Diether de la: „scherzando" — für wen? Analyse des Zweiten Satzes der 8. Sinfonie von Beethoven, in: Bericht über den Internationalen Beethoven-Kongreß 20. bis 23. März 1977 in Berlin, hg. von Harry Goldschmidt, Karl-Heinz Köhler und Konrad Niemann, Leipzig 1978, S. 130—137
Mozart, Wolfgang Amadeus: Briefe und Aufzeichnungen, hg. von Wilhelm A. Bauer und Otto Erich Deutsch, Bd. I—VII, Kassel u.a. 1962—1975
Müller-Blattau, Josef: Beethovens Mozart-Variationen, in: Bericht über den Internationalen Kongreß Wien. Mozartjahr 1956, hg. von Erich Schenk, Graz und Köln 1958, S. 434—439
—: Beethoven und die Variation, in: Neues Beethoven-Jahrbuch 5 (1933), S. 101—136
—: Zur Geschichte und Stilistik des vierhändigen Klaviersatzes, JbP (1940), S. 40—58
—: Gestaltung — Umgestaltung. Studien zur Geschichte der musikalischen Variation, Stuttgart 1950
— (Hg): Die Kompositionslehre Heinrich Schützens in der Fassung seines Schülers Christoph Bernhard, Leipzig 1926, Kassel u.a. ²1963
Müller-Reuter, Theodor: Lexikon der deutschen Konzertliteratur, Leipzig 1909, Nachtrag Leipzig 1921
Münster, Arnold: Studien zu Beethovens Diabelli-Variationen (= Veröffentlichungen des Beethoven-Hauses Bonn, Neue Folge, 4. Reihe, Bd. VIII), München 1982
Munter, Friedrich: Beethovens Bearbeitungen eigener Werke, in: Neues Beethoven-Jahrbuch 6 (1935), S. 159—173
Nagel, Wilibald: Beethoven und seine Klaviersonaten, 2 Bde., Langensalza 1903—1905, ²1923—1924
(Neefe, Christian Gottlob): Christian Gottlob Neefens Lebenslauf von ihm selbst beschrieben. Nebst beigefügtem Karackter (1789), hg. von Walther Engelhardt (= Beiträge zur rheinischen Musikgeschichte 21), Köln 1957
Neefe, Christian Gottlob: Nachricht von der churfürstlich-cöllnischen Hofcapelle zu Bonn und andern Tonkünstlern daselbst, in: Magazin der Musik 1 (1783), S. 377—400
Nef, Karl: Beethovens Beziehungen zur Politik, in: ZfM 92 (1925), S. 269—275, 343—347
—: Die neun Sinfonien Beethovens, Leipzig 1928, Nachdruck Wiesbaden 1970
Neitzel, Otto: Beethovens Symphonien nach ihrem Stimmungsgehalt erläutert, Köln 1891, ³1912
Newman, William S.: A History of the Sonata Idea, 3 Bde., Chapel Hill 1959—1969
Nicolai, Friedrich: Beschreibung einer Reise durch Deutschland und die Schweiz im Jahre 1781, 12 Bde., Berlin und Stettin 1783—1796
Nohl, Ludwig: Beethovens Leben, 3 Bde., Wien 1864—1877
—: Briefe Beethovens, Stuttgart 1865
Notowicz, Nathan: Wir reden hier nicht von Napoleon. Wir reden von Ihnen! Gespräche mit Hanns Eisler und Gerhart Eisler, hg. von Jürgen Elsner, Berlin 1971
Nottebohm, Gustav: Beethoveniana. Aufsätze und Mittheilungen, Leipzig 1872

—: Zweite Beethoveniana. Nachgelassene Aufsätze, hg. von Eugen Mandyczewski, Leipzig 1887, Neuauflage New York 1970
—: Beethoven's Studien. 1. Bd. Beethoven's Unterricht bei J. Haydn, Albrechtsberger und Salieri, Leipzig und Winterthur 1873, Nachdruck Niederwalluf bei Wiesbaden 1971
—: Entwürfe zu Clärchens Liedern, in: ders., Zweite Beethoveniana, S. 556—560
—: Ludwig van Beethoven. Thematisches Verzeichnis der im Druck erschienenen Werke von Ludwig van Beethoven, nebst der Bibliotheca Beethoveniana von Emerich Kastner, ergänzt von Theodor v. Frimmel, Leipzig 1925
—: Die Musik zur „Weihe des Hauses", in: ders., Zweite Beethoveniana, S. 385—408
—: Das Opferlied op. 121b, in: ders., Beethoveniana, S. 50—52
—: Zur Reinigung der Werke Beethovens von Fehlern und fremden Zuthaten, in: AmZ (Neue Folge) 15 (1878), S. 370
—: Skizzen aus dem Jahre 1809, in: ders., Zweite Beethoveniana, S. 255—275
—: Skizzen zum Quartett Op. 74, in: ders., Zweite Beethoveniana, S. 91—95
—: Skizzen zum zweiten Satz des Quartetts Op. 127, in: ders., Zweite Beethoveniana, S. 210—220
—: Skizzen zu den „Ruinen von Athen", in: ders., Zweite Beethoveniana, S. 138—145
—: Ein Skizzenbuch von Beethoven aus dem Jahre 1803, Leipzig 1880, Neuausgabe in: Zwei Skizzenbücher von Beethoven aus den Jahren 1801 bis 1803, hg. von Paul Mies, Leipzig 1924
—: Ein Skizzenbuch aus dem Jahre 1817, in: ders., Zweite Beethoveniana, S. 349—355
—: Ein Skizzenheft aus dem Jahre 1824, in: ders., Zweite Beethoveniana, S. 540—551
—: Zwei Skizzenbücher aus den Jahren 1798 und 1799, in: ders., Zweite Beethoveniana, S. 476—494
Nowak, Leopold: Beethovens „Fidelio" und die österreichischen Militärsignale, in: ÖMZ 10 (1955), S. 373—375
Obelkevich, Mary Rowen: The Growth of a Musical Idea — Beethoven's Opus 96, in: Current Musicology 11 (1971), S. 91—114
Oboussier, Robert: Die Sinfonien von Beethoven. Einführungen, im Auftrage des Berliner Philharmonischen Orchesters, Berlin 1937
Oldman, Cecil B.: Beethoven's Variations on National Themes. Their Composition and first Publication, in: MR 12 (1951), S. 45—51
Oppen, Jürgen v.: Beethovens Klavierfantasie op. 77 in neuer Sicht, in: Bericht über den Internationalen Musikwissenschaftlichen Kongreß Bonn 1970, hg. von Carl Dahlhaus u.a., Kassel u.a. 1971, S. 528—531
Orel, Alfred: Beethoven und das Wiener Aufgebot, in: Die Musik 30 (1938), S. 458—462
—: Beethovens Oktett op. 103 und seine Bearbeitung als Quintett op. 4, in: ZfMw 3 (1920/1921), S. 159—179
—: Ein „Dona nobis pacem" von der Hand Ludwig van Beethovens, in: Festschrift Karl Gustav Fellerer zum 60. Geburtstag, hg. von Heinrich Hüschen, Regensburg 1962, S. 402—406
Orrey, Leslie: The Songs, in: The Beethoven Companion, hg. von Denis Arnold und Nigel Fortune, London 1971, S. 411—439
Oster, Ernst: The Dramatic Character of the Egmont Overture, in: Musicology 2 (1948), S. 269—285
Osthoff, Wolfgang: Beethovens „Leonoren"-Arie, in: Bericht über den Internationalen Musikwissenschaftlichen Kongreß Bonn 1970, hg. von Carl Dahlhaus u.a., Kassel u.a. 1971, S. 191—199
—: Zum dramatischen Charakter der zweiten und dritten Leonoren-Ouvertüre und Beethovenscher Theatermusik im allgemeinen, in: Beiträge zur Geschichte der Oper (= Studien zur Musikgeschichte des 19. Jahrhunderts 15), hg. von Heinz Becker, Regensburg 1969, S. 11—24
—: Ludwig van Beethoven. Klavierkonzert Nr. 3 c-Moll, op. 37 (= Meisterwerke der Musik 2), München 1965
—: Das „Sprechende" in Beethovens Instrumentalmusik, in: Beiträge zu Beethovens Kammermusik. Symposion Bonn 1984 (= Veröffentlichungen des Beethoven-Hauses Bonn, Neue Folge, 4. Reihe, Bd. X), hg. von Sieghard Brandenburg und Helmut Loos, München 1987, S. 11—40
Palisca, Claude V.: French Revolutionary Models in Beethoven's Eroica Funeral March, in: Music and Context. Essays for John Milton Ward, hg. von Anne Dhu Shapiro, Cambridge, Mass. 1985, S. 198—209

Parrott, Ian: Beethoven, the Cello, and the Treble Clef, in: MR 46 (1985), S. 12—18
Paul, Ernst: Das Horn bei Beethoven, in: Beethoven Almanach 1970 (= Publikationen der Wiener Musikhochschule 4), Wien 1970, S. 80—90
Peters, Illo: Beethovens Klaviermusik, Berlin-Lichterfelde 1925
Peyser, Herbert F.: Beethoven's 'Lost' Piano Concerto, in: The Musical America 69 (1949), S. 35 und 50
Pfeiffer, Heinz Ernst: Theater in Bonn von seinen Anfängen bis zum Ende der französischen Zeit 1600—1814 (= Die Schaubühne. Quellen und Forschungen zur Theatergeschichte 7), Emsdetten 1934
Pfeiffer, Rüdiger: Einige Bemerkungen zum Violoncello in der Kammermusik der zweiten Hälfte des 18. Jahrhunderts, in: Zur Weiterentwicklung des Instrumentariums im 18. Jahrhundert (= Studien zur Aufführungspraxis und Interpretation von Musik des 18. Jahrhunderts 29), Michaelstein/Blankenburg 1986, S. 78—82
Pichler, Florian: Der deutsche Geist, Wien 1814
Platen, Emil: Über Bach, Kuhlau und die thematisch-motivische Einheit der letzten Quartette Beethovens, in: Beiträge zu Beethovens Kammermusik. Symposion Bonn 1984 (= Veröffentlichungen des Beethoven-Hauses Bonn, Neue Folge, 4. Reihe, Bd. X), hg. von Sieghard Brandenburg und Helmut Loos, München 1987, S. 152—164
—: Beethovens Streichtrio D-Dur, Opus 9 Nr. 2. Zum Problem der thematischen Einheit mehrsätziger Formen, in: Colloquium Amicorum. Joseph Schmidt-Görg zum 70. Geburtstag, hg. von Siegfried Kross und Hans Schmidt, Bonn 1967, S. 260—282
—: Zeitgenössische Hinweise zur Aufführungspraxis der letzten Streichquartette Beethovens, in: Beiträge '76—'78. Beethoven-Kolloquium 1977. Dokumentation und Aufführungspraxis, hg. von der Österreichischen Gesellschaft für Musik, Kassel u.a. 1978, S. 100—107
Pochhammer, Adolph (Hg.): Beethoven's Symphonien (= Schlesinger'sche Musik-Bibliothek, Meisterführer 1), Berlin und Wien o.J.
Polheim, Karl Konrad (Hg.): Zwischen Goethe und Beethoven. Verbindende Texte zu Beethovens Egmont-Musik, Bonn 1982
Pollak, Hans: Umfangs- und Strukturfragen in Beethovens Klaviersonaten (1970), in: Ludwig van Beethoven (= Wege der Forschung 428), hg. von Ludwig Finscher, Darmstadt 1983, S. 269—277
Prâč, Ivan: Sobranije narodnych russkich pesen, St. Petersburg ^{2}1806
Prod'homme, Jacques-Gabriel: La jeunesse de Beethoven, Paris 1921, ^{2}1927
—: Les Sonates pour piano de Beethoven (1782—1823). Histoire et critique, Paris 1937
—: Die Klaviersonaten Beethovens 1782—1823. Geschichte und Kritik, Wiesbaden 1948
Protopopov, Vladimir V.: Principy muziykal'noj formy Betchovena (Prinzipien der musikalischen Form Beethovens), Moskau 1970
Prüfer, Arthur: Zum Gedächtnisse Hugo Riemanns. Der Schlußsatz der Heldensinfonie und Beethovens Darstellung des rein Menschlichen, in: NZfM 86 (1919), S. 195f. und 205f.
Prunières, Henry: Salvatore Viganò, in: La Revue Musicale 2 (1921/1922), S. 71—94
Pulkert, Oldřich: Die Partitur der zweiten Fassung von Beethovens Oper „Leonore" im Musikarchiv des Nationaltheaters in Prag, in: Bericht über den Internationalen Beethoven-Kongreß 20. bis 23. März 1977 in Berlin, hg. von Harry Goldschmidt, Karl-Heinz Köhler und Konrad Niemann, Leipzig 1978, S. 247—256
„r...r...": Rez. von: Beethoven, op. 6, in: Allgemeine Musikzeitung zur Beförderung der theoretischen und praktischen Tonkunst, für Musiker und Freunde der Musik überhaupt 1 (1827/1828), Sp. 280
Radcliffe, Philip: Beethoven's String Quartets, London 1965
Raffalt, Reinhardt: Über die Problematik der Programmusik. Ein Versuch ihres Aufweises an der Pastoral-Symphonie von Beethoven, der Berg-Symphonie von Liszt und der Alpensymphonie von Strauss, Phil. Diss. Tübingen 1949
Ranke-Graves, Robert v.: Griechische Mythologie. Quellen und Deutung, 2 Bde. (= Rowohlts Deutsche Enzyklopädie, hg. von Ernesto Grassi), Reinbek 1960—1963
Rasch, Wolfdietrich: Freundschaftskult und Freundschaftsdichtung im deutschen Schrifttum des 18. Jahrhunderts. Vom Ausgang des Barock bis zu Klopstock, Halle/Saale 1936

Ratz, Erwin: Analyse und Hermeneutik in ihrer Bedeutung für die Interpretation Beethovens, in: Ludwig van Beethoven (= Wege der Forschung 428), hg. von Ludwig Finscher, Darmstadt 1983, S. 36—51
—: Beethovens Größe, dargestellt an Beispielen aus seinen Klaviersonaten, in: Beethoven im Mittelpunkt. Beiträge und Anmerkungen. Internationales Beethovenfest Bonn 1970, hg. von Gert Schroers, Bonn 1970, S. 41—57
—: Einführung in die musikalische Formenlehre. Über Formprinzipien in den Inventionen und Fugen J. S. Bachs und ihre Bedeutung für die Kompositionstechnik Beethovens, Wien 1951, ^{3}1973
—: Die Originalfassung des Streichquartetts Op. 130 von Beethoven, Wien 1950
—: Der wahre Beethoven (1949), in: ders., Gesammelte Aufsätze, hg. von F. C. Heller, Wien 1975, S. 65—67
Rebling, Eberhard: Probleme der Aufführung von Beethovens Ballett „Die Geschöpfe des Prometheus", in: Bericht über den Internationalen Beethoven-Kongreß 20. bis 23. März 1977 in Berlin, hg. von Harry Goldschmidt, Karl-Heinz Köhler und Konrad Niemann, Leipzig 1978, S. 329—334
Reichard, Heinrich August Ottokar (Hg.): Theater-Kalender, 25 Bde., Gotha 1775—1800
Reichardt, Johann Friedrich: An junge Künstler, in: Musikalisches Kunstmagazin 1 (1782), S. 1—7
—: Briefe, die Musik betreffend. Berichte, Rezensionen, Essays, hg. von Grita Herre und Walther Siegmund-Schultze, Leipzig 1976
—: Musikalischer Almanach, Berlin 1796
—: Musikalisches Kunstmagazin, 2 Bde., Berlin 1782—1791, Nachdruck Hildesheim 1969
—: Vertraute Briefe, geschrieben auf einer Reise nach Wien und den Oesterreichischen Staaten zu Ende des Jahres 1808 und zu Anfang 1809, 2 Bde., Amsterdam 1810, Neuausgabe hg. von Gustav Gugitz, München 1915
Reimer, Erich: Art. Tafelmusik (1971), in: Handwörterbuch der musikalischen Terminologie, hg. von Hans Heinrich Eggebrecht, Wiesbaden 1972ff, Stuttgart 1984ff.
Reinalter, Helmut: Aufgeklärter Absolutismus und Revolution. Zur Geschichte des Jakobinertums und der frühdemokratischen Bestrebungen in der Habsburgermonarchie (= Veröffentlichungen der Kommission für neuere Geschichte Österreichs 68), Wien u.a. 1980
Reinecke, Carl: Die Beethoven'schen Clavier-Sonaten, Leipzig 1896, ^{2}1897, ^{7}1917
Réti, Rudolph: Thematic Patterns in Sonatas of Beethoven, hg. von Deryck Cooke, London 1967
Rexroth, Dieter: Ludwig van Beethoven. Sinfonie Nr. 9, d-Moll, op. 125. Einführung und Analyse, Mainz und München 1979
Reynolds, Christopher: Beethoven's Sketches for the Variations in E^{b}, op. 35, in: Beethoven Studies 3, hg. von Alan Tyson, S. 47—84
—: The Representational Impulse in Late Beethoven, I: An die ferne Geliebte, in: AcM 60 (1988), S. 43—61
—: Separated Lovers and Separate Motives. The Musical Message of ‚An die ferne Geliebte', in: The Beethoven Newsletter 3 (1988), S. 49—55
Richter, Lukas: Beethoven und die Gassenhauer seiner Zeit, in: Bericht über den Internationalen Beethoven-Kongreß 10.—12. Dezember 1970 in Berlin, hg. von Heinz Alfred Brockhaus und Konrad Niemann, Berlin 1971, S. 443—446
Riehn, Rainer: Beethovens originale, Czernys und Moscheles' auf Erinnerung gegründete, Kolischs und Leibowitz' durch Vergleiche der Charaktere erschlossene Metronomisierungen, in: Beethoven. Das Problem der Interpretation (= Musik-Konzepte 8), hg. von Heinz-Klaus Metzger und Rainer Riehn, München 1979, S. 85—96
Riemann, Hugo: Beethoven und die Mannheimer, in: Die Musik 7, 3. Quartal (1907/1908), S. 3—19, 85—97
—: Beethovens Fis-dur-Sonate Op. 78. Analytische Studie, in: ders., Präludien und Studien. Gesammelte Aufsätze zur Ästhetik, Theorie und Geschichte der Musik, Bd. III, Leipzig 1901, S. 83—108
—: Beethovens Prometheus-Musik. Ein Variationenwerk, in: Die Musik 9, 3. Quartal (1909/1910), S. 19—34, 107—125

—: Beethoven's Streichquartette, Berlin 1903
—: Große Kompositionslehre, 3 Bde., Berlin und Stuttgart 1902—1913
—: L. van Beethovens sämtliche Klavier-Solosonaten. Ästhetische und formal-technische Analyse mit historischen Notizen, 3 Bde., Berlin 1918—1919, [4]1920
—: System der musikalischen Rhythmik und Metrik, Leipzig 1903, Neudruck Niederwalluf bei Wiesbaden 1971
Rienäcker, Gerd: Zur Dialektik bei der dramaturgischen Gestaltung der Musik zu Goethes ‚Egmont', in: Bericht über den Internationalen Beethoven-Kongreß 10.—12. Dezember 1970 in Berlin, hg. von Heinz Alfred Brockhaus und Konrad Niemann, Berlin 1971, S. 301—313
Riepel, Joseph: Grundregeln zur Tonordnung insgemein, Frankfurt a. M. und Leipzig 1755
Ries, Ferdinand: Briefe und Dokumente (= Veröffentlichungen des Stadtarchivs Bonn 27), hg. und bearbeitet von Cecil Hill, Bonn 1982
Ries, Ferdinand / Franz Gerhard Wegeler: Biographische Notizen über Ludwig van Beethoven, Koblenz 1838, hg. von Alfred Christlieb Kalischer, Berlin und Leipzig [3]1906, Nachdruck Hildesheim 1972
Riethmüller, Albrecht: Im Bann der Urfassung. Am Beispiel von Beethovens Streichquartett B-Dur op. 130, in: Mf 43 (1990), S. 201—211
—: Landschaft in der Musik, Landschaft zur Musik. Beethovens „Pastorale" und Walt Disneys „Fantasia", in: Freiburger Universitätsblätter, H. 85, Oktober 1984, S. 61—77
Riezler, Walter: Beethoven, Berlin und Zürich 1936, [2]1937, [3]1939, [5]1942, [6]1944, [7]1951, [8]1962, [9]1966, [10]1971, [11]1977, [12]1983
Ringer, Alexander L.: Clementi and the Eroica, in: MQ 47 (1961), S. 454—468
—: Klassisches Formbewußtsein und strukturelle Vielfalt (1973), in: Ludwig van Beethoven (= Wege der Forschung 428), hg. von Ludwig Finscher, Darmstadt 1983, S. 317—337
Ritzel, Fred: Die Entwicklung der „Sonatenform" im musiktheoretischen Schrifttum des 18. und 19. Jahrhunderts, Wiesbaden 1968, [2]1969, [3]1974
Rochlitz, Friedrich: Für Freunde der Tonkunst, 4 Bde., Leipzig 1824—1832, [3]1868
—: Rez. von Beethovens Bundeslied, in: AmZ 27 (1825), Sp. 740
Roda, Cecilio de: Un quaderno di autografi di Beethoven del 1825, in: Rivista Musicale Italiana 12 (1905), S. 63—108, 592—622, 734—767 (separat veröffentlicht Turin 1907)
Röder, Thomas: Beethovens Sieg über die Schlachtenmusik. Opus 91 und die Tradition der Battaglia, in: Beethoven zwischen Revolution und Restauration, hg. von Helga Lühning und Sieghard Brandenburg, Bonn 1989, S. 229—258
Rösing, Helmut: Musikalische Stilisierung akustischer Vorbilder in der Tonmalerei (= Musikwissenschaftliche Schriften 7), 2 Bde., München und Salzburg 1977
—: Fast wie ein Unwetter. Zur Rezeption von Pastoral- und Alpensinfonie-Gewitter. Über verschiedene Darstellungsebenen der musikalischen Informationsübermittlung, in: Über Symphonien. Beiträge zu einer musikalischen Gattung. Festschrift Walter Wiora zum 70. Geburtstag, hg. von Christoph-Hellmut Mahling, Tutzing 1979, S. 65—89
Rolland, Romain: Beethoven. Les grandes époques créatrices. De l'Héroïque à l'Appassionata, Paris [2]1939
Rosen, Charles: The Classical Style. Mozart, Haydn, Beethoven, London 1971, [2]1972, dt. Der klassische Stil. Haydn, Mozart, Beethoven, übersetzt von Traute M. Marshall, München und Kassel 1983
—: Sonata Forms, New York und London 1980, [2]1988
Rosenberg, Richard: Die Klaviersonaten Ludwig van Beethovens. Studien über Form und Vortrag, 2 Bde., Olten und Lausanne 1957
Rosenkranz, Karl: Ästhetik des Häßlichen, Königsberg 1853
Rosenmann, Marjan: Studie zum Gestaltungsproblem der letzten fünf Streichquartette Ludwig van Beethoven's, Phil. Diss. (mschr.) Wien 1930
Rousseau, Jean Jacques: Dictionnaire de Musique, Paris 1768
Ruf, Wolfgang: Art. Divertimento (1985/1986), in: Handwörterbuch der musikalischen Terminologie, hg. von Hans Heinrich Eggebrecht, Wiesbaden 1972ff., Stuttgart 1984ff.
Rufer, Josef: Die Komposition mit zwölf Tönen, Berlin und Wunsiedel 1952

Ruhnke, Martin: Die Librettisten des Fidelio, in: Opernstudien. Festschrift für Anna Amalie Abert zum 65. Geburtstag, hg. von Klaus Hortschansky, Tutzing 1975, S. 121—140
Ruiter, Jacob de: Der Charakterbegriff in der Musik. Studien zur deutschen Ästhetik der Instrumentalmusik 1740—1850 (= Beihefte zum Archiv für Musikwissenschaft 29), Wiesbaden 1989
Rupertus, Otto: Erläuterungen zu Beethovens Violinsonaten (= Tongers Musikbücherei 7), Köln 1915
Saam, Joseph: Zur Geschichte des Klavierquartetts bis in die Romantik, Phil. Diss. München 1932, Leipzig u.a. 1933
Sachs, Joel: A Checklist of the Works of Johann Nepomuk Hummel, in: Notes 30 (1973), S. 732—754
Saint Foix, Georges de: Mozart and the Young Beethoven, in: MQ 6 (1920), S. 276—295
Salmen, Walter: Zur Gestaltung der „Thèmes russes" in Beethovens op. 59, in: Festschrift für Walter Wiora zum 30. Dezember 1966, hg. von Ludwig Finscher und Christoph-Hellmut Mahling, Kassel u.a. 1967, S. 397—404
—: Johann Friedrich Reichardt. Komponist, Schriftsteller, Kapellmeister und Verwaltungsbeamter der Goethezeit, Freiburg i.Br. und Zürich 1963
— (Hg.): Mozart in der Tanzkultur seiner Zeit, Innsbruck 1990
—: Soziale Verpflichtungen vereinsamter Komponisten im 19. Jahrhundert, in: ders. (Hg.), Der Sozialstatus des Berufsmusikers vom 17. bis 19. Jahrhundert, Kassel u.a. 1971, S. 137—146
—: Tanz im 19. Jahrhundert, Leipzig 1989
Sandberger, Adolf: „Mehr Ausdruck der Empfindung als Malerei", in: ders., Ausgewählte Aufsätze zur Musikgeschichte, Bd. II, S. 201—212
—: Ausgewählte Aufsätze zur Musikgeschichte, 2 Bde., München 1921—1924, Nachdruck Hildesheim 1973
—: Zur Einbürgerung der Kunst Josef Haydns in Deutschland, in: Neues Beethoven-Jahrbuch 6 (1935), S. 5—25
—: Zu den geschichtlichen Voraussetzungen der Pastoralsinfonie, in: ders., Ausgewählte Aufsätze zur Musikgeschichte, Bd. II, S. 154—200
—: Die Inventare der Bonner Hofmusik, in: ders., Ausgewählte Aufsätze zur Musikgeschichte, Bd. II, S. 109—130
—: Zum Kapitel: Beethoven und das Bonner Opernrepertoire seiner Zeit, in: ders., Ausgewählte Aufsätze zur Musikgeschichte, Bd. II, S. 135—140
—: „Léonore" von Bouilly und ihre Bearbeitung für Beethoven durch Sonnleithner, in: ders., Ausgewählte Aufsätze zur Musikgeschichte, Bd. II, S. 281—365
Scheibe, Johann Adolf: Der critische Musicus, Hamburg 1737—1740
Schenk, Erich: Barock bei Beethoven, in: Beethoven und die Gegenwart. Festschrift des Beethoven-Hauses Bonn für Ludwig Schiedermair zum 60. Geburtstag, hg. von Arnold Schmitz, Berlin und Bonn 1937, S. 177—219
—: Salieris „Landsturm"-Kantate von 1799 in ihren Beziehungen zu Beethovens „Fidelio", in: Colloquium Amicorum. Joseph Schmidt-Görg zum 70. Geburtstag, hg. von Siegfried Kross und Hans Schmidt, Bonn 1967, S. 338—354
—: Über Tonsymbolik in Beethovens „Fidelio", in: Beethoven-Studien. Festgabe der Österreichischen Akademie der Wissenschaften zum 200. Geburtstag von Ludwig van Beethoven, hg. von Erich Schenk, Wien 1970, S. 223—252
Schenker, Heinrich: Beethovens Dritte Sinfonie, zum erstenmal in ihrem wahren Inhalt dargestellt, in: ders., Das Meisterwerk in der Musik, Bd. III, München 1930, S. 25—101
—: Beethovens Neunte Sinfonie. Eine Darstellung des musikalischen Inhaltes unter fortlaufender Berücksichtigung auch des Vortrages und der Literatur, Wien und Leipzig 1912, Wien ²1969
—: L. van Beethoven. Die letzten (fünf) Sonaten von Beethoven. Kritische Ausgabe mit Einführung und Erläuterung, Wien 1913—1921, neu hg. von Oswald Jonas als: Beethoven. Die letzten Sonaten, Wien 1971—1972
Scherchen, Hermann: Beethovens Große Fuge opus 133, in: Die Musik 20 (1927/1928), S. 401—420, wiederabgedruckt in: Zur musikalischen Analyse (= Wege der Forschung 257), hg. von Gerhard Schuhmacher, Darmstadt 1974, S. 161—185

—: Werke und Briefe, hg. von Joachim Lucchesi, Bd. I, Berlin 1991
Schering, Arnold: Beethoven in neuer Deutung, Leipzig 1934
—: Beethoven und die Dichtung, Berlin 1936
—: Geschichte des Oratoriums, Leipzig 1911
—: Die Musik zu „Egmont“. Entstanden im Jahre 1810, in: ders., Humor, Heldentum, Tragik bei Beethoven. Über einige Grundsymbole der Tonsprache Beethovens (= Sammlung musikwissenschaftlicher Arbeiten 32), hg. von Helmuth Osthoff, Straßburg und Kehl 1955, S. 41—58
—: Zur Sinndeutung der 4. und 5. Symphonie von Beethoven, in: ZfMw 16 (1934), S. 65—83
—: Die Symbolik des Pizzikatos bei Beethoven, in: AfMf 2 (1937), S. 273—284
Scherman, Thomas K. / Biancolli, Louis (Hg.): The Beethoven Companion, New York 1972
Schiedermair, Ludwig: Über Beethoven's „Leonore“, in: ZIMG 8 (1906/1907), S. 115—126
—: Der junge Beethoven, Leipzig 1925, Weimar ²1939, Bonn ³1951, Nachdruck Hildesheim 1978
Schiller, Friedrich: Über Egmont, Trauerspiel von Goethe (1788), in: ders., Sämtliche Werke, Bd. V, hg. von Gerhard Fricke und Herbert G. Göpfert, München 1980
—: Zu Gottfried Körners Aufsatz über Charakterdarstellung in der Musik, in: ders., Sämtliche Werke, Bd. V, hg. von Gerhard Fricke und Herbert G. Göpfert, München ⁴1967
Schilling, Gustav (Hg.): Encyclopädie der gesammten musikalischen Wissenschaften oder Universal-Lexicon der Tonkunst, Stuttgart 1835—1838
Schindler, Anton: Biographie von Ludwig van Beethoven, Münster 1840, ²1845, ³1860, hg. von Eberhardt Klemm, Leipzig 1970, 1973, 1977, 1988, Nachdruck Hildesheim 1970
Schings, Hans-Jürgen: Melancholie und Aufklärung. Melancholiker und ihre Kritiker in Erfahrungsseelenkunde und Literatur des 18. Jahrhunderts, Stuttgart 1977
Schipperges, Thomas: Serenaden zwischen Beethoven und Reger. Beiträge zur Geschichte der Gattung, Frankfurt a.M. u.a. 1989
Schlaffer, Hannelore: Wilhelm Meister. Das Ende der Kunst und die Wiederkehr des Mythos, Stuttgart 1980
Schleuning, Peter: Beethoven in alter Deutung. Der „Neue Weg“ mit der „Sinfonia eroica“, in: AfMw 44 (1987), S. 165—194
—: EROICA-Arbeitsbuch. Beethoven 1800—1806, Frankfurt a.M. 1991
—: Die freie Fantasie. Ein Beitrag zur Erforschung der klassischen Klaviermusik (= Göppinger akademische Beiträge 76), Göppingen 1973
—: Psychischer Kontrapunkt. Ein Vorschlag zum Analyse-Unterricht in Schule und Hochschule, in: Aspekte gegenwärtiger Musikpädagogik. Ein Fach im Umbruch, hg. von Wulf Dieter Lugert und Volker Schütz, Stuttgart 1991, S. 159—181
—: Schönberg und die Eroica. Ein Vorschlag zu einer anderen Art von Rezeptionsforschung, in: Beethoven und die Zweite Wiener Schule (= Studien zur Wertungsforschung 25), hg. von Otto Kolleritsch, Wien und Graz 1992, S. 25—50
—: Kann eine Sinfonie revolutionär sein? Beethoven und seine „Eroica“, in: Revolution in der Musik. Avantgarde von 1200 bis 2000, hg. von Albrecht Riethmüller, Kassel und Basel 1989, S. 66—79
—: Das Uraufführungsdatum von Beethovens „Sinfonia eroica“, in: Mf 44 (1991), S. 356—359
Schlötterer, Roswitha: Beobachtungen zur Enharmonik bei Mozart, in: Festschrift Rudolf Bockholdt zum 60. Geburtstag, hg. von Norbert Dubowy und Sören Meyer-Eller, Pfaffenhofen 1990, S. 217—232
Schmid, Ernst Fritz: August Clemens Graf Hatzfeld, in: Mozart-Jahrbuch 1954, Salzburg 1955, S. 14—32
—: Beethovens Bachkenntnis, in: Neues Beethoven-Jahrbuch 5 (1933), S. 64—83
—: Joseph Haydn und die Flötenuhr, in: ZfMw 14 (1932), S. 193—221
—: Zu Mozarts Leipziger Bach-Erlebnis, in: ZfM 111 (1950), S. 297—303
Schmid, Manfred Hermann: Klangaufbau als Themenvorbereitung im Spätwerk Beethovens, in: Beiträge zu Beethovens Kammermusik. Symposion Bonn 1984 (= Veröffentlichungen des Beethoven-Hauses Bonn, Neue Folge, 4. Reihe, Bd. X), hg. von Sieghard Brandenburg und Helmut Loos, München 1987, S. 283—295
—: Musik als Abbild. Studien zum Werk von Weber, Schumann und Wagner (= Münchner Veröffentlichungen zur Musikgeschichte 33), Tutzing 1981

Schmidt, Hans: Die Beethovenhandschriften des Beethovenhauses in Bonn, in: Beethoven-Jahrbuch 7 (1969/1970), S. VII—443
—: Verzeichnis der Skizzen Beethovens, in: Beethoven-Jahrbuch 6 (1965/1968), S. 7—128, auch als Sonderdruck, Bonn 1969
Schmidt, Harro: Eine unbekannte Beethoven-Cellosonate. Zur Neuausgabe der Großen Sonate Es-Dur opus 64 nach dem Streichtrio opus 3, in: Das Orchester 32 (1984), S. 424—426
Schmidt, Jochen: Die Geschichte des Genie-Gedankens in der deutschen Literatur, Philosophie und Politik 1750—1945, 2 Bde., Darmstadt 1985, [2]1988
Schmidt, Joseph: Unbekannte Manuskripte zu Beethovens weltlicher und geistlicher Gesangsmusik (= Veröffentlichungen des Beethoven-Hauses Bonn 5), Leipzig 1928
Schmidt, Leopold: Zu „A Schüsserl und a Reindl“, in: Das deutsche Volkslied 41 (1939), S. 43f.
Schmidt-Görg, Joseph (Hg.): Beethoven. Ein Skizzenbuch zu den Diabelli-Variationen und zur Missa solemnis (= Veröffentlichung des Beethoven-Hauses Bonn, Neue Folge, 1. Reihe, Bd. XXXIII), Bonn 1968
— (Hg.): Beethoven. Drei Skizzenbücher zur Missa solemnis (= Veröffentlichungen des Beethoven-Hauses Bonn, Neue Folge, 1. Reihe, Bd. XXXIV—XXXVI), I: Ein Skizzenbuch aus dem Jahr 1819/1820 (1952, Faksimile 1968), II: Ein Skizzenbuch zum Credo (1970, Faksimile 1968), III: Ein Skizzenbuch zum Benedictus und Agnus Dei (1970, Faksimile 1968), Bonn 1952—1970
—: Zur Entstehungszeit von Beethovens Gellert-Liedern, in: Beethoven-Jahrbuch 5 (1961/1964), S. 87—91
— (Hg.): Ludwig van Beethoven. Dreizehn unbekannte Briefe an Josephine Gräfin Deym geb. v. Brunsvik (= Veröffentlichungen des Beethoven-Hauses Bonn, Neue Folge, 3. Reihe, Bd. III), Bonn 1957
—: Zur melodischen Einheit in Beethovens „Missa solemnis“, in: ders. (Hg.), Anthony van Hoboken. Festschrift zum 75. Geburtstag, Mainz 1962, S. 146—152
—: Missa solemnis, Bonn 1948
—: Missa solemnis. Beethoven in seinem Werk, in: Bericht über den Internationalen Musikwissenschaftlichen Kongreß Bonn 1970, hg. von Carl Dahlhaus u.a., Kassel u.a. 1971, S. 13—25
—: Die Wasserzeichen in Beethovens Notenpapieren, in: Beiträge zur Beethoven-Bibliographie. Studien und Materialien zum Werkverzeichnis von Kinsky-Halm, hg. von Kurt Dorfmüller, München 1978, S. 167—195
Schmidt-Görg, Joseph / Schmidt, Hans: Ludwig van Beethoven, Bonn u.a. 1969
Schmitt, Ulrich: Revolution im Konzertsaal. Zur Beethoven-Rezeption im 19. Jahrhundert, Mainz u.a. 1990
Schmitz, Arnold: Beethoven, Bonn 1927
—: Beethovens Religiosität, in: Bericht über den I. Musikwissenschaftlichen Kongreß der Deutschen Musikgesellschaft in Leipzig 1925, Leipzig 1926, S. 274—279
—: Beethovens „Zwei Prinzipe“. Ihre Bedeutung für Themen- und Satzbau, Berlin und Bonn 1923
—: Das romantische Beethovenbild. Darstellung und Kritik, Berlin und Bonn 1927, Nachdruck Darmstadt 1978
—: Zum Verständnis des Gloria in Beethovens Missa solemnis, in: Festschrift Friedrich Blume zum 70. Geburtstag, hg. von Anna Amalie Abert und Wilhelm Pfannkuch, Kassel u.a. 1963, S. 320—326
Schmitz, Eugen: „In questa tomba oscura“, in: Festschrift zum 50. Geburtstag Adolf Sandberger überreicht von seinen Schülern, München 1918, S. 258—264
Schneider, Constantin: Die Oratorien und Schuldramen Anton Cajetan Adlgassers, in: StMw 18 (1931), S. 36—65
Schneider, Frank: Das Allegretto scherzando aus der 8. Sinfonie von Beethoven, in: Bericht über den Internationalen Beethoven-Kongreß 20. bis 23. März 1977 in Berlin, hg. von Harry Goldschmidt, Karl-Heinz Köhler und Konrad Niemann, Leipzig 1978, S. 137—146
—: „... und forme Menschen nach meinem Bild“. Das Prometheus-Thema bei Beethoven, in: Musik und Gesellschaft 20 (1970), S. 798—804
Schneider, Herbert: Ludwig van Beethoven. 8. Sinfonie F-Dur, op. 93. Einführung und Analyse, München 1989

Schnerich, Alfred: Messe und Requiem seit Haydn und Mozart, Wien 1909
Schnitzler, Günter: Politische Lieder im Schaffen Beethovens, in: Beethoven. Zwischen Revolution und Restauration, hg. von Helga Lühning und Sieghard Brandenburg, Bonn 1989, S. 205—227
Schönberg, Arnold: Die formbildenden Tendenzen der Harmonie, Mainz 1957
—: Fundamentals of Musical Composition, hg. von Gerald Strang und Leonard Stein, London 1967
—: Die Grundlagen der musikalischen Komposition, hg. von Rudolf Stephan, 2 Bde., Wien 1979
—: Harmonielehre, Wien 1911, ³1922
—: Stil und Gedanke. Aufsätze zur Musik (= Gesammelte Schriften, Bd. I), hg. von Ivan Vojtěch, Frankfurt a. M. 1976
Schönfeld, Johann Ferdinand v.: Jahrbuch der Tonkunst von Wien und Prag, Wien 1796, Faksimile-Nachdruck mit Nachwort und Register von Otto Biba, München u.a. 1976
Schramowski, Herbert: Bemerkungen zu zwei Funktionsarten der Klavierimprovisation im Schaffen Beethovens, in: Bericht über den Internationalen Beethoven-Kongreß 10.—12. Dezember 1970 in Berlin, hg. von Heinz Alfred Brockhaus und Konrad Niemann, Berlin 1971, S. 395—404
Schubart, Christian Friedrich Daniel: Ideen zu einer Ästhetik der Tonkunst, hg. von Ludwig Schubart, Wien 1806, hg. von Paul Alfred Merbach, Leipzig 1924, Nachdruck Leipzig 1977
Schünemann, Georg (Hg.): Beethovens Fünfte Symphonie. Nach der Handschrift im Besitz der Preußischen Staatsbibliothek, Berlin 1942
—: Beethovens Studien zur Instrumentation, in: Neues Beethoven-Jahrbuch 8 (1938), S. 146—161
—: Czernys Erinnerungen an Beethoven, in: Neues Beethoven-Jahrbuch 9 (1939), S. 47—74
Schürmann, Kurt E. (Hg.): Ludwig van Beethoven. Alle vertonten und musikalisch bearbeiteten Texte, Münster 1980
Schuhmacher, Gerhard (Hg.): Zur musikalischen Analyse (= Wege der Forschung 257), Darmstadt 1974
Schuler, Manfred: Unveröffentlichte Briefe von Ludwig van Beethoven und Georg Friedrich Treitschke. Zur dritten Fassung des „Fidelio", in: Mf 35 (1982), S. 53—62
Schulz, Gottfried: Das Bundeslied von Beethoven, in: Die Einkehr. Unterhaltungsbeilage der Münchener Neuesten Nachrichten I, 49 (1920), S. 393—395
Schulz, Johann Peter Abraham: Lieder im Volkston, 3 Bde., Berlin I: 1782, ²1785, II: 1785, III: 1790
Schumann, Robert: Gesammelte Schriften über Musik und Musiker, hg. von Martin Kreisig, 2 Bde., Leipzig ⁵1914
Schwab, Heinrich W.: Sangbarkeit, Popularität und Kunstlied. Studien zu Lied und Liedästhetik der mittleren Goethezeit 1770—1814 (= Studien zur Musikgeschichte des 19. Jahrhunderts 3), Regensburg 1965
Schwarz, Boris: Beethoven and the French Violin School, in: MQ 44 (1958), S. 431—447
—: Beethovens Opus 18 und Haydns Streichquartette, in: Bericht über den Internationalen Musikwissenschaftlichen Kongreß Bonn 1970, hg. von Carl Dahlhaus u.a., Kassel u.a. 1971, S. 75—79
—: More Beethoveniana in Soviet Russia, in: MQ 49 (1963), S. 143—149
—: Zur Uraufführung von Beethovens „Missa solemnis" in St. Petersburg, in: Bericht über den Internationalen Musikwissenschaftlichen Kongreß Bonn 1970, hg. von Carl Dahlhaus u.a., Kassel u.a. 1971, S. 559—561
—: Art. Violinmusik, in: MGG, Bd. XIII, Sp. 1720—1754
Seidel, Elmar: Ein chromatisches Harmonisierungsmodell in Schuberts „Winterreise", in: Bericht über den Internationalen Musikwissenschaftlichen Kongreß Leipzig 1966, hg. von Carl Dahlhaus u.a., Kassel u.a. 1970, S. 437—451
—: Die instrumentalbegleitete Kirchenmusik, in: Geschichte der katholischen Kirchenmusik, Bd. II, hg. von Karl Gustav Fellerer, Kassel u.a. 1976, S. 237—252
Seidel, Wilhelm: Die ältere Zyklustheorie, überdacht im Blick auf Beethovens Werk, in: Beiträge zu Beethovens Kammermusik. Symposion Bonn 1984 (= Veröffentlichungen des Beethoven-Hauses Bonn, Neue Folge, 4. Reihe, Bd. X), hg. von Sieghard Brandenburg und Helmut Loos, München 1987, S. 273—282
—: Beethoven. 1. Symphonie C-Dur op. 21 (= Meisterwerke der Musik 17), München 1979

—: Schnell — Langsam — Schnell. Zur „klassischen" Theorie des instrumentalen Zyklus, in: Musiktheorie 1 (1986), S. 205—216
Seifert, Wolfgang: Christian Gottfried Körner. Ein Musikästhetiker der deutschen Klassik (= Forschungsbeiträge zur Musikwissenschaft 9), Regensburg 1960
Seyfried, Ignaz Xaver Ritter v.: Ludwig van Beethoven's Studien im Generalbaß, Contrapuncte und in der Compositions-Lehre, Wien 1832
—: [Recensionen...:] Beethovens neueste Compositionen. Messe, Symphonie, und Quatuor, in: Cäcilia 9 (1828), H. 33—36, S. 217—243
Shedlock, John S.: Beethoven's Sketch Books, in: The Musical Times 33 (1892), S. 331—334, 394—397, 461—465, 523—525, 589—592, 649—652
—: Beethoven Sketches Hitherto Unpublished, in: The Musical Times 50 (1909), S. 712—714
Sieber, Tilman: Das klassische Streichquintett. Quellenkundliche und gattungsgeschichtliche Studien, Bern und München 1983
Sieber, Wolfgang: Musikalischer Exotismus bei Ludwig van Beethoven, in: Gedenkschrift Hermann Beck, hg. von Hermann Dechant und Wolfgang Sieber, Laaber 1982, S. 133—142
Siedhoff, Sigrid: Der Dramaturg Schiller. „Egmont", Goethes Text, Schillers Bearbeitung (= Mitteilungen zur Theatergeschichte der Goethezeit 6), Bonn 1983
Siegele, Ulrich: Zur Analyse der Fuge c-Moll aus dem ersten Teil des Wohltemperierten Klaviers, in: Cöthener Bach-Hefte 4 (1986), S. 101—136
—: Beethoven. Formale Strategien der späten Quartette (= Musik-Konzepte 67/68), hg. von Heinz-Klaus Metzger und Rainer Riehn, München 1990
—: The Four Conceptual Stages of the Fugue in C Minor, WTC I, in: Bach Studies, hg. von Don O. Franklin, Cambridge u.a. 1989, S. 197—224
Siegmund-Schultze, Walther: Klaviermusik, in: Konzertführer Ludwig van Beethoven 1770—1827, Leipzig 1988, S. 254—306
Simpson, Robert: Beethoven and the Concerto, in: A Companion to the Concerto, hg. von Robert Layton, New York 1989, S. 102—130
—: Beethoven Symphonies (= BBC Music Guides, hg. von Gerald Abraham), Seattle 1970
Sitton, Michael R.: Beethoven's Opus 77 Fantasy. An Improvisational Document?, in: The American Music Teacher 36 (1987), H. 6, S. 25—28
Smith, Robert L.: A Study of Instrumental Relations. The Piano Trios of Beethoven, Phil. Diss. Florida State University, Tallahassee 1972
Smyth, David H.: Beethoven's Revision of the Scherzo of the Quartet, Opus 18, No. 1, in: Beethoven Forum 1, hg. von Christopher Reynolds, Lewis Lockwood und James Webster, Lincoln und London 1992, S. 147—163
Solomon, Maynard: Beethoven, New York 1977, London 1978
—: Beethoven. Biographie, München 1979, Frankfurt a.M. 1987, ²1990
—: Beethoven and Bonaparte, in: MR 29 (1968), S. 96—105
—: Beethoven — Class Position and Outlook, in: Bericht über den Internationalen Beethoven-Kongreß 20. bis 23. März 1977 in Berlin, hg. von Harry Goldschmidt, Karl-Heinz Köhler und Konrad Niemann, Leipzig 1978, S. 67—79
—: Beethoven Essays, Cambridge, Mass. und London 1988
—: On Beethoven's Creative Process. A Two-Part Invention, in: ML 61 (1980), S. 272—283
—: Beethoven's „Magazin der Kunst", in: 19th Century Music 7 (1983/1984), S. 199—208
—: Beethoven's Ninth Symphony. The Sense of an Ending, in: Critical Inquiry 17 (1990/1991), S. 289—305
—: Beethoven's Productivity at Bonn, in: ML 53 (1972), S. 165—172
—: Beethovens Tagebuch, hg. von Sieghard Brandenburg, Mainz 1990
—: The Ninth Symphony: A Search for Order, in: ders., Beethoven Essays, Cambridge, Mass. und London 1988, S. 3—32
Sommer, Heinz-Dieter: Beethovens kleine Pastorale. Zum 1. Satz der Klaviersonate op. 28, in: AfMw 43 (1986), S. 109—127
Sonneck, Oskar George (Hg.): Beethoven Letters in America, New York 1927
Sonnleithner, Leopold: Beethoven's Musik zu dem Prometheus-Ballet, in: Niederrheinische Musikzeitung für Kunstfreunde und Künstler 9 (1861), S. 85—87 und S. 94f.

Spohr, Louis: Lebenserinnerungen. Erstmals ungekürzt nach den autographen Aufzeichnungen, hg. von Folker Göthel, 2 Bde., Tutzing 1968

Stadlen, Peter: Beethoven und das Metronom, in: Beethoven. Das Problem der Interpretation (= Musik-Konzepte 8), hg. von Heinz-Klaus Metzger und Rainer Riehn, München 1979, S. 12—33

Staehelin, Martin: Beethoven und die kleine musikalische Form, in: Beiträge zu Beethovens Kammermusik. Symposion Bonn 1984 (= Veröffentlichungen des Beethoven-Hauses Bonn, Neue Folge, 4. Reihe, Bd. X), hg. von Sieghard Brandenburg und Helmut Loos, München 1987, S. 41—58

—: Hans Georg Nägeli und Ludwig van Beethoven. Der Zürcher Musiker, Musikverleger und Musikschriftsteller in seinen Beziehungen zu dem großen Komponisten, Zürich 1982

—: Nachwort zu: Ludwig van Beethoven. Sonate für Klavier und Violine G-Dur opus 96, Faksimile nach dem im Eigentum der Pierpont Morgan Library New York befindlichen Autograph, München 1977

Starobinski, Jean: Der gesellschaftliche Charakter der Musik, in: ders., Das Rettende in der Gefahr. Kunstgriffe der Aufklärung, Frankfurt a.M. 1990, S. 237—265

Staub, Hans: Der Weber und sein Text, in: Das Subjekt der Dichtung. Festschrift für Gerhard Kaiser, hg. von Gerhard Buhr u.a., Würzburg 1990, S. 533—553

Steblin, Rita: The Newly Discovered Hochenecker Portrait of Beethoven (1819): „Das ähnlichste Bildnis Beethovens", in: JAMS 45 (1992), S. 468—497

Steger, Hanns: Gedanken über den Fantasie-Begriff in der Musik des 18. und 19. Jahrhunderts, in: Gedenkschrift Hermann Beck, hg. von Hermann Dechant und Wolfgang Sieber, Laaber 1982, S. 143—150

Steglich, Rudolf: Das melodische Hauptmotiv in Beethovens „Fidelio", in: AfMw 9 (1952), S. 51ff.

Stein, Jack M.: Musical Settings of the Songs from Wilhelm Meister, in: Comparative Literature 22 (1970), S. 125—146

Steinbeck, Susanne: Die Ouvertüre in der Zeit von Beethoven bis Wagner. Probleme und Lösungen (= Freiburger Schriften zur Musikwissenschaft 3), München 1973

Steinbeck, Wolfram: Das Menuett in der Instrumentalmusik Joseph Haydns (= Freiburger Schriften zur Musikwissenschaft 4), München 1973

—: „Ein wahres Spiel mit musikalischen Formen". Zum Scherzo Ludwig van Beethovens, in: AfMw 38 (1981), S. 194—226

Stephan, Rudolf: Zu Beethovens letzten Quartetten, in: Mf 23 (1970), S. 245—256

—: Zur Kammermusik des jungen Beethoven, in: NZfM 138 (1977), S. 3—10

—: Zur Kammermusik des jungen Beethoven, in: ders., Vom musikalischen Denken, hg. von Rainer Damm und Andreas Traub, Mainz u.a. 1985, S. 30—41

—: Vom musikalischen Denken, hg. von Rainer Damm und Andreas Traub, Mainz u.a. 1985

Stephani, Hermann: Der Charakter der Tonarten, Regensburg 1923

Sterne, Laurence: The Life and Opinions of Tristram Shandy Gentleman (1759—1767), Harmondsworth 1981

Strauss, Richard: Anmerkungen zur Aufführung von Beethovens Symphonien, in: NZfM 125 (1964), S. 250—260

—: Betrachtungen und Erinnerungen, hg. von Willi Schuh, Zürich und Freiburg 1949, Zürich ^{3}1981

Strübing, Rita: Die Bearbeitungen des „Leonore"-Stoffes vor Beethoven, Phil. Diss. (mschr.) Kiel 1955

Suder, Alexander: Die Coda bei Haydn, Mozart und Beethoven als Resultante verschiedener Gestaltungsprinzipien, Phil. Diss. (mschr.) München 1951

—: Ludwig van Beethoven. 1. Sinfonie, München 1986

Sulzer, Johann Georg: Allgemeine Theorie der schönen Künste, 4 Bde. und 1 Registerband, Leipzig 1792—1799, Nachdruck Hildesheim 1967—1970

Szabo, Erna: Ein Skizzenbuch Beethovens aus den Jahren 1798—99. Übertragung und Untersuchung, Phil. Diss. (mschr.) Bonn 1951

Szabolcsi, Benedikt: Ein Skizzenblatt Beethovens aus den Jahren 1796/97, in: ZfMw 17 (1935), S. 545f.

Szigeti, Joseph: Beethovens Violinwerke. Hinweise für Interpreten und Hörer, Zürich und Freiburg 1965
Tellenbach, Marie-Elisabeth: Beethoven und seine „unsterbliche Geliebte“ Josephine Brunswick. Ihr Schicksal und der Einfluß auf Beethovens Werk, Zürich 1983
Temperley, Nicholas: Schubert and Beethoven's Eight-Six Chord, in: 19th Century Music 5 (1981), S. 142—154
Thayer, Alexander Wheelock: Chronologisches Verzeichnis der Werke Ludwig van Beethovens, Berlin 1865
—: The Life of Beethoven, überarbeitet hg. von Elliot Forbes, Princeton 1964, [2]1967
— / Deiters, Hermann / Riemann, Hugo: Ludwig van Beethovens Leben, nach dem Originalmanuskript dt. bearbeitet von Hermann Deiters (Bd. I: Berlin 1866, [2]1900, Bd. II: 1872, Bd. III: 1879), die unvollendeten Bde. IV und V wurden nach Deiters Tod neu hg. und ergänzt von Hugo Riemann, Leipzig 1907—1908, Bd. II: Leipzig [2]1910, Bd. III: Leipzig [2]1911, Bd. I und II Leipzig [3]1917, Bd. III: [3-5]1917, Bd. IV und V: [2-4]1917—1923
Thibaut, Anton Friedrich Justus: Über Reinheit der Tonkunst, Heidelberg 1825, [2]1826
Thomas-San-Galli, Wolfgang Alexander: Eine Beethoven-Phantasie, in: Rheinische Musik- und Theater-Zeitung 22 (1921), S. 274f. und S. 286—288
Thürheim, Graf A.: Ludwig Fürst Starhemberg, Graz 1889
Tideböl, O. v.: Das Violinkonzert von Beethoven und seine Ausführung nach den Traditionen Joachims, St. Petersburg 1909
Tieck, Ludwig (Hg.): Phantasien über die Kunst für Freunde der Kunst (1799), in: Wilhelm Heinrich Wackenroder: Werke und Briefe, Heidelberg 1967, S. 133—265
Tiedge, Christoph August: Urania (1801), Halle [2]1803, Halle und Reutlingen [5]1814
Tobel, Rudolf v.: Die Formenwelt der klassischen Instrumentalmusik (= Berner Veröffentlichungen zur Musikforschung 6), Bern und Leipzig 1935
Tovey, Donald Francis: 33 Variations in C on a Waltz by A. Diabelli, Opus 120, in: The Beethoven Companion, hg. von Thomas K. Scherman und Louis Biancolli, New York 1972, S. 1056—1061
—: Beethoven, London 1944, [3]1947
—: A Companion to Beethoven's Pianoforte Sonatas (Bar-to-bar Analysis), London 1931
—: Essays in Musical Analysis, 6 Bde., London 1935ff., 1972, [14]1978, Nachdruck Oxford und New York 1989
—: Some Aspects of Beethovens Art Forms, in: ML 8 (1927), S. 131—155, Nachdruck in: ders., The Main Stream of Music and Other Essays, hg. von Hubert J. Foss, New York 1949, S. 271—297
Treitler, Leo: History, Criticism, and Beethoven's Ninth Symphony, in: ders., Music and the Historical Imagination, Cambridge, Mass. und London 1989, S. 19—45
Tromlitz, Johann Georg: Ausführlicher und gründlicher Unterricht die Flöte zu spielen, Leipzig 1791
Truscott, Harold: The Piano Music I, in: The Beethoven Companion, hg. von Denis Arnold und Nigel Fortune, London 1971, S. 68—125
Türk, Daniel Gottlob: Klavierschule, oder Anweisung zum Klavierspielen für Lehrer und Lernende, Leipzig und Halle 1789, Wien [2]1798, Leipzig und Halle [3]1802, Nachdruck Kassel u.a. 1962
—: Kurze Anweisung zum Generalbaßspielen, Halle und Leipzig 1791, [2]1800
—: Von den wichtigsten Pflichten eines Organisten. Ein Beitrag zur Verbesserung der musikalischen Liturgie, Halle 1787, Nachdruck Hilversum 1966
Tusa, Michael C.: Die authentischen Quellen der „Eroica“, in: AfMw 42 (1985), S. 121—150
—: The Unknown Florestan. The 1805 Version of „In des Lebens Frühlingstagen“, in: JAMS 46 (1993), S. 175—220
Tyson, Alan: Authentic Editions of Beethoven Published in Great Britain, in: Beiträge zur Beethoven-Bibliographie. Studien und Materialien zum Werkverzeichnis von Kinsky-Halm, hg. von Kurt Dorfmüller, München 1978, S. 196—203
—: The Authentic English Editions of Beethoven, London 1963
—: The Authors of the Op. 104 String Quintet, in: ders. (Hg.), Beethoven Studies 1, New York 1973, S. 158—173

—: Beethoven in Steiner's Shop, in: MR 23 (1962), S. 119—127
— (Hg.): Beethoven Studies 1, New York 1973; Beethoven Studies 2, New York und London 1977; Beethoven Studies 3, Cambridge 1982
—: Beethoven's heroic phase, in: The Musical Times 110 (1969), S. 139—141
—: Beethoven's ‚Kafka-Sketchbook', in: The Musical Times 111 (1970), S. 1194—1198
—: Beethoven's ‚Kakadu' Variations and their English History, in: The Musical Times 104 (1963), S. 108—110 und 343
—: Beethoven's ‚Pathétique' Sonata and its Publisher, in: The Musical Times 104 (1963), S. 333f.
—: The First Edition of Beethoven's op. 119 Bagatelles, in: MQ 49 (1963), S. 331—338
—: The Hammerklavier Sonata and its English Editions, in: The Musical Times 103 (1962), S. 235—237
—: Das Leonorenskizzenbuch (Mendelssohn 15). Probleme der Rekonstruktion und Chronologie, in: Beethoven-Jahrbuch 9 (1973/1977), S. 469—499
—: Maurice Schlesinger as a Publisher of Beethoven, 1822—1827, in: AcM 35 (1963), S. 182—191
—: Notes on Five of Beethoven's Copyists, in: JAMS 23 (1970), S. 439—471
—: Pictorial Beethoven, in: The Musical Times 111 (1970), S. 999—1001
—: The Problem of Beethoven's „First" Leonore Overture, in: JAMS 28 (1975), S. 292—334
—: Prolegomena to a Future Edition of Beethoven's Letters, in: ders. (Hg.), Beethoven Studies 2, New York und London 1977, S. 1—19
—: ‚In questa tomba oscura', in: Bericht über den Internationalen Beethoven-Kongreß 20. bis 23. März 1977 in Berlin, hg. von Harry Goldschmidt, Karl-Heinz Köhler und Konrad Niemann, Leipzig 1978, S. 239—245
—: A Reconstruction of the Pastoral Symphony Sketchbook (British Museum Add. MS. 31766), in: ders. (Hg.), Beethoven Studies 1, New York 1973, S. 67—96
—: J. R. Schultz and his Visit to Beethoven, in: The Musical Times 113 (1972), S. 450f.
—: Stages in the Composition of Beethoven's Piano Trio op. 70, No. 1, in: Proceedings of the Royal Musical Association 97 (1970/1971), S. 1—19
—: The Text of Beethoven's op. 61, in: ML 43 (1962), S. 104—114
—: The Textual Problems of Beethoven's Violin Concerto, in: MQ 53 (1967), S. 482—502
—: The 1803 Version of Beethoven's „Christus am Oelberge", in: MQ 56 (1970), S. 551—584
Uhde, Jürgen: Beethovens Klaviermusik, 3 Bde., Stuttgart 1968—1974, ²1980, ³1986
Uhde, Jürgen / Wieland, Renate: Denken und Spielen. Studien zu einer Theorie der musikalischen Darstellung, Kassel und New York 1988, ²1989
Ujfalussy, József: Dramatischer Bau und Philosophie in Beethovens VI. Symphonie, in: Studia Musicologica 11 (1969), S. 439—447
—: Ungarische Aspekte im Finale der Eroica (russisch), in: Die Musik Ungarns, Moskau 1968
Ulibischeff, Alexander: Beethoven, seine Kritiker und seine Ausleger, aus dem Französischen übers. von Ludwig Bischoff, Leipzig 1859 (Beethoven, ses critiques et ses glossateurs, Leipzig und Paris 1857)
Unger, Max: Beethoven über eine Gesamtausgabe seiner Werke (= Veröffentlichungen des Beethoven-Hauses Bonn 1), Bonn 1920
—: Beethoven und Rupprecht, Neue Zürcher Zeitung Nr. 2099 (1920)
— (Hg.): Beethoven. Ouvertüre zum Ballett „Die Geschöpfe des Prometheus", op. 43, Vorwort und Revisionsbericht zur Eulenburg-Taschenpartitur Nr. 625, Zürich u.a. o.J. [1938]
— (Hg.): Beethoven. 3. Symphonie, „Eroica", op. 55, Revisionsbericht zur Eulenburg-Taschenpartitur Nr. 405, London 1936
—: Die Beethovenhandschriften der Pariser Konservatoriumsbibliothek, in: Neues Beethoven-Jahrbuch 6 (1935), S. 87—123
—: Beethovens Handschrift (= Veröffentlichungen des Beethovenhauses in Bonn 4), Bonn 1926
—: Zu Beethovens italienischer Gesangsmusik, in: ZfM 105 (1938), S. 150—156
—: Beethovens Klavierstück „Für Elise", in: Die Musik 15 (1922/1923), S. 334—340
—: Zur Entstehungs- und Aufführungsgeschichte von Beethovens Oper „Leonore", in: ZfM 105 (1938), S. 130—139
—: Zu den Erstdrucken einiger Werke Beethovens. Neue Feststellungen und Nachweise, in: ZfM 105 (1938), S. 139—150

—: Eine Schweizer Beethoven-Sammlung, in: Neues Beethoven-Jahrbuch 5 (1933), S. 28—47
Unverricht, Hubert: Bemerkungen zum geschichtlichen Ort von Beethovens früher Kammermusik, in: Beethoven-Jahrbuch 9 (1973/1977), S. 501—529
—: Geschichte des Streichtrios (= Mainzer Studien zur Musikwissenschaft 2), Tutzing 1969
—: Ludwig van Beethoven. 6. Sinfonie F-Dur, op. 68 „Pastorale". Einführung und Analyse, Mainz 1980
—: Art. Trio (1983/1984), in: Handwörterbuch der musikalischen Terminologie, hg. von Hans Heinrich Eggebrecht, Wiesbaden 1972ff., Stuttgart 1984ff.
Veidl, Theodor: Der musikalische Humor bei Beethoven, Leipzig 1929
Velte, Eugen Werner: Lineatur- und Klangorganisation in Beethovens spätem Streichquartett. Aufgezeigt am Beispiel des 1. Satzes des Streichquartettes op. 132 in a-Moll, in: Logos Musicae. Festschrift für Albert Palm, hg. von Rüdiger Görner, Wiesbaden 1982, S. 239—249
Velten, Klaus: Ludwig van Beethoven. Wellingtons Sieg oder die Schlacht bei Vittoria op. 91, in: Programmusik, hg. von Albrecht Goebel, Mainz 1992, S. 30—38
Vetter, Walther: Die Leonoren-Ouvertüren, in: ders., Mythos — Melos — Musica, Bd. II, Leipzig 1961, S. 125—134
—: Sinfonia eroica. Betrachtungen über Beethovens Ethik, in: Die Musik 14, 1. Quartal (1914/1915), S. 107—126
Virneisel, Wilhelm (Hg.): Beethoven. Ein Skizzenbuch zu Streichquartetten aus op. 18. SV 46 (= Veröffentlichungen des Beethoven-Hauses Bonn, Neue Folge, 1. Reihe, Bd. VI), 2 Teile, Bonn 1972—1974
—: Aus Beethovens Skizzenbuch. Zum Streichquintett op. 29, in: ZfM 113 (1952), S. 142—146
Vischer, Friedrich Theodor: Ästhetik oder Wissenschaft des Schönen, 3. Teil, 2. Abschnitt: Die Künste, 4. Heft: Die Musik, Stuttgart 1857
Volbach, Fritz: Erläuterungen zu den Klaviersonaten Beethovens. Ein Buch für jedermann, Köln ²1920, ³1924
—: Die Klaviersonaten Beethovens. Ein Buch für jedermann, Köln 1919
Volek, Tomislav / Macek, Jaroslav: Beethoven und Fürst Lobkowitz, in: Beethoven und Böhmen. Beiträge zu Biographie und Wirkungsgeschichte Beethovens, hg. von Sieghard Brandenburg und Martella Gutiérrez-Denhoff, Bonn 1988, S. 203—217
—: Beethoven's Rehearsals at the Lobkowitz's, in: The Musical Times 127 (1986), S. 75—80
Volkmann, Hans: Beethovens Friedensmotiv und andere Beethovenaufsätze, Hamburg 1947
Volney, Constantin François: Les ruines ou méditation sur les révolutions des empires, Paris 1791, ²1792
—: Die Ruinen oder Betrachtungen über die Revolutionen der Reiche, übersetzt von Georg Forster, Braunschweig ⁷1829
Voss, Egon: Zur Frage der Wiederholung von Scherzo und Trio in Beethovens fünfter Sinfonie, in: Mf 33 (1980), S. 195—199
Waack, Carl: Beethovens F-Dur Streichquartett Op. 18 No. 1 in seiner ursprünglichen Fassung, in: Die Musik 3, 2. Quartal (1903/1904), S. 418—420
Wade, Rachel W.: Beethoven's Eroica Sketchbook, in: Fontes artis musicae 24 (1977), S. 254ff.
Wagner, Richard: Beethoven (1870), in: ders., Sämtliche Schriften und Dichtungen, Bd. IX, 5. Aufl. Leipzig o.J., S. 61—126
—: Gesammelte Schriften, hg. von Julius Kapp, 14 Bde., Leipzig o.J.
—: Mein Leben, in: ders., Sämtliche Schriften und Dichtungen (Volksausgabe), Leipzig, Bd. XIV
—: Programmatische Erläuterungen: 2. Beethovens Ouvertüre zu „Coriolan", in: ders., Sämtliche Schriften und Dichtungen, Bd. V, 6. Aufl. Leipzig o.J., S. 173—176
—: Programmatische Erläuterungen: 1. Beethovens „heroische Symphonie", in: ders., Sämtliche Schriften und Dichtungen, Bd. V, 6. Aufl. Leipzig o.J., S. 169—172
Waldthausen, Ernst v.: Die Funktion der Musik im klassischen deutschen Schauspiel, Phil. Diss. (mschr.) Heidelberg 1921
Wallace, Robin E.: Beethoven's Critics. Aesthetic Dilemmas and Resolutions during the Composer's Lifetime, Cambridge 1986
Waltershausen, Hermann W. v.: Zur Dramaturgie des Fidelio, in: Neues Beethoven-Jahrbuch 1 (1924), S. 142—158

Walz, Matthias: Kontrastierende Werkpaare in Beethovens Symphonien, in: AfMw 46 (1989), S. 271—293
Walzel, Oskar: Das Prometheussymbol von Shaftesbury zu Goethe (= Wortkunst 7), München ²1932
Wangemann, Otto: Geschichte des Oratoriums von den ersten Anfängen bis zur Gegenwart, Leipzig ³1882, Nachdruck Wiesbaden 1973
Wasielewski, Wilhelm Joseph v.: Ludwig van Beethoven, 2 Bde., Leipzig 1888, ²1895
—: Die Violine und ihre Meister, Leipzig 1869, ⁵1910
Weber, Carl Maria v.: Sämtliche Schriften. Kritische Ausgabe, hg. von Georg Kaiser, Berlin und Leipzig 1908
Weber, Gottfried: Über die Echtheit des Mozartschen Requiems, in: Caecilia 3 (1825), S. 205—229
—: Versuch einer geordneten Theorie der Tonsetzkunst, 3 Bde., Mainz 1817—1821, 4 Bde., Mainz ²1824
Weber, Horst: Art. Varietas, variatio / Variation, Variante (1986/1987), in: Handwörterbuch der musikalischen Terminologie, hg. von Hans Heinrich Eggebrecht, Wiesbaden 1972ff., Stuttgart 1984ff.
Weber, Jacob: Rez. von Beethovens Bundeslied, in: Caecilia 5 (1826), S. 30—32
Weber-Bockholdt, Petra: B-Dur und D-Dur bei Beethoven, in: Festschrift Rudolf Bockholdt zum 60. Geburtstag, hg. von Norbert Dubowy und Sören Meyer-Eller, Pfaffenhofen 1990, S. 321—338
—: Beethovens Bearbeitungen britischer Lieder, Habil.-Schrift Würzburg 1991
Webster, James: The Form of the Finale of Beethoven's Ninth Symphony, in: Beethoven Forum 1, hg. von Christopher Reynolds, Lewis Lockwood und James Webster, Lincoln und London 1992, S. 25—62
Wedig, Hans Josef: Beethovens Streichquartett op. 18 Nr. 1 und seine erste Fassung (= Veröffentlichungen des Beethoven-Hauses Bonn 2), Bonn 1922
Wegeler, Franz Gerhard / Ries, Ferdinand: Biographische Notizen über Ludwig van Beethoven, Koblenz 1838, hg. von Alfred Christlieb Kalischer, Berlin und Leipzig ³1906, Nachdruck Hildesheim 1972
Wehner, Johanna: Lenaus literarisches Verhältnis zu Friedrich von Matthison, Phil. Diss. Münster 1914
Weinhold, Liesbeth: Die Erst- und Frühdrucke von Beethovens Werken in den Musiksammlungen der Bundesrepublik Deutschland und West-Berlins. Verzeichnis und Kommentar, in: Beiträge zur Beethoven-Bibliographie. Studien und Materialien zum Werkverzeichnis von Kinsky-Halm, hg. von Kurt Dorfmüller, München 1978, S. 204—268
Weise, Dagmar: Zum Faksimiledruck von Beethovens Waldsteinsonate, in: Beethoven-Jahrbuch 2 (1955/1956), S. 102—111
—: Ein Skizzenbuch zur Chorfantasie op. 80 und zu anderen Werken (= Veröffentlichungen des Beethoven-Hauses Bonn, Neue Folge, 1. Reihe, Bd. XV), Bonn 1957
—: Ein Skizzenbuch zur Pastoralsymphonie op. 68 und zu den Trios op. 70, 1 und 2 (= Veröffentlichungen des Beethoven-Hauses Bonn, Neue Folge, 1. Reihe, Bd. XIII, Teil 1 und 2), Bonn 1961
—: Ungedruckte oder nur teilweise veröffentlichte Briefe Beethovens aus der Sammlung H. C. Bodmer-Zürich, in: Beethoven-Jahrbuch 1 (1953/1954), S. 9—62
Weismann, Wilhelm: Die vier Fassungen Beethovens von „Nur wer die Sehnsucht kennt", in: BzMw 5 (1963), S. 223—229
Wendt, Amadeus: Gedanken über die neuere Tonkunst, und van Beethovens Musik, namentlich dessen Fidelio, in: AmZ 17 (1815), Sp. 345—353, 365—372, 381—389, 397—404, 413—420, 429—436
Werner, Johann Gottlob: Versuch einer kurzen und deutlichen Darstellung der Harmonielehre oder kleine Generalbaßschule für Anfänger und zum Selbstzweck, 2 Bde., Leipzig 1818—1819
Werner, Theodor W.: Beethovens Kompositionen von Goethes „Nur wer die Sehnsucht kennt", in: Neues Beethoven-Jahrbuch 2 (1925), S. 66—75
West, Ewan: Schubert's Lieder in Context. Aspects of Song Composition in Vienna, 1778—1828, Phil. Diss. University of Oxford 1992

Westphal, Kurt: Vom Einfall zur Symphonie. Einblick in Beethovens Schaffensweise, Berlin 1965
Wetzel, Justus Hermann: Beethovens Violinsonaten nebst den Romanzen und dem Konzert, Berlin 1924
Wetzler, Hermann Hans: Die Geburt der musikalischen Idee bei Beethoven, in: Die Musik 16 (1923), S. 157—173
Whistling, Carl Friedrich / Hofmeister, Friedrich: Handbuch der musikalischen Litteratur, Leipzig 1817
Whiting, Steven M.: „Hört ihr wohl". Zu Funktion und Programm von Beethovens „Chorfantasie", in: AfMw 45 (1988), S. 132—147
—: To the „New Manner" Born. A Study of Beethoven's Early Variations, Phil. Diss. University of Illinois, Urbana 1991
Wieland, Christoph Martin: Versuch über das Teutsche Singspiel und einige dahin einschlagende Gegenstände (1775), in: ders., Sämmtliche Werke, Bd. XXVI (Leipzig 1796), Faksimile Hamburg 1984, S. 225ff.
Wiesend, Reinhard: Bemerkungen zum Streichquartett Op. 95, in: Beiträge zu Beethovens Kammermusik. Symposion Bonn 1984 (= Veröffentlichungen des Beethoven-Hauses Bonn, Neue Folge, 4. Reihe, Bd. X), hg. von Sieghard Brandenburg und Helmut Loos, München 1987, S. 125—134
—: Pfitzners Beethoven-Partituren, in: Mf 38 (1985), S. 289—299
—: Traditionen der Wiedergabe und Strukturen des Werks. Zu Pfitzners Einspielung der VIII. Symphonie von Beethoven, in: Symposium Hans Pfitzner, Berlin 1981, hg. von Wolfgang Osthoff, Tutzing 1984, S. 239—248
Willetts, Pamela J.: Beethoven and England. An Account of Source in the British Museum, London 1970
Winter, Robert: The Bifocal Close and the Evolution of the Viennese Classical Style, in: JAMS 42 (1989), S. 275—337
—: Compositional Origins of Beethoven's opus 131 (= Studies in Musicology 54), Ann Arbor 1982
—: Plans for the Structure of the String Quartet in C Sharp Minor, Op. 131, in: Beethoven Studies 2, hg. von Alan Tyson, London 1977, S. 106—137
—: The Sketches for the „Ode to Joy", in: Beethoven, Performers, and Critics. The International Beethoven Congress Detroit 1977, hg. von Robert Winter u.a., Detroit 1980, S. 176—214
Wirth, Helmut: Art. Bühnenmusik, in: MGG, Bd. II, Sp. 431—447
Wjaskowa, Jelena: Das Anfangsstadium des schöpferischen Prozesses bei Beethoven. Eine Untersuchung anhand der Skizzen zum ersten Satz des Quartetts op. 130, in: Zu Beethoven. Aufsätze und Dokumente 3, hg. von Harry Goldschmidt, Berlin 1988, S. 60—82
Wolff, Jochem: Annäherungen an Fidelio. Zur Geschichte von Beethovens Oper auf der Bühne, in: Programmheft der Hamburgischen Staatsoper, Okt. 1979, S. 35—55
Wurzbach, Constantin v.: Biographisches Lexicon des Kaiserthums Oesterreich, 60 Bde., Wien 1856—1891
Yudkin, Jeremy: Beethoven's „Mozart" Quartet, in: JAMS 45 (1992), S. 30—74
Zahn, Johannes: Die Melodien der deutschen evangelischen Kirchenlieder, 6 Bde., Gütersloh 1889—1893
Zarlino, Gioseffo: Istitutioni harmoniche, Venedig 1573, Nachdruck Ridgewood 1966
Zenck, Martin: Die Bach-Rezeption des späten Beethoven. Zum Verhältnis von Musikhistoriographie und Rezeptionsgeschichtsschreibung der „Klassik" (= Beihefte zum Archiv für Musikwissenschaft 24), Stuttgart 1986
Ziebura, G.: Frankreich 1790 und 1794. Das Fest als revolutionärer Akt, in: Das Fest. Eine Kulturgeschichte von der Antike bis zur Gegenwart, hg. von Uwe Schultz, München 1988, S. 258ff.
Zimmerschied, Dieter: Die Kammermusik Johann Nepomuk Hummels, Phil. Diss. Mainz 1966
—: Thematisches Verzeichnis der Werke von Johann Nepomuk Hummel, Hofheim/Ts. 1971
Zuckerman, Viktor: Analis musykal'nych proiswedenij. Rondo w jego istoritscheskom raswitij (Analyse der Musikwerke. Das Rondo in seiner historischen Entwicklung), Teil 1, Moskau 1988

Personenregister

Das Personenregister, erstellt von Gerhard Heldt (München), enthält die Namen, die im Haupttext erwähnt sind.

Register der Werke Beethovens

Die Autoren der Beiträge

Peter Ackermann: op. 30 (Nr. 1)
Peter Andraschke: op. 22, 26
Andreas Ballstaedt: op. 84, 89, 129
Markus Bandur: op. 71, 87; WoO 25
Bodo Bischoff: op. 8
Christoph von Blumröder: op. 54, 78, 79, 81a
Elmar Budde: op. 10
Kathryn Bumpass: op. 108; WoO 83
Richard Burke: op. 45
Gabriele Busch-Salmen: op. 25; WoO 37
Rainer Cadenbach: op. 67
Peter Cahn: op. 9, 23, 96
Jurij Cholopow: op. 14, 39, 51; WoO 41, 55
Hermann Danuser: op. 90, 95, 102
Kenneth Drake: op. 7, 31 (Nr. 2)
Hans Heinrich Eggebrecht: op. 57
Arnold Feil: op. 20
Kurt von Fischer: op. 123
Arno Forchert: op. 19, 21
Inge Forst: WoO 47
Robert Forster: op. 11, 44, 121a; WoO 38, 39
Gernot Gruber: WoO 58
Theo Hirsbrunner: op. 33, 119, 126; WoO 56, 60, 61
Freia Hoffmann: WoO 94, 96, 97
Christa Jost: WoO 4, 80
Dietrich Kämper: op. 106
Joseph Kerman: op. 58, 73
Klaus Kieser: WoO 1
William Kinderman: op. 109, 110, 111, 127
Larissa Kirillina: op. 2, 49; WoO 36
Winfried Kirsch: op. 85, 121b, 122
Richard Kramer: op. 137
Hartmut Krones: op. 16, 74
Klaus Kropfinger: op. 130, 133, 134
Friedhelm Krummacher: op. 135
Helga Lühning: op. 32, 75, 83, 94
Christoph-Hellmut Mahling: op. 40, 50, 61
Michael Maier: op. 6, 30 (Nr. 3), 52, 88, 100; WoO 121, 122, 133, 134, 135, 136, 150
Günther Massenkeil: op. 48
Siegfried Mauser: op. 15
Ruth E. Müller: op. 113, 116; WoO 92, 93
Adolf Nowak: op. 36, 47, 118
Ingeborg Pfingsten: op. 81b; WoO 107, 108, 123, 124, 129, 130, 132, 140, 145
Emil Platen: op. 34; WoO 87, 88
Armin Raab: op. 17; WoO 78, 79
Dieter Rexroth: op. 12
Christopher Reynolds: op. 98
Jörg Riedlbauer: op. 24
Albrecht Riethmüller: op. 30 (Nr. 2), 72a/b, 91, 92; WoO 59
Alexander L. Ringer: op. 1, 4, 5, 35
Walter Salmen: op. 59, 105, 107
Peter Schleuning: op. 43, 55, 69, 77
Reinhold Schlötterer: op. 60
Manfred Hermann Schmid: op. 93, 131, 132
Christian Martin Schmidt: op. 37, 56, 120
Lothar Schmidt: op. 70, 97, 101
Amrei Schmitt: WoO 48, 49
Frank Schneider: op. 112, 115, 117, 124, 136; WoO 54
Herbert Schneider: op. 18
Heinrich W. Schwab: op. 72
Wilhelm Seidel: op. 80, 125
Joel Shapiro: op. 31 (Nr. 1 und 3)
Martina Sichardt: op. 66; WoO 45, 46
Ulrich Siegele: op. 53
Wolfram Steinbeck: op. 28, 62, 68
Rudolf Stephan: op. 3, 29, 86
Egon Voss: op. 13, 27
Ewan West: op. 46, 65, 82, 99, 128; WoO 137, 138, 139, 143, 146, 149
Steven M. Whiting: op. 76; WoO 40, 63, 64, 65, 66, 67
Michael Wittmann: WoO 71, 73